MANUAL DE DIREITO INTERNACIONAL PÚBLICO

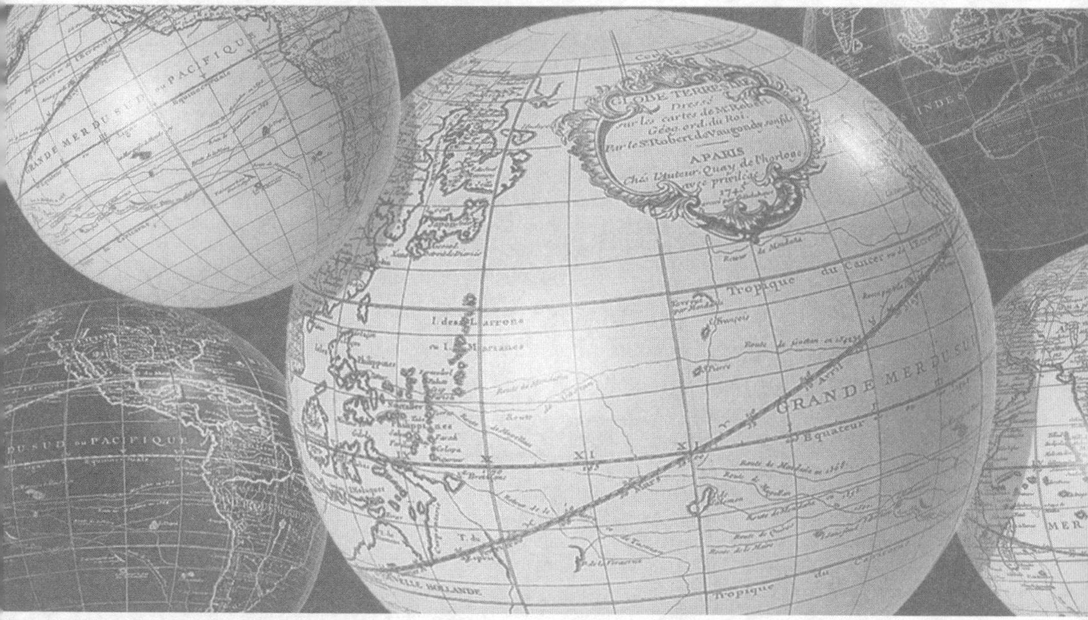

HILDEBRANDO ACCIOLY
G. E. DO NASCIMENTO E SILVA
PAULO BORBA CASELLA
Professor Titular de Direito Internacional Público da Universidade de São Paulo, e colaboradores

MANUAL DE DIREITO INTERNACIONAL PÚBLICO

23ª edição
2017

saraiva jur

ISBN 978-85-472-1868-3

DADOS INTERNACIONAIS DE CATALOGAÇÃO NA PUBLICAÇÃO (CIP)
ANGÉLICA ILACQUA CRB-8/7057

Accioly, Hildebrando

Manual de direito internacional público / Hildebrando Accioly, G.E. do Nascimento e Silva, Paulo Borba Casella. – 23. ed. – São Paulo : Saraiva, 2017.

1. Direito internacional público I. Título II. Silva, G.E. do Nascimento e III. Casella, Paulo Borba.

17-0494 CDU 341

Índice para catálogo sistemático:

1. Direito internacional público 341

SOMOS EDUCAÇÃO | saraiva jur

Av. das Nações Unidas, 7.221, 1º andar, Setor B
Pinheiros – São Paulo – SP – CEP 05425-902

SAC | 0800-0117875
De 2ª a 6ª, das 8h às 18h
www.editorasaraiva.com.br/contato

Presidente Eduardo Mufarej
Vice-presidente Claudio Lensing
Diretora editorial Flávia Alves Bravin

Conselho editorial
Presidente Carlos Ragazzo
Consultor acadêmico Murilo Angeli Dias dos Santos

Gerência
Planejamento e novos projetos Renata Pascual Müller
Concursos Roberto Navarro
Legislação e doutrina Thaís de Camargo Rodrigues

Edição Bruna Schlindwein Zeni

Produção editorial Ana Cristina Garcia (coord.)
Luciana Cordeiro Shirakawa
Clarissa Boraschi Maria (coord.)
Guilherme H. M. Salvador
Kelli Priscila Pinto
Marília Cordeiro
Mônica Landi
Tatiana dos Santos Romão
Tiago Dela Rosa

Diagramação Markelangelo Design e Projetos Editoriais
Revisão Rita Sorrocha
Setsuko Araki

Comunicação e MKT Elaine Cristina da Silva
Capa Roney S. Camelo
Produção gráfica Marli Rampim
Impressão e acabamento Intergraf Ind. Gráfica Eireli

Data de fechamento da edição: 4-7-2017

Dúvidas? Acesse www.editorasaraiva.com.br/direito

CL 604144 CAE 621224

ÍNDICE

3. ESTADO COMO SUJEITO DE DIREITO INTERNACIONAL

6. TERRITÓRIO

SOLUÇÃO DE CONTROVÉRSIAS ENTRE OS ESTADOS [illegible]

PREFÁCIO DA 23ª EDIÇÃO

Com a presente edição do **Manual**, celebram-se cem anos do nascimento de Geraldo Eulálio do NASCIMENTO E SILVA (1917-2003) e se presta tributo à memória e à relevante contribuição deste grande internacionalista ao desenvolvimento do direito internacional e ao estudo e ao conhecimento da disciplina entre nós. Seu pensamento em direito internacional foi em muitos aspectos inovador e merece ser preservado e transmitido às gerações seguintes, por tantas facetas por ele estudadas e pela abrangência dos trabalhos por ele realizados, dentre os quais este **Manual**, iniciado por Hildebrando ACCIOLY, e ao qual NASCIMENTO E SILVA deu continuidade durante quatro décadas, antes de me confiar a continuação da tarefa, a partir de 2002 – quando publicamos juntos a 15ª edição, pouco antes de seu falecimento, em 2003.

Como já escrito, a cada nova edição importa fazer refletir nesta obra de mão comum as mudanças em curso no direito internacional pós-moderno, o que se impõe como necessidade didática e se faz com respeito ao legado de ambos os autores, tentando manter o conjunto em extensão compatível com a sua função de "manual" – elemento para se ensinar direito internacional, em faculdades de direito ou de relações internacionais.

A cada edição, é preciso cortar algumas páginas, enquanto se inserem novos materiais e informações, com o propósito de preservar este **Manual** como "resumo responsável" do conjunto das principais áreas da disciplina, chancelado pela ampla aceitação desse, desde que foi publicado pela primeira vez em 1957. A 22ª edição, em 2016, rapidamente esgotou-se, e por isso tornou-se oportuna e necessária a presente nova edição.

Como em edições anteriores, agradeço por novamente ter contado com a colaboração valiosa dos dois Andrés: na parte relativa à proteção internacional dos direitos fundamentais, o prof. André de CARVALHO RAMOS, e na parte relativa ao direito internacional do meio ambiente, o dr. André VIVAN DE SOUZA, ambos pesquisadores e entusiastas do direito internacional, com os quais tem sido proveitoso e agradável trabalhar, nesses anos, e cujos aportes contribuem para manter atualizado e vivo este todo, em duas das áreas de mais vivas mutações em toda a matéria.

O conteúdo aqui desenvolvido se completa com o conjunto da obra em curso, nos **Fundamentos do direito internacional pós-moderno** (2008), no **Direito internacional dos espaços** (2009)[1], nos volumes do **Direito internacional no tempo** (2012, 2012, 2014 e 2015)[2], ao lado de outras publicações. Nestas, com o presente **Manual**, se põe o eixo central de vida profissional, voltada ao direito internacional.

São enormes e de grande relevância os desenvolvimentos ocorridos no direito internacional nas últimas décadas, dentre as quais avulta sua institucionalização como ferramenta na construção de canais de comunicação e de entendimento entre as comunidades humanas. O direito internacional constitui parte relevante de legado cultural vital, não somente "multipolar", mas também "multicultural". Mais que um ramo jurídico, o direito internacional pós-moderno é também uma filosofia e uma escolha de vida. Esse trajeto se faz mais e mais presente e premente, em nosso contexto mundial de crescente interação e interdependência, em escala planetária, pautado por crescente complexidade e diversidade.

São Paulo, 4 de julho de 2017

PAULO BORBA CASELLA

---

1. P. B. CASELLA, **Fundamentos do direito internacional pós-moderno** (prefácio de Hugo CAMINOS, São Paulo: Quartier Latin, 2008); P. B. CASELLA, **Direito internacional dos espaços** (São Paulo: Atlas, 2009).
2. P. B. CASELLA, **Direito internacional no tempo antigo** (São Paulo: Atlas, 2012); P. B. CASELLA, **Direito internacional no tempo medieval e moderno até VITÓRIA** (São Paulo: Atlas, 2012); P. B. CASELLA, **Direito internacional no tempo moderno de SUAREZ a GRÓCIO** (São Paulo: Atlas, 2014); P. B. CASELLA, **Direito internacional no tempo clássico** (São Paulo: Atlas, 2015). O **Direito internacional no tempo do Iluminismo** encontra-se em fase final de revisão e deverá ser publicado em 2017.

INTRODUÇÃO: NOÇÃO, OBJETO E MÉTODO

O direito, como um todo, pode ser considerado a partir de distintas facetas, que visem organizar seu estudo e conhecimento, sem tornar tais fracionamentos fins em si mesmos, mas tendo consciência da finalidade sobretudo didática e metodológica que orientou essa "divisão". Nesse sentido, distinguem-se, normalmente, direito interno e direito internacional, onde um se destinaria a reger as relações jurídicas no interior do sistema jurídico nacional e o outro, as relações entre os diferentes sistemas nacionais, seja enfatizando os estados, organizações internacionais e demais atores internacionais (direito internacional público ou simplesmente direito internacional) ou as relações entre particulares, revestidas de elementos de estraneidade (direito internacional privado). Pode-se, a partir daí, enfatizar ulteriores subdivisões, no direito interno, entre direito público e direito privado, regendo o direito público as relações de subordinação entre o estado e os indivíduos (direito constitucional, administrativo e tributário), enquanto ao direito privado competiria regular as relações de coordenação entre particulares, nas diferentes esferas de atuação da vida, tanto das pessoas físicas como jurídicas de direito privado interno (direito civil, comercial, societário, do trabalho, do consumidor etc.). Os sistemas internos tendem a ver-se como todos orgânicos e sistemáticos, quase como fins em si mesmos, voltados para si mesmos e com atitude muitas vezes claramente defensiva em relação ao exterior. O direito internacional não tem a mesma pretensão. Neste se considera a criação e a atuação da norma jurídica além dos limites do direito interno, como convivência entre pares (relações entre estados) ou convivência entre sistemas. Ao lado das relações interpessoais com elementos de estraneidade, no direito internacional privado.

As relações entre estados se caracterizaram, durante séculos, pelo caráter pontual, enfatizando a soberania, a independência, a não ingerência nos assuntos internos, antes de dar lugar à configuração crescentemente institucional do contexto internacional, que se esboça com a gênese e o desenvolvimento das organizações internacionais, na segunda metade do século XIX, e se cristaliza com a institucionalização dos fenômenos de integração regional, em arcabouço de regulação de vocação mundial do comércio, na segunda metade do século XX, criando novos modelos e parâmetros de atuação internacional do estado, com a tentativa de coroamento desse conjunto por normas visando regular a convivência entre estados, com "direitos e deveres" destes. Isso é o bastante para deixar claro como se altera estrutural e irreversivelmente o contexto internacional. O direito internacional de capítulo, quase estanque do todo, de regulação da convivência de estados quase estanques entre si, evoluiu para a regulação institucionalizada de vasta gama de questões estruturais, mais e mais reconhecidas como intrinsecamente internacionais. A mudança de contexto e de âmbito de atuação exigiu e exige considerável reformulação do escopo das normas e dos mecanismos de implementação destas, no direito internacional pós-moderno. Esse fenômeno, cujas necessidades foram experimentadas no século XX, tem de se efetivar no século presente. Da convivência pontual, herdada de outras eras, em direito de coexistência[1], legado esse que permanece válido e necessário, passa-se a agregar dimen-

1. No sentido da perspectiva histórica para o estudo e a compreensão do direito internacional, v. P. B. CASELLA, **Fundamentos do direito internacional pós-moderno** (São Paulo: Quartier Latin, 2008), para exame das transformações estruturais em curso no sistema institucional e normativo internacional, P. B. CASELLA, **Direito internacional no tempo antigo** (São Paulo: Atlas, 2012); **Direito internacional no tempo medieval e moderno até VITORIA** (São Paulo: Atlas, 2012); **Direito internacional no tempo moderno de SUAREZ a GRÓCIO** (São Paulo: Atlas, 2013); Philip ALLOTT, **The Health of Nations – Society and Law beyond the state** (Cambridge: Univ. Press, 2002, esp. chap. 11, "International law and the idea of history", p. 316-341); Mario BRETONE, **Diritto e tempo nella tradizione europea** (Roma-Bari: Laterza, 1994); Matthew CRAVEN, Malgosia FITZMAURICE e Maria VOGIATZI (eds.), **Time, History and International Law** (Leiden: Nijhoff, 2007, reprint 2011); Bardo FASSBENDER e Anne PETERS (edited by, with Simone PETER and Daniel HÖGGER, assistant editors), **The Oxford Handbook of the History of International Law** (Oxford: Univ. Press, 2012, esp. "Introduction: towards a global history of international law", p. 1-24 e cap. 39, M. KOSKENNIEMI "A history of international law histories", p. 943-971); W. FRIEDMANN, The changing structure of international law (London: Stevens & Sons, 1964); Gustavo GOZZI, **Popoli e civiltà – Storia e filosofia del diritto internazionale** (Bologna: Il Mulino, 2010); Wilhelm GREWE, **Epochen der Völkerrechtsgeschichte** (Baden-Baden: Nomos, 1984); Stephen C. HEFF, "A Short History of International Law" (in **International Law,** ed. by Malcolm D. EVANS, Oxford: Univ. Press, 2010, p. 3-31); Jérôme HÉLIE, **Les relations internationales dans l'Europe moderne** 1453-1789 (Paris: Armand Colin, 2008); Martti KOSKENNIEMI, **The gentle civilizer of nations**: the rise and fall of international law 1870-1960 ("Hersch Lauterpacht Memorial Lectures", Cambridge: University Press, © 2001, reprinted 2005); Manfred LACHS, **Teachings and teaching of international law** (RCADI, 1976, t. 151, p. 161-252); Slim LAGHMANI, **Histoire du droit des gens** – du jus gentium impérial au jus publicum europaeum (Paris: Pedone, 2003); Ernest NYS, **Les origines du droit international** (Bruxelles: Alfred Chastaigne/Paris: Thorin & Fils, 1894); Paulo Emílio Borges de MACEDO, **O nascimento do direito internacional** (São Leopoldo: Ed. Unisinos, 2009); Arthur NUSSBAUM, **A concise history of the law of nations** (New York: Macmillan, 2nd ed., 1954); a obra coletiva, **Les fondateurs du droit international**: leurs oeuvres, leurs doctrines ("avec une introduction de" A. PILLET, Paris: V. Giard & E. Brière, 1904); Robert REDSLOB, **Histoire des grands principes du droit des gens depuis l'Antiquité jusqu'à la veille de la grande guerre** (Paris: Rousseau, 1923); Antonio TRUYOL y Serra, **Histoire du droit international public** (Paris: Economica, 1995); vários volumes da obra de J. H. W. VERZIJL, **International law in historical perspective** (Leiden: A. W. Sijthoff, 1968 etc.); Michel VILLEY, **La formation de la pensée juridique moderne** (texte établi, révisé et présenté par Stéphane RIALS, notes revues par Eric DESMONS, Paris: P.U.F. – Leviathan, 2003; ou na trad. de Claudia BERLINER e rev. Gildo Sá Leitão RIOS, **A formação do pensamento jurídico moderno**, São Paulo: Martins Fontes, 2009); Paul VINOGRADOFF, **Principes historiques du droit** – introduction – le droit de la tribu (trad. de l'anglais par P. DUEZ et F. JOÜON DES LONGRAIS, Paris: Payot, 1924). Para reflexão crítica sobre o que é e para que serve o estudo da história do direito internacional, H. STEIGER, Was heisst und zu welchem Ende studiert man Völkerrechtsgeschichte? (in I. APPEL, G. HERMES e C. SCHÖNBERGER (hrsg.), **Öffentliches Recht in offenem Staaten** – Festschrift für Rainer WAHL zum 70. Geburtstag, Berlin: Duncker & Humblot, 2011, p. 211-223). Para situar a perspectiva histórica: Jurandir MALERBA,

são mais e mais abrangente de convivência institucional e desta pode-se passar a patamares de integração entre estados[2].

DEFINIÇÃO E DENOMINAÇÃO

todo estudo há de ser iniciado pela definição de seu objeto

A definição do direito internacional depende da fundamentação teórica, defendida pelos diversos estudiosos[3], principalmente quanto ao seu fundamento,

---

Lições da História – o caminho da ciência no longo século XIX (Rio de Janeiro: Ed. FGV/coed. EdiPUCRS, 2010); Edmilson MENEZES e Marisa DONATELLI (orgs.), **Modernidade e a ideia de história** (Ilhéus: Ed. da Univ. estadual de Santa Cruz, 2003); Arnaldo MOMIGLIANO, **As raízes clássicas da historiografia moderna** (trad. Maria Beatriz Borba FLORENZANO, Bauru: Edusc, 2004); Fernand BRAUDEL, Histoire et sciences sociales. La longue durée (originalmente publicado em 1958, republicado in **Écrits sur l'histoire**, Paris: Flammarion/Champs, © 1969, impr. 1984, nova impr. 1989, p. 15-38) e, também em vernáculo, História e ciências sociais: a longa duração (orig. publicado em 1958, trad. Flávia NASCIMENTO, in **Nova história em perspectiva**, org. e intr. Fernando A. NOVAIS e Rogério F. da SILVA, São Paulo: Cosac & Naify, 2011, p. 86-121).

2. Mostra o professor da Universidade de Estocolmo, Jens BARTELSON, em seu ensaio sobre a "genealogia da soberania", **A genealogy of sovereignty** (Cambridge: Cambridge Univ. Press, © 1995, reprinted 1996, Cambridge studies in international relations, v. 39, cit., p. 247), quanto o conceito de soberania é condicionado por descontinuidades filosóficas e historiográficas entre os três períodos que examina – Renascimento, era clássica e modernidade – de tal modo que esta tem de ser vista como conceito contingente e historicamente condicionado. Seu conteúdo e seu conceito oscilaram demais, para ser tida como dado fundamental da ciência política e do direito: "Nessa tradição, soberania não somente significa coisas diferentes, durante períodos diferentes, e funciona diferentemente em distintos arranjos epistêmicos, mas é algo inteiramente diferente de um tempo para outro; ou seja o tópico da soberania – o conceito de soberania, como aberto a mutações definicionais ao longo do tempo – está tão rigorosamente mesclado com as condições de conhecimento, que devemos indutivamente esperar mudanças no primeiro exatamente em paralelo com as mudanças da segunda, também no futuro, se na verdade houver algum". V. parte 4, "organizações internacionais"; nesse sentido, L. FAVOREU (1991) considerava *a justiça constitucional como elemento de construção da ordem jurídica europeia.* Louis FAVOREU, *La justice constitutionnelle comme élément de construction de l'ordre juridique européen* ("Vortrag vor dem Europa-Institut der Universität des Saarlandes, Saarbrücken, den 28. Juni 1991", Vorträge, Reden u. Berichte aus dem Europa-Institut – Sektion Rechtswissenschaft, v. 250, p. 29-39).

3. PIÉDELIÈVRE, no fim do século XIX, dizia: "as definições dadas pelos autores a este ramo da ciência jurídica são diversas e, em geral, bastante incompletas, o que se explica pela diversidade dos pontos de vista nos quais eles se colocaram para as formular. Uns apresentam o direito internacional como um ideal que as coletividades humanas devem visar, sem levar em consideração a prática dos fatos, outros não veem senão uma coleção de regras e de princípios já reconhecidos e definitivamente estabelecidos, alguns o encaram como uma lei universal, superior a todas as legislações positivas, destituída de sanção, mas ainda se impondo à observância dos Estados na regulamentação de suas relações recíprocas". É de lembrar que na época a qualidade de sujeito internacional era atribuída apenas aos Estados e não a outras entidades.

M. DÍEZ DE VELASCO adota outro enfoque: antes de apresentar o conceito de direito internacional é necessário ter em mente as dimensões culturais, materiais e formais ou normativas do sistema internacional, com especial ênfase no consenso na formação das normas. Em vista de tais considerações, define: "sistema de princípios e normas que regulam as relações de coexistência e de cooperação, frequentemente institucionalizadas, além de certas relações comunitárias entre Estados dotados de diferentes graus de desenvolvimento socioeconômico e de poder". M. DÍEZ DE VELASCO, **Instituciones de derecho internacional público** (Madrid: Tecnos, 16. ed., 2007). V. tb. SFDI. **La juridictionnalisation du droit international** ("cet ouvrage contient les Actes du XXXVIe Colloque de la SFDI org. par l'Univ. de

fontes e evolução histórica. Em direito[4] – e particularmente em direito internacional, esse direito que, na prática, é antes matéria dos homens de estado, muito mais que dos sábios e dos especialistas – os termos, que não façam parte de terminologia especialmente elaborada, serão empregados em seu sentido corrente, por pessoas de cultura normal, e não em sentido especial e esotérico"[5].

A tendência de tomar por base do direito internacional os estados, posteriormente estendida a condição de sujeitos às organizações intergovernamentais, mais e mais levou ao imperativo reconhecimento[6], ainda que em medida restrita, da personalidade jurídica internacional a entidades não estatais e ao homem, como princípio e fim último de todo ordenamento legal. A visão clássica do direito internacional teve e tem seu papel e deve ser referida para permitir a adequada avaliação do fenômeno[7].

Após a criação da Sociedade das Nações, passam a ser mencionadas também as organizações internacionais como sujeitos de direito internacional.

Lille ... les 12, 13 et 14 septembre 2002", Paris: Pedone, 2003). Por sua vez, Suzanne BASTID, "Ambitions et limites de l'ordre juridique international" (in **Essays in International Law in honour of / Études de droit international en l'honneur du juge Manfred LACHS**, ed. by Jerzy MAKARCZYK, Haia: M. Nijhoff, 1984, p. 45-54), considera a dificuldade de "tentar explicar, aos que não pertencem ao círculo dos iniciados, em que consiste a ordem jurídica internacional contemporânea, precisar quem a esta se vincula, quais normas merecem a qualificação de jurídicas, e são de fato aplicadas, e como estas normas se distinguem dos múltiplos preceitos, que são proclamados em diversos contextos". Charles CHAUMONT, ainda mais incisivo, falava em "ambivalência dos conceitos essenciais do direito internacional". *V.* Charles CHAUMONT, "L'ambivalence des concepts essentiels du droit international" (in **Essays in International Law in honour of / Études de droit international en l'honneur du juge Manfred LACHS**, ed. by Jerzy MAKARCZYK, Haia: M. Nijhoff, 1984, p. 55-64): "Pode-se entender por ambivalência de um conceito, o fato de que este pode exprimir múltiplos fenômenos distintos, ou mesmo contraditórios, ou o descompasso que pode existir entre o seu conteúdo originário e o seu conteúdo ulterior".

Definição, com ênfase no objeto, a de Jorge AMERICANO: "o objeto do direito internacional é o estabelecimento de segurança entre as Nações, sobre princípios de justiça para que dentro delas cada homem possa ter paz, trabalho, liberdade de pensamento e de crença". O que pode ser pouco preciso, mas reflete o ideal central de ordem jurídica internacional.

4. John Fischer WILLIAMS, **La doctrine de la reconnaissance en droit international et ses développements récents** (RCADI, 1933, t. 44, p. 199-314).
5. J. F. WILLIAMS (op. cit., 1933, p. 207).
6. J. F. WILLIAMS (op. cit., 1933, p. 209): Si nous consultons les auteurs, nous constatons que le principe de la reconnaissance dans les affaires internationales a ordinairement trouvé trois champs d'application principaux: 1. la reconnaissance d'états nouveaux; 2. la reconnaissance de gouvernements nouveaux dans les états existants; 3. la reconnaissance de la belligérance. Mais le mot 'reconnaissance' a été aussi employé dans les affaires internationales sous un rapport plus large, plus général, à savoir, en relation avec les nouvelles situations de fait telles que résultent d'une annexion de territoire. Pourtant ce dernier usage a été si peu fréquent dans le passé que, si l'on compulse les tables des matières des traités de droit international, l'on n'y trouve pas en règle de référence à cet usage, contre lequel les développements contemporains ont tendance à s'appesantir.
7. Como exemplo podemos citar duas definições de autores brasileiros do século XIX. Para PIMENTA BUENO (1863), "o direito internacional público ou das gentes, *jus gentium publicum ou jus publicum intergentes*, é o complexo dos princípios, normas, máximas, atos, ou usos reconhecidos como reguladores das relações de nação a nação, ou de Estado a Estado, como tais, reguladores que devem ser atendidos tanto por justiça como para segurança e bem-ser comum dos povos". Para Antônio de Vasconcellos MENEZES DE DRUMMOND (1867), "o direito internacional, Direito das Gentes ou das Nações, enfim o direito público exterior, é o complexo dos direitos individuais e recíprocos entre as mesmas Nações".

Estas passam a ser o canal institucional das relações internacionais pós-modernas, e ocupam papel central no sistema institucional e normativo internacional atual[8].

A condição jurídica do homem, antes domínio dos sistemas de direito interno, prevista nas Constituições de alguns países, passa a ser objeto do direito internacional por meio da proteção internacional dos direitos fundamentais. Cabe enfatizar[9] ter se tornado menos absoluto o relativismo do direito internacional pós-moderno: "essa nova dimensão do direito internacional, enquanto ordem jurídica da comunidade internacional, vem se agregar às dimensões tradicionais da ordem jurídica, reguladora das relações interestatais de coexistência e de cooperação".

Os direitos fundamentais consolidam-se no estudo de inúmeros internacionalistas, sob o fundamento de que todo direito visa em última análise ao homem. Dentre os autores que, pioneiramente, defenderam esse novo enfoque, para Nicolas POLITIS (1927), o direito internacional é "o conjunto de regras que governam as relações dos homens pertencentes aos vários grupos nacionais", enquanto Th. MERON (2003) considera característica do direito internacional vigente o que denomina "a idade dos direitos humanos"[10].

Contudo, da mesma maneira que para uns o direito internacional tem por

---

8. *V.* N. FEINBERG, **L'admission de nouveaux membres à la Société des Nations et à l'Organisation des Nations Unies** (RCADI, 1952, t. 80, p. 293-394); J. L. KUNZ, **L'article XI du Pacte de la Société des Nations** (RCADI, 1932, t. 39, p. 679-790); Michel MARBEAU, **La Société des Nations** (Paris: PUF, 2001); William E. RAPPARD, **Vues rétrospectives sur la Société des Nations** (RCADI, 1947, t. 71, p. 111-226); V. H. RUTGERS, **La mise en harmonie du pacte de la Société des Nations avec le pacte de Paris** (RCADI, 1931, t. 38, p. 1-123).

9. Juan Antonio CARRILLO SALCEDO (1996, p. 146): "parece inegável, apesar das dificuldades e ambiguidade das noções de *jus cogens* e de obrigações *erga omnes*, terem estas aportado relevantes limitações ao relativismo do direito internacional clássico, e contribuído para a afirmação progressiva de desenvolvimento do direito internacional compreendendo as normas imperativas às quais os estados não se podem furtar, a partir do momento em que estes reivindicam a qualidade de membros da comunidade internacional. (...) Eis porque acredito que a noção de normas cogentes não é inadaptada à estrutura do sistema internacional contemporâneo, apesar dos dados incontestavelmente interestatais deste, onde as normas imperativas de direito internacional são igualmente *necessárias e possíveis*". *V.* tb.: H. GROS ESPIELL, *No discriminación y libre determinación como normas imperativas de derecho internacional* (Anuário IHLADI, Madri, 1980, vol. 6, p. 74); Joe VERHOEVEN, **Considérations sur ce qui est commun** – cours général de droit international public (RCADI, 2008, t. 334, p. 9-434); A. VERDROSS e B. SIMMA, **Universelles Völkerrecht** (Berlin: Duncker & Humblot, 1981); VERDROSS, **Le fondement du droit international** (RCADI, 1927, t. 16, p. 247-324); o conjunto dos estudos no volume **Le droit international au service de la paix, de la justice et du développement** – Mélanges Michel VIRALLY (Paris: Pedone, 1991); C. ZORGBIBE, "Communauté internationale ou concert des grands? – Les États-Unis et l'héritage wilsonien" (in **Humanité et droit international** – Mélanges R.-J. DUPUY, Paris: Pedone, 1991, p. 373-382); Rafael NIETO-NAVIA, "International peremptory norms (*jus cogens*) and international humanitarian law" (in **Man's Inhumanity to Man** – Essays on International Law in honour of Antonio CASSESE, ed. by Lal Chand VOHRAH et al., Haia: Kluwer, 2003, p. 595-640, cit., p. 640): "it is in fact difficult to identify norms of international law which can be defined truly as peremptory. Based on a strict application of the definition discussed in this article often a principle which could be prima facie considered as peremptory, in fact fails to satisfy all criteria".

10. N. POLITIS, **Les nouvelles tendances du droit international** (Paris: Pedone, 1927); Theodor MERON, **International law in the age of human rights: general course on public international law** (RCADI, 2003, t. 301, p. 9-490).

principal objetivo a proteção dos direitos do homem, alguns outros autores pensam que ele visa apenas aos estados, onde estes podem delegar aos organismos internacionais certos direitos e obrigações, e depende, em última análise, do reconhecimento dos direitos fundamentais do homem. René-Jean DUPUY, nessa corrente, ensina ser o direito internacional "o conjunto de regras que regem as relações entre os estados". Precipuamente, sim, mas não se pode reduzir o direito internacional somente às relações interestatais.

Pode, assim, ser definido o direito internacional como *o conjunto de normas jurídicas que rege a comunidade internacional, determina direitos e obrigações dos sujeitos, especialmente nas relações mútuas dos estados e, subsidiariamente, das demais pessoas internacionais, como determinadas organizações, bem como dos indivíduos.*

Justamente aí se inscreve a característica essencial desse direito internacional em mutação, que pode ser chamado de direito internacional pós-moderno: a emergência e o papel crescente do ser humano, no contexto internacional. A crise da pós-modernidade não surge no direito, mas atinge em cheio o direito internacional e terá de ser enfrentada por este[11].

existência e denominação do direito internacional

Poucos autores ainda negam a existência do direito internacional, e é sintomático que os estados nunca recorram a esse argumento, mas busquem, no próprio direito internacional, justificar as suas ações, mesmo quando violam suas normas.

Contrariamente à opinião amplamente divulgada e que se explica em razão de algumas graves e espetaculares violações do direito internacional, este é aplicado, é observado de modo igualmente amplo e consistente, com toda a naturalidade, nas incontáveis situações de relações entre os estados e demais sujeitos de direito internacional.

Convém mencionar os argumentos, geralmente inspirados em tentativas de

---

11. A respeito da relação entre pós-modernidade e direito internacional, v.: CASELLA, **Fundamentos** (2008); CASELLA, **Direito internacional no tempo moderno de SUAREZ a GRÓCIO** (esp. item "existência e conteúdo do direito internacional moderno"), para resenha de alguns autores, que respectivamente afirmam ou negam a existência do direito internacional, no século XVII. Surpreendentemente esse velho debate do início da era moderna ainda ressurge em alguns momentos, por exemplo entre autores de linha dita "realista" em relações internacionais. *V.* tb. Hersch LAUTERPACHT, **The function of law in the international community** (1st publ., 1933, Oxford: Univ. Press, 2011, esp. cap. XX, "The specific character of international law and the rule of law in international society", p. 407-446). Como observa Joe VERHOEVEN, **Considérations sur ce qui est commun** – cours général de droit international public (RCADI, 2008, t. 334, p. 9-434, cit., p. 36): o que distingue uma "comunidade" de uma "sociedade" continua a ser misterioso (*passablement mystérieux*). "L'un paraît parfois englober l'autre ou vice-versa, lorsque les termes ne sont pas apparemment interchangeables." Mais do que se ater a tecnicalidades, comenta VERHOEVEN o sentido central de ambos os termos, pois presumem vínculo social, fora do qual o direito não faz sentido: "L'un comme l'autre impliquent un lien social en dehors duquel le droit n'a pas de sens, peu important pour le reste que la 'communauté' vise ou non un degré d'institutionnalisation des rapports sociaux moindres que celui que la société implique".

reduzir o direito internacional a noções de *força* ou de *moral* internacional, para, a seguir, negar o caráter jurídico do direito internacional. Outros críticos parecem querer transpor conceitos de direito interno, para negar o caráter jurídico do direito internacional, em razão da *ausência de leis internacionais, de tribunais ou de sanções*.

Querer reduzir o direito a sistema de relações de força[12] não somente nega a qualidade de direito às normas regentes das relações entre estados como também contraria os fatos. Todos os estados observam, em suas relações, normas que conscientemente consideram obrigatórias, vinculantes e restritivas do exercício das respectivas soberanias nacionais.

Da mesma forma esvazia o direito internacional de seu conteúdo jurídico e de sua efetividade a pretensão de querer reduzi-lo a conjunto de postulados de moral internacional[13]. Se o direito se torna impreciso, perde grande parte de sua eficácia.

O argumento da ausência de lei pode ser descartado pelo simples raciocínio de que não se deve confundir lei com direito. Além do mais, principalmente depois da criação das Nações Unidas, a sociedade internacional tem adotado uma série de tratados multilaterais, destinados a regulamentar as relações internacionais, sem falar nas regras de direito internacional costumeiro, ou *consuetudinário*, observadas pelos estados em suas relações recíprocas.

O argumento da ausência de tribunais cai por terra a partir da instauração dos mecanismos institucionais de solução de controvérsias entre estados[14]. O

---

12. A influência de G. HEGEL, nos séculos XIX e XX, sobre amplos setores do pensamento político e jurídico faz prevalecer o poder como princípio da política e norteador das relações internacionais, em detrimento da concepção de sistema internacional, institucional e normativo, de caráter vinculante, de fundamento moral. Aí se inscrevem os autores de linha dita *realista* nas relações internacionais, defensores estes de políticas de força e de relações de interesse, em oposição aos considerados *idealistas*, que enfatizariam os princípios (tais como a igualdade jurídica dos estados), os propósitos comuns (a construção da paz e do desenvolvimento), bem como a crescente e inexorável interdependência, não somente entre estados, como para todos os seres vivos, ante a necessidade de condições que permitam a sobrevivência da vida inteligente no planeta. *V.* G. W. F. HEGEL, **Grundlinien der Philosophie des Rechts** (1820, Hamburg: Felix Meiner, 2009, §§ 321-340); G. W. F. HEGEL, **Princípios da filosofia do direito** (trad. Orlando VITORINO, São Paulo: Martins Fontes, 1997, 4ª reimpr., 2009, § 330; na trad. francesa, **Principes de la philosophie du droit**, trad. inédite et pres. par Jean-Louis VEILLARD-BARON, Paris: Flammarion, 1999). Para tentativa de resgatar a relação de HEGEL com o direito internacional, *v.* Armin von BOGDANDY e Sergio DELLAVALLE, "Georg Wilhelm Friedrich HEGEL (1770-1831)" (in FASSBENDER e PETERS (eds.), **The Oxford Handbook of the History of International Law**, Oxford: Univ. Press, 2012, p. 1127-1131).

13. Dentre os representativos dessa linha de redução do direito internacional a moral ou mera cortesia internacional (*comitas gentium*), John AUSTIN considerava somente existir direito no seio dos estados, ou Julius BINDER que considerava não passar a "humanidade" de mera abstração. Não havendo comunidade de interesses e valores no sistema internacional, não haveria direito internacional. As normas deste não passariam de regras morais ou questões de usos e costumes, sem qualquer caráter vinculante para a determinação da conduta dos estados.

14. L. CAFLISCH, **Cent ans de règlement pacifique des différends interétatiques** (RCADI, 2001, t. 288, p. 245-467, cit., p. 260-1): "além da proibição – muitas vezes platônica – de pegar em armas e do dever eventual de estabelecer consultas e negociações com a outra parte, ou as demais partes no litígio, nenhuma norma de direito consuetudinário pode ser identificada nesse setor, exceto a exigência fundamental de que qualquer intervenção de terceiro, bem como as

fenômeno ocorre a partir do momento em que existem tribunais internacionais aos quais os estados podem submeter as suas queixas: a Corte Permanente de Arbitragem existe e opera desde 1899; a Corte Permanente de Justiça Internacional, no período entre as duas guerras mundiais, e, desde 1946, a Corte Internacional de Justiça[15], sucessora da Corte Permanente. Ao lado desta, o Tribunal Internacional para direito do mar (estipulado pela Convenção das Nações Unidas para Direito do Mar, 1982, instalado e em operação desde 1996), bem como o Tribunal Penal Internacional (estipulado pelo Estatuto de Roma, de 1998, instalado desde 2002), bem como os Tribunais internacionais *ad hoc*, criados pelo Conselho de Segurança das Nações Unidas, para a ex-Iugoslávia e para Ruanda. Convém, ainda, lembrar ser a coexistência dos vários tribunais internacionais especializados a materialização da *expansão da função judicial internacional*[16]. Os tribunais são posteriores ao direito, e a maioria dos atos, mesmo em direito interno, ocorre fora dos tribunais, que exercem uma função psicológica.

O argumento da ausência de sanções reflete o erro essencial dessa concepção: considerar o estado como a única fonte de direito. Paul REUTER (1961) enfatiza "a recusa do monopólio" sobre o direito[17], na linha de Ph. JESSUP e Alfred VERDROSS. Quanto mais perfeita a ordem jurídica, menor a necessidade de coação[18]. Esta pode existir como potencialidade, sem necessariamente ter de ser transformada em medidas coercitivas ou sem que haja relação direta entre o estado, responsável pela violação, e os estados que reajam a tal violação[19].

---

modalidades desta, devem ser *acordadas* por todas as partes, seja em relação à controvérsia especificamente em questão, seja antecipadamente, em relação a futuras controvérsias ou categorias de controvérsias. Não existem instâncias permanentes de vocação universal, que, à imagem dos tribunais nacionais, teriam competência para decidir qualquer controvérsia unilateralmente levada perante estas, por uma das partes. Aqui, também, se está em presença de situação *essencialmente descentralizada*, dominada pela soberania estatal, mesmo se ocorreram, desde a primeira guerra mundial, ou mesmo desde as Conferências de paz da Haia, de 1899 e 1907, tentativas de favorecer certo grau de centralização. Tais esforços, embora fragmentários e, por vezes, passageiros, parecem essenciais".

15. http://www.icj-cij.org/icjwww/idecisions.htm.

16. A. A. CANÇADO TRINDADE, **Os rumos do direito internacional contemporâneo** (op. cit., 2002, p. 1091-1092): "Longe de ameaçarem a unidade do direito internacional, os tribunais internacionais especializados têm contribuído para afirmar a aptidão do direito internacional para dirimir controvérsias jurídicas nas mais distintas áreas da atividade humana. (...) A realização da justiça internacional, mediante a expansão da função judicial, com a operação dos múltiplos tribunais internacionais hoje existentes, vem atender a uma das maiores aspirações da comunidade internacional, como um todo"; *v.* tb. A. A. CANÇADO TRINDADE, **Tribunais internacionais contemporâneos: coexistência e expansão** (Rev. Del Rey Jurídica, Belo Horizonte, 2006, p. 6-11), conclui: "Os tribunais internacionais contemporâneos, ao atenderem a uma real necessidade da comunidade internacional, têm fomentado o alentador processo histórico que testemunhamos, e para o qual contribuimos, que me permito denominar de humanização do direito internacional".

17. Paul REUTER, **Principes de droit international public** (RCADI, 1961, t. 103, p. 425-656).

18. A Carta das Nações Unidas enumera, arts. 41 e 42, a série de medidas a serem aplicadas no caso de ameaça ou ruptura à paz e segurança internacionais, cabendo ao Conselho de Segurança a principal responsabilidade.

19. Jochen Abr. FROWEIN, **Reactions by not directly affected states to breaches of public international law** (RCADI, 1994-IV, t. 248, p. 345-438).

A expressão *internacional* (*international*) surge no *Plano para a paz perpétua e universal* de Jeremias BENTHAM, redigido entre 1786 e 1789, mas somente publicado em 1831. Passa a ser utilizada a expressão em oposição ao direito nacional ou interno (*national law* ou *municipal law*). Traduzida para o francês e demais línguas latinas como "direito internacional", a expressão tem sido criticada, visto que para estas a palavra "*nação*" não tem o mesmo significado de "*estado*", como em inglês. Não se trata de mero detalhe de terminologia, porquanto a diferença de conteúdo é relevante[20].

A palavra *público* pode ser acrescentada a fim de distinguir a matéria do *direito internacional privado* (*conflict of laws* dos países de língua inglesa), embora o qualificativo seja dispensável. Como, ademais, aqui se assinala, mas não se retoma.

Muitos autores empregam a expressão *direito de gentes* (*law of nations* ou *Völkerrecht*), utilizada por Richard ZOUCH (1650), que é mantida em uso, por exemplo, em A. A. Cançado Trindade (2005, 2006, 2008) e Antoine FAVRE (1974). Melhor dito, *jus inter gentes*, como formulara Francisco de VITÓRIA[21].

---

20. Para alguns juristas, o mais correto seria falar em direito interestatal, mas atualmente a expressão se acha consagrada, e modificá-la já não se justifica. Na medida em que os estados sejam os agentes centrais do sistema institucional e normativo internacional, a expressão encontra certo grau de justificação. *V.*: Dominique GAURIER, *Cosmopolis and utopia* (in FASSBENDER e PETERS, **The Oxford Handbook of the History of International Law**, cit., 2012, p. 250-271, esp. 265-267); Christian LAVAL, "Fiction et utilité chez Jeremy Benthham" (in **Qu'est-ce que l'utilitarisme?** – une énigme dans l'histoire des idées (Paris: Recherches/La Revue du M.A.U.S.S. semestrielle, n. 6, deuxième semestre 1995, p. 95-105, cit., p. 96): "L'immense travail critique de BENTHAM sur les idoles, les mystères, les mythes du droit, de la religion, de la métaphysique, de la politique de même que les écrits variés sur la grammaire, la logique, l'ontologie qui supposent cette théorie des fictions ne sont pas des aspects marginaux chez cet auteur. BENTHAM, pour réformer le monde entend réaliser la reconstruction de la représentation du monde et pour atteindre cet objectif, il est conduit à penser l'institution en général comme un artifice de langage susceptible d'organiser la production du plaisir et de la douleur. Autrement dit, il s'est imposé une tâche de reconstruction institutionnelle qui l'a obligé à fourbir les outils théoriques pour penser les conditions qui la rendraient possible. Les fictions, chez BENTHAM, sont les matériaux primitifs à partir desquels se construit le monde des calculateurs rationnels, l'espace de l'utilité enfin reconnue et triomphant dans les pratiques humaines. [...] jamais avant BENTHAM, la catégorie de *fiction* n'avait été aussi centralement prise comme objet de réflexion et utilisée comme instrument de création politique"; Gunnhild HOOGENSEN, **International Relations, Security and Jeremy Bentham** (London e New York: Routledge, 2005, p. 195): "BENTHAM's work on international law brings him easily back into the liberal tradition, alongside GROTIUS, but their foundations for international law differ significantly: GROTIUS looks to natural law as the guide, a concept for which BENTHAM has no time. BENTHAM looks instead to self-interest, an approach which modern commentators such as Friedrich MEINEKE and Stanley HOFFMANN have great difficulty in associating with anything but realism"; Marcel MERLE, **Pacifisme et internationalisme XVIIe-XXe siècle** (Paris: Armand Colin, 1966, nota 3, p. 7) refere BENTHAM e acrescenta: "Foi a criação da Primeira Internacional Operária, em 1864, que vulgarizou a terminologia".

21. Francisco de VITÓRIA, **Political writings** (edited by Anthony PAGDEN e Jeremy LAWRANCE, "Cambridge texts in the history of political thought", Cambridge: UP, 1991) ou, F. de VITÓRIA, **Leçons sur le pouvoir politique** (intr., trad. et notes par M. BARBIER, Paris: Vrin, 1980), ou, ainda, F. de VITÓRIA, **Obras: relectiones teológicas** (ed. crítica, versão espanhola, intr. geral Pe. Teófilo URDANOZ, Madrid: BAC, 1960). A. GOMEZ ROBLEDO, **Le *jus cogens* international: sa génèse, sa nature, ses fonctions** (RCADI, 1981-III, t. 172, p. 9-217). Na lição sobre o poder civil, **De potestate civili**, enfatiza VITÓRIA: "o direito das gentes não tem somente força de pacto ou de convenção entre os homens, mas possui, igualmente, força de lei. O mundo inteiro, na verdade, que, de certo modo, constitui uma república, tem o poder de levar leis justas e ordenadas para o bem de todos, tais como são as do direito das gentes. Consequentemente,

A expressão *direito das gentes* tem o inconveniente de criar confusão com o direito das gentes do direito romano (*jus gentium*), cujo objeto não era exatamente o mesmo[22]. É, contudo, usada frequentemente como sinônimo de direito internacional, também para evitar confusão com o direito internacional privado.

Outras expressões sugeridas, como *direito público internacional*, não são neutras, mas têm o objetivo de salientar o primado do direito público sobre o dado internacional, o que se aproxima da corrente positivista: o direito das gentes, visto como emanação do direito interno, relativo às relações internacionais (*ausseres Staatsrecht*), "direito público externo". Intitular um livro **Direito público internacional**[23] evidencia filiação intelectual, que não é simples detalhe terminológico[24]. Não se constrói sistema internacional com a simples superposição mais que soma de sistemas internos, estes colocados lado a lado. Aí não se inscreve conjunto de princípios, normas e instituições da ordem internacional. Assim[25], "o direito internacional, ao longo dos anos, tem se transformado sob o impacto dos ideais, e o reconhecimento de que não depende da vontade dos estados: se fosse produto exclusivo de tal vontade, não poderia obrigá-los e se os obriga, não é mero produto de sua vontade".

---

quando se trata de questões graves, nenhum estado pode se considerar desvinculado do direito das gentes, pois este é colocado pela autoridade do mundo inteiro". A respeito de VITORIA, ver P. B. CASELLA, **Direito internacional no tempo medieval e moderno até VITORIA** (esp. cap. XIV, "Francisco de VITÓRIA", p. 603-644).

22. Cf. se examina em CASELLA, **Direito internacional no tempo antigo** (2012, esp. cap. VI, "na formação e no desenvolvimento de Roma", p. 303-334) e tb. **Direito internacional no tempo medieval e moderno até VITORIA** (2012, cap. XII, "*jus gentium, jus commune, jus europaeum*: entre a teoria e a prática", p. 381-480).

23. Clóvis BEVILÁQUA, **Direito público internacional: a *synthese* dos princípios e a contribuição do Brasil** (1. ed., Rio de Janeiro: Francisco Alves, 1910, 2 v.; 2. ed., Rio de Janeiro: Freitas Bastos, 1939, 2 v.); C. BEVILÁQUA, **Princípios elementares de direito internacional privado** (1. ed., Bahia: José Luiz da Fonseca Magalhães, 1906; 3. ed., Rio de Janeiro: Freitas Bastos, 1938).

24. A transposição da ordem dos termos *público* antes de *internacional* coloca a ênfase no direito estatal (público), **voltado para assuntos externos** (*internacional*), não sendo, assim, direito internacional, mas direito público e, como tal, emanação da vontade do estado, e por este se pretenderia ser internamente regulado, embora voltado a assuntos da área externa. Não pode ser aceitável como equivalente do direito internacional público.

    Cf. P. B. CASELLA, "Constituição e direito internacional" (in **Direito da integração**, org. P. B. CASELLA e V. L. V. LIQUIDATO, São Paulo: Quartier Latin, 2006, p. 31-55). Ver tb. Luís Roberto BARROSO, "Constituição e tratados internacionais: alguns aspectos da relação entre direito internacional e direito interno" (in **Novas perspectivas do direito internacional contemporâneo** – estudos em homenagem ao prof. Celso D. de Albuquerque MELLO, org. C. A. M. DIREITO, A. A. C. TRINDADE e A. C. A. PEREIRA, Rio de Janeiro: Renovar, 2008, p. 185-208, cit., p. 192 e 193): "a ideia da soberania ilimitada do poder constituinte não merece abrigo. Não é possível emprestar à Constituição todo e qualquer conteúdo, sem atender a quaisquer princípios, valores e condições". Sobre a importância da ratificação pelo Brasil, em 2009, da Convenção de Viena sobre direito dos tratados, de 1969, em vigor internacionalmente desde 1980, *v.* 2.4., "relações do direito internacional com o direito interno".

25. Antonio Augusto CANÇADO TRINDADE, "Os rumos do direito internacional contemporâneo: de um *jus inter gentes* a um novo *jus gentium* no século XXI" (in **O direito internacional em um mundo em transformação (ensaios, 1976-2001)**, Rio de Janeiro: Renovar, 2002, cap. 24, p. 1039-1109); no mesmo sentido, o conjunto dos ensaios do volume **A humanização do direito internacional** (Belo Horizonte: Del Rey, 2006).

Embora passível de reparos, **a denominação**[26] **direito internacional** integrou-se ao uso corrente. As tentativas de construção terminológica diversa acabam restritas à obra e ao círculo de influência pessoal dos autores que as formulam[27]. Consignados os reparos, cabe assinalar a conveniência de se manter o termo habitual.

A compreensão da matéria necessita, pelo menos, de exame sumário do desenvolvimento histórico do direito internacional[28]. Não será esse exame exaus-

---

26. A. A. CANÇADO TRINDADE (op. cit., 2002, p. 1087): "Com a gradual evolução da simples justaposição de estados soberanos do passado, à formação de uma comunidade internacional, intensificada no último meio século, os estados passam a reagir a violações graves do direito internacional ainda que não diretamente afetados por elas; surgem obrigações, emanadas do direito internacional, que os vinculam, independentemente de sua vontade individual".

27. Como a sugerida terminologia de "direito transnacional" nunca foi adiante dos escritos de seu autor, Ph. C. JESSUP, **A half century of efforts to substitute law for war** (RCADI, 1960, t. 99, p. 1-20).

28. *V.* tb. P. B. CASELLA, **Fundamentos** (2008, esp. itens II, "precisões terminológicas e valorativas", p. 181-296, e VI, "direito, história e cultura", p. 491-614); CASELLA, Direito internacional no tempo antigo (2012); CASELLA, **Direito internacional no tempo medieval e moderno até VITORIA** (2012); CASELLA, Direito internacional no tempo moderno de **SUAREZ a GRÓCIO** (2013); Stephen C. HEFF, "A Short History of International Law" (in **International Law**, ed. by Malcolm D. EVANS, Oxford: Univ. Press, 1st. publ., 2003, new edition, 2010, p. 3-31); b/c **The Oxford Handbook of the History of International Law** (ed. by Bardo FASSBENDER e Anne PETERS, Oxford: Univ. Press, 2012). *V.* tb. C. H. ALEXANDROWICZ, **The Afro-Asian world and the law of nations: historical aspects** (RCADI, 1968, t. 123, p. 117-214); C. H. ALEXANDROWICZ, **Treaty and diplomatic relations between European and South Asian powers in the seventeenth and eighteenth centuries** (RCADI, 1960, t. 100, p. 203-322); Ali KHAN, **The extinction of nation-states: a world without borders** (Haia: Kluwer, 1996, cit., p. 35): "The way in which we recall history makes a difference"; Eduardo Correia BAPTISTA, ***Ius cogens* em direito internacional** (Lisboa: Lex Ed., 1997); Julio A. BARBERIS, "La concepción brasileña del *uti possidetis*" (in **Dimensão internacional do direito: estudos em homenagem a G. E. do NASCIMENTO E SILVA**, São Paulo: LTr, 2000, p. 33-48); J. A. BARBERIS, **Les règles spécifiques du droit international en Amérique latine** (RCADI, 1992, t. 235, p. 81-230); J. A. BARBERIS, **Nouvelles questions concernant la personnalité juridique internationale** (RCADI, 1983, t. 179, p. 145-304); J. BARBERIS, "Necessity (revisited) in international law" (in **Essays in International Law in honour of / Études de droit international en l'honneur du juge Manfred LACHS**, ed. by Jerzy MAKARCZYK, Haia: M. Nijhoff, 1984, p. 27-43); C. BARCIA-TRELLES, **Fernando Vazquez de Menchaca (1512-1569): l'école espagnole du droit international du xvie siècle** (RCADI, 1939, t. 67, p. 429-534); **Francisco Suárez [1548-1617]: les théologiens espagnols du XVIe siècle et l'école moderne du droit international** (RCADI, 1933, t. 43, p. 385-554); **La doctrine de Monroe dans son développement historique particulièrement en ce qui concerne les relations interaméricaines** (RCADI, 1930, t. 32, p. 391-606); **Francisco de Vitória et l'école moderne du droit international** (RCADI, 1927, t. 17, p. 109-342); P. BASTID, **La révolution de 1848 et le droit international** (RCADI, 1948, t. 72, p. 167-282); Boutros BOUTROS-GHALI, *Le droit international à la recherche de ses valeurs: paix, développement, démocratisation* (RCADI, 2000, t. 286, p. 9-38); M. BOURQUIN, **La sainte alliance: un essai d'organisation européenne** (RCADI, 1953, t. 83, p. 377-464) e **Règles générales du droit de la paix** (RCADI, 1931, t. 83, p. 1-232); C. CARDAHI, **La conception et la pratique du droit international privé dans l'Islam: étude juridique et historique** (RCADI, 1937, t. 60, p. 507-650); Juan Antonio CARRILLO-SALCEDO, **Droit international et souveraineté des états: cours général de droit international public** (RCADI, 1996, t. 257, p. 35-221); C. G. F. CASTAÑÓN, **Les problèmes coloniaux et les classiques espagnols du droit des gens** (RCADI, 1954, t. 86, p. 557-700); Frede CASTBERG, *International law in our time* (RCADI, 1973, t. 138, p. 1-26); Frede CASTBERG, em curso na Haia, **La méthodologie du droit international public** (RCADI, 1933, t. 43, p. 309-384); E. CATELLANI, **Les maîtres de l'école italienne du droit international au xixe siècle** (RCADI, 1933, t. 46, p. 704-826); Adriano CAVANNA, **Storia del diritto moderno in Europa: I. le fonti e il pensiero giuridico** (Milano: Giuffrè, 1982); J. DEPREZ, **Droit international privé et conflits de civilisations: aspects méthodologiques (les relations entre systèmes d'Europe occidentale et systèmes islamiques en matière de statut personnel)** (RCADI, 1988, t. 211, p. 9-372); E.-E.-F. DESCAMPS, **Le droit international nouveau: influence de la condamnation de la guerre sur l'évolution juridique internationale** (RCADI, 1930, t. 31, p. 393-560); C. DUPUIS, Les antécédents de la Société des Nations (RCADI, 1937, t. 60, p. 1-110); e **Règles**

générales du droit de la paix (RCADI, 1930, t. 32, p. 1-290) e tb. **Liberté des voies de communication: relations internationales** (RCADI, 1924, t. 2, p. 125-444); R. DUPUIS, **Aperçu des relations internationales en Europe de Charlemagne à nos jours** (RCADI, 1939, t. 68, p. 1-94); René-Jean DUPUY, **Droit international public** (Paris: PUF, "Que sais-je?", 2000); R.-J. DUPUY, **Dialectiques du droit international** – Souveraineté des états, communauté internationale et droits de l'humanité (Paris: Pedone/Univ. de Nice, 1999); R.-J. DUPUY (coord.), **The development of the role of the Security Council/Le développement du role du Conseil de Sécurité** (Haia: ADI, colloque 1992, publ. 1993); R.-J. DUPUY, *La révolution française et le droit international actuel* (RCADI, 1989, t. 214, p. 9-30); R.-J. DUPUY, **La clôture du système international: la cité terrestre** (Paris: 1989); R.-J. DUPUY, *Le mythe dans la vie internationale* (conférence faite par Mr. le Prof. René-Jean DUPUY, le 14 décembre 1987, à Nice, Cycle de conférences portant sur "La diplomatie nouvelle", Nice: Institut du droit de la paix et du développement/Institut européen des hautes études internationales, 1988); R.-J. DUPUY (coord.), **The future of international law in a multicultural world/L'avenir du droit international dans un monde multiculturel** (Haia: ADI, colloque 1983, publ. 1984); R.-J. DUPUY (coord.), **The new international economic order: commercial, technological and cultural aspects/Le nouvel ordre économique international: aspects commerciaux, technologiques et culturels** (Haia: ADI, colloque 1980, publ. 1981); R.-J. DUPUY, **Communauté internationale et disparités de développement: cours général de droit international public** (RCADI, 1979, t. 165, p. 9-231); R.-J. DUPUY, **Le droit des relations entre les organisations internationales** (RCADI, 1960, t. 100, p. 457-589); G. A. FINCH, **Les sources modernes du droit international** (RCADI, 1935, t. 53, p. 531-630); Gerald FITZMAURICE, **The general principles of international law considered from the standpoint of the rule of law** (RCADI, 1957, t. 92, p. 1-228); Paul FORIERS, **L'organisation de la paix chez GROTIUS et l'école de droit naturel** (Paris: Vrin, 1987, précédé de A. TRUYOL Y SERRA, **La conception de la paix chez VITORIA.** La présente édition est la reprise de deux articles parus dans les «Recueils de la société Jean BODIN pour l'histoire comparative des institutions», tome XV "la paix", deuxième partie, Bruxelles: Éditions de la Librairie Encyclopédique, 1961); C. BARCIA-TRELLES, **Francisco de Vitória et l'école moderne du droit international** (RCADI, 1927, t. 17, p. 109-342); Thomas M. FRANCK, **The empowered self: law and society in the age of individualism** (Oxford: UP, 1999); Thomas M. FRANCK, **Fairness in the international legal and institutional system: general course on public international law** (RCADI, 1993, t. 240, p. 9-498); A. GARDOT, **Le droit de la guerre dans l'oeuvre des capitaines français du XVIe siècle** (RCADI, 1948, t. 72, p. 393-540); A. GARDOT, **Jean Bodin: sa place parmi les fondateurs du droit international** (RCADI, 1934, t. 50, p. 545-748); Dominique GAURIER, **Histoire du droit international public** (Rennes: PU de Rennes, 2005); John GILISSEN, **Introdução histórica ao direito** (do original **Introduction historique au droit,** © 1979, trad. A. M. HESPANHA e L. M. Macaísta MALHEIROS, Lisboa: Fund. C. Gulbenkian, 1988); Wesley GOULD, **An introduction to international law** (New York: Harper & Brothers, 1957); W. G. GREWE, **Epochen der Völkerrechtsgeschichte** (Baden-Baden: Nomos, 1984, trad. inglesa, **The Epochs of international law**, Berlin-New York: W. de Gruyter, 2000); Paolo GROSSI, L'ordine giuridico medievale (Roma/Bari: Laterza, 1995); P. GUGGENHEIM, **Contribution à l'histoire des sources du droit des gens** (RCADI, 1958, t. 94, p. 1-84); Jurgen HABERMAS, **Faktizität und Geltung: Beiträge zur Diskurstheorie des Rechts und des demokratischen Rechtsstaat** (© 1992, Frankfurt: Suhrkamp – Tascenbuch Wissenschaft v. 1361, 1998; ed. bras., **Direito e democracia: entre faticidade e validade**, trad. Flávio B. SIEBENEICHLER, Rio de Janeiro: Tempo Brasileiro, 1997); tb. **Après l'état-nation: une nouvelle constellation politique** (© 1998 e 1999, trad. Rainer ROCHLITZ, Paris: Fayard, 2000); Jurgen HABERMAS, **La paix perpétuelle: le bicentenaire d'une idée kantienne** (do original **Kants Idee des Ewigen Friedens aus dem historischen Abstand von 200 Jahren,** © 1996, trad. Rainer ROCHLITZ, Paris: Cerf, 1996); Ramón HERNANDEZ, **Un español en la ONU: Francisco de Vitória** (Madri: BAC, 1977); A. HERRERO-RUBIO, **Le droit des gens dans l'Espagne du XVIIIe siècle** (RCADI, 1952, t. 81, p. 309-450); A. P. HIGGINS, **La contribution de quatre grands juristes britanniques au droit international Lorimer, Westlake, Hall et Holland** (RCADI, 1932, t. 40, p. 1-86); Philip C. JESSUP, **A half century of efforts to substitute law for war** (RCADI, 1960, t. 99, p. 1-20); Eduardo JIMENEZ DE ARECHAGA, **International law in the past third of a century** (RCADI, 1978, t. 159, p. 1-343); E. JIMÉNEZ DE ARÉCHAGA, H. ARBUET-VIGNALI e R. PUCEIRO RIPOLL, **Derecho internacional público** – princípios, normas, estructuras (Montevidéu: Fundación de cultura universitária, t. I: 2005; t. II: 2008; t. III: 2012); Serge A. KORFF, **Introduction à l'histoire du droit international** (RCADI, 1923, t. 1, p. 1-24); S. B. KRYLOV, **Les notions principales du droit des gens: la doctrine soviétique du droit international** (RCADI, 1947, t. 70, p. 407-476); M. LACHS, **Le monde de la pensée en droit international public: théories et pratique** (Paris: Economica, 1989); M. LACHS, **The development and general trends of international law in our time: general course in public international law** (RCADI, 1980, t. 169, p. 9-377); M. LACHS, **Teachings and teaching of international law** (RCADI, 1976, t. 151, p. 161-252); M. LACHS, **The international law of outer space** (RCADI, 1964, t. 113, p. 1-116); M. LACHS, **Le développement et les fonctions des traités multilatéraux** (RCADI, 1957, t. 92, p. 229-342); Louis E. Le FUR, **Règles générales du droit de la paix** (RCADI, 1935, t. 54, p. 1-308); L. Le FUR, **Le développement historique du droit international: de l'anarchie internationale à une communauté internationale organisée** (RCADI, 1932, t. 41, p. 501-602); L. Le FUR, **La théorie du droit naturel depuis le XVIIe siècle et la doctrine moderne** (RCADI, 1927, t.

tivo, mas, aqui, tão somente destinado a situar perspectiva histórica em que se insere a evolução da disciplina.

Não é estudo de "história" do direito internacional: volta-se o foco ao presente e ao futuro deste, com a grande indagação, que se vai ter de enfrentar e responder, no mundo atual e preparando as bases para a convivência internacional dos estados e demais atores não estatais, na ordem internacional[29], a saber se se pode pretender regular essa convivência pelo direito ou pela força.

18, p. 259-442); José Reinaldo Lima LOPES, **O direito na história: lições introdutórias** (São Paulo: Max Limonad, 2000; 2. ed., 2002, esp. o Cap. "as ideias jurídicas do século XVI ao século XVIII: o direito natural moderno e o iluminismo", p. 177-212); John D. McCLEAN, **De *conflitctu legum*: perspectives on private international law at the turn of the century: general course on private international law** (RCADI, 2000, t. 282, p. 41-228); J. D. McCLEAN, **A common inheritance? An examination of the private international law tradition of the Commonwealth** (RCADI, 1996, t. 260, p. 9-98) ; J. D. McCLEAN, **The contribution of the Hague conference to the development of private international law in the common law countries** (RCADI, 1992, t. 233, p. 267-304); Edward McWHINNEY, **Self-determination of peoples and plural--ethnic states (secession and state succession and the alternative federal option)** (RCADI, 2002, t. 294, p. 167-264), E. McWHINNEY, **Classical international law sources and contemporary law-making** (Haia: Sijthoff & Noordhoff Int'l. Publ., 1979); E. McWHINNEY, The time dimension in international law – Historical relativism and Intertemporal law (in **Essays in International Law in honour of Judge Manfred LACHS/Études de droit international en l'honneur du juge Manfred LACHS**, ed. by Jerzy MAKARCZYK, Haia: M. Nijhoff, 1984, p. 179-199); J. MOREAU-REIBEL, **Le droit de société interhumaine et le *jus gentium*: essai sur les origines et le développement des notions jusqu'à Grotius** (RCADI, 1950, t. 77, p. 481-598); O. NIPPOLD, **Le développement historique du droit international depuis le Congrès de Vienne** (RCADI, 1924, t. 2, p. 1-24); S. PLANAS-SUAREZ, **L'extension de la doctrine de Monroe en Amérique du Sud** (RCADI, 1924, t. 5, p. 267-366); Dexter PERKINS, **A history of the Monroe doctrine** (Boston: Little Brown, 1955); P. B. POTTER, **Le développement de l'organisation internationale (1815-1914)** (RCADI, 1938, t. 64, p. 71-156); L. QUIDDE, **Histoire de la paix publique en Allemagne au Moyen Âge** (RCADI, 1929, t. 28, p. 449-598); Bert V. A. RÖLING, **The law of war and the national jurisdiction since 1945** (RCADI, 1960, t. 100, p. 323-456); Bradford L. SMITH, **The third industrial revolution: law and policy for the Internet** (RCADI, 2000, t. 282, p. 229-464); Michel De TAUBE, **L'apport de Byzance au développement du droit international** (RCADI, 1939-I, t. 67, p. 233-340); G. TÉNÉKIDÈS, **Droit international et communautés fédérales dans la Grèce des cités** (RCADI, 1956, t. 90, p. 469-652) e **Régimes internes et organisation internationale** (RCADI, 1963, t. 110, p. 271-418); A. TRUYOL y SERRA, **Histoire du droit international public** (Paris: Economica, 1995); **Théorie du droit international public: cours général** (RCADI, 1981, t. 173, p. 9-443); A. TRUYOL y SERRA, AGO, SCHIEDERMAIR, RIPHAGEN, FEENSTRA, **Commémoration du quatrième centenaire de la naissance de Hugo Grotius — commemoration of the fourth centenary of the birth of Grotius** (RCADI, 1983, t. 182, p. 371-469); A. TRUYOL y SERRA, **La conception de la paix chez VITORIA et les classiques espagnols du droit des gens suivi de Paul FORIERS — l'organisation de la paix chez GROTIUS** (Paris: Vrin, 1987 — la présente édition est la reprise de deux articles parus dans les **Recueils de la société Jean BODIN pour l'histoire comparative des institutions**, tome XV "la paix", deuxième partie, Bruxelles: Éditions de la Librairie Encyclopédique, 1961); A. TRUYOL Y SERRA, **L'expansion de la société internationale au XIX**[e] **et XX**[e] **siècles** (RCADI, 1965, t. 116, p. 89-179); A. TRUYOL Y SERRA, **Génèse et structure de la société internationale** (RCADI, 1959, t. 96, p. 553-642); Stephan VEROSTA, **International Law in Europe and Western Asia between 100 and 650 A.D.** (RCADI, 1952, t. 80, p. 485-620); YUEN Li Liang, **Le développement et la codification du droit international** (RCADI, 1948, t. 73, p. 407-532); Michel ZIMMERMANN, **La crise de l'organisation internationale à la fin du Moyen Âge** (RCADI, 1933, t. 44, p. 315-438).

29. Fausto de QUADROS e André Gonçalves PEREIRA, **Manual de direito internacional público** (Coimbra: Almedina, 3. ed., rev. e aum., 1995, parte V, "A evolução atual do direito internacional. O futuro do direito internacional", p. 657 e s., cit. item 3, "A prospectiva: rumo a um direito mundial?", p. 668): "Para alguns autores o direito internacional poderia evoluir, mais tarde ou mais cedo, para uma ordem jurídica uniforme, comum a toda a comunidade internacional, e uma das suas expressões poderia ser a de um direito federal à escala do globo. À actual fragmentação do direito internacional por espaços regionais substituir-se-ia, desse modo, a sua *mundialização* ou *globalização*. Em nosso entender, não é previsível que tal evolução ocorra nos tempos mais próximos. E por várias razões".

São esses os desafios e o contexto específico do direito internacional pós--moderno[30].

A análise das relações entre estados não é perfeita na apresentação dos Estados sucessivos das relações políticas: normais ou de crise, com intermediárias situações marginais de tensão ou distensão, ou normalização de relações[31]... Nem tudo está no comportamento ou funcionamento de sistema que seria isolado de qualquer diretriz e de qualquer princípio organizacional. As relações internacionais sempre foram e continuarão a ser relações da comunidade humana, onde o homem aparece, na condição de indivíduo ou de integrante de determinado grupo, como o sujeito constante dessas condutas. Essas relações não podem ser consideradas sem direito que lhes diga respeito e as mantenha em determinada direção"[32].

Pode ser[33] que não tenhamos feito grande progresso no desenvolvimento do direito internacional nos últimos 300 anos, muito embora, igualmente, "o desenvolvimento de concepções jurídicas, tal como a ascensão e a queda de ideologias políticas, e a emergência de novos períodos na história da arte ou da música, não podem ser temporalmente determinadas com grande precisão"[34].

---

30. *V.* P. B. CASELLA, **Fundamentos (2008)**; CASELLA, **Direito internacional no tempo antigo (2012)**; CASELLA, **Direito internacional no tempo medieval e moderno até VITORIA (2012)**; CASELLA, **Direito internacional no tempo moderno de SUAREZ a GRÓCIO (2013)**; *v.* tb. A. A. CANÇADO TRINDADE, **Évolution du droit international au droit des gens** – l'accès des individus à la justice internationale – le regard d'un juge (Paris: Pedone, 2008); **International Law for Humankind** – towards a new *jus gentium* – general course on public international law (RCADI, 2005, t. 316, p. 9-440; RCADI, 2005, t. 317, p. 9-312); **A humanização do direito internacional** (Belo Horizonte: Del Rey, 2006) e **O direito internacional em um mundo em transformação (ensaios, 1976-2001)** (Rio de Janeiro: Renovar, 2002).

31. Paul de LA PRADELLE, "Progrès ou déclin du droit international?" (in **La communauté internationale: mélanges offerts à Charles ROUSSEAU**, Paris: Pedone, 1974, p. 139-152).

32. P. de LA PRADELLE (art. cit., 1974, p. 139): "Les gouvernants au pouvoir, dans la politique qu'ils suivent dans leurs rapports respectifs, utilisent des instruments, inventent et mettent en oeuvre des institutions dont la réalité ne permet pas d'isoler le phénomène étatique du concept de l'état de droit".

33. J. D. McCLEAN, **"De conflictu": perspectives on private international law at the turn of the century: general course on private international law** (RCADI, 2000, t. 282, p. 41-228); J. D. McCLEAN, **A common inheritance? an examination of the private international law tradition of the commonwealth** (RCADI, 1996, t. 260, p. 9-98); J. D. McCLEAN, **The contribution of the Hague conference to the development of private international law in the common law countries** (RCADI, 1992-II, t. 233, p. 267-304).

34. D. McCLEAN (op. cit., 2000, chap. I, "A historical perspective", p. 51-67, cit. p. 51-2, mais adiante p. 63-64): "We can at least describe and seek to understand the questions raised by our subject, and the process by which they are answered; and we can trace, partly by using an historical perspective, the forces which shaped the process and the content of jurisdictional and choice of law rules. Lawyers should not be afraid of simplicity. (...) When I spoke earlier about the legal map of the world, I said that even with the growing power of regional organizations such as the European Union, each individual country retains its own body of law, its own system of courts, its own legal personnel. The rules of the conflict of laws are essentially directions to the legal personnel of a particular country. That simple observation may prove a more helpful starting-point than any amount of speculation as to the correct seat of a legal relation".

1 DESENVOLVIMENTO HISTÓRICO

As noções, compartilhadas por inúmeros autores[1], quanto à Antiguidade do direito internacional podem levar a situar o surgimento deste nos tempos mais remotos, praticamente desde o momento em que ocorrem registros escritos de história[2]. Nesse sentido, se pode fazer remontar o direito internacional à "passagem do quarto para o terceiro milênio a. C., por volta de 3010, no limite entre a cronologia mítica e a cronologia histórica"[3]. Em sentido oposto, "tradicionalmente se o faz come-

---

1. Para R. REDSLOB, "a diplomacia é tão antiga como as nações" e "é tão antiga como o mundo e só desaparecerá com ele", segundo MAULDE LA CLAVIÈRE. *V.* R. P. BARSTON, **Modern Diplomacy** (3rd ed., Harlow: Pearson-Longman, 2006); Harold NICOLSON, **Diplomacy** (1939, London: Oxford Univ. Press, 2. ed., 1950, reprinted 1960); H. NICOLSON, **Peacemaking 1919** – being reminiscences of the Paris Peace Conference (1933, Safety Harbor, Fl.: Simon, 2001); J. M. SIRACUSA, **Diplomacy** – a very short introduction (Oxford: Univ. Press, 2010); Henry KISSINGER, **Diplomacy** (New York: Simon & Schuster, 1994); Sir Ernest SATOW (1843-1929), **Diplomatic practice** (ed. by Sir Ivor ROBERTS, 6. ed., Oxford: Univ. Press, 2011); G. E. do NASCIMENTO E SILVA – P. B. CASELLA, O. BITTENCOURT NETO, **Direito internacional diplomático** – Convenção de Viena sobre relações diplomáticas na teoria e na prática (São Paulo: Saraiva, 4. ed. revista, atualizada e ampliada, 2012).
2. *V.* CASELLA, **Fundamentos** (2008) (esp. item VI, "Direito, história e cultura", p. 489-615).
3. Nessa ocasião deu-se a assinatura de tratado entre EANATUM, que era o soberano da cidade de Lagash, e a cidade de Ouma, da qual EANATUM tinha respondido ao ataque — este poderia, assim, considerar-se no direito de defesa, em reação a ataque sofrido. Este tratado foi redigido em língua suméria. O mesmo encontra-se atestado por "Estela", descoberta no início do século XX, tratado este sancionado e colocado sob a invocação das principais divindades do país e garantido por terceiro parceiro, MESILIM, rei de Kish, na Acádia, príncipe esse que estendera sua dominação em Sumer, e restabelecera a paz, entre as cidades rivais. A respeito *v.* CASELLA, **Direito internacional no tempo antigo** (2012, cap. III, "civilizações antigas entre hegemonia e relações internacionais", p. 193-232); tb. A. TRUYOL Y SERRA, **Génèse et structure de la société internationale** (RCADI, 1959, t. 96, p. 553-642) e **L'expansion de la société internationale au XIXe et XXe siècles** (RCADI, 1965, t. 116, p. 89-179) e **Histoire du droit international public** (Paris: Economica, 1995).

çar, *grosso modo*, no fim do século XV e mais precisamente no XVI, citando alguns grandes autores, dentre os quais dois nomes voltam constantemente, o dominicano espanhol Francisco de VITÓRIA (1480-1546) e o holandês Huig DE GROOT, dito GRÓCIO (1583-1646)"[4].

Os exemplos citados mostram a emergência progressiva de sistema internacional. No período de 100 até 650 a.D., a Ásia ocidental e a Europa, abrangendo toda a costa mediterrânea no norte da África, constituem sistema de estados e unidades políticas soberanas, regido por regras de direito nas suas relações internacionais[5]. Esse sistema político tem como eixos dois grandes impérios, o persa e o romano[6]. Roma, durante mais de mil anos, muito embora tenha tido poucas décadas sem estar envolvida em conflitos armados, com a exceção da conquista das Ilhas Britânicas, consistentemente aplicou o princípio de fazer guerras de defesa, mais do que guerras de ataque. Motivada pela necessidade de defender, fortalecer ou recuperar províncias do império, e menos por espírito de agressão, ganância ou vaidade imperial. Roma manteve relações de direito internacional com muitos dos estados, nações e tribos além dos limites do *limes* a linha de fortificações que marcava o limite do Império Romano[7].

O princípio jurídico básico – *pacta sunt servanda* – tinha aplicação não somente nos contratos civis, mas também nos tratados[8]. A guerra (*bellum justum*), somente poderia ser declarada havendo justa causa (*justa causa belli*).

Da mesma forma[9], é "incontestável que uma organização jurídica internacional, muito desenvolvida, já era conhecida na Idade Média"[10]. A partir da noção

4. D. GAURIER (2005, p. 8): "O primeiro apresentou teoria da sociedade internacional, fundada na sociabilidade universal, a propósito dos problemas morais, que suscitava a colonização espanhola das Índias. O segundo, impregnado de teologia protestante, colocava, já em 1609, o princípio da liberdade de navegação dos mares, que o inglês SELDEN viria logo depois contradizer; GRÓCIO consagra, com sua obra principal, **De jure belli ac pacis**, o nascimento de verdadeira formulação da matéria, no plano do enfoque jurídico, mesmo se é difícil fazer, dessa obra que abrange tudo, monumento como tal do direito internacional".
5. Stephan VEROSTA (op. cit., p. 496-498).
6. Stephan VEROSTA (op. cit., p. 500-1): "Traditional historical maps are highly misleading; they show the Roman and Persian Empires as centralised unitarian states. In reality, each of the two Empires constituted a rather complex commonwealth of nations, states, city-states and cities".
7. Stephan VEROSTA (op. cit., loc. cit.): "The Romans had to realize very soon that the domination of the whole world was beyond the Empire's powers". Com parceiros considerados iguais eram celebrados tratados de amizade ou neutralidade (*amicitia*) e alianças defensivas (*foedus*). Alguns tratados constituíam formas variadas de dependência (*deditio in fidem, clientela*), mais ou menos correspondentes aos pactos de vassalagem e protetorado do direito internacional moderno, ou constituíam submissão à autoridade de Roma (*deditio*).
8. J. B. WHITTON, **La règle "pacta sunt servanda"** (RCADI, 1934, t. 49, p. 147-276). *V.* tb. CASELLA, **Direito internacional no tempo antigo** (2012, cap. III, "civilizações antigas entre hegemonia e relações internacionais", p. 193-232, e cap. VI, "na formação e no desenvolvimento de Roma", p. 303-334).
9. M. ZIMMERMANN, **La crise de l'organisation internationale à la fin du moyen âge** (RCADI, 1933, t. 44, p. 315-438).
10. M. ZIMMERMANN (op. cit., 1933, p. 319 e, a seguir, p. 320): Si l'on analyse les données historiques, il n'y a pas de

escolástica de *corpus politicum mysticum*, aplicada à sociedade política, sobretudo na doutrina de F. SUAREZ, "acarreta processo global de verdadeira mutação da sociedade internacional"[11]. Nesse sentido, a grande contribuição dos precursores, F. de VITÓRIA e F. SUAREZ, estaria em terem intuído e anunciado "essa interdependência do gênero humano, como um todo, que constitui o fato radicalmente novo de nossa época"[12].

Em lugar de alimentar o debate a respeito do marco inicial de existência e de operação do direito internacional, podem ser adotados marcos específicos, para justificar um ou outro conceito. Desse modo, a rigor, pode-se falar na mais remota Antiguidade, desde o momento em que existam registros escritos, ou da Antiguidade clássica, como do contexto medieval – cada um com o seu sistema internacional. O mais frequente contudo é se falar em direito internacional a partir do início da Idade Moderna, especialmente a partir dos tratados de Munster e Osnabruck, também ditos da Paz de Vestfália (1648), ou da obra de GRÓCIO.

Etapas relevantes, rumo à institucionalização de sistema internacional, na esteira dos **tratados de Munster e de Osnabruck**, no assim chamado sistema da paz de **Vestfália (1648)**, a seguir, foram os **congressos de Viena (1815) e de Aix-la-Chapelle**, ou **Aachen (1818)**, o **tratado de Versalhes**, de 28 de junho de 1919, entre a Alemanha e os vencedores da primeira guerra mundial, e os tratados correlatos, celebrados com os demais países derrotados, com estrutura e disposições equivalentes: **tratado de Saint-Germain**, com a Áustria, em 10 de setembro de 1919, **tratado de Neuilly**, com a Bulgária, em 27 de novembro de 1919, **tratado de Trianon**, com a Hungria, em 4 de junho de 1920, e o de Sèvres, com a Turquia, em 10 de agosto de 1920 – esse último, não aceito pelos nacionalistas turcos, liderados por Mustafá KEMAL, depois das vitórias turcas sobre os gregos em 1921-1922, foi substituído por outro, em condições muito mais favoráveis, para a Turquia republicana, o **tratado de Lausanne**, de 24 de julho de 1923. Como etapa posterior desse processo de institucionalização, instaura-se

---

doute qu'une organisation internationale très différenciée s'établit au Moyen Âge, que l'organe suprême de cette organisation avait une compétence nette, qu'il pouvait créer des normes juridiques nouvelles et abolir la coutume, qu'il exerçait un pouvoir judiciaire et qu'il disposait d'un pouvoir exécutif".

11. A. TRUYOL Y SERRA (op. cit., 1965, p. 95 e, a seguir, p. 96-7): "Sur le plan international, la mutation consiste dans dans le passage d'une pluralité de sociétés internationales particulières ou régionales, à une société internationale unique, à l'échelle de la planète".

12. Nesse sentido, para TRUYOL Y SERRA (op. cit., 1965, p. 97-8), caberia "rechercher les changements du monde international qui résultent essentiellement de cette expansion", "pour comprendre en profondeur la crise du droit international, que nous entreprendrons nos démarches d'histoire sociale et politique (...) cette expansion nous expliquera les vicissitudes du droit international à notre époque", porquanto "la crise du droit international ne fait que réfléter sur le plan normatif, la mutation sociale et politique de la société internationale, à son tour, un aspect de la mutation de l'humanité contemporaine".

o sistema da Carta da ONU, pós-1945, com as demais organizações internacionais existentes.

O sistema de Viena, embora concebido inicialmente como marco garantidor da estabilidade e dos interesses dinásticos[13], ganha dimensão e durabilidade na construção do "concerto europeu"[14]: "apesar dos esforços da Santa Aliança, após o Congresso de Viena, para voltar ao passado, na medida em que isso parecia ainda possível, nessa época se assiste, particularmente após os eventos que tem como teatro as Américas, põe fim ao antigo regime no plano internacional". Esse sistema perdura, com percalços, até a eclosão da primeira guerra mundial e a instauração do novo sistema, com o tratado de Versalhes (1919) e seus correlatos. Este, por sua vez, ao soçobrar, em razão da eclosão da segunda guerra mundial, deixará marcos e marcas que serão, em considerável medida, retomados e reordenados[15], no âmbito do sistema da Organização das Nações Unidas, a partir de 1945.

1.1. Estudo da evolução histórica

Para o correto conhecimento dos princípios do direito internacional, é indispensável o estudo histórico de sua evolução. Nos últimos cem anos, dentre todos os ramos jurídicos, o direito internacional é o que mais tem evoluído, influenciando todos os aspectos da vida humana.

Se até o início do século XX o direito internacional era bidimensional, por versar apenas sobre a terra e o mar, a partir de então, graças principalmente às façanhas de Alberto SANTOS DUMONT[16], passa a ser tridimensional[17] e, após a segunda guerra mundial, a abarcar ainda o espaço ultraterrestre e os fundos marinhos.

---

13. A. TRUYOL Y SERRA (op. cit., 1965, p. 111) a respeito do "concerto europeu": "suffise de rappeler qu'il a été le premier pas, timide à vrai dire (mais pouvait-on aller d'emblée au-delà, et d'ailleurs certaines formules actuelles d'union européenne vont-elles beaucoup plus loin?), vers une organisation de la société internationale. Le mot 'concert' a sans aucun doute un sens plus précis de l'unité d'action que 'système'. On sait que le moyen auquel ont eu recours fut la réunion fréquente de congrès ('système de scongrès'). On sait aussi que son échec à partir du dernier tiers du XIXe Siècle, après les changements introduits dans la carte politique de l'Europe par le principe des nationalités (...), puis par l'avènement de l'impérialisme et des rivalités coloniales à une échelle véritablement mondiale, dont nous verrons également les conséquences (...), devait déboucher sur la 'paix armée' et la première guerre mondiale".

14. A. TRUYOL Y SERRA (op. cit., 1965, p. 114).

15. William E. RAPPARD, **Vues retrospectives sur la Société des Nations** (RCADI, 1947, t. 71, p. 111-226).

16. A. SANTOS DUMONT, **Dans l'air** (Paris: Eugène Fasquelle, 1904); João Luiz MUSA, **Alberto Santos-Dumont: eu naveguei pelo ar** (Rio de Janeiro: Nova Fronteira, 2001); Alcy CHEUICHE, **Nos céus de Paris: o romance da vida de Santos Dumont** (Porto Alegre: L&PM, 2001).

17. G. E. do NASCIMENTO E SILVA nunca se omitia em defender o papel do pioneiro brasileiro da aviação, Santos Dumont, por ter sido o primeiro em fazer voo com ponto determinado de partida e de chegada, depois de percorrer percurso igualmente determinado, com o 14-Bis, em 1906, enquanto os irmãos Wright, com o Kitty Hawk, em 1903, descendo ladeira abaixo, frisava Nascimento e Silva, não mais teriam feito que comprovar a lei da gravidade.

Inúmeros autores têm dividido a evolução do direito internacional em períodos. Semelhante exercício tem seus méritos, muito embora tais classificações têm muito de arbitrário. Além do mais, de um período a outro não ocorrem rupturas. Outrossim, verifica-se que características de determinado período tiveram geralmente origem no anterior, e princípios nascidos em um permanecem nos subsequentes, modificando-se de acordo com o passar do tempo.

Os institutos e normas básicas do direito internacional têm de ser situados como padrão de conduta natural e base inquestionável para estudos e escritos a respeito da história humana, a seu tempo[18]. A temporalidade está inserta em toda obra humana, o que entraria na noção mais vasta do direito intertemporal. Cabe advertir: "um direito particular, subjetivo, está sempre em função da ordem jurídica total ou do sentimento jurídico de cada época, e que subsiste ou se extingue segundo a evolução desses grandes conjuntos, no seio dos quais se encontra essa inserção"[19].

Desde o início do direito internacional, propriamente dito, Hugo GRÓCIO utiliza precedentes bíblicos, bem como casos da História Antiga, grega e romana, para estabelecer normas de direito internacional. Cornélio van BYNKERSHOEK utilizará extensamente referências à prática do seu tempo. Da mesma forma como, hoje, utilizamos precedentes julgados e pareceres prolatados pela Corte permanente de justiça internacional e Corte Internacional de Justiça ou passagens extraídas de laudos arbitrais internacionais.

Na construção de sua **fundamentação**[20], GRÓCIO faz a distinção entre **direito natural** e **direito positivo**, "termos que os helenistas costumam traduzir como *deveres* o primeiro e *mandamentos* o segundo"[21], e refere a distinção feita por Moisés MAIMONIDES (1135-1204)[22], entre direito natural (***Mitsvoth***) e

18. Em seu grandioso estudo, mostra a continuidade e o encadeamento da história humana como um todo. Arnold Joseph TOYNBEE, **A study of History** (abridgement by D. C. SOMMERWELL, London – New York – Toronto: Oxford U.P., v. 1-6, 1949, v. 7-10, 1957, v. 11 e 12 "Reconsiderations" x+740 p., 1961).

19. Antonio GÓMEZ ROBLEDO, **Le *jus* cogens international: sa génèse, sa nature, ses fonctions** (RCADI, 1981, t. 172, p. 9-217, cit. p. 50): "Le droit intertemporel, comme on l'a vu dans le cas du *Sahara occidental*, a eu un rôle très important dans la formation du nouveau droit de la décolonisation en ce qui concerne, par exemple, la caducité des droits qu'aurait pû avoir auparavant, la puissance coloniale".

20. Hugo GRÓCIO, **Direito da guerra e da paz** (Unijuí. Livro I, Cap. I, n. IX, "O direito é definido como regra e se divide em direito natural e direito voluntário", p. 78-9).

21. Hugo GRÓCIO (op. cit., loc. cit.), cf. referido, vai buscar em Moisés MAIMONIDES a distinção entre "direito natural" e "direito positivo".

22. Moisés MAIMONIDE, **Le guide des égarés** (traduit de l'arabe par Salomon MUNK, préf. de Claude BIRMAN) suivi **Le traité des huit chapitres** (traduit de l'arabe par Jules WOLF, préf. Franklin RAUSKY, nouv. éd. révue par Charles MOPSICK, Paris: Verdier, © 1979, impr. 1996).

direito positivo (***Khukkim***)[23]: "*as disposições gerais dos mandamentos têm necessariamente uma razão e foram prescritas em vista de certa utilidade; mas as disposições de detalhe, como se diz, não têm outro fim além de prescrever alguma coisa*". A dificuldade coloca-se com relação à aferição de quais sejam tais princípios e como determinar o conteúdo destes. Se não se pode demonstrar, torna-se questão de fé, não de conhecimento.

Nesse sentido, é marco dessa evolução, "à medida em que o direito internacional, a partir de meados do século XX, logrou desvencilhar-se das amarras do positivismo voluntarista, que teve influência nefasta na disciplina e bloqueou por muito tempo sua evolução. O direito não é estático, nem tampouco opera no vácuo. Não há como deixar de tomar em conta os valores que formam o *substratum* das normas jurídicas. O direito internacional superou o voluntarismo ao buscar a realização de *valores comuns superiores*, premido pelas necessidades da comunidade internacional"[24].

"O circunstancial pertence à política" exclamava Emer de VATTEL (1758)[25] ao falar a respeito do "direito das gentes **necessário**" e desenvolve a **fundamentação** do conceito[26]: "**é da maior importância para as nações que o direito das gentes, base de sua própria tranquilidade, seja respeitado universalmente. Se alguma nação espezinhar abertamente esse direito, todas podem e devem insurgir-se contra ela, e ao reunirem suas forças, para punir esse inimigo comum, elas estão cumprindo seus deveres, para consigo mesmas e para com a sociedade humana, da qual são membros**"[27].

---

23. Moisés MAIMONIDES, **Le guide des égarés** (Livro III, Cap. XXVI, "Les commandements et leur sens", p. 502-505, cit. p. 503-504).

24. A. A. CANÇADO TRINDADE (op. cit., 2002, p. 1087).

25. Emer de VATTEL, **O direito das gentes** (1758, pref. e trad. de Vicente Marotta RANGEL, Brasília: Ed. UnB / IPRI, 2004, I.III. par. 35, p. 30).

26. Emer de VATTEL (1758, cit., 2004, "ideia e princípios gerais do direito das gentes", pars. 7 a 9): "Usamos o termo direito das gentes necessário para aquele direito das gentes que consiste na aplicação do direito natural às Nações. Ele é necessário porque as Nações são absolutamente obrigadas a respeitá-lo. Esse direito contém os preceitos que a lei natural confere aos estados, os quais não estão menos obrigados a ela que os particulares, porque os estados são compostos de homens e as deliberações são tomadas por homens e porque a lei da natureza obriga todos os homens a terem capacidade para agir". (...) "o direito das gentes necessário consiste em aplicar o direito natural aos estados, e desde que o direito natural é imutável por estar baseado na natureza das cousas e particularmente na natureza do homem, conclui-se que o direito das gentes necessário é imutável. Desde que esse direito é imutável e as obrigações que ele impõe são necessárias e indispensáveis, as Nações não podem alterá-lo por acordo, nem dele se eximir por elas próprias ou por via de reciprocidade".

27. E. de VATTEL (1758, ed. cit., 2004, I.XXIII, par. 283, p. 180-181). *V.* tb.: L. YARWOOD, **State accountability under International Law** (London: Routledge, 2011); J. A. FROWEIN, **Reactions by not directly affected states to breaches of public international law** (RCADI, 1994, t. 248, p. 345-438, "Introduction", p. 353-354): "up to about 1970 there was hardly any disagreement that international law, as far as violations or countermeasures were concerned, operated in a bilateral relationship between a state violating international law and a victim-state, this view started to alter around 1970. We shall be concerned with the possibilities for states not directly the victims of a violation to take some reaction against it. (...) / With

O então denominado direito das gentes **necessário** que GRÓCIO fundamenta em MAIMONIDES (1135-1204), e também afirma VATTEL, seria, hoje, chamado direito internacional cogente (***jus cogens***)[28], ou de **normas cogentes** de direito internacional geral[29]. Dentre estas, destacam-se as normas do sistema de direito internacional dos direitos humanos.

---

notions such as the 'community of states' or 'obligation existing *erga omnes*', in other words against the community of states and all states being members of that community, it is possible to widen what used to be the bilateral relationship into a relationship between the violator and all other states. In our context we shall use the notion 'not directly affected states' to circumscribe first of all those states which are not the ones against whose territory, citizens or other rights and interests the act by the violator is directed. Where the violator does not act against any state at all but against what may be considered a right of the community of states or a common interest, but also where individual human rights are violated we shall also use the notion "not directly affected states'. / We prefer the notion of 'reaction' to the more technical notion of "countermeasures'. We shall include reactions below the threshold of real countermeasures and will also deal with the reaction to the use of force, particularly self-defence, which is not normally seem as a countermeasure. As far as countermeasures are concerned we shall deal with retortions as well as with reprisals".

28. A. A. CANÇADO TRINDADE, **Os rumos do direito internacional contemporâneo** (op. cit., 2002, p. 1088): "advertir para a manifesta incompatibilidade com o conceito de *jus cogens* da concepção voluntarista do direito internacional, que não é capaz sequer de explicar a formação de regras do direito internacional geral. Tal concepção tampouco explica a incidência de elementos independentes do livre arbítrio dos Estados, no processo de formação do direito internacional contemporâneo".

29. A respeito do *jus cogens* e seus desdobramentos: Levan ALEXIDZE, **Legal nature of *jus cogens* in contemporary international law** (RCADI, 1981, t. 172, p. 219 e s.); Eduardo C. BAPTISTA, ***Ius cogens* em direito internacional** (Lisboa: Lex, 1997); I. BROWNLIE, **Principles of public international law** (Oxford: Clarendon Press, 4th. ed., 1990, reprinted 1995, Cap. XXII, "Some incidents of illegality and the concept of *jus cogens*", p. 509-517, esp. 512-515); CARNEGIE Endowment for International Peace (ed.), **The concept of *jus cogens* in public international law** (conference of Lagonissi, 1966, papers and proceedings, Genebra, 1967); Francesco CAPOTORTI, **Cours général de droit international public** (RCADI, 1994, t. 248, p. 9-344, esp. cap. VIII, item 4, "la violence par rapport aux traités. Les traités en conflit avec le *jus cogens*", p. 182 e s.); J. A. CARRILLO SALCEDO, **Droit international et souveraineté des états: cours général de droit international public** (RCADI, 1996, t. 257, p. 135 e s.); P. CASELLA, **Fundamentos** (2008, esp. Cap. IX, "Fundamentos e norma cogente de direito internacional", p. 727-783); B. CONFORTI, **Cours général de droit international public** (RCADI, 1988, t. 212, p. 129 e s.); M. DÍEZ DE VELASCO, **Instituciones de derecho internacional público** (Madrid: Tecnos, 16. ed., 2007); T. O. ELIAS, **Problems concerning the validity of treaties** (RCADI, 1971, t. 134, p. 388); Giorgio GAJA, **"Jus cogens" beyond the Vienna Convention** (RCADI, 1981, t. 172, p. 271 e s.); Antonio GOMEZ-ROBLEDO, **Le *jus cogens* international: sa génèse, sa structure, ses fonctions** (RCADI, 1981, t. 172, p. 9 e s.); Jean-Paul JACQUÉ, **Acte et norme en droit international public** (RCADI, 1991, t. 227, p. 357-417); Robert JENNINGS, "Les traités" (in **Droit international: bilan et perspectives**, org. M. BEDJAOUI, Paris: Pedone / UNESCO, 1991, v. I., p. 143-186, esp. par. 6, "Jus cogens", p. 169-173); Robert KOLB, **Théorie du *ius cogens* international: essai de relecture du concept** (Paris: PUF / publ. IUHEI, Genebra, 2001); Manfred LACHS, **General course on public international law** (RCADI, 1980, t. 169, p. 202 e s.); H. MOSLER, **The international society as a legal community** (RCADI, 1974, t. 140, p. 1-320, esp., p. 148-50); McNAIR, **The law of treaties** (Oxford, 1961, p. 213); G. E. do NASCIMENTO E SILVA, **Le facteur temp et les traités** (RCADI, 1977, v. 154, p. 253-255); Rafael NIETO-NAVIA, "International peremptory norms (*jus cogens*) and international humanitarian law" (in **Man's Inhumanity to Man** – Essays on International Law in honour of Antonio CASSESE, ed. by Lal Chand VOHRAH et al., Haia: Kluwer Law International, 2003, p. 595-640); Alexander ORAKHELASHVILI, **Peremptory norms in international law** (Oxford: Univ. Press – Oxford Monographs in International Law, 1st. publ. 2006, reprinted 2008); S. REISENFELD, *"Jus dispositivum"* and *"jus cogens"* (AJIL, 1966, v. 60, p. 511); J. G. RODAS, *"Jus cogens" em direito internacional* (Rev. FDUSP, 1974, v. 69, p. 125 e s.); J. G. RODAS, **Alguns problemas de direito dos tratados relacionados com o direito internacional à luz da Convenção de Viena** (tese de doutoramento em direito internacional, São Paulo: FDUSP, 1973); G. SCHWARZENBERG, **International law and order** (Londres, 1971, p. 27-56); Egon SSCHWELB, *Some aspects of international "jus cogens"* (AJIL, 1957, v. 61, p. 946); Ignaz SEIDL-HOHENVELDERN, **International economic soft-law** (RCADI, 1979, t. 163, p. 165-246); Malcolm N. SHAW, Genocide and international law (in coletânea em honra de Shabtai ROSENNE, Dordrecht, 1988, p. 800); G. TUNKIN, **International law in the international system** (RCADI, 1975, v. 147, p. 98); Alfred VERDROSS, *"Jus dispositivum" and "jus cogens" in international law* (AJIL, 1966, v. 60, p. 55 e s.); Michel VIRALLY, *Réflexions sur le "jus cogens"* (**AFDI**, 1966, t. 12, p. 5 s.); Ch. de VISSCHER, *Positivisme et "jus cogens"* (RGDIP, 1971, t. 75, p. 5 e s.); Ch. de VISSCHER, **Cours général de droit international public** (RCADI, 1972, t. 136, p. 102 e s.).

Os **direitos do homem**, na formulação do *Instituto de Direito Internacional* (Santiago de Compostela, 1989), são a **expressão direta da dignidade e da personalidade humana**: a obrigação, para os estados, de assegurar o respeito, decorre do próprio reconhecimento dessa dignidade, já proclamada pela **Carta das Nações Unidas** e pela **Declaração Universal dos Direitos do Homem**. Essa obrigação internacional é, segundo a formulação, utilizada pela Corte Internacional de Justiça, obrigação que se reveste de caráter *erga omnes*[30]: como tal, incumbe a todos e a cada um dos estados, perante o conjunto da sociedade internacional, como todo[31]; ao mesmo tempo, todos os estados têm interesse jurídico na proteção dos direitos do homem. Essa obrigação implica, ademais, o **dever de solidariedade** entre todos os estados[32], visando assegurar, o mais rapidamente possível, a proteção, universal e eficaz, dos direitos do homem.

Nenhum estado, ao violar obrigação internacional de proteção pode se eximir de sua responsabilidade internacional, sob alegação de que tal domínio constituía, essencialmente, matéria de sua competência nacional, ou de seu **domínio reservado**[33]. Sem prejuízo das funções e dos poderes, que a Carta atribui aos órgãos das Nações Unidas, em caso de violação das obrigações assumidas pelos membros da Organização, os estados, agindo individual ou coletivamente, têm o direito de adotar, com relação a qualquer outro estado que tenha infringido as obrigações de proteção dos direitos fundamentais, quaisquer medidas diplomáticas e econômicas admitidas pelo direito internacional, desde que não comportem o uso de força armada, de modo a constituir violação da **Carta das Nações Unidas**. Essas medidas não podem ser consideradas como intervenção ilícita nos assuntos internos de qualquer estado.

As violações, cuja natureza justifiquem o recurso a tais medidas, deverão ser apreciadas, levando em consideração a denúncia de sua gravidade, e apre-

---

30. Instituto de Direito Internacional, **La compétence universelle en matière pénale à l'égard du crime de génocide, des crimes contre l'humanité et des crimes de guerre** / *Universal criminal jurisdiction with regard to the crime of genocide, crimes against humanity and war crimes* (resolução adotada na sessão de Cracóvia, em 25 de agosto de 2005), teve como relator Christian TOMUSCHAT. Nesta Resolução se refere o IDI aos valores fundamentais da comunidade internacional violados por crimes internacionais graves, tais como definidos pelo direito internacional (*crimes internacionais*), e assinala que a competência universal tem por objeto proteger esses valores, em particular a vida humana, a dignidade humana e a integridade física. O propósito é o de contribuir à prevenção e à repressão de tais crimes, visando pôr termo à impunidade, que pode resultar, particularmente, na falta de vontade ou na incapacidade de autoridades estatais tomarem as medidas necessárias para processar e punir tais crimes.

31. A. A. CANÇADO TRINDADE, *Os rumos do direito internacional contemporâneo* (op. cit., 2002, p. 1089): "Evolução doutrinal – devida sobretudo à consciência jurídica universal – aponta na direção da consagração de obrigações *erga omnes*, devidas à comunidade internacional como um todo".

32. Gilberto BERCOVICI, **Desigualdades regionais, estado e constituição** (São Paulo: Max Limonad, 2003) desenvolve análise na perspectiva de direito interno, mas permite a contraposição para contexto de relações internacionais.

33. Objeto de tópico específico. *V.* Gaetano ARANGIO-RUIZ, **Le domaine réservé: l'organisation internationale et le rapport entre droit international et droit interne** (RCADI, 1990, t. 225, p. 9-484).

ciadas de modo consistente[34]. Deve-se enfatizar a internacionalidade do interesse e do tratamento da matéria, como dimensão adicional de garantia desses direitos do homem[35].

Representa evolução cultural relevante a afirmação de que o **respeito das identidades culturais** se tornou objeto do direito internacional[36]. Essa dimensão do direito internacional, ao lado do reconhecimento de outras inovações do direito internacional pós-moderno, tais como o reconhecimento da existência e conteúdo de normas inderrogáveis e de obrigações *erga omnes*, estão entre as mais relevantes e as mais controvertidas evoluções recentes do cenário jurídico internacional[37] e destinam-se a "proteger interesses compartilhados pelos estados e valores morais fundamentais"[38].

As **obrigações *erga omnes*** em direito internacional pós-moderno[39] são caracterizadas como "obrigações que se impõem a todos os sujeitos de direito internacional, com o fim de preservar os valores fundamentais da comunidade internacional". Poderiam ser apontadas as seguintes: a interdição de atos de agressão[40], a proibição do genocídio[41], as obrigações relativas à proteção dos

---

34. IDI, Resolução de Santiago de Compostela, adotada em 13 de setembro de 1989, Artigo 6º: Os dispositivos da presente Resolução se aplicam, sem prejuízo dos procedimentos instituídos em matéria de direitos do homem, nos termos ou em virtude de instrumentos constitutivos e das convenções da Organização das Nações Unidas e das instituições especializadas ou regionais.

35. IDI, Resolução de Santiago de Compostela, adotada em 13 de setembro de 1989, Artigo 7º: O reforço dos métodos e procedimentos internacionais, especialmente dos métodos e dos procedimentos das organizações internacionais, visando prevenir, reprimir e eliminar as violações dos direitos do homem, é altamente desejável.

36. O *Instituto de direito internacional* adotou, por meio da 9ª Comissão, em 25 de agosto de 2005, Resolução a respeito da diversidade cultural e questões de ordem pública em direito internacional privado, em matéria de família, tendo como Relator Paul LAGARDE: **différences culturelles et ordre public en droit international privé de la famille / cultural differences and ordre public in family private international law** (o texto francês sendo original e o inglês, uma tradução).

37. Maurizio RAGAZZI, **The concept of international obligations *erga omnes*** (Oxford: Clarendon Press, 1997). Ver tb. Alexander ORAKHELASHVILI, **Peremptory norms in international law** (Oxford: Univ. Press – Oxford Monographs in International Law, 1st. publ. 2006, reprinted 2008); Lisa YARWOOD, **State accountability under international law** – Holding states accountable for a breach of *jus cogens* rules (London: Routledge, 2011).

38. M. RAGAZZI (op. cit., 1997, p. 72): "are meant to protect the common interests of states and basic moral values".

39. *Instituto de direito internacional,* **Les obligations et les droits erga omnes en droit international / *Obligations and rights* erga omnes *in international law*** ("Le texte anglais fait foi. Le texte français est une traduction". Adotada em 27 de agosto de 2005, 5a. Comissão, teve como relator Giorgio GAJA). Resoluções do *Instituto de direito internacional* são sempre marcos relevantes na afirmação e na conceituação de desenvolvimento de direito internacional, e textos recentes tiveram considerável impacto sobre o direito internacional pós-moderno, tal como ilustram as Resoluções sobre a sucessão de estado, em matéria de bens e de dívidas (Vancouver, 2001), a assistência humanitária (Bruges, 2003) e as obrigações *erga omnes* (Cracóvia, 2005).

40. W. KOMARNICKI, **La définition de l'agresseur dans le droit international moderne** (RCADI, 1949, t. 75, p. 1-114) ; Yoram DINSTEIN, **Guerra, agressão e legítima defesa** (do original **War, aggression and self-defence,** ©1988, 1994, 2001, trad. Mauro R. De Mello, Barueri: Manole, 3. ed., 2004.

41. A respeito da **Convenção para a prevenção e a repressão do crime de genocídio**, de 9 de dezembro de 1948, *v.* o parecer consultivo da Corte Internacional de Justiça, prolatado em 28 de maio de 1951, sobre a eficácia e os limites para

direitos fundamentais[42] da pessoa humana; as obrigações ligadas ao direito à autodeterminação[43] e as obrigações relativas à proteção internacional do meio ambiente. Trata-se, conforme apontado, de exemplos de "obrigações que refletem tais valores fundamentais.

A Corte Internacional de Justiça reconhece e afirma o princípio da **autodeterminação** dos povos em seu parecer consultivo de 21 de junho de 1971, sobre a **Namíbia**; no parecer consultivo de 16 de outubro de 1975, sobre o **Saara ocidental**; bem como no julgamento de 30 de junho de 1995, no caso **Timor oriental**[44], onde teríamos, infelizmente, mais um caso de genocídio[45]. E ainda no Parecer sobre a independência do **Kosovo**, em 22 de julho de 2010.

Aponte-se[46] a **mutação conceitual** em curso no direito internacional pós-moderno: mesmo se o sistema internacional permanece, hoje, como, ontem, o **direito da sociedade dos estados** – e nesse sentido, há quem sustente, com razão, que sua **identidade continua inalterada** – reconhece-se, contudo, que o sistema normativo internacional, com certeza, **mudou de conteúdo**. Em razão do reconhecimento internacional dos **direitos do homem** e do **direito de autodeterminação dos povos**, saímos da problemática tradicional do direito internacional,

---

a **adoção de reservas a essa convenção.** *V.* tb. CASELLA, **Fundamentos** (2008, item I, "Construção do direito internacional e contexto pós-moderno", p. 63-179 e, item IX, "Fundamento e norma cogente de direito internacional", p. 721-776). O *Instituto de direito internacional* na sessão de Cracóvia, em 2005, adotou Resolução a respeito da **competência universal em matéria penal, com relação aos crimes de genocídio, de crimes contra a humanidade e de crimes de guerra (Universal criminal jurisdiction with regard to the crime of genocide, crimes against humanity and war crimes** e teve como Relator Christian TOMUSCHAT); *v.* tb. William A. SCHABAS, **Genocide in international law** – the crime of crimes (2nd. ed., Cambridge: Cambridge Univ. Press, 2009); Dalmo de Abreu DALLARI, O genocídio repensado (in **Direito e comércio internacional: tendências e perspectivas: estudos em homenagem ao prof. Irineu STRENGER**, org. L.O. BAPTISTA, H. M. HUCK e P. B. CASELLA, São Paulo: LTr, 1994, p. 463-477); Victoria ABELLÁN HONRUBIA, **La responsabilité internationale de l'individu** (RCADI, 1999, t. 280, p. 135-428, esp. Cap. V, item II, "Crime de génocide", p. 320-331, cit. p. 326): "Il convient d'observer une certaine tendance du Triibunal pour l'ex-Yougoslavie et de la pratique étatique à élargir la notion de génocide à d'autres cas non expressément pris en considération par la qualification internationale; tendance, d'autre part, bien accueillie par certains secteurs de l'opinion publique internationale".

42. J. DUMAS, **La sauvegarde internationale des droits de l'homme** (RCADI, 1937, t. 59, p. 1-98).
43. G. ABI-SAAB, **Wars of national liberation in the Geneva Conventions and Protocols** (RCADI, 1979, t. 165, p. 353-445).
44. Disponível em: http://www.icj-cij.org/icjwww/idecisions.htm.
45. Geoffrey C. GUNN, **Complicity in Genocide: report to the East Timor "Truth Commission" on International Actors** (Macau: Tipografia Macau-Hong Kong / Geoffrey C. Gunn, 2006). Ver tb. item 3.5, sobre secessão no direito internacional e o parecer da CIJ sobre o Kosovo (2010).
46. J.-A. CARRILLO SALCEDO, **Droit international et souveraineté des états: cours général de droit international public** (RCADI, 1996, t. 257, p. 35-222, esp. p. 67-70); mesmo se recusa afirmar que o direito internacional tenha mudado de "natureza", Prosper WEIL, **Le droit international en quête de son identité: cours général de droit international public** (RCADI, 1992, t. 237, p. 9-370), reconhece que este com certeza mudou de conteúdo – *a certainement changé de contenu. V.* tb. Michel VIRALLY, **Panorama du droit international contemporain – cours général de droit international public** (RCADI, 1983, t. 183, p. 9-382); VIRALLY, **Le principe de reciprocité dans le droit international contemporain** (RCADI, 1967, t. 122, p. 1-105), Michel VIRALLY, em suas *Réflexions sur le jus cogens* (AFDI, 1966).

das relações interestatais, onde a soberania põe limites à soberania, e onde o progresso do direito se faz com base na reciprocidade. Em razão desses dois desenvolvimentos, de fato a soberania vai, doravante, encontrar-se limitada por direitos pertencentes a outros sujeitos de direito, além dos estados. O direito internacional penetra no coração da soberania: nas relações do estado com os seus nacionais e, de modo mais amplo, entre o aparelho estatal e a população; portanto, entre esses dois elementos constitutivos do estado, pode-se extrair a conclusão, no sentido de que esses ***desenvolvimentos do direito internacional remodelaram o perfil da soberania***.

Dentre as **obrigações** ***erga omnes***, em virtude do direito internacional, algumas obrigações se impõem a todos os sujeitos do direito internacional, com o fim de preservar os valores fundamentais da comunidade internacional. Além disso, haveria amplo consenso[47] para admitir que a interdição de atos de agressão, a proibição do genocídio, as obrigações concernentes à proteção dos direitos fundamentais da pessoa humana, as obrigações ligadas ao direito de autodeterminação dos povos e as obrigações relativas à proteção internacional do meio ambiente constituem exemplos de obrigações que refletem os referidos valores fundamentais.

Essas são matérias em relação às quais o direito internacional pós-moderno já teria consolidado o patamar de obrigações oponíveis contra todos (*erga omnes*). Ao mesmo tempo, aponte-se existirem "outros sujeitos de direito internacional, além dos estados", e ademais se caracterizam tais sujeitos não estatais do direito internacional também como destinatários de obrigações de direito internacional oponíveis contra todos[48].

A **obrigação** ***erga omnes*** é: (a) obrigação decorrente do direito internacional geral, em relação à qual o estado, em qualquer circunstância, tem a obrigação de observar, quanto à comunidade internacional, com base em valores comuns e no próprio interesse do estado, que tal obrigação seja respeitada, de maneira que a

---

47. *V.* Nelson F. de CARVALHO, no ensaio *Arqueologia do consenso* (in **Direito e comércio internacional: tendências e perspectivas — estudos em homenagem ao prof. Irineu STRENGER**, org. L. O. BAPTISTA, H. M HUCK e P. B. CASELLA, São Paulo: LTr, 1994, p. 353-406).

48. A respeito da configuração de obrigação *erga omnes*, manifesta-se a Corte Internacional de Justiça no Parecer **sobre as consequências jurídicas da construção do muro nos territórios palestinos ocupados**, prolatado em 9 de julho de 2004. Cfr. tb. Lisa YARWOOD, **State accountability under international law** – Holding states accountable for a breach of *jus cogens* rules (London: Routledge, 2011); Alexander ORAKHELASHVILI, **Peremptory norms in international law** (Oxford: Univ. Press – Oxford Monographs in International Law, 1st. publ. 2006, reprinted 2008); V. MAROTTA RANGEL, *L'avis consutltatif du 9 juillet 2004 et l'antinomie entre volontarisme et solidarisme* (in **International law and the use of force at the turn of centuries: essays in honour of Vladimir-Djuro DEGAN**, Rijeka: Fac. of Law Univ. of Rijeka, 2005, Cap. 10, p. 199-205); e o já ref. M. RAGAZZI, **The concept of international obligations** ***erga omnes*** (Oxford: Clarendon Press, 1997).

sua violação autoriza todos os estados a reagirem contra a referida violação; ou (b) obrigação decorrente de tratado multilateral, em relação à qual o estado-parte nesse tratado tem a obrigação de observar, em qualquer circunstância, em relação a todos os estados partes no tratado, em razão de valores comuns e do interesse de todos, que tal obrigação seja respeitada, de tal modo que a sua violação autoriza todos os estados a reagirem.

Quando um estado viola **obrigação *erga omnes***, todos os estados supostamente atingidos têm o direito, mesmo sem estarem diretamente atingidos por tal violação, de exigir que o responsável assegure: (a) a cessação do fato internacionalmente ilícito; (b) a execução da obrigação de reparação, no interesse do estado, da entidade ou do indivíduo diretamente atingido pela violação. A restituição deverá ser efetuada, se esta não for materialmente impossível[49].

A **afirmação de tais direitos e obrigações jurídicas internacionais e as especificações de seu conteúdo representam marco na evolução do direito internacional pós-moderno. Resta ver tais dispositivos adotados e refletidos na prática dos estados.**

Na Resolução a respeito da **competência universal em matéria penal, com relação ao crime de genocídio, aos crimes contra a humanidade e aos crimes de guerra**, adotada pelo Instituto de direito internacional (na sessão de Cracóvia, em 2005)[50], mais uma vez se enfatiza serem os valores fundamentais da comunidade internacional violados pelos crimes internacionais graves, tais como definidos pelo direito internacional, e, desse modo, assinala ter a competência universal por objeto proteger tais valores, especialmente a vida humana,

---

49. Se existir vínculo jurisdicional entre o estado pretensamente responsável pela violação de **obrigação *erga omnes*** e outro estado a que seja devida tal obrigação, este último está qualificado para levar à Corte Internacional de Justiça ou perante outro tribunal internacional a demanda relativa à controvérsia em questão. A Corte Internacional de Justiça ou outro tribunal internacional deveria assegurar ao estado ao qual seja devido o cumprimento de obrigação *erga omnes* a possibilidade de participar do procedimento perante a Corte ou outro tribunal competente. Regras específicas deveriam reger tal participação.

Caso ocorra violação grave, amplamente reconhecida, de **obrigação *erga omnes***, há previsão de que todos os estados aos quais tal obrigação é devida: (a) devem se empenhar em pôr termo a tal violação, recorrendo aos meios lícitos, em conformidade com a Carta das Nações Unidas; (b) devem se abster de reconhecer como lícita qualquer situação decorrente desse ato violador; (c) têm a faculdade de tomar as contramedidas, que não impliquem uso da força, nas condições análogas às que seriam aplicáveis por estado diretamente atingido. E tudo isso deve ser entendido e aplicado, sem prejuízo: (a) dos direitos e das prerrogativas de estado diretamente atingido pela violação de obrigação ***erga omnes***; (b) da aplicação das regras especificamente concernentes à violação de determinadas obrigações ***erga omnes***; (c) dos direitos de que estado parte em tratado multilateral dispõe, em virtude do direito dos tratados, como consequência da violação desse direito.

50. O *Instituto de direito internacional* adotou, por meio da 17ª Comissão, em 26 de agosto de 2005, Resolução sobre **competência universal em matéria penal, com relação aos crimes de genocídio, de crimes contra a humanidade e de crimes de guerra** (***Universal criminal jurisdiction with regard to the crime of genocide, crimes against humanity and war crimes***, que teve como relator Christian TOMUSCHAT.

a dignidade humana e a integridade física, ao permitir sejam processados crimes internacionais[51]. Ao mesmo tempo, cumpre ressaltar a importância das instituições judiciárias internacionais, encarregadas da repressão de crimes internacionais que não sejam, ou ao menos, não de modo adequado, processados pelas autoridades judiciárias nacionais competentes.

A competência universal põe-se como mecanismo adicional efetivo, no sentido de prevenir a impunidade dos crimes internacionais, em que se assinala que a competência dos estados, para processar crimes cometidos no território de outro estado, por pessoas que não tenham a nacionalidade daquele estado, deve ser regida por normas claras, a fim de não comprometer a segurança jurídica e a utilização razoável de tal competência.

A teoria do ato jurídico[52], mesmo em se tratando de noção comum aos diferentes sistemas jurídicos, não pode ser captada *in abstracto*, mas insere-se em determinada ordem jurídica. A aparição da noção de norma de *jus cogens* veio mostrar que mesmo a vontade dos estados tem de encontrar limites, e que estes não poderiam atribuir quaisquer efeitos a determinado tratado. Esse é problema de validade[53].

Sobretudo para fins didáticos, podem ser identificados quatro seguintes períodos: 1.1.1. o direito internacional até os tratados de Vestfália; 1.1.2. de Vestfália (1648) até Viena (1815); 1.1.3. de Viena (1815) até Versalhes (1919); 1.1.4. de Versalhes ao contexto presente; 1.1.5. perspectivas do direito internacional no século XXI; e 1.1.6. visão de conjunto da evolução do direito internacional.

1.1.1. o direito internacional até os tratados de Vestfália (1648)

Os primeiros rudimentos de um *jus inter gentes* surgiram entre as tribos e os clãs de povos diferentes na Antiguidade, e alguns desses rudimentos jurídicos ainda sobrevivem. À medida que a civilização desses agrupamentos humanos se

51. Desejando, assim, contribuir para a prevenção e a repressão de tais crimes, visando pôr termo à impunidade, que pode diretamente resultar da falta de vontade ou da incapacidade das autoridades estatais em tomar as medidas necessárias para processar e punir os autores de tais delitos, lembra o *Instituto* que todos os estados têm a responsabilidade principal de processar, de modo efetivo, os crimes internacionais submetidos à sua jurisdição ou cometidos por pessoas sob seu controle.

52. Jean-Paul JACQUÉ, **Acte et norme en droit international public** (RCADI, 1991, t. 227, p. 357-417).

53. P. JACQUÉ (op. cit., 1991, p. 369-370). Visto que: "para que determinado ato jurídico possa cumprir a sua função, é preciso que tire sua validade formal e material da ordem jurídica existente. Não existe teoria dos atos, sem teoria da validade". Mas adverte quanto ao risco de se passar insensivelmente do ato à norma, e ser difícil evitar esse deslize, em razão do próprio vocabulário utilizado: "o termo tratado é simultaneamente utilizado para designar o documento redigido no curso de negociações e o objeto do documento, que é a norma por este criada".

desenvolve, as suas relações tornam-se mais complexas e, por isso mesmo, as normas que as regulam adquirem também maior grau de complexidade[54].

Entretanto, na remota Antiguidade, como nem todos os povos haviam alcançado o mesmo grau de civilização, e como, além disso, cada continente ou certas regiões de cada continente formavam como que mundos à parte, isolados uns dos outros, não poderia evidentemente haver regras idênticas para todos os povos, e o *jus inter gentes* primitivo muito longe estaria de possuir o caráter de universalidade que se reclama para o verdadeiro direito internacional, ou para o direito internacional tal como se entende nos tempos mais próximos de nós.

Por outro lado, o isolamento em que quase sempre viviam os povos da Antiguidade e os sentimentos de hostilidade, existentes entre uns e outros, eram pouco propícios à formação e ao desenvolvimento de direito destinado a reger suas relações recíprocas. O referido isolamento era rompido, em geral, por meio de guerras, guerras de agressão e de conquista, determinadas pelo sentimento do interesse material e pela consciência da força[55].

Ernst CASSIRER, no **Ensaio sobre o homem** (1944, ed. 2001)[56], constrói a relação entre o "o homem e a cultura" – a natureza do homem está escrita em letras maiúsculas na natureza do estado – e a transpõe para o contexto da vida humana, no plano político e social: "a vida política não é a única forma de existência comunitária humana. Na história da humanidade, o estado, em sua forma presente, é um produto tardio do processo civilizador. Muito antes de o homem descobrir essa forma de organização social, ele havia feito outras tentativas de organizar seus sentimentos, desejos e pensamentos. Tais organizações e sistematizações estão contidas na linguagem, no mito, na religião e na arte.

---

54. M. MENDELSON, **The formation of customary international law** (RCADI, 1998, t. 272, p. 155-410), narra a formação da sociedade internacional, como se fosse romance a respeito da pré-história.

55. O marco de mutação qualitativa teria ocorrido somente com o início da institucionalização dos meios pacíficos de solução de controvérsias interestatais, com destaque para as Conferências de Paz da Haia de 1899 e 1907, também como "tentativas de favorecer certa centralização" do até então difuso e não institucionalizado sistema internacional. *V.* L. CAFLISCH, **Cent ans de règlement pacifique des différends interétatiques** (RCADI, 2001, t. 288, p. 245-467, cit., p. 260-1); SFDI. **La juridictionnalisation du droit international** ("Actes du XXXVIe Colloque de la SFDI org. par l'Univ. de Lille ... les 12, 13 et 14 septembre 2002", Paris: Pedone, 2003), e tb. o conjunto dos estudos no volume **Promoting Justice, Human Rights and Conflict Resolution through International Law/La promotion de la justice, des droits de l'homme et du règlement des conflits par le droit international** – *Liber amicorum* Lucius CAFLISCH (ed. by M. KOHEN, Leiden: M. Nijhoff, 2007).

56. Ernst CASSIRER, **Ensaio sobre o homem: introdução a uma filosofia da cultura humana** (do original **An essay on man: an introduction to a philosophy of human culture**, 1944, 1972, trad. Tomás Rosa BUENO, 1. ed., bras. 1994, 3ª tir., 2001, esp. parte II, "O homem e a cultura", p. 105-372, prefácio de E. CASSIRER, p. 1-5, cit., p. 2): "Um de meus objetivos mais importantes foi o de convencê-lo [o leitor] de que todos os temas tratados neste livro são apenas, afinal, um *único* tema. São caminhos diferentes que levam ao mesmo centro – e, a meu modo de ver, cabe a uma filosofia da cultura descobrir e determinar esse centro".

Deveremos aceitar essa base mais ampla, se quisermos desenvolver uma teoria do homem. O estado, por mais importante que seja, não é tudo. Não pode expressar ou absorver todas as outras atividades do homem"[57].

Mostra a história humana que os homens se organizam em grupos sociais independentes, regidos por ordem interna, em tribos, cidades, cidades-estado ou estados. Tão logo distintas unidades e seus soberanos estabeleçam contato, umas com as outras, primeiro o costume e em seguida o direito costumeiro desenvolve-se para conduzir tais relacionamentos, já revestidos de caráter internacional.

O primeiro tratado de que se tem documentação, no sistema das cidades-estado da Mesopotâmia, fixa as fronteiras entre as cidades de Lagash e Umma, com participação de MESILIM, soberano do vizinho estado de Kish, normalmente datado por volta de 3100 a.C.[58]. A respeito já se apontou a controvérsia em torno do marco histórico de surgimento do direito internacional e das diferentes manifestações iniciais[59].

Direito consuetudinário já esboçava na época, e conterá, em toda parte, como direito internacional geral *de facto*, regras a respeito: a) da inviolabilidade de arautos e mensageiros; b) da obrigatoriedade, se não mais, da santidade dos tratados (*pacta sunt servanda*)[60], incluindo a boa-fé (*bona fides*) na interpretação[61] e aplicação destes[62]; c) do estatuto jurídico dos estrangeiros e estas, na medida em que se

---

57. E. CASSIRER (op. cit., 1944, ed. 2001, Cap. VI, "A definição do homem nos termos da cultura humana", p. 107-120, cit. p. 108) e prossegue: "É claro que essas atividades, em sua evolução histórica, estão intimamente ligadas ao desenvolvimento do estado; em muitos aspectos, elas dependem das formas de vida política. No entanto, embora não possuam uma existência histórica separada, têm mesmo assim um propósito e um valor próprios".

58. Stephan VEROSTA, **International Law in Europe and Western Asia between 100 and 650 A.D.** (RCADI, 1952, t. 80, p. 485-620, "Introduction", p. 494, nota 7).

59. No item **1.1. Estudo da evolução histórica**, *supra*.

60. J. B. WHITTON, **La règle pacta sunt servanda** (RCADI, 1934, t. 49, p. 147-276).

61. Teresa NEGREIROS, **Fundamentos para uma interpretação constitucional do princípio da boa-fé** (Pref. M. C. B. de MORAES, Rio de Janeiro: Renovar / bilbioteca de teses, 1998, "Introdução", p. 1-23, cit. p. 1-2): "A boa-fé é uma noção jurídica tão antiga quanto obscura. Tais características parecem justificar-se reciprocamente. Com efeito, a ancestralidade da boa-fé – cujas origens já se delineiam na tradição jurídica romana – pode ser associada à ancestralidadede do próprio direito, como forma de organização social, na medida em que a ideia de uma conduta leal e confiável – substrato da boa-fé – integra a essência do direito, sua dupla fundamentação de viabilizar a justiça e a segurança das relações intersubjetivas. A conexão assim vislumbrada, entre a ideia de direito e o conteúdo ético evocado pela boa-fé implica, numa perspectiva de assimilações mútuas, que a conceituação desta reflita a conceituação daquele. Sob esse aspecto, portanto, as tantas dificuldades em conceituar a boa-fé – chamada, também por isso, de *une mer sans rivages* — revelam apenas um pequeno córrego que aflui ao grande oceano, pressuposto pela eterna questão acerca do que seja o conteúdo (mínimo) do direito"; cita Simone DAVID-CONSTANT, La bonne foi: une mer sans rivages (in **Bonne foi**: Actes du colloque organisé le 30 mars par la Conférence libre du jeune barreau de Liège, A.S.B.L., Liège: Éditions du jeune barreau de Liège, 1990, p. 7).

62. Robert KOLB, **La bonne foi en droit international public: contribution à l'étude des principes généraux du droit** (Paris: PUF / publ. IUHEI, 2000); Elizabeth ZOLLER, **La bonne foi en droit international public** (Paris: Pedone, 1977); Suzanne BASTID, *Mutations politiques et traités: le cas de la Chine* (in **La communauté internationale: Mélanges offerts à Charles ROUSSEAU**, Paris: Pedone, 1974, p. 1-15, cit. p. 15): "La notion de continuité de l'état ne s'adapte pas à tous les problèmes issus, pour les traités, des mutations politiques".

intensificam os intercâmbios, resultam em regras a respeito de comércio internacional, asilo[63] e relações familiares (*commercium et connubium*); d) das sanções de direito internacional e especialmente em matéria de guerra e conflitos armados.

Desde os mais remotos tempos da história, os registros mostram a existência de corpos de regras que se caracterizam por conter todas as características básicas do direito internacional[64]. Entretanto, muitos relutarão em falar de sistema de direito internacional na Antiguidade[65].

Entre 1500 e 1200 a.C. os estados do Oriente Médio tinham desenvolvido não somente um sistema político de equilíbrio de poder, mas também um corpo de normas substantivas de direito internacional, que pôde ser reconstituído a partir dos tratados celebrados entre egípcios e hititas, conservados em arquivos de estado de ambos[66]. O mesmo equilíbrio de poder, na mesma região, faz falta, desde que os mandatos do tempo da Sociedade das Nações foram encerrados: polos de tensão e risco para a paz e a segurança internacionais, cuidadosamente mantidos e explorados[67].

As grandes migrações de povos indo-europeus da Ásia Central e Rússia Meridional, abrangendo hititas, filisteus, gregos, indianos e iranianos, suplantam o sistema mesopotâmico e levam à organização dos povos iranianos em grande império persa, que estabelece sistemas de contatos e relações com as cidades-estado gregas, o sistema de estados indianos e o império chinês. O legado grego ao direito internacional[68].

Na Grécia Antiga encontram-se aplicadas algumas das instituições até hoje conhecidas do direito das gentes[69]. Ali vemos, p. ex., a arbitragem, como modo

---

63. Anicet LE PORS, **Le droit d'asile** (orig. publ., 2005, Paris: PUF, 2011); SFDI, **Droit d'asile et des réfugiés** ("Colloque de Caen, 1996", Paris: Pedone, 1997); E. REALE, **Le droit d'asile** (RCADI, 1938, t. 63, p. 469-602); Adherbal MEIRA MATTOS, **Direito internacional público** (Rio de Janeiro: Renovar, 2. ed., 2002, Cap. 14, "Direito de asilo", com distinção entre "asilo político" e "asilo diplomático", p. 285-295).

64. Stephan VEROSTA (op. cit., 1952, "Introduction" p. 491): "There is no doubt that from the earliest periods of international relations between sovereign political units such a body of rules of a general law of nations can be traced showing all the basic characteristics of international law".

65. Nesse sentido, em lugar de controvérsias infrutíferas a respeito do marco temporal inicial da disciplina, pode-se ter a consciência de que o direito internacional, como toda obra humana, se faz *no* tempo e é produto *do* tempo (história) e meio (cultura) em que se cria e se desenvolve, em perspectiva pós-moderna, e mais abrangente. *V.* CASELLA, **Fundamentos** (2008, esp. item V, "Direito internacional e duração", p. 445-487 e VI, "Direito, história e cultura", p. 489-615).

66. Stephan VEROSTA (op. cit., 1952, p. 494 s.): "Among these treaties, the convention of peace and alliance between RAMSES II and HATTUSILI II of 1279 b.C. is particularly important; it is written in Accadian, the language of diplomacy and international instruments of that period".

67. V. H. RUTGERS, **La mise en harmonie du pacte de la Société des Nations avec le pacte de Paris** (RCADI, 1931, t. 38, p. 1-123).

68. Josep BLANES Sala, **Noção e instituições de direito internacional na Grécia clássica** (São Paulo: FDUSP, mestrado em direito internacional, 1993); G. TÉNÉKIDÈS, **Droit international et communautés fédérales dans la Grèce des cités** (RCADI, 1956, t. 90, p. 469-652). A perspectiva pôde ser ampliada, pelo mesmo TÉNÉKIDÈS, em outro curso na Haia, **Régimes internes et organisation internationale** (RCADI, 1963, t. 110, p. 271-418).

69. *V.* **Fundamentos** (item VII, "Eunomia internacional", p. 617-666); P. B. CASELLA, **Direito internacional no tempo an-**

de solução de litígios; o princípio da necessidade da declaração de guerra; a inviolabilidade dos arautos; o direito de asilo; a neutralização de certos lugares; a prática do resgate ou da troca de prisioneiros de guerra etc. É verdade que as regras admitidas eram antes de natureza religiosa do que de natureza jurídica.

As tribos itálicas, em torno da cidade-estado de Roma, a partir de 500 a. C. desenvolvem a federação itálica, sob o nome de República romana, aceito como a caçula do sistema estatal helenístico. Depois de suplantar todas as demais, torna-se a herdeira do mundo helenístico. Roma estende suas fronteiras até o Reno e o Danúbio e, de principado, torna-se monarquia.

Em Roma, após as conquistas, a situação era diferente. A universalidade do império tornava-se, por assim dizer, impossível sem a existência de ordem jurídica internacional. No *jus fetiale*, entretanto, ali instituído, há quem pretenda encontrar os germes desse direito. O *jus fetiale*, de caráter nitidamente religioso, continha alguns preceitos relativos à declaração da guerra e à sua conclusão. Ernest BARKER (1930, 1957)[70] enfatiza a necessidade das ideias para fazer das construções humanas mais do que simples estruturas, de modo a dar-lhes raiz nas mentes dos homens: qualquer sociedade estável precisar basear-se em conjunto de convicções e na vontade social que esse conjunto cria[71].

A construção do *ius gentium*[72] foi marco regulatório cuja influência ainda se faz presente, como ideia de direito universalmente aplicável a todas as gentes

---

tigo (2012, cap. V, "as cidades-estado gregas", p. 259-301); G. TÉNÉKIDÈS, **Droit international et communautés fédérales dans la Grèce des cités** (1956, p. 469-652).

70. Ernest BARKER, **Church, state and education** (1st. publ., 1930; "American edition, with a new preface by the Author", Ann Arbor: Univ. of Michigan Press, 1957, Cap. I, "the roman conception of empire", p. 1-43). *V.* tb. Ronaldo POLETTI, **O conceito jurídico de império** (Brasília: Consulex, 2009); H. GRÓCIO, **Direito da guerra e da paz** (op. cit., 1625, II.IX.I); P. B. CASELLA, *Empires, hegemony and cooperation* (in ΠΡΑΒΟΒϑΙΕ ΑCΠΕΚΤϑΙ ΒΡΗΚC – **Aspetti giuridici del BRICS – Legal aspects of BRICS**, ed. by T. A. ALEXEEVA & P. CATALANO, São Petersburgo: Univ. Nacional de Pesquisa, 2011, p. 27-48); E. BARKER, **Teoria política grega: Platão e seus predecessores** (do original **Greek political theory,** Londres: Methuen & Co., 1977, trad. Sérgio BATH, Brasília: Ed. UnB, 1978).

71. E. BARKER (op. cit., ed. 1957, cap. cit.): "The legal genius of Roman citizens – with their conceptions of *imperium*, and *provincia*, *potestas* and *maiestas* – which gave to the Empire the framework and structure of its institutions. But the ideas on which it rested – the ideas which made it more than a structure, and gave it a root in the minds of men – were ideas which had germinated in the East. Any permanent society must rest on a body of belief and on the social will which such a body of belief creates".

72. E. BARKER (op. cit., p. 22-25): "The development of a common law for the empire acompanied, as it helped to promote, the development of a common citizenship. (...) If we look at the origin of this system, we shall call it the praetor's law, or *ius praetorium*; if we look at the area of its application, we shall call it the general law, or *ius gentium*". (...) "This simple and universal law, thus formulated by the praetors, became connected with the conception of a law of nature. It is quite possible that the Roman lawyers realized the "natural" character of the *ius gentium* even before they were imbued with Stoic philosophy; it is certain that, as they came to understand the Stoic conception of a universal law of nature, they came to regard the *ius gentium* as a close approximation to that conception; and though it was never universally or completely identified with the law of nature, it was at any rate regarded as the concrete expression of such a law in actual human society – less perfect in that it denied equality and recognized slavery; but more serviceable, because it was actually formulated and administered in courts".

(livres) do império. Inaugura-se a ideia de lei universal, ligada à natureza, e se não a expressão perfeita de lei natural (na medida em que aceitava, por exemplo, a escravidão), seria a expressão humanamente possível desta, na medida em que, refletindo a lei da natureza, regulava a convivência entre as gentes, em toda a extensão do império romano.

O *Edito* de CARACALA não somente fundiu todas as nacionalidades do império em única nacionalidade; também representou a fusão de todas as diferenças de *status* em um único[73]. O *Edito*, do ano 212, seria o marco da afirmação da unidade de cidadania de todos os homens livres do império como cidadãos romanos[74].

A criação do *ius gentium* foi, paradoxalmente, paralisada no momento em que este foi codificado[75], prosseguindo por meio dos *Editos* imperiais até JUSTINIANO. O direito internacional se inscreve na ordenação da convivência. Antes na busca da ordenação dessa convivência, ao lado de fenômenos de poder e força, que tem igualmente o seu papel e seu impacto no cenário internacional. Essa convivência não se pode pautar nem somente pela força nem somente por princípios.

Ao menos em relação a parte do que pode ser chamado "Ocidente", durante séculos – isso, em boa medida, antes como anseio que efetividade, oscilando as cargas de efetividade e de anseio destituído de impacto sobre a realidade –, em considerável extensão, pretendeu Roma desempenhar tal função[76]. E permanece. Da Roma secular dos Césares, na Antiguidade, à Roma papal, até o final

---

73. E. BARKER (op. cit., p. 24-25): "As a school of jurisconsults arose at Rome, the practical application of the *ius gentium* in the praetor's court was supplemented by scientific inquiry; and from the second century b.C. a body of trained jurists applied their skill to elucidate and develop its implications. The majesty of the *ius gentium* was recognized – and at the same time its growth was stopped – when HADRIAN (...) caused the jurist SALVIUS JULIANUS to codify the praetorian edict in a fixed and final form. By this time, the work had been done: the city-law of Rome had been expanded to meet the needs of the new Mediterranean state: a *ius gentium* regarded as valid for all free men *everywhere* (this is the meaning of *gentium*), and assuming an ideal aspect by its close connexion with the law of nature – a connexion which helped to ameliorate the lot even of the slave – was co-extensive with the whole empire".

74. *V.* CASELLA, **Fundamentos** (2008) (item I, "Construção do direito internacional e contexto pós-moderno", p. 55-171, cit. p. 121-2); CASELLA, **Direito internacional no tempo antigo** (2012, cap. VI, "na formação e no desenvolvimento de Roma", p. 303-334).

75. E. BARKER (op. cit., loc. cit.): "If the expansion of the *ius gentium* was stopped by its codification, there was another source ready and able to provide a law no less universal. The emperors had the power of issuing "rescripts" in answer to any inquiry or petition; and these rescripts, if they dealt largely with matter of administration, were also concerned with matter of law" (...). "Valid for the whole empire, by virtue of their origin, they continued and completed the formation of a single law for the Mediterranean world".

76. Vincenzo ARANGIO-RUIZ, **Storia del diritto romano** (Nápoles: Eugenio Jovene, 7. ed., "Riveduta, con note aggiunte", 1977, esp. Caps. XIV, "*Leges* et *iura* nel travaglio postclassico", p. 353-375, e XVI, "Le fonti giuridiche bizantine", p. 398-404) sobre as codificações feitas no final do Império romano do ocidente: o ***Codex Theodosianus*** (439), o ***Edito*** de TEODORICO, rei dos Ostrogodos, publicado por volta do ano 500, a ***Lex romana wisigothorum***, elaborada por juristas de cultura romana, aprovada em 506, em reunião de bispos e notáveis romanos, também sancionada e promulgada pelo rei ALARICO, donde o fato de também ser conhecida como ***Breviarium Alarici*** ou ***Alaricianum***.

da Idade Média[77]. A ideia de unidade marca a civilização medieval[78] e estende-se durante séculos, se não como efetividade, ao menos como anseio, para o conjunto da Europa Ocidental[79].

De Roma ficou a ideia da universalidade de direito[80], sob a forma do *ius gentium*. Se a ideia de poder unificado ou poder central fez e, todavia, faz consideráveis estragos, a concepção de sistema normativo – e, se não "natural" ao menos dentro do humanamente possível – reflete a condição da humanidade, ao menos em relação ao que depois se convencionou chamar de "Ocidente"[81].

O direito internacional, desenvolvido pelas relações entre os impérios persa e romano, contém não somente regras indispensáveis para as relações internacionais, como também muitos elementos do moderno direito internacional[82]. No período entre 100 e 650 a. D., a área da Europa e Ásia ocidental é marcada pelo equilíbrio de poder entre os impérios persa e romano, com contínuos esforços de ambas as grandes potências, no sentido de preservar o equilíbrio, contra qualquer tentativa hegemônica da outra.

A grande ruptura da época não foi a queda do Império Romano do Ocidente em 476 a.D., mas a chegada do Islão, impulsionado por MAOMÉ[83]. Os inva-

---

77. Afonso Arinos de MELO FRANCO, **Amor a Roma** (Rio de Janeiro: Nova Fronteira, 1982).

78. E. BARKER (ed. 1957, esp. no tb. já ref. Cap. II, "The unity of mediaeval civilization", p. 44-71).

79. P. B. CASELLA, **Direito internacional no tempo medieval e moderno até VITORIA** (2012, cap. XII, "*jus gentium, jus commune, jus europaeum* – entre a teoria e a prática", p. 381-480). Roma, porém, havia concorrido para o conhecimento mútuo dos povos e para que se habituassem a relações pacíficas normais, de maneira que, após o desmembramento do império romano, era natural que pudessem surgir e desenvolver-se relações internacionais e, concomitantemente, um direito internacional. *V.* tb. P. B. CASELLA, *Jus gentium e os BRICS* ("conferência apresentada na sessão solene de inauguração do 1º ano letivo do curso de mestrado em direito romano e sistemas jurídicos contemporâneos, na Faculdade de Direito da Universidade de São Paulo", em 17 de setembro de 2012, São Paulo: FD-USP, Cadernos de pós-graduação em direito – Estudos e documentos de trabalho n. 12/2012, 26 p.); Lucienne DAL RI, **Ius fetiale**: as origens do direito internacional no universalismo romano (Ijuí: Ed. Unijuí, 2011), é favorável ao reconhecimento de filiação entre o antigo *jus gentium* e o direito internacional moderno, enquanto Pierangelo CATALANO, **Linee del sistema sovrannazionale romano** (Torino: Giappichelli, 1965), se manifesta contrariamente, entendendo logicamente haver influência, sem contudo ser cabível falar em relação direta, visto serem fenômenos distintos o *jus gentium* romano antigo e o direito internacional moderno.

80. Philippe NEMO, **Qu'est-ce que l'Occident?** (Paris: PUF / Quadrige, 2004).

81. Ph. NEMO (op. cit., "Introduction", p. 5-10, cit. p. 5): "Les circonstances géopolitiques d'aujourd'hui appellent peut-être à leur tour quelque chose comme un discours à la nation occidentale".

82. Stephan VEROSTA (op. cit., loc. cit.): "Embassies and envoys were not only inviolable, but enjoyed privileges and immunities; so did the heads of state on official visits to another state. The conclusion of treaties was operated by the exchange of signed and sealed documents of ratification and authenticated copies of the agreed text in the other Empire's official language. Commercial relations between the two Empires (Roman and Persian) and other subjects of international law of the period not only existed but were regulated by treaties; merchants, for instance, had to use certain roads and certain emporia. Treaties guaranteed religious minorities the exercise of their faith. The allies of the two Empires were included in the treaties and participated in its benefits and obligations. Disputes arising between the two nations were to be decided by courts of arbitration".

83. Henri PIRENNE, **Mahomet et Charlemagne** (1936), seguido de Bruce LYON, **le débat historique sur la fin du monde antique et le début du moyen âge**, André GUILLOU, **Byzance et la genèse de l'europe occidentale**; Francesco

sores ditos "bárbaros" não põem termo à unidade mediterrânea do mundo antigo, nem ao que se pode chamar de essencial da cultura romana, tal como se conservam o modelo e os ideais romanos, quando deixa de haver Império Romano no Ocidente. Ravena é mais que símbolo, mas também modelo e inspiração para os reinos germânicos[84], que emulam o modelo romano.

A ruptura da unidade mediterrânica e da Antiguidade se dá com o advento do Islão.

O fim do Mediterrâneo como *mare nostrum* romano marca o final da Antiguidade e o início da Idade média[85]. A ruptura do mundo antigo foi causada pelo avanço rápido e inesperado do Islão[86], cuja consequência foi a separação definitiva entre o Ocidente e o Oriente, o que pôs fim à unidade mediterrânea[87]. Da África à Espanha, que estavam na órbita do mundo ocidental, passam a gravitar em torno a Bagdá. É outra religião e surge outra cultura, que se manifesta em todos os campos. O Ocidente vê-se cercado de todos os lados, e obrigado a viver, voltado para si mesmo[88]. Pela primeira vez, o eixo da vida histórica é empurrado

---

GABRIELI, **Effets et influences de l'Islam sur l'europe occidentale**; Heiko STEUER, **De Théodoric le grand à Charlemagne** (trad. Hélène SEYRÈS, Milão: Jaca Book, © 1986, 1. ed. francesa, 1987); P. B. CASELLA, **Direito internacional no tempo medieval e moderno até VITORIA** (2012, esp. 11.2, "guerra justa e guerra santa: entre *jihad* e as cruzadas", p. 273-284); Jean FLORI, **Guerre Sainte, jihad, croisade: violence et religion dans le christianisme et l'islam** (Paris: Sevil, 2002); Gilles KEPEL, **Jihad: expansão e declínio do Islamismo** (© 2003, trad. Laís ANDRADE, Rio de Janeiro: Biblioteca do Exército Ed., 2003).

84. H. PIRENNE (op. cit., "Conclusion", p. 131-132): "Malgré les troubles et les pertes qui en ont résulté, il n'apparaît de principes nouveaux, ni dans l'ordre économique, ni dans l'ordre social, ni dans la situation linguistique, ni dans les institutions. Ce qui subsiste de civilisation est méditerranéen. C'est aux bords de la mer que se conserve la culture e et c'est là que sortent les nouveautés: monachisme, conversion des anglo-saxons, art barbare etc. / L'Orient est le facteur fécondant; Constantinople, le centre du monde. En 600, le monde n'a pas pris une physionomie qualitativement différente de celle qu'il avait pris en 400.

85. Fernand BRAUDEL, **La méditerranée et le monde méditerranéen à l'époque de Philippe II** (Paris: Armand Colin, © 1966, impr. 1987, 2 v.); F. BRAUDEL, **Écrits sur l'histoire** (Paris: Flammarion/Champs, © 1969, impr. 1984); F. BRAUDEL (coord.), **La méditerranée: espace et histoire** (Paris: Flammarion/Champs, 1977, impr. 1985); F. BRAUDEL e G. DUBY (coord.), **La méditerranée: les hommes et l'héritage** (Paris: Flammarion/Champs, 1977, impr. 1986); G. DUBY, **L'Europe au Moyen Âge** (Paris: Flammarion/Champs, 1981, impr. 1984); **An 1000 – an 2000: sur les traces de nos peurs** (Paris: Textuel, 1995); Henri FOCILLON, **L'an mil** (Paris: Denoel, 1984); Norman F. CANTOR, **The civilization of the middle ages** (New York: Harper, 1993).

86. Maurice LOMBARD, **L'Islam dans sa première grandeur (VIII-XI siècle)** (préf. de Hichem DJAÏT, Paris: Flammarion/ Champs, © 1971, impr. 1980); Edmond RABBATH, **L'orient chrétien à la veille de l'Islam** (Beirute: Publ. de l'Univ. Libanaise, 1980, "Introduction", p. 9-11), enfatiza: "Byzance, qui continuait Rome, gardait la maîtrise de la preque totalité du bassin méditerranéen". No século VII, o Islão vem destruir o império milenar dos persas, tomar as províncias semíticas de Bizâncio, e arranca o Oriente da ordem fundada por Roma e o Cristianismo.

87. Contrariamente à célebre tese de Henri PIRENNE, afirma Maurice LOMBARD (op. cit., p. 19-20): "Si les invasions germaniques ont précipité le déclin de l'Occident, les invasions musulmanes ont provoqué la relance de sa civilisation. Bref, le problème posé en Occident à propos de l'arrivée des barbares, de la continuité ou de la régression économique, doit être tranché, dans le cas de la conquête arabe, sur l'ensemble du domaine musulman, par l'affirmation non seulement de toute absence de coupure, mais plus encore, d'un prodigieux éssor".

88. H. PIRENNE (op. cit., loc. cit.): "La Méditerranée occidentale, devenue un lac musulman, cesse d'être la voie des échanges et des idées qu'elle n'avait cessée d'être jusqu'alors".

do Mediterrâneo para o norte. O fracionamento da unidade do império leva à instauração do feudalismo e do que se convenciona chamar de "Idade Média"[89], em longa transição, que se estende de 650 até 750 a.D. O mundo ocidental se dará conta da extensão das mudanças ocorridas por ocasião da ascensão de CARLOS MAGNO, instaurando novo império no ano 800 a.D.

Esta foi uma das grandes rupturas da história. As lições para o direito internacional são relevantes[90]. A história do período é normalmente dividida entre a história do império romano tardio, a história das grandes migrações como tempo de "convulsões" e "transição", e a história do império persa, até sua conquista pelos árabes[91].

A ideia do *imperium romanorum* estendeu-se muito adiante de seus efeitos. Pode-se ver, com altos e baixos, a continuidade desse anseio, até 1918, ao enterrar-se o modelo de Vestfália, com a queda da dinastia dos HABSBURGO e o fim do Império Austro-Húngaro, após o término da primeira guerra mundial, para dar lugar às tentativas de instauração, nos anos vinte do século passado, de novo paradigma de ordenação internacional.

Na segunda metade do século XII, a autoridade monárquica achava-se completamente diminuída no Império Romano-Germânico[92]. Mas a ideia do

---

89. P. B. CASELLA, **Direito internacional no tempo medieval e moderno até VITORIA** (2012, esp. "por que o direito internacional no tempo medieval e moderno?", p. 1-137); Jacques LE GOFF e Jean-Maurice de MONTREMY, **Em busca da Idade Média** (trad. Marcos de CASTRO, Rio de Janeiro: Civilização Brasileira, 2005).

90. Stephan VEROSTA, **International law in Europe and Western Asia between 100 and 650 A.D.** (RCADI, 1952, t. 80, p. 485-620) mostra as relações entre os impérios persa e romano (Caps. I, III e VI), as relações entre os dois impérios e os estados, cidades-estado e tribos das fronteiras norte e sul (Caps. II e V), o estatuto da Armênia como estado-tampão entre os dois impérios (Cap. III), e as relações entre os dois impérios e os hunos, entre os quais os hunos europeus constituiram poderosa terceira força, na Europa entre 380 e 460 a.D. (Cap. IV).

91. Stephan VEROSTA (op. cit., 1952 "Conclusion", p. 612-613): "There is always continuity in history. The continuity in the history of international law was assured by the East Roman or Byzantine Empire. The West Roman Empire was replaced by a system of new West-European states from a.D. 450 onwards, which later split into many territorial and feudal units and city-states, a Christian family of sovereign political units and states. The Persian Empire was replaced by the Arabs who, by annexing the Eastern and the North-African shore of the Mediterranean had brought the period of later antiquity, based on the unity of the Mediterranean area, to an end, and with it a period in the history of the Law of Nations. The re-hellenized East-Roman or Byzantine Empire remained in full political and cultural continuity as the depositary heir of the Law of Nations developed between 100 and 650 a.D. in Roman-Persian relations. Establishing co-existence and international relations with the West-Asian power of the Caliphate and its Islamic successor states and with the new state-system of Western Europe, the East-Roman or Byzantine Empire transmitted to the West-European and to the West-Asian states, to East and West as seen from Constantinople, a part of the tenor and much of the forms of the Law of Nations elaborated by Europe and Western Asia in later antiquity".

92. Edouard PERROY, Jeannine AUBOYER, Claude CAHEN, Georges DUBY e Michel MOLLAT, **A Idade Média** (trad. J. GUINZBURG e Vítor RAMOS, São Paulo: Difel, 4. ed., 1974, História Geral das Civilizações, v. 6, 7 e 8, cit., v. 7, p. 148): "na segunda metade do século XII, o renascimento do direito romano, os contatos mais estreitos com Bizâncio, a própria personalidade de Frederico Barba-Roxa fortaleceram singularmente a ideia imperial. Confundida agora com a realeza alemã, embora a sagração pelo Papa tendesse a tornar-se uma simples formalidade ritual e os príncipes da Germânia julgassem eleger verdadeiramente o Imperador, ligado mais solidamente à tradição carolíngia, como mani-

imperium romanorum permanece.

No século XIII, o Império Romano-Germânico ainda é fórmula de longa duração e múltiplos avatares, que desliza progressivamente para o sul, e tenta manter seu impacto sobre a realidade: para conter as rebeliões constantes na Itália, coberta de cidades, foi mudado o foco dos campos germânicos e dos projetos de expansão para o leste, que se realiza, sem presença imperial, a cargo dos princípes reinantes nas regiões de fronteira do império.

O imperador HENRIQUE VI reclama para si o *dominium mundi*, a direção universal da cristandade, o controle do papado, à moda carolíngia, a autoridade moral e precedência sobre os *provinciarum reges*, os demais reis do Ocidente, considerados satélites do império, e tenta efetivar essa concepção por meio de relações de vassalagem, obtendo a homenagem dos reis de Chipre e da Inglaterra, mas encontra a encarniçada resistência de FILIPE AUGUSTO, de França e dos papas.

HENRIQUE VI, na Sicília, sonha com a dominação mediterrânica, e seu filho, FREDERICO II, quis alicerçar seu poder em Roma. Para evitar ferir suscetibilidades, renuncia à ideia das relações de vassalagem e propõe pacto por meio do qual todos os soberanos do Ocidente formariam espécie de comunidade espiritual, a *respublica universae christianitatis*, liga esta dirigida simultaneamente à luta contra as heresias e contra as pretensões temporais do papado. Foi feroz a resistência deste, apegado com crescente ardor à sua primazia espiritual, usando também de termos muito terrenos de expressão de submissão[93].

Incapaz de sustentar oposição, simultaneamente, em várias frentes, o Império desaparece como instituição eficaz na metade do século XIII. Como observam Edouard PERROY *et alii*[94], só sobrevive como sonho de unidade e de paz, a ideia imperial, vivificada por toda uma corrente de pensamento messiânico, que se alimentava nas obras do Abade italiano JOAQUIM DE FIORE, recentemente

---

festara com brilho, em 1165, a canonização de Carlos Magno, centrado em Aquisgrana e as regiões renanas, o Império apresentava-se, entretanto, como o prolongamento direto do *imperium romanorum*, cuja majestade única e caráter sagrado os juristas de Bolonha exaltavam".

93. Justamente nessa mesma época de exacerbação do poder político e temporal da Igreja, na Europa, a partir do século XIII, também se insere o prostrar-se de joelhos, durante a celebração da missa, e se desencadeiam as perseguições contra judeus, heréticos e homossexuais. A respeito, *v.* John BOSWELL, **Christianity, social tolerance and homosexuality** (Chicago: Chicago U.P., 1980, edition 1981), cf. CASELLA, **Fundamentos** (2008, item V, "Direito internacional e duração", p. 449-490); P. B. CASELLA, **Direito internacional no tempo medieval e moderno até VITORIA** (2012, cap. IX, "MARSÍLIO DE PÁDUA e GUILHERME DE OCKHAM", p. 139-207 e cap. X, "TOMÁS DE AQUINO e DANTE ALIGHIERI", p. 209-244) para situar a confrontação entre império e papado como eixo central de poder na Europa ocidental medieval.

94. Edouard PERROY, Jeannine AUBOYER, Claude CAHEN, Georges DUBY e Michel MOLLAT, **A Idade Média** (trad. J. GUINZBURG e Vítor RAMOS, São Paulo: Difel, 4. ed., 1974, História Geral das Civilizações, v. 6, 7 e 8, cit., v. 7, p. 149).

fortalecida pelos tratados doutrinários que FREDERICO II mandara redigir em sua luta contra o Papa[95].

Quando encetada, no século XIII, a afirmação da supremacia, não somente espiritual, como temporal, do Papa – simbolizada no acréscimo de segunda coroa à tiara pontifical, como representação da soberania *temporal*, ao lado da *espiritual* –, já era tal pretensão anacrônica e não poderia ser sustentada[96]. Tal como o imperador, o Papa não podia impor a sua tutela aos estados, que agora partilhavam entre si a Europa. Essas afirmativas talvez chocassem os elementos, cada vez mais numerosos, que, afetados por todos os escritores que, desde o **De Consideratione** (1145) de SÃO BERNARDO, abade DE CLAIRVAUX[97], colocavam o pontífice em guarda contra as tentações do poder temporal e, alertados pelos polemistas a serviço de FREDERICO II, julgavam que o Papa, aspirando à dominação temporal, traía a sua verdadeira missão[98].

Depois dessa longa fase de ruptura e reacomodação de parâmetros[99], mostra-se obsoleta a ideia de ordenação do sistema internacional, como todo gravitando em torno de único eixo[100]. A construção de sistema europeu sucedeu

---

95. Prosseguem Edouard PERROY *et al.*, **A Idade Média** (v. 7, p. 149-151): "Esse esboroamento rompeu a união que ligava a Itália à Alemanha, cavou profunda depressão política entre as regiões, que estiveram diretamente submetidas ao Imperador, entregando-as, em contraste com os reinos coerentes do ocidente europeu, à fragmentação e às rivalidades". Sobretudo na Itália e Alemanha, a fragmentação do espaço, antes imperialmente organizado, em múltiplas unidades políticas e poderes concorrentes, perdurará até a metade do século XIX, e explica a particular virulência do nacionalismo italiano e alemão, que foram causa de consideráveis estragos na história europeia e mundial, no final do séculos XIX e primeira metade do século XX.

96. Edouard PERROY *et al.*, **A Idade Média** (v. 7, p. 151).

97. São BERNARDO, abade de Clairvaux e doutor da Igreja (1090-1153), no seu **La Consideration au pape Eugène III** (1145), denuncia com veemência os abusos cometidos por Roma, ao mesmo tempo em que oferece ao papa a fórmula de mediação. *V.* CASELLA, **Direito internacional no tempo medieval e moderno até VITORIA** (2012); Pierre PIERRARD, **Dictionnaire des prénoms et des saints** (Paris: Larousse, 1974, p. 40-41).

98. Edouard PERROY *et al.*, **A Idade Média** (v. 7, p. 151): "De fato, a cristandade unida da época feudal, das primeiras cruzadas, fracionara-se definitivamente. E este próprio fracionamento, o reforço das potências laicas de um lado, e de outro o desenvolvimento econômico, o crescente poder do dinheiro e a consecutiva transformação dos costumes, acarretavam desde a metade do século XII, o mal estar cada vez mais penoso, no interior da Igreja". Ver tb. E. KANTOROWICZ, **Les deux corps du roi** (do original **The Kings two bodies: a study in medieval political theology**, © 1957, trad. Jean-Philippe GENET e Nicole GENET, Paris: Gallimard – Quarto, 2000, **Kantorowicz oeuvres**, p. 643-1222, avec postface de Alain BOUREAU, "Histoires d'un historien, Kantorowicz", p. 1223-1312); KANTOROWICZ, **L'empereur Frédéric II** (do original **Kaiser Friedrich der Zweite**, © 1927, trad. Albert KOHN, Paris: Gallimard – Quarto, 2000, **Kantorowicz oeuvres**, p. 9-641); KANTOROWICZ, *La royauté médiévale sous l'impact d'une conception scientifique du droit* (Paris: Philosophie – revue trimestrielle, n. 20, automne 1988, p. 48-72).

99. Louis E. Le FUR, **Le développement historique du droit international: de l'anarchie internationale à une communauté internationale organisée** (RCADI, 1932, t. 41, p. 501-602), Le FUR, **Règles générales du droit de la paix** (RCADI, 1935, t. 54, p. 1-308).

100. Sobre a pretensão de ordenação do sistema mundial, em torno de único eixo, CASELLA, **Direito internacional no tempo medieval e moderno até VITORIA** (2012). Na política externa dos Estados Unidos da era BUSH Jr., de modo bastante simplista, o paralelo não deixa de estar esboçado, quando se cotejam declarações oficiais. Mais que simplesmente *primus inter pares*, seria a hegemonia norte-americana o eixo central de ordenação do sistema visto a partir de

a esse modelo de eixo central, como analisa Michel ZIMMERMANN (1933)[101]. Ao apontar o caráter por assim dizer "constitutivo" da sucessão de estados, no sistema de organização internacional (do fim do período medieval), ponderava: "o papa sanciona as mudanças territoriais. O simples fato brutal da conquista, do desmembramento parcial ou da destruição total de um estado, não tem valor formal. A questão das fronteiras não deve ser regulada tão somente pelos interessados. Trata-se de problema que diz respeito à inteira comunidade dos povos"[102].

Convém contrapor às reflexões deste o trabalho de seu contemporâneo Manlio UDINA (1933)[103], passando por Karl ZEMANEK (1965)[104], até os desenvolvimentos mais recentes do tema, abordados por Vladimir-Djuro DEGAN (2000, 1999, 1996)[105] ou Edward McWHINNEY (2002)[106]. Considerável trabalho de ordenação e de sistematização do tema foi desenvolvido por Georg RESS, na qualidade de relator, na Resolução de Vancouver (2001), do *Instituto de Direito Internacional*, sobre **sucessão de estados**[107].

Washington? Séculos atrás, já se mostrou insustentável teoricamente e inviável na prática a pretensão de tal modelo. *V.*: George C. HERRING, **From Colony to Superpower** – U. S. Foreign Relations since 1776 (Oxford: Univ. Press, 2008); com ressalvas, Thomas P. M. BARNETT, **Great Powers** – America and the world after BUSH (New York: Berkley Books, 2010).

101. Michel ZIMMERMANN, **La crise de l'organisation internationale à la fin du Moyen Âge** (RCADI, 1933, t. 44, p. 315-437).

102. M. ZIMMERMANN (op. cit., Chap. III, p. 352-368, cit., par. 14, p. 360-361): "Le pape attribue aux rois de Castille, d'Aragon et de Portugal des terres qu'ils vont conquérir sur les infidèles. Le pape Grégoire VII décide que le pays anglais a commis un crime en ne payant pas régulièrement les dîmes dues à l'église, et il reconnaît par l'envoi d'un étendard bénit le droit de Guillaume de Normandie de s'approprier l'Angleterre. On a discuté longtemps pour savoir si le pape Adrien IV avait fait la donation de l'Irlande aux rois d'Angleterre. Il s'agit plutôt dans ce cas du même acte juridique: le peuple irlandais n'observait pas les devoirs dûs à l'église et le pape reconnaît le droit de l'Angleterre d'asservir l'Irlande. Le pape dispose des terres conquises en Europe aux païens (Prussiens, Lithuaniens) ou aux infidèles (arabes). La terre sainte surtout a un statut spécial au point de vue juridique. Cette terre ne peut être annexée par aucun pays participant aux croisades, les petites principautés y établies sont sous la suzeraineté du pape seul".

103. Manlio UDINA, **La succession des états quant aux obligations internationales autres que les dettes publiques** (RCADI, 1933, t. 44, p. 665-774).

104. Karl ZEMANEK, **State succession after decolonization** (RCADI, 1965, t. 116, p. 181-300); K. ZEMANEK, **The legal foundations of the international system: general course on public international law** (RCADI, 1997, t. 266, p. 9-335); K. ZEMANEK, *Österreichs Neutralität und die GASP* (Vortrag vor dem Europa-Institut der Universität des Saarlandes, Saarbrucken, den 17 Januar 1995, Vorträge, Reden u. Berichte aus dem Europa-Institut – Sektion Rechtswissenschaft, v. 315, p. 1-20); K. ZEMANEK, *What is "state practice" and who makes it?* (in **Festschrift fur Rudolf BERNHARDT**, Berlim: Springer Verlag, 1995, p. 289).

105. Vladimir-Djuro DEGAN, *On state succession* (in **Dimensão internacional do direito: estudos em homenagem a G. E. do NASCIMENTO E SILVA**, org. P. B. CASELLA, São Paulo: LTr, 2000, p. 118-140); V. D. DEGAN, **Création et disparition de l'état (à la lumière du démembrement de trois fédérations multiethniques en Europe)** (RCADI, 1999, t. 279, p. 195-375); *Some objective features in international law* (in **Essays in honour of Krystof Skubiszewski**, edited by J. MAKARCZYK, Haia: Kluwer Law International, 1996, p. 123-146); *La succession d'états en matière de traités et les états nouveaux* (AFDI, 1996, t. XLII, Paris: CNRS Ed., p. 206-227); *L'affirmation des principes du droit naturel par la Révolution française* (AFDI, 1989, vol. XXV, p. 99-116).

106. Edward McWHINNEY, Self-determination of peoples and plural-ethnic states (secession and state succession and the alternative federal option) (RCADI, 2002, t. 294, p. 167-264).

107. *Instituto de Direito Internacional*, sessão de Vancouver, 2001, 7ª Comissão, relator Georg Ress, **La succession d'Etats**

A multipolarização da Europa foi fato marcante de sua história, durante os seguintes seiscentos anos[108]. A grande ruptura seguinte será a combinação dos grandes descobrimentos e a reforma protestante, mudando substancialmente as condições de criação e circulação da riqueza, os modelos de ordenação política e as regras de convivência entre as diferentes unidades soberanas, com o surgimento dos estados modernos e dos conceitos a estes relacionados, como mostrarão os escritos de Jean BODIN[109], ensinando que não se deve medir as leis da natureza pelas ações dos homens[110].

Outros teóricos do Renascimento prepararão o caminho para o direito internacional moderno. Dentre os quais se pode, segundo A. GARDOT (1934)[111], reservar o lugar de BODIN como um dos fundadores. Ou, segundo M. DELMAS-MARTY, na busca de direito comum para a humanidade (2005)[112] estaria BODIN, ainda no século XVI, contemplando o ideal do *jus commune*[113].

As rupturas marcadas pelas guerras religiosas, como a ruptura da visão de mundo, concomitantes aos "grandes descobrimentos", tornam patente a obsolescência do velho modelo e a necessidade de criação de novo parâmetro de regulação internacional. Esta se vai construindo ao longo do tempo, pois teve, no século XX, consideráveis avanços e choques, reiterados, à viabilidade do sistema.

O desenvolvimento do comércio marítimo foi outro elemento que concorre para a formação de novas regras de direito internacional, inscritas em coleções

---

en matière de biens et de dettes. Adotada em 26 de agosto de 2001. Antes abordara o IDI a questão da sucessão de estados: na sessão de Siena, 1952 (Resolução n. 1) e na sessão de Bruxelas, 1936 (também a respeito da sucessão de estados).

108. Em curso de revisão à medida que simultaneamente se amplia geograficamente e aprofunda-se operacionalmente o processo de integração regional na Europa, que não por acaso suscita tantas resistências, por parte daqueles todavia apegados a concepções tradicionais da soberania do estado e funcionamento de sistema internacional preponderantemente estatal. Do funcionamento de sistema com ênfase no bloco regional e neutralizando a carga das identidades e heranças nacionais poderia se consolidar Europa mais ampla e mais vasta, com a possibilidade concreta de ser eixo de equilíbrio do sistema internacional presente. A recusa, ao menos momentânea, em 2005, dos eleitores franceses e dos Países Baixos, vem atrasar a implantação desse novo modelo de Europa, afirmando o interesse em conservar o modelo anterior.

109. Jean BODIN, **Les six livres de la République** (ed. orig. Paris: Jacques Du Puys, 1576, esta edição segue a 10ª ed., publicada em Lyon: Gabriel Cartier, em 1593, reimpressa em 1594, Corpus des oeuvres de philosophie en langue française, Paris: Fayard, 1986, 6 v.).

110. J. BODIN (op. cit., livro I, Cap. 5, p. 91): "il ne faut mesurer la loy de nature aux actions des hommes".

111. A. GARDOT, **Jean Bodin: sa place parmi les fondateurs du droit international** (RCADI, 1934, t. 50, p. 545-748). *V.* tb. CASELLA, **Direito internacional no tempo medieval e moderno até VITORIA** (2012, cap. XIII, "estado como sujeito de direito internacional – a contribuição de MAQUIAVEL e BODIN", p. 525-602).

112. Mireille DELMAS-MARTY, **Vers un droit commun de l'humanité** (entretien mené par Philippe PETIT, Paris: textuel, 1995, para a primeira edição 2005 para a segunda edição).

113. P. B. CASELLA, **Direito internacional no tempo medieval e moderno até VITORIA** (2012, cap. XII, "*jus gentium, jus commune, jus europaeum* – entre a teoria e a prática", p. 381-480). *V.* tb. M. DELMAS-MARTY (op. cit., 2005, p. 64-65): "Au XVIe siècle encore, BODIN publie un **Exposé du droit universel**. Il fait référence au droit romain, mais pour le placer sur le même plan que les autres sources du droit. (...) Désormais, pour construire un droit universel, il faudra partir du droit comparé".

de leis ou costumes marítimos[114]. Por sua vez, estas estarão na base da construção de nova *lex mercatoria*, que e se reflete no surgimento e no desenvolvimento do conjunto do direito do comércio internacional[115]. O conjunto das normas no âmbito da Organização Mundial do Comércio constituem desenvolvimento setorial relevante do direito internacional, no contexto pós-moderno.

Concomitante à decadência do regime feudal no Ocidente[116], a noção de estado torna-se mais precisa. Os povos vão tomando consciência da unidade nacional, e esta permite o estabelecimento de relações continuadas entre os estados[117].

O descobrimento da América teve inegável importância na evolução do direito internacional, a partir do final do século XV. Suscitou as questões morais em relação à "colonização" da América e, já à época, dúvidas quanto à legitimidade dos métodos truculentos adotados[118].

O contexto da combinação entre os grandes descobrimentos e a reforma leva à criação do direito internacional, como forma de reger a convivência entre as unidades políticas, não mais havendo sequer a aspiração de parâmetro comum em matéria de religião ou o reconhecimento da primazia de figura papal, que pudesse atuar como "árbitro" supremo nas controvérsias entre os soberanos, ao menos na Europa Ocidental, pois já se rompera a unidade cristã com o **cisma** de

---

114. P. B. CASELLA, **Direito internacional no tempo medieval e moderno até VITORIA** (2012, esp. 12.1, "Rodes e a lei do mar", p. 454-466, cit. p. 457): "No caso rodiano, esse esforço foi além do seu tempo – o contexto helenístico de ultrapassar as fronteiras – e do seu meio. Este se projeta como a base, sobre a qual foi construída área inteira do direito internacional pós-moderno". Dentre as coleções, com influência mais ou menos direta das *Leis de Rodes*, as mais famosas: 1ª) a *Tabula Amalfitana*, do século X ou XI; 2ª) as *Leis de Oléron*, do século XII; 3ª) as *Leis de Wisby*, do século XV; 4ª) o direito marítimo inglês, compilado no *Livro negro do Almirantado*, do século XIV, e 5ª) especialmente, o *Consolato del Mare*, elaborado em Barcelona, nos meados do século XIV. Data também da mesma época a constituição de ligas de cidades comerciais, para proteção do comércio e dos cidadãos, das quais a mais importante foi a *Liga hanseática*, que durou do século XIII ao século XV.

115. A respeito da passagem do GATT (1947) para o GATT (1994) no âmbito do conjunto da Organização Mundial do Comércio (OMC), *v.*, *infra*, 4.1.2.1. e extensa literatura especializada a respeito.

116. Clássica a respeito, a incontroversa obra-prima do historiador holandês J. HUIZINGA (1872-1945), **O outono da Idade Média** – estudo sobre as formas de vida e de pensamento nos séculos XIV e XV na França e nos Países Baixos (do original **Herfsttij der Middeleeuwen**, 1919, trad. Francis P. JANSSEN, São Paulo: Cosac & Naify, 2010, 2ª reimpr., 2011). HUIZINGA mostra o fim de uma era e o início de outra, a partir das mudanças ocorridas nas artes plásticas e na literatura, como reflexos das mudanças em curso na sociedade. As mutações de modelo no sistema internacional são consideradas em P. B. CASELLA, **Direito internacional no tempo antigo** (2012, parte I, tít. II, "direito internacional entre o mundo tardo-antigo e o medieval", p. 411-464) e **Direito internacional no tempo medieval e moderno até VITORIA** (2012, parte II, tít. I, "multipolarização da Europa na era moderna e advento do direito internacional como sistema", p. 503-523).

117. Michel ROUCHE, **Les racines de l'Europe: les sociétés du haut moyen âge 568-888** (Paris: Fayard, 2003).

118. Em sentido crítico dos mecanismos de conquista colonial coloca-se o contemporâneo Frei Bartolomeu de Las Casas, **Historia de las indias** (edición de Agustín MILLARES Carlo y estudio preliminar de Lewis HANKE, Mexico: FCE, 1951, 2. ed., 1965, 4ª reimpr. 1995, 3 v.). *V.* tb. CASELLA, **Direito internacional no tempo medieval e moderno até VITORIA** (2012, cap. XIV, "Francisco de VITORIA", p. 603-644) e **Direito internacional no tempo moderno de SUAREZ a GRÓCIO** (2013, "*outras vozes no direito internacional – Domingo de SOTO e VAZQUEZ DE MENCHACA*").

Miguel CERULÁRIO em 1054, separando a Igreja Ortodoxa da Igreja Católica. Primeira etapa: reduzem-se a termo os resultados da violência e da força. Durante mais de cem anos, os homens se matam em nome das guerras de religião, levando a violência política, em nome de Deus, ao paroxismo, durante uma geração, na guerra dita dos "trinta anos", quando se desenvolve e se consolida, com objeto e método próprios, o direito internacional, independentemente de fundamentação transcendental. Começam a ser concebidas formulações de princípios, normas e instituições. Seriam indícios da segunda etapa: a implementação do direito internacional. Foi no tempo do Iluminismo que se cria a história do direito internacional como novo campo de estudo[119], ainda relutante em chamá-lo de ciência[120]. Trata-se da conscientização do trajeto já percorrido, a preparar o caminho para o futuro: a construção da utopia, com a multiplicação das formulações dos projetos para tornar perpétua a paz na Europa – do Abbé de SAINT-PIERRE (1713) a Immanuel KANT, no **Ensaio sobre a paz perpétua** (1795), com vários autores, entre esses dois marcos, ao longo do século XVIII[121].

O conceito de I. KANT, no ensaio a respeito da **ideia de história universal de ponto de vista cosmopolita** (1784)[122], corresponde ao ideal de ***racionalização*** da ordenação internacional: tem consciência de que o mundo não é estado de direito, mas tem de estar dotado de princípios e normas, e o conjunto de instituições internacionais pode ser aperfeiçoado. Basicamente, trata-se de admitir que a ***implementação*** pode ser desenvolvida, buscando a construção de patamares de juridicidade internacional. Dentre os ideais cosmopolitas, a busca da paz como base da ordenação da convivência, entre unidades do sistema internacional, faz sentido e deve-se buscá-la. A crítica kantiana aos predecessores teóricos na bus-

119. Stephan VEROSTA, **International Law in Europe and Western Asia between 100 and 650 A.D.** (RCADI, 1952, t. 80, pp.485-620, cit. p. 492): "While the age of Reformation gave birth to the science of the law of nations, the age of Enlightenment introduced the history of the law of nations as a new science".

120. Tobias BARRETO, na conferência "ideia do direito" (no volume **Estudos de direito**, Campinas: Bookseller, 2000, p. 151-159, cit. p. 153-154): "Nos dias que atravessamos, a esta hora do nosso desenvolvimento, quem como vós, senhores doutores, mesmo à custa de trabalho e sacrifício, é graduado em ciências jurídicas e sociais, vê-assaltado, como Dante diante da loba, por uma questão sombria e importuna. / É a seguinte: existe realmente, temos nós realmente um grupo de ciências de tal natureza? Em face do avanço imenso que levam todos os outros ramos de conhecimentos humanos, não soa como uma ironia falar de uma ciência jurídica, falar de uma ciência social, quando nem uma nem outra estão no caso de satisfazer as exigências de um verdadeiro sistema científico? A questão é séria, senhores doutores, e tão séria, que a mesma consciência, a mais lúcida consciência do próprio merecimento, deixa-se absorver e apagar pelo sentimento da dubiedade do título que se recebe".

121. "Ridículos podem soar, não pelo que dizem, intrinsecamente bom e desejável, mas por parecerem pretender que isto se alcançaria brevemente" Isso deveria ser lembrado com mais ênfase em nossos dias!

122. Immanuel KANT, **Ideia de história universal de ponto de vista cosmopolita** (do original **Idee zu einer allgemeinen Geschichte in weltburgerlicher Absicht**, 1784, org. Ricardo R. Terra, trad. Rodrigo Naves e Ricardo R. TERRA, São Paulo: Martins Fontes, 2. ed., 2004).

ca da paz perpétua não se dá quanto ao objeto mas quanto a crer que esse ideal possa breve e facilmente ser implementado.

Repensado o ensaio kantiano, por S. VIEIRA DE MELLO (1999)[123], chegamos aos dias atuais: o anseio permanece válido; os mecanismos de implementação, todavia, tem alcance limitado. A mesma necessidade de aperfeiçoamento dos mecanismos de implementação continua a ser ponto crucial, para assegurar a efetividade do funcionamento de sistema institucional e normativo, internacionalmente organizado.

Nessa época, já havia na Europa diversos estados independentes, era como se impusesse a necessidade de regulamentar as suas mútuas relações e conciliar os seus interesses divergentes, seja na Europa, como nas suas projeções ultramarinas[124]. A partir de então começa a ser, progressivamente, o direito internacional

123. Sérgio VIEIRA DE MELLO, *História filosófica e história real: atualidade do pensamento político de KANT* ("aula inaugural no Geneve International Peace Research Institute, em 1999", precedido de Celso LAFER, *KANT e a razão abrangente da humanidade no percurso de Sérgio VIEIRA DE MELLO*, p. 27-34, in **Pensamento e memória: textos escolhidos**, org. Jacques MARCOVITCH, São Paulo: EDUSP/Saraiva/Fundação BUNGE, 2004, p. 35-60, cit. p. 38-39): "Vamos analisar em primeiro lugar **Ideia de uma história universal de um ponto de vista cosmopolita**, obra na qual já se cristaliza o essencial do pensamento que KANT sistematizaria mais adiante. Convém lembrar o que é *ideia* para KANT, o sentido que ele próprio dá a esse termo. Ideia não é somente aquilo que não deriva dos sentidos, mas algo que supera até os conceitos do entendimento, uma vez que nada se pode achar na experiência que seja uma ilustração dessa Ideia. É, portanto, nesse sentido, a um só tempo irreal e necessário, que é preciso entender a universalidade da História prisma cosmopolítico. Essa ideia surgiu cinco antes da Revolução francesa. Ao falar da "simpatia de aspiração" que, em vários lugares, havia acompanhado o desenvolvimento dessa revolução, KANT disse que ela testemunhava a existência de uma sensibilidade moral universal, ativada pelo catalisador em que se constitui o acontecimento político no sentido pleno e intenso do termo".

124. Para enfatizar a importância da transição do período medieval ao moderno: Gilmar Antonio BEDIN, **A Idade Média e o nascimento do estado moderno** – Aspectos históricos e teóricos (Ijuí: Ed. Unijuí, 2008, reimpr. 2012); Jeremy BLACK, **The rise of the European powers 1679-1793** (London: Edward Arnold – a division of Hodder & Stoughton, 1990); Edouard BONNEFOUS, **La construction de l'Europe par un de ses initiateurs** (pref. de Henri AMOUROUX, propos recueillis par Pascal BINCZAK, Paris: PUF, 2002); P. B. CASELLA, **Direito internacional no tempo moderno de SUAREZ a GRÓCIO** (São Paulo: Atlas, 2013); CASELLA, **Direito internacional no tempo medieval e moderno até VITORIA** (2012, parte II, tít. I, "multipolarização da Europa na era moderna e advento do direito internacional como sistema", p. 503-523); CASELLA, **União europeia** – instituições e ordenamento jurídico (São Paulo: LTr, 2002); Martin van CREVELD, **Ascensão e declínio do estado** (do original **The rise and decline of the state**, 1999, trad. Silvana VIEIRA, São Paulo: Martins Fontes, 2004); Chantal DELSOL e Jean-François MATTÉI (sous la direction de), **L'identité de l'Europe** (Paris: PUF, 2010); Jean Baptiste DUROSELLE, **A Europa de 1815 aos nossos dias** – Vida política e relações internacionais (do original **L'Europe de 1815 à nos jours** – vie politique et relations internationales, © 1970, trad. Olívia KRÄHENBÜHL, São Paulo: Pioneira – Nova Clio, 1976); Rolf Hellmut FOERSTER (hrsg.), **Die Idee Europa 1300-1946** – Quellen zur Geschichte der politischen Einigung (München: Deutscher Taschenbuch Verlag, 1963); Paul HAZARD, **La crise de la conscience européenne 1680-1715** (Paris: Boivin et Cie., 1935; nova ed. Paris: Fayard, © 1961, impr. 1994); Yves HERSANT e Fabienne DURAND-BOGAERT, **Europes** – de l'Antiquité au XXe. siècle (Paris: Robert Laffont – Bouquins, 2000); Hermann von KEYSERLING (1880-1946), **Analyse spectrale de l'Europe** (do original **Das Spektrum Europas**, 1928, trad. Alzir HELLA e Olivier BOURNAC, © 1930, Paris: Gonthier, 1965); Heinz Dieter KITTSTEINER (1942-2008), **Die Stabilisierungsmoderne** – Deutschland und Europa 1618-1715 (München: Carl Hanser, 2010); H. D. KITTSTEINER, **Weltgeist, Weltmarkt, Weltgericht** (München: Wilhelm Fink, 2008); Emmanuel Le Roy LADURIE, **O estado monárquico** – França 1460-1610 (do original **L'état royal de Louis XI à Henri IV**, trad. Maria Lucia MACHADO, São Paulo: Companhia das Letras, 1994); Philippe LAURETTE, **La construction européenne** (Paris:

a técnica de regulação pacífica da convivência entre estados e seus respectivos interesses e áreas de atuação.

Os precursores do direito internacional foram teólogos e canonistas, dentre os quais se distingue o dominicano espanhol Francisco de VITÓRIA (1.1.1.1.). Pode parecer contraditório que precursores do direito internacional, como VITÓRIA e, depois, Francisco SUAREZ (1.1.1.2.), não somente se filiavam à corrente tomista de pensamento, mas, além disso, terem ambos sido sacerdotes católicos, pois a relação da "Santa madre igreja" com o direito internacional, nos dois séculos seguintes, foi menos pacífica. Vários dos principais autores do direito internacional tiveram suas obras inscritas no ***Index*** eclesiástico de livros proibidos.

Marco relevante na evolução do moderno sistema político[125], não se deve, contudo, considerar excessivamente "o mito de 1648": o sistema clássico, emanado de Vestfália, baseado na primazia do estado moderno, territorialmente soberano, se vê progressivamente substituído por uma ordem global, pós-moderna e pós-territorial. A velha ordem da segurança geopolítica se vê subordinada à geoeconomia, à governança global em múltiplos níveis, às demandas de sociedade civil internacional com múltiplos atores. A transformação fundamental da estrutura do sistema internacional e das suas normas de conflito e de cooperação está se mostrando diante de nossos olhos[126].

Syros-Alternatives, 1992); Vincent LE DOLLEY et al., **La cohésion territoriale en Europe** (Paris: La documentation française, 2010); Michael MITTERAUER, **Warum Europa? –** Mittelalterliche Grundlagen eines Sonderwegs (2003, München: Beck, 5. ed. revista, 2009); Pierre NORMA, **Histoire de l'Europe** (Paris: Maxi Livres, 2002); Robert NOZICK, **Anarchy, State and Utopia** (New York: Basic Books – Harper Collins, 1974); Jaime OSORIO, **El estado en el centro de la mundialización** – La sociedad civil y el asunto del poder (México: FCE, 2004); Jean PICQ, **Une histoire de l'état en Europe** – Pouvoir, justice et droit du Moyen Âge à nos jours (Paris: Presses de la Fondation Nationale des Sciences Politiques, 2009); Michel RICHONNIER, **As metamorfoses da Europa 1769-2001** (do original **Les métamorphoses de l'Europe**, © 1985, trad. José Marcos Vieira de LIMA, Lisboa: Dom Quixote, 1986); Pedro Manuel RODRIGUEZ SUAREZ, **Hacia una nueva Europa** – La integración de los países de Europa central y oriental en la Unión Europea (do original **The European Union's policy towards Central and Eastern Europe: Objectives, Instruments and Effects**, trad. de Carlo GIANERA, México: FCE – Univ. Iberoamericana, 2006); Nelson Lehmann da SILVA, **A religião civil do estado moderno** (Brasília: Thesaurus, 1985); Mario TELÒ, **L'état et l'Europe** – Histoire des idées politiques et des institutions européennes (do original **Dallo stato all'Europa**, (c) 2004, trad. do italiano Jean VOGEL, Bruxelles: Labor, 2005); Robert TOULEMON, **La construction européenne** – Histoire, acquis, perspectives (Paris: LGF – De Fallois, 1994); Eugen WEBER, **Une histoire de l'Europe** – Hommes, cultures et sociétés de la Renaissance à nos jours: tome II – des Lumières à nos jours (do original **A Modern History of Europe** – Men, cultures and societies from the Renaissance to the present, 1971, trad. Dominique GUIBERT e Philippe DELAMARE, Paris: Fayard, 1987); Larry WOLFF, **Inventing Eastern Europe** – the Map of Civilization on the Mind of the Enlightenment (Stanford: Stanford Univ. Press, 1994).

125. Benno TESCHKE, **The myth of 1648** (originalmente publicado em 2003, London: Verso, 2009).

126. B. TESCHKE (op. cit., 2003, ed. 2009, "*introduction*", p. 1-12, "*the myth of 1648*", p. 1-6, cit., p. 1) observa que, enquanto se produzem tais transformações, "scholars are united in invoking the Westphalian states-system as the benchmark for measuring the present day structure of world politics".

Concepção histórica e contextualmente condicionada, o estado soberano é dado característico da era moderna[127]. No mesmo sentido, observam Jerzy LUKOWSKI e Hubert ZAWADZKI (2010)[128]: "o estado-nação não morreu, mas se tivesse, a leitura da história polonesa ficaria, em muito, facilitada"[129].

São, a seguir, considerados: Francisco de VITÓRIA (1480-1546); (1.1.1.1.); Francisco SUAREZ (1548-1617) (1.1.1.2.); Alberico GENTILI (1552-1608) (1.1.1.3.); Richard ZOUCH (1590-1660) (1.1.1.4.), e Hugo GRÓCIO (1583-1645) (1.1.1.5.).

1.1.1.1. Francisco de VITÓRIA (1480-1546)

Francisco de VITÓRIA foi professor de teologia na Universidade de Salamanca, de 1521 até 1546. Das suas lições, publicadas após sua morte, duas ocupavam-se de matéria estreitamente relacionada com o direito das gentes e ambas se referiam à situação resultante, para a Espanha, do descobrimento da América.

O fato de VITÓRIA ter lecionado teologia, no lugar e no tempo em que isso se deu[130], diz muito, na medida em que o estudo das questões internacionais assumia os contornos de casos de consciência, de interesse seja dos indivíduos, seja antes dos príncipes encarregados de conduzir tais questões. O direito internacional ainda não tinha forma independent[131]: todavia não se tinha destacado da moral; a especialização das ciências era, todavia, rudimentar[132].

---

127. Robert NOZICK, **Anarchy, state and utopia** (New York: Basic Books – Harper Collins, 1974); Jean PICQ, **Une histoire de l'état en Europe** – Pouvoir, justice et droit du Moyen Âge à nos jours (Paris: Presses de Sciences Po, 2009); Mario TELÒ, **L'état et l'Europe** – Histoire des idées politiques et des institutions européennes (do original **Dallo stato all'Europe** (c) 2004, trad. Jean VOGEL, Bruxelles: Labor, 2005).

128. Jerzy LUKOWSKI e Hubert ZAWADZKI, **Histoire de la Pologne** (do original **A concise History of Poland** © 2001, 2006, trad. Eric CHÉDAILLE, Paris: Perrin, 2010).

129. J. LUKOWSKI e H. ZAWADZKI (op. cit., 2006, ed. 2010, p. 28).

130. Ramon HERNANDEZ, **Un español en la ONU: Francisco de Vitoria** (Madri: Biblioteca de Autores Cristianos, 1977, esp. parte primeira, "Biografia de VITORIA", Cap. IV, "Salamanca: cátedra de la inmortalidad", p. 50-63, cit. p. 60): "Francisco de VITORIA comenzó su enseñanza en Salamanca el dia de San Lucas, 18 de octubre de 1526".

131. *V.* tb. CASELLA, **Fundamentos** (2008, item VIII, "Questão e discurso do fundamento do direito internacional", p. 663-720); P. B. CASELLA, **Direito internacional no tempo medieval e moderno até VITORIA** (2012, cap. XIV, "Francisco de VITORIA", p. 603-644); CASELLA, **Direito internacional no tempo moderno de SUAREZ a GRÓCIO** (2013, "outras vozes no direito internacional – Domingo de SOTO e VAZQUEZ DE MENCHACA"); Anthony PAGDEN, Dispossessing the barbarian: the language of Spanish Thomism and the debate over the property rights of the American Indians (in Anthony PAGDEN**, the languages of political theory in Early Modern Europe**, Cambridge: UP, © 1987, pb. ed. 1990, p. 78-98); Rebecca M. M. WALLACE e Olga MARTIN-ORTEGA, **International law** (1st ed. 1986, Londres: Sweet & Maxwell – Thomson Reuters, 6th. ed., 2009) insistem na necessidade do reconhecimento da força vinculante do direito internacional como modo de ordenação da sociedade internacional.

132. J. BARTHÉLEMY, *François de Vitoria* (in **Les fondateurs du droit international: leurs oeuvres, leurs doctrines**, avec une introduction de A. PILLET, Paris: V. Giard & E. Brière, 1904, p. 1-36, cit. p. 4).

O conceito de *jus cogens*, esboçado no direito romano, foi posto no direito internacional, por Francisco de VITÓRIA, na *relectio*[133] sobre o poder civil (1528)[134]. A questão do "conflito entre princípios abstratos e estipulações convencionais"[135] pressupõe o *jus cogens* – como o burguês fidalgo de MOLIÈRE pode falar em prosa, mesmo sem ter consciência disso. Apesar da importância do instrumento de codificação[136], após a entrada em vigor (1980) da Convenção de Viena sobre direito dos tratados (1969), não foi somente então iniciado o conteúdo das normas cogentes de direito internacional geral.

O direito internacional, para VITÓRIA, compreende as normas que a razão natural estabeleceu entre as nações: *quod naturalis ratio inter omnes gentes constituit vocatur jus gentium*. Cabe[137] ressaltar quanto foi inovador o fato de VITÓRIA ter substituído, da definição de *jus gentium*, contida nas **Institutas**[138], o termo *gentes* em lugar de *homines*[139]: VITÓRIA recusa-se a considerar o mun-

---

133. F. de VITORIA, na já citada passagem do **De potestate civili**: "o direito das gentes não tem somente força de pacto ou de convenção entre os homens, mas possui, igualmente, força de lei. O mundo inteiro, na verdade, que, de certo modo, constitui uma república, tem o poder de levar leis justas e ordenadas para o bem de todos, tais como são as do direito das gentes. Consequentemente, quando se trata de questões graves, nenhum estado pode se considerar desvinculado do direito das gentes, pois este é colocado pela autoridade do mundo inteiro".

134. Francisco de VITÓRIA, *relectio* sobre o poder civil, no volume **Political writings** (edited by Anthony PAGDEN e Jeremy LAWRANCE, "Cambridge texts in the history of political thought", Cambridge: UP, © 1991, 1st. publ., 1991, p. 1-44); ou nas edições: **Leçons sur le pouvoir politique** (intr., trad. et notes par M. BARBIER, Paris: Vrin, 1980) e **Obras: relectiones teológicas** (ed. crítica, versão espanhola, intr. geral Pe. Teófilo URDANOZ (OP.), Madri: BAC, 1960); comentários e análises em: A. TRUYOL Y SERRA, **La conception de la paix chez VITORIA** / la présente édition est la reprise de deux articles parus dans les "Recueils de la société Jean BODIN pour l'histoire comparative des institutions", tome XV, "La paix", deuxième partie, Bruxelles: Éditions de la Librairie Encyclopédique, 1961, avec Paul FORIERS, **L'organisation de la paix chez GROTIUS et l'école de droit naturel** (Paris: Vrin, 1987); C. BARCIA-TRELLES, **Francisco de Vitoria et l'école moderne du droit international** (RCADI, 1927, t. 17, p. 109-342); J. MOREAU-REIBEL, **Le droit de société interhumaine et le "jus gentium": essai sur les origines et le développement des notions jusqu'à Grotius** (RCADI, 1950, t. 77, p. 481-598); A. HERRERO-RUBIO, **Le droit des gens dans l'Espagne du XVIIIe siècle** (RCADI, 1952, t. 81, p. 309-450).

135. J. RAY, **Des conflits entre principes abstraits et stipulations conventionnelles** (RCADI, 1934, t. 48, p. 631-708).

136. A. GOMEZ ROBLEDO, em seu já ref. curso, **Le *jus cogens* international: sa génèse, sa nature, ses fonctions** (RCADI, 1981, t. 172, p. 9-217).

137. J. BARTHÉLEMY, *François de Vitoria* (in **Les fondateurs du droit international: leurs oeuvres, leurs doctrines**, avec une introduction de A. PILLET, Paris: V. Giard & E. Brière, 1904, p. 1-36).

138. **Institutionum sive elementorum** (recognovit Paulus KRUEGER, in **Corpus Iuris Civilis**, volumem primum, Dublin / Zurich: Weidmann, impr. 1973, liber primum, II, "De iure naturali et gentium et civili": "Ius naturale est quod natura omnia animalia docuit, nam ius istud non humani generis proprium est, sed omnium animalium, quae in caelo, quae in terra, quae in mari nascuntur (...) Ius autem civile vel gentium ita dividitur: omnes populi, qui legibus et moribus reguntur, partin suo proprio, partin communi omnium hominum iure utuntur; nam quod quisque populus ipse sibi ius constituit, id ipsius proprium civitatis est vocaturque ius civile, quasi ius proprium ipsius civitatis; quod vero naturalis ratio inter omnes hominis constituit, id apud omnes populos peraeque custoditur vocaturque ius gentium, quasi quo iure omnes gentes utuntur, et populos itaque Romanus partin suo proprio, partin communi omnium hominem iure utitur, quae singula qualia sunt, suis locis proponemus".

139. J. BARTHÉLEMY (op. cit., 1904, p. 7): "On peut dire, par conséquent que c'est chez VITORIA que l'on trouve pour la première fois le terme de *jus inter gentes*. Le terme est remarquable: ce qui l'est encore plus, c'est l'idée à laquelle il correspond, c'est la notion que présente VITORIA de ce *jus inter gentes*, du lien juridique qu'il établit, entre nations, ou plutôt de la société juridique internationale dont il est l'expression".

do habitado como amontoado inorgânico de nações isoladas, sem vínculo entre estas, não tendo, umas em relação às outras, nem direitos nem deveres, senão o direito absoluto para cada uma de se fechar em si mesma, e o dever de todas as demais respeitarem essa vontade.

VITÓRIA rejeita a teoria que tivera curso antes, como ainda teve depois deste, segundo a qual o direito, de cada estado, sobre o seu território seria da mesma natureza que o do proprietário sobre o seus campos, mas, na verdade, mais absoluto, porquanto nenhuma autoridade superior pode limitá-lo[140]. Enquanto a maioria dos autores, do passado, como ainda em séculos futuros, insistirá sobre a *independência* das nações, VITÓRIA insiste na *interdependência*. Existe *societas naturalis* das nações: nas bases dessa sociedade, encontram-se, em estado latente, os elementos que serão os fundamentos das teorias das escolas de direito natural e das gentes: o estado de natureza e o contrato social.

VITORIA, na lição sobre o poder civil, **De potestate civili**, asseverava: "o direito das gentes não tem somente força de pacto ou de convenção entre os homens, mas possui, igualmente, força de lei. O mundo inteiro, na verdade, que, de certo modo, constitui uma república, tem o poder de levar leis justas e ordenadas para o bem de todos, tais como são as do direito das gentes. Consequentemente, quando se trata de questões graves, nenhum Estado pode se considerar desvinculado do direito das gentes, pois este é colocado pela autoridade do mundo inteiro"[141].

O fato de ser a Espanha a potência dominante da época[142], bem como a preeminência intelectual de Francisco de VITÓRIA, como espécie de conselheiro do império espanhol, não são estranhos ao fato de este ter necessitado refletir e manifestar-se sobre a relação com os ameríndios, dentre outras questões candentes da época[143].

---

140. *V.*, *infra*, item 6.1., "Evolução do território no direito internacional".

141. Francisco de VITORIA, **Political writings** (edited by Anthony PAGDEN e Jeremy LAWRANCE, "Cambridge texts in the history of political thought", Cambridge: UP, © 1991, 1st. publ., 1991, "On civil power", **De potestate ciuili** (1528), p. 1-44), a mais antiga das *Relectiones* de VITORIA a ser conservada, e provavelmente a segunda mais antiga, depois deste ter assumido a cátedra de teologia em Salamanca em 7 de setembro de 1526.

142. J. BARTHÉLEMY, *François de Vitoria* (in **Les fondateurs du droit international: leurs oeuvres, leurs doctrines**, avec une introduction de A. PILLET, Paris: V. Giard & E. Brière, 1904, p. 1-36, cit. p. 1): "Il était espagnol, contemporain de CHARLES-QUINT; il appartenait à l'ordre de Saint DOMINIQUE. Cette nationalité, cette époque, cette condition ne sont pas indifférentes; elles aideront à comprendre pourquoi certaines questions internationales sont traitées dans l'oeuvre de VITORIA, à quel point de vue, un peu particulier, elles sont examinées, dans quel esprit et suivant quelle méthode elles sont résolues".

143. J. BARTHÉLEMY (op. cit., 1904, p. 3): "La constitution de cet empire soulevait le problème de la légitimité des acquisitions territoriales; la découverte, encore récente, de l'Amérique, provoquait une théorie de l'occupation internationale. / D'autre part, cette situation exceptionnelle dans le monde ne pouvait être conservée que par les armes. La première puissance politique de l'Europe devait en être aussi la première puissance militaire. C'était donc en Espagne que devait se faire sentir avec le plus d'intensité le besoin de fixer, dans la mesure du possible, les règles de morale et de justice sur le droit de la guerre et la conduite des hostilités".

"Sem dúvida um dos textos mais admiráveis, nascidos do gênio do dominicano espanhol, em razão de sua clarividência e de seu caráter profético"[144], a obra de VITÓRIA foi objeto de mil e um comentários, sobretudo no que concerne à organização ou às organizações mundiais da atualidade; não se pode passar, sem se deter, diante da ênfase que o mestre aponta para o caráter de lei (*vis legis*) que podem adquirir determinados acordos internacionais quando a matéria destes se reveste de grande importância (*in gravioribus*) e foram adotados pelo conjunto da comunidade internacional, no seu todo (*totus orbis*) na expressão de VITÓRIA: nenhum estado, quer tenha participado ou não de sua formação, pode subtrair-se, e tudo isso dá a configuração dos traços que definem o que hoje entendemos por *jus cogens*.

A diferença essencial entre o direito e as relações internacionais não está nos meios, mas nos fins. Enquanto o direito internacional visa formular e preservar determinados fins e determinados princípios, mesmo quando falhe em lhes assegurar a efetividade e a aplicação corrente, as relações internacionais, tautologicamente, são essencialmente relacionais: fundam-se e desenvolvem-se mediante consenso, mediante composição de interesses, guiadas pela prudência, enquanto ensinamento prático, decorrente do senso comum, da experiência e das lições da história. Não contêm nem trazem valores intrínsecos ou conteúdos precisos – funcionam na medida em que sejam aceitas e alinhem-se os participantes do sistema, segundo as regras do jogo – perfazem-se na medida em que se observe o *play by the rules*, jogar conforme as regras. E nisso se esgotam: não são ciência tampouco filosofia – são construção da prática, e alinham-se pela experiência. Não trabalham as relações internacionais com noções de *certo* e de *errado*, de *justo* e de *injusto*, mas com o que funcione, com o que possa assegurar resultados – não são idealistas, são pragmáticas.

Ao direito internacional e às relações internacionais, cumpre ressaltar, que tenham e mantenham, cada um, as suas respectivas esferas de atuação, mas não se pode aceitar nem conceber que o direito internacional seja reduzido a mera dimensão relacional. O direito internacional, construído segundo os ditames e as necessidades das relações internacionais, esvaziaria o que tem de mais precioso, embora nem sempre positivamente aplicado – o conjunto de princípios, de parâ-

---

144. A. GOMEZ ROBLEDO, **Le *jus cogens* international: sa génèse, sa nature, ses fonctions** (RCADI, 1981, t. 172, p. 9-217; cit. p. 24-25): "Pour commencer avec Francisco de VITORIA, père et fondateur du droit international moderne, à qui personne aujourd'hui ne nie ce titre là, nous avons en premier lieu son affirmation catégorique, selon laquelle le droit des gens est du droit naturel ou bien dérive du droit naturel: "*ex iure gentium, quod vel est ius naturale, vel derivatur ex iure naturali*'. (...) Mais à côté de ce *ius cogens* naturel ou nécessaire, il existe chez VITORIA un *ius cogens* positif ou volontaire, et dont la violation n'est pas plus licite, car il a été promulgué, comme nous le dirions aujourd'hui, par la communauté internationale dans son ensemble".

metros, de paradigmas, que norteiem a ordenação teleologicamente humana do mundo – para que possa o mundo ser preservado, para que possa sobreviver a humanidade, e para que possam ser passados às gerações vindouras o legado da civilização humana, com os pontos altos por esta alcançados.

Ao lado ou depois de VITÓRIA, a Espanha ainda forneceu outros escritores católicos, que figuram entre os precursores do direito internacional moderno: Domingos de SOTO[145], Fernando VÁZQUEZ MENCHACA, Baltazar de AYALA e, principalmente, Francisco SUAREZ[146].

1.1.1.2. Francisco SUAREZ (1548-1617)

Francisco SUAREZ tampouco se caracterizaria como *internacionalista* profissional: jesuíta, teólogo e professor de grande renome, ensinou filosofia ou teologia na maioria das universidades da Espanha, como em Paris e em Roma[147]. Comentador de Santo TOMÁS DE AQUINO, autor de obras apreciadas a seu tempo, ainda hoje consultadas com utilidade e merecedoras de elogios nos tempos modernos. Um dos mais ilustres autores da ordem que integrou, exornado com o título de *doctor eximius* pelo Papa BENTO XIV[148].

Como observa L. ROLLAND (1904)[149], foi quase acidentalmente que, em duas de suas obras, este teólogo viria ocupar-se das seguintes questões de direito internacional:

---

145. *V.* John W. O'MALLEY, **Os primeiros jesuítas** (do original **The first Jesuits**, © 1993, trad. Domingos Armando DONIDA, São Leopoldo / Bauru: Ed. Unisinos / EDUSC, 2004, cit. p. 388), considera a influência de FRANCISCO DE TOLEDO, quando este começa a ensinar no Colégio Romano, em 1559, traz consigo, "da Universidade de Salamanca a tradição da renovação brilhante de TOMÁS DE AQUINO, iniciada lá no começo do século XVI, por FRANCISCO DE VITÓRIA, DOMINGOS DE SOTO e outros".

146. SUAREZ, por sua lógica penetrante, sua clareza e suas considerações filosóficas, ultrapassou Vitória. Para exame das contribuições de Domingo de SOTO e VAZQUEZ DE MENCHACA, ver **Direito internacional no tempo moderno de SUAREZ a GRÓCIO** (2013, "do direito internacional moderno ao clássico", o item "outras vozes no direito internacional – Domingo de SOTO e VAZQUEZ DE MENCHACA" e tb. o cap. XV, "Francisco SUAREZ").

147. *V.* tb. CASELLA, **Fundamentos** (2008, item VIII, "Questão e discurso do fundamento do direito internacional", p. 663-720); CASELLA, **Direito internacional no tempo moderno de SUAREZ a GRÓCIO** (2013, cap. XV, "Francisco SUAREZ").

148. CASELLA, **Direito internacional no tempo moderno de SUAREZ a GRÓCIO** (2013, cap. XV, "Francisco SUAREZ"); L. ROLLAND, *Suarez* (in **Les fondateurs du droit international: leurs oeuvres, leurs doctrines**, avec une introduction de A. PILLET, Paris: V. Giard & E. Brière, 1904, p. 95-124): "A propos des prétentions du roi d'Angleterre, JACQUES I, SUAREZ composa, en 1613, une **Defensio fidei adversus regem Angliae**. L'ouvrage fut jugé, en Angleterre et en France, comme attentatoire à l'autorité des souverains. Il valut à son auteur, de la part du pape BENOÎT XIV, le titre de *doctor eximius*".

149. L. ROLLAND, *Suarez* (op. cit., p. 96-97): "Voilà toute l'oeuvre de droit international dont nous avons à nous occuper. Ce ne semble évidemment que peu de chose. Qu'est-ce qu'une quinzaine de chapitres? Nous verrons à la fin de cette étude ce qu'il faut en penser, quel jugement il convient de porter. Pour l'instant quelques mots sur la méthode de notre auteur nous semblent nécessaires".

(I) estudando no seu tratado, **De legibus ac de Deo legislatore**[150], a origem das leis e de sua força vinculante, o direito natural e o direito civil, veio a abordar o direito das gentes (*jus gentium*) nos quatro últimos capítulos do livro II. Na transição entre o estudo do direito natural e o do direito positivo, isso diz muito a respeito de como SUAREZ via o direito internacional, a meio caminho entre o direito natural[151] e o direito civil, tendo elementos de um e de outro, e muitas vezes confundindo-se com um e com o outro, distinto, contudo, de ambos e que convém bem definir e situar[152]: "addo vero ... duobus modis ... dici aliquid de jure gentium: uno modo quia est jus quod omnes populi et gentes variae inter se servare debent; alio modo quia est jus quod singulae civitates vel reyna intra se observant; per similitudinem autem et convenientiam jus gentium appellatur. Prior modus vdetur mihi propriissime continere jus gentium re ipsa distinctum a jure civili[153]. Aí, também, se encontra a definição de sociedade internacional, que se torna a contribuição mais conhecida[154] deste autor:[155] "Ratio autem

---

150. Franciso SUAREZ (S.J.), **De legibus / Tratado de las leyes e de Dios legislador** en diez libros (facsimilar da editio princeps, Coimbra, 1612 / versão espanhola de J. R. EGUILOR Muñozguren (S.J.), intr. geral Luis VELA Sanchez (S.J.), Madri: Instituto de Estudios Políticos, 1967-1968). *V.* tb. P. B. CASELLA, **Direito internacional no tempo moderno de SUAREZ a GRÓCIO** (2013, esp. cap. XV, já ref.).

151. F. SUAREZ, **De legibus** (Livro I, cap. III, n. 9 e livro II, Caps. V e seguintes): Antes de mais nada, cumpre saber, que é o direito natural? O que é a lei natural? A lei natural é a que se nos faz conhecer pela luz natural da razão; essa luz nos permite distinguir o bem e o mal, ou seja, o que é ou não conforme à nossa natureza racional. A lei natural comanda-nos fazer o que é bom, e evitar o que é mal, não porque esse bem e esse mal sejam, assim, por esta determinados, mas porque neles mesmos estão o bem e o mal. Essa lei é a mesma para todos os homens e em todos os tempos; ela tem Deus como seu autor. É o conjunto das leis naturais que constitui o direito natural; *v.* L. ROLLAND (op. cit., p. 99-104).

152. Assim chega SUAREZ ao direito das gentes: se por direito se entende a aptidão para fazer ou deixar de fazer alguma coisa, o direito das gentes é o que resulta dos usos comuns das nações, tal como o direito de livremente circular nas rotas. Mas se, ao falar em direito, se concebe conjunto de normas, a questão permanece inteira: que é o direito das gentes? É exatamente essa indagação que coloca SUAREZ, aplicando a formação escolástica e a construção do raciocínio, a partir de silogismos. O método para responder a essa indagação consiste em saber qual critério pode ser adotado para distinguir o *jus naturale* do *jus gentium*. Pode-se tomar o termo *jus gentium* em dois sentidos distintos: o direito é, antes e acima de tudo, aquilo que todos os povos e todas as nações devem observar em suas relações recíprocas; e, em seguida, é aquele que cada comunidade política observa para si, e que é mais ou menos o mesmo em todas elas.

153. F. SUAREZ, **De legibus** (Livro II, Cap. XIX, n. 8).

154. L. ROLLAND (op. cit., 1904, p. 101-102): "Voilà le principe, la base de la théorie de SUAREZ. Tout le reste est fort simple et n'a pas grand besoin d'explications. Ce *jus gentium*, ainsi défini, il est commun à tous. Ce sont l'usage et la tradition qui l'ont introduit, si on veut en parler dans la première acception, ce qui explique qu'il ne soir pas écrit. Il, si on le prend dans le second sens, tellement proche du droit naturel et en telle concordance avec lui qu'il se trouve comme lui être généralement admis".

Não é, ademais, a única dimensão comum ao direito das gentes e ao direito natural: um e outro são comuns a todos os homens e, ao mesmo tempo, são próprios destes; um e outro contêm ordens, proibições e permissões; os preceitos de um parecem ter sido introduzidos como os do outro, mais pela força das coisas que pela vontade humana; os preceitos de ambos devem respeitar a equidade e a justiça. O direito das gentes distingue-se, contudo, do direito natural não por ser próprio aos homens. O último aplica-se igualmente aos outros seres vivos, destituídos de razão (na verdade, tanto o direito natural como o das gentes são próprios dos seres humanos, **De Legibus**, Livro II, Cap. XVII, n. 3 e s.), nem porque seja conhecido menos facilmente (o direito das gentes contém critérios introduzidos pelo homem, para reger a comunidade humana, diversamente do direito natural, que não contém os frutos de ação semelhante, **De Legibus**, Livro II, Cap.

hujus partis et juris est, quia humanum genus quantumvis in varios populos et reyna divisum, semper habet aliquam unitatem non solum specificam, sed etiam quase politicam et moralem, quam indicat naturale praeceptum mutui amoris et misercordiae, quod ad omnes extenditur, etiam extraneos, et cujusque rationis: Qua propter licet unaquaeque civitas perfecta, respublica, aut regnum, sit in se communitas perfecta, et suis membris constans, nihilominus quaelibet illarum est etiam membro aliquo modo huius universi, prout ad genus humanum spectat: numquam enim illae communitates adeo sunt sibi sufficientes sigillatim, quia indigeunt aliquo mutuo juvamine, et societate, ac communicatione, interdum ad melius esse majoremque utilitatem interdum vero etiam ad moralem necessitatem et intelligentiam, ut ex ipso usu constat" (...)[156];

(II) a outra obra é o tratado consagrado a uma das três virtudes teologais, a caridade, **Tractatus de charitate: disputatio**, em que SUAREZ teve de estudar, no Livro XIII, a guerra[157]: pugna exterior, quae exteriori paci repugnat, tunc proprie bellum dicitur, quando est inter duos principes, vel duas respublicas[158]; e se perguntar se esta seria ou não conforme essa virtude cristã da caridade[159]. Daí surge estudo bastante detalhado a respeito da

---

XVII, n.8), nem por ser este necessário, para que tenha sentido, que exista sociedade humana, ou que se faça qualquer outra suposição – existem normas de direito natural que, para ter alcance, necessitam de tal suposição, cf. **De legibus**, Livro II, Cap. XIX, n. 3 e Cap. XX, n. 9), tampouco porque este somente possa conter permissões, nunca ordens nem proibições (cf. já ref., **De Legibus**, Livro II Cap. XIX, n. 9). Eis, contudo, algumas diferenças essenciais: inversamente do que ocorre com o direito natural, o que o *jus gentium* ordena não é o bem, o que este proíbe não é o mal, exceto porque assim se ordena ou se proíbe – esse direito, assim, nem é imutável, nem universal, como o é o direito natural. O *jus gentium* é o intermediário entre o direito natural e o direito humano positivo, mas nem se confunde com o primeiro, nem com o segundo. Não é o direito de único estado, mas o de muitos. Não é direito escrito, tendo sido constituído pelos hábitos e pelos usos de uma única nação. É, enfim, menos facilmente modificável que o direito civil.

155. A definição é clara: qual o fundamento do direito das gentes, tomado quer num quer no outro sentido? Enquanto considerado como o conjunto das normas que regem as relações entre os estados, entre si, o *jus gentium* está baseado na existência de espécie de sociedade entre os estados. O fundamento e a razão de ser desse direito, segundo SUAREZ, é este: o gênero humano, embora dividido em grande número de reinos e de impérios, tem, contudo, certa unidade não somente especificamente pelo gênero, mas, igualmente, de natureza quase política e moral. A comunidade política, por perfeita que possa ser, não pode, com efeito, bastar-se a si mesma, pois tem necessidade de estabelecer relações com as demais e, desse modo, determinadas normas jurídicas foram sendo introduzidas. No segundo sentido, *jus gentium* é o conjunto das normas admitidas pela quase totalidade dos estados. Essas foram como tal adotadas não mediante relações mútuas, mas em razão da conveniência particular de cada estado.

156. F. SUAREZ, **De legibus** (Livro II, Cap. XIX, n. 9).

157. L. ROLLAND (op. cit., 1904, Cap. II, p. 105-117): inicialmente, o que SUAREZ entende por guerra? Eis a sua definição: *guerra* é a luta externa, que se opõe à paz com o estrangeiro, elevando-se entre dois príncipes ou duas repúblicas

158. F. SUAREZ, **De charitate** (Livro XIII, *praemium*).

159. L. ROLLAND (op. cit., p. 105-106): "Rien à dire sur cette définition. Elle est à peu près celle admise par tous les auteurs. Remarquons cependant que SUAREZ distingue soigneusement la guerre, au sens propre du mot, à laquelle s'applique la définition donnée, de la guerre privée. Quand une lutte s'élève entre un prince et la nation, ou entre les citoyens et l'état, c'est une sédition. Quand elle a lieu entre deux particuliers, c'est une rixe ou un duel. Entre elles, ajoute-t-il, la différence est plus dans la matière que dans la forme. C'est fort exact, il n'en réserve pas moins le nom de guerre à la lutte entre états. / Il faut

guerra[160]: ... potestas iudicendi bellum est quaedam potestas jurisdictionis, cujus actus pertinet ad justitiam vindicativam, quae maxime necessaria est in republica ad coercendum male factores; unde sicut supremus princeps potest punire sidi subditos quando aliis nocent, ita potest se vindicare de alio principe vel republica, quae ratione delicti ei subditur[161]. Este estudo não deixa de ter interesse[162].

Pode parecer curioso, hoje, que boa parte dos autores clássicos do direito internacional tenha sido colocada e mantida, durante tempo considerável, no **Index librorum prohibitorum** pela Igreja católica, encetado ao tempo de PIO IV[163], enquanto CARLOS V fez estabelecer, pela Universidade de Louvain, em 1546, o primeiro **Catálogo dos livros perigosos**. Ambos abririam caminho para incontáveis gerações de censores.

---

aller plus avant. Toute guerre, dans l'esprit de SUAREZ, suppose un litige s'élevant entre deux états. Ce litige est semblable à celui qui s'élève entre deux particuliers. Mais deux particuliers ont un juge pour trancher le différend, donner tort à l'un, raison à l'autre. Ici, il n'y a pas de juge suprême. Les deux parties en désaccord sont en effet souveraines et ce qui caractérise précisément la souveraineté, c'est la possession d'un tribunal dont on ne puisse pas appeler. A chacune des deux parties, il appartient dès lors, de se faire justice à elle-même. La guerre se trouve être le seul moyen de faire sortir le droit. C'est là un point important du système. Il en résulte que SUAREZ, chose curieuse, ne semble pas imaginer que l'issue de la guerre puisse être favorable à la partie qui est dans son tort. Voilà l'idée qui est à la base de tous les développements".

160. Existem, evidentemente, guerras por causas justas, mas esta somente pode estar com um dos lados no conflito, estando o outro lado necessariamente errado. Este deveria se submeter; se não o faz, assemelha-se a um culpado. Seu adversário exerceria espécie de jurisdição. Daí se depreende a conclusão: em razão do prejuízo causado, o vencido de certo modo cai sob a autoridade e a jurisdição do vencedor.

161. F. SUAREZ, **De charitate** (Livro XIII, Seção I).

162. L. ROLLAND (op. cit., p. 96 e, a seguir, p. 107-108) observa, com certa maldosa ironia: "N'est-ce pas à propos d'elle que M. NYS a dit, d'une façon un peu imprécise d'ailleurs, que la charité chrétienne illumine les écrits de SUAREZ?". Cita NYS, **Le droit de la guerre et les précuseurs de Grotius** (Bruxelles, 1882). "Voilà la notion générale de SUAREZ sur la guerre. La guerre c'est avant tout un moyen d'appliquer le droit, de faire triompher le juste et de punir l'injuste. C'est avant tout un moyen de rétablir la justice. Il faudra, donc, en étudiant le droit de la guerre, toujours chercher à déterminer ce que la justice commande ou défend. Pour ce théologien, c'est là le point fondamental. Telle chose est injuste, donc elle est interdite; que si elle est accomplie cependant, il faudra réparer le préjudice causé. L'injustice entraîne pour celui qui l'a commise l'obligation de restituer. Cette dernière idée, nous la rencontrerons presque à chaque instant dans les développments de notre auteur. / Il n'y a pas d'ailleurs à ne s'occuper que de ce qui est commandé ou défendu par la justice. Il faut aussi voir ce qu'ordonne ou défend *la charité*. Qu'on n'oublie pas, en effet, que c'est dans un traité consacré à la vertu de charité que SUAREZ parle du droit de la guerre". Poder-se-ia objetar que isso, entre particulares, muito embora não de modo absoluto, ao menos com mais frequência que entre estados!

163. Pode-se caracterizar o **Index** de livros proibidos como "arma de guerra contra a Reforma", onde os humanistas teriam sido vítimas indiretas ou meros "danos colaterais". Hugo GRÓCIO em carta ao irmão, datada de 11 de setembro de 1627, constatava, somente dois anos depois da publicação do **Direito da guerra e da paz** (1625), que já tinham sido proibidas aos católicos essa e outras obras de GRÓCIO: "Romae lectio librorum meorum de jure belli cum permissa aliquandiu fuisset, subito interdicta est, et simul **Apologetici** et **Poematum**, excusantibus severitatem inquisitoriam Quiritibus, qui eum Cardinale BARBERINO litteratum amante fuerant, ac me viderant". *V.* tb. abrangente estudo de Jesus MARTINEZ DE BUJANDA, **Index de Rome** 1557 – 1559 – 1564 – les premiers index romains et l'index du Concile de Trente (Sherbrooke/Génève: Éds. da Universidade de Sherbrooke/Droz, 1990). Dominique GAURIER, **Histoire de droit internacional** (Rennes: PUR, 2005, esp. Ch. IV, "Les grandes figures fondatrices du droit international: les hommes et leurs oeuvres", p. 143-208), enumera todos os que se encontraram em tal situação. A questão se coloca em relação a determinar até quando a permanência nessa lista de proscrição de leituras terá sido vinculante para os fiéis católicos?

Desse modo, sem a licença específica de autoridade eclesiástica, para situações especiais, a serem previamente justificadas, deveria o fiel católico abster-se de todo contato com tais autores e doutrinas. Em que ponto estaríamos se tivesse prevalecido tal política?

A maior liberdade relativa nos países protestantes foi necessária para que se tivesse desenvolvido o direito internacional nos séculos XVII e XVIII. Nessa mesma época, muito embora problemas sérios de violação de direitos ditos fundamentais igualmente ocorressem nos países protestantes, a diferença entre a liberdade e a repressão fez pender para o norte o eixo do desenvolvimento na Europa: o direito à diferença, cujo aparecimento é o sinal de transformação radical da vida da humanidade, e da percepção que esta faz de si mesma, como apontava René-Jean DUPUY (1989)[164]. Isso é precioso, e essa conquista recente tem de ser preservada diante das ameaças dos intolerantes e dos fanatismos, que se travestem da invocação de Deus, da família, dos valores e da moral, para tentar, novamente impor modelos conformistas e absolutistas! Como vigeram durante séculos[165].

Na altura do Renascimento, mais desenvolvido era o sul; na Idade Moderna passa ao norte[166]. E a distância acentua-se, nos séculos XVII e XVIII, de modo incomensurável[167].

1.1.1.3. Alberico GENTILI (1552-1608)

Figura como Alberico GENTILI poderia ter perecido na prisão, se não tives-

164. René-Jean DUPUY, **La clôture du système international: la cité terrestre** (Paris: 1989, p. 115): "Le droit à la différence. Son apparition est le signe d'une transformation radicale dans la perception de l'humanité".

165. Em nossos tempos pós-modernos, os intolerantes nem sempre utilizam fogueiras em sentido literal. Também podem ser acionadas fogueiras em sentido figurado, como propõe com alguns exemplos, no seu instigante ensaio sobre o "terrorismo intelectual", Jean SÉVILLIA, **Le terrorisme intellectuel: de 1945 à nos jours** (Paris: Perrin, 2000).

166. *V.* P. B. CASELLA, **Direito internacional no tempo moderno de SUAREZ a GRÓCIO** (2013, esp. "do direito internacional moderno ao clássico"). Sem chegar ao ponto em que foram colocados Galileu GALILEI ou ainda mais Giordano BRUNO, havia visão eclesiástica predeterminada do mundo, posta em xeque pelas novas doutrinas e autores do direito internacional. Em outros campos do conhecimento, o papel de sábios como Johannes KEPLER, Nicolau COPÉRNICO e outros, na consolidação do novo enfoque, levou às ciências modernas.

167. As questões políticas, no seu tempo, colocaram em campos opostos os defensores da visão internacionalista do mundo em relação à opinião oficial da Igreja Católica. Os argumentos de autoridade sufocariam a busca da verdade: a dúvida racional contribuiu mais para o progresso da humanidade do que as categóricas afirmações da fé e das realizações. Se tivesse prevalecido tal visão, não obstante os primeiros "internacionalistas", como VITÓRIA e SUAREZ, de que modo e segundo qual modelo se poderia ter construído a disciplina de regulação da convivência entre unidades políticas do tempo? O modelo que vigera durante a Idade Média, embora nominalmente orientado entre a primazia do papado e a interferência do sacro Império Romano Germânico, que poderia nunca ter mantido total efetividade, romperа-se com as sucessivas levas da reforma, a partir de 1516, e nunca mais se recomporia. Ver P. B. CASELLA, **Direito internacional no tempo moderno de SUAREZ a GRÓCIO** (2013, esp. "sob o signo do Leviatã").

se conseguido escapar com seu pai da Inquisição, em Roma, e refugiar-se na Inglaterra[168]. Não por acaso as obras deste estarão inscritas no **Index** desde 1603[169].

Já Alberico GENTILI, na **Prima commentatio de jure belli**, publicada em 1588, seguem-se a segunda e a terceira, no ano seguinte, as três reunidas em obra única, **De jure belli libri tres**, em 1598[170], apontava a necessidade de institucionalização do direito internacional: "nas causas dos príncipes podem ser escolhidos os juízes mais sábios e incorruptos que as escutem e as julguem, sendo testemunha e espectador, por assim dizer, o mundo: *arma amens capio, nec sat rationis in armis*[171].

Acrescenta GENTILI "que o direito encerrado nos livros de JUSTINIANO não é próprio somente da cidade" – e, justamente por isso, *civilis* –, "mas o é também dos povos e da natureza, à qual é de todo e de tal modo conforme que extinto o império, e sepultado por muito tempo esse direito, no final ressuscitou e se espelhou entre todos os povos. Também aos príncipes, portanto, se referem as leis de JUSTINIANO, embora feitas para os cidadãos privados. Nem me ocorreu jamais ouvir ou ler coisas semelhantes àquelas que são difundidas por aqueles ilustres que tratam o tema genericamente".

---

168. P. B. CASELLA, **Direito internacional no tempo moderno de SUAREZ a GRÓCIO** (2013, cap. XVI, "Alberico GENTILI"). D. GAURIER (op. cit., Cap. IV, p. 157): "En 1579, GENTILI et son père, poursuivis par l'Inquisition comme hérétiques furent finalement condamnés à Rome en 1581 à la prison perpétuelle et à la confiscation des biens. Mais les deux hommes parvinrent à s'échapper, dès 1579, et Alberico se fixa à Laybach, dans la Carniole. Face à une nouvelle vague de persécution, Alberico dut partir en Angleterre, rejoint par son père. Il reçut là un accueil bienveillant, protégé ainsi que plusieurs autres Italiens adeptes de la Réforme par ELISABETH. C'est ainsi qu'il put rencontrer Giordano BRUNO, ancien dominicain passé à la Réforme qui, rentrant imprudemment en Italie, sera saisi par l'Inquisition à Venise et conduit à Rome pour y être brûlé comme hérétique en violateur de ses voeux en 1600".

169. *V.* P. B. CASELLA, **Direito internacional no tempo moderno de SUAREZ a GRÓCIO** (2013, cap. XVI, "Alberico GENTILI"), e tb. CASELLA, **Fundamentos** (2008, item VIII, "Questão e discurso do fundamento do direito internacional", p. 663-720).

170. Alberico GENTILI, **Direito de guerra** (do original **De jure belli libri tres**, trad. Ciro MIORANZA, intr. Diego PANIZZA, Ijuí: Ed. Unijuí, 2004). Ver tb. CASELLA, **Direito internacional no tempo moderno de SUAREZ a GRÓCIO** (2013, cap. XVI, "Alberico GENTILI").

171. A. GENTILI (op. cit., 1598, ed. 2004, Livro I, Cap. III, n. 2, p. 67, e prossegue, id., n. 3, p. 67-68): "Pergunta-se: por que FILIPE, rei da Espanha, não quis contender em juízo sobre suas pretensões em relação ao reino de Portugal com nenhum daqueles que as contestava? Não pergunto por que recusava como juiz o pontífice romano que, contudo, de direito, parecia que tivesse de ser o juiz. FILIPE, como a história constata, não quis acrescentar aos antigos um exemplo novo que reforçasse no papa o arbítrio sobre os reinos. Falo dos árbitros que os príncipes aceitam espontaneamente. É motivo de riso o que se lê naquela história, em que, em semelhantes questões de príncipes, não se deve recorrer a jurisconsultos, uma vez que os temas de direito das gentes não podem ser regulados com as sutilezas e a ficção do direito civil justiniano, sabendo-se que este foi composto e disposto pelos imperadores somente para os cidadãos privados. Assim pensaram mestres ilustres em questões antigas, não somente leguleios do povo, na questão de quem deveria suceder no reino de Portugal porque, diziam, sobre este caso de representação dos parentes para os FARNESE ou para outros contra FILIPE, nada se encontra nas leis de JUSTINIANO e, portanto, não podemos definir hoje essas controvérsias como não podiam ser definidas então, quando este direito não era conhecido. Desse modo, consta, é que raciocinavam os partidários de FILIPE e, como disse, fazem rir".

Enfatiza GENTILI a unidade operacional e conceitual do direito: "o quê? Cessa, por acaso, de ser das gentes e da natureza aquele direito que é posto para a cidade? Embora não se possa dizer que o direito civil deva ser, porque civil, direito das gentes, todavia o que se refere às gentes deve também ser civil. É verdade que o direito civil não serve em tudo ao direito natural, nem em tudo ao direito das gentes, mas tampouco em tudo se afasta do direito de um e de outro. E a razão pela qual não serve em tudo reside na natureza comum de todos os povos, na índole particular de cada um. Assim, enquanto por direito natural, não há diferença alguma entre os pactos, por direito civil nem todos são revestidos de ação e isso pela tranquilidade da cidade, que, ao contrário, seria perturbada pelo contínuo pleitear"[172].

A institucionalização do direito internacional pós-moderno permanece, simultaneamente, necessidade e desafio para o futuro e a sobrevivência da humanidade. O enfoque do direito internacional pós-moderno será no sentido de formular mais amplo campo de hipóteses de incidência, no tocante à formação e à regulação pelo direito internacional, dessa ação e influência estatal e das modalidades para o exercício e ocorrência desta.

"Novos são os editos dos pretores e a natureza e a equidade da natureza seguem sobretudo leis antigas. JUSTINIANO conformou suas leis à simplicidade da natureza, como ele próprio declara e as antigas leis que dela se afastavam foram a ela reconduzidas". Assim, aponta, ainda, GENTILI: "observamos, porém, que foi por meio dessas ficções e sutilezas que os jurisconsultos chegaram ao conhecimento da equidade, sobre a qual a pesquisa não pode ser considerada ainda concluída, ao reconhecer que as tornaram contrárias à equidade"[173], e não é de hoje o fenômeno, "como disse CÍCERO, que professam e professaram a

---

172. A. GENTILI (op. cit., 1598, ed. 2004, Livro e Cap. cit., p. 68-69): "O quê? Não convém aos príncipes aqueles preceitos dos livros de JUSTINIANO: viver honestamente, não ofender os outros, dar a cada um o que lhe pertence, proteger os filhos, rechaçar a agressão, reconhecer-se parente de todos os homens, conservar o comércio e outros preceitos similares que estão contidos naqueles livros e que são praticamente sua coisa mais importante? Esses preceitos são também de direito das gentes e da guerra".

173. Antoine FAVRE, **Principes du droit des gens** (Fribourg: Libr. de Droit et de Jurisprudence / Éd. Interuniv., 1974, item 18, n. III, "Equité", p. 292-294): "La notion d'equité déborde le domaine du droit. Elle comporte des acceptions différentes qu'il faut définir. [...] L'equité consiste à invoquer la justice naturelle contre les rigueurs de la loi. 'L'équitable, bien qu'il soit juste, n'est pas seulement conforme à la loi, mais il est plutôt une modification avantageuse du juste, qui est rigoureusement légal. Ce qui rend la loi insuffisante c'est sa généralité. L'equité remédie l'inconvénient qui naît de la généralité de la loi'". Por sua vez, consideraVicente Marotta RANGEL, *L'equité en droit international: desdéveloppements récents* (Tessaloniki: Aristoteleio Panepistimio "Nomos", "Anatypo": separata, 1989, p. 937-950, cit., p. 937): "Le cours de l'histoire se signale par la difficulté d'harmoniser les objectifs du droit correspondant à deux nécessités de l'esprit humain: la certitude et la justice. La certitude est atteinte surtour par la loi; la justice par l'application de la loi à des situations concrètes. Il est vrai qu'en général on identifie le juste avec l'application de la loi; mais il y a des lois qui ne sont pas justes ou ne s'appliquent pas, d'une façon satisfaisante, à une situation concrète. L'equité signifie l'apport correctif permettant l'identification de la certitude à la justice".

ciência do direito pessoas que ignoravam o direito. Não podemos, porém, formar uma ideia do contrário, sem o relativo contrário"[174].

Já GENTILI tocava o cerne da questão, no direito internacional até o contexto pós-moderno: "quando os árbitros, como se diz, se tiverem pronunciado de maneira coerente como poderemos ter segurança de que sua sentença será executada? Se tu ou eu não quisermos, dizia AUGUSTO a ANTONIO, quem poderá nos obrigar a respeitar os pactos? Se tu leitor, tiveres paciência em seguir-me até o terceiro livro, no qual falo do estabelecimento da paz no futuro, poderás constatar que esse objetivo não basta por si mesmo"[175]. As mesmas grandes questões do direito internacional permanecem até hoje!

Mais de século antes do Abbé de SAINT PIERRE (1713), dos enciclopedistas franceses e do ensaio de KANT (1795), o mesmo GENTILI, no livro terceiro, Capítulo XIII, propõe "o estabelecimento da paz em vista do futuro"[176]: "o vencedor deve dar aquela paz que dure para sempre. Na verdade esta é a natureza da paz: o de ser perpétua"[177].

---

174. A. GENTILI (op. cit., 1598, ed. 2004, Parte e Cap. cit., p. 70-71): "Tinham mesmo razão os partidários de FILIPE quando diziam que entre as leis de Justiniano há uma que diz (e é uma daquelas que faz para nós) que não se deve comprometer coisas sobre as quais não incide dúvida. Era falso, contudo, o que logo depois acrescentavam, que a causa de FILIPE não era dúbia e que era unânime a opinião de todos os doutores sobre ela. Como de todos? Cujas não esteve a favor de Catarina de Medici? Contra Filipe não estiveram os coimbrianos? E, para não falar de outros, aqueles três esplendores do mundo inteiro, a Academia de Perúgia, aquela de Bolonha, aquela de Pádua, não discutiram, não responderam a favor de FARNESE? Suas respostas estão abertas ao público. Mas não pesquisamos isso no presente. / Em favor de FILIPE se poderia talvez dizer (e isso vem ao encontro do tema que estudamos) o que lemos que foi respondido aos habitantes de Corcira que, como se faz para provocar uma discussão pacífica, é preciso começar por deixar aquilo de que se ocupou, a fim de que sejam iguais as condições daqueles que devem julgar. O próprio rei respondia, não faz muitos anos, que não queria depor as armas porque nesse momento lhe teria escapado a ocasião que se lhe oferecia, não estando à espera dela".

175. A. GENTILI (op. cit., 1598, ed. 2004, id., p. 72): "Por isso concluo que, se não houver necessidade, a guerra não pode ser justa, porquanto deve ser provocada pela necessidade. Com um compromisso voluntário deve-se antes de tudo discutir, e com a razão natural, que é árbitro, como diz SÈNECA (**Epistula** 67), do bem e do mal, e com as outras espécies de razão que foram mencionadas anteriormente. Diversamente se poderia dizer que desconfia de seu direito pleno quem evita o julgamento".

176. A. GENTILI (op. cit., 1598, ed. 2004, Livro III, Cap. XIII, "Do estabelecimento da paz em vista do futuro", p. 518-527): "Já descrevi o suficiente sobre aquelas coisas que podem ser feitas pelo vencedor para punir as injúrias passadas (*ulciscendo praeterita*), e também sobre as que dizem respeito ao futuro. Em relação a estas últimas, contudo, o discurso não pode, ainda, ser considerado completo. Duas coisas importantes devem ser asseguradas pela pena (*ultio*): a satisfação da injúria e a segurança para o futuro. Por isso a pena contém também em si a vingança (*vindictam*). De fato, os gramáticos ensinam que a pena tem relação com as coisas passadas e é por isso que Marte é chamado de punidor (*ultor*); e para impedir as futuras, recorre-se à vingança".

177. A. GENTILI (op. cit., 1598, ed. 2004, Livro III, Cap. XIII, p. 519): "Como pode a paz ser perpétua?" AGOSTINHO (**Epistulae**, 202) responde: "Ao punir as injúrias passadas alimentamos o ódio e o desdém; provemos para o futuro, usando de misericórdia". Entre as sentenças de EPICTETO há esta: "Paz é liberdade tranquila. Esta é, portanto, a única e segura regra que, tanto no punir, no vingar-se, quanto no ditar as condições da paz, reflete a equidade. Porque aquele que fosse

Refere GENTILI o exemplo da celebração da paz perpétua entre o comandante romano e o rei dos persas (como refere PROCÓPIO, Livro I) – este não somente pode ser lembrado como tentativa de construção de equilíbrio de relações internacionais no seu tempo, mas, acima de tudo, como lição que permanece válida: "Será injusto, portanto, aquele vencedor que der uma paz que não é paz, quero dizer, que não possa durar, que não possa ser paz". Muito lucidamente, a partir de exemplos da história "e como ensina a todos o intelecto natural e como demonstra a experiência, mestra de todas as coisas", mostra que não pode ser duradoura a obra da força: "porque as coisas feitas por força logo desaparecem".

Poderia essa passagem de GENTILI ser lida como comentário aos motivos que levaram à falência a tentativa de ordenação da paz com a Alemanha, nos termos do Tratado de Versalhes, de 28 de junho de 1919, em que igualmente se estipularam a criação da Sociedade das Nações (Parte I) e da Organização Internacional do Trabalho (Parte XIII)[178], antecipando, em mais de trezentos e vinte anos, os resultados daquele esforço encetado: "a única e segura regra que, tanto no punir, no vingar-se, quanto no ditar as condições da paz, reflete a equidade. Porque aquele que fosse ofendido além do justo não repousaria nunca e alimentaria o desejo de vingança e aquele que fosse oprimido por leis desapiedadas ficaria sob aquele peso até que desaparecesse a necessidade de obedecer"[179].

Partindo de exemplos da história e da prática, antiga e recente, GENTILI aponta o desejável, mas não se deixa enlevar pela utopia: "sendo essa a equidade, como aparece em tudo o que dissemos, agora deve ser realmente assim considerada. Afirmamos que essa ou outra será a paz, segundo as diversas qua-

---

ofendido além do justo não repousaria nunca e alimentaria o desejo de vingança e aquele que fosse oprimido por leis desapiedadas ficaria sob aquele peso até que desaparecesse a necessidade de obedecer. / 'Esta paz foi imposta pela necessidade e por isso não é de se esperar que seja perpétua'. Assim escreveu o grande historiador (Paulo Emílio, 1) e o fez muito bem, porque as coisas feitas por força logo desaparecem, como foi dito pelos legados romanos, segundo se pode ler em DIONÍSIO (livro 8) e como ensina a todos o intelecto natural e como demonstra a experiência, mestra de todas as coisas".

178. P. B. CASELLA, **Tratado de Versalhes na história do direito internacional** (texto integral em português, com introdução, São Paulo: Quartier Latin, 2007); N. FEINBERG, **L'admission de nouveaux membres à la Société des Nations et à l'Organisation des Nations Unies** (RCADI, 1952, t. 80, p. 293-394); J. L. KUNZ, **L'article XI du Pacte de la Société des Nations** (RCADI, 1932, t. 39, p. 679-790); Michel MARBEAU, **La Société des Nations** (Paris: PUF, 2001); William E. RAPPARD, **Vues rétrospectives sur la Société des Nations** (RCADI, 1947, t. 71, p. 111-226).

179. A. GENTILI (op. cit., 1598, ed. 2004, livro e cap. cit., p. 519-520): "Um embaixador dos privernatos ousou responder assim aos romanos: 'se vós nos concederdes uma boa paz, a tereis fiel e perpétua; se não for boa, não a tereis nem longa nem duradoura' (TITO LÍVIO, **Ad urbe condita**, 8). 'A paz será duradoura quando os contratantes forem iguais', disse EPAMINONDAS (PLUTARCO, em **Agesilau**). SÊNECA (**Epistulae**, 30) diz: 'parte principal da equidade, a igualdade'. Deve-se entender igualdade geométrica que não é igual, de fato, à aritmética, mas deve ser tal o respeito às pessoas que exija atribuir a cada um segundo o seu grau e mérito, (...), "pode-se perguntar se é equitativo aquilo que é útil ao mais forte e responde-se que não é".

lidades dos vencedores ou dos vencidos. A este propósito nada de geral pode ser estabelecido. Deve-se ver também aquelas coisas que se acrescentam às pessoas, se já não as acompanham, e com as quais foi sempre hábito preocupar-se, não menos do que com as próprias pessoas. Relembro, contudo, que todas as preocupações do vencedor devem ser dirigidas para aquela utilidade comum de que falo e que foi muito bem explicada por ANÍBAL (cf. TITO LÍVIO, **Ab urbe condita**, 36) e, antes dele, por DEMÓSTENES, como sendo sólido vínculo de companhia e que o chamo até de paz"[180].

"É lícito ao vencedor, salvo o direito de natureza, fazer todas aquelas coisas que, em si, contribuam para tornar duradoura a vitória e, em relação a si próprio e ao vencido, tornar justa a paz. Todas as coisas estão nas mãos do vencedor, exceto aquelas que procedem do direito das gentes"[181].

1.1.1.4. Richard ZOUCH (1590-1660)

Richard ZOUCH[182] sucedeu Alberico GENTILI como professor em Oxford[183]. Se e quanto este tão frequentemente citado e tão pouco lido internacionalista inglês do século XVII pode ser chamado "positivista", permanece matéria aberta para debate entre os interessados[184].

---

180. A. GENTILI (op. cit., 1598, ed. 2004, livro e cap. cit., n. 4, p. 520-521): "DEMÓSTENES afirmou que os méritos de um orador estão todos em colocar bem as coisas. Muitas vezes ocorre que uma só coisa compreende todas as outras. Tal é para nós a utilidade comum, isto é a conservação da paz, sendo coisa útil aos vencidos não menos que aos vencedores que a paz seja conservada. Todas as outras coisas que não estão dirigidas à vantagem comum e que costumam ser realizadas para confirmar a paz, provam ser um vínculo muito fraco para solidificar uma amizade mal firmada. Por isso é que em todos subsiste este pensamento, o de dever-se acomodar às presentes condições e com prudente adulação secundar a inconstância das coisas e nada mais olhando, senão à própria comodidade, entram em novas ligas, destacam-se das antigas e querem, por todos os meios, aumentar o seu império e poder".

181. A. GENTILI (op. cit., 1598, ed. 2004, Livro e Cap. cit., n. 7, p. 527): "Ao arbítrio do juiz está tudo aquilo que se refere a cauções e aqui o juiz é o vencedor. Este, de acordo com a qualidade das pessoas, do perigo e dos lugares, deve estabelecer quais valem a pena assegurar e quais não. Concordam com isso todos os nossos. Mesmo que se tenha necessitado recorrer ao máximo e extremo remédio, nem por isso se poderia dizer que não foi observada moderação, se nenhum outro expediente era eficaz".

182. P. B. CASELLA, **Direito internacional no tempo moderno de SUAREZ a GRÓCIO** (2013, esp. cap. XVII, "Richard ZOUCH"). Ver tb. Georges SCELLE, *Richard Zouch (1590-1660)* (in **Les fondateurs du droit international public: leurs oeuvres, leurs doctrines**, avec une introduction de Antoine PILLET, Paris: V. Giard & E. Brière, 1904, p. 269-330).

183. Além de atuar como juiz na Corte do Almirantado, foi o autor de muitas outras obras jurídicas, tais como: a descrição do direito feudal, ou **Descriptio juris et judicii feudalis** (1634), ou a **Descriptio juris et judicii temporalis** (1636), sobre direito consuetudinário. ZOUCH também escreveu sobre o direito eclesiástico, "segundo cânones e constituições anglicanas", **Descriptio juris et judicii ecclesiastici** (1636) e prosseguiria com sua obra sobre **Descriptio juris et judicii sacri** (1640), relativo "à religião e às causas pias". ZOUCH também cuidou de direito militar, na sua obra **Descriptio juris et judicii militaris** (1640) e escreveu sobre o direito do mar, na sua descrição do direito e do juízo relativo à navegação e à negociação marítima, **Descriptio juris et judicii maritimi** (1640).

184. G. SCELLE, a respeito de Richard ZOUCH (op. cit., 1904, p. 269): "Parmi les internationalistes du xvii.e siècle, l'anglais ZOUCH est l'un des plus et l'un des moins connus. Des plus connus, si c'est l'être que d'avoir son nom partout cité,

Na exata medida em que ZOUCH enfatiza o papel da prática[185], pode-se tomar tal dado como base para aqueles que o inseriram dentre os positivistas[186]. Contudo, pode-se sustentar que a prática aí estaria[187] antes como evidência de legitimação, e não como fundamento legitimador da norma.

Além dos seus "elementos de jurisprudência", ou **Elementa jurisprudentiae** (1629)[188], a principal contribuição de ZOUCH para o direito internacional[189] foi o seu livro sobre "direito fecial ou direito entre os povos e questões de sua explicação", no original, em latim, **Iuris et iudiciis fetialis sive *iuris inter gentes* et quaestionum de eodem explicatio**, publicado em 1650[190]. Nesta, ZOUCH faz a filiação do direito internacional moderno diretamente do direito sacro fecial, dos antigos romanos.

ZOUCH define direito internacional como o direito "aceito pelo costume, *conforme a razão*, entre o maior número de Estados", o que parece sugerir a ponte entre o direito natural e o direito positivo, em que este último se baseia no primeiro. Na verdade, pode-se ver ZOUCH mais próximo da visão pós-moderna,

---

dans les manuels et dans les livres de vulgarisation, comme celui d'un des pères de la science du droit des gens; et des moins connus si l'on exige des renseignements plus précis sur son oeuvre, l'influence de ses écrits, la nature de son talent et les raisons de sa célébrité".

185. Celso D. de Albuquerque MELLO, **Curso de direito internacional público** (Rio de Janeiro: Renovar, 15. ed., 2004, v. I, p. 178).

186. Malcolm N. SHAW, **International Law** (Cambridge Univ. Press, 5. ed., 2003, reimpr. 2005, p. 24-25): "One of the principal initiators of the positivist school was Richard ZOUCHE (1590-1660), who lived at the same time as PUFENDORF, but in England. While completely dismissing Natural Law he paid scant regard to the traditional doctrines. His concern was with specific situations and his book contains many examples from the recent past. He elevated the law of peace above a systematic consideration of the law of war and eschewed theoretical expositions". Essa análise é bastante simplista, como examino em CASELLA, **Direito internacional no tempo moderno de SUAREZ a GRÓCIO** (2013, cap. XVII, "Richard ZOUCH").

187. Como, ademais, ocorrerá, também, em relação a Cornelis van BYNKERSHOEK e Emer de VATTEL, questionando-se quanto tinha de positivista cada um deles, ou antes, por enfatizarem os precedentes e o papel da prática, como evidência de observância e cumprimento das normas e não como fundamento desta, somente em decorrência da prática dos estados.

188. Rich. ZOUCHAEI, **Elementa jurisprudentiae, definitionibus, regulis et sententiis selectoribus iuris civilis illustrata** (originalmente publicados em 1629, edição 1665).

189. Rich. ZOUCH voltaria ao direito internacional, para cuidar de imunidades diplomáticas, em "soluções de questões sobre a jurisdição competente em relação a legado delinquente", **Solutio quaestionis veteris et novae sive de legati delinquentis judice competente dissertatio in qua Hug. Grotii de ea re. sententia explicatur, expenditur et adseritur** (Oxf., 1657; London, 1717).

190. Richardi ZOUCHAEI, **Juris et judicii fecialis sive juris inter gentes et quaestionum de eodem explicatio** (Oxon, 1650) – podem ocorrer pequenas variações na grafia do nome de ZOUCH (tanto ZOUCHAEUS, ZOUCHAEI, ZOUCHE, ZOUCHY, ZOUCHAÜ), bem como no título de sua obra, entre a primeira edição (Oxford, 1650) **Iuris et iudicii fecialis sive iuris inter gentes et questionum de eodem explicatio qua quae ad pacem et bellum inter diversos principes aut populos spectant ex praecipuis. Historico jure peritis, exhibentur opera. R. Z. Authoris elementorum juris prudentiae** e as seguintes (ou constar somente **Iuris et iudiciis fetialis sive *iuris inter gentes* et quaestionum de eodem explicatio**), também publicada, logo a seguir: em Leiden, 1651 (Lugd. Batavorum: Philippum de Croy, MDCLI), na Haia (Hagae Comit., 1659) e em Mainz (Mogunt., 1661), e tradução para o alemão, **Allgemeines Völkerrecht, wie auch allgemeines Urtheil und Ansprüche aller Völker** (Frankfurt, 1666).

no sentido de que o direito positivo é simplesmente a parcela do direito natural que os homens descobriram e "relegislaram"[191].

No sistema de direito positivo, o poder supremo será aquele do grupo de estados, enquanto unidades políticas, detentores da condição de sujeitos de direito. Na medida em que inexista poder superior, em decorrência da natureza desse sistema coordenado, decidirão entre si os estados o que seja o direito. Este poderá variar conforme o tempo (ou a história) e o lugar (ou o contexto cultural) onde se insira[192], assim como variam os atos e costumes dos estados[193].

Deste se passa ao autor mais amplamente aclamado e questionado como o *fundador* do direito internacional moderno. Mas, inegavelmente, direito internacional divide-se em *antes* e *depois* de Hugo GRÓCIO.

1.1.1.5. Hugo GRÓCIO (1583-1645)

No começo do século XVII, o direito internacional público já aparece como ciência autônoma, sistematizada. Nesse novo período, destaca-se GRÓCIO, cuja obra, **Mare liberum** (parte da **De jure praedae**), vem a lume em 1609, e especialmente por sua obra-prima, publicada em 1625, **O direito da guerra e da paz** (**De jure belli ac pacis**).

A construção dos conceitos e a aplicação destes, em âmbito internacional, devem fazer-se mediante consenso[194] com paulatina aceitação e adoção desses

---

191. Urban G. WHITAKER Jr., **Politics and Power: a text in international law** (New York: Harper & Row, 1964, p. 32-33): "Whether ZOUCHE can be called a positivist is a matter of some dispute among modern writers. NUSSBAUM says that 'the characterization as a positivist can unhesitatingly be applied' to him. BRIERLY says that ZOUCHE is 'sometimes regarded as a precursor of the 'positive' school'. GOULD remarks that he has always been regarded as the first 'positivist'. NUSSBAUM further says that, 'of the traditional natural law doctrine his [ZOUCHE's] book shows practically no mark'. But SVARLIEN notes that 'though ZOUCHE did not abandon the law of nature as a basis for international law, he nevertheless emphasized the precedents which had been established in the intercourse of states and saw in these the stuff of which the law of nations is made'. (...) Wherever we place ZOUCHE in relation to this modern argument, it is clear that his emphasis on the role of practice as an indication of law marks him as an important positivist thinker". A base da argumentação é correta; a conclusão, duvidosa. Para situar a contribuição de ZOUCH na evolução do direito internacional moderno, *v.* P. B. CASELLA, **Direito internacional no tempo moderno de SUAREZ a GRÓCIO** (2013, esp. cap. XVII, "Richard ZOUCH").

192. No caso do **Paquete Habana**, a Corte Suprema dos Estados Unidos da América decide (*The Paquete Habana, The Lola,* United States Supreme Court, 1900, 175 U.S. 677): "It is of force not because it was prescribed by any supreme power, but because it has been generally accepted as a rule of conduct".

193. Texto caso (*The Paquete Habana, The Lola,* United States Supreme Court, 1900, 175 U.S. 677) tb. reproduzido in Urban WHITAKER, **Politics and Power** (op. cit., 1964, p. 77-94, cit. p. 77) onde este observa, em nota introdutória a respeito: "it is the classic statement on the development of *custom* as international law"; *v.* tb. Maurice MENDELSON, **The formation of customary international law** (RCADI, 1998, t. 272, p. 155-410).

194. Nelson F. de CARVALHO, Arqueologia do consenso (in **Direito e comércio internacional: tendências e perspectivas; estudos em homenagem ao prof. Irineu STRENGER**, org. L. O. BAPTISTA, H. M HUCK e P. B. CASELLA, São Paulo: LTr, 1994, p. 353-406, cit. p. 357): "examinaremos a função do consenso num texto definido (**De jure belli ac pacis**), num autor

padrões de comportamento, entre e pelas unidades políticas que compõem o contexto internacional[195], predominantemente os estados e as emanações destes, as organizações internacionais[196].

Desde o início do direito internacional, GRÓCIO utiliza precedentes bíblicos, bem como da história antiga, grega e romana, para estabelecer normas de direito internacional[197]. A partir de patamares mais ou menos consistentes de implantação dos princípios, normas e instituições internacionais e operacionalidade funcional destes, pode-se acrescentar a busca, a dimensão utópica, almejando o progresso e a melhoria dessa "realidade" que exista, nem sempre seja desejável, por anseio ou projeto, que mesmo que não exista (ou nem sequer possa existir), ao menos é desejável e digno de se buscar como propósito.

Hugo GRÓCIO, no seu consideravelmente menos conhecido **De império** (1614, segundo outras fontes, 1617)[198], somente publicado em 1647, após a morte do autor, aponta a consideração do poder secular, estendendo-se também às coisas sagradas, e define o poder em sua mais ampla extensão, não como oposto à jurisdição, mas abrangendo-a, no que constitui o direito de comandar, de permitir e de defender. Pode-se, igualmente, assinalar a considerável medida quando em 1648 transforma a religião institucional em dado da política: a adoção do princípio *cuius regio ejus religio*, solenemente sancionado pela paz Augusta, traz a premissa para a identificação entre a luta de confissões e a luta de estados, para

---

determinado (Hugo GROTIUS), num momento histórico específico (a passagem dos séculos XVI/XVII), (estas particularizações metodológicas serão discutidas mais adiante)". *V.* P. B. CASELLA, **Direito internacional no tempo moderno de SUAREZ a GRÓCIO** (2013, esp. cap. XVIII, "Hugo GRÓCIO").

195. Miguel REALE, **Horizontes do direito e da história** (São Paulo: Saraiva, 1977) considera ter sido o **De jure belli ac pacis** de Hugo GRÓCIO o primeiro livro de filosofia do direito, na história: a partir de GRÓCIO, pode-se falar a respeito de filosofia do direito, no sentido moderno do termo. Antes dele, não se poderia falar em filosofia do direito, em sentido próprio, pois é com seu livro que se apresenta o primeiro tratado de direito natural ou, melhor dizendo, o primeiro tratado autônomo de filosofia do direito: "Constituídos os estados modernos, cada um deles sobre uma base nacional distinta, e abandonada a concepção medieval de um poder superior pertencente à Igreja ou ao Império, tornou-se necessário um fundamento novo para a ordem positiva. / Não se tratando mais de procurar a explicação última do direito em uma concepção religiosa, em uma explicação de ordem teológica, como fizera a escolástica, nem de sustentar a doutrina já superada, que apresentava o poder dos reis como poder derivado de uma fictícia autoridade imperial. / Surgiu, assim, a escola do direito natural procurando fundamento eminentemente humano e terreno para o direito e o estado".

196. Giorgio DEL VECCHIO, **La société des nations au point de vue de la philosophie du droit international** (RCADI, 1931, t. 38, p. 541-650).

197. Cf. referido, vai buscar em Moisés MAIMONIDES a distinção entre "direito natural" e "direito positivo".

198. Hugo GRÓCIO, **Traité du pouvoir du magistrat politique sur les choses sacrées** (do original em latim **De imperio summarum potestatum circa sacra**, 1614, edição fac-similar da edição publicada anonimamente em Paris, em 1751, mas com menção a Londres, na página de rosto, trad. de Charles Armand L'Escalopier de NOURAR, ed. facsimilar, présentation de Vincent GUILLAUME, Caen: Publications de l'Univ. de Caen, 1991). No Cap. I "Le pouvoir du magistrat politique s'étend sur les choses sacrées" (p. 1-33, observa, p. 3): "Je prends ici le pouvoir dans une signification plus étendue; ce n'est pas en ce qu'il est opposé à la juridiction, mais en ce qu'il la renferme, & qu'il est le droit de commander, de permettre et de défendre".

o dado dramático da história[199] do século XVII – e que se transpõe ao contexto, não menos dramático, do início deste século XXI, em que está armado polo de conflito e tensão que necessitará muito tempo e muito esforço para ser amainado[200].

A partir da Guerra dos Trinta Anos, causada pelas ambições políticas dos príncipes europeus, travada em nome da intolerância religiosa, põe-se o marco de surgimento do direito internacional como ramo autônomo do direito: **os tratados de Munster e de Osnabruck**, compondo o assim chamado sistema de Vestfália (1648), marcam o início de uma nova era na história política da Europa e na regulação desta pelo direito internacional.

1.1.2. de Vestfália (1648) a Viena (1815)

Os **tratados de Munster e Osnabruck**, na Vestfália, em 24 de outubro de 1648, marcam o fim da Guerra dos Trinta Anos (1618-1648): o fim de uma era e início de outra, em matéria de política internacional, com acentuada influência sobre o direito internacional, então em seus primórdios. Esses tratados acolheram muitos dos ensinamentos de Hugo GRÓCIO, surgindo daí o direito internacional tal como o conhecemos hoje em dia, quando triunfa o princípio da igualdade jurídica dos estados, estabelecem-se as bases do princípio do equilíbrio europeu, e surgem ensaios de regulamentação internacional positiva. Podem ser apontados não somente o conceito de neutralidade na guerra[201], em relação aos estados beligerantes, como também fazer paralelo, entre o princípio então adotado, da determinação da religião do estado pelo governante, o que seria o ponto de partida do princípio contemporâneo da não ingerência nos assuntos

199. Frederic HOFFET, **Psychanalyse de l'Alsace** (texte de 1951, augmenté d'une préface de l'auteur et d'un avant-propos de Germain MULLER, Colmar: Editions Alsatia, 1973), mostra como a paz em 1648 traz o marco da crise e instaura institucionalmente a dualidade na Alsácia, com a passagem desta, em decorrência de acordo, para a França. A partir desse momento, insere-se na Alsácia o esforço de LUÍS XIV de integrá-la ao reino e esfera cultural e linguística francesas, depois de séculos de quase total integração da região entre os povos do império germânico, não somente da futura Alemanha, propriamente dita, como dos holandeses e flamengos, e dos suíços de língua alemã.

200. Com a assim chamada, *faute de mieux*, confrontação de civilizações, *v.* Samuel HUNTINGTON, **The clash of civilizations and the remaking of world order** (Londres: Simon & Schuster, 1998), antes publicado como artigo, *The clash of civilizations* (Foreign Affairs, 1993, 72, n. 3, p. 22 e s.), bem como *The West unique, not universal* (Foreign Affairs, 1996, 75, n. 6, p. 28 e s.). Contraposição interessante, *v.* Octávio IANNI, **A sociedade global** (Rio de Janeiro: Civilização Brasileira, 5. ed., 1997).

201. Johan Wilhelm NEWMAYR VON RAMSLA estuda a questão da neutralidade em seu **Von der Neutralitet und Assistenz oder Unpartheyligkeit vnd Partheyligkeit in KriegsZeiten sonderbarer Tractat oder Handlung** (Erfurt: J. Birckner, 1620). A respeito, *v.* P. B. CASELLA, **Direito internacional no tempo moderno de SUAREZ a GRÓCIO** (2013, esp. "construção da neutralidade no direito internacional moderno e o tratado de NEWMAYR VON RAMSLA (1620)").

internos dos estados. Desde então, o desenvolvimento do direito internacional marchou rapidamente[202].

Reflexões e precedentes terão de levar em conta o estado como meio e ferramenta operacional do direito internacional. A presença e a influência dos estados são incontornáveis no direito internacional, no sentido de que estarão sempre presentes e atuantes os estados, na formação e aplicação do direito de regência das relações entre estes.

Nos séculos seguintes, dentre os internacionalistas mais famosos, caberia lembrar: Samuel PUFENDORF (1632-1694) (1.1.2.1.); Cornelius van BYNKERSHOEK (1673-1743) (1.1.2.2.), Christian WOLFF (1679-1754) (1.1.2.3.), que teve como seu mestre Gottfried Wilhelm LEIBNIZ, antes filósofo que internacionalista, inscreve na linha de continuidade intelectual em relação a este, e, por sua vez, seria o mestre para Emer DE VATTEL (1714-1767) (1.1.2.4.); J. J. BURLAMAQUI (1694-1748) (1.1.2.5.); G. F. VON MARTENS (1756-1821) (1.1.2.6.).

1.1.2.1. Samuel PUFENDORF (1632-1694)

Cronologicamente posterior ao estabelecimento do sistema de Vestfália, Samuel PUFENDORF (1632-1694) inscreve-se, na história do direito internacional, como o mais fiel continuador de GRÓCIO, explicita a obra deste, em sua cadeira na Universidade de Heidelberg. Se[203] foi GRÓCIO o "coordenador de todos os princípios e doutrinas, nessa matéria, consagrados nos séculos anteriores, e também o ponto de partida de seu desenvolvimento ulterior", contra ou a favor, debruçar-se-ão sobre ele todos os autores na área do direito internacional[204]. Samuel von PUFENDORF não foi exceção.

---

202. P. B. CASELLA, **Direito internacional no tempo moderno de SUAREZ a GRÓCIO** (2013, "ensaio de balanço do direito internacional no século XVII"). Naquele século, além de GRÓCIO, figuram entre os internacionalistas de mais renome: Richard ZOUCH; Samuel PUFFENDORF; John SELDEN; Frei Seraphim DE FREITAS, autor do **De Justo Imperio Lusitanorum Asiatico**. A respeito da controvérsia entre GRÓCIO e Frei Seraphim de FREITAS, *v.* P. B. CASELLA, **Direito internacional no tempo antigo** (2012, esp. 2.1, "a controvérsia entre Hugo GRÓCIO e Serafim de FREITAS", p. 107-127); **Direito internacional no tempo moderno de SUAREZ a GRÓCIO** (2013, esp. cap. XVIII, "Hugo GRÓCIO"); Sérgio BUARQUE DE HOLANDA, **Visão do paraíso: os motivos edênicos no descobrimento e colonização do Brasil** (São Paulo: Nacional / Secretaria da Cultura, Ciência e Tecnologia, 3. ed., 1977).

203. H. ACCIOLY, **Tratado** (3. ed., 2009, v. I, Cap. II, loc. cit., parágrafo 80).

204. Sem esquecer da atuação de Hugo GRÓCIO em outros setores, como humanista, filósofo, teólogo, músico, astrônomo, poeta e historiador, deixa obras nesses campos do saber, além da teoria e da prática do direito e das relações internacionais, como ilustra seu **Traité du pouvoir du magistrat politique sur les choses sacrées** (do original em latim **De imperio summarum potestatum circa sacra**, edição fac-similar da edição publicada anonimamente em Paris, em 1751, com falsa menção a Londres, na página de rosto, trad. Charles Armand L'Escalopier de NOURAR, présentation de Vincent GUILLAUME, Caen: Publications de l'Univ. de Caen, 1991). *V.* P. B. CASELLA, **Direito internacional no tempo moderno de SUAREZ a GRÓCIO** (2013, esp. cap. XVIII, "Hugo GRÓCIO") e **Direito internacional no tempo clássico**

Samuel von PUFENDORF (1632-1694)[205] alinha-se com GRÓCIO na fundamentação do direito internacional baseado na razão e no que se convenciona denominar doutrina do direito das gentes com base no direito natural[206], mas com alguns dados específicos[207-208-209]. Esses elementos merecem ser considerados.

No direito internacional PUFENDORF segue as grandes linhas de GRÓCIO, mas opõe-se à tese de direito natural de livre comunicação, que este retomara de

---

(2014, cap. XX, sobre PUFENDORF). Além de suas obras de direito internacional, escreveu PUFENDORF várias obras históricas, tais como **Einleitung zu der Historie der vornehmsten Reichen und Staaten so itziger Zeit in Europa sich befinden** (1682-86), ou o ensaio crítico sobre a Santa Sé de Roma, **Historische und politische Beschreibung der geistlichen Monarchie des Stuhls zu Rom** (1679), e também duas obras sobre a História da Suécia, PUFENDORF, **Commentariorum de rebus suecicis libri XXVI ab expeditione Gustavi Adolphi in Germaniam ad abdicationem usque Christinae** (1686) e **De rebus a Carolo Gustavo Sueciae rege gestis commentariorum libri VII** (1696) ambas traduzidas e publicadas como "História geral" da Suécia, em dois volumes, em 1702.

205. P. B. CASELLA, **Direito internacional no tempo clássico** (2014, cap. XX, "Samuel PUFENDORF"); P. AVRIL, *Pufendorf* (in **Les fondateurs du droit international public: leurs oeuvres, leurs doctrines,** avec une introduction de A. PILLET, Paris: V. Giard & E. Brière, 1904, p. 331-383). Muitas vezes vem grafado o nome, Von PUFFENDORF, com dois "F" e precedido pela partícula "von", em razão do título de "Barão" que lhe foi conferido.

206. Samuel von PUFENDORF, **De jure naturae et gentium** (publicada em Lund, 1672), tb. publ. PUFENDORF, **Of the Law of nature and nations** eight books ("translated into English from the best edition", "with a short introduction", Oxford: Lichfield, MDCCIII); PUFENDORF, **De jure naturae et gentium libri octo** (Latin text – da edição de 1688 – and English translation by C. H. and W. A. OLDFATHER, Oxford: The Classics of International Law, 2 tomos, 1934); PUFENDORF, **De jure naturae et gentium libri octo** (edited by C. H.OLDFATHER & W. A. OLDFATHER, Buffalo, N.Y.: W. S. Hein, reimpr., 1995), da qual o tratado **De officio hominis et civis iuxta legem naturalem** (publicado em Lund, 1673) constitui versão resumida, e foram utilizadas estas edições: PUFENDORF, **Les devoirs de l'homme et du citoyen** – tels qu'ils sont prescrits par la loi naturelle (traduits du latin par Jean BARBEYRAC, edição facsimilar da edição original dita de "Londres": chez Jean Nourse, 1712, Caen: Centre de philosophie politique et juridique de l'Université de Caen, 1984 na capa e 1989 na página de rosto, 2 vols.); PUFENDORF, **On the duty of man and citizen** – according to natural law (ed. by James TULLY, translated by Michael SILVERTHORNE, Cambridge: Univ. Press – Cambridge Texts in the History of Political Yhought, 1st. publ., 1991); PUFENDORF, **Os deveres do homem e do cidadão** – de acordo com as leis do direito natural (trad. para o inglês por Andrew TOKE, 1691, org. e intr. Ian HUNTER e David SAUNDERS, seguido de *As obras de Samuel Pufendorf* – Dois discursos e um comentário, por Jean BARBEYRAC, traduzidos por David SAUNDERS, trad. Eduardo Francisco ALVES, Rio de Janeiro: Topbooks – Liberty Fund, 2007).

207. Antonio TRUYOL y SERRA, **Histoire du droit international public** (Paris: Economica, 1995, p. 86-88): "En tant que luthérien, il [PUFENDORF] n'ignore évidemment pas l'existence d'un ordre divin révélé pour la direction de la conduite humaine; mais il le différentie clairement de l'ordre fondé sur la raison, notamment en ce qui concerne la vie en société. Quant au droit des gens, PUFENDORF doit plus à HOBBES qu'à GROTIUS".

208. *V.* Richard TUCK, *The "modern" theory of natural law* (in **The languages of political theory in Early Modern Europe**, ed. by A. PAGDEN, Cambridge: UP, © 1987, pb. editorial 1990, p. 99-119).

209. Istvan HONT mostra como e quanto PUFENDORF teria contribuído com fundamentos para a formulação da teoria da sociedade comercial em Adam SMITH e da concepção deste a respeito da "Age of Commerce", como o quarto e decisivo estágio do desenvolvimento social da humanidade, no ensaio *The language of sociability and commerce: Samuel Pufendorf and the theoretical foundations of the "four-stages theory"* (no volume **The languages of political theory in Early Modern Europe** (edited by) Anthony PAGDEN, Cambridge: Univ. Press, © 1987, pb. edition 1990, p. 253-276, cit. p. 253-4): "The intimate continuity between earlier natural law theories of property and [Adam] SMITH's four stage theory of history does not need elaborate demonstration". *V.* Adam SMITH, **Inquérito sobre a natureza e as causas da riqueza das nações** (do original **An Inquiry into the nature and causes of the wealth of nations,** 6 ed., Londres: Methuen & Co., pref. de Hermes dos SANTOS, trad. e notas de Teodora CARDOSO e Luís Cristovão de AGUIAR, Lisboa: Fundação C. GULBENKIAN, 1993, 2 v.), este é sempre lembrado pelo seu mais conhecido título, mas esquecem-se outros.

VITÓRIA, e afirma o princípio da igualdade jurídica dos estados[210], implicitamente recebido de HOBBES e a que PUFENDORF conferirá a condição de enunciado basilar do direito internacional[211].

PUFENDORF acentua o processo que se poderia chamar de "secularização" do direito internacional, encetado por GRÓCIO, afastando ainda mais os laços que ligavam os primórdios do direito internacional à tradição escolástica. Como PUFENDORF ressalta[212], GRÓCIO deve ser cortado de seus predecessores: não pode nem deve ser visto como continuador dos pensadores de fundamentação escolástica[213], mas insere-se em linha que liga GRÓCIO[214] a HOBBES e ao próprio PUFENDORF.

Enfatiza PUFENDORF dois conceitos que lhe valeram consideráveis críticas, mesmo de seus colegas professores universitários alemães luteranos. Ambos merecem ser retomados.

O primeiro foi no sentido de que nenhuma ação humana é, em si, intrinsecamente boa ou má e terá de ser avaliada em seu contexto – ações não teriam qualidades morais inerentes, como têm características físicas que as constituem –, mas antes tem qualidades morais "imputadas" a estas, em decorrência da aplicação a essa ação de regras e parâmetros escolhidos por determinado grupo social para tal fim.

O segundo conceito básico foi o de que todo o direito natural pode ser interpretado como meio para buscar a conservação da sociedade – o que parece comparável à visão de HOBBES a respeito do direito natural[215].

---

210. J. B. SCOTT, **Le principe de l'égalité juridique dans les rapports internationaux** (RCADI, 1932, t. 42, p. 467-630). R. P. ANAND, **Sovereign equality of states in international law** (RCADI, 1986, t. 197, p. 9-228); sobre "direito à igualdade (3.6.2) como tópico dentre direitos e deveres dos estados (3.6), *v. infra*.

211. Celso D. de Albuquerque MELLO, *Aspectos gerais do direito internacional público contemporâneo* (XI Curso de derecho internacional, Rio de Janeiro, "organizado por el Comitê jurídico interamericano, con la cooperación de la Secretaria general de la OEA, en agosto de 1984", Washington: OEA — Secretaria General, 1985, p. 3-27, "Princípio da igualdade", p. 14-15): "Este princípio tem, segundo doutrinadores, a sua origem na Paz de Westfália (1648) onde se consagrou a igualdade das religiões. Na doutrina, entre os denominados 'fundadores do direito internacional', o princípio da igualdade foi defendido por Samuel PUFENDORF e Emeric De VATTEL".

212. Samuel von PUFENDORF rebate as críticas contra suas duas obras de 1672 e 1673 e desenvolve seus argumentos no **Specimen controversiarum circa ius naturale ipsi nuper motarum** (publicado em Uppsala, 1678).

213. PUFENDORF, no primeiro capítulo, intitulado "a origem e o desenvolvimento do estudo do direito natural" do **Specimen controversiarum circa ius naturale ipsi nuper motarum** (1678, p. 1-26, cit. p. 10), enfatiza que ninguém, antes de GRÓCIO, tinha produzido obra sem contaminação de teorias de autores anteriores: "Accinxit porro sese Grotius ad moliendum opus, in quo nulla priorum vestigia ipsum regebant".

214. GRÓCIO destaca o direito natural do direito positivo e os coloca nessa ordem. Como referi, GRÓCIO, nessa passagem do **De iure belli ac pacis**, fundamenta seu raciocínio a partir da distinção feita por Moisés MAIMONIDES no **Guia dos perplexos**.

215. Richard TUCK, *The "modern" theory of natural law* (1987, ensaio cit., p. 106): "The 'highest principle' upon which PUFENDORF called was the will of God; it was only because all men believed in a God who had power over them, that they felt obliged to do something which they might not otherwise choose to do. (...) PUFENDORF believed that we determine

Conserva PUFENDORF a distinção entre direito natural e direito voluntário, e reafirma a necessidade de subordinação deste último ao primeiro, na linha de GRÓCIO. Critica-se PUFENDORF por atribuir lugar quiçá excessivo ao direito natural, identificado este com o conjunto do direito das gentes, decorrente dos ditames da *recta ratio*, em detrimento do direito positivo[216].

Dentre as obras de PUFENDORF, com interesse para o direito internacional, cumpre lembrar **Elementorum jurisprudentiae universalis libri duo** (1660), mas a sua obra principal é **De jure naturae et gentium** (1672)[217]. Nesta última, afirmava PUFENDORF a "a sujeição do legislador à mais alta lei da natureza humana e da razão".

1.1.2.2. Cornelius van BYNKERSHOEK (1673-1743)

Cornelius van BYNKERSHOEK traz visão pragmática e concreta do direito entre estados e das formas de exercício e regulação das suas inter-relações, regidas pelo direito internacional. Concebe-o BYNKERSHOEK[218] como direito interestatal; fundamenta geralmente suas posições no costume das nações, no seu tempo[219], e no direito romano, mais que no direito natural. Invoca, igualmente, os ditames da justa razão (*recta ratio*) como fonte, mas esta surge como princípio quando falta ou seja incerto o costume, e vincula-se basicamente ao direito romano.

---

what it is that God wills us to do, by considering what is in our best, long-term *interest*: we know what God wishes to be preserved, and therefore we know that we are obliged to do whatever is necessary for our preservation. (...) PUFENDORF always emphasised that the contents of the law was the important issue (...). As PUFENDORF said, the problem was to determine what was morally right".

216. P. B. CASELLA, **Direito internacional no tempo clássico** (2014, cap. XX, "Samuel PUFENDORF"); NGUYEN Quoc Dinh, P. DAILLIER e A. PELLET, **Droit international public** (Paris: LGDJ, 5. ed., 1994, par. 25, p. 55); Celso D. de A. MELLO, **Curso** (Rio de Janeiro: Renovar, 15. ed., 2004, v. I, par. 58, p. 178); A. A. CANÇADO TRINDADE, *A "recta ratio" nos fundamentos do "jus gentium" como direito internacional da humanidade* (in **A humanização do direito internacional**, Belo Horizonte: Del Rey, 2006, p. 3-29, cit. p. 12).

217. Samuel PUFENDORF, **Of the Law of nature and nations** eight books ("translated into English from the best edition", "with a short introduction", Oxford: Lichfield, MDCCIII); S. PUFENDORF, **De jure naturae et gentium libri octo** (Latin text – edição de 1688 – and English translation by C. H. and W. A. OLDFATHER, Oxford: The Classics of International Law, 2 tomos, 1934); **De jure naturae et gentium libri octo** (edited by C. H.OLDFATHER & W. A. OLDFATHER, Buffalo, N.Y.: W. S. Hein, reimpr., 1995).

218. P. B. CASELLA, *Desenvolvimento do direito internacional na concepção de Cornelius van BYNKERSHOEK* (Rev. FDUSP, vol. 103, 2008, p. 563-592). *V.* tb. J. DELPECH, *Bynkershoek (1673-1743)* (in **Les fondateurs du droit international public: leurs oeuvres, leurs doctrines,** avec une introduction de A. PILLET, Paris: V. Giard & E. Brière, 1904, p. 385-446).

219. Antonio TRUYOL Y SERRA, **Histoire du droit international public** (Paris: Economica, 1995, p. 84-85): "Il se réfère également aux dispositions internes des États-généraux des Provinces-Unies, et les précédents sont pris de préférencedans le passé récent. L'arrière-fond judiciaire se révèle dans la logique du raisonnement, la lucidité de l'approche et la vigueur de l'expression, non exempte de brusquerie".

BYNKERSHOEK cristaliza a formulação a respeito do mar territorial[220], que permanece até que se alcançasse a sua conceituação[221] (Convenção de Genebra, de 1958) e extensão (Convenção das Nações Unidas sobre direito do mar, de 1982): o oceano não pode cair sob domínio de nenhum estado, por não ser suscetível de apropriação; se o alto-mar não pode ser reclamado por nenhum estado, a faixa de mar próxima da costa pode ser reclamada pelo estado costeiro, até onde este possa exercer controle ou comando, o que, segundo BYNKERSHOEK, seria o equivalente ao alcance de tiro de canhão (o que faria, segundo TRUYOL Y SERRA[222], a distância percorrida pelo projétil variar conforme a técnica militar), mas foi aceito como critério válido durante mais de duzentos anos.

A grande questão tática e estratégica[223], passou a ter regulação que a transforma em norma de direito internacional positivo[224]. Além da extensão do mar territorial foram igualmente consolidados conceitos como os de zona econômica exclusiva[225] e de plataforma continental[226].

BYNKERSHOEK, com seu **De foro legatorum,** foi, ainda, o responsável pela regulamentação da imunidade dos agentes diplomáticos e dos soberanos[227], partindo de caso concreto[228]. Em mais essa matéria, foi situação concreta a nor-

---

220. Cornelius van BYNKERSHOEK, **De dominio maris dissertatio** (1702), partindo de análise dos fatos, conclui, como GRÓCIO, um século antes, no **Mare liberum**, pela liberdade da navegação dos oceanos.

221. Benedetto CONFORTI, **Il regime giuridico dei mari: contributo alla ricostruzione dei principi generali** (Napoli: Eugenio Jovene, 1957), ainda estudava a matéria em contexto anterior às Convenções de Genebra de 1958.

222. **Histoire du droit international public** (op. cit., 1995, loc. cit.): "BYNKERSHOEK a consacré une attention particulière à la neutralité, notamment sur mer. Il interprète les décrets du gouvernement des Provinces-Unies dans le sens de l'effectivité du blocus et de la légitimité de la prise du navire et de la cargaison en cas de tentative de rupture du blocus".

223. Peter PADFIELD, **Maritime supremacy and the opening of the Western mind: naval campaigns that shaped the modern world 1588-1782** (Londres: Random House, © 1999, publ. 2000).

224. Prosper WEIL analisa a extensão e relevância dos progressos alcançados no seu **Perspectives du droit de la délimitation maritime** (Paris: Pédone, 1988).

225. Francisco ORREGO-VICUÑA, **La zona económica exclusiva: regimen y naturaleza jurídica en el derecho internacional** (Santiago: Edtrl. Jurídica de Chile, 1991); Beltrer GARRE-COPELLO, **La zona económica exclusiva** (Montevideo: Univ. de la República / Dir. Gral. de Extension Univ., 1987).

226. *V.* P. B. CASELLA, *30 anos da Convenção das Nações Unidas sobre o direito do mar* (***Revista da Escola de guerra naval***, v. 18, n. 2, dez. 2012, p. 91-102); Vicente Marotta RANGEL, *A experiência da Conferência da ONU e a Convenção sobre direito do mar*, no volume **Questões importantes referentes ao mar,** sob a coord. de Georgette Nacarato NAZO (São Paulo: Soamar – Sociedade dos Amigos da Marinha, 1996, p. 11-18 *et al.*).

227. Cornelius van BYNKERSHOEK, **De foro legatorum singularis** (Leyden, 1721).

228. Antonio TRUYOL Y SERRA, **Histoire du droit international public** (Paris: Economica, 1995, p. 85): "Le cas qui est à l'origine de la monographie touchait à l'immunité de la juridiction civile. Le comte de FLOHZ, ministre du duc de HOLSTEIN près des États-généraux des Provinces-Unies avait été décrété de saisie par la Cour Suprême de la province de Hollande pour paiement d'une dette qu'il avait contractée comme négociant. Sauf exception des crimes contre la sûreté de l'État, BYNKERSHOEK admet l'immunité de la juridiction criminelle. Quant à l'immunité de la juridiction civile, il la restreint pour les biens qui ne sont pas attachés à la personne de l'ambassadeur, de telle sorte qu'il peut sans eux exercer ses fonctions, et à plus forte raison, s'il les consacre au commerce. Par ailleurs, l'ambassadeur, expressément

teadora da manifestação[229]. BYNKERSHOEK basicamente estipulou orientação para os consulentes em consistência com a linha adotada em codificações posteriores do assunto.

A matéria viria a ser objeto das bem-sucedidas codificações de Viena, na segunda metade do século XX[230].

1.1.2.3. Christian WOLFF (1679-1754)

Christian WOLFF se insere na história do direito internacional como discípulo de Gottfried Wilhelm LEIBNIZ[231]. Este tem seu lugar na história da filosofia e da civilização como filósofo e pensador de vasta gama de interesses. Também merece LEIBNIZ ter reconhecido o seu papel na construção e evolução do direi-

---

autorisé par son souverain, peut renoncer à l'immunité de juridiction, et le souverain territorial, avant de donner l'agrément au ministre étranger, limiter son droit à l'immunité".

229. J. DELPECH, *Bynkershoek (1673-1743)* (in **Les fondateurs du droit international public: leurs oeuvres, leurs doctrines,** avec une introduction de A. PILLET, Paris: V. Giard & E. Brière, 1904, p. 385-446, cit., p. 401): "Le **De foro legatorum** fut un ouvrage de circonstance, dont BARBEYRAC dit qu'il est le seul avantage qui soit revenu au public à l'occasion d'un négoce, le plus ruineux qui ait jamais été inventé'. Sa portée doctrinale est demeurée cependant trés grande".

230. G. E. do NASCIMENTO E SILVA, P. B. CASELLA e O. BITTENCOURT NETO, **Direito internacional diplomático** – Convenção de Viena sobre relações diplomáticas na teoria e na prática (São Paulo: Saraiva, 4. ed. rev., atual. e ampl., 2012, no "Prefácio"): "A obra de codificação teve importante impulso com a Carta das Nações Unidas que prevê o desenvolvimento progressivo e a codificação do direito internacional". Esse trabalho da Comissão de Direito Internacional levou à "assinatura de inúmeros e importantíssimos tratados" (...) "e as diversas convenções de Viena, como as de relações diplomáticas (1961), relações consulares (1963), direito dos tratados (1969), representação dos estados em suas relações com organizações internacionais de natureza universal (1975), sucessão de estados em matéria de tratados (1978), sucessão de estados em matéria de bens, arquivos e dívidas do estado (1983) e direito dos tratados entre estados e organizações internacionais ou entre organizações internacionais (1986)".

231. Pensador de vasta gama de interesses, Gottfried Wilhelm LEIBNIZ, **Protogaea** – uma teoria sobre a evolução da terra e a origem dos fósseis ("pela primeira vez traduzida do latim ao português, com notas e comentários" de Nelson PAPAVERO, Dante Martins TEIXEIRA e Maurício de Carvalho RAMOS, São Paulo: Plêiade / FAPESP, 1997); **Die Theodizee** (einfuhrender Essay von Morris STOCKHAMMER, Ubersetzung von Arthur BUCHENAU, Hamburg: Felix Meiner, 2. ed., 1968); **Neue Abhandlungen uber den menschlichen Verstand** (ubersetzt, eingeleitet und erläutert von Ernst CASSIRER, Hamburg: Felix Meiner, 1971, unveränderter Nachdruck, 1971); **Discours de métaphysique / Metaphysische Abhandlung** (ubersetzt und mit Vorwort und Anmerkungen herausgegeben von Herbert HERRING, edição bilíngue, Hamburg: Felix Meiner, 1958, unveränderter Nachdruck, 1975); **Principes de la nature et de la grâce fondés en raison / Monadologie / Vernunftprinzipien der Natur und der Gnade / Monadologie** (auf Grunde der kritischen Ausgabe von André ROBINET, 1954, und der Ubersetzung von Artur BUCHENAU, mit Einfuhrung und Anmerkungen herausgegeben von Herbert HERRING, edição bilíngue, Hamburg: Felix Meiner, 1982, zweite, verbesserte Auflage, 1982); dentre vasta bibliografia disponível, *v.*: P. B. CASELLA, **Direito internacional no tempo clássico** (2014, esp. "direito segundo LEIBNIZ"); Kurt HUBER, **Leibniz: der Philosoph der universalen Harmonie** (1951, Munique: Piper, 1989); Bertrand A. W. RUSSELL, **A filosofia de Leibniz: uma exposição crítica** (trad. João Rodrigues VILLALOBOS, Hélio Leite de BARROS e João Paulo MONTEIRO, São Paulo: Nacional / EDUSP, 1968). Além de tantas outras coisas, no seu tempo, esteve LEIBNIZ em contato epistolar com Charles Irenée CASTEL, dito o Abbé de SAINT-PIERRE e a respeito da obra deste registrou *Observations sur le projet de paix perpétuelle de l'abbé de SAINT-PIERRE* (**Oeuvres de LEIBNIZ**, publiées pour la première fois d'après les manuscrits originaux avec notes et introductions par A. FOUCHER DE CAREIL, volume quatrième **Histoire et politique**, Paris: Librairie de Firmin Didot Frères, Fils et Cie., 1862, p. 325-327, a *Lettre de LEIBNIZ à l'abbé de SAINT-PIERRE*, datada de Hanover, 7 de fevereiro de 1715, p. 328-336, *Observations sur le projet de paix perpétuelle de Mr. l'abbé de SAINT-PIERRE*, "avant propos" Simone GOYARD--FABRE, Caen: Univ. de Caen / Centre de Philosophie politique et juridique, 1993).

to internacional com seu **Codex gentium diplomaticus** (publicado em Hannover, em 1693), seguido de suplemento **Mantissa codicis juris gentium diplomatici** (este publicado em Hannover, em 1700). Além de desencadear o movimento para a coleta e sistematização de tratados internacionais[232], a obra de LEIBNIZ continha, na Introdução, estudo aprofundado sobre as relações entre direito natural e direito voluntário, aquele de caráter absoluto, e este de cunho relativo.

Não se negligencie a menção, muito embora possa o **Codex gentium** ser considerado "obra menor, no conjunto da bibliografia, de cunho predominantemente filosófico e matemático"[233] de LEIBNIZ, este autor se faz presente, no direito das gentes, sobretudo por sua influência na formação de sucessivas gerações de autores, por ter sido o mestre de Christian WOLFF, e este, por sua vez, o seria para Emer de VATTEL. Desse modo, justifica-se a menção a LEIBNIZ em **Manual** de direito internacional.

Christian WOLFF[234] coloca-se, modestamente, como filósofo, na qualidade

232. Seguido por Jacques BERNARD (1658-1718), **Recueil des traités de paix, de trêve, de neutralité, de suspension d'armes, de confédération, d'alliance, de commerce, de garantie etc., depuis 536 jusqu'à 1700** (em quatro volumes, Haia, 1700), Jean DUMONT (também grafado DU MONT) (1666-1727), **Corps universel diplomatique du droit des gens** (Amsterdã / Haia, 1726-1731, em oito volumes), seguido de suplemento, publicado por Jean BARBEYRAC (1674-1744) e Jean Rousset DE MISSY (1686-1762), **Supplément au Corps diplomatique du droit des gens** (Amsterdã / Haia, 1739, em cinco volumes), bem como Georg Friedrich von MARTENS (1756-1821), com seu **Recueil des traités d'alliance, de paix, de trêve, de neutralité, de commerce, etc., depuis 1761** (Göttingen, 1791-1801, em sete volumes), continuado sob títulos diversos, por este e outros, em seu nome. Cfr. P. B. CASELLA, **Direito internacional no tempo clássico** (2014, esp. "ensaio de balanço do direito internacional no século XVIII").

233. V. Marotta RANGEL (no "Prefácio" a VATTEL, **O direito das gentes**, Brasília: Ed. UnB / IPRI, 2004, p. LIV). *V.* tb. Antonio TRUYOL Y SERRA, **Histoire du droit international public** (Paris: Economica, 1995, "les grands recueils de traités internationaux", p. 91-92): "mérite le respect admiratif de la postérité pour l'immense effort qu'il représente, qui en fait, en des termes que nous souscrivons, le produit le plus complet de l'historiographie savante dans le domaine de la recherche des sources concernant les relations interétatiques" [M. TOSCANO, **Storia dei trattati e política internazionale** (Turim, 2. ed., 1963, tomo I, p. 1)], et dont on a pu dire que, d'envergure européenne, "il occupera toujours une premiè-re place parmi les monuments juridiques de la terre" [S. VEROSTA, *"Jean DUMONT und seine Bedeutung fur das Völkerrecht"* (Zeitschrift fur öffentliches Recht, XIV, 1934, p. 518)]. E conclui, a respeito das coletâneas clássicas de tratados: "Il est significatif de noter que tous ces recueils incluent non seulement les traités conclus par les états européens entre eux, mais aussi ceux des autres parties du monde, voire des chefs de tribus et de clans, ce qui implique une conception universaliste que le titre de celui de DUMONT reflète bien".

234. Nascido em Breslau (atualmente Wroclaw, na Polônia) em 24 de janeiro de 1674. Professor assistente na Universidade de Leipzig, em 1702, passando à de Halle, em 1707, mediante recomendação de seu mestre, LEIBNIZ, de quem começara a divulgar a doutrina. Em 1721, acusado de propagar ideias heréticas e perigosas, foi expulso da Prússia. Cfr. P. B. CASELLA, **Direito internacional no tempo clássico** (2014, cap. XXII, "Christian WOLFF"). *Si non è vera, è ben trovata* a explicação de L. OLIVE (op. cit., 1904, p. 446-447): "On racconte à ce propos que le roi Frédéric-Guillaume Ier. s'informa à cette occasion de ce qu'était cette théorie de l'harmonie préétablie, dont on parlait beaucoup alors, et que WOLFF était accusé d'enseigner à l'Université de Halle. Un courtisan lui répondit 'que tous les soldats, selon cette doctrine, n'étaient que de pauvres machines, et que, quand quelques-uns désertaient, c'était une suite nécessaire de leur structure, et qu'on avait tort, par conséquent de les punir, comme si on punissait une machine pour avoir produit tel ou tel mouvement'. Le roi se fâcha si fort sur ce rapport, qu'il donna ordre de chasser M. WOLFF de Halle, sous peine d'être pendu s'il s'y trouvait encore au bout de vingt quatre-heures. WOLFF se rendit dans l'état de Hesse-Cassel, où il fut chargé d'enseigner les mathématiques et la philosophie à l'Université de Marbourg, avec le titre de conseiller de cour du Landgrave de Hesse. En 1741, après l'avènement de Frédéric II, il fut rappellé en Prusse, où sa chaire lui fut rendue. Il mourut en 1754".

de discípulo de LEIBNIZ. Sua reputação não deixa de ser objeto de controvérsias, mas a contribuição tem dados específicos[235] que justificam seja esta apontada[236]. L. OLIVE (1904)[237] apontava ter muito cedo WOLFF travado conhecimento com o sistema de DESCARTES e, "fortemente impressionado pelo método do grande filósofo, teria concebido a ideia de levá-lo mais adiante do que o tinha feito DESCARTES, para o domínio das ciências jurídicas, o uso da demonstração matemática"[238].

A concepção de WOLFF, a respeito de comunidade mundial, seria a primeira formulação da ideia de que, séculos mais tarde, encontraria sua forma nas tentativas de institucionalização primeiro no contexto da Sociedade das Nações e, mais recentemente, no modelo da Organização das Nações Unidas. Logicamente não se trata de ir, neste, buscar o precedente direto ou a regulação específica, mas, claramente, seria ilustração da dimensão utópica do direito internacional, que exprime algo que não existe ao ser (inicialmente) formulado, mas pode, depois, chegar a ter patamares mais ou menos elevados e precisos de implementação. A ideia de resolver e prevenir litígios internacionais, mediante a ação de liga mundial para, enquanto colegiado, proceder ao exame e decisão a respeito desses conflitos, tem a sua relevância histórica e conceitual.

Não pode nem deve ser tirada de WOLFF a concepção de neutralizar conflitos entre estados, mediante a atuação de terceiros, não diretamente envolvidos na controvérsia. A mesma racionalidade orienta o sistema vigente da concepção inicialmente adotada na Sociedade das Nações, e ulteriormente na Organização das Nações Unidas, no sentido de encaminhamento de controvérsias entre estados quer ao Conselho de Segurança, quer à Corte Internacional de Justiça. Ou à arbitragem. Ou à mediação.

Dada a natureza intrínseca do sistema internacional, em que as relações entre sujeitos de direito internacional se inscrevem entre iguais — e *par in parem non habet jurisdictio* –, daí se instaura a necessidade de que terceiro seja inter-

---

235. Christian WOLFF, **Principes du droit de la nature et des gens** ("extrait du grand ouvrage latin de Mr. de WOLFF par Mr. [Jean-Henri Samuel] FORMEY", Amsterdam: chez Marc Michel Rey, 1758, 3 v. edição fac-similar Caen: Centre de philosophie politique et juridique, 1990).

236. Não somente por ter sido o mestre de seu mais célebre discípulo, E. de VATTEL. Em relação a este também LAUTERPACHT repõe em seu lugar a verdade com relação à expressão a respeito dos "gigantes e anões", atribuindo a WOLFF a autoria da expressão normalmente creditada a VATTEL. *V.* H. LAUTERPACHT, **International Law and Human Rights** (New York: Praeger, 1950, p. 119) e tb. H. LAUTERPACHT, **The function of law in the international community** (1st publ., 1933, Oxford: Univ. Press, 2011).

237. L. OLIVE, *Wolff* (in **Les fondateurs du droit international: leurs oeuvres, leurs doctrines**, avec une introduction de Antoine PILLET, Paris; V. Giard & E. Brière, 1904, p. 447-479).

238. L. OLIVE (op. cit., 1904, p. 447).

mediador (seja mediação ou outro mecanismo pacífico de solução de controvérsias) ou julgador (quer tribunal arbitral ou tribunal internacional permanente).

Como ressalta SERENI (1969)[239], enquanto a revolução é fenômeno não regulado pelos ordenamentos jurídicos internos, nos quais se produza, e, por conseguinte, se encontra juridicamente fora de tais ordenamentos, as relações de força, a que pode dar lugar a ocorrência de crise internacional, entre as quais a guerra, não se encontrariam fora do ordenamento jurídico internacional. Logicamente, aduziria à ponderação de SERENI, observadas as restrições do direito internacional pós-moderno vigente quanto ao uso da força no contexto internacional.

Outra contribuição relevante de WOLFF é a da "hipótese primeira", sobre a qual o direito internacional pode ser assim fundamentado[240]: seria a comunidade internacional, enquanto tal, e não a vontade individual dos estados. Precedente ilustre, de certo modo, pode-se dizer, partiria da realidade da história, com a presença ideal de entidade imparcial, que, ao menos teoricamente, teria papel de árbitro e mediador, entre os estados e, de outro modo, antecipa o futuro, como viria a comprovar a história, quando surgem, no século XX, primeiro a Sociedade das Nações e depois a ONU.

A *civitas maxima* de WOLFF, enquanto organização de nações, estaria formulada em "quase pacto", enquanto base de obrigações legais para tal participação pelos estados. Descrevia tal associação mundial como organização de fato, e esta já estaria em funcionamento, e seria a fonte para as daí decorrentes obrigações dos estados[241].

Pode-se apontar forte base utilitária no pensamento de WOLFF, que marcaria os desenvolvimentos posteriores da escola inglesa do utilitarismo no século seguinte. WOLFF aplicava o conceito de direito internacional tanto para os indivíduos como para os estados. Em relação a uns como a outros, o instinto básico será o de prover à própria subsistência. Empenhar-se na autopreservação e autoaperfeiçoamento[242].

---

239. Angelo Piero SERENI, **La jurisdicción internacional** (Valladolid: Cuadernos de la cátedra J. B. Scott, Univ. de Valladolid, 1969, p. 24).

240. Hersch LAUTERPACHT, **The function of law in the international community** (1st publ., 1933, Oxford: Univ. Press, 2011, cap. XX, "*The specific character of international law and the rule of law in international society*", p. 407-446): "If it is true that the initial hypothesis ought not to be a maxim with a purely formal content, but an approximation to a social value, then, indeed, the first postulated legal cause can fittingly be formulated by reference to the international community as such, and not to the will of individual states".

241. Aí se poderia traçar paralelo em relação ao "princípio de fato" (*de facto* principle), de James LORRIMER, ou à "teoria pura do direito", de Hans KELSEN, embora ulteriores detalhamentos tenham ido consideravelmente mais adiante na formulação.

242. WOLFF dá a sua caracterização (op. cit., ed. cit., "Preface", p. XIX-XX): "A perfeição de um ser, tomada em sua generalidade, é produzida pelo acordo de suas diferentes faculdades ou partes, enquanto estas atuam de modo concertado, e se reportam invariavelmente ao mesmo fim". e a "imperfeição resulta das discordâncias entre as diferentes partes do mesmo todo". A respeito do "direito de defesa e conservação", *v.* 3.6.4., *infra*.

Nesse impulso básico, pode ser situada, segundo WOLFF, a fonte do direito das gentes.

"As sociedades, os povos, as nações, são pessoas jurídicas, que entram em estado de independência natural, mas mesmo assim obrigadas a cumprir umas em relação às outras com os deveres da humanidade e da caridade"[243]. A formulação de WOLFF contém aqui o conceito de *comitas gentium*.

WOLFF faz-se importante por suas teses, no direito internacional, com certa relação direta com as teorias de LEIBNIZ, e como mestre de VATTEL. Como filósofo, WOLFF manteve-se bastante tímido, mas a sua obra conserva relevância para o direito internacional pós-moderno.

Os homens podem ter direitos uns sobre os outros, mesmo no estado de natureza. Qualquer um que ponha obstáculos ao cumprimento de nossa obrigação natural lesa nosso direito: e vemo-nos autorizados a empregar, em caso de necessidade, a força para nos preservar de tal lesão.

Da mesma forma que a noção de obrigação pode, também, ser deduzida a noção de lei, no sentido de que ao dizer que somos obrigados, admite-se a existência de normas segundo as quais temos de determinar nossos atos. Isso vale, também, no estado de natureza, existindo, assim, portanto, uma lei natural: esta é imutável e necessária, como a própria natureza humana. É verdade que esta pode, também, em certo sentido, ser considerada como emanada da vontade divina, pois a natureza humana tem Deus como autor. Na linha da filosofia de LEIBNIZ, justamente, imbuída do otimismo, característica essencial desse sistema filosófico, resume-se no dever, para o homem, de pôr as suas ações livres em harmonia com as sugestões da natureza, de obedecer à tendência natural, que leva todo ser a se conservar e a se desenvolver.

Para WOLFF, da mesma forma como existe direito natural, independentemente de qualquer sociedade constituída, a que se agrega a existência de poder social e do direito civil ao qual este dá nascimento, concilia-se com o direito natural. O direito das gentes repousa sobre os mesmos princípios.

Para estabelecer o direito das gentes, aplicar-se-ão às relações entre as nações o mesmo que nas relações interpessoais. As nações devem ser consideradas, em suas relações recíprocas, como as pessoas livres, vivendo em estado de natureza. Daí resulta existir, para as nações, como para os indivíduos, uma lei natural, de onde derivam as mesmas obrigações e os mesmos direitos fundamentais. O sistema de direitos e obrigações constituirá o direito das gentes natural ou necessário.

243. Christian WOLFF (op. cit., ed. cit., "Preface", p. XV).

1.1.2.4. Emer de VATTEL (1714-1767)

Emer de VATTEL[244] declara-se discípulo de WOLFF no prefácio de seu livro[245]. Admite a existência de direito natural e direito voluntário, na linha de WOLFF[246].

O tratado de VATTEL pode ser considerado uma das principais obras escritas no século XVIII[247], embora se possa questionar qual a importância da inovação de VATTEL, e tenha caráter próprio e relevante, em relação às ideias de seu mestre, WOLFF. Sob o prisma doutrinário, VATTEL difere dos antecessores, à medida que introduz separação mais nítida entre direito natural e direito positivo, entre moral e direito, contribuindo, de certo modo, para o fortalecimento do voluntarismo jurídico, que até hoje tem infelizmente persistido"[248].

Outros filiam VATTEL à linha naturalista do direito internacional[249], ou criticam a solidez de sua formação jurídica[250]. Pode-se inserir[251] VATTEL na

---

244. P. B. CASELLA, **Direito internacional no tempo clássico** (2014, cap. XXIV, "Emer de VATTEL"); Emmanuelle JOUANNET, **Emer de Vattel et l'émergence doctrinale du droit international classique** (Paris: Pedone, 1998); A. MALLARMÉ, *Emer de Vattel (1714-1767)* (in **Les fondateurs du droit international public: leurs oeuvres, leurs doctrines**, avec une introduction de A. PILLET, Paris: V. Giard & E. Brière, 1904, p. 481-601).

245. Emer (ou Emerich) de VATTEL, **O direito das gentes** (prefácio e tradução de Vicente Marotta RANGEL, Brasília: Ed. UnB / IPRI, 2004), também utilizada a edição **The law of nations or the principles of natural law: applied to the conduct and to the affairs of nations and of sovereigns** (translation of the edition of 1758 by Charles G. FENWICK, with an intr. by Albert de LAPRADELLE, Washington: Carnegie Institution, 1916, special edition privately printed for the members of the Legal Classics Library, 1993).

246. VATTEL retoma WOLFF em seu último trabalho, publicado em 1762, o ensaio *Questions de droit naturel et observations sur le traité du droit de la nature par Mr. le baron de Wolff.*

247. No "prefácio" à tradução de VATTEL, **O direito das gentes** (ed. cit., 2004, p. XLVII e s.), V. Marotta RANGEL frisa, "para situar-nos apenas no âmbito do direito internacional, cabe lembrar que assim como o **De jure belli ac pacis**, de Hugo GRÓCIO, exerceu no século XVII maior influência que os ensinamentos de Francisco de VITÓRIA, o tratado de VATTEL eclipsou, como assinala Paul REUTER, **Institutions internationales** (Paris: PUF, 1955, p. 47), tão logo publicado, o livro do jurisconsulto holandês".

248. V. Marotta RANGEL (pref. cit., 2004, p. LVI e p. LXII): "O tratado reflete a realidade das relações políticas internas e internacionais da época em que foi escrito, sem ignorar as contribuições do pretérito em relação aos diversos tópicos nele examinados. Essa realidade induziu VATTEL a tentar aclarar a tormentosa dialética entre soberania e direito internacional". *V.* tb. René-Jean DUPUY, **Dialectiques du droit international** – Souveraineté des états, communauté internationale et droits de l'humanité (Paris: Pedone/Univ. de Nice-Sophia-Antipolis: Institut du droit de la paix et du développement, 1999).

249. Urban WHITAKER, **Politics and power: a text in international law** (New York: Harper & Row, 1964, p. 29-30): "VATTEL's strongest leanings toward natural law doctrine are evidenced in his constant references to equality. His most famous sentence declares that 'a dwarf is as much a man as a giant is'. Applied to international law, this rule suggests that small nations have equal rights with large ones. This doctrine, which has prevailed to the present day, is severely attacked by BRIERLY as 'a misleading deduction from unsound premises'. It is still quoted with approval, however, by spokesmen for the small new states of Asia and Africa".

250. Antonio TRUYOL Y SERRA, **Histoire du droit international public** (Paris: Economica, 1995, p. 89-90): "Bien que prétendant à présenter les idées de WOLFF d'une façon claire et facile à comprendre, **Le droit des gens** de VATTEL est plus qu'une glose. Il aborde des nombreuses questions que WOLFF n'avait pas traitées, ou qu'il n'avait fait qu'effleurer. L'expérience du diplomate et du conseiller, bien que réduite au moment où il fut rédigé, se fait sentir. Il manque pourtant à VATTEL une formation juridique adéquate. Le raisonnement est souvent superficiel, et l'expression, grandiloquente. / "L'ouvrage de VATTEL, malgré les critiques dont il a été l'objet de la part des internationalistes en raison des faiblesses

"tradição grociana que, no final do século XVII e começo do XVIII, veio reagir contra a teoria do direito natural, ensinada por PUFENDORF"[252].

VATTEL abandona a concepção da *civitas maxima* de WOLFF e põe seu foco na soberania e nas relações entre os estados, o que vai ao ponto de enfraquecer o fundamento objetivo do direito internacional, na medida em que os estados se fazem os únicos juízes de seus atos, de seus direitos e deveres. A adoção da igualdade soberana dos estados, como critério ordenador das relações entre sujeitos de direito internacional[253], tem, entre outras consequências, a de tornar legítima a guerra entre iguais, desde que as formas devidas tenham sido observadas, independentemente das causas[254].

Em VATTEL há também a preocupação em relação ao "homem honesto e o cidadão" de dar-lhe "armas para defender o bom direito e para compelir aos menos os injustos a respeitarem alguma medida e a manterem-se nos limites da decência"[255]. Isso já seria a recompensa para qualquer autor respeitar o direito e compelir os injustos a respeitarem princípios – em qualquer tempo e lugar, inclusive no tempo presente.

1.1.2.5. J. J. BURLAMAQUI (1694-1748)

Contemporaneamente, em Genebra, J. J. BURLAMAQUI[256] ensinou, na

---

dont nous avons fait état, connut un succès seul comparable à celui de GROTIUS sur le droit de la guerre et de la paix, notamment dans la jurisprudence des tribunaux en Angleterre et aux États-Unis. Le secret de cette diffusion, jugée paradoxale par certains (dont NUSSBAUM), doit être cherché dans la nature même du traité, dont on a pu dire, à juste titre, par rapport à son modèle, qu'il "n'était pas l'ouvrage d'un savant pour des savants, dans un latin obscur, lourdement scholastique, mais un livre élégamment écrit par un homme du monde, un diplomate, philosophe et lettré, à l'intention des souverains, des ministres et des gens du bel air" (Albert de LA PRADELLE). Il fut, jusqu'en plein XIXe siècle, le livre de chevet des diplomates, notamment des consuls, et, dans les pays de langue anglaise, des juges".

251. A. MALLARMÉ, *Emer de Vattel (1714-1767)* (in **Les fondateurs du droit international public: leurs oeuvres, leurs doctrines**, avec une introduction de A. PILLET, Paris: V. Giard & E. Brière, 1904, p. 481-601).

252. A. MALLARMÉ (op. cit., p. 481). P. B. CASELLA, **Direito internacional no tempo clássico** (2014, cap. XXIV, "Emer de VATTEL").

253. Comparem-se exames da matéria feitos por: E. JOUANNET, **Le droit international libéral-providence: Une histoire du droit international** (Bruxelles: Bruylant/Ed. de l'Université de Bruxelles, 2011); J. B. SCOTT, **Le príncipe de l'égalité juridique dans les rapports internationaux** (RCADI, 1932, t. 42, p. 467-630); R. P. ANAND, **Sovereign equality of states in international law** (RCADI, 1986, t. 197, p. 9-228).

254. VATTEL (op. cit., ed. cit., 2004, Livro III, "Da guerra", p. 407-589).

255. VATTEL (op. cit., ed. cit., 2004, Livro IV, Cap. IX, par. 127, "Conclusão", p. 685): "Será muito para mim se meus princípios forem considerados sólidos, luminosos e suficientes às pessoas esclarecidas, para encontrarem soluções em questões de pormenor em casos específicos. Estarei feliz se o meu trabalho for de utilidade às pessoas que têm amor ao gênero humano e que respeitam a justiça; se o meu trabalho lhes fornecer armas para defender o bom direito e para, ao menos, compelir os injustos a serem respeitosos em alguma medida e a se manterem nos limites da decência!"

256. P. B. CASELLA, **Direito internacional no tempo clássico** (2014, cap. XXIII, "Joh. Jacob BURLAMAQUI"). É nítida a influência da filosofia de Jean-Jacques ROUSSEAU (1712-1778) sobre as duas principais obras de J. J. BURLAMAQUI, que refletem o esforço de conciliação entre a felicidade individual e as exigências da ordenação da vida em sociedade.

direta linha do direito da natureza e das gentes, o direito natural e o direito político. De seus ensinamentos, nasceram suas obras, em que se nota também a influência de Jean de BARBEYRAC, tradutor de GRÓCIO para o francês e sistematizador do direito internacional de seu tempo[257], com atuação engajadamente protestante, na fundamentação deste e de seus institutos.

O pensamento de Jean-Jacques ROUSSEAU marcou filosofia do direito de BURLAMAQUI, tal como a expõem suas duas principais obras: os **Princípios do direito natural** (publicados em Genebra, em 1747)[258] e os **Princípios do direito político** (publicados postumamente em Amsterdã, com data de 1751)[259].

BURLAMAQUI entende como lei natural a "lei que Deus impõe aos homens e que estes podem conhecer mediante o exercício de sua razão, considerando com atenção sua natureza e seu estado. O "direito natural é o sistema, a reunião, ou o corpo dessas mesmas leis" e fala, ainda, em "jurisprudência natural, que seria a arte de chegar ao conhecimento das leis da natureza, de desenvolvê-las e aplicá-las às ações humanas"[260].

A partir daí são deduzidas as obrigações de aplicar tais leis[261] e BURLAMAQUI observa que "a maneira pela qual estabelecemos os fundamentos do direito natural não difere, em nada quanto ao fundo, dos princípios de GRÓCIO: talvez este grande homem tivesse podido desenvolver um pouco melhor as suas ideias, mas deve-se confessar que seus comentadores, dos quais não se pode excetuar PUFENDORF, não compreenderam bem seu pensamento, e o retomaram

---

257. Jean de BARBEYRAC foi continuador da coletânea de tratados de Jean DUMONT, **Corps universel diplomatique du droit des gens** (Amsterdã / Haia, 1726-1731, em oito volumes), publicando, com Jean Rousset DE MISSY, **Supplément au Corps diplomatique du droit des gens** (Amsterdã / Haia, 1739, em cinco volumes). *V.* P. B. CASELLA, **Direito internacional no tempo clássico** (2014, "*ensaio de balanço do direito internacional no século XVIII*").

258. J. J. BURLAMAQUI, **Principes du droit naturel** (edição fac-similar, segue a de Paris: Janet et Cotelle, 1821, Caen: Centre de Philosophie poltique et juridique, 1989).

259. J. J. BURLAMAQUI, **Principes du droit politique** (edição fac-similar, segue a de Amsterdã: chez Zacharie Chatelain, 1751, 2 v., Caen: Centre de Philosophie poltique et juridique, 1984, 2 v.).

260. J. J. BURLAMAQUI, **Principes du droit naturel** (ed. cit., 1821, seconde partie "Des lois naturelles", Chap. premier. "Ce que c'est la loi naturelle, et qu'il y en a une", p. 121 e s.).

261. J. J. BURLAMAQUI, op. cit. (Chap. V, "Que les lois naturelles ont été sufisamment notifiées, des caractères qui leur sont propres, de l'obligation qu'elles produisent, etc.", p. 174 e s., cit. p. 174-175): "Nous voyons clairement que l'on en peut découvrir tous les principes, et déduire de là tous nos devoirs, par cette lumière naturelle qui n'a été réfusée à personne. C'est en ce sens qu'il faut entendre ce que l'on dit communément, que cette loi est naturellement connue à tous les hommes; car de penser avec quelques-uns, que la loi naturelle soit, pour ainsi dire, née avec nous, et qu'elle se trouve actuellement imprimée dans notre esprit dès le premier moment de notre existence; c'est une pure supposition, qui n'est nullement nécessaire, et qui se trouve démentie par l'expérience. Tout ce qu'on peut dire là-dessus, c'est que les maximes les plus générales et les plus importantes du droit naturel, sont si claires et si manifestes, et qu'elles ont une telle proportion avec nos idées, une telle convenance avec notre nature, que dès qu'on nous les propose, nous les approuvons aussitôt; et comme nous sommes disposés et accoutumés dès l'enfance à sentir ces vérités, nous les regardons comme étant nées avec nous".

fora de contexto, pretendendo que a maneira pela qual ele colocava os fundamentos do direito natural se reduzia a um círculo vicioso"[262].

Aponta BURLAMAQUI a "necessidade da existência, entre as nações, de alguma lei, que sirva de regra para o comércio que estas têm em conjunto. Ora, essa lei só pode ser a própria lei natural, que então chamamos direito das gentes, ou lei das nações. A lei natural, como bem diz HOBBES, se divide em lei natural do homem e lei natural dos estados; e esta última é o que se chama direito das gentes. Assim o direito natural e o direito das gentes, não são se não a única e mesma coisa, e estes somente diferem por denominação exterior. É preciso assim dizer que o direito das gentes, propriamente assim nomeado e considerado, como lei que emana de superior, não é outro se não o próprio direito natural, aplicado não aos homens, simplesmente considerados como indivíduos, mas aos povos, às nações, aos estados ou a seus chefes, nas relações que estes têm juntos, e nos interesses que estes têm a cuidar entre si"[263].

Oportuno e relevante observar como, na exposição de BURLAMAQUI, se coloca o direito internacional como a expressão da norma regendo a convivência dos homens, *enquanto* povos, nações ou estados, *representados* por seus chefes: o direito seria inerente aos povos, e os estados e seus chefes seriam o mecanismo ou ferramenta para cuidar de tais interesses – não para os fazer seus, em detrimento dos povos e dos interesses destes. Pode ser sanada, a partir daqui, a distorção por que passou o direito internacional excessivamente estatizado, e transformado em esfera exclusivamente reservada aos estados, como "assuntos de estado" e de chefes de estado e seus corpos de funcionários de estado, em carreiras de estado, e esquecendo-se do homem como fim último e fundamento de todos os direitos e obrigações.

Curiosamente o que se quer entender e apresentar como as mais modernas correntes e teorias, no sentido de colocar o homem como centro e fim de todos os ramos do direito, inclusive do direito internacional, são teorias literalmente modernas, no sentido de terem surgido na idade moderna[264]: o homem como

262. J. J. BURLAMAQUI, op. cit. (ed. cit., 1821, p. 174 e s., cit. p. 179-180): "Mais GROTIUS le dit en effet? Écoutons-le. 'Le droit naturel', dit-il, 'consiste dans certains principes de la droite raison, qui nous font connaître qu'une action est moralement honnète ou déshonnète, selon la convenance ou la disconvenance nécessaire qu'elle a avec une nature raisonnable et sociable; et par conséquent que Dieu, qui est l'auteur de la nature, ordonne ou défend de telles actions" [Voyez GROTIUS, **Droit de la guerre et de la paix**, Liv. I, Chap. I, par. 10.]. Je ne vois là point de cercle; car, sur cette demande, d'où vient l'honnéteté ou la turpitude naturelle des actions prescrites ou défendues, GROTIUS ne répond point comme on le fait répondre; il dira au contraire que cette honnéteté ou cette turpitude vient de la convenance ou de la disconvenance nécessaire de nos actions avec une nature raisonnable et sociable [Voyez la note 5 de BARBEYRAC sur le **Droit de la nature et des gens**, Liv. II, Chap. III]".

263. BURLAMAQUI, op. cit. (Parte II, Chap. V, p. 188).

264. Tal como habitualmente se situa a Idade Moderna, entre o final da Idade Média até o início da época contemporânea, não obstante algumas nuances de marcos iniciais e finais.

centro e fim último do direito internacional não é uma novidade. Tiveram seu papel, a seu tempo.

Não se pode julgar a questão somente pelos resultados, mas sem negligenciar a necessidade de situá-la em contexto cultural mais amplo, como se pode e deve fazer, ao abordar o direito internacional pós-moderno; pode-se permitir resgatar essa visão e essa dignidade que os estados, em seu afã de ocupar e dominar espaços, ao longo do tempo, solaparam. Aponte-se a crescente "profissionalização" do direito internacional, do final do século XVIII para o seguinte, ganhando também conscientização crescente do contexto histórico em que se inscreveriam tanto as normas de direito internacional como o estudo destas, pela doutrina.

1.1.2.6. Georg-Friedrich Von MARTENS (1756-1821)

Georg-Friedrich Von MARTENS coloca, em sua obra, o estudo do direito internacional em perspectiva histórica[265]. Coube a Von MARTENS o mérito de colocar o elemento histórico no direito internacional, e o estudar através de sua evolução, ao longo dos tempos[266]. Além de sua importância como autor, também é reconhecido pelo trabalho considerável de sistematizador de tratados e de casos de direito internacional, que desenvolveu e publicou.

A von MARTENS o direito internacional deve o progresso realizado pelo estudo da história: a evolução das ideias, a sucessão de eventos políticos, a transformação do estado social da Europa, contribuem a definir o caráter e o alcance de numerosos institutos do direito internacional"[267].

As obrigações internacionais encontram, enfim, garantia de sua execução, ou seja a sanção, no próprio interesse dos estados. O próprio estado pode ter interesse em não violar as suas obrigações, como indica Von MARTENS, mos-

265. P. B. CASELLA, **Direito internacional no tempo clássico** (2014, cap. XXV, "G. F. von MARTENS"); Henri BAILBY, *Georges-Frédéric De MARTENS* (in **Les fondateurs du droit international public: leurs oeuvres, leurs doctrines**, avec une introduction de A. PILLET, Paris: V. Giard & E. Brière, 1904, p. 603-676).

266. Celso MELLO, **Curso** (ed. cit. 2004, v. I, par. 62, p. 179), lembra a importância de G.-F. von MARTENS por seu **Précis du droit des gens moderne de l'Europe** (1788) e uma série de outras obras sobre direito internacional, além de ressaltar que este "foi o autor do primeiro livro de casos do direito internacional: **Causes célèbres du droit des gens moderne** (1800-1802)". Além da referida coletânea, Georg Friedrich von MARTENS, **Recueil des traités d'alliance, de paix, de trêve, de neutralité, de commerce, etc., depuis 1761** (Göttingen, 1791-1801, em sete volumes), continuado sob títulos diversos, por este e outros, em seu nome. *V.* P. B. CASELLA, **Direito internacional no tempo clássico** (2014, "ensaio de balanço do direito internacional no século XVIII").

267. H. BAILBY (op. cit., 1904, cit., p. 675): "L'école moderne est largement entré dans cette voie qui venait de lui être indiquée. / Il faut rendre aussi à de MARTENS cette justice qu'il a une connaissance complète du droit des gens, une vaste érudition dont il abuse même parfois, se bornant, sur une question donnée, à renvoyer aux auteurs qui l'ont traité, plutôt que de la discuter et de lui donner une solution basée sur des raisons qui lui paraissaient justes. / Le style est sobre, concis, substantiel: il ne tend qu'à l'expression nette de la pensée".

trando a ligação ou a solidariedade, cada vez mais estreita entre os povos, e as consequências prejudiciais, decorrentes a qualquer estado, do inadimplemento de suas obrigações.

G.-F. Von MARTENS somente admite o recurso ao "direito natural" quando o direito positivo não regular o assunto. Embora Von MARTENS insista na primazia do direito positivo, o direito natural permanece, como referência axiológica, para a crítica deste[268]. O direito das gentes, fundado no direito natural, reconhece aos estados direitos fundamentais e configura-se como direito internacional geral e positivo, na medida em que esteja em condições de assegurar a observância de suas normas, inclusive mediante o uso da força. Somente o direito natural pode pretender a universalidade[269].

O aspecto no qual Von MARTENS mais se aproxima da corrente positivista parece ser na distinção, a partir deste, introduzida por MOSER, entre o direito das gentes e o direito interno, relativo às relações internacionais (*ausseres Staatsrecht*), "direito público externo"[270].

Até VON MARTENS pode-se considerar terem ficado colocadas as bases do direito internacional clássico, de caráter nitidamente *europeu* e voltado antes para a regulação da *coexistência* e da *mútua abstenção*. Assim estão colocadas as bases históricas e mencionados brevemente os chamados fundadores do direito internacional.

A partir daqui, ainda que sumariamente, caberá considerar as grandes linhas da evolução da disciplina, nos dois séculos seguintes, até o contexto pós-moderno, para tanto considerando os períodos. "De Viena (1815) até Versalhes (1919)" (1.1.3.); "De Versalhes ao contexto presente (1.1.4.); "Perspectivas do direito internacional no século XXI (1.1.5.)", antes de referir visão de conjunto da evolução do direito internacional (1.1.6.).

---

268. H. BAILBY (op. cit., 1904, loc. cit.): "Nous avons signalé cette fause tendance positiviste qui porte de MARTENS à ratifier souvent les décisions du droit positif, au lieu d'aller jusqu'à la raison d'être et au but des institutions du droit des gens. Certaines solutions, certaines règles données sont inacceptables. Nous avons constaté aussi des contradictions et des lacunes. Mais l'oeuvre a d'incontestables mérites: celui, d'abord, d'avoir mieux précisé les limites de notre science, d'en avoir indiqué avec netteté les principes dominants, les idées essentielles qui mettent plus de clarté et permettent de se guider plus sûrement à travers les espèces multiples que les faits présenteront".

269. Antonio TRUYOL Y SERRA, **Histoire du droit international public** (1995, p. 90-91): "Le droit des gens européen s'étend à l'Amérique, mais n'inclut pas la Turquie. Seul, le droit naturel peut prétendre à l'universalité". E completa: "L'aspect où DE MARTENS se rapproche le plus du courant positiviste semble être la distinction, introduite par MOSER, entre le droit des gens et le droit interne relatif aux relations internationales, le 'droit public externe'. / Sans être original, l'oeuvrage de DE MARTENS se recommande par sa précision, la solidité de sa documentation et l'élégance de son style, notamment en français. On a pu dire avec raison qu'il fut 'le meilleur exposé systématique du droit international du temps de Von MARTENS et pour longtemps' [NUSSBAUM]".

270. *V.* CASELLA, **Direito internacional no tempo clássico** (2014, cap. XXV, sobre G. F. von MARTENS e esp. o item 25.1, "de von MARTENS ao direito público externo de J. J. MOSER").

1.1.3. de Viena (1815) até Versalhes (1919)

No fim do século XVIII, a Revolução Francesa[271], mais pelo impacto direto no grande movimento de ideias por ela suscitado, exerce influência sobre os espíritos, que se propagou por toda a Europa, e mesmo além desta[272]. As guerras e as conquistas da França revolucionária — continuadas sob Napoleão BONAPARTE —, elemento disruptor do sistema vigente à época, destruíram o sistema criado pelos tratados de Vestfália, e foram pouco propícias ao desenvolvimento do direito internacional, até o Congresso de Viena encetar nova tentativa de regulação internacional.

Reação aos acontecimentos da Revolução Francesa e do Império de Napoleão Bonaparte, os princípios de direito internacional, surgidos do Congresso de Viena (1815), basicamente irão reger a ordem internacional até o final da primeira guerra mundial – quando se instaura o sistema regido pelo tratado de Versalhes (1919) e os seus tratados correlatos – nem somente os interesses dinásticos, no esforço de resgate e manutenção do *status quo ante*, pelas monarquias europeias, não se limitam a consagrar a queda de Napoleão BONAPARTE e restabelecer a velha ordem política na Europa.

Conserva-se o legado dos princípios da proibição do tráfico dos negros dos Congressos de Viena (1815) e Aachen (1818) (ou Aix-la-Chapelle), da liberdade de navegação de certos rios internacionais, e da institucionalização da classificação para os agentes diplomáticos. A partir da combinação entre essa política intervencionista, concomitantemente à emancipação das antigas colônias espanholas e portuguesas da América, surge esboço do (que viria a ser) sistema interamericano: leva o então Presidente MONROE, dos Estados Unidos, a proclamar, em fins de 1823, a doutrina que traz o seu nome[273].

---

271. Vladimir Djuro DEGAN, *L'affirmation des principes du droit naturel par la Révolution française* (AFDI, 1989, v. XXV, p. 99-116); René-Jean DUPUY, **La révolution française et le droit international actuel** (RCADI, 1989, t. 214, p. 9-30); B. MIRKINE-GUETZÉVITCH, **L'influence de la révolution française sur le développement du droit international dans l'europe orientale** (RCADI, 1928, t. 22, p. 295-458).

272. Nos autos de instrução contra os Inconfidentes em Minas, os funcionários da Coroa portuguesa deploram a clara influência dos "abomináveis princípios franceses", que insuflavam os acusados – assim tendo, em lapso de tempo consideravelmente curto, estendido sua influência ao interior do Brasil, ainda fechado para o mundo exterior, no contexto da colônia; Kenneth MAXWELL, **A devassa da devassa** (1973, trad. Rio de Janeiro: Paz e Terra, 1977); Joaquim Norberto de SOUZA E SILVA, **História da conjuração mineira** (Rio de Janeiro: Garnier, 1873); João CAPISTRANO DE ABREU, **Capítulos da história colonial** (1500-1800) (5. ed. rev., prefaciada e anotada por J. H. RODRIGUES, Brasília: Ed. UnB, 1963).

273. Lucie DELABIE, **Approches américaines du droit international – entre unité et diversité** (Paris: Pedone, 2011); C. BARCIA TRELLES, **La doctrine de Monroe dans son développement historique particulièrement en ce qui concerne les relations interaméricaines** (RCADI, 1930, t. 32, p. 391-606); S. PLANAS-SUAREZ, **L'extension de la doctrine de Monroe en Amérique du Sud** (RCADI, 1924, t. 5, p. 267-366); Dexter PERKINS, **A history of the Monroe doctrine** (Boston: Little Brown, 1955); P. B. POTTER, **Le développement de l'organisation internationale** (1815-1914)

As tentativas de ordenação de sistema internacional[274], com a *Santa Aliança* e a *Tríplice Aliança*, colocaram os interesses dinásticos acima dos interesses mais amplos, representaram a reação reacionária, e perduraria, sem mutações substanciais, até Versalhes[275], e instauração da Sociedade das Nações, a partir de 1919. A mutação qualitativa viria a partir desse marco. Daí adviria a configuração do "sistema internacional contemporâneo", como analisa J.-J. ROCHE (1998)[276].

O aparecimento do Concerto europeu, após o Congresso de Viena (1815), representou tentativa de organizar a ordem internacional, partindo da ideia de que toda mudança deveria se processar através do **consenso**[277]: ordem vista por todos os participantes como parcialmente satisfatória e parcialmente insatisfatória, em que a paz poderia ser mantida por meio da acomodação de interesses. Subjacente às condições políticas de paz pelo equilíbrio da acomodação diplomática, formalmente sustentada por direito internacional da ***coexistência***, emer-

(RCADI, 1938, t. 64, p. 71-156). Charles ZORGBIBE, *Communauté internationale ou concert des grands? – Les États-Unis et l'héritage wilsonien* (in **Humanité et droit international** – Mélanges R.-J. DUPUY, Paris: Pedone, 1991, p. 373-382).

274. O. NIPPOLD, **Le développement historique du droit international depuis le Congrès de Vienne** (RCADI, 1924, t. 2, p. 1-24); M. BOURQUIN, **La sainte alliance: un essai d'organisation européenne** (RCADI, 1953, t. 83, p. 377-464). P. B. CASELLA, **Direito internacional no tempo clássico** (2014, "*ensaio de balanço do direito internacional no século XVIII*" esp. "*mutações no direito internacional no século XVIII, ilustradas pelo tema da guerra*").

275. P. B. CASELLA, **Tratado de Versalhes na história do direito internacional** (São Paulo: Quartier Latin, 2007), estudo introdutório e o inteiro teor do **Tratado de paz entre as potências aliadas e associadas e a Alemanha e Protocolo anexo assinados em Versailles, aos 28 de junho de 1919** (lei portuguesa, "Carta de 2 de abril" [de 1920], "Tratado de Paz de Versailles: ratificação", Lisboa: Coleção de Legislação Portuguesa, 1920; no Brasil, sancionado pelo Decreto n. 3.875, de 11 de novembro de 1919, *DOU* de 12-12-1919; ratificado pelo Brasil em 10 de dezembro de 1919, deu-se o depósito da ratificação brasileira em Paris, a 10 de janeiro de 1920. Promulgado pelo Decreto n. 13.990, de 12 de janeiro de 1920).

276. Jean-Jacques ROCHE, **Le système international contemporain** (Paris: Montchrestien, 3. ed., 1998, "Introduction", p. 9-10): "Les treize millions de morts de la première guerre mondiale avaient sonné le glas de 'la mission civilisatrice' du vieux continent qui tenta néanmoins de reproduire les mécanismes diplomatiques de l'Europe du XIXe siècle. Le refus des États-Unis d'assumer leurs responsabilités et l'isolement de la nouvelle Union soviétique contribuèrent ainsi à place la France et la Grande-Bretagne sur le devant de la scène. Cette dévolution faussée de la puissance et le lent déclin des anciens grands furent dès lors à l'origine des multiples crises qui menèrent inéluctablement à la seconde guerre mondiale. / Le monde en gestation dès 1918 se dessina finalement en 1945. (...) Les relations internationales entrèrent dans une ère nouvelle qui rompait radicalement avec l'expérience passée".

277. Celso LAFER, *Ordem, poder e consenso: caminhos da constitucionalização do direito internacional* (in **As tendências atuais do direito público: estudos em homenagem ao prof. Afonso Arinos de MELO FRANCO**, pref. Aliomar BALEEIRO, Rio de Janeiro: Forense, 1976, p. 89-110, cit., p. 92): "Ordem de natureza hierárquica, limitada às grandes potências, onde a proteção dos pequenos Estados resultava apenas, como registra Stanley HOFFMANN, do equilíbrio do sistema, que impedia a voracidade das grandes potências. Esta ordem teve natureza mais política e diplomática do que jurídica, mas deu margem ao aparecimento e à consolidação de um direito internacional público, que hoje chamaríamos, segundo FRIEDMANN, um direito internacional de coexistência. Este passou a regular, dentro desta ordem, as regras de mútuo respeito pelas respectivas soberanias nacionais, a partir da abstração da igualdade jurídica dos Estados, numa sociedade internacional de membros pouco numerosos, de relacionamento pouco diferenciado, que se colocaram uns em relação aos outros de forma mais ou menos justaposta".

giu ordem econômica de fato, e foi facilitada pela consolidação do ***colonialismo***[278] e pela atuação marcada pela continuidade dos impérios centrais[279].

O fim do Concerto europeu, decorrência da eclosão da guerra e acarreta o fim dos seus impérios multinacionais; leva à reformulação do sistema internacional que se exprimiria na tentativa de institucionalização internacional, expressada pelo **Pacto** da Sociedade das Nações, "que criou uma organização internacional, de aspiração universal, que procurou formalmente regular as relações internacionais de acordo com certos princípios. A efetividade desses princípios se viu política e economicamente truncada"[280]: Em consequência, não se reuniram condições e recursos de poder suficientes para instaurar ordem pública com a estabilidade daquela outrora imposta pelo concerto europeu[281].

A construção de sistema internacional da Europa fez-se pela divisão e confrontação de ideias, exemplifica Philippe MOREAU DEFARGES (2003, 2004)[282], que muitas vezes se combinam ou se acrescem às lutas entre estados[283]:

---

278. Precursora a crítica de Fray Bartolomé de LAS CASAS, nascido em Sevilha, em 1474, e falecido em Madri, em 1566, dentre "memoriales, cartas, tratados, historias, opusculos teológicos, disquisiciones políticas", que escreveu a famosa **Historia de las indias** (edición de Agustín MILLARES Carlo y estudio preliminar de Lewis HANKE, Mexico: FCE, 1951; 2. ed., 1965, 4ª reimpr., 1995, 3 v.).

279. Afonso Arinos de MELO FRANCO, **Curso de direito constitucional brasileiro** (Rio de Janeiro: Forense, 1958, v. I, loc. cit.), menciona como exemplo da internacionalização do direito interno o **padrão-ouro**, que se apoiava em legislações nacionais paralelas dos países que aderiram a esse padrão e, portanto, por intermédio de normas internas, criaram sistema monetário de alcance internacional, assegurando assim a transferência e a circulação dos recursos; em nossos dias, o sistema regional europeu: Dominique CARREAU, **Le système monétaire international privé (UEM et euromarchés)** (RCADI, 1998, t. 274, p. 309-392, cit. p. 327 e p. 388-389): "Le système monétaire et financier inter-national contemporain a donné naissance à de véritables "marchés internationaux" dont l'existence propre et le développement considérable imposent des contraintes telles aux états qu'il est loisible de se demander ce qui reste aux états de leur 'souveraineté' en la matière".

280. Celso LAFER (cit., 1976, item II, p. 93-94): "Economicamente, os traumas da primeira guerra mundial levaram ao desaparecimento do padrão-ouro e geraram, pela falta de mecanismos de cooperação no plano internacional, o protecionismo e a autarquia".

281. *V.* Mathias FORTEAU, **Droit de la sécurité collective et droit de la responsabilité internationale de l'état** (Paris: Pedone, 2006); Patrick JUILLARD, *Existe-t-il des principes généraux du droit international économique* (in **L'internationalité dans les institutions et le droit** – Études offertes à Alain PLANTEY, Paris: Pedone, 1995, p. 243-252); o conjunto dos estudos contidos no volume **L'évolution du droit international** – Mélanges offerts à H. T. (Paris: Pedone, 1998) e tb. Celso LAFER, **O convênio do café de 1976: da reciprocidade no direito internacional econômico** (São Paulo: Perspectiva, 1979, Cap. I, "As transformações dos estados e do direito internacional público e a regulamentação jurídica da ordem econômica mundial", p. 7-28, cit. p. 10): "O esgotamento das virtualidades do Concerto europeu levou à primeira guerra mundial e, de seus escombros, surgiu uma tentativa de propor uma ordem mundial de natureza mais jurídica do que diplomática".

282. Philippe Moreau DEFARGES, **Relations internationales** (Paris: Seuil, v. I: "Questions régionales", 5. ed., 2003; v. II: "Questions mondiales", 6. ed., 2004).

283. Ph. M. DEFARGES (op. cit., v. I, 2003, Parte I, "L'Europe", p. 15-51, parte II, "De la Communauté européenne à l'Union européenne", p. 52-103, cit. p. 15): "Du moyen age à la seconde guerre mondiale, l'Europe n'est unie qu'en tant que champ de bataille d'idées, de courants, de pensée: les royautés contre la papauté, le catholicisme contre les protestantismes, les lumières contre l'ancien tégime, le romantisme contre le rationalisme... À ces luttes entre conceptions s'ajoutent ou se combinent celles entre états. / L'Europe cherche alors la paix dans et par l'équilibre. Mais celui-ci reste précaire

a história da Europa moderna e contemporânea foi marcada por tentativas hegemônicas. Uma por vez, como a casa HABSBURGO, no século XVI, a França de LUIS XIV, os períodos da Revolução Francesa e do Império de NAPOLEÃO, a Alemanha do imperador GUILHERME II e, sobretudo, a Alemanha nazista de HITLER. Essas tentativas parecem querer estabelecer uma monarquia universal, ou seja, unificar o continente sob a sua direção. Cada uma dessas ambições suscita coalização contrária, que, mais ou menos rápido, a desfaz. A paz da Europa não poderia, assim, repousar, exceto com base no equilíbrio de jogo de pesos e contrapesos, entre as potências europeias.

Equilíbrio, ordem e paz são considerados indissociavelmente interligados. As fases de equilíbrio, muitas vezes, constituem somente breves intervalos e tréguas frágeis, visto que a última foi o período de 1815-1848. A Europa surgida do Congresso de Viena repousa sobre três elementos:

- as monarquias unidas, diante de ameaça comum, os "abomináveis princípios franceses" – como registram os autos da Inconfidência Mineira, ao tentar erradicar-lhes os efeitos, na Colônia – nascidos da Revolução (liberalismo, nacionalismo), hidra sempre pronta a renascer: o que une, então, os reis – sentindo a fragilidade de seus tronos – é mais forte que as rivalidades – ao menos durante algum tempo;
- equilíbrio relativo de poder existe então entre as cinco grandes monarquias: Grã-Bretanha, França, Áustria, Prússia e Rússia. Nenhuma, então, em condições de impor sua vontade às outras[284];
- mecanismos de concertação (sobretudo congressos e conferências) asseguram o ajustamento dos pontos de vista[285]: a Europa, então reinante,

---

et changeant. De plus, entre la fin du XIXe et la seconde guerre mondiale, il se revèle inaccessible. D'où l'ordre, lui aussi temporaire, par la division".

284. Charles ZORGBIBE, **Metternich** (Paris: De Fallois, 2009); Michel MISSOFFE, **Metternich (1773-1859)** (Paris: Fayard, 1959); Ezekiel Stanley RAMIREZ, **As relações entre a Áustria e o Brasil 1815-1889** (prólogo e notas de Américo Jacobina LACOMBE, São Paulo: Nacional, Col. Brasiliana, v. 337, 1968); José Honório RODRIGUES, **Independência: revolução e contrarrevolução,** v. V. **A política internacional** (Rio de Janeiro: Francisco Alves, 1975-1976, livro primeiro, "A política internacional", 1. "A política internacional e o Brasil", considerando sucessivamente: "A política inglesa de CASTLEREAGH e a não intervenção"; "A política de CANNING e a independência brasileira", "A política austríaca de METTERNICH"; "A política russa"; "A política francesa"; "A política portuguesa"; "A política dos Estados Unidos" etc. 2. "As negociações na Europa". Abordando o reconhecimento internacional da independência: "Londres, começo da negociação", "A oposição francesa", "A hostilidade russa", "Os primeiros diplomatas"; "Posição da Áustria"; "O congresso europeu e a América"; "A união anglo-americana contra a intervenção"; "METTERNICH e a independência do Brasil"; "CANNING e a posição britânica", p. 3-122). Hélio VIANNA, **História diplomática do Brasil** (São Paulo: Melhoramentos, 1958, Cap. X, "Política exterior do primeiro reinado. Guerra e reconhecimento da independência. Separação da Cisplatina. A sucessão no trono português", p. 91-97); *v.* tb. CASELLA, **Fundamentos** (2008), item XIII, "Boa tradição e a que se deve evitar" p. 959-1095).

285. J. H. RODRIGUES, **Independência: revolução e contrarrevolução,** v. V: **a política internacional** (op. cit., 1975-1976, p. 3-4): "Tudo que se decidiu entre o tratado da Santa Aliança, aos 26 de setembro de 1815, e o Congresso de Verona,

tem medo. Nenhum dos seus cinco integrantes está, à época, totalmente contaminado pela exaltação nacional (como será a Prússia bismarckiana, na fase de 1862 a 1871). O equilíbrio europeu evoca a prudência de TALLEYRAND ou de METTERNICH[286], mas, à porta dos salões, rondam as revoluções.

A partir de 1860, esse anterior equilíbrio europeu ficou para trás:

- a Alemanha consolida-se como estado: colosso demográfico, alcança desenvolvimento econômico espetacular e, no final do século XIX, desafia a potência industrial da Inglaterra, expande-se e projeta nos campos do saber e da ciência, e começa a tentar se expandir além de suas fronteiras – de GUILHERME II a HITLER – com a obsessão em torno do espaço vital (*Lebensraum*) e as funestas consequências deste anseio;
- outro colosso marca o fim do anterior modelo de equilíbrio europeu, a Rússia, que, diversamente das demais potências europeias, não foi buscar além-mar seu império colonial, mas constrói-se na continuidade territorial, rumo à Sibéria e à Ásia Central. Essa continuidade geográfica e depois a assunção de novo pacto social, com a revolução marxista-leninista, disfarçam, durante algum tempo, o caráter colonial dessa URSS ao mesmo tempo europeia e asiática, que se quer apresentar como estado novo, aportando a convivência de vasta família de povos, federação em que coabitam as diversidades nacionais, primeira pátria da revolução mundial. A tragédia da segunda guerra mundial faz da União Soviética um dos dois grandes vencedores;
- os Estados Unidos da América, outro colosso e grande vencedor do nazifascismo, já eram vistos, desde a primeira guerra mundial, como elementos importantes para o equilíbrio da Europa: sem seu apoio financeiro e depois intervenção militar dos EUA, os impérios centrais teriam vencido a guerra; no conflito seguinte, novamente o poderio econômico e militar dos EUA foram vitais para derrotar a Alemanha hitlerista.

Após o conflito de 1914-1918, o projeto de W. WILSON, solapado, na prática,

---

em 1822, tem interesse para o Brasil, em face da decisão das potências europeias Rússia, Áustria, Prússia e França de sustentarem o legitimismo, defenderem o *satus quo*, combaterem a revolução, intervirem nos negócios internos das outras nações e não admitirem o reconhecimento da independência latinio-americana. (...) Todas as decisões tomadas entre um e outro congresso afetaram o Brasil, não como nação independente, mas como Reino unido a Portugal. (...) De um modo geral, excetuados os Estados Unidos e logo depois a Grã-Bretanha, os países europeus não formularam uma política definida para a chamada América latina, mas à medida que os acontecimentos a foram transformando de fato, viram-se eles obrigados a reformular sua política, sempre dominada pela pequenez, intriga, legitimismo, antirrevolucionarismo, intervencionismo".

286 P. B. CASELLA, **Direito internacional no tempo clássico** (São Paulo: Atlas, 2015, esp. título II – da construção de sistemas coesos, onde se examina: *de Vestfália (1648) até a guerra dos sete anos (1756 a 1763)* e *literatura sobre o equilíbrio da Europa*, p. 177-277).

pela falta de apoio do seu próprio país, coloca-se como a revisão conceitual de tudo o que fora a política europeia, durante séculos: em lugar das manipulações diplomáticas, a tentativa de instauração da justiça, o respeito ao direito à autodeterminação dos povos, a reformulação das bases e dos mecanismos operacionais do sistema internacional. As boas intenções logo atolarão, e esse idealismo se choca com as inquietudes e as desconfianças europeias, que conduzirão ao segundo conflito mundial.

A segunda metade do século XIX foi assinalada por vários fatos favoráveis ao progresso do direito internacional, podendo-se mencionar o Congresso de Paris, de 1856; a 1ª Convenção da Cruz Vermelha, em 1864; a Declaração de 1868, contra projéteis explosivos ou inflamáveis; o Congresso de Berlim, de 1878; a Conferência Africana de Berlim, de 1884-1885; a Conferência de Bruxelas, de 1889-1890, contra o tráfico de escravos; a 1ª Conferência Internacional dos Países Americanos, realizada em Washington, de outubro de 1889 a abril de 1890; a 1ª Conferência da Paz, de Haia, em 1899. Crescente número de especialistas vão consolidando corpo de doutrina de direito internacional[287].

A contribuição brasileira ao direito internacional no século XIX no campo teórico foi pequena[288], contudo promissora.

Se, do ponto de vista doutrinário, a contribuição foi de pouco peso, os *Relatórios do Ministério dos Negócios Estrangeiros* do Brasil-Império representam importante manancial[289]. As notas e ofícios dos titulares e altos funcionários do Ministério, rebatendo gestões de governos estrangeiros em defesa de interesses descabidos de seus nacionais, reclamações relativas ao tráfico de escravos, pretensões quanto à navegação do Amazonas e outros rios nacionais, o reconhecimento da condição de beligerantes dos estados confederados por ocasião da Guerra de Secessão nos Estados Unidos, podem ser mencionados neste particular. Principal

---

287. Dentre os internacionalistas do século XIX, nas edições anteriores, eram citados, em Portugal, Silvestre PINHEIRO FERREIRA; na França, Chrétien PIÉDELIÈVRE, PRADIER-FODÉRÉ, Frantz DESPAGNET, Henri BONFILS; na Grã-Bretanha, Robert PHILLIMORE, Travers TWISS, J. LORIMER, William EDWARD HALL; na Alemanha, J. L. KLUBER, A. W. HEFFTER, Franz von HOLTZENDORFF; na Itália, Pasquale FIORE, CARNAZZA-AMARI; na Suíça, J. C. BLUNTSCHLI, Alphonse RIVIER; nos Estados Unidos da América, James KENT, Henri WHEATON, THEODORE-WOOLSEY, DUDLEY-FIELD, Francis WHARTON, Henry HALLECK; na Rússia, Fiodor Fiodorovith de MARTENS, na América espanhola, Andrés BELLO (Venezuela); e Carlos CALVO (Argentina).

288. Podem ser mencionadas as contribuições de Alcântara BELLEGRADE (**Noções elementares de direito das gentes**, Rio de Janeiro, 1845), Pedro da Matta e ALBUQUERQUE (**Elementos do direito das gentes**, Pernambuco, 1851), Antonio Pereira PINTO (**Apontamentos para o direito internacional**, Rio de Janeiro, 1864-1869, 4 v.), Carlos de Oliveira FREITAS (**Elementos de direito internacional marítimo**, Rio de Janeiro, 1884) e João Silveira de SOUSA (**Lições elementares de direito das gentes**, 1889).

289. *V.* por exemplo: BRASIL, Secretaria de estado dos negócios do império e estrangeiros – **O Conselho de estado e a política externa do império** – Consultas da seção de dos negócios estrangeiros (1858-1862) (Rio de Janeiro: Centro de História e Documentação Diplomática – CHDD, Brasília: FUNAG, 2005); Álvaro da Costa FRANCO (org.), **Com a palavra, o Visconde do Rio Branco** – Política exterior no Parlamento imperial (Rio de Janeiro: CHDD/FUNAG, 2005).

contribuição brasileira ao direito internacional foi a consolidação do princípio do *uti possidetis*, que sustentou com sucesso ao anular a tese oposta do *uti possidetis juris*, tal como este estaria refletido, na sucessão de estados, em 1810, defendida pelos países vizinhos na solução das controvérsias fronteiriças[290].

Dentre os acontecimentos que marcam o final desse período e o início do seguinte, merecem ser citadas: as Conferências Internacionais Americanas[291]; as Conferências Internacionais da Cruz Vermelha[292]; a 2ª Conferência da Paz de Haia, em 1907; a Conferência Naval de Londres (dezembro de 1908 a fevereiro de 1909); a Conferência da Paz de Paris, em 1919; a criação da Sociedade das Nações e da Corte Permanente de Justiça Internacional; a instituição da Academia de Direito Internacional, Haia, cujos cursos têm contribuído enormemente para o progresso do direito internacional.

1.1.4. de Versalhes ao contexto presente

Se, de um lado, o direito internacional atinge, no curso do século XIX, seu pleno desenvolvimento, de outro, experimenta sucessivas "crises" ou hipóteses de reformulação. Até então **bidimensional**, isto é, limitado à terra e ao mar, passa a ser **tridimensional**[293] quando ao conjunto preexistente se agrega a dimensão do direito internacional aeronáutico, desde o início do século XX, e a dimensão do espaço exterior, a partir do final da segunda guerra mundial[294], bem como a regu-

290. *V.* Julio A. BARBERIS, *La concepción brasileña del "uti possidetis"* (in **Dimensão internacional do direito: estudos em homenagem a G.E. do NASCIMENTO E SILVA**, coord. P. B. CASELLA, São Paulo: LTr, 2000, p. 33/48). *V.* tb. A. MEYER--HEINE, *L'application par le juge du principe de l'effectivité* (in **Le juge international et l'aménagement de l'espace: la spécificité du contentieux territorial**, Paris: Pedone, 1998, p. 35-56); R. MEHDI, *L'application par le juge du principe de l'uti possidetis* (in **Le juge international et l'aménagement de l'espace**, op. cit.,1998, p. 57-89).

291. A segunda, no México, em 1901-1902; a terceira, no Rio de Janeiro, em 1906; a quarta, em Buenos Aires, em 1910; a quinta, em Santiago do Chile, em 1923; a sexta, em Havana, em 1928; a sétima, em Montevidéu, em 1933; a oitava, em Lima, em 1938; a nona, em Bogotá, em 1948; a décima, em Caracas, em 1954, especialmente as cinco últimas.

292. Em 1906, 1929 e 1949.

293. Sobre as mutações do direito internacional no período, ver P. B. CASELLA, **Direito internacional no tempo clássico** (2014). Em 1902, Paul FAUCHILLE chamava atenção para o espaço aéreo, provavelmente influenciado pelas façanhas de Alberto SANTOS DUMONT. Em 1898, num balão em que instalara um motor, subiu a 400 metros de altura e voltou ao ponto donde decolara. Em 1901, ganhou o *Deutsch de la Meurthe*, prêmio outorgado ao primeiro homem capaz de decolar de determinado ponto, dar a volta à Torre Eiffel e retornar à origem em menos de 30 minutos. No ano seguinte, FAUCHILLE submeteu ao *Institut de Droit International* relatório sobre os aspectos legais das aeronaves. É sintomático que esse instituto tenha adotado a resolução sobre a condição jurídica do espaço aéreo em 1906, ano em que SANTOS DUMONT voou num aparelho mais pesado do que o ar, em Bagatelle, perto de Paris, sendo aclamado como o inventor do aeroplano.

294. Marietta BENKÖ e Kai-Uwe SCHROGL (ed.). **Space Law – Current problems and perspectives for future regulation** (Utrecht: Eleven, 2005); Olavo de O. BITTENCOURT Neto, **Direito espacial contemporâneo** – Responsabilidade internacional (Curitiba: Juruá, 2011, esp. cap. 1, "fundamentos do direito espacial", p. 27-56); Isabella Henrietta Philepina DIEDERIKS-VERSCHOOR, **Similarities with and differences between air and space law primarily in the field of**

lação do direito do mar e dos fundos oceânicos e todo o direito internacional ambiental. Mas o movimento mais relevante faz-se no sentido da "humanização do direito internacional"[295], para resgatar a condição central do ser humano no direito internacional, mediante o surgimento e a consolidação de sistema internacional de proteção dos direitos fundamentais.

O **tratado de paz entre as potências aliadas e associadas e a Alemanha, e protocolo anexo, assinados em Versalhes, aos 28 de junho de 1919**[296], foi celebrado entre os Estados Unidos da América, o Império Britânico, França, Itália, Japão (como "principais potências aliadas e associadas"), secundados pela Bélgica, Bolívia, Brasil, China, Cuba, Equador, Grécia, Guatemala, Haiti, Hedjaz, Honduras, Libéria, Nicarágua, Panamá, Peru, Polônia, Portugal, Romênia, Estado Servo-Croata-Sloveno, Sião, Tchecoslováquia e Uruguai (como "potências aliadas e associadas"), de uma parte, e a Alemanha, de outra parte, como "Tratado de paz e protocolo anexo, que foram feitos num único exemplar, depositado nos arquivos do governo da República francesa"[297].

Muito se criticou a construção feita após a primeira guerra mundial, atribuindo-se-lhe ora todo o bem, ora todos os males, pelo que veio a seguir. Mas cabe considerar o conteúdo e o alcance do tratado de Versalhes como marco e como momento significativo da história do direito internacional[298]. Cabe, sobre-

---

private international law (RCADI, 1981, t. 172, p. 317-423, Cap. I, item 2, "Definitions", p. 331), faz a delimitação entre **direito aeronáutico** — "air law is the set of national and international rules concerning aircraft, air navigation, aerocommercial transport and all legal relations, public or private, arising from domestic and international air navigation" – e **direito espacial** – "space law is the law meant to regulate relations between states, to determine their rights and duties resulting from all activities directed towards outer space and within it – and to do so in the interest of mankind as a whole, to offer protection to life, terrestrial and non-terrestrial, wherever it may exist". *V.* tb. CASELLA, **Direito internacional dos espaços** (2009, cap. XXII, "*espaço ultraterrestre*", p. 597-626).

295. Antonio Augusto CANÇADO TRINDADE, **A humanização do direito internacional** (Belo Horizonte: Del Rey, 2006).

296. P. B. CASELLA, **Tratado de Versalhes na história do direito internacional** (São Paulo: Quartier Latin, 2007). No Brasil, sancionado pelo Decreto n. 3.875, de 11 de novembro de 1919, (*DOU*, 12-11-1919), ratificado pelo Brasil em 10 de dezembro de 1919, deu-se o depósito da ratificação brasileira em Paris, a 10 de janeiro de 1920, promulgado pelo Decreto n. 13.990, de 12 de janeiro de 1920. Em Portugal, carta de 2 de abril de 1920.

297. Os tratados celebrados com os demais países derrotados na primeira guerra mundial adotaram estrutura e disposições equivalentes, a saber: **tratado de Saint-Germain**, com a Áustria, em 10 de setembro de 1919; **tratado de Neuilly**, com a Bulgária, em 27 de novembro de 1919; **tratado de Trianon**, com a Hungria, em 4 de junho de 1920; e o de Sèvres, com a Turquia, em 10 de agosto de 1920 – este último não foi aceito pelos nacionalistas turcos, liderados por Mustafá KEMAL, e, depois das vitórias turcas sobre os gregos em 1921-1922, foi substituído por outro, em condições muito mais favoráveis, para a Turquia republicana, por meio do **tratado de Lausanne**, de 24 de julho de 1923.

298. Carl BOUCHARD, **Le citoyen et l'ordre mondial** (1914-1919) – Le rêve d'une paix durable au lendemain de la Grande Guerre (Paris: Pedone, 2008); Antonio TRUYOL Y SERRA, **L'expansion de la société internationale au XIXe et XXe siècles** (RCADI, 1965, t. 116, p. 89-179, cit., p. 105): "O direito público europeu (*droit public de l'Europe* ou *jus publicum Europaeum*), assim chamado, sobretudo pelos publicistas germânicos (*droit des gens de l'Europe* ou *europäisches Völkerrecht*), foi a base do direito internacional 'clássico', que permaneceu em vigor, praticamente até a primeira guerra mundial. Suas bases foram colocadas pela paz de Vestfália (1648), não somente porque os tratados de Munster e de Osnabruck converteram a constituição do Império em questão europeia, mais ainda porque foram estes o ponto de

tudo, estudar não somente os acertos, como os erros cometidos, para evitar que estes possam ser novamente incorridos[299].

Representa o tratado de Versalhes etapa relevante, rumo à institucionalização de sistema internacional, na esteira do que representaram, a seu tempo, os seus precursores, com os tratados de Munster e de Osnabruck, pondo os fundamentos do assim chamado sistema da paz de Vestfália e, a seguir, os congressos de Viena (1815) e de Aix-la-Chapelle, ou Aachen (1818). O sistema de Viena, tal como fora concebido, inicialmente, marco garantidor da estabilidade e dos interesses dinásticos[300], ganha outra dimensão e mais durabilidade a partir da construção do "concerto europeu"[301], que se esboça e se trata de conservar até a sua derrocada, com a eclosão da primeira guerra mundial e a instauração do novo sistema, com o tratado de Versalhes (1919) e seus correlatos. Este, por sua vez, ao soçobrar, em razão da eclosão da segunda guerra mundial, deixará marcos e marcas que serão, em considerável medida, retomados e reordenados no âmbito do sistema da Organização das Nações Unidas, a partir de 1945.

---

partida de toda uma série de tratados ulteriores, que se vinculam e se encadeiam expressamente, uns aos outros, formando verdadeiro *corpus iuris gentium* europeu". Este, justamente, interessa-nos, na medida em que coloca os fundamentos do direito internacional, de vocação mundial, da atualidade. *V.* tb.: P. B. CASELLA, **Direito internacional no tempo moderno de SUAREZ a GRÓCIO** (São Paulo: Atlas, 2013); **Direito internacional no tempo medieval e moderno até VITORIA** (2012, esp. cap. XII, "*jus gentium, jus commune, jus europaeum* – entre a teoria e a prática"); Friedrich SCHILLER, **Geschichte des dreissigjährigen Kriegs** ("Nachwort" Herbert REINOSS, Gütersloh: P. P. Kelen, s/d [1964]).

299. Nesse sentido, Antonio TRUYOL Y SERRA, **Histoire du droit international public** (Paris: Economica, 1995, Cap. XII, "De la première à la seconde guerre mondiale", p. 131-140, cit., p. 132), considera, à luz da tradição dos congressos e das conferências, reunidos para restabelecer a paz, diferenças formais e materiais importantes, surgidas nessa conferência, que não foram do melhor augúrio para o futuro, e aponta o contraste revelador, em relação ao Congresso de Viena de 1814-1815, em que a França monárquica, de volta à legitimidade reconhecida, foi convidada e participou das discussões de pleno direito. Em Versalhes, os delegados alemães representavam, apesar de tudo, também, novo regime, legitimado democraticamente, e o afastamento (*leur mise à l'écart*) viria a ter consequências negativas, na política interna alemã, para os partidos dos signatários, precisamente os mais moderados e os mais próximos politicamente das democracias ocidentais. Da mesma forma, a presença e participação dos Estados Unidos, por meio do seu Presidente, diante de seu papel decisivo para o resultado da guerra, colocava em relevo o fim do Concerto europeu, enquanto tal: "C'était la première fois qu'un homme d'état non-européen intervenait à ce niveau, dans les affaires de notre continent. Ce qui alors n'était encore qu'un partage avec les États-Unis du rôle dominant de l'Europe deviendra, au terme de la Seconde guerre mondiale, un effacement".

300. A. TRUYOL Y SERRA (op. cit., 1965, p. 111) a respeito do "concerto europeu": "suffise de rappeler qu'il a été le premier pas, timide à vrai dire (mais pouvait-on aller d'emblée au-delà, et d'ailleurs certaines formules actuelles d'union européenne vont-elles beaucoup plus loin?), vers une organisation de la société internationale. Le mot 'concert' a sans aucun doute un sens plus précis de l'unité d'action que 'système'. On sait que le moyen auquel ont eu recours fut la réunion fréquente de congrès ('système de scongrès'). On sait aussi que son échec à partir du dernier tiers du XIXe siècle, après les changements introduits dans la carte politique de l'Europe par le principe des nationalités (...), puis par l'avènement de l'impérialisme et des rivalités coloniales à une échelle véritablement mondiale, dont nous verrons également les conséquences (...), devait déboucher sur la "paix armée" et la première guerre mondiale".

301. A. TRUYOL Y SERRA (op. cit., 1965, p. 114): "apesar dos esforços da Santa Aliança, após o Congresso de Viena, para voltar ao passado, na medida em que isso parecia ainda possível, nessa época se assiste, particularmente após os eventos que tem como teatro as Américas, põe fim ao antigo regime no plano internacional".

Ensina Adherbal MEIRA MATTOS (2005)[302]: "se a integração na União Europeia congregou soberanias para ganhar força e influência, deve a cooperação, na ONU, congregar soberanias para ganhar legitimidade e efetividade. Se hoje, na integração, convivem blocos nos mais variados planos geopolíticos – na Europa, nas Américas, na Ásia e na África –, deve, na cooperação, a ação da ONU perfazer, na racionalidade e na cognição (axiológica e fática), tarefa objetiva e democrática, a fim de assegurar um equilíbrio econômico-social-político-estratégico capaz de enfrentar as sutilezas da complexa e paradoxal Nova Ordem Mundial".

Se de um lado haveria certa descontinuidade entre o sistema interamericano e o sistema político europeu, também se poderia falar em certo grau de continuidade[303], "contrariamente ao que se produzirá no século XX, a 'descolonização' das Américas, entre o fim do século XVIII e início do XIX (exceto no que concerne ao Haiti), foi feita por descendentes dos colonos europeus, em desacordo de interesses e de sentimentos com suas antigas metrópoles. O que quer dizer que as sociedades novas se constituíram a partir da tradição cultural, trazida da Europa, pelas sucessivas vagas de imigrantes. O novo mundo, seja qual for a sua originalidade, em relação ao velho, constituiu-se organicamente a partir deste. Mas a ruptura, que representou a emancipação, teve lugar em contexto de interdependência, em relação à situação europeia. E, com exceção de alguns traços particulares, devidos às circunstâncias históricas, o direito internacional, então em vigor, o 'direito público da Europa', foi recebido em seus princípios fundamentais. A isto se pode acrescentar que, com o passar do tempo, os contrastes ao início mais importantes foram sendo atenuados"[304].

O legado das Américas, segundo o historiador Pierre CHAUNU (1964)[305], sobretudo na América do Sul, traz à busca, tanto no plano doutrinal como no das instituições, fórmulas jurídicas tendentes à codificação: "não há continente que mais tenha feito para trazer soluções jurídicas aos conflitos internacionais, que tenha estudado com tanto empenho as questões do direito internacional".

No contexto interamericano, enquanto relações internacionais inseridas no interior desse sistema regional, o novo mundo não diferiu substancialmente do

---

302. Adherbal MEIRA MATTOS, *Organização das Nações Unidas: 60 anos* (**Reflexões sobre os 60 anos da ONU**, org. Araminta MERCADANTE e José Carlos de MAGALHÃES, Ijuí: Unijuí, 2005, p. 83-100); *v.* tb. IV Conferência Nacional de Política Externa e Política Internacional, **Reforma da ONU** (Rio de Janeiro, Palácio Itamaraty, 21 de agosto de 2009, "O Brasil e o mundo que vem aí", Brasília: FUNAG, 2010).

303. Antonio TRUYOL Y SERRA, **L'expansion de la société internationale au XIXe et XXe siècles** (RCADI, 1965, t. 116, p. 89-179).

304. A. TRUYOL Y SERRA (op. cit., 1965, p. 121).

305. Pierre CHAUNU, **Histoire d'Amérique latine** (Paris: PUF, 3. ed., 1964, p. 102).

velho mundo[306]. Os estados no continente tiveram, também, a sua sede de territórios, e seus problemas de fronteiras[307], visto que o princípio do ***uti possidetis*** nem sempre permitiu levar a composições amigáveis: "conheceram as pretensões megalomaníacas de tiranetes, e no caso da América Latina, cumpre acrescer a hipoteca das pressões decorrentes de interesses exteriores, conjugados aos de certos grupos oligárquicos, que a partir do fim do século XIX, vieram mais e mais dos Estados Unidos, e não somente da Europa. Além do conflito entre os EUA e o México (1845), seis guerras opuseram entre si os estados ibero-americanos, desde a independência, e, dentre estas, a movida pelo Paraguai contra a coalizão dos vizinhos (1865-1870) foi conduzida com violência e acirramento extremos".

Versalhes não pode ser visto como momento isolado, nem como mero capítulo passado ou curiosidade histórica. O sistema que então e nele se esboça influencia, de maneira direta e relevante, o sistema que vem a seguir: a configuração atual exige, para sua compreensão, o "olhar retrospectivo"[308], para a gênese formadora, e tem, no contexto atual, múltiplos traços e elementos que permanecem presentes e atuantes. Tais como: o pacto Briand-Kellogg, de proscrição da guerra; mais como afirmação de princípio que pelos seus efeitos, a 1ª Conferência para a Codificação Progressiva do Direito Internacional, em Haia, em 1930; a Conferência Interamericana de Consolidação da Paz, realizada em Buenos Aires em dezembro de 1936, outro gesto de boa intenção.

O sistema de Versalhes traz os pontos de partida do sistema presente; pode, ademais, ser útil, como lição para evitar seja desencadeada, novamente, a corrida para o abismo, que levou à segunda guerra mundial. Pode esse tratado ser marco de inauguração de nova fase do direito e das relações internacionais, porquanto, a partir deste se começa a fase de direito internacional de *cooperação*, que sucederia aos séculos precedentes de direito internacional de mera *coexistência* e mútua *abstenção*. Pode, igualmente, esse mesmo tratado, ser considerado a semente da catástrofe – por ter contribuído, e não pouco, para a preparação do contexto europeu que desaguaria na segunda guerra mundial: ambas as leituras, e outras mais, podem ser acrescidas, várias delas, em parte, verdadeiras.

O pacto da Sociedade das Nações (parte I do tratado) representa a realização do antigo anseio, que remontaria à concepção da *civitas maxima* de Christian

306. A. TRUYOL Y SERRA (op. cit., 1965, p. 122-123): "Le système européen d'états s'était transformé en un système européen et américain ayant une commune civilisation chrétienne".

307. *V.*, tb., *infra*, a Parte 6, "Território", e subdivisões desta.

308. William E. RAPPARD, **Vues retrospectives sur la Société des Nations** (RCADI, 1947, t. 71, p. 111-226).

WOLFF, e tantos outros internacionalistas, que propunham a institucionalização das relações internacionais como meio de evitar as guerras entre os estados. Mostrou este, contudo, como distinguia Emmanuel KANT, não ser capaz de trazer a paz, mas somente a suspensão da guerra: criou-se o arcabouço, mas não poucas foram as falhas de implementação, que representariam o fracasso da tentativa, que soçobraria com o desencadear da segunda guerra mundial, em 1939, em exatos vinte anos depois do tratado de Versalhes.

Além das **condições da paz** e das assinaturas dos plenipotenciários, dentre os quais se fazia presente o Brasil[309], "a contar da data em que começara a vigorar o presente tratado, o estado de guerra terminará. A partir desse momento, e observadas as disposições do presente tratado, serão restabelecidas as relações oficiais das potências aliadas e associadas com a Alemanha e qualquer dos estados alemães". O artigo 231 do tratado declarava a responsabilidade da Alemanha e de seus aliados por todos prejuízos causados e todos os danos sofridos pelas potências aliadas e associadas e seus nacionais, em consequência da guerra, que lhes impôs a Alemanha e seus aliados. Essa declaração justificava o pagamento das reparações[310].

O **Pacto Sociedade das Nações**, por estar contido no Tratado de Versalhes, ensejou crítica quanto a ter sido colocado no mesmo instrumento o tratado de paz com a Alemanha, e a criação da Sociedade das Nações, na sua própria estipulação[311]. Esse tratado representa marco não somente da história europeia como geral e da evolução do direito internacional, que encetaria seus esforços para passar a ser menos *eurocêntrico* e um tanto mais efetiva e amplamente internacional.

O **Pacto** esboça sistema de segurança coletiva. O artigo X continha a ideia do presidente WILSON, no compromisso de "respeitar e manter contra toda agressão externa a integridade territorial e a independência política atual de todos os membros da Sociedade". O artigo XI[312], por sua vez, esboçava dever legal de solidariedade entre os pactantes: "toda guerra ou ameaça de guerra (...) interessa

309. "O presidente da República do Brasil, por: Sr. Rodrigo Octávio de L. MENESES, professor de direito internacional no Rio de Janeiro; Sr. Pandiá CALÓGERAS, deputado, antigo ministro das finanças; Sr. Raul FERNANDES, deputado".

310. Por sua vez, o artigo 227 fazia acusação pública a GUILHERME II DE HOHENZOLLERN, ex-imperador da Alemanha, por ofensa contra a moral internacional e a autoridade sagrada dos tratados, e previa seu julgamento por tribunal especial, composto de cinco juízes, cada um dos quais seria nomeado por uma das principais potências aliadas e associadas, que deveria julgar, com base em motivos inspirados pelos mais altos princípios da política entre as nações, com o cuidado de assegurar o respeito das obrigações solenes e dos compromissos internacionais, bem como da moral internacional. A respeito do que possa ser essa "moral internacional", *v.* H. KRAUS, **La morale internationale** (RCADI, 1927, t. 16, p. 385-540).

311. **Pacto da Sociedade das Nações** e seu anexo. Texto e comentários em P. B. CASELLA, **Tratado de Versalhes na história do direito internacional** (São Paulo: Quartier Latin, 2007).

312. Dentre estudos de J. L. KUNZ, *v.*: **L'article XI du Pacte de la Société des Nations** (RCADI, 1932, t. 39, p. 679-790), b/c *Sanctions in international law* (AJIL, 1960, v. 54 (2), p. 325 e s.); **La crise et les transformations du droit des gens** (RCADI, 1955, t. 88, p. 1-104); *Bellum justum and bellum legal* (AJIL, 1953, v. 45 (3), p. 528-534).

a toda a Sociedade". Os artigos XI a XVI continham a expressão das ideias do ministro inglês, Lord Robert CECIL, mas o artigo XIV vai mais longe, com a previsão da criação da Corte Permanente de Justiça Internacional[313].

A estipulação da resolução jurisdicional de controvérsias entre estados representou avanço institucional e do sistema de regulação da convivência entre sujeitos de direito internacional, mas da mesma forma que ocorrera em relação à Corte Permanente de Arbitragem, criada na Haia em 1899, deixou de ser estipulada a compulsoriedade: os estados somente submeteriam à Corte as controvérsias, em que se vissem envolvidos, quando prévia e expressamente tivessem autorizado o exercício da jurisdição desta em relação àquele estado ou, caso a caso, se autorizassem, especificamente, tal exercício jurisdicional por ocasião da ratificação do tratado.

A institucionalização dos mecanismos de solução pacífica de controvérsias interestatais[314], depois de cem anos, nem permite falar em progresso decisivo nem em fracasso completo: "a impressão que se tem, a respeito da evolução centenária do mecanismo de solução de controvérsias entre Estados, é que a comunidade internacional não soube aproveitar as oportunidades que se apresentaram, sobretudo a partir do final do conflito leste-oeste e da redução das tensões nas relações norte-sul"[315]. Estes, sem dúvida, são desenvolvimentos maiores e alvissareiros do direito internacional, ocorridos na segunda metade do século XX, que devem assegurar melhoria da implementação do sistema regulador da convivência entre sujeitos de direito internacional.

A segunda guerra mundial foi sumamente prejudicial ao direito internacional, bem como à Sociedade das Nações; tanto assim, que o projeto primitivo de Dumbarton Oaks, base da Carta das Nações Unidas, nem mencionava o direito internacional. Seja como for, no pós-guerra e mesmo no decorrer da guerra,

313. A Corte Permanente de Justiça Internacional, que esteve sediada na Haia, de 1922 até 1945, embora inativa durante a segunda guerra mundial, proferiu, ao todo, 31 sentenças, no exercício da competência contenciosa, e 27 pareceres, no âmbito da competência consultiva. A respeito da Corte Internacional de Justiça *v.* 4.1.1.3. e 8.1.2.1.3.; a respeito de sua predecessora e da Corte Permanente de Arbitragem, *v.* 8.1.2.1.2. e tb.: L. GROSS, **The International Court of Justice and the United Nations** (RCADI, 1967, t. 120, p. 313-440); P. B. CASELLA e L. MULLER, *A Corte Internacional de Justiça* (in **Direito internacional: seus tribunais e meios de solução de conflitos**, coord. J. ARANA e R. da R. CACHAPUZ, Curitiba: Juruá, 2007, p. 279-325, esp. item 2.2., "Corte Permanente de Justiça Internacional"); Wagner MENEZES, **Tribunais internacionais** (São Paulo: Saraiva, 2013); H. RUIZ-FABRI e Jean-Marc SOREL (dir.). **La motivation des décisions des juridictions internationales** (Paris: Pedone, 2008).

314. Lucius CAFLISCH, **Cent ans de règlement pacifique des différends interétatiques** (RCADI, 2001, t. 288, p. 245-467).

315. L. CAFLISCH (op. cit., 2001, p. 440-441): "L'accès facilité des individus à la justice internationale, aussi réjouissant soit-il, n'a malheureusement pas entraîné un développement correspondant dans le domaine interétatique. En effet, l'attitude de la communauté des états n'a pas beaucoup évolué s'agissant du règlement des litiges qui ne se rapportent pas aux individus".

surgem inúmeros organismos internacionais, a começar com as Nações Unidas, cuja Carta foi firmada em São Francisco a 26 de junho de 1945.

As mais importantes alterações do sistema mundial com a **Carta** da ONU foram redefinir o escopo da soberania e da independência dos estados[316] conjugada com a ilegalidade do uso da força, exceto em conformidade com as normas da **Carta**. Essa vital mutação, de caráter constitucional, pode ter tido as suas origens no **Pacto** da Sociedade das Nações[317], mas amadureceu, ao ser definida pelo art. 2º da **Carta**, como obrigações comuns de todos os estados-membros da organização.

Em matéria de direitos humanos, de modo igualmente relevante, a **Carta** da ONU, no seu Preâmbulo, no seu art. 1º e nos seus artigos 55 e 56, forneceu a base legal para exigir dos estados-membros certo grau de respeito pelos direitos humanos e liberdades fundamentais, e base também para o exercício de direito internacional de "supervisão" que não tinham sido articulados antes da **Carta** da ONU – exceto em alguns sistemas antigos e mais limitados, como os mandatos do tempo da Sociedade das Nações e os tratados para a proteção de minorias. Sobre essa base se desenvolve o direito internacional dos direitos humanos, com os dois Pactos da ONU, de 1966, e as grandes convenções para a proteção internacional dos direitos fundamentais.

As décadas posteriores à segunda guerra mundial foram influenciadas pela chamada Guerra Fria e pela ameaça de guerra nuclear, fenômenos esses que exerceram influência sobre o direito internacional, 1949 a 1989. Contudo, o final da fase do então chamado equilíbrio do terror infelizmente não nos trouxe um mundo mais seguro nem se pautou por patamar mais elevado de observância e aplicação do direito, nas últimas décadas, desde então.

A reformulação do sistema, após 1939-1945, logo caiu no contexto da Guerra Fria: a Europa tornou-se, durante décadas, o centro do conflito leste-oeste. As conferências de Yalta (4 a 11 de fevereiro de 1945) e de Potsdam (17

316. Para a formulação do estado e do "interesse de estado", reporte-se a lição de N. MAQUIAVEL, **Comentários sobre a primeira década de Tito Lívio** (trad. Sérgio BATH, Brasília: Ed. UnB, 1979). A respeito, P. CASELLA, **Direito internacional no tempo medieval e moderno até VITORIA** (2012, cap. XIII, "estado como sujeito de direito internacional – a contribuição de MAQUIAVEL e BODIN").

317. Michel MARBEAU, **La Société des Nations** (Paris: PUF, 2001); Maxwell COHEN, *Towards a paradigm of theory and practice: the Canadian Charter of rights and freedoms – international law influences and interactions* (in **Essays in international law in honour of judge Manfred LACHS/Études de droit international en l'honneur du juge Manfred LACHS**, ed. by J. MAKARCZYK, The Hague: Martinus Nijhoff/Institute of State and Law of the Polish Academy of Sciences-Institut de l'état et de droit de l'Académie polonaise des sciences, 1984, p. 65-96, cit., p. 65): "The U.N. system became a proto-constitutional framework for a world order and if 'sovereignty' and its ascendancy, was still the political reality in the classical perspective of international law it no longer could assert the legal exclusivity and primacy of the state within the Charter as a 'constitution' – except possibly for those states exercising the veto power".

de julho a 2 de agosto de 1945), entre os aliados Estados Unidos, Grã-Bretanha e URSS, fixam, juntas, os destinos de toda a Europa[318].

As sucessivas crises com relação ao governo da Polônia (1945) e em decorrência do bloqueio de Berlim (1948-1949) marcam o modelo predominante das relações internacionais, para as quatro décadas seguintes. A Guerrra Fria seria a decorrência de **confrontação político-militar e ideológica** entre duas concepções:

- os Estados Unidos sonham com ordem mundial, universalista, fundado na liberdade de comércio e na democracia, governado pelas Nações Unidas, e no seio desta, pelo concerto entre as grandes potências. A Europa deve ser espaço aberto e democrático. A doutrina TRUMAN da contenção (*containment*) do comunismo, lançada, em março de 1947, engaja o espírito moralista dos Estados Unidos em nova cruzada, contra novo mal;
- a União Soviética, arrasada e arruinada pela guerra, viu-se à beira do colapso do sistema interno em razão da invasão alemã, e teme que os EUA, saídos fortalecidos da guerra, aproveitem-se disso. Os territórios, "liberados" pelo Exército vermelho, permanecerão sob o estrito controle deste – até onde puderem alcançar.

O conflito ideológico[319] exprimir-se-á, do lado ocidental, em dois braços: o econômico, com o plano MARSHALL de reconstrução, lançado em 5 de junho de 1947, e o militar, com a **Organização do Tratado do Atlântico Norte** – OTAN, em 4 de abril de 1949[320]. Em reação à entrada da então Alemanha "ocidental" na OTAN, em 5 de maio de 1955, formar-se-á aliança defensiva entre a União Soviética e os seus aliados: o espelho, equivalente, será o **Pacto de Varsóvia**, em 14 de maio de 1955. Esse bloco se manifestará, na era BREJNEV,

---

318. Na **Declaração sobre a Europa liberada** (Yalta, 11 de fevereiro de 1945), STALIN, CHURCHILL e ROOSEVELT põem a ênfase na "política comum dos três governos, durante o período de instabilidade da Europa liberada, e visando ajudar os povos da Europa, liberados da dominação da Alemanha nazista, e os povos dos antigos regimes satélites do Eixo, a resolver, por meios democráticos, seus problemas políticos e econômicos mais urgentes".

319. Dentre extensa bibliografia, István MÉSZÁROS, **O poder da ideologia** (do original **The power of ideology**, © 1989, trad. Paulo Cezar CASTANHEIRA, São Paulo: Boitempo, 2004); Noam CHOMSKY, **Rumo a uma nova guerra fria: política externa dos EUA, do Vietnã a REAGAN** (pref. John PILGER, © 1982 e 2003, do original **Towards a new cold war**, trad. Clóvis MARQUES, Rio de Janeiro, Record, 2007).

320. **Tratado do Atlântico Norte**, 4 de abril de 1949, art. 5º: "As partes acordam que ataque armado contra uma ou contra várias delas, acontecendo na Europa ou na América do Norte, será considerado como ataque, dirigido contra todas as partes, e, consequentemente, acordam que, se tal ataque se produzir, cada uma destas partes, no exercício do direito individual de legítima defesa, reconhecido pelo artigo 51 da Carta das Nações Unidas, assistirá a parte ou as partes atacadas, adotando imediatamente, individualmente e de comum acordo com as outras partes, a ação que considerar necessária, aí compreendido o uso da força armada, para restabelecer e assegurar a segurança na região do Atlântico Norte".

na concepção da "dupla responsabilidade": cada partido comunista no poder é responsável, ao mesmo tempo, perante seu povo e perante o movimento internacional. A intervenção não é somente direito, mas se torna dever de intervenção. Com todos os riscos.

A ideia da aliança atlântica tenta sobreviver[321] ao fim do conflito leste-oeste[322]. Como personagem em busca de autor[323].

O laço atlântico perdeu sua evidência? Antes de 1989, quando os desenvolvimentos no leste e centro europeu mudaram o quadro das últimas quatro décadas, este poderia, ainda, parecer a única resposta eficaz contra a ameaça soviética. Após as mutações de 1989[324], esse laço permanece, mas parece ter, em boa medida, perdido o sentido que poderia ter tido[325].

Com a criação da **Comissão do Direito Internacional** das Nações Unidas (CDI) em 1947, o desenvolvimento do direito internacional entra em nova e importante fase. Como resultado dos trabalhos da CDI, foram assinadas em Viena importantes convenções de codificação do direito internacional[326]: **relações diplomáticas** (1961); **relações consulares** (1963); **direito** dos **tratados** (1969), **representação de estados em suas relações com organizações internacionais de caráter universal** (1975); **sucessão de estados em matéria de tratados**

321. *V.* OTAN em *www.nato.int.*

322. **Declaração de Bruxelas** (10-11 de janeiro de 1994): "A Aliança permanece aberta a outros estados europeus (...). Contamos com a ampliação da OTAN, para (abranger) os estados democráticos do leste, e nós a conceberemos favoravelmente, no contexto de processo evolutivo, que leve em consideração os desenvolvimentos políticos e a segurança do conjunto da Europa".

323. **Declaração de Washington** (23 de abril de 1999): "A Aliança busca preservar a paz e reforçar a estabilidade euro-atlântica, de modos distintos: preservando o laço transatlântico; mantendo as capacidades militares, eficazes e suficientes para assegurar a dissuasão e a defesa, e desempenhar toda a gama (de atividades) de suas missões; desenvolvendo a identidade europeia de segurança e de defesa, no seio da Aliança; conservando a capacidade global de gerenciar crises com sucesso; permanecendo aberta a novas adesões; dando prosseguimento à parceria, à cooperação e ao diálogo, com outros países, no quadro do enfoque cooperativo da segurança euro-atlântica, notadamente no campo do controle dos armamentos e do desarmamento".

324. Ralf DAHRENDORF, **Após 1989: moral, revolução e sociedade civil** (do original **After 1989: morals, revolution and civil society**, © 1997, trad. Patrícia ZIMBRE, apres. Fernando Henrique CARDOSO, Rio de Janeiro: Paz e Terra, 1997); *v.* tb. item XVII, "Política e moral".

325. A implosão da União Soviética, em 1991, põe fim ao regime de bipolaridade que regulava o mundo desde o final da segunda guerra mundial. A ideia de *nova era, caracterizada pelo primado do direito e não da força, pela solução pacífica de controvérsias, em lugar da anarquia e da violência, pelo respeito do direito internacional dos direitos humanos,* tal como foi anunciada, em discursos do então presidente George BUSH, em 1991, viria a ser desmentida por seu filho, na década seguinte. Algumas das indefinições são analisadas por Hélio JAGUARIBE (e colaboradores), **Um estudo crítico da história** (trad. Sérgio BATH, São Paulo: Paz e Terra, 2001, 2 v., parte 18, "Reflexões sobre o século XX", v. II, p. 551 e s., itens IV, "O sistema internacional", p. 624-633, e V, "Perspectivas para o século XXI", p. 633-646, cit., p. 625): "Na verdade, a bipolaridade vinha perdendo força desde 1988, quando GORBACHEV percebeu a debilidade interna da União Soviética e mudou a sua política de confrontação com o Ocidente, tentando criar um regime de cooperação com as Nações Unidas e os países ocidentais".

326. *V.* item 2.3., **Codificação do direito internacional.**

(1978); **sucessão de estados em matéria de seus bens, arquivos e dívidas** (1983); e **direito dos tratados entre estados e organizações internacionais ou entre organizações internacionais** (1986). A estas é necessário acrescentar a **Convenção sobre o Direito do Mar**, assinada em Montego Bay em 1982, bem extensa e relevante série de convenções firmadas sob a égide das organizações internacionais especializadas, de vocação universal.

Outra área que passou a exigir do direito internacional especial atenção foi a da **proteção internacional do meio ambiente**[327], desde 1972, quando se realizou em Estocolmo a Conferência das Nações Unidas sobre o Meio Ambiente, com importantíssimo impacto, seguida esta por uma série de tratados e pela criação de organizações especializadas encarregadas dessa proteção. Na sequência de Estocolmo, 1972, a Conferência das Nações Unidas sobre o Meio Ambiente e Desenvolvimento (UNCED), ocorrida no Rio de Janeiro em junho de 1992[328], e a Rio + 10, realizada em Johannesburgo, em 2002, são marcos dessa crescente, todavia incipiente, conscientização quanto à necessidade de regime efetivo de proteção internacional do meio ambiente, para esta e como responsabilidade desta, em relação às gerações futuras e à manutenção da vida no planeta.

Numerosas organizações internacionais de vocação regional[329] e sub-regional, além de suas agendas e objetivos internos, têm relevância e se têm ocupado de problemas de direito internacional, com destaque para os 28 estados integrantes da **União Europeia**[330], ao lado de outras organizações europeias, como o **Conselho da Europa**, e interamericanas, com menção expressa da **Organização dos Estados Americanos** (OEA)[331], e outras[332]. Acrescem a essa lista a **Unidade**

---

327. *V.* item 7, **Proteção internacional do meio ambiente**.

328. Teria sido esta a mais importante conferência realizada sob a égide das Nações Unidas, pelo comparecimento de 178 delegações e chefes de estado ou de governo, lembrando que na ocasião foram adotadas importante **Declaração** bem como a *Agenda 21*, em que se acha elaborado programa minucioso destinado a melhorar o meio ambiente durante o século XXI, além de importantes convenções sobre mudança de clima e biodiversidade biológica. A reunião RIO + 10, realizada na África do Sul, mostrou os limites da implementação desses instrumentos e anseios. A respeito *v.* item 7, **Proteção internacional do meio ambiente.**

329. *V.* item 4.2. **Organizações internacionais de vocação regional**.

330. *V.* item 4.2.1.

331. *V.* item 4.2.2. O sistema interamericano desenvolveu-se, a partir das conferências interamericanas do final do século XIX e primeira metade do século XX. Em 1945, a *Conferência Interamericana sobre Problemas de Guerra e Paz*, reunida na Cidade do México, fixou não só as linhas a serem seguidas pelas nações do continente, em relação às Nações Unidas, senão também os princípios básicos que deveriam nortear suas relações mútuas. Em 1947, terminada a *Conferência Interamericana para a Manutenção de Paz e de Segurança no Continente*, celebrada em Petrópolis, foi assinado o Tratado Interamericano de Assistência Recíproca. No ano seguinte, foi assinada em Bogotá a **Carta** da **Organização dos Estados Americanos.** Em junho de 1965, realizou-se no Rio de Janeiro a *Segunda Conferência Interamericana Extraordinária*, pouco depois da Revolução de 1964 no Brasil e da Revolução dominicana de 1965. Dois anos mais tarde, em decorrência da citada reunião, a **Carta** da Organização dos Estados Americanos foi modificada através do **Protocolo** de Buenos Aires.

332. Tais como ALADI,Comunidade Andina, CARICOM, MERCOSUL e NAFTA V. P. B. CASELLA, *Integration in the Americas*

Africana[333] e a **Liga Árabe**[334] e a Organização de cooperação econômica da Ásia – Pacífico (APEC)[335].

A relação de internacionalistas dos séculos XX e XXI é enorme, e basta mencionar os nomes de alguns que tiveram maior influência na matéria, na América Latina[336], como outros países[337], além do Brasil[338].

1.1.5. perspectivas do direito internacional no século XXI

O mundo não pode viver sem direito internacional. Entre **universalidade** e alegado risco de **fragmentação**, inscreve-se a perspectiva deste no século XXI: o anseio pauta-se pela primeira; a realidade impõe seu peso, em relação à segun-

---

– an overview (Yearbook of European Law, 1996, v. 16, p. 405-422); CASELLA, *Integração nas Américas: uma visão de conjunto* (in **Mercosul: integração regional e globalização,** coord. P. B. CASELLA *et al.*, Rio de Janeiro: Renovar, 2000, p. 235/278); P. B. CASELLA e R. E. SANCHEZ (orgs.), **Quem tem medo da ALCA? Desafios e perspectivas para o Brasil** (pref. João Grandino RODAS, Belo Horizonte: Del Rey, 2005).

333. *V.* item 4.2.3.

334. B. BOUTROS-GHALI, **The Arab League** 1945-1955 – ten years of struggle (New York: Carnegie Endowment for International Peace – International Conciliation, 1954); Ahmed MAHIOU, *La ligue des états arabes entre inertie et changement: pratiques d'une théorie?* (in **Droit, liberté, paix et développement** – Mélanges M. BENCHIKH, Études réunies par Stéphane DOUMBE-BILLE, Habib GHERARI et Rahim KHERAD, Paris: Pedone, 2011, p. 289-309), aponta que a estratégia e as táticas da Liga permanecerão aleatórias e em ampla medida ligadas ao destino da questão palestina.

335. *V.* item 4.2.4. e, a seguir, 4.2.5.

336. Constava de edições anteriores: Podemos salientar os de Daniel ANTOKOLETZ, Hugo CAMINOS, Isidoro RUIZ MORENO, PODESTÀ COSTA, José Maria RUDA, Julio A. BARBERIS e Julio BARBOZA (Argentina); Alejandro ALVAREZ, Miguel CRUCHAGA Tocornal e Francisco ORREGO VICUÑA (Chile); Antonio SANCHEZ de BUSTAMANTE e F. GARCIA AMADOR (Cuba); Ricardo ALFARO (Panamá); Victor MAÚRTUA e Alberto ULLOA (Peru); Eduardo JIMÉNEZ de ARÉCHAGA, Hector GROS-ESPIELL e Felipe PAOLILLO (Uruguai).

337. Constava de edições anteriores: Dentre os autores, limitemo-nos a citar Arnold McNAIR, J. WESTLAKE, A. PIERCE HIGGINS, L. OPPENHEIM, H. LAUTERPACHT, Elihu LAUTERPACHT Ian BROWNLIE, Robert JENNINGS, Malcolm N. SHAW, James CRAWFORD (Grã-Bretanha); Paul FAUCHILLE, Georges SCELLE Marcel SIBERT, Charles ROUSSEAU, Suzanne BASTID, René-Jean DUPUY, Pierre-Marie DUPUY, Michel VIRALLY, Hubert THIERRY Dominique CARREAU (França); Albéric ROLIN, Charles de VISSCHER, Jean SALMON (Bélgica); João SPIROPOULOS, Nicola POLITIS, Constantino EUSTATHIADES, Emmanuel ROUCOUNNAS (Grécia); Franz von LISZT, Th. NIEMEYER, Karl STRUPP, Walter SCHUKING, Wilhelm WENGLER, Rudolf BERNHARDT, Christian TOMUSCHAT, Georg RESS, Rudiger WOLFRUM, Jochen Abr. FROWEIN, Georg NOLTE (Alemanha); Giulio DIENA, Dionisio ANZILOTTI, Santi ROMANO, Roberto AGO, Rolando QUADRI, Prospero FEDOZZI, Riccardo MONACO, Giuseppe SPERDUTI, Benedetto CONFORTI, Francesco CAPOTORTI, Antonio CASSESE (Itália); Alfred von VERDROSS, Hans KELSEN, Ignaz SEIDL-HOHENVELDERN, Karl ZEMANEK (Áustria); Manfred LACHS, K. SKUBISZEWSKI Jerzy MAKARCZYK (Polônia); P. GUGGENHEIM R. PORTMANN (Suíça); C. BARCIA TRELLES, Antonio TRUYOL Y SERRA, J. A. PASTOR RIDRUEJO, Manuel DIEZ de VELASCO, J. A. CARRILLO SALCEDO, J. M. CASTRO RYAL (Espanha); Grigory TUNKIN (Rússia); Shabtai ROSENNE, Yoram DINSTEIN (Israel); Boutros BOUTROS-GHALI, Ibrahim SHIHATA, Abdullah EL-ERIAN, M. Kamal YASSEEN (Egito); Shigeru ODA Yazuahi ONUMA (Japão).

338. Constava de edições anteriores: "numerosos autores se têm ocupado do direito internacional no século XX, dentre os quais, cumpre mencionar Lafayette RODRIGUES PEREIRA, M. A. de Souza SÁ VIANNA, Epitácio PESSOA, Clóvis BEVILÁQUA, Rodrigo OCTÁVIO, Raul PEDERNEIRAS, Luiz de FARO Junior, C. A. DUNSHEE de ABRANCHES, Ilmar PENNA MARINHO, José SETTE CÂMARA, Gerson Britto de MELLO BOSON, Celso D. de Albuquerque MELLO, A. A. CANÇADO TRINDADE, Vicente MAROTTA RANGEL, Gilda C. M. RUSSOMANO, Adherbal MEIRA MATTOS, A. P. Cachapuz de MEDEIROS, Guido Fernando SILVA SOARES e José Carlos de MAGALHÃES".

da. Mas as mutações sempre ocorreram e estão em curso na história: para tanto é preciso adotar a perspectiva da pós-modernidade, para a compreensão do mundo e neste, também, do direito internacional[339]. A lição de Hugo GRÓCIO foi de decisiva importância para o desenvolvimento do direito internacional: o sistema institucional e normativo internacional é falho e limitado, mas é passível de aperfeiçoamento. A constatação das limitações não deve levar ao desânimo, mas, antes, fazer atentar para a necessidade de aperfeiçoamento dos mecanismos institucionais e regulatórios internacionais. Entre o idealismo de KANT e o realismo de HOBBES, o que poderia ser chamado de pragmatismo responsável de GRÓCIO melhor responde ao quadro do mundo atual: pode ser aperfeiçoado. Os progressos alcançados no curso dos últimos cem anos – quando se celebra o centenário da Segunda Conferência de Paz, da Haia, com a participação do Brasil, em 1907 – podem ser o melhor estímulo para dar continuidade à tarefa de regular juridicamente a força bruta, a *Realpolitik*, os analistas internacionais que somente acreditam nos interesses do mercado e no poder de tomada de decisões (o malfadado *decision making power*) como único critério de determinação e regulação da realidade. É preciso acreditar no espaço e no papel do **direito internacional, como condição de sobrevivência da humanidade**. É enfático Christian TOMUSCHAT, no seu curso geral na Haia (1999).

Da Guerra Fria, espécie de histeria coletiva, que marcou toda a geração 1949-1989, com engajamentos eivados do fundamentalismo nos dois lados em confronto – e esta visão de mundo, pautada pelo *equilíbrio do terror* desaparece, sem deixarem de existir os arsenais atômicos, de tal modo que nenhum analista político ou teórico das relações internacionais teria prognosticado –, passamos para o não menos obssessivo *aquecimento global*, o *choque de civilizações* pautado pelo fundamentalismo dos dois lados, que impede o diálogo, porque não permite enxergar o direito à existência nem os motivos do outro, a desfocada e mal conduzida guerra ao *terrorismo*, o tráfico de drogas, o crime organizado e às máfias das mais variadas nacionalidades. Daí[340] a necessidade da linha divisória entre ***teorias*** e ***realidades*** em direito internacional, e a advertência[341]: "**o internacionalista é, por definição, um realista**"[342].

339. Justamente nesse sentido se inscreve o trabalho desenvolvido nos **Fundamentos do direito internacional pós-moderno** (prólogo Hugo CAMINOS, São Paulo: Quartier Latin, 2008).

340. Charles DE VISSCHER, **Théories et réalités en droit international public** (originalmente publicado em 1953, Paris: Pedone, 4. ed., 1970).

341. Celso LAFER, **Ensaios sobre a liberdade** (São Paulo: Perspectiva, 1980).

342. C. LAFER, *As salvaguardas e a liberdade: o direito internacional e a reforma política* (op. cit., 1980. "Versão revista, acrescida de notas, de conferência pronunciada no Rio de Janeiro, no Instituto dos Advogados Brasileiros, em 29 de

O curto prazo traz muitas razões para descrer do progresso da humanidade, do conhecimento humanista e racional, do aperfeiçoamento do sistema institucional e normativo internacional, da necessidade de regulação internacionalmente eficaz e abrangente para questões intrinsecamente internacionais, para a necessidade premente de estruturação de quadro normativo, que reprima ou elimine o uso das armas proscritas, tais como as químicas, bacteriológicas, e outras, todavia por proscrever, as armas atômicas, e ponha limites ao uso unilateral da força, fora do quadro estrito das ações coletivas da Organização das Nações Unidas, nos termos do Capítulo VII da **Carta**[343].

Cumpre atentar[344] que a contemporaneidade não pode prescindir do estudo das bases do direito internacional dos tempos precedentes, sob pena de se perder a compreensão do papel e do alcance possível deste, na construção das normas e dos respectivos mecanismos de implementação. E também[345] lembrar que "o direito, em todos os seus ramos, não opera no vácuo. Os instrumentos jurídicos, tanto nacionais como internacionais, *porquanto encerram valores*, são produto do seu tempo. E se interpretam e se aplicam no tempo. Encontram-se, pois, em constante evolução"[346]. E como resposta, se propõe[347] a humanização do direito internacional.

---

março de 1978, p. 105): "em direito internacional público, tendo em vista que o sistema internacional se caracteriza basicamente pela descentralização e pela distribuição individual e assimétrica do poder entre os estados, a dimensão da política sempre aparece ostensivamente; por essa razão o direito internacional público é um direito necessariamente preocupado com a eficácia das normas e permanentemente atento à conduta dos seus destinatários. Em outras palavras, o internacionalista busca a experiência jurídica não apenas nas ideias de justiça a que aspiram os homens, nem exclusivamente nos ordenamentos jurídicos constitutivos, mas também na ação dos homens e dos estados, em meio à realidade social".

343. *V.* 4.1.1.7., **Funções, atribuições e ação coletiva**.

344. Vicente Marotta RANGEL, *Introdução aos princípios do direito internacional contemporâneo de A. A. CANÇADO TRINDADE* (1980, in Antonio Augusto Cançado TRINDADE, **Princípios do direito internacional contemporâneo**, Brasília: Ed. UnB, 1981, p. V-XIV, p. VIII): "Teria a análise do direito das gentes contemporâneo o efeito de prescindir da busca desse direito em tempos menos recentes? A leitura dos ensaios componentes da obra autorizará resposta negativa (...) O contemporâneo surge aí como resumo e complemento das fases anteriores, a que os ensaios recorrem toda vez que se faça necessário compreender e vistoriar os quadrantes e o cerne do direito perquirido".

345. Antonio Augusto CANÇADO TRINDADE, **O direito internacional em um mundo em transformação** (Rio de Janeiro: Renovar, 2002, "Introdução", p. 3-15).

346. A. A. CANÇADO TRINDADE (Intr., cit., p. 4-5): "As implicações da incidência da dimensão temporal no direito em geral talvez não tenham sido suficientemente examinadas e desenvolvidas na ciência jurídica contemporânea. Isso não deixa de ser surpreendente, se considerarmos que o elemento de previsibilidade é inerente à ciência jurídica como tal, estando o fator tempo subjacente a todo o direito. / No tocante ao direito internacional público, os exemplos são manifestos. A noção de tempo está subjacente, por exemplo, a quase todos os elementos básicos do direito dos tratados. Também no capítulo da solução pacífica de controvérsias internacionais têm-se concebido distintos métodos de resolução de conflitos que possam ocorrer no futuro. No domínio da sucessão de Estados (em relação tanto a tratados como a matérias outras que tratados), é patente a incidência do fator temporal. O mesmo se aplica ao domínio da jurisdição internacional".

347. A. A. CANÇADO TRINDADE, **A humanização do direito internacional** (Belo Horizonte: Del Rey, 2006).

Se o grande desafio do direito internacional no século XX foi a extraordinária ampliação de seu âmbito de atuação, a tarefa, não menos ingente, para o século XXI será, ao lado da constante ampliação, também assegurar os correspondentes mecanismos de implementação, no sentido de tornar mais efetivo o direito internacional, em todas as novas situações assinaladas pela comunidade internacional.

A ampliação do leque de questões reconhecidas como intrinseca e inevitavelmente internacionais tem de se fazer acompanhar do desenvolvimento correspondente das ferramentas que permitam assegurar a implementação das medidas e efetividade normativa. Simultaneamente ocorre mudança de eixo de conflito, na medida em que, do mundo da Guerra Fria, passamos ao mundo multipolar e ao recrudescimento dos questionamentos sobre os princípios regentes da legalidade internacional[348].

A análise de qualquer sistema, seja este especificamente legal ou cultural, em sua acepção mais ampla, somente revela ao estudioso aquilo que se busca ou aquilo que já se está preparado para descobrir. A compreensão do papel e alcance do direito internacional somente se consolidará na medida em que se tenha conscientização da absoluta impossibilidade e inadequação operacional dos sistemas nacionais, estes isoladamente considerados como unidades autônomas, muitas vezes se não francamente antagônicas, ao menos colidentes, para fazer frente às necessidades do tempo presente. A partir de agora todo provincianismo cultural está superado pela marcha da História, forçando-nos a pensar em termos internacionais, ante a impossibilidade essencial dos direitos nacionais de atenderem a necessidades intrinsecamente internacionais, a pensar em termos universais e forjar parâmetros legais universais. É também agora que a situação histórica do homem no mundo domina a consciência e o dimensionamento da implementação desses direitos se encontra no cerne do pensamento jurídico, ante o risco iminente de extensão da interferência e controle dos estados, diante das liberdades e direitos individuais.

Questões como o terrorismo internacional saem dos manuais para voltar às manchetes dos jornais e tenderão a ser questão central dos debates e preocupações, não somente de círculos especializados, nos próximos tempos – isto se sobrevivermos a eles –, como também da imprensa escrita, falada e virtual, além de preocupação e debate em todas as instâncias[349]. Outras matérias de relevo são a

348. Por isso consta da bibliografia básica a obra de Y. ONUMA, **A Transcivilizational perspective on International Law – Questioning prevalent cognitive frameworks in the emerging multi-polar and multi-civilizational world of the twenty-first century** (RCADI, 2009, t. 342, p. 77-418; tb. publicado em Haia: Pocketbooks of the Hague Academy of International Law, 2010).

349. P. B.CASELLA, **Direito internacional, terrorismo e aviação civil** (São Paulo: Quartier Latin, 2006).

questão da proteção do meio ambiente, da repressão ao tráfico de drogas e crime organizado, da construção de espaços regionais economicamente integrados e da crescente interdependência entre as economais cada vez menos nacionais, sujeitas a variações das quotações internacionais das moedas nacionais, enquanto estas ainda existirem, e os estados que ainda se veem como a unidade básica de conta e operação das relações internacionais.

As limitações são conhecidas. Trata-se de fazer valer a necessidade de regulação eficiente das questões internacionais, como meio e modo, e de aprimorar a ordem internacional. E que esta é incompleta e falível já o sabemos desde GRÓCIO, mas, como este acreditava, temos a possibilidade de progressivamente desenvolver estrutura normativa, apta a assegurar mais eficiente regulação das necessidades intrinsecamente internacionais deste mundo, em crescente processo de internacionalização, no sentido de permeabilidade e interpenetração das esferas nacionais, locais internacionais e globais entre si. O que os economistas denominam "globalizaççāo" e todos repetem, dizendo-se ser contra ou a favor, sem saber a respeito do que se fala, é simplesmente processo irreversível de mutação dos patamares de criação e circulação da riqueza no mundo[350]. Não cabe questionar se gostamos ou não: isto em nada alterará o curso do processo, com tendência a crescente aceleração e aprofundamento do chamado "fosso digital" entre países detentores de tecnologia de ponta e os demais que ficarão para trás, literalmente à velocidade da luz. A chamada globalização é fato consumado. Não cabe questionar como veio e como se instaurou. Está presente e temos de levar em conta esse dado essencial da realidade atual. A partir da constatação da inevitablidade desta, talvez possamos baixar as reservas mentais e ver a necessidade de atuar de modo eficiente neste mundo, de responsabilidades compartilhadas, que mudou para sempre e pode deixar para trás os saudosistas de outras eras nacionais.

1.1.6. visão de conjunto da evolução do direito internacional

A visão de conjunto da evolução do direito internacional constitui elemento relevante para a compreensão da matéria. Mais que simples "contextualização", a componente histórica atua diretamente sobre a gênese e as transformações vividas pelo direito internacional, enquanto sistema institucional e normativo.

---

350. Aldo FERRER, **Historia de la globalización** (Buenos Aires: FCE, v. I, 1996; v. II, 1999); Joseph E. STIGLITZ, **Making globalization work** (New York: Norton, 2006); Serge GRUZINSKI, **Las cuatro partes del mundo** – Historia de una mundialización (México: Fondo de cultura económica, 2010); Werner THOMAS y Hedí STOLS (eds.), **Un mundo sobre papel** – Libros y grabados flamencos en el imperio hispanoportugués (siglos XVI-XVIII) (Lovaina: ACCO, 2009).

Apresentados, ainda que sumariamente, os principais autores do direito internacional moderno e clássico – desde o século XVI, com Francisco de VITÓRIA, até o início do século XIX, com F. von MARTENS[351] –, ficam, assim, igualmente presentes as correntes de pensamento a que se filiaram, com impacto sobre a evolução ulterior do direito internacional – nos duzentos anos, desde o início do século XIX ao início do século atual. Quanto mudou o mundo e quanto mudaram os estados, não somente no número de estados e modos destes interagirem, é suficientemente óbvio, para não exigir desenvolvimentos específicos[352]. Mas a transformação alcança as próprias bases e se estende aos desdobramentos do sistema internacional.

Em suas linhas mestras, o direito internacional, ao tempo de F. von MARTENS e do Congresso de Viena (1815), era essencial se não exclusivamente europeu. O direito público da Europa (ou *jus publicum europaeum*) foi a base do direito internacional clássico[353], tal como permanece em vigor, praticamente até a primeira guerra mundial.

O ciclo das guerras da França revolucionária, continuado pelo Império Napoleônico, enseja a partir "do interior" mutação do sistema europeu de estados. Como no caso da crise da cristandade medieval e do aparecimento do próprio sistema[354], deve ser conjugado com o impacto de eventos, vindos "de fora". Esses conflitos levaram à maior complexidade do sistema, que procurou agregar elementos que permitissem equilíbrio mais complexo, e refletiam o desejo e o empenho em evitar a deflagração de novos conflitos ou ao menos de guerras generalizadas. Assim se estabeleceu o *Concerto europeu*, em 1815. A este a França derrotada pôde se integrar, já a partir do Congresso de Aachen, em 1818, como primeiro passo de organização da sociedade internacional.

---

351. Mas a enumeração dos autores não se há de fazer em bases individuais. Muito mais relevante como enfoque dos grandes temas e das correntes doutrinárias. Para exame das transformações do direito internacional como sistema ao longo do tempo, ver o conjunto: CASELLA, **Direito internacional no tempo antigo** (2012), **Direito internacional no tempo medieval e moderno até VITORIA** (2012), **Direito internacional no tempo moderno de SUAREZ a GRÓCIO** (2013), **Direito internacional no tempo clássico** (2014), bem como a bibliografia referida no início desta parte, dedicada ao exame da evolução histórica da matéria.

352. Jean CHARPENTIER, **La notion d'état à la lumière des transformations de la société internationale** (Saarbrucken: VRBEI, v. 305, 1994).

353. P. B. CASELLA, **Direito internacional no tempo medieval e moderno até VITORIA** (2012, cap. XII, "*jus gentium, jus commune, jus europaeum*: entre a teoria e a prática", p. 381-480).

354. Michel ZIMMERMANN, **La crise de l'organisation internationale à la fin du moyen âge** (RCADI, 1933, t. 44, p. 315-438); *v.* tb. Antony BLACK, **Political thought in Europe: 1250-1450** (Cambridge: Univ. Press, 1992); Jean BODIN, o clássico **Les six livres de la République** (ed. originalmente em 1576), Paris: Fayard, 1986, 6 v.), tb. disp. em ed. compacta (transl. by Julian H. FRANKLIN, **On Sovereignty — four chapters from the six books of the Commonwealth**, Cambridge: CUP, Cambridge Texts in the History of Political Thought, 1st. publ. 1992).

Estende-se, progressivamente, esse sistema pelo mundo, mas como projeção do sistema europeu[355]. Entre o final do século XVIII e início do século XIX, o sistema internacional passa a ser *europeu* e *interamericano*, inicialmente mediante extensa *ocupação* e *europeização* do continente americano, colonizado a partir das respectivas metrópoles, em proporções que variaram consideravelmente, ao longo do tempo, de região para outra, segundo modalidades em relação com as tradições políticas locais[356].

O surgimento de *sistema interamericano* não muda completamente a natureza, mas introduz elementos novos no âmbito internacional. Curiosamente os primeiros autores de direito internacional nas Américas, após a independência, ignoram qualquer elemento especificamente americano, como ocorre, entre nós, com José Maria Avelar BROTERO[357] nos **Princípios de direito natural** (1829)[358] ou com o venezuelano Andrés BELLO, nos **Princípios de derecho de gentes** (1832). Apesar do nome, a obra do argentino Carlos CALVO, **Derecho internacional teórico y prático de Europa y América** (1868, publicado em francês, como **Le droit international théorique et pratique**, em 1872, e ampliado nas edições subsequentes) não traz elementos distintos de direito internacional do continente americano. Esse elemento será enfatizado por R. F. SEIJAS, **El derecho internacional hispano-americano público y privado** (Caracas, 1884-1885) e Roque SAENZ PEÑA, cujo **Derecho público americano** (Buenos Aires, 1905), coletânea de escritos e de discursos, parece réplica do "direito público europeu".

---

355. Antonio TRUYOL Y SERRA, **Genèse et structure de la société internationale** (RCADI, 1959, t. 96, p. 553-642); Antonio TRUYOL Y SERRA, **L'expansion de la société internationale au XIXe et XXe siècles** (RCADI, 1965, t. 116, p. 89-179, cit., p. 109): "a expansão não alterou o caráter europeu do sistema, porquanto o além-mar não foi incorporado positivamente. E aí, cumpre distinguir entre a expansão europeia no Novo Mundo e mais tarde na Oceania, em relação à ocorrida na Ásia. Enquanto a África Subsaariana, com exceção de algumas zonas costeiras e periféricas, não será realmente explorada e dominada senão no curso do século XIX e mesmo do século XX".

356. Luiz Alberto MONIZ BANDEIRA, **La formación de los estados en la cuenca del Plata** (Buenos Aires: Norma, 2006); P. B. CASELLA, **Direito internacional dos espaços** (São Paulo: Atlas, 2009, cap. XXVII, "território brasileiro e direito internacional", p. 699-755 e cap. XXVIII, "fases da formação do território brasileiro – algumas lições de direito internacional", p. 756-776).

357. P. B. CASELLA, *Direito internacional nas Arcadas* – a aula inagural de 16 de fevereiro de 2009 (São Paulo: Revista da Faculdade de Direito da USP, 2009, v. 104, p. 931-966), desde a aula inaugural de José Maria Avelar BROTERO, em março de 1828 – o primeiro professor de direito, nomeado por D. PEDRO I, no Brasil, foi um professor de direito internacional. E a primeira aula inaugural na casa foi ministrada por esse docente, que regeu a cátedra de "direito eclesiástico, diplomático e das gentes", como a cadeira então se denominava, por mais de quatro décadas. Inaugurava-se assim, desde o nascimento do ensino jurídico no Brasil, uma forte tradição de direito internacional. Que se manteve sempre presente nas Arcadas e desde então nunca foi interrompida. *V.* tb. Dario Abranches VIOTTI, **O Conselheiro Brotero** (Brasília: Coleção Itiquira/Thesaurus, 1998, antes publicado *O Conselheiro José Maria de Avelar Brotero,* "separata da Revista da Faculdade de Direito da USP", 1974, v. LXIX, fascículo II).

358. **Princípios de direito natural** "compilados por José Maria Avellar BROTERO, lente do primeiro anno do curso jurídico de São Paulo" (Rio de Janeiro: Typographia Imperial Nacional, 1829).

A questão da existência ou não de direito internacional tipicamente americano e quanto ao conteúdo deste será colocada, em toda a sua amplitude, na controvérsia entre o chileno Alejandro ALVAREZ, **Le droit international américain: son fondement, sa nature** (Paris, 1910), e o brasileiro M. A. de Souza SÁ VIANNA, **De la non-existence d'un droit international américain** (Rio de Janeiro, 1912), tendo em defesa da tese afirmativa as contribuições de F. J. URRUTIA e acaloradamente de José Maria YEPES, ambos colombianos; e, seguindo a tese negativa, o argentino Daniel ANTOKOLETZ e o salvadorenho José Gustavo GUERRERO[359]. Depois de consideráveis excessos cometidos pelos partidários de "americanismo engajado", merece menção o "americanismo crítico", na linha da avaliação objetiva, desenvolvida pelo internacionalista argentino Juan Carlos PUIG, **Les principes du droit international public américain** (Paris, 1954). Nessa perspectiva, pode-se admitir a existência de elementos especificamente interamericanos, inseridos no conjunto do direito internacional mais amplo, no seio do qual teria surgido o subsistema regional[360]. Na linha da tese negativa, destaque-se o mexicano Jorge CASTAÑEDA, **México y el orden internacional** (México, 1954), segundo o qual, com síntese admirável da questão, pondera que, da ideia pan-americana ou "continental americana", a partir do final

359. A respeito existem diversos cursos ministrados na Haia, dentre os quais: S. PLANAS SUAREZ, **L'extension de la doctrine de Monroe dans l'Amérique du Sud** (RCADI, 1924, t. 5, p. 267-366); A. GUANI, **La solidarité internationale dans l'Amérique latine** (RCADI, 1925, t. 8, p. 203-340); F.-J. URRUTIA, **La codification du droit international en Amérique** (RCADI, 1928, t. 22, p. 81-236); J.-M. YEPES, **La contribution de l'Amérique Latine au développement du droit international public et privé** (RCADI, 1930, t. 32, p. 691-800) e tb. de J.-M YEPES, **Les problèmes fondamentaux du droit des gens en Amérique** (RCADI, 1934, t. 47, p. 1-144); do ponto de vista dos Estados Unidos, *v.*: Lucie DELABIE, **Approches américaines du droit international – entre unité et diversité** (Paris: Pedone, 2011); C. BARCIA TRELLES, **La doctrine de Monroe dans son développement historique particulièrement en ce qui concerne les relations interaméricaines** (RCADI, 1930, t. 32, p. 391-606); S. PLANAS-SUAREZ, **L'extension de la doctrine de Monroe en Amérique du Sud** (RCADI, 1924, t. 5, p. 267-366); Dexter PERKINS, **A history of the Monroe doctrine** (Boston: Little Brown, 1955); P. B. POTTER, **Le développement de l'organisation internationale** (1815-1914) (RCADI, 1938, t. 64, p. 71-156); Charles ZORGBIBE, *Communauté internationale ou concert des grands? – Les États-Unis et l'héritage wilsonien* (in **Humanité et droit international** – Mélanges R.-J. DUPUY, Paris: Pedone, 1991, p. 373-382). George C. HERRING, **From Colony to Superpower** – U. S. Foreign Relations since 1776 (Oxford: Univ. Press, 2008, cap. 4, "Leave the rest to us: the Assertive Republic, *1815-1837*", p. 134-175); *v.* tb. F. C. PONTES DE MIRANDA, **La conception du droit international privé d'après la doctrine et la pratique au Brésil** (RCADI, 1932, t. 39, p. 551-678); Ruy BARBOSA, *Os conceitos modernos do direito internacional* (conferência de Buenos Aires, 1916, orig. em espanhol, trad., notas e intr. Sérgio PACHÁ, Rio de Janeiro: Fund. Casa de Rui Barbosa, 1983); Clóvis BEVILÁQUA, **Direito público internacional: a synthese dos princípios e a contribuição do Brasil** (op. cit., 1910; 2. ed., 1939, 2 v.); Manoel BONFIM, **O Brazil na América: caracterização da formação brasileira** (Rio de Janeiro: F. Alves, 1929), bem como seu **A América Latina: males de origem** (Rio de Janeiro/Paris: H. Garnier, 1905); Antonio TRUYOL Y SERRA, **Histoire du droit international public** (Paris: Economica, 1995, item 4.1. "Le droit international européen et américain", p. 105-107): "la question de l'existence d'un droit international 'américain' n'a pas reçu une réponse unanime des auteurs du Nouveau Monde eux-mêmes, parmi lesquels le chilien Alejandro ALVAREZ et le brésilien M. A. de Souza SÁ VIANNA répresentent sans doute les positions plus nettes dans l'affirmation et la négation de la spécificité de l'ordre juridique de leur continent".

360. Lafayette RODRIGUES PEREIRA, **Princípios de direito internacional** (Rio de Janeiro: Jacinto Ribeiro dos Santos Ed., 1903); José MENDES, **Direito internacional público: preleções** (São Paulo: Duprat & Comp., 1913).

do século XIX, passa-se a outra concepção em razão do crescente distanciamento ocorrido entre a América Anglo-Saxã e Latina, desde a situação em que uma e outra se encontravam em relação à Europa, como em razão da diversificação crescente das situações sociais e econômicas. De tal forma que se esvazia de sentido a ideia de "comunidade pan-americana", e põe-se a necessidade de considerar, antes, uma "comunidade latino-americana". Isso tampouco tem sido claro, nem viável manejar, nas últimas décadas[361].

Na segunda metade do século XIX, mais precisamente a partir do Tratado de Paris, de 1856, a *Sublime Porta*, designação então corrente do Império Otomano, é formalmente declarada a partir daquele momento como integrante do sistema europeu[362]. O que até hoje não ficou de todo claro em relação à Turquia, como mostra a ambiguidade da relação desta com a União Europeia: parceiros e aliados, mas somente até certo ponto.

No final do século XIX, o sistema passara a ser *europeu-interamericano* e *oriental*, com a rápida inserção do Japão, que escolhe jogar com o Ocidente, usando as armas deste, e de forma mais controversa em relação à China[363]. Outros países como a Pérsia (atual Irã) e o Sião (atual Tailândia) eram aceitos como parceiros, embora não totalmente integrados.

O estado, seu papel e seus limites, na ordem internacional, continuam a ser tema central. Ao lado deste, surgem e se desenvolvem as organizações interna-

---

361. A respeito, dentre extensa bibliografia: Sergio ALESSANDRINI e Giorgio SACERDOTI, **Regionalismo economico e sistema globale degli scambi** (Milano: Giuffrè, 1994); Bela BALASSA, **The theory of economic integration** (Londres: Allen & Unwin, 1962); Demetrio BOERSNER, **Relaciones internacionales de América Latina: breve história** (Caracas: Edtrl. Nueva Sociedad, 4. ed. atual., 1990); Luis R. CÁCERES, **Integración económica y sub-desarrollo en Centroamérica** (México: FCE, 1980); José J. CAICEDO CASTILLA, **El panamericanismo** (Buenos Aires: Depalma, 1961); P. B. CASELLA, *Ampliação da União Europeia: a Europa Central se integra* (in **O novo direito internacional: estudos em homenagem a Erik Jayme**, coord. C. L. MARQUES e N. de ARAUJO, Rio de Janeiro: Renovar, 2005, p. 723-743); P. B. CASELLA e R. E. SANCHEZ (coord.), **Quem tem medo da Alca? Desafios e perspectivas para o Brasil** (pref. J. G. RODAS, Belo Horizonte: Del Rey, 2005); P. B. CASELLA e R. E. SANCHEZ (eds.), **Cooperação judiciária internacional** (Rio de Janeiro: Renovar, 2002); P. B. CASELLA, *Quadrilateral perspective on integration in the Americas – a view for the Mercosur and Brazil* (in **The evolution of free trade in the Americas / L'évolution du libre-échange dans les Amériques**, ed. by L. PERRET, Montréal: Wilson and Lafleur, 1999, p. 125-155).

362. A. de LAMARTINE, **Histoire de la Turquie** (Paris: Adolphe Delahays, 8 v., 1859-1861); *v.* tb. Klaus KREISER e Christoph NEUMANN, **Kleine Geschichte der Türkei** (Stuttgart: Reclam, v. 18669, 2. ed., atualizada, 2009).

363. C. H. ALEXANDROWICZ, **The Afro-Asian world and the law of nations: historical aspects** (RCADI, 1968, t. 123, p. 117-214); Nisuke ANDO (ed.). **Japan and international law: past, present and future** – "International Symposium to mark the Centennial of the Japanese Association of International Law", realizado em 1997, The Hague: Kluwer Law International, 1999); P. CASELLA, **Direito internacional no tempo antigo** (2012, esp. cap. VII, "*entre as civilizações do continente asiático*", p. 335-410); Mireille DELMAS-MARTY et Pierre-Étienne WILL (sous la direction de), **La Chine et la démocratie** (Paris: Fayard, 2007, cit. p. 36); "une culture n'est pas prisionnière de sa tradition et la tyrannie de l'histoire n'existe pas"; Brynna GOODMAN e David S. GOODMAN (eds.), **Twentieth century colonialism and China** (London: Routledge, 2012); WEI Dan, **Globalização e interesses nacionais: a perspectiva da China** (Coimbra: Almedina, 2006).

cionais. Mas, sobretudo, a adaptação qualitativa do direito internacional pós-moderno põe-se no progressivo reconhecimento da condição do ser humano como sujeito e objeto de proteção pelo ordenamento jurídico internacional.

A evolução da doutrina se explica, em considerável medida, pelas mutações ocorridas na vida internacional, que o direito pretende regular. Assim, o cinismo do voluntarismo positivista[364] domina boa parte do século XIX, ao pretender descrever o direito "tal como é", sem levar em conta os fins a que se destina[365]. Isso ainda perdura em determinados grotões intelectuais.

Aí se inscreve a chamada adaptação *qualitativa* do direito internacional[366]: "no direito internacional a retomada do direito natural chegou em momento de crescente preocupação com a justiça internacional e a formação das instituições internacionais. Muitas das ideias e princípios do direito internacional atual estão enraizados na noção de direito natural e na relevância de padrões éticos do ordenamento jurídico, tais como os princípios de não agressão e os direitos humanos". SHAW também adverte quanto ao risco de subverter todo o direito internacional com os assim chamados novos enfoques (*new approaches*), em relação aos quais é preciso traçar claramente a linha divisória: onde se passa do enfoque tradicionalmente histórico e estudo cronológico, dos princípios e das normas, das instituições e dos procedimentos, para exame de políticas de poder e de capacidade dos estados de influenciar no contexto internacional, chegamos a resultados pessimistas, centrados no poder e nos usos deste, como a força motriz da atividade interestatal.

A política de poder solapa e esvazia o direito internacional: não trata das mesmas coisas, não utiliza os mesmos métodos. Não pode ser aceito como equivalente[367], embora seja moeda corrente entre leitores inadvertidos[368].

O mundo precisa de regulamentação racional e equitativa não só pelas razões aventadas, desde a Antiguidade, e desenvolvidas, no século XVIII, por KANT

---

364. NGUYEN Quoc Dinh, P. DAILLIER e A. PELLET, **Droit international public** (Paris: LGDJ. 5. ed., 1994, par. 37, p. 77).

365. NGUYEN Quoc Dinh *et al.* (op. vel ed. cit., loc. cit.): "Depois da primeira guerra mundial, e em conformidade com o espírito da Sociedade das Nações, a doutrina se esforça por explicar, de maneira racional, os mecanismos do direito internacional, sem sucumbir à tentação do amoralismo, mas sem resistir àquela da abstração. Desde 1945, duas tendências novas se destacam claramente, apesar de grande diversidade: uma parte da doutrina reata com o positivismo, mas livra-o do dogmatismo voluntarista, enquanto, no campo oposto, outros autores sucumbem ao militantismo jurídico".

366. Malcolm N. SHAW, **International law** (Cambridge: Univ. Press, 5. ed., 2003, Cap. 2, "International law today", p. 42-64, esp. p. 53 e s.).

367. Martin WIGHT (1913-1972), **A política de poder** (do original **Power politics**, © 1978, trad. Carlos Sérgio DUARTE, Brasília: Ed. UnB, 1985, Col. Pensamento Político, v. 67).

368. Sandra VOOS, **Die Schule von New Haven: Darstellung und Kritik einer amerikanischen Völkerrechtslehre** (Berlin: Duncker & Humblot, 2000), tese de doutoramento em direito internacional, orientada por Christian TOMUSCHAT, mostra os riscos da aceitação acrítica dessa teoria.

(1795) e seus predecessores, com as propostas de **paz perpétua**, mas porque no sistema global, criado pela tecnologia contemporânea, a ordem mundial é indispensável para a ordem interna das sociedades: tem consciência de terem sido ridículos os autores que propunham a paz perpétua não pelo que propunham, mas por parecerem acreditar que esta pudesse se fazer logo. Até hoje permanece assim.

Quando KANT propusera, alguns anos antes, a "**ideia de uma história universal de um ponto de vista cosmopolita**" (1784), tem consciência clara dos limites: "Como o filósofo não pode pressupor nos homens e seus jogos, tomados em seu conjunto, nenhum propósito racional próprio, ele não tem outra saída senão tentar descobrir, neste curso absurdo das coisas humanas, um propósito da natureza que possibilite todavia uma história segundo um determinado plano da natureza para criaturas que procedem sem um plano próprio. Queremos ver se conseguimos encontrar um fio condutor para tal história e deixar ao encargo da natureza gerar o homem que esteja em condição de escrevê-la segundo esse fio condutor. Assim ela gerou um KEPLER, que, de uma maneira inesperada, submeteu as excêntricas órbitas dos planetas a leis determinadas; e um NEWTON, que explicou essas leis por uma causa natural universal"[369].

A experiência histórica[370] mostra que, em última análise, a ordem mundial pode ser instituída seja por potência hegemônica, como a *Pax Romana*, seja por regime de consórcio, exercido por grupo de nações dominantes, como no século XIX, ou por duopólio, como nos anos que se seguiram à segunda guerra mundial. Pouco claro e pouco eficaz o quadro atual.

É certo que o Tratado de Versalhes abre nova fase para as relações internacionais e para o direito internacional, pois marca a passagem de direito internacional estritamente de *coexistência* como vigia até esse momento e começa a existir direito internacional de *cooperação*. A instauração desse direito internacional é processo em curso, em meio ao "triste legado do século XX, de trágicas contradições"[371]: "o direito internacional enfrenta hoje, na aurora do século XXI, novas ameaças à paz e à segurança internacionais, em meio a uma profunda crise, que se afigura como uma verdadeira crise de valores na mais

369. I. KANT, **Ideia de uma história universal de um ponto de vista cosmopolita** (do original **Idee zu einer allgemeinen Geschichte in weltburgerlicher Absicht**, trad. Rodrigo NAVES e Ricardo TERRA, São Paulo: Martins Fontes, 2. ed., 2004, p. 4-5).

370. Como se examina: CASELLA, **Direito internacional no tempo antigo** (2012), **Direito internacional no tempo medieval e moderno até VITORIA** (2012), **Direito internacional no tempo moderno de SUAREZ a GRÓCIO** (2013); *v.* tb. H. JAGUARIBE, **Um estudo crítico da História** (trad. Sérgio BATH, São Paulo: Paz e Terra, 2. ed., 2001, v. II, "O problema a ser enfrentado", p. 626-630).

371. A. A. CANÇADO TRINDADE, **A humanização do direito internacional** (Belo Horizonte: Del Rey, 2006).

ampla escala. Nunca, como nas últimas décadas, tem se constatado tanto progresso na ciência e tecnologia, acompanhado, tragicamente, de tanta destruição e crueldade. Nunca, como em nossos tempos, tem se verificado tantos sinais de prosperidade acompanhados de modo alarmante de tanto aumento das disparidades econômico-sociais e da pobreza crônica e extrema"[372]. Não se contempla a obra realizada, mas as bases teriam sido lançadas.

Justamente ao direito internacional pós-moderno caberá resgatar a dupla dimensão do alcance teórico-conceitual e da efetividade da implementação. Essa tarefa é enorme e põe-se como exigência para a sobrevivência da humanidade[373], quando se enfatiza o papel do direito, para evitar que a humanidade soçobre no caos e na anarquia: "pode ser não tenha sido dada resposta definitiva a tal indagação", porquanto, de um lado, "a humanidade desenvolveu considerável aparato jurídico, para exprimir a conscientização de que estreita cooperação internacional é necessária para desempenhar extenso número de tarefas de dimensões mundiais. Garantir a paz e a segurança internacionais, defender os direitos humanos, bem como a proteção do meio ambiente, estão na linha de frente desses reclamos. Mas também vimos que os mecanismos institucionais estabelecidos para tais fins deixam muito espaço para aperfeiçoamentos. Será o desafio das próximas décadas fortalecer os sistemas existentes de cooperação"[374].

Duas linhas principais mereceriam destaque, na medida em que praticamente a totalidade dos autores, como, em considerável extensão, também se alinharão a prática dos estados, por uma ou por outra, ou combinando elementos, de forma nem sempre pautada pela consistência, quer científica, quer operacional: primeiro grupo de autores, com algumas nuances, passível de ser enfeixado sob

---

372. A. A. CANÇADO TRINDADE (op. cit., 2006, "Prefácio", p. VII-XI, cit. p. VII): "Este início do século XXI desvenda um panorama de progresso científico e tecnológico sem precedentes, acompanhado de padecimentos humanos indescritíveis. No cotidiano de cada um, não é de difícil constatação o processo de degradação paulatina das condições de vida (educação, saúde, moradia, trabalho) de segmentos crescentes da população. O que mais impressiona na tragédia contemporânea da marginalização e exclusão sociais é a impressão que deixa de que todos os esforços, sacrifícios e sofrimentos das gerações passadas parecem ter sido em vão".

373. Christian TOMUSCHAT, **International law: ensuring the survival of mankind in the eve of a new century: general course on public international law** (RCADI, 1999, t. 281, p. 9-438); deste, *v.* tb.: **Gegenwartsprobleme der Staatenverantwortlichkeit in der Arbeit der Völkerrechtskommission der Vereinten Nationen** (Vortrag vor dem Europa-Institut der Universität des Saarlandes, Saarbrucken, den 26 April 1994, Vorträge, Reden u. Berichte aus dem Europa-Institut – Sektion Rechtswissenschaft, v. 311, p. 1-20); **Obligations arising for states without or against their will** (RCADI, 1993, t. 241, p. 195-374).

374. C. TOMUSCHAT (op. cit., 1999, "Concluding observations", p. 435-436) enfatiza a necessidade de cooperação entre sistema internacional e os sistemas nacionais: "International supervision and monitoring play an essential role (...). But there can be no genuinely sustainable international legal order if national systems of governance disintegrate. Most of the tasks essential for the survival of humankind have to be performed within domestic contexts. It is therefore necessary to enable all the nations of the world to take care in a responsible manner not only of their own matters proper, but also of those matters which affect the interests of the entire international community".

o enfoque positivista, desgraçadamente, ainda faz escola e se faz ouvir, ao lado das linhas assim chamadas naturalistas ou de direito natural. Transpostos para a linguagem das relações internacionais, seriam os primeiros autores ditos "realistas" e os últimos, ditos "idealistas" – o que serve para demonstrar como e quanto se conserva vivo e presente o debate.

A unidade do direito internacional foi também contestada pelos publicistas da América Latina e do Terceiro Mundo, na medida em que lhes foi oposta a desigualdade resultante da potência que os estados industrializados manifestam nas suas relações com os estados em desenvolvimento. Contudo[375], como "o pensamento jurídico europeu, que está nas origens do direito das gentes, foi amplamente tributário do direito romano, bem como da ideia cristã, desse modo universalista. Pense-se em VITÓRIA, em SUAREZ, em GRÓCIO[376], em VATTEL, em BLUNTSCHLI. É, ademais, verdade que muitas potências praticaram políticas de dominação que, muitas vezes, estavam longe de serem conformes ao direito das gentes". Mas todos os novos estados praticamente aceitaram, de maneira global, a ordem jurídica existente: eles prevaleceram-se dos direitos que lhes eram garantidos. Eles cooperam para a codificação do direito das gentes, reconhecendo o valor das regras que tradicionalmente regeram as relações entre estados.

A linha de oposição dos estados do Terceiro Mundo e dos estados do então existente "Segundo Mundo" – União Soviética e seus países satélites – dizia respeito sobretudo ao *standard* de proteção dos estrangeiros. Mas argumenta-se[377]: "a espoliação não constitui a formação de direito novo". Esse *standard* de proteção internacional dos direitos fundamentais foi anunciado pela **Declaração Universal dos Direitos do Homem** (1948) e começa a ter dimensão possível de efetividade e de implementação com o **Pacto internacional relativo aos direitos civis e políticos** (1966). E prossegue com os passos seguintes da evolução de sistema institucional e normativo internacional e regionais de proteção dos direitos fundamentais[378].

---

375. A. FAVRE, **Principes du droit des gens** (Paris/Friburgo: Librairie de Droit et de Jurisprudence/Presses Universitaires de Fribourg, Suisse, "Introduction", n. 5, p. 11-12): "Des justes critiques ont été faites envers l'emploi de la force qui a conduit à la conclusion de *traités inégaux*. Il y a eu de tout temps des traités inégaux. Ce n'est pas le droit européen qui les a conçus. Il y en aura peut-être toujours. Il en existe aujourd'hui, qui sont subis dans un silence accablant. Un traité inégal n'est défendable et le régime qu'il institue n'est bienfaisant que s'il se ramène à une tutelle. Or cela ne doit être qu'une situation transitoire".

376. J. BASDEVANT, *Hugo Grotius* (in **Les fondateurs du droit international public: leurs oeuvres, leurs doctrines**, avec une introduction de A. PILLET, Paris: V. Giard & E. Brière, 1904, p. 125-267).

377. A. FAVRE (op. cit., loc. cit.): "La spoliation ne constitue pas la formation d'un droit nouveau".

378. *V.* Parte 5, **Ser humano como sujeito de direito: reconhecimento progressivo**.

Essa discussão, tanto extensa quanto complexa[379], reflete-se na questão do fundamento do direito internacional e em relação à existência e ao conteúdo de normas cogentes, nesse plano.

379. *V.* MAROTTA RANGEL, *L'avis consultatif du 9 juillet 2004 et l'antinomie entre volontarisme et solidarisme* (in **International law and the use of force at the turn of centuries: essays in honour of V. Djuro DEGAN**, Rijeka: Faculty of Law, Univ of Rijeka, 2005, Cap. 10, p. 199-205); *v.* MAROTTA RANGEL, *Sobre la efectividad de la justicia en las relaciones internacionales* (in **El derecho internacional en un mundo en transformación: en homenaje al professor Eduardo Jimenez de Arechaga**, Montevidéu: Fund. de Cultura Univ., 1994), e, ainda *v.* MAROTTA RANGEL, para o exame da perspectiva brasileira, *Public international law: the last five decades* (in **A panorama of Brazilian Law**, edited by Jacob DOLINGER and Keith ROSENN, Miami / Rio de Janeiro: Univ. of Miami North-South Center / Ed. Esplanada, 1992, p. 287-308).

2

FUNDAMENTO, FONTES E CODIFICAÇÃO DO DIREITO INTERNACIONAL

2.1. Fundamento e normas cogentes de direito internacional

O estudo do fundamento do direito internacional busca explicar a sua obrigatoriedade[1]. Trata-se do problema mais complexo da matéria, pois a formulação das regras de direito internacional poderá variar conforme a posição apriorística adotada. Mas, não obstante a importância atribuída à questão pela grande maioria, para vários conceituados autores o estudo do fundamento não faz parte do direito internacional propriamente dito[2].

Ao longo de toda a história das ideias e das correntes políticas sempre houve complexa relação entre *idealismo* e *realismo*, entre o modo como as coisas deveriam ser e o modo como são, e os debates quanto a dever a filosofia do direito incorporar valores éticos ou limitar-se a análise do direito, tal como existe, na sociedade do seu tempo. Clássico estudo na matéria de H. L. A. HART (1961,

---

1. *V.* CASELLA, **Fundamentos** (2008, esp. itens VIII, "Questão e discurso do fundamento do direito internacional", p. 663-720 e IX, "Fundamento e norma cogente de direito internacional", p. 721-776); James L. BRIERLY, **The Law of Nations** (atualizado por A. CLAPHAM, Oxford: Univ. Press, 7. ed., 2012); J. L. BRIERLY, **Le fondement du caractère obligatoire du droit international** (RCADI, 1928, t. 23, p. 463-552); Paul GUGGENHEIM, **Contribution à l'histoire des sources du droit des gens** (RCADI, 1958, t. 94, p. 1-84); R. QUADRI, **Le fondement du caractère obligatoire du droit international** (RCADI, 1952, t. 80, p. 579-634); A. TRUYOL y Serra e R. KOLB. **Doctrines sur le fondement du droit des gens** (éd. revue, aug. et mise à jour par R. KOLB, Paris: Pedone, 2007); K. ZEMANEK, **The legal foundations of the international system: general course on public international law** (RCADI, 1997, t. 266, p. 9-335).
2. Constava de edições anteriores: "Seja como for, ao direito internacional não interessam os motivos reais, econômicos, políticos, sociológicos ou históricos, mas apenas as razões jurídicas que explicam o motivo de sua aceitação pelo homem".

1994)[3], ocupado com o esclarecimento do instrumental intelectual geral do pensamento jurídico, mais do que com críticas às normas ou políticas regulatórias. A evolução institucional do direito internacional nas últimas décadas altera substancialmente o quadro que desenhara HART[4].

A matéria surge com o direito internacional, desde os ensinamentos de Francisco de VITÓRIA e Francisco SUÁREZ, caracterizada pela aplicação dos princípios de moral e do direito natural às novas condições da comunidade internacional, em consequência do reconhecimento da personalidade jurídica internacional das comunidades indígenas às quais as normas até então admitidas no caso de uma guerra justa deveriam ser aplicadas.

A influência de SUÁREZ sobre GRÓCIO é evidente. Para este, o direito natural, não baseado na vontade divina, tem valor próprio, porquanto "consiste em certos princípios de razão sã (*est dictatum rectae rationes*), que nos fazem conhecer quando uma ação é moralmente honesta ou desonesta, segundo sua conformidade ou desconformidade com uma natureza razoável e sociável".

A *recta ratio* tem, com efeito, ao longo dos séculos sempre propugnado por um direito das gentes verdadeiramente universal[5]. Definitivamente não se pode visualizar a humanidade como sujeito de direito, a partir da ótica do estado; o que se impõe é reconhecer os limites do estado, a partir da ótica da humanidade[6].

As doutrinas que procuram explicar a razão de ser do direito internacional podem ser filiadas a duas correntes, ou seja, a *voluntarista* e a *naturalista*. Para os defensores das doutrinas voluntaristas, ou do direito positivo, a obrigatoriedade do direito internacional decorre da vontade dos próprios estados; para a outra corrente, a obrigatoriedade é baseada em razões objetivas, isto é, acima da vontade dos estados.

---

3. H. HART, **The concept of law** (Oxford: Clarendon Press, ed., 1961; 2nd ed., with a "postscript", edited by Penelope A. BULLOCH and Joseph RAZ, 1994) enfatiza ser o objeto "the understanding of law, coercion, and morality as different but related social phenomena", e desenvolve-se análise "concerned with the clarification of the general framework of legal thought, rather than with the criticism of law or legal policy".

4. H. HART, **The concept of law** (ed. cit., loc. cit.). Em contraposição ao quadro que descrevia HART (1961), *v.* P. B. CASELLA, *Evolução institucional do direito internacional à luz do cinquentenário do conceito de direito de HART (1961)* (in **Homenagem aos 70 anos de Celso LAFER**, *Revista brasileira de filosofia*, ano 60, v. 236, jan.-jun. 2011, p. 313-329). *V.* tb. Márcio Monteiro REIS, *Moral e direito: a fundamentação dos direitos humanos nas visões de HART, PECES-BARBA e DWORKIN* (in **Teoria dos direitos fundamentais**, org. R. L. TORRES, Rio de Janeiro: Renovar, 1999, p. 117-152).

5. A. A. CANÇADO TRINDADE, *A **recta ratio** nos fundamentos do **jus gentium** como direito internacional da humanidade* (Belo Horizonte: Del Rey, 2006, Cap. I, p. 3-29).

6. A. A. CANÇADO TRINDADE (op. cit., 2006, p. 28-29): "E ao jurista está reservado um papel de crucial importância na reconstrução, consoante a *recta ratio*, do novo *jus gentium* do século XXI, o *direito universal da humanidade*".

As diversas correntes da teoria *voluntarista* baseiam-se ora na ideia de uma vontade coletiva dos estados, ora no consentimento mútuo destes. Dentre as teorias expostas, merece ser mencionada a da autolimitação, desenvolvida por JELLINEK, segundo a qual o direito internacional funda-se na vontade metafísica do estado, que estabelece limitações ao seu poder absoluto. Em outras palavras, o estado obriga-se para consigo próprio. Esta teoria, que contou no Brasil com a aceitação de Clóvis BEVILÁQUA, tem sido criticada, dada a possibilidade de o estado, de momento a outro, modificar a sua posição.

Já nos anos cinquenta se advertia que o positivismo voluntarista era "claramente impotente" para resolver o problema dos fundamentos e da validade do direito internacional, que só poderia encontrar uma resposta na ideia de uma justiça objetiva[7]. Até mesmo em relação à condição dos estados no ordenamento jurídico internacional, passou a prevalecer o entendimento de que a validade das normas de direito internacional a respeito não dependia do direito interno dos estados; assim, a própria identidade e continuidade do estado (a despeito de mudanças territoriais, ou populacionais, ou normativas) dava testemunho da primazia do direito internacional. Em suma, somente este último podia explicar a prevalência do princípio da identidade e continuidade do estado (independentemente de alterações em seus elementos constitutivos) no ordenamento jurídico internacional"[8].

Ainda há, contudo, necessidade de desenvolver a percepção da dimensão e alcance do direito internacional, além do que seja acordado como manifestação da vontade dos estados. Como ilustrou a Corte Permanente de Justiça Internacional no julgamento do caso do **navio Lótus** (1927).

Na altura do julgamento do caso do **navio Lótus** (1927)[9], pela CPJI, o presidente desta era Dionísio ANZILOTTI, cuja visão do direito internacional teria influenciado diretamente a redação do acórdão: "o direito internacional rege as relações entre estados independentes. As regras desse direito, vinculando os estados, procedem, assim, da vontade destes, vontade essa manifestada por meio de convenções ou por meio de usos geralmente aceitos, como consagrando prin-

---

7. *Os rumos do direito internacional contemporâneo: de um "jus inter gentes" a um novo "jus gentium" no século XXI* (in **O direito internacional em um mundo em transformação (ensaios, 1976-2001)**, Rio de Janeiro: Renovar, 2002, Cap. 24, p. 1039-1109).

8. A. A. CANÇADO TRINDADE (op. cit., p. 1045).

9. Na decisão do **caso Lótus** (França c. Turquia, julgado em 7 de setembro de 1927), a CPJI registrou: "Le droit international régit les rapports entre des états indépendants. Les règles de ce droit liant les états procédent donc de la volonté de ceux-ci, volonté manifestée dans des conventions ou dans des usages acceptés généralement comme consacrant des principes de droit et établis en vue de régler la coexistence de ces communautés indépendantes ou en vue de la poursuite de buts communs" (CPJI, **Recueil**, série A, n. 10, p. 18).

cípios de direito, estabelecidos visando regular a coexistência dessas comunidades independentes ou em vista da busca de objetivos comuns"[10].

Dionisio ANZILOTTI[11] foi buscar no princípio *pacta sunt servanda* a norma fundamental do direito internacional, que este denomina a norma suprema, e critério formal de que decorre a identidade das normas propriamente jurídicas, em relação às que não o são. Segundo ANZILOTTI, a norma tem "valor jurídico absoluto, indemonstrável e serve de critério formal para diferençar as normas internacionais das demais"[12]. A ideia do *princípio indemonstrável*[13] tem sido criticada: se não pode ser demonstrado, passa a ser questão de fé, não de conhecimento[14].

Embora a ideia de *princípio indemonstrável* tenha sido criticada, é importante salientar que a Convenção de Viena sobre o Direito dos Tratados de 1969 consagrou o princípio em seu artigo 26, nos seguintes termos: "Todo tratado em vigor obriga as partes e deve ser cumprido por elas de boa-fé". Boa-fé pode ser valor maior a ser preservado[15].

---

10. Observam Pierre-Marie DUPUY e Charles LEBEN: "On trouvera dans cette affirmation l'influence directe des conceptions de Dionisio Anzilotti. L'écho favorable ultérieurement rencontré par cette jurisprudence dans la pratique des états devait confirmer que l'arrêt du Lótus marquait en quelque sorte le point d'orgue d'une société internationale au sein de laquelle le droit avait, alors, essentiellement pour tâche d'organiser, comme la Cour le dit, la coexistence des états, chacun y restant attaché à l'exercice de sa pleine souveraineté" (in D. ANZILOTTI, **Cours de droit international**, reedição da trad. de 1929 para o francês por Gilbert GIDEL, avant propos de Pierre-Marie DUPUY e Charles LEBEN, Paris: LGDJ diffuseur / éd. Panthéon-Assas, 1999, "avant-propos").

11. **Cours de droit international** (trad. francesa de Gilbert GIDEL, ed., cit. 1999, p. 43-44): "exigence de la conduite réciproque des groupes sociaux entre lesquels elles interviennent, affirment un *devoir-être* dont la valeur est indépendante du *fait* que ce devoir être est ensuite réalisé ou non. La force obligatoire de ces normes dérive du principe que les états doivent respecter les accords conclus entre eux: *pacta sunt servanda*".

12. D. ANZILOTTI, **Cours de droit international** (trad. francesa de Gilbert GIDEL, ed., cit. 1999, p. 42): "Le développement naturel des agrégats humains a pour résultat la formation de groupes sociaux établis à demeure sur un territoire donné et soumis à l'autorité d'un pouvoir unitaire; ces groupes se posent les uns à l'égard des autres comme complètement indépendants entr'eux et comme n'étant pas soumis à une puissance commune. C'est à ces groupes que nous donnons, pour les matières faisant l'objet du présent traité, le nom d'états".

13. D. ANZILOTTI, **Cours de droit international** (trad. francesa de Gilbert GIDEL, ed., cit. 1999, p. 44): "Ce principe, précisement parce qu'il est à la base des normes dont nous parlons, n'est pas susceptible d'une démonstration ultérieure du point de vue de ces normes elles-mêmes: il doit être pris comme une valeur objective absolue ou, en d'autres termes, comme l'hypothèse première et indémontrable à laquelle se rattache d'une façon nécessaire cet ordre, comme tout autre ordre, de connaissances humaines. Ceci ne veut pas dire que ce principe ne peut pas être démontré à d'autres points de vue; cela signifie seulement que la démonstration que l'on en peut donner à d'autres points de vue (point de vue moral, politique, etc.) est sans pertinence au regard de la discipline qui se fonde sur cette règle".

14. Dentre a extensa bibliografia disponível a respeito da matéria, *v.* tb.: H. ACCIOLY, **Tratado de direito internacional**; (2009); Roberto AGO, *Positive law and international law* (AJIL, 1957, v. 51); D. ANZILOTTI, **Cours de droit international** (trad. fr. Gilbert GIDEL, 1929, avant propos P.-M. DUPUY e Ch. LEBEN, Paris: LGDJ Diffuseur – Ed. Panthéon-Assas, 1999); P. B. CASELLA, **Fundamentos** (2008); João Frank da COSTA, *O fundamento do direito internacional segundo Léon Duguit e Georges Scelle* (**Bol. SBDI**, 1954, v. 19-20, p. 39); Manfred LACHS, **The development and general trends of international law in our times** (RCADI, 1980, t. 169, p. 9-377); Louis E. Le FUR, **Règles générales du droit de la paix** (RCADI, 1935, t. 54, p. 1-308); Rolando QUADRI, **Le fondement du caractère obligatoire du droit international** (RCADI, 1952, t. 80, p. 579-634) *et al.*

15. A Convenção sobre o Direito dos Tratados, ao aceitar a noção do ***jus cogens*** em seus artigos 53 e 64, deu outra demonstração de aceitação dos preceitos derivados do direito natural. Com efeito, o artigo 53 declara nulo "o tratado que

A fundamentação do direito internacional, apresentada por Hans KELSEN, de natureza *lógica-jurídica*, também tem caráter objetivo, como a jusnaturalista. Entende KELSEN ser a comunidade internacional a "ordem superior e comum que torna possível aos Estados se relacionarem" enquanto norma fundamental (*Grundnorm*). E tal contexto, aduz AGUILAR NAVARRO, seria onde se "coroam, como em uma cúpula, todas as demais formas sociais".

Para Malcolm SHAW (2003), "a fraqueza do sistema de teoria pura de Kelsen se dá pelo fato de apoiar-se primacialmente no conceito de norma fundamental que se sustenta em argumentos não jurídicos. Na verdade, é conceito político, e no Reino Unido, seria provavelmente o princípio da primazia do Parlamento"[16].

A crítica de Celso Albuquerque MELLO (2004) faz-se no sentido de que essa teoria "não chega a fundamentar a sociedade internacional, isto é, porque ela existe. Esta doutrina praticamente se limita a constatar que os Estados se relacionam porque existe uma ordem superior, mas não explica por que esta ordem superior se formou e de onde ela se originou"[17].

O princípio segundo o qual os acordos tem de ser cumpridos (*pacta sunt servanda*) é basilar para a ordenação de qualquer sistema de convivência organizada. Tanto mais relevante e necessário em contexto descentralizado, como a sociedade internacional[18].

Da mesma forma que *pactum est servandum*, não se pode, tampouco, negligenciar o papel e o alcance do princípio equivalente, segundo o qual o costume tem de ser observado (*consuetudo est servanda*) e aplicado como a expressão da juridicidade, no plano internacional[19]. E aí se inscreve o debate quanto ao alcance e o conteúdo respectivo, na delimitação entre a norma escrita e a norma consuetudinária, no direito internacional.

---

no momento de sua conclusão conflite com uma norma imperativa de Direito internacional geral". O artigo 53 ainda dá a seguinte definição de *jus cogens* como "norma aceita e reconhecida pela comunidade internacional dos Estados no seu conjunto, como uma norma da qual nenhuma derrogação é permitida e que só pode ser modificada por uma norma de Direito Internacional geral da mesma natureza". Para crítica da "boa fé", como conceito vago e de conteúdo pouco preciso, *v.* Elizabeth ZOLLER, **La bonne foi en droit international public** (préface de Suzanne BASTID, Paris: Pedone, 1977); para argumentação quanto à necessidade desta, Robert KOLB, **La bonne foi en droit international public: contribution à l'étude des principes généraux du droit** (préface Georges ABI-SAAB, Paris: PUF, publications de l'Institut Univ. de Hautes Études Internationales, Génève, 2000).

16. M. SHAW (op. cit., 2003, p. 49).

17. Celso D. de Albuquerque MELLO, **Curso de direito internacional público** (Rio de Janeiro: Renovar, 15. ed., 2004, p. 69, nota 11).

18. J. B. WHITTON, **La règle "pacta sunt servanda"** (RCADI, 1934, t. 49, p. 147-276).

19. Francesco CAPOTORTI, **Cours général de droit international public** (RCADI, 1994, t. 248, p. 9-344, esp. Cap. VI, "La coutume internationale", p. 127-148); P. B. CASELLA, *Contemporary trends on opinio juris and the material evidence of international customary law (Gilberto Amado Memorial Lecture*, apresentada à International Law Commission, em Genebra, em 17 de julho de 2013, no site ilc-cdi); CASELLA, **Fundamentos** (2008, esp. item X, "opinio juris *e corte epistemológico – entre conceitos universais e expedientes específicos – princípios, valores e regras*", p. 777-829); R. HUESA Vinaixa, **El nuevo alcance de la "opinio juris" en el derecho internacional contemporáneo** (Valencia: Tirant lo Blanch, 1991).

O espaço do costume no direito internacional não pode ser esquecido, como ressalva a menção feita no último parágrafo do preâmbulo da **Convenção de Viena sobre o direito dos tratados**, de 1969: "as regras do direito internacional consuetudinário continuarão a reger as questões não reguladas pelas disposições da presente Convenção".

Da mesma forma, o costume tem seu espaço e seu papel reservados na jurisprudência internacional. No julgamento do caso da **Delimitação da fronteira marítima na região do Golfo do Maine** (1984), a Corte Internacional de Justiça, mais que apresentar conjunto de normas específicas, apontou: "esse direito compreende, na realidade, conjunto restrito de normas suscetíveis de assegurar a coexistência e a cooperação vital dos membros da comunidade internacional", às quais cumpre acrescer uma série de normas consuetudinárias, "cuja presença na *opinio juris* dos estados se prova por meio de indução, partindo da análise de prática suficientemente comprovada e convincente, e não por meio de dedução, partindo de ideias pré-constituídas *a priori*"[20].

As normas imperativas de direito internacional geral representam inovação relevante do direito internacional pós-moderno: sua aceitação representa marco na evolução da disciplina, mas o conceito encontra, todavia, certo nível de resistência por parte de alguns estados. Embora não seja o único, ficava em má companhia o Brasil por não ratificar a **Convenção de Viena sobre o direito dos tratados**, de 1969, e a posterior **Convenção de Viena sobre tratados entre estados e organizações internacionais ou entre organizações internacionais**, de 1986, que complementa a Convenção de 1969.

A determinação do conteúdo da norma cogente de direito internacional[21] é grande questão a ser enfrentada[22]: "este dispositivo tem sido considerado a grande contribuição doutrinária da Convenção de Viena"[23].

20. CORTE INTERNACIONAL DE JUSTIÇA, **Délimitation de la frontière maritime dans la région du golfe du Maine**, entre Canadá e Estados Unidos, julgamento de 12 de outubro de 1984 (**Recueil**, 1984, p. 299 e s., cuja passagem é mencionada: "pratique suffisamment étoffée et convaincante". *V.* tb. RUIZ-FABRI, Hélène e Jean-Marc SOREL (dir.), **La preuve devant les juridictions internationales** (Paris: Pedone, 2007, p. 246-248), observam que a produção de prova, perante jurisdições internacionais, muitas vezes se destina não somente a provar os fatos, mas igualmente o direito.

21. Eduardo Correia BAPTISTA, ***Ius cogens* em direito internacional** (Lisboa: Lex Ed., 1997); Robert KOLB, **Théorie du *ius cogens* international: essai de relecture du concept** (Paris: PUF / publications de l'IUHEI, Genebra, 2001).

22. Celso D. de Albuquerque MELLO, *A norma jurídica no direito internacional público* (in **A norma jurídica**, coord. Sérgio FERRAZ, Rio de Janeiro: Freitas Bastos, 1980, p. 243-269, cit., p. 261): "normas que se impõem aos estados independentemente de suas vontades, quando estes estados não são os mesmos que lhes deram origem. O DIP, à semelhança de todo sistema jurídico, também possui norma imperativa, o que não quer dizer que ele tenha normas irrevogáveis". *V.* tb. Rafael NIETO-NAVIA, *International peremptory norms (jus cogens) and international humanitarian law* (in **Man's Inhumanity to Man** – Essays on International Law in honour of Antonio CASSESE, ed. by Lal Chand VOHRAH et al., Haia: Kluwer Law International, 2003, p. 595-640), reconhece a dificuldade da caracterização de todos os elementos, mas enfatiza a importância da categoria normativa.

23. C. D. A. MELLO, *A norma jurídica no direito internacional público* (in **A norma jurídica**, coord. Sérgio FERRAZ, Rio de

Norma imperativa de direito internacional geral é uma norma aceita e reconhecida pela comunidade internacional dos Estados no seu conjunto, como norma da qual nenhuma derrogação é permitida e que só pode ser modificada por norma de direito internacional geral da mesma natureza"[24]. Por meio da ratificação, em 2009, foi oficialmente reconhecida pelo Brasil a existência e operação do conceito, o que fez cair por terra a pretensão de manter circunscrito o direito internacional aos conteúdos que o estado previamente aceite e sancione como vigentes. A partir daí ficou manifesto ser o direito internacional mais amplo e mais estruturado do que pensam os estados.

A existência e conteúdo da norma cogente de direito internacional é tanto necessária como difícil de caracterizar[25], por não se poder identificar exatamente quais elementos de seu conteúdo podem levar a caracterizar determinada norma como cogente. Extensa e relevante é a bibliografia disponível a respeito no direito internacional. Mais que a incursão teórica e doutrinária, resta ver ser esta noção crucial para a determinação do conteúdo e do alcance do direito internacional como possível elemento regulador da sociedade internacional[26].

As normas estipuladas na Convenção de Viena sobre direito dos tratados proíbem derrogação de normas imperativas de direito internacional por meio de tratado, assim eliminando a autonomia normal dos estados contratantes na formação de acordos entre estes. Até o ponto em que direito positivo digno de confiança existe a respeito, as normas *jus cogens* são estritamente convencionais, mas a doutrina admite uso mais amplo destas. E, logicamente, na medida em que se aceite o *jus cogens*, a lógica impõe que este se estenda também para os atos unilaterais"[27].

Janeiro: Freitas Bastos, 1980, p. 243-269, cit., p. 262): "Todo ordenamento jurídico necessita de um mínimo de normas que não esteja sujeito ao arbítrio dos particulares. É a denominada ordem pública que visa realizar o interesse comum. Não queremos negar com isto o caráter dinâmico do direito, ou ainda de que elas 'camuflam contradições' e que estejam em 'movimento dialético'".

24. **Convenção de Viena sobre o Direito dos Tratados**, 1969, art. 53.

25. João Grandino RODAS, em relação à temática dos tratados no direito internacional e especificamente sobre a Convenção de Viena de 1969: **A publicidade dos tratados internacionais** (Pref. V. Marotta RANGEL, São Paulo: RT, 1980); RODAS, *O Brasil adere ao Tratado da Antártida* (**Rev. FDUSP**, 71, 1976, p. 151/161); RODAS, *Depositário dos tratados internacionais* (Coimbra: Sep. do v. LI do Bol. da Fac. de Direito da Univ. de Coimbra, 1976); RODAS, *Jus cogens em direito internacional* (**Rev. FDUSP**, 69, 1974, p. 125/136); RODAS, *The doctrine of non-retroactivity of international treaties* (Rev. FDUSP, 68, 1973, p. 341/360); RODAS, *Os acordos em forma simplificada* (**Rev. FDUSP**, 68,1973, p. 319/340); RODAS, *A Constituição e os tratados internacionais* (**RT** 624/43); RODAS, *Alguns problemas de direito dos tratados, relacionados com o direito constitucional, à luz da Convenção de Viena* (Coimbra, Sep., v. XIX do Bol. da Fac. de Direito da Univ. de Coimbra, 1972).

26. Sem retomar toda a argumentação das linhas sociológicas do direito internacional, acompanho Celso D. Albuquerque MELLO ao distinguir "comunidade" e "sociedade", preferindo utilizar este último termo, ao referir-se à internacional, porquanto faltariam elementos de coesão e caráter orgânico para caracterizar "comunidade" em relação à "sociedade internacional" (cf. **Curso**, Cap. I: "A sociedade internacional", 15. ed., 2004, p. 51-76).

27. Karl ZEMANEK, **The legal foundations of the international system: general course on public international law**

Tem alcance o *jus cogens*, além da Convenção de Viena sobre direito dos tratados. Não obstante certa manifesta relutância em aceitar o fenômeno, GAJA considera[28]: "pesando os diferentes perigos, pareceria razoável levar em consideração os valores fundamentais na sociedade internacional. Para a determinação de tais valores, as normas cogentes (*peremptory norms*) fornecem indicação relevante, considerando ser inerente ao conceito de norma cogente que a violação de qualquer obrigação, desta decorrente, é causa de preocupação toda especial (*cause of special concern*). Assim, o fato de que determinada obrigação seja imposta por norma cogente deveria conferir mais peso, caso determinado estado pretendesse invocar estado de necessidade, para justificar a sua violação"[29].

A questão do *jus cogens* é central no direito internacional pós-moderno[30]: "se se tenta balanço de conjunto do panorama de precedentes, emanados dos órgãos judiciários, arbitrais e outros, a primeira constatação que se impõe é o número já considerável de manifestações e que vem aumentando, especialmente a partir da última década do século XX. Em segundo lugar, quando os referidos órgãos qualificam expressamente determinada regra como imperativa, daí deduzem a consequência de esta não ser passível de revogação. Essa apreciação, inicialmente feita pela própria Convenção de Viena, a partir das condições de validade dos tratados, tem como consequência natural a afirmação da existência de imperatividade normativa, em favor de determinadas regras, vai ganhando corpo em matéria não de questões de validade de tratados, mas de licitude de condutas estatais".

Tudo se passa, na verdade, como se o conteúdo do artigo 53 da Convenção de Viena sobre direito dos tratados fosse interpretado não como criação, mas como a afirmação de constatação, na ordem do direito dos tratados, da existência de estrutura normativa, doravante materialmente hierarquizada, em razão do

---

(RCADI, 1997, t. 266, p. 9-336, "Norms of *jus cogens*", cit. p. 327-329). Compare-se Rafael NIETO-NAVIA, *International peremptory norms (jus cogens) and international humanitarian law* (in **Man's Inhumanity to Man** – Essays on International Law in honour of Antonio CASSESE, ed. by Lal Chand VOHRAH et al., Haia: Kluwer Law International, 2003, p. 595-640). A respeito dos atos unilaterais: Paul REUTER em seu já referido **Introduction au droit des traités** (Paris: PUF / publications de l'IUHEI, 3. ed. *revue et augmentée par Philippe CAHIER*, 1995, "Normes impératives du droit international public", p. 126-130, pars. 219 a 226); Giuseppe BISCOTTINI, **Contributo alla teoria degli atti unilaterali nel diritto internazionale** (Milão: Giuffrè, 1951); Jacques DEHAUSSY, *Les actes juridiques unilatéraux en droit international public: à propos d'une théorie restrictive* (JDI, 1, 1965, p. 41-60); Eric SUY, *Sur la définition du droit des gens* (RGDIP, 1, 1960, p. 762-770); G. VENTURINI, **La portée et les effets juridiques des attitudes et des actes unilatéraux des états** (RCADI, 1964, t. 112, p. 363-468); Elisabeth ZOLLER, **La bonne foi en droit international public** (Paris: Pedone, 1977).

28. Giorgio GAJA, ***Jus cogens* beyond the Vienna Convention** (RCADI, 1981, t. 172, p. 271-316).

29. G. GAJA (op. cit., 1981, p. 296).

30. Pierre-Marie DUPUY, **L'unité de l'ordre juridique international: cours général de droit international public** (RCADI, 2002, t. 297, p. 9-490, 3ª parte, Cap. III, "Le jus cogens, une révolution?", p. 269-313), dedica mais de quarenta páginas – praticamente dez por cento do total de seu curso geral – ao tema.

conteúdo e da importância social das regras substanciais afetadas por essa razão de imperatividade. Daí, a não derrogabilidade aparece como consequência, no plano convencional, da realidade de ordem pública internacional[31], afetando todos os campos do direito, mas da qual não é a causa. Em outros termos, o direito dos tratados não é senão o ponto concreto de aplicação do direito imperativo, e este não pode a ele ficar restrito. Se existe hierarquia substancial das normas, daí resultam igualmente consequências no plano da responsabilidade[32], quando a obrigação violada apresenta caráter imperativo.

Somente se pode compreender o instituto do *jus cogens* na medida em que se admita levar em conta a ideologia inspiradora da *ratio legis* que presidiu a sua formulação, no contexto histórico social em que se deu. Seria este o primeiro foco de atrito essencial entre unidade *formal* e unidade *substancial* do ordenamento jurídico internacional: "a questão, mais sociológica que jurídica, torna-se, então, a de saber qual será a medida da pressão social exercida, sobre as instâncias encarregadas da edição ou da interpretação do direito e se esta será suficiente para as manter em determinada direção, ou orientá-las rumo a outra"[33].

No ordenamento jurídico internacional, a diferença de ritmo entre a resposta dos estados e os reclamos das sociedades civis nacionais faz supor que a resistência desses estados à evolução do ordenamento jurídico internacional, com relação ao *jus cogens*, manter-se-á ainda por algum tempo, na medida em que os estados entendam estar protegendo o tantas vezes apregoado "interesse nacional", até que as mesmas sociedades civis nacionais façam evoluir a posição dos estados, com relação à essas mesmas questões. Segundo a conjuntura e a análise que os governos fazem a respeito do que seja o interesse nacional e quanto aos meios e modos de proteger tal interesse, verão os estados a proclamar, solenemente, a preeminência desses interesses nacionais ou, ao contrário, a recusar-lhes as consequências, senão mesmo a realidade, e podem mesmo chegar a ponto em que busquem mudar-lhe o centro de gravidade.

A noção de norma cogente de direito internacional é conceito *crucial*, mas este ao mesmo tempo permanece *problemático*, na medida em que seu conteúdo poderá depender de *quem afirme* o *caráter cogente* da norma internacional. Aí

---

31. T. H. HEALY, **Théorie générale de l'ordre public** (RCADI, 1925, t. 9, p. 407-558).

32. Teorias mais recentes propõem certa flexibilização para a determinação da lei aplicável, mesmo em matéria de responsabilidade transnacional, cf. examina Michael C. PRYLES, **Tort and related obligations in private international law** (RCADI, 1991, t. 227, p. 9-206).

33. P.-M. DUPUY (op. cit., 2002 p. 300-301): "il nous paraît vraissemblable que les réticences encore perceptibles chez certains juges à l'égard des implications de l'impérativité normative finiront fatalement par céder, notamment devant la pression des opinions désormais exprimées par ce qu'il est convenu d'appeler la 'société civile internationale'".

se estará incorrendo em circularidade? Não, antes se estará tendo em conta os inevitáveis dados caracterizadores do contexto internacional e do papel estatal na gênese, interpretação e aplicação das normas jurídicas internacionais. Em suma, existem parâmetros e estes são indispensáveis, têm de ser aperfeiçoados, mas sempre terão dado político na determinação da medida do seu conteúdo, do seu alcance, do seu caráter vinculante e de sua interpretação e aplicação.

O Brasil, como dito, e impõe-se repetir, não ficava em boa companhia por não ter, até a publicação do Decreto n. 7.030/2009, pelo qual se completou a ratificação[34] da Convenção de Viena sobre direito dos tratados de 1969, bem como venha a se completar em relação à Convenção de Viena sobre o direito dos tratados entre estados e organizações internacionais ou entre organizações internacionais, de 1986[35]. Esta primeira lacuna foi sanada, como outras[36] ademais foram em passado recente.

A expressão da convicção da juridicidade internacional em relação a essas matérias está cristalizada nesses dois textos convencionais e, como tal, pode ser invocada, mesmo em relação a estado que, todavia, não as tenha ratificado. Não se

34. Encaminhada ao Congresso Nacional em 20 de abril de 1992, foi aprovada em 1995 pelas Comissões de Relações Exteriores e Defesa Nacional, esteve durante anos "em tramitação" – a expressão técnica para designar que se encontra parada em algum lugar, antes de se completar o procedimento de ratificação pelo Brasil. Aberta à assinatura em Viena, em 23 de maio de 1969, encontra-se internacionalmente vigente desde 1980. A ratificação pelo Brasil se completou somente em 2009, pelo Decreto n. 7.030, de 14 de dezembro de 2009.

35. **Convenção de Viena sobre o direito dos tratados entre estados e organizações internacionais ou entre organizações internacionais** (1986), art. 1º: "A presente convenção aplica-se: (a) a tratados entre um ou mais estados e uma ou mais organizações internacionais; e (b) a tratados entre organizações internacionais". *V*: G. E. do NASCIMENTO E SILVA, *The 1986 Vienna Convention and the treaty-making power of international organizations* (**German Yearbook of International Law / Jahrbuch fur internationales Recht**, 1986, v. 29, p. 68-85) e tb. *A codificação de direito dos tratados de organizações internacionais* (Bol. SBDI, 1985-1986, v. 67-68, p. 11-24). *V*. tb. G. E. do NASCIMENTO E SILVA, P. B. CASELLA e O. BITTENCOURT NETO, **Direito internacional diplomático** – Convenção de Viena sobre relações diplomáticas na teoria e na prática (São Paulo: Saraiva, 4. ed. rev., atual. e ampl., 2012).

36. Várias das **Convenções interamericanas de direito internacional privado** esperaram longos anos até serem ratificadas pelo Brasil, cf. análise de conjunto e de cada um dos textos convencionais, in **Integração jurídica interamericana: as convenções interamericanas de direito internacional privado (CIDIPs) e o direito brasileiro** (coord. P. B. CASELLA e N. de ARAUJO, apres. G. E. do NASCIMENTO E SILVA, São Paulo: LTr, 1998), mas a "recordista" de demora provavelmente terá sido a Convenção de Nova York (de 10 de junho de 1958) sobre homologação e execução de laudos aribtrais estrangeiros – "Convention on the recognition and enforcement of foreign arbitral awards" – esta *ratificada somente em 2002*, pelo Brasil. FOUCHARD, GAILLARD, GOLDMAN, **On international commercial arbitration** (ed. by E. GAILLARD and John SAVAGE, Haia: Kluwer Law Int'l., 1999, p. 122-138, cit. p. 123), mencionavam: "The number of member states is so great that it is now easier to point out a few 'conspicous absences'", dentre as quais ainda se encontrava, naquela altura, o Brasil. Outra demora, felizmente sanada, em 4 de março de 2013 foi depositado pelo Brasil, junto à Organização das Nações Unidas, o instrumento de adesão à **Convenção das Nações Unidas sobre os contratos para a compra e venda internacional de bens móveis**, normalmente referida como a "Convenção de Viena de 1980", no qual se prevê a entrada em vigor para o país, em 1º de abril de 2014. A respeito, v. **Caderno especial sobre a Convenção de Viena de 1980 sobre a compra e venda internacional de mercadorias** (org. A. WALD, J. A. Fontoura COSTA, M. de Melo VIEIRA, in **Revista de Arbitragem e Mediação**, ano 10, n. 37, abr.-jun. 2013) incluindo P. B. CASELLA e W. S. KUNZLI, *Disposições finais da Convenção de Viena de 1980 sobre compra e venda internacional (CISG)* (in **Rev. de arbitragem e mediação**, 2013, n. 37, p. 223-238).

trata somente de detalhe técnico, mas coloca-se o eixo da discussão a respeito do caráter objetivo ou voluntarista do direito internacional, com todas as consequências, decorrentes da filiação, a uma ou outra das correntes. Não são poucas.

A aceitação do conteúdo objetivo do direito internacional exprime que existam e possam existir normas cogentes internacionais, independentemente da expressão da vontade e da aceitação de tais normas pelo estado. Este independe de recepção ou ratificação no ordenamento interno, para que existam normas internacionalmente cogentes.

Alinhando-se pela tese oposta, o direito internacional somente se tornaria presente, no ordenamento interno e vinculante em relação ao estado, na ordem externa, na medida exata e condicionado à prévia aceitação desse direito, pelo estado. A vontade do estado determinaria, se não a existência, ao menos a repercussão do direito internacional, em cada sistema político e ordenamento jurídico interno.

Logicamente não se pode conceber que direito internacional seja condicionado em sua existência, em sua validade e em sua eficácia à vontade do estado. Mas a extensão da aceitação objetiva do direito internacional pode variar não somente de país a outro, como de momento a outro, no mesmo país, ou nas relações deste, com uns e outros, caracterizando interpretações fragmentárias e conjunturalmente condicionadas.

Perigosa flutuação ainda parece ocorrer no Brasil a respeito. Autores de linha clássica e de boa escola[37] argumentam pela necessidade de se ter clara compreensão da necessidade de clara adoção dos conceitos de unidade do direito e da supremacia do direito internacional.

Enfatizam a necessidade de preservar, no plano internacional, a vigência e a aplicação de tratado, assinado e ratificado, mesmo quando colida com norma ou decisão judicial interna[38]: "a incapacidade para estado, por razões de ordem constitucional interna, em cumprir obrigações internacionais, decorrentes de tratado, se assemelha às situações de direito interno, nas quais a parte, contratualmente obrigada, se vê impossibilitada ou não quer cumprir as obrigações decorrentes de contrato, e se torna responsável pelas consequências decorrentes do inadimplemento"[39].

---

37. Pedro Baptista MARTINS, **Da unidade do direito e da supremacia do direito internacional** (atualizador Luís Ivani Amorim Araujo, Rio de Janeiro: Forense, 1998).

38. Thomas BUERGENTHAL, **Self-executing and non self-executing treaties in national and international law** (RCADI, 1992. t. 235, p. 303-400); Thomas BUERGENTHAL e Harold G. MAIER, **Public international law in a nutshell** (St. Paul, Minn.: West Publ. Co., 1985, Cap. I, "The application and relevance of international law", p. 1-18, par. 1-9 "The supremacy of international law", p. 7-8): "The rights and obligations which a state has under international law are, on the international plane, superior to any rights or duties it may have under its domestic law".

39. T. BUERGENTHAL e H. G. MAIER (op. cit., 1985, loc. cit.): "Moreover, whether the decision of a state not to comply with

Pela extensão da aceitação dessas duas Convenções, pode-se afirmar que contém a expressão da convicção da juridicidade de seu conteúdo. A consolidação do conceito de normas imperativas de direito internacional geral e da aceitação deste estão-se fazendo irreversíveis. Os focos de resistência tenderão a ficar isolados.

As raízes profundas de tal concepção, sem que seja necessário insistir nessa rubrica, nutrem-se da tradição do direito natural, rejuvenescido pela concepção pós-moderna do direito natural de conteúdo progressivo. Nesse sentido, poder-se-á dizer que as *normas imperativas de direito internacional geral* vão além do estágio consuetudinário, para atingir patamar mais estável dos princípios gerais do direito internacional[40] no contexto pós-moderno.

Nesse sentido, foi clara a orientação adotada pela Corte Internacional de Justiça, no Parecer Consultivo, prolatado em 28 de maio de 1951, **sobre as reservas à Convenção para a prevenção e a repressão do crime de genocídio** (1948)[41], em que teve ocasião de desenvolver o essencial de sua teoria em matéria de efeitos das reservas a tratados internacionais[42], que vieram a ser retomados

---

a treaty is compelled by the supreme court or by a decision of its president, for example, is equally irrelevant under international law. Domestic constitutional law does not on the international plane supersede international law, even though such constitutional law may, and usually does in most countries, take precedence over international law on the domestic plane".

40. P. B. CASELLA, *Contemporary trends on opinio juris and the material evidence of international customary law (Gilberto Amado Memorial Lecture*, apresentada à International Law Commission, em Genebra, em 17 de julho de 2013, disponível no site da Comissão, ilc-cdi); CASELLA, **Fundamentos** (2008, esp. item X, "*opinio juris e corte epistemológico – entre conceitos universais e expedientes específicos – princípios, valores e regras*", p. 777-829); K. WOLFF, **Les principes généraux du droit applicables dans les rapports internationaux** (RCADI, 1931, t. 36, p. 479-554); Alfred VERDROSS, **Les principes généraux du droit dans la jurisprudence internationale** (RCADI, 1935, t. 52, p. 191-252); Gerald FITZMAURICE, **The general principles of international law considered from the standpoint of the rule of law** (RCADI, 1957, t. 92, p. 1-228).

41. A Corte Internacional de Justiça, sob a presidência de Jules BASDEVANT, teve de responder, em parecer consultivo, à consulta formulada por meio de resolução da Assembleia Geral das Nações Unidas, adotada em 16 de novembro de 1950. A partir da elaboração da **Convenção para a prevenção e a repressão do crime de genocídio** (de 9 de dezembro de 1948), numerosos estados, dentre os quais a União Soviética, em razão da cláusula de jurisdição obrigatória, formularam-lhe reservas. A consulta da AGNU, com relação à Convenção de 1948, comportava as questões seguintes: (I) o estado, que formulou a reserva, pode ser considerado estado-parte da Convenção, enquanto mantenha a sua reserva, se uma ou diversas partes da Convenção fazem objeção a tal reserva, enquanto outros estados-partes não o fazem? (II) Em caso de resposta afirmativa à primeira questão, qual o efeito dessa reserva nas relações entre o estado que formulou a reserva e: (a) os estados-partes que fizeram objeção a tal reserva e (b) os estados-partes que a aceitaram? (III) No que concerne à resposta à questão (I), qual seria o efeito jurídico de objeção a uma reserva, se essa objeção é feita por (a) estado signatário que, todavia, não ratificou a convenção? (b) estado que tem o direito de assinar ou de aderir mas que, todavia, não o fez?

42. São basicamente três pontos: I. **a razão de ser das reservas aos tratados** – no **Parecer** a CIJ mostra que as reservas podem se justificar na medida em que correspondam à necessidade do estado. Essa necessidade é igualmente válida para a **Convenção para a prevenção e a repressão do crime de genocídio** (de 9 de dezembro de 1948), como formula a CIJ: "Il y a lieu de relever également que la convention sur le génocide, si elle a été finalement approuvée à l'unanimité, est néanmoins le résultat d'une série de votes pris à la majorité. Or, le principe majoritaire, s'il facilite la conclusion des conventions multilatérales, peut rendre nécessaire pour certains états de formuler des réserves. Cette observation est confirmée par le nombre élévé des réserves qui ont été apportées ces derniers temps aux conventions multilatérales" (CIJ, **Recueil**, 1951, p. 22). Foi, igualmente, especificado que mesmo se o tratado não comporta dispo-

pela Convenção de Viena sobre direito dos tratados: "os princípios, que estão na base da Convenção, são princípios reconhecidos pelas nações civilizadas, como vinculantes para os estados, mesmo fora de qualquer vínculo convencional"[43].

A Corte constata que o objeto da Convenção para a Prevenção e a Repressão do Crime de Genocídio, de 9 de dezembro de 1948, permite controle específico das reservas: *em Convenção como esta, os estados-partes não têm interesses próprios; têm somente o interesse comum de preservar os objetivos superiores que nortearam a adoção da Convenção.* Assim, em Convenção dessa natureza, não podem ser invocadas vantagens ou desvantagens para um ou outro estado, tampouco conservar exata proporcionalidade entre direitos e obrigações de cada um dos estados-partes.

Não se pode pretender subordinar a criação de quaisquer obrigações internacionais para os estados somente se e na exata medida em que tenha havido prévio e expresso consentimento do estado, em obrigar-se em relação àquele conteúdo normativo positivado. A natureza e a extensão dos princípios têm de ser levados em conta.

---

sição específica, prevendo a possibilidade de formular reservas, esse direito permanece e as partes podem exercê-lo. II. **a validade das reservas** – no exercício do direito de formular reservas, os estados-partes devem obedecer determinadas condições. O caráter de Convenção multilateral, diz a Corte, seu objeto, seus dispositivos, seu modo de elaboração e de adoção são elementos que têm de ser levados em consideração, para apreciar, ante o silêncio da Convenção, a possibilidade de formular reservas, bem como para apreciar a regularidade e os efeitos destas. A apreciação da regularidade da reserva compete a cada estado-parte, exercendo seu direito individualmente e por sua conta. Se, de um lado, nenhum estado pode ser vinculado por reserva em relação à qual não manifestou seu consentimento, daí resulta, necessariamente, que cada estado, ao formular objeção a uma reserva, inspira-se em sua apreciação pessoal desta, nos limites do critério do objeto e do critério do fim desta, podendo ou não considerar o estado que formulou a reserva, como parte na Convenção. Essa formulação se faz acompanhar do princípio da relatividade das reservas, formulado pela Corte: "tal decisão, normalmente, só terá efeito nas relações entre o estado que formulou a reserva e o outro, que formulou a objeção; poderia, contudo, visar a exclusão completa da Convenção, na hipótese em que esta venha a se traduzir por tomada de posição, no plano jurisdicional" (CIJ, **Recueil**, 1951, p. 25 e s.). O parecer é igualmente relevante ao concluir que o estado, ao formular e manter a sua reserva, e relação à qual um ou vários estados formularam objeções, sem que o façam os demais estados-partes, pode ser considerado como parte da Convenção, se a referida reserva é compatível com o objeto e os fins desta; não o podendo fazer, em caso contrário (**Recueil**, 1951, p. 29). III. **as objeções às reservas** – buscar os efeitos jurídicos das objeções às reservas. A Corte excluiu a possibilidade de formular objeções, pelos estados, mesmo que estes, integrantes da ONU, que não fossem partes ou não tivessem assinado a Convenção. No caso dos estados signatários, a questão é diversa: a Corte estima que a assinatura constitui o primeiro passo da participação na Convenção. É evidente que, sem a ratificação, a assinatura não torna o signatário estado-parte na Convenção, mas estabelece estatuto provisório em favor desse estado. Antes como depois da entrada em vigor, esse estatuto autoriza, em matéria de objeções, tratamento mais favorável para os estados signatários, do que em relação aos outros que não tenham assinado nem aderido à Convenção. Isto se aplica em relação aos estados que procederam a parte dos atos necessários para o exercício do direito, de modo a serem considerados parte na Convenção. Esperando a ratificação, o estatuto provisório, assim determinado, confere aos signatários a prerrogativa de formular título conservador das objeções, tendo estas, igualmente, caráter provisório. Estas cairiam se a assinatura não fosse seguida de ratificação, ou tornar-se-iam definitivas com o advento da ratificação. *V.* Blaise TCHIKAYA, **Mémento de la jurisprudence du droit international public** (Paris: Hachette, 2000, p. 61-64).

43. (CIJ, **Recueil**, 1951, p. 23): "les principes qui sont à la base de la Convention sont des principes reconnus par les nations civilisées comme obligeant les états même en dehors de tout lien conventionnel".

2.2. Fontes do direito internacional

Por fontes do direito internacional entendam-se os documentos ou pronunciamentos de que emanam direitos e deveres das pessoas internacionais configurando os **modos formais de constatação do direito internacional**. Antes de enumerá-las, convém, contudo, precisar o conceito adotado.

Variam os conceitos de **fontes**, desde Charles de VISSCHER (1933)[44], visto que muitos autores vinculam a sua noção à de fundamento. Para os defensores do direito internacional *positivo*, direitos e deveres internacionais dos estados somente podem resultar da sua vontade expressa ou tácita. Em outras palavras, só podem existir fontes positivas no sentido de que toda relação jurídica deve ser concebida sob dois aspectos: "um fundamental, racional ou objetivo; e o outro, formal, positivo. No primeiro caso, existe fonte *real*, que é verdadeira, a fundamental; no segundo caso, existem fontes *formais* ou *positivas*, isto é, que dão forma positiva ao direito objetivo, preexistente, e o apresentam sob o aspecto de regras aceitas e sancionadas pelo poder público". Assim, **fonte real** seriam os ***princípios gerais do direito***[45] e **fontes formais**, o ***costume*** e os ***tratados***. O conteúdo estaria na primeira categoria, e as fontes normais seriam suas respectivas formas de manifestação. Na mesma linha, a jurisprudência internacional e a doutrina "dos juristas mais qualificados das diferentes nações" seriam aplicadas "como meio auxiliar para a determinação das regras de direito".

Ao lado do enunciado das fontes e do papel respectivo de cada uma de suas espécies, coloca-se a questão da ocorrência ou não de hierarquia entre as fontes do direito internacional e qual seria exatamente sua determinação.

Sem adentrar os meandros de extensa e histórica controvérsia, antes caberia enumerarmos os meios "para a determinação das regras de direito", em que se parte das expressões do direito positivado, sejam estas contidas quer em instrumentos escritos ("as convenções internacionais"), quer em norma consuetudinária ("o costume internacional") – seriam as **fontes formais** –, antes de se buscar a dedução do direito aplicável a partir dos princípios gerais do direito – enquanto **fonte material**. Entenda-se ser antes questão de meios de determinação da expressão do consenso entre os estados do que progressão crescente ou de-

---

44. Charles de VISSCHER, *Contribution à l'étude des sources du droit international* (Revue de Droit International et de Législation Comparée, 1933, p. 412).

45. K. WOLFF, **Les principes généraux du droit applicables dans les rapports internationaux** (RCADI, 1931, t. 36, p. 479-554); Alfred VERDROSS, **Les principes généraux du droit dans la jurisprudence internationale** (RCADI, 1935, t. 52, p. 191-252); Gerald FITZMAURICE, **The general principles of international law considered from the standpoint of the rule of law** (RCADI, 1957, t. 92, p. 1-228); Georges RIPERT, **Les règles de droit civil applicables aux rapports internationaux (contribution à l'étude des principes généraux du droit visés au Statut de la Cour Permanente de Justice Internationale)** (RCADI, 1933, t. 44, p. 565-664).

crescente entre tratado, costume e princípios. Não haveria indicação hierárquica entre as fontes formais e materiais, mas enumeração funcional e roteiro operacional para o juiz internacional, a quem compete julgar segundo o direito.

Claramente, contudo, cumpre mencionar "as decisões judiciárias e a doutrina dos juristas mais qualificados das diferentes nações, *como meio auxiliar para a determinação das regras de direito*". Assim, como se condiciona a possibilidade de proferir julgamento *ex aequo et bono* à prévia concordância das partes.

Em lugar de extensa enumeração doutrinária[46], convém destacar o Estatuto da Corte Internacional de Justiça, segundo o qual especifica em seu artigo 38 que a função da Corte "é decidir de acordo com o direito internacional as controvérsias que lhe forem submetidas", passando à relação das fontes – ou mais precisamente os elementos – aplicáveis em suas decisões:

a).as convenções internacionais, quer gerais, quer especiais, que estabeleçam regras expressamente reconhecidas pelos estados litigantes;

b).o costume internacional, como prova de prática geral aceita como sendo o direito;

c).os princípios gerais de direito, reconhecidos pelas nações civilizadas;

d).e, excepcionalmente, as decisões judiciárias e a doutrina dos juristas mais qualificados das diferentes nações, como meio auxiliar para a determinação das regras de direito.

46. Dentre extensa e relevante bibliografia a respeito das fontes do direito internacional: *v.* ACCIOLY, **Tratado** (2009, v. I); M. AKEHURST, *Custom as a source of international law* (BYIL, 1974-5, t. 47, p 1); José ALVAREZ, **International Organizations as Law-makers** (Oxford : Univ. Press, 2005, esp. part I, "*International institutional law*", p. 59-268); Ian BROWNLIE, **Principles** (Cap. I, "Sources of the law"); A. A. CANÇADO TRINDADE, **O direito internacional em um mundo em transformação** (Rio de Janeiro: Renovar, 2002, esp. parte II, "Formação e fontes do direito internacional", p. 17-140); CASELLA, **Fundamentos** (2008, esp. itens III, "Direito internacional pós-moderno: entre técnica, espírito e utopia", p. 297-379 e X, "*Opinio iuris* e corte epistemológico – entre conceitos universais e expedientes específicos: princípios, valores e regras", p. 777-829); CASTAÑEDA, **Valeur juridique des resolutions des Nations Unies** (RCADI, 1970, t. 129); Monique CHEMILLIER-GENDREAU, *Equité* (in **Droit international: bilan et perspectives**, coord. M. BEDJAOUI, UNESCO, 1991, v. I, p. 283-294); M. DIEZ DE VELASCO, **Instituciones de derecho internacional público** (Madri: Tecnos, 16. ed., 2007, Cap. III, "Las fuentes del derecho internacional público, p. 116-133 e Cap. IV, "La costumbre internacional y los actos unilaterales", p. 134-157); Celso de A. MELLO, **Curso** (v. 1, Caps. VIII e XIII, p. 203-332); José Antonio PASTOR RIDRUEJO, **Le droit international à la veille du vingt et unième siècle: normes, faits et valeurs** (RCADI, 1998, t. 274, p. 9-308, esp. Cap. 1, seção 2, "La création du droit international", p. 40-62); Oscar SCHACHTER, *Les actes concertés à caractère non-conventionnel* (in **Droit international: bilan et perspectives**, coord. M. BEDJAOUI, UNESCO, 1991, v. I, p. 277-282); Malcolm N. SHAW, **International Law** (Cambrige: U.P., 5th ed., 2003, Ch. 3, "Sources", p. 65-119); Ignaz SEIDL-HOHENVELDERN, **International economic law: general course on public international law** (RCADI, 1986, t. 198, p. 9-264), b/c, International economic "soft-law" (RCADI, 1979, t. 163, p. 165-246) , e, ainda, **The impact of public international law on conflict of law rules on corporations** (RCADI, 1968, t. 123, p. 1-116); A. TRUYOL Y SERRA, **Théorie du droit international public: cours général** (RCADI, 1981, t. 173, p. 9-443); Michel VIRALLY, *Les actes unilatéraux des organisations internationales* (in **Droit international: bilan et perspectives**, coord. M. BEDJAOUI, UNESCO, 1991, v. I, p. 253-276); Prosper WEIL, *Towards relative normativity in international law?* (AJIL, 1983, t. 77, p. 413 e s.).

No parágrafo 2, o Estatuto esclarece que a CIJ tem, ainda, a faculdade de decidir uma questão *ex aequo et bono*, ou seja, ante a inocorrência de norma expressa, mediante aplicação da **equidade**, "se as partes com isto concordarem"[47].

Teve e tem papel sistematizador, para determinar o que sejam as fontes do direito internacional, o artigo 38 do **Estatuto** da Corte Internacional de Justiça. Como toda classificação, pode esta ensejar críticas. Ao lado das fontes enumeradas pelo Estatuto da CIJ, também serão considerados os atos emanados das organizações internacionais e os atos unilaterais dos estados como fontes do direito internacional.

O art. 38 tem sido objeto de inúmeras críticas – dentre as quais a da manutenção da expressão "nações civilizadas" – bem como de interpretações, mas, sem dúvida, conforme esclarece Charles ROUSSEAU, esse texto exerceu influência considerável no direito positivo e sobre o desenvolvimento do direito convencional. O empenho de inúmeros autores em esclarecer que o artigo não estabeleça hierarquia entre as diferentes fontes mencionadas parece-nos de somenos importância.

Dentre as críticas feitas, cita-se que o artigo enumera as ***fontes*** sem fazer distinção entre as ***reais*** ou *fundamentais* e as ***formais*** ou *positivas*, bem como o fato de incluir na enumeração as fontes secundárias ou acessórias[48]. Dada a importância das fontes, serão estas estudadas separadamente.

Convém examinar, igualmente, dentre as fontes do direito internacional, o papel e o conteúdo da **equidade**[49]. Além do elenco contido no art. 38 do Estatuto da Corte Internacional de Justiça, serão, ainda, abordadas as **resoluções** emanadas **das organizações internacionais** e os **atos unilaterais** enquanto fontes do direito internacional.

Em vez de nos atermos excessivamente à distinção entre fontes *materiais* e *formais*, ou ensaiar eventual *hierarquia* entre estas, cabe ter presente o papel das diferentes modalidades como mecanismos para permitir a aferição de conteúdo jurídico internacional, ou seja, como surgem e como se consolidam princípios e normas de direito internacional, antes de passar à análise específica das distintas categorias de ***fontes***, iniciando pelo exame do costume como fonte do direito internacional.

---

47. Thomas M. FRANCK, **Fairness in the international legal and institutional system: general course on public international law** (RCADI, 1993, t. 240, p. 9-498, esp. Cap. III, "Equity as fairness", p. 62-97).

48. Serge SUR, **L'interprétation en droit international public** (Paris: LGDJ, 1974); SUR, b/c, **La coutume internationale** (Paris: Litec, 1990); SUR, *Système juridique international et utopie* (**Le droit international**, Archives de Philosophie du Droit, tome 32, Paris: Sirey, 1987, p. 35-45). *V.* ainda **Vérification en matière de désarmement** (RCADI, 1998, t. 273, p. 9-102) e SUR **Relations internationales** (Paris: Montchrestien, 1995; 3. ed., 2004).

49. Monique CHEMILLIER-GENDREAU, *L'équité* (in **Droit international: bilan et perspectives**, 1991, v. I, p. 283-294).

2.2.1. costume internacional

O costume destaca-se como fonte relevante do direito internacional. O costume internacional, segundo R.-J. DUPUY (1974)[50], como o direito civil, responde espontaneamente às necessidades contraditórias da sociedade dos povos.

"Todo direito se forma da maneira que o uso corrente – não de todo apropriado – qualifica de costumeira, ou seja, é produzido primeiro pelos usos e pelas convicções do povo, depois pela jurisprudência, e o é, assim, pelas forças internas, silenciosas, não de modo arbitrário, por um legislador. Esse estado de fato somente foi estabelecido até aqui historicamente; a análise mostrará se deve ser cultivado e desejado", examina Friedrich Carl von SAVIGNY (1814)[51].

O costume internacional teve e tem importância primordial no surgimento e desenvolvimento de novos conteúdos, que se manifestam no contexto internacional, sobretudo em razão da concomitante aceleração da evolução, combinada com o aumento significativo do número de atores internacionais. A doutrina divide-se com relação ao seu alcance e os modos específicos de sua aferição[52].

---

50. René-Jean DUPUY, *Coutume sage et coutume sauvage* (in **La communauté internationale – mélanges offerts à Charles Rousseau**, Paris: Pedone, 1974, p. 75-87, cit. p. 87): "Sa fonction a paru sage et appaisante parce que, durant des siècles, le monde évoluait lentement, mais elle a toujours porté en elle des virtualités de justice et donc, au bout du compte, de contre coutume; PASCAL l'a bien noté: "*Rien suivant la seule raison n'est juste en soi; tout branle avec le temps. La coutume fait tout l'équité, par cette seule raison que'elle est reçue; c'est le fondement mystique de son autorité*".

51. Friedrich Carl von SAVIGNY, **Vom Beruf unsrer Zeit fur Gesetzgebung und Rechtswissenschaft** (1814; e 2. ed., aum., 1828; ed. francesa, **De la vocation de notre temps pour la législation et la science du droit**, trad., intr. et notes par Alfred DUFOUR, Paris: PUF, 2006, n. 2, "De la genèse du droit positif", p. 53-56, cit. p. 56 e, mais adiante, n. 4, "Du droit romain", p. 63-67, cit. p. 64): "O direito, de fato, não existe por si, mas se confunde antes com a própria vida dos homens, considerada de certo ponto de vista. Desse modo, se a ciência do direito se destaca desse objeto que é o seu, então a atividade científica poderá prosseguir unilateralmente o seu caminho, sem se fazer acompanhar de visão correspondente das relações jurídicas, consideradas por si mesmas: a ciência poderá, a partir daí, alcançar alto grau de perfeição formal, e, contudo, carecer de qualquer realidade própria".

52. Dentre extensa bibliografia, *v.* ACCIOLY, **Tratado** (2009, v. I, "*Fontes*", p. 62 e s., esp. §§ 51-52, p. 68-70); Michael AKEHURST, *Custom as a source on international law* (**British YIL**, 1974-75, t. XLVII, p. 53-65; tb. AJIL, 1978, t. 72, p. 695); Julio BARBERIS, **Formación del derecho internacional** (Buenos Aires, 1994, p. 97); G. BARILE, **La structure de l'ordre juridique international: règles générales et règles conventionnelles** (RCADI, 1978, t. 161, p. 9-126); R. R. BAXTER, **Treaties and custom** (RCADI, 1970, t. 129, p. 25-106); Ian BROWNLIE, **Principles** (Oxford: Clarendon Press, 4th ed., reprinted, 1995, "International custom", p. 4-11); P. B. CASELLA, *Contemporary trends on opinio juris and the material evidence of international customary law (Gilberto Amado Memorial Lecture*, apresentada à International Law Commission, em Genebra, em 17 de julho de 2013, disponível no site da Comissão, ilc-cdi); CASELLA, **Fundamentos** (2008, esp. item X, "*opinio juris e corte epistemológico – entre conceitos universais e expedientes específicos – princípios, valores e regras*", p. 777-829); Luigi CONDORELLI, *La coutume* (in **Droit international: bilan et perspectives**, Paris, 1991, v. I, p. 187-221); Vladimir Djuro DEGAN, *Traité et coutume dans le droit de la mer* (in **O direito internacional no terceiro milênio: estudos em homenagem ao prof. V. Marotta Rangel**, São Paulo: LTr, 1998, p. 407-434); René-Jean DUPUY, *Coutume sage et coutume sauvage* (in **La communauté internationale – mélanges offerts à Charles Rousseau**, Paris: Pedone, 1974, p. 75-87); Constatin Th. EUSTATHIADES, **Unratified codification conventions** (Genebra: Nações Unidas, 1973); Luigi FERRARI BRAVO, **Méthodes de recherche de la coutume internationale dans la pratique des états** (RCADI, 1985, t. 192, p. 233-330); Eduardo JIMÉNEZ DE ARÉCHAGA, **El derecho internacional contemporáneo** (Madrid, 1980, p. 131); Hersch LAUTERPACHT, *Codification and development of international law* (AJIL,

M. MENDELSON (1998)[53] começa seu inteiro curso a respeito da formação do direito internacional consuetudinário (*customary international law*) propondo:

"Imagine-se ilha na qual vivem cerca de duzentos clãs, sobre os quais a sorte sorriu de forma bastante desigual. Internamente esses clãs podem ser razoavelmente ordenados, com avô ou grupo de homens idosos – 'esse mundo é consideravelmente patriarcal' – presidindo assembleias domésticas, onde cada qual conhece o seu papel, e existem procedimentos consolidados para resolver controvérsias surgidas entre os integrantes das novas gerações. Mas entre os clãs há muito mais desordem. Brigas muitas vezes ocorrem entre vizinhos – normalmente em relação às fronteiras, ou em razão do acesso a recursos compartilhados: e mais ou menos a cada geração, uma briga entre as principais famílias se espalha por toda a ilha, e a paz não será restaurada, até que consideráveis porções desta tenham sido devastadas, e muitos homens, mulheres e crianças mortos, mutilados ou deixados sem teto. Mas os habitantes de nossa ilha não são completamente estúpidos: eles conhecem os caminhos da paz e os amam (até certo ponto), e podem facilmente ver os benefícios recíprocos, que podem decorrer do comércio e outras formas de relações. Assim, essa sociedade somente é semianárquica.

Tal sociedade precisa de regras, mas se a taça da paz, ao mesmo tempo em que está meio cheia, está também meio vazia, e os habitantes não conseguem chegar a acordo quanto ao que normalmente seja considerado sistema jurídico

---

1955, t. 49, p. 16-43); H. LAUTERPACHT, **The function of law in the international community** (1st publ., 1933, Oxford: Univ. Press, 2011); I. C. MacGIBBON, *Customary international law and acquiescence* (British YIL, 1957, t. XXXIII, p. 115-145); Celso de A. MELLO, **Curso** (Rio de Janeiro: Renovar, 15. ed., 2004, v. I, p. 291-302); Maria Adelaide de Almeida NASCIMENTO, Consideraciones acerca de la contribución de la práctica al proceso de formación consuetudinaria del derecho de la delimitación de los espacios marítimos de interés económico (in **O direito internacional no terceiro milênio: estudos em homenagem ao prof. V. Marotta Rangel**, São Paulo: LTr, 1998, p. 463-488); G. E. do NASCIMENTO E SILVA, *Treaties as evidence of customary international law* (in **Le droit international à l'heure de sa codification: études en l'honneur de Roberto Ago**, Milano, 1987, v. 1, p. 387-97); G. ABI–SAAB, *La coutume dans tous ses états ou le dilemme du droit international général dans un monde éclaté* (idem, Milão, 1987, p. 53-65); NGUYEN Quoc Dinh *et al.*, **Droit international public** (Paris: LGDJ, 5. ed., 1994, "La coutume", p. 314-339); Brigitte STERN, *La coutume au coeur du droit international: quelques réflexions* (in **Le droit international: université et diversité – mélanges offerts à Paul Reuter**, Paris: Pedone, 1981, p. 479-499); Paul VINOGRADOFF, **Principes historiques du droit** (trad. de l'anglais par P. DUEZ et F. JOÜON DES LONGRAIS, Paris: Payot, 1924); P. de VISSCHER, **Cours général de droit international public** (RCADI, 1972, t. 136, p. 1-202, esp. p. 61); Karol WOLFCKE, **Custom in present international law** (Dordrecht: M. Nijhoff, 1993).

53. Maurice H. MENDELSON, **The formation of customary international law** (RCADI, 1998, t. 272, p. 155-410). *V.* tb. J. TASIOULAS, *Customary international law and the quest for global justice* (in **The nature of customary law: Legal, historical and philosophical perspectives**, ed. by A. PERREAU-SAUSSINE and J. B. MURPHY, Cambridge: Univ. Press, 2007, esp. p. 97-335); Y. DINSTEIN, **The interaction between customary international law and treaties** (RCADI, 2006, t. 322, p. 243-428, "*conclusion*", p. 427): "Custom plays an on-going important role as a stratum of international law, in the world of reality". E nota que "in certain sets of circumstances, custom (preeminently as *jus cogens*) may annul or terminate a treaty, or bring about its desuetude. In others, a treaty – directly or indirectly (through a binding decision of the Security Council) – may demolish custom altogether or create a *lex specialis*". E termina apontando "tangled interaction between these two mainstays of international law".

'adequado' (*'proper' legal system*), com legislatura, regularmente fazendo regras que obriguem todo mundo, um judiciário com autoridade para resolver quaisquer disputas, e força efetiva centralmente organizada, para assegurar o cumprimento da lei. Em vez disso, eles operam por meio de combinação de acordo e costume. Acordos bilaterais e outros envolvendo alguns tantos clãs são bastante comums; por meio desses acordos, algumas questões de fronteiras são às vezes resolvidos pacificamente, mercadorias são trocadas, e alianças para defesa ou ataque são seladas. Recentemente, quando surgiu problema, envolvendo a ilha inteira, tornou-se prática convocar reunião dos chefes de cada uma das famílias, com a esperança de alcançar acordo que vinculasse a todos. Houve algum sucesso: mas, em muitas questões, houve tanta discórdia que ou não se podia chegar a acordo nenhum, ou, se algum fosse feito, alguns se recusariam a estar obrigados por ele. E, como eu já disse, não existe legislatura.

Isso deixa muitas questões sem regulação por meio de acordo, e o que tem por muitos séculos preenchido essa lacuna (de certa forma) é o costume. Durante longos períodos de tempo, todas as espécies de regras se desenvolveram a partir da prática, seja a respeito de como conduzir a guerra, seja sobre a inviolabilidade daqueles tentando negociar a volta da paz, sobre comércio, a divisão dos recursos, e assim por diante. Como surgiram esses costumes?

Algumas vezes foi simplesmente porque, confrontados com novo problema, algum clã criativo veio com solução, que pareceu tão atraente para os outros, que eles simplesmente a seguiram. Em outros casos, embora práticas novas fossem instituídas, alguns se mostravam francamente céticos a respeito, ou opunham resistência, e foi somente depois de longo processo de fricção recíproca que se achou solução, com a qual todos (ou quase todos) podiam viver. Nesse processo, nem todos os clãs tiveram o mesmo papel: os mais fortes foram mais ativos, e mais capazes de exercer pressão sobre os mais fracos, para fazê-los entrar na linha.

Muito tempo atrás, os habitantes da ilha pensaram que o direito costumeiro deles tinha sido divinamente ordenado, e os padres e eruditos que o expunham, gozavam de grande autoridade. Recentemente, a religião sumiu, e existe muito mais ceticismo. Mas ainda existe a necessidade de ter alguém expondo o que seja o direito costumeiro, porque às vezes acontece uma briga quanto a saber se uma regra existe ou não, e outras vezes, porque os detalhes exatos são pouco claros. Quando isso acontece, os clãs envolvidos podem escolher entre levar a briga para o conselho dos velhos sábios (até aqui só muito raramente alguma mulher) da ilha, buscando a resposta. Embora aos velhos sábios se peça simplesmente para expor como é a lei, e se comportarem aparentemente como se fosse isso que estivessem fazendo, todo mundo sabe que existe espaço considerável para a 'criatividade' porque, por definição, se a briga foi levada até eles tem de haver ao menos alguma dúvida sobre a resposta. Normalmente as partes respeitam o julgamento. Mas ir até os velhos sábios é somente voluntário, e muitas vezes um ou os dois litigantes tem tanto medo de perder que nem vão até lá. Assim, os clãs continuam fazendo como se, de acordo com relação a alguns pontos e em desacordo sobre outros, e brigando de tempos em tempos, por causa desses. Algumas vezes, também, especialmente depois de guerra ou outra confusão social, existe a exigência de que os costumes sejam escritos – que foi o que levou a serem escritas as doze tábuas da lei, na antiga Roma – e aqui os codificadores podem ter grande influência, porque quando a lei é incerta, aquele que a escreve tem a escolha significativa, e esse será o texto que, muito provavelmente, vai governar o futuro".

Dificilmente será preciso explicar que a nossa ilha imaginária é a Terra, e que os "cerca de duzentos" *clãs* são os *estados*, e, como aponta MENDELSON[54], pode "a analogia não ser de todo exata, mas suficiente para os fins a que se destina". "Pode-se questionar por que comecei com uma estória, de longe lembrando obras de antropologia, ou talvez, o **Senhor das moscas (Lord of the flies)** de William GOLDING".

Esclarece MENDELSON haver duas razões: a primeira, o desejo de tornar o assunto que, à primeira vista, pode parecer muito seco e técnico, tanto mais vivo, e mostrar que efetivamente há algumas questões fascinantes envolvidas; e, a segunda razão, para colocar o assunto da formação do direito internacional consuetudinário, na sua *perspectiva social e legalmente adequada*.

Adverte MENDELSON[55] que a maioria de nós, que estudamos o direito

54. M. H. MENDELSON, **The formation of customary international law** (RCADI, 1998, t. 272, p. 155-410, Chap. I, "Introduction and approach", p. 165-196, cit. p. 167-169).

55. M. MENDELSON (op. cit., 1998, loc. cit.). Compare-se P. VINOGRADOFF, **Principes historiques du droit** – introduction – le droit de la tribu (trad. de l'anglais par P. DUEZ et F. JOÜON DES LONGRAIS, Paris: Payot, 1924, esp. chap. VIII, "les tendances modernes dans le droit", p. 160-173, cit. p. 166-167) que indagava quanto à possibilidade de "reunir certo número de princípios fundamentais do direito, derivados das existências universais do espírito humano, e de constituir dessa maneira uma teoria formal do direito, independentemente das modificações trazidas pelas particularidades nacionais, geográficas, políticas? Esta é a pretensão do direito geral. Pode-se observar, antes de mais nada, que uma tal pretensão parece estranha, por parte de autores que renunciaram à concepção do direito natural e se vinculam ao direito positivo. Se WOLFF e KANT tivessem o direito de traçar os planos do direito geral, perguntamo-nos sobre qual fundamento AUSTIN e HOLLAND agem assim. O fato que limitem o direito ao direito do mundo civilizado não torna essa tentativa menos inconsequente do ponto de vista desses últimos autores. O que é o mundo civilizado? Quando este começou a existir? Deve aí estar compreendida a civilização cristã? O direito dos jurisconsultos romanos deve ser levado em consideração? PLATÃO e ARISTÓTELES têm direito de falar em filosofia do direito? As concepções maometanas e bramânicas devem ser excluídas do exame? O estudo do início da autoridade judiciária, da sanção pública, do direito privado, da organização familiar da propriedade, da posse, da cooperação, devem ser estranhas aos

internacional, foi treinada nos diferentes sistemas de direito interno, que é hoje um sistema bastante sofisticado, e podemos ser tentados a construir listas de fontes do direito internacional como se fossem contratos de fretamento marítimo, ou pelo menos constituições escritas, que não são, e a procurar regras precisas, sobre o processo de formação de normas, quando nenhuma existe. Além disso, enquanto os sistemas internos das sociedades modernas são caracterizados por mecanismos altamente centralizados e compulsórios de criação de normas e de aplicação destas, sem mencionar os meios de execução, enquanto a sociedade internacional não é assim. Esta ainda é, em considerável medida, uma *sociedade consuetudinária*, e embora os seus problemas não sejam, infelizmente, todos tão primitivos – pois muitos são o produto de modernas tecnologias e desenvolvimento social –, seu maquinário, para lidar com os mesmos, é bastante atrasado.

Quando se pensa em **sistema consuetudinário de formação de normas internacionais**, devemos pensar menos no moderno processo legal e mais nos meios das sociedades domésticas costumeiras, que existiram em toda parte, no passado, mas sobrevivem hoje, na maior parte, somente em razão de tolerância dos estados. É preciso voltar a esse ponto, várias vezes, adverte M. MENDELSON, porque *o enfoque formalista típico do profissional do direito interno, se aplicado ao direito internacional consuetudinário pode facilmente levar a compreensões erradas e à criação de falsos problemas* – como, por exemplo, fazendo leitura excessivamente literal do artigo 38, parágrafo 1º, do Estatuto da Corte Internacional de Justiça.

Houve tempo, em passado bastante recente, no qual quem se interessasse pelo direito internacional ***consuetudinário*** correria o risco de ser considerado fora de moda, para não dizer até mesmo reacionário. Direito internacional consuetudinário, os estados comunistas e os seus juristas, diziam-nos, tinha sido "criado pelos estados burgueses ocidentais, no exercício de sua hegemonia e para os seus próprios fins". Isso encontrou eco em certos lugares, no Terceiro Mundo. Os tratados, disseram-nos, eram preferíveis porque respeitavam a igualdade soberana[56]: nenhum estado poderia ser obrigado a aceitar um tratado se não o quisesse fazer. Claro que isso era a simplificação excessiva: embora o processo de formação do tratado respeite a igualdade soberana, em sentido formal, este não é

juristas? Seria, com certeza, difícil abranger o conjunto do desenvolvimento humano, por meio das ideias de uma ciência do direito universal, mas se devemos, arbitrariamente afastar as partes desse desenvolvimento, em vista da unidade de tratamento, isso mostra certamente que, para tratar cientificamente do assunto é preciso visar construções não mais absolutas, nem universais, mas relativas".

56. R. P. ANAND, **Sovereign equality of states in international law** (RCADI, 1986, t. 197, p. 9-228).

imune à política; e, na política do mundo real, os estados *absolutamente não são totalmente iguais*. Também nos disseram serem os tratados instrumentos superiores para a criação de normas internacionais: enquanto o "costume é lento para se desenvolver e muitas vezes impreciso, em suas prescrições", tratados poderiam ser produzidos rapidamente, para atender a novas necessidades, e, desse modo, poderiam regular condutas, com apropriado detalhamento. MENDELSON certamente não deseja denegrir o processo de formação de tratados, na verdade, em determinados aspectos, superiores ao costume, para o estabelecimento de regras especificamente reconhecidas como expressão do direito internacional. Mas, algumas vezes, o processo de formação de tratados pode ser bastante lento: prova disso é o tempo que levou até se tornar direito positivo não somente a **Convenção sobre Direito do Mar** de 1982, mas, igualmente, a controvertida **Convenção de Viena sobre direito dos tratados** de 1969; e ambas ainda estão longe de serem universalmente aceitas. Às vezes, também, mesmo a precisão dos tratados pode ser desvantagem: os estados podem ficar relutantes (talvez por razões de direito interno) em assinar compromissos específicos, enquanto poderiam estar dispostos a aceitar tacitamente a evolução de costume, de formulação tanto mais vaga.

O costume, enquanto fonte do direito internacional, não pode ser esquecido (*consuetudo est servanda*), nem deixar de ser aplicado como a expressão da juridicidade, no plano internacional, conforme a lição de F. CAPOTORTI (1994)[57], ou, como afirmou a CIJ, no julgamento do caso da **Delimitação da fronteira marítima na região do Golfo do Maine** (1984)[58].

O modo de aferição do costume, na formação do direito internacional, teria se colocado diversamente, desde a segunda guerra mundial, em virtude do surgimento de novos problemas e do aumento no número de membros da comunidade internacional, desejosos de deixar a sua marca, no ordenamento mundial, mediante tratados negociados nos organismos intergovernamentais. O aparecimento de novas situações, criadas na maioria dos casos pelos avanços da tecnologia, exigiu soluções imediatas que não podiam depender de costume, por vezes de formação lenta. Em outras palavras, o costume pôde, as vezes, ser considerado critério insatisfatório e lento para acompanhar a evolução do direito internacional, mas tem seu papel resguardado em razão da estrutura difusa e do funcionamento da sociedade internacional, como significativamente ilustraria a expres-

57. Francesco CAPOTORTI, **Cours général de droit international public** (RCADI, 1994, t. 248, p. 9-344, esp. Cap. VI, "La coutume internationale", p. 127-148).

58. CORTE INTERNACIONAL DE JUSTIÇA, **Délimitation de la frontière maritime dans la région du golfe du Maine**, entre Canadá e Estados Unidos, julgamento de 12 de outubro de 1984 (**Recueil**, 1984).

sa menção, no último parágrafo do preâmbulo da **Convenção de Viena sobre direito dos tratados**, de 1969, as "regras do direito internacional consuetudinário continuarão a reger as questões não reguladas pelas disposições da presente Convenção". A principal codificação do direito internacional, em matéria de tratados, ressalva expressamente o papel e o alcance do costume, como fonte do direito, no contexto internacional.

O costume é o fruto de usos tradicionais, aceitos durante longo período, tanto assim que o fator *tempo* era tido como elemento crucial de sua formação. Para Paul REUTER, a regra consuetudinária é o resultado de atos seguidos que constituem precedentes, com ênfase no elemento material "constituído pela repetição durante período bastante prolongado de certos atos".

A Corte Internacional de Justiça teve oportunidade de exprimir seu entendimento a respeito do **costume**, ao afirmar ser a base deste a **prática reiterada**, acompanhada da **convicção quanto a ser obrigatória essa prática**, em razão da existência de norma jurídica, em que "os estados devem ter consciência de se conformarem ao que equivale a uma obrigação jurídica" no julgamento do caso da **Plataforma Continental do Mar do Norte** (1969)[59], quando também decidiu que "a passagem de apenas um curto período não é óbice à criação de novas regras de direito internacional".

Com o progresso da ciência e da tecnologia, as modificações verificam-se mais rapidamente, com repercussão no conceito de costume. Em outras palavras, o fator tempo, antes exigido para a sua formação, perdeu importância, cedendo à *opinio juris*, a tal ponto que surge a expressão, antes inusitada, de direito internacional consuetudinário instantâneo (*instant customary international law)*. Sem endossar essa noção, é lícito dizer que, desde que se comprove que determinada "prática é consequente e generalizada, nenhuma duração é requerida (...) uma prática prolongada não é necessária", como admite Ian BROWNLIE.

A importância do costume como fonte, contudo, perdura, pois a codificação do direito internacional, como um todo, ainda está longe de se completar. O costume tem papel específico e constitui fonte necessária de direito internacional. Convém, ainda, considerar que o direito costumeiro em inúmeros campos do direito internacional é satisfatório e não precisa ser codificado, ou seja, seria erro sacrificar o estudo de alguns problemas que estão a exigir solução em seu favor. No caso dos tratados

59. CORTE INTERNACIONAL DE JUSTIÇA, **Plataforma continental do Mar do Norte**, entre a República Federal da Alemanha, a Dinamarca e os Países Baixos, julgamento de 20 de fevereiro de 1969 (**Recueil**, 1969, p. 44), onde os atos considerados "não somente devem representar prática constante, mas devem ainda testemunhar – por sua natureza ou pelo modo como são adimplidos – a convicção quanto a ser essa prática tornada obrigatória, em razão da existência de norma jurídica (...) os estados interessados devem, portanto, ter a consciência de se conformarem ao que equivale a uma obrigação jurídica. Não somente a frequência, nem o caráter de habitualidade da prática são suficientes".

multilaterais, ocorre frequentemente serem os dispositivos codificados o resultado de compromissos, visto nem a CDI nem a própria conferência codificadora terem conseguido adotar regra mais precisa. Em tais casos, os costumes e os trabalhos preparatórios (normalmente referidos como *travaux préparatoires*) desempenham importante papel interpretativo. É sintomática, nas Convenções de codificação, firmadas em Viena, a adoção da já referida menção, no preâmbulo, quanto ao fato de que "*as regras de direito internacional consuetudinário continuarão a reger as questões que não forem reguladas nas disposições da presente Convenção*".

Como prova do direito costumeiro, citam-se, atualmente, também os tratados que ainda não tenham entrado em vigor, ou não foram ratificados por determinado estado contra o qual alguma de suas normas tenha sido invocada. O problema é complexo, visto que, na linha de R.R. Baxter, a respeito de **Tratados e costume** (1970)[60], "em alguns casos poderá ser difícil determinar se um tribunal ao decidir que um tratado reflete o direito internacional consuetudinário em determinado momento queria dizer que o tratado, desde o começo, era declaratório do direito internacional consuetudinário, ou se o tratado, com o correr do tempo, e com a aceitação geral de países não partes no mesmo, passou a integrar o direito internacional geral". A doutrina, baseada na decisão da Corte Internacional de Justiça, a respeito da **Plataforma Continental do Mar do Norte, de 1969**, reconhece a importância das grandes convenções multilaterais não ratificadas como fonte do direito costumeiro.

Após o costume, cabe considerar o papel e alcance dos tratados, dos princípios gerais, e das demais fontes do direito internacional.

2.2.2. tratado

A **Convenção de Viena sobre direito dos tratados**, assinada em 1969, internacionalmente em vigor desde 1980, é uma das mais importantes normas do direito internacional, e nesta as regras costumeiras sobre a matéria foram codificadas em documento quase perfeito. Evidência adicional da primazia do costume como fonte do direito internacional: as codificações bem-sucedidas normalmente o são, por refletirem adequadamente o que já era aceito como expressão da juridicidade, no plano internacional. A codificação exprimiria o que

60. R. R. BAXTER, **Treaties and custom** (RCADI, 1970, t. 129, p. 25-106, esp. p. 57); *v.* tb. Luigi CONDORELLI, *La coutume* (in **Droit international: bilan et perspectives**, Paris: UNESCO/Pedone, 1991, v. I, p. 187-221); H. LAUTERPACHT, *Codification and development of international law* (AJIL, 1955, v. 49, p. 16-43); Hersch LAUTERPACHT, **The function of law in the international community** (1st publ., 1933, Oxford: Univ. Press, 2011); G. BARILE, **La structure de l'ordre juridique international: règles générales et règles conventionnelles** (RCADI, 1978, t. 161, p. 9-126).

consuetudinariamente já era considerado legalmente válido, conforme A. MERCADANTE (1996)[61] e A. P. CACHAPUZ DE MEDEIROS (1995)[62].

A Convenção de 1969 foi complementada por outra, a **Convenção sobre o Direito dos Tratados entre Estados e Organizações Internacionais ou entre Organizações Internacionais**, de 1986, cujo objetivo foi precisamente o de reconhecer o direito das organizações internacionais de firmar tratados e convenções.

Em razão da importância dos tratados, enquanto fontes do direito internacional, como tal reconhecidas em geral[63], bem como entre nós[64], aspectos distintos serão, sucessivamente, abordados nas seções seguintes: o conceito, a terminologia e a classificação dos tratados (seção 2.2.2.1.), as condições de validade dos tratados (seção 2.2.2.2.); efeitos em relação a terceiros estados (seção 2.2.2.3.), ratificação, adesão e aceitação (seção 2.2.2.4.); registro e publicação (seção 2.2.2.5.), interpretação (seção

---

61. Araminta de A. MERCADANTE, *A processualística dos atos internacionais: Constituição de 1988 e o Mercosul* (in **Contratos internacionais e direito econômico no MERCOSUL: após o término do período de transição**, coord. P. B. CASELLA *et al.*, São Paulo: LTr, 1996, p. 458-505, cit. p. 462): "A criação do direito internacional público consuetudinário pode verificar-se quer como aplicação pela prática internacional de um princípio geral de direito não incorporado ao direito positivo, quer por juntar-se a um uso pré-existente a consciência de sua obrigatoriedade".

62. A. P. CACHAPUZ de MEDEIROS, **O poder de celebrar tratados** (Porto Alegre: Sérgio A. Fabris, 1995, Cap. 3, "Novas formas para a celebração de acordos internacionais e codificação do direito dos tratados", p. 187-242, cit. p. 242): "Vigente desde 27 de janeiro de 1980, a Convenção de Viena sobre direito dos tratados obriga, *stricto sensu*, apenas os estados que a tenham ratificado ou comunicado a sua adesão à mesma. / Porém, devido à importância que possui, a Convenção ultrapassa o limite de obrigatoriedade restrita aplicável aos estados-partes, para influir, *lato sensu*, sobre todos os tratados celebrados após a sua entrada em vigor. / As disposições da Convenção, aprovadas por maiorias representativas, superiores a dois terços, deram certeza a normas pré-existentes, em certos casos, facilitaram a cristalização de determinadas regras, em outros, e, no tocante às demais situações, configurando uma *opinio juris* coletiva e orientando no sentido de que a prática posterior se desenvolva de acordo com ela, aceleraram a formação de novos preceitos".

63. O número de livros, monografias e artigos sobre todos os aspectos do direito dos tratados é extenso, sobretudo escritos depois de 1969, sobressaindo uma série de cursos organizados pela Academia de Direito Internacional da Haia. Além desses cursos, merecem ser citados: S. BASTID, **Les traités dans la vie internationale** (Paris: Economica, 1985); T. O. ELIAS, **The modern law of treaties** (Dobbs Ferry: Oceana, 1974); Jan KLABBERS, **The concept of treaty in international law** (Haia: Kluwer Law Int'l., 1996); E. de La GUARDIA e M. DELPECH, **El derecho de los tratados y la Convención de Viena de 1969** (Buenos Aires, 1970); Gyórzi HARASZIT, **Some fundamental problems of the law of treaties** (Budapeste, 1973); (Lorde) McNAIR, **The law of treaties** (Oxford: Clarendon Press, 1961); Paul REUTER, **Introduction au droit des traités** (3. ed., revue et augmentée par Philippe CAHIER, Paris: PUF, 1995); Paul REUTER, **La Convention de Vienne sur le Droit des Traités** (Paris: Armand Colin, 1970); Aziz Tuffi SALIBA (org.), **Direito dos tratados** – Comentários à Convenção de Viena sobre o direito dos tratados (1969) (Belo Horizonte: Arraes, 2011); I. M. SINCLAIR, **The Vienna Convention on the Law of Treaties** (Manchester: Univ. Press, 1984); Michel WAELBROECK, **Traités internationaux et juridictions internes dans les pays du Marché commun** (Bruxelas / Paris: CIDC / Pedone, 1969).

64. G. E. do NASCIMENTO E SILVA, **Conferência de Viena sobre o Direito dos Tratados** (Rio de Janeiro, 1971); João Grandino RODAS, **A publicidade dos tratados internacionais** (São Paulo, 1980); Haroldo VALLADÃO, *Projeto de convenção sobre o direito dos tratados* (**Boletim SBDI**, 1968, p. 151); Francisco REZEK, **Direito dos tratados** (Rio de Janeiro: Forense, 1984); Antonio Augusto Cançado TRINDADE, **Princípios de direito internacional contemporâneo** (Brasília: Ed UnB, 1981); P. B. CASELLA, **Tratado de Versalhes na história do direito internacional** (São Paulo: Quartier Latin, 2007); A. P. CACHAPUZ DE MEDEIROS, **O poder de celebrar tratados** (Porto Alegre: S.A. Fabris, 1995); José Henrique Fischel de ANDRADE, *O treaty-making power das organizações internacionais* (Rev. Inf. Leg., 1995, n. 128, p. 95-105); Pedro B. de A. DALLARI, **Constituição e tratados internacionais** (São Paulo: Saraiva, 2003).

2.2.2.6.); tratados sucessivos sobre a mesma matéria (seção 2.2.2.7.); e, finalmente, nulidade, extinção e suspensão de aplicação (seção 2.2.2.8.), antes de passar ao exame dos princípios gerais do direito enquanto fonte de direito internacional (2.2.3.).

2.2.2.1. conceito, terminologia e classificação de tratado

Por tratado entende-se o ato jurídico por meio do qual se manifesta o acordo de vontades entre dois ou mais sujeitos de direito internacional. As **Convenções de Viena sobre direito dos tratados** de 1969 e de 1986 tiveram o grande mérito de estabelecer que o direito de firmar tratados deixou de ser atributo exclusivo dos estados, e pode ser exercido também pelas demais pessoas internacionais, sobretudo as organizações internacionais.

Por meio da Convenção de 1986 ficou claramente estipulado como tal direito pode ser exercido por sujeitos do direito internacional, não somente como já fizera a Convenção de 1969, em relação aos estados, mas especificamente para as organizações intergovernamentais. O direito da **Cruz Vermelha Internacional** nesse particular tem sido lembrado em mais de uma oportunidade.

Outro ponto importante, consolidado pelas duas convenções, no tocante ao uso da terminologia, se refere-se a tratado como acordo regido pelo direito internacional, "qualquer que seja a sua denominação". Em outras palavras, ***tratado*** é a expressão genérica. São inúmeras as denominações utilizadas conforme a sua forma, o seu conteúdo, o seu objeto ou o seu fim, citando-se as seguintes: convenção, protocolo, convênio, declaração, *modus vivendi*, ajuste, compromisso etc., além das *concordatas*, que são os atos sobre assuntos religiosos celebrados pela Santa Sé com os estados que têm cidadãos católicos. Em todas essas denominações, o dado que se enfatiza é a ***expressão do acordo de vontades, estipulando direitos e obrigações, entre sujeitos de direito internacional***.

"Texto constitucional da sociedade internacional"[65], o tratado hierarquicamente mais importante é a ***Carta***, expressão utilizada no tocante às Nações Unidas[66] e à Organização dos Estados Americanos[67]. A palavra *Estatuto*, outrora

65. Vicente Marotta RANGEL, **Do conflito entre a Carta das Nações Unidas e os demais acordos internacionais** ("Tese de concurso para livre-docência em direito internacional público da Faculdade de Direito da Universidade de São Paulo": 1954); *v.* tb. Celso LAFER, *Os direitos humanos no plano internacional: reflexões em torno da 52ª Sessão (1996) da CDH da ONU* (in **O direito internacional no terceiro milênio: estudos em homenagem ao prof. Vicente Marotta Rangel**, 1998, p. 635-642).

66. *V.* item 4.1.1. *V.* tb.: Maurice BERTRAND, **L'ONU** (Paris: La découverte, nouvelle éd., 1995); Jussi M. HANHIMÄKI, **The United Nations** – a very short introduction (Oxford: Univ. Press, 2008); Aziz HASBI, **ONU et ordre mondial** – réformer pour ne rien changer (Paris: Harmattan, 2005); P. B. CASELLA, *Reforma da ONU pós-Kelsen* (in IV Conferência Nacional de Política Externa e Política Internacional, **Reforma da ONU** (Rio de Janeiro, Palácio Itamaraty, 21 de agosto de 2009, "O Brasil e o mundo que vem aí", Brasília: FUNAG, 2010, p. 143-210).

67. *V.* item 4.2.2.

sem maior expressão, é a que se nos depara em relação à Corte Internacional de Justiça. A palavra *convenção* tem sido utilizada nos principais tratados multilaterais, como os de codificação assinados, dentre outros, em Viena ou na Haia.

Várias *classificações* têm sido utilizadas para os tratados. A mais simples é a que os divide conforme o número de partes contratantes, ou seja, em *bilaterais* (quando celebrado entre duas partes) ou *multilaterais*, quando as partes são mais numerosas.

A melhor classificação teria em vista a **natureza jurídica** do ato. GRÓCIO, na construção de sua fundamentação[68], faz a distinção entre direito natural e direito positivo, "termos que os helenistas costumam traduzir como *deveres* o primeiro e *mandamentos* o segundo"[69]. Refere a distinção feita por Moisés MAIMONIDES (1135-1204)[70], entre **direito natural (*Mitsvoth*) e direito positivo (*Khukkim*)**[71].

Aí se inscreve o **limite objetivo entre o que é passível de acordo entre os estados**, enquanto **outras matérias, por sua natureza, não comportariam derrogação** – mesmo ante a ocorrência de acordo formalizado em sentido diverso – **em razão de sua natureza de normas imperativas de direito internacional geral**, que não podem ser modificadas senão por outras normas de natureza equivalente. Esse é o tópico central de toda a disciplina.

Pierre-Marie DUPUY, em seu **Manual** (2004)[72], dentre os modos tradicionais de formação do direito internacional a respeito da teoria das fontes formais, observa: "na concepção do positivismo voluntarista clássico, na origem da sistematização da teoria das fontes do direito internacional, esta apresenta duas características. Por definição restringe-se ao estudo das fontes ***formais***, ou seja, dos procedimentos técnicos de criação e de validação das normas jurídicas, com exclusão do exame dos fundamentos éticos, das causas sociais ou dos fins políticos que persiga a referida norma (fontes e finalidades ***materiais***). É, em seguida, preponderante na análise do fenômeno jurídico, uma vez que a ***conformidade nos processos de criação da norma, segundo os procedimentos legais de sua constituição, que***

68. Hugo GRÓCIO, **Direito da guerra e da paz** (trad. Ciro MIORANZA, Ijuí: Unijuí, 2004, Livro I, Cap. I, n. IX "o direito é definido como regra e se divide em direito natural e direito voluntário", p. 78-79).

69. Hugo GRÓCIO (op. cit., loc. cit.).

70. Moisés MAIMONIDES, **Le guide des égarés** (traduit de l'arabe par Salomon MUNK, préf. de Claude BIRMAN) suivi **Le traité des huit chapitres** (traduit de l'arabe par Jules WOLF, préf. Franklin RAUSKY, nouv. éd. révue par Charles MOPSICK, Paris: Verdier, 1979, impr. 1996).

71. MAIMONIDES, **Le guide des égarés** (Livro III, Cap. XXVI).

72. Pierre-Marie DUPUY, **Droit international public** (Paris: Dalloz, 7. ed., 2004).

determina a validade e, portanto, a oponibilidade dessa norma aos sujeitos de direito. Aplicada à ordem internacional, essa concepção tem o grande mérito de isolar o direito da política e permitir a sua análise sistemática"[73].

O direito – e o direito internacional como os outros ramos – é antes de tudo *técnica de regulação social, voluntariamente formalizada, por razões de eficácia, de factibilidade, de segurança, que se denomina justamente a "segurança jurídica"*. Essa definição, adverte P.-M. DUPUY em seu **Curso geral na Haia** (2002)[74], não é própria do termo, dentre os sistemas jurídicos, cujo alcance é internacional. Explica também[75] o parentesco evidente e as semelhanças numerosas que podem ser encontradas entre a técnica do direito internacional e aquelas dos direitos internos. Que se tome, por exemplo, a matéria do direito dos tratados e os paralelos que no estudo destes se faz com o direito civil, especialmente em matéria de contratos.

Ainda quanto ao aspecto da natureza jurídica, a doutrina, sobretudo de língua alemã, no século XIX e início do XX, ainda propunha a divisão em *tratados-contratos* e *tratados-leis* ou *tratados-normativos*, em que os tratados-leis seriam, em geral, os celebrados entre muitos estados com o objetivo de fixar normas de direito internacional (as convenções multilaterais como as de Viena seriam exemplos perfeitos desse tipo de tratado). Seguindo essa classificação ultrapassada, os tratados-contratos procurariam regular interesses recíprocos dos estados, isto é, regular interesses, geralmente de natureza bilateral. Contudo, existem diversos exemplos de tratados multilaterais ou de tratados multilaterais restritos[76]. Nada impede que um tratado reúna as duas qualidades, como pode suceder nos tratados de paz ou de fronteiras.

Os tratados-contratos podem ser *executados* ou *executórios*. Os primeiros, também chamados *transitórios* ou de *efeitos limitados*, são os que devem ser logo executados e que, levados a efeito, dispõem sobre a matéria permanentemente, uma vez por todas, como ocorre nos tratados de cessão ou de permuta de territórios. Os tratados executórios, ou *permanentes* ou de *efeitos sucessivos*, são os

---

73. P.-M. DUPUY (op. cit., 2004, "Modes traditionnels de formation du droit international", p. 255-355, cit., p. 255).

74. Pierre-Marie DUPUY, **L'unité de l'ordre juridique international: cours général de droit international public (2000)** (RCADI, 2002, t. 297, p. 9-490, "Introduction générale", p. 25-42),

75. P.-M. DUPUY (op. cit., loc. cit.).

76. Em 1968, durante a negociação, da qual resultaria, no ano aseguinte, a **Convenção de Viena sobre direito dos tratados**, a delegação da França submeteu proposta, visando à inclusão na Convenção do conceito de ***tratado multilateral restrito***, relativo aos tratados, cujo objetivo é a vinculação, apenas, dos estados mencionados num tratado, cuja entrada em vigor depende do consentimento de todos os estados, que o negociaram. A proposta francesa visava a determinados tratados, com número restrito de partes, mas, no ano seguinte, esta proposta foi retirada, não alcançando efetivação, embora fosse considerada aceitável, na opinião de diversas delegações.

que preveem atos a serem executados regularmente, toda vez que se apresentem as condições necessárias, como nos tratados de comércio e nos de extradição.

Dentre os tratados-normativos citam-se os de criação de *uniões internacionais administrativas*, que exercem importante papel na vida internacional contemporânea, como é o caso da União Postal Internacional, da União Internacional para a Proteção da Propriedade Internacional, da Organização Mundial de Saúde e da Organização Mundial de Meteorologia (refs. no item 4.1.2.).

Os tratados são, geralmente, **instrumentos escritos**, sendo raros os exemplos modernos em contrário. Embora a Convenção de 1969 não mencione os tratados não escritos, esclarece que tal silêncio não os prejudicará, tampouco prejudicará as normas consuetudinárias, quer se encontrem estas escritas ou não.

2.2.2.2. condição de validade do tratado

Para que um tratado seja considerado válido, é necessário que as partes (estados ou organizações internacionais) tenham capacidade para tal (2.2.2.2.1.); que os agentes estejam habilitados (2.2.2.2.2.); que haja consentimento mútuo (2.2.2.2.3.); e que o objeto do tratado seja lícito e possível (2.2.2.2.4.).

A **Convenção de Viena sobre direito dos tratados**, de 1969, em seu artigo 26, prevê que "todo tratado em vigor obriga as partes e deve ser cumprido de boa-fé". Seguindo-se-lhe o artigo 27, "uma parte não pode invocar as disposições de seu direito interno, para justificar o inadimplemento de um tratado", sem prejuízo do disposto no artigo 46[77]. A primazia do direito internacional, punha-se como construção jurisprudencial (em 1928), se estipula como direito internacional positivo, na **Convenção de Viena sobre direito dos tratados** (1969). Nesta se exclui a possibilidade de qualquer estado se eximir de cumprir obrigação internacional, alegando disposições de seu direito interno[78].

Foi encaminhado à Corte Permanente de Justiça Internacional pedido de parecer a respeito de como conciliar a situação, ante a ocorrência de conflito entre norma interna de qualquer dos países e o conteúdo da **Convenção de Neuilly, entre Bulgária e Grécia**, de 27 de novembro de 1919. A Corte, no **parecer**

---

77. Th. MERON, *Article 46 of the Vienna Convention in the law of treaties* (British YIL, 1975, p. 175 e s.).

78. **Convenção de Viena sobre direito dos tratados** (1969, em vigor internacionalmente desde 1980), arts. 27 e 46: "Uma parte não pode invocar as disposições de seu direito interno para justificar o inadimplemento de um tratado. Esta regra não prejudica o artigo 46". Este, por sua vez: "1. Um Estado não pode invocar o fato de que seu consentimento em obrigar-se por um tratado foi expresso em violação de uma disposição do seu direito interno sobre competência para concluir tratados, a não ser que essa violação fosse manifesta e dissesse respeito a uma norma de seu direito interno de importância fundamental. / 2. Uma violação é manifesta se for objetivamente evidente para qualquer estado que proceda, na matéria, de conformidade com a prática normal e de boa-fé".

de 17 de janeiro de 1930, declarou seu entendimento a respeito. Em caso de conflito entre disposição de direito interno e outra, contida na **Convenção de Neuilly**, **entre Bulgária e Grécia**, de 27 de novembro de 1919, prevaleceria a norma de direito internacional: respondendo à questão formulada pelo governo grego, em 1929, a Corte declara *"ser princípio geralmente aceito do direito internacional que, nas relações entre estados, partes contratantes de tratado, os dispositivos do direito interno não podem prevalecer sobre os do tratado"*[79]. Muito antes da positivação do preceito, em artigo da **Convenção de Viena sobre direito dos tratados** (1969)[80].

O mundo mudou consideravelmente, e suas ferramentas de regulação e de ordenação têm de se fazer de modo consentâneo à realidade em que se inscrevem. Mas não serão os estados a empreender tais mutações no direito internacional pós-moderno, pois o dinamismo na renovação do direito internacional, no contexto pós-moderno, tem vindo dos agentes não estatais no plano internacional, como aponta K. ZEMANEK (1997)[81]: ao menos não vem a ocorrer por iniciativa dos estados, mas se fazem aceitar por estes, na medida em que pressionados pela sociedade civil, nos planos interno e internacional[82].

2.2.2.2.1. capacidade das partes contratantes

A **Convenção de Viena sobre direito dos tratados**, de 1969, estipula com singela concisão, em seu art. 6º: "todo estado tem capacidade para concluir tratados".

A doutrina tradicional, baseada na prática dos estados, ensinava que apenas os estados soberanos tinham o direito de assinar tratados. Isso se tornou obsoleto.

Quando em 1924 o Governo do Brasil informou o Secretário-Geral da Sociedade das Nações de sua intenção de criar em Genebra uma representação

---

79. CPJI, na resposta à 5ª questão, suscitada pelo governo grego, em 1929: "It is a generally accepted principle of international law that in the relations between powers, which are contracting parties to a treaty, the provisions of municipal law cannot prevail over those of a treaty".

80. **Convenção de Viena sobre direito dos tratados** (1969, em vigor internacionalmente desde 1980), art. 27: "Uma parte não pode invocar as disposições de seu direito interno para justificar o inadimplemento de um tratado".

81. Karl ZEMANEK, **The legal foundations of the international system: general course on public international law** (RCADI, 1997, t. 266, p. 9-336).

82. K. ZEMANEK (op. cit., ""Valediction", p. 335): "The prevalence of individual state interests over the common interest was apparent in every aspect of the system examined in the course and is responsible for the widening gap between social necessities and the system's responses. / Can this be changed and it will ever change? One thing is clear: the initiative will not come from traditional governmental machineries. Dynamism and development, if they are to come, must be generated through the activity of citizens, who form groups to put pressure on their own governments and organize in international NGOs for acting on the global stage, as the relative progress in the field of human rights or environmental protection demonstrates".

permanente a ser dirigida por um Embaixador, tal decisão trazia, *in statu emergente*, o eventual direito da Sociedade das Nações de firmar tratados. A questão chegou a ser suscitada mas só foi com a **Carta** das Nações Unidas que passou a ter aceitação, embora de maneira tímida no início. Atualmente, não padece a menor dúvida a respeito, tanto assim que a **Convenção de Viena sobre o Direito dos Tratados entre Estados e Organizações Internacionais ou entre Organizações Internacionais** de 1986 trata especificamente da questão.

2.2.2.2.2. habilitação dos agentes

Os representantes de um estado, para a adoção ou autenticação do texto de um tratado, ou para expressar o consentimento do estado em obrigar-se a suas disposições demonstram a sua capacidade mediante a apresentação dos *plenos poderes*. O artigo 7º da **Convenção** de 1969, espelhando tendência no sentido de simplificar as formalidades na matéria, diz que os plenos poderes podem ser dispensados em certas circunstâncias. Hoje em dia, a apresentação de plenos poderes é dispensada no caso dos chefes de estado ou de governo e dos ministros das relações exteriores.

A carta de plenos poderes deverá ser firmada pelo chefe de estado ou pelo ministro das relações exteriores.

2.2.2.2.3. consentimento mútuo

O tratado é acordo de vontades e, como tal, a adoção de seu texto efetua-se pelo consentimento de todos os estados que participam na sua elaboração. No caso dos tratados multilaterais, negociados numa conferência internacional, a adoção do texto efetua-se pela maioria de dois terços dos estados presentes e votantes, a não ser que, pela mesma maioria, decidam adotar regra diversa.

A **Convenção de Viena sobre direito dos tratados**, de 1969, estipula em seu art. 11 que "o consentimento de um Estado em obrigar-se por um tratado pode manifestar-se pela assinatura, troca dos instrumentos constitutivos do tratado, ratificação, aceitação, aprovação ou adesão, ou por quaisquer outros meios, se assim acordado", seguindo-se-lhes, nos artigos subsequentes, as seguintes modalidades de manifestação do consentimento: art. 12, "o consentimento de um estado em obrigar-se por um tratado manifesta-se pela assinatura do representante desse estado", com as respectivas hipóteses; art. 13, "o consentimento dos estados em se obrigarem por um tratado, constituído por instrumentos trocados entre eles, manifesta-se por essa troca", com as respectivas hipóteses; art. 14, "ratificação"; art. 15, "adesão"; e a caracterização temporal, especificada no art.

16, "a não ser que o tratado disponha diversamente, os instrumentos de ratificação, aceitação, aprovação ou adesão estabelecem o consentimento de um estado em obrigar-se por um tratado"; art. 17, "o consentimento de um estado em obrigar-se por parte de um tratado só produz efeito se o tratado o permitir ou se outros estados contratantes nisso acordarem", sem prejuízo dos artigos 19 a 23, que regulam "reservas" a tratado; e o art. 18, por sua vez, estipula as hipóteses em que "um estado é obrigado a abster-se da prática de atos que frustrariam o objeto e a finalidade de um tratado".

Os princípios de direito civil relativos aos vícios de consentimento não podem ter a mesma aplicação em direito internacional, visto existir em natureza e funcionamento diversos no ordenamento internacional bem como interesse superior da comunidade internacional de que os tratados sejam respeitados como expressão não somente de *pacto* entre partes, mas também de *lei*, no contexto internacional.

A **Convenção** de Viena de 1969, seguindo a orientação da CDI, ocupa-se dos vícios (erro, dolo, coação etc.) como motivos de nulidade. No caso de coação exercida contra representante de um estado, a **Convenção** de Viena estabelece, em seu artigo 51, que o tratado "não produz efeito jurídico"[83]. Na prática, em tal hipótese, o estado que este representa pode deixar de ratificar o tratado ou contestar a sua validade.

2.2.2.2.4. objeto lícito e possível

A formação do vínculo legal pressupõe a licitude e a possibilidade do objeto do consenso de vontades. Em direito internacional, como ademais em direito interno, só se deve visar coisa materialmente possível e permitida pelo direito e pela moral.

Na prática, as hipóteses, quer de ilegalidade, quer de impossibilidade, são raras. Exemplo histórico e notório de **objeto não lícito** foi o tratado de Munique de 1938, por meio do qual se fez a partilha da então Tchecoslováquia, sem sequer ter contado com a assinatura e participação do principal interessado e objeto da deliberação[84]. Dentre **questionamentos no tocante à possibilidade**, cumpre indagar até que ponto se reveste de qualquer efetividade a pretensão de tratado

83. Exemplo de coação, acarretando a inexistência do ato, seriam as ameaças do III Reich ao presidente HACHA, da Tchecoslováquia, obrigado a aceitar o fim da independência da República, em 1939.

84. Exemplo tristemente célebre, o **Tratado de Munique, de 29 de setembro de 1938**, comportou a cessão do território dos Sudetos, da Tchecoslováquia, para o III Reich, tendo sido assinado pela França, Grã-Bretanha, Itália e Alemanha. Foi, ulteriormente, declarado nulo, sob a alegação de ter sido celebrado sob coação pela França e Grã-Bretanha, em 1942, pela Itália, em 1944, e pela R. F. da Alemanha, em 1966. A respeito, *v.*: Charles ROUSSEAU, *L'accord de Munich et le droit international* (RGDIP, 1966, p. 105); *v.* tb. Pierre-Marie DUPUY (op. cit., 2004, p. 280).

da Lua e dos corpos celestes, por meio do qual são estes declarados patrimônio comum da humanidade: entende-se o propósito norteador da adoção do dispositivo – porquanto a preocupação era no sentido de evitar a militarização do espaço –, mas carece de qualquer conteúdo efetivo.

2.2.2.3. efeitos em relação a terceiros

Os tratados, em princípio, produzem efeitos entre as partes contratantes; sendo-lhes de cumprimento obrigatório, desde que tenham entrado em vigor. O artigo 34 das Convenções de Viena consigna essa regra ao estipular que "tratado não cria nem obrigações nem direitos para um terceiro estado sem o seu consentimento".

A Corte Permanente de Justiça Internacional, no caso da **fábrica de Chorzow**, consagrou essa regra em 1926[85], ao declarar que "um tratado só faz lei entre os estados que nele são parte". Esse princípio, que decorre, diretamente, da soberania dos estados e da autonomia da vontade, aplica-se a todos os sujeitos dotados de personalidade internacional; portanto, igualmente às organizações internacionais, com as especificidades apontadas.

A regra *res inter alios acta aliis neque nocere neque prodesse potest*[86], contudo, sofre algumas exceções, reconhecidas pelas **Convenções de Viena**, de 1969 e 1986. Os artigos 34 a 38 regulam questões relativas a tratados e terceiros estados, cuja regra geral, conforme o art. 34, é a ausência de efeitos em relação a terceiros – "um tratado não cria obrigações nem direitos para um terceiro estado, sem o seu consentimento" –, mas, a seguir, são especificadas as hipóteses de tais efeitos: art. 35, "uma obrigação nasce para um terceiro estado de uma disposição de um tratado se as partes no tratado tiverem a intenção de criar a obrigação por meio dessa disposição e o terceiro estado aceitar expressamente, por escrito, essa obrigação"; art. 36, "um direito nasce para um terceiro estado de uma disposição de um tratado se as partes no tratado tiverem a intenção de conferir, por meio dessa disposição, esse direito quer a um terceiro estado, quer a um grupo de estados a que pertença, quer a todos os estados, e o terceiro estado nisso consentir", em que se presume o consentimento do estado até indicação em contrário, a menos que o tratado disponha diversamente; art. 37, "qualquer obrigação que tiver nascido para um terceiro estado (...) só poderá ser revogada com o consentimento das partes no tratado

---

85. Corte Permanente de Justiça Internacional, **caso da fábrica de Chorzow**, julgamento de 25 de maio de 1926 (série A/B, n. 18), para a formulação do princípio; *v.* tb. ulterior manifestação da Corte Permanente de Justiça Internacional no mesmo sentido, no caso das **zonas francas de Gex e da Alta-Savoia** (1932, série A/B, n. 46).

86. Coisa pactuada não pode causar danos nem vantagens a terceiros.

e do terceiro estado, salvo se ficar estabelecido que elas haviam acordado diversamente". O art. 38, por sua vez, prevê: "nada nos artigos 34 a 37 impede que uma regra prevista em um tratado se torne obrigatória para terceiros estados, como regra consuetudinária de direito internacional, reconhecida como tal". Assim, normas de direito internacional geral prevalecem mesmo diante da ocorrência de estipulação diversa em acordo.

Um **tratado não pode ser fonte nem de direitos nem de obrigações para terceiros**. Isso não impede, porém, que lhes possa acarretar consequências:

1º) se **nocivas**, o estado lesado tem o direito de protestar e de procurar assegurar os seus direitos, bem como o de pedir reparações; se, entretanto, o tratado não viola direitos de estado não contratante e é apenas prejudicial a seus interesses, ou lhe causa dano legal, ou antes *damnum sine injuria*, o estado lesado poderá reclamar diplomaticamente contra o fato, mas contra o mesmo não terá recurso jurídico;

2º) caso sejam as consequências **favoráveis** para estados que do tratado não participem, ou que os contratantes, por manifestação de vontade expressa, concedam direito ou privilégio a terceiros. A bem dizer, essa é a única hipótese de exceção ao princípio de que o tratado só produz efeitos entre as partes contratantes.

Dentre as **exceções admitidas**, no sentido de que a prática internacional tem fornecido numerosos exemplos, normalmente se reconhece que o estado, beneficiário da estipulação de tratados, do qual não é parte contratante, não adquire, *ipso facto*, o direito de exigir a sua execução, e as partes contratantes conservam a prerrogativa de modificar esse tratado ou de lhe pôr termo pela forma que tiverem acordado.

Está claro que, se a **manifestação de vontade de terceiro estado** encontra-se com a vontade expressa das partes contratantes, no sentido de estas assumirem as obrigações correspondentes aos direitos ou privilégios concedidos ou reconhecidos ao primeiro, o caso será diferente. Nessa hipótese, todavia, o direito de exigir a execução da estipulação que lhe é favorável surge para o terceiro estado não da própria estipulação, mas desse acordo de vontades. É admissível que, implícita ou explicitamente, as partes contratantes concordem em assumir, em relação a terceiro estado, a obrigação de lhe reconhecer a faculdade de exprimir vontade correspondente à sua e, por conseguinte, de adquirir direito às vantagens ou privilégios conferidos pelo tratado.

2.2.2.4. ratificação, adesão e aceitação

O artigo 11 da **Convenção sobre o direito dos tratados** estipula que "o consentimento de um estado em obrigar-se por um tratado pode manifestar-se pela assinatura, troca dos instrumentos constitutivos do tratado, ratificação, aceitação, aprovação ou adesão, ou por quaisquer outros meios, se assim for acordado". A Convenção inovou nesse particular, pois, além de admitir a assinatura como meio de qualquer estado se obrigar por tratado, menciona algumas outras modalidades, levando em consideração certas peculiaridades de determinados países.

Quanto à assinatura, a prática internacional admitia que alguns tratados de somenos importância não exigissem a ratificação; a nova orientação, contudo, estende a regra a todos os tipos de tratados, tendo em vista a praxe adotada entre os países da União Europeia.

A ***ratificação*** é o ato administrativo mediante o qual o chefe de estado confirma tratado firmado em seu nome ou em nome do estado, declarando aceito o que foi convencionado pelo agente signatário. Geralmente, só ocorre a ratificação depois que o tratado foi aprovado pelo Parlamento, a exemplo do que ocorre no Brasil, onde essa faculdade é do Congresso Nacional.

No passado, muitos autores eram de opinião que a troca de ratificações ou o seu depósito era o ato que dava força obrigatória ao tratado. Em outras palavras, antes de ratificado, o tratado era tido, por eles, como mera promessa condicional.

Embora o tratado só entre em vigor após a sua ratificação, todo estado deve abster-se da prática de qualquer ato capaz de frustrar o seu objeto e finalidade (art. 18).

A ***ratificação*** deixou de ter importância anterior, tanto assim que sua necessidade só existe se o próprio tratado a estipular. A ***dispensa da ratificação*** ocorre quando o próprio tratado assim disponha; nos acordos celebrados para cumprimento ou interpretação de tratado devidamente ratificado; nos acordos sobre assuntos puramente administrativos, que preveem eventuais modificações, como no caso de acordos de transporte aéreo; nos *modus vivendi*, que têm por finalidade deixar as coisas no estado em que se acham ou estabelecer simples bases para negociações futuras. Nos tratados sobre o meio ambiente tem surgido a prática de assinar tratados-base (*umbrella treaties*), que traçam as grandes linhas e que devem ser completados por protocolos ou pela modificação de anexos em que a ratificação pode ser dispensada.

Seja como for, pode admitir-se razoavelmente que, quando o compromisso verse sobre matéria executiva, não há razão para que este seja submetido ao poder legislativo. Isso tem sido reconhecido, desde muito, por exemplo, nos Estados Unidos, onde a prática dos *acordos executivos* já recebeu a consagração da própria Suprema Corte, apesar do que dispõe a Constituição americana em relação aos tratados.

Se, entretanto, o acordo ou tratado prevê sua própria ratificação, está claro que este deve submeter-se às formalidades constitucionais estabelecidas para esse fim. Isso não impede, contudo, que qualquer dos signatários se recuse, por qualquer motivo, a ratificá-lo, ainda que para tanto tenha sido autorizado pelo órgão competente.

O problema das ***reservas*** a tratados bi ou multilaterais tem sido um dos mais complexos em direito internacional. Durante muito tempo a doutrina era no sentido de que um tratado só podia ser ratificado tal qual foi assinado: ou deveria ser aprovado integralmente, ou rejeitado.

A Assembleia da Sociedade das Nações, em resolução adotada a 25 de setembro de 1931, decidiu que uma reserva só poderá ser admitida por ocasião da ratificação de tratado, com o assentimento de todos os demais estados signatários, ou quando o texto do tratado previr tal reserva.

O problema das reservas a tratados multilaterais agravou-se com as Nações Unidas e o aumento dos estados-membros da comunidade internacional, e constatou-se que a antiga regra tornara-se inexequível. Em 1951, a CIJ foi chamada a opinar sobre as **reservas formuladas à Convenção sobre genocídio**, e em seu parecer manifestou-se no sentido de que um estado, parte numa convenção, tem o direito de objetar às reservas que considere incompatíveis com o objeto e a finalidade da citada convenção e considerar o estado que formulou as reservas como não vinculado à Convenção. Criou-se com esse parecer a tese da *compatibilidade*, que seria acolhida na **Convenção sobre o Direito dos Tratados**, de 1969, em seu artigo 19 nos seguintes termos:

"Um estado pode, ao assinar, ratificar, aceitar, aprovar um tratado ou a ele aderir, formular uma reserva, a não ser que: a) a reserva seja proibida pelo tratado; b) o tratado disponha que só possam ser formuladas determinadas reservas, entre as quais não se inclui a reserva em pauta; ou c) nos casos que sejam previstos nas alíneas a e b a reserva seja incompatível com o objeto e a finalidade do tratado".

O direito internacional não prescreve a forma que deve ter a ***ratificação***. Daí alguns autores admitirem que ela seja tácita, contanto que se evidencie por atos inequívocos, como, por exemplo, um começo de execução. Em geral, porém, a ratificação é concedida por meio de documento, a que se dá o nome de *carta de ratificação*, assinado pelo chefe de estado e referendado pelo ministro das relações exteriores. Tal documento contém a promessa de que o tratado será cumprido inviolavelmente. Quase sempre, é nele transcrito o texto integral do tratado. Mas nada impede — e é o que às vezes sucede — que dele constem apenas o título, o preâmbulo, a data e as assinaturas do tratado, ou isso e mais o primeiro e o último artigos. De fato, o que importa é a referência clara e inequívoca ao ato que se quer ratificar.

Na realidade é a **expressão do consentimento**, não propriamente a ratificação, isto é, o ato de firmar e selar a *carta de ratificação*, que dá vigor ao tratado. O que o torna perfeito e acabado é a troca de tal instrumento contra outro idêntico, da outra parte contratante, ou o seu depósito no lugar para isto indicado no próprio tratado. Aliás, o simples depósito, às vezes, não basta para o aludido resultado. Com efeito, o ***depósito*** é exigido, geralmente, para tratados multilaterais, e estes requerem quase sempre certo número de depósitos, se não o de todas as partes contratantes, para sua entrada em vigor.

A operação da ***troca de ratificações***, usada para os tratados bilaterais, consiste na permuta das respectivas *cartas de ratificação* de cada parte contratante. Efetua-se, de ordinário, com alguma solenidade, no ministério das relações exteriores de um dos dois estados contratantes, designado previamente no instrumento original do tratado. Às vezes, porém, realiza-se na capital de terceiro estado, para esse fim escolhida, por acordo mútuo. Uma ata ou protocolo, lavrado em dois exemplares, nos respectivos idiomas dos dois contratantes ou num terceiro (geralmente, o inglês, como também o francês, da mesma forma que, outrora, o latim), consigna a troca dos documentos e é assinado e selado pelos plenipotenciários especialmente designados para a troca. São estes, quase sempre, o ministro das relações exteriores da parte contratante em cuja capital se efetua a cerimônia e o agente diplomático da outra parte acreditado no lugar.

Quando se trata de **tratados multilaterais**, adota-se, conforme dissemos, o processo do depósito das ratificações. Estas são enviadas ao governo de estado previamente determinado, e que é geralmente o do estado onde o tratado foi assinado. Tal governo recebe e guarda nos seus arquivos os instrumentos recebidos e comunica o depósito aos demais contratantes. Às vezes, é fixada data para o primeiro depósito de ratificações, depois de reunido certo número destas, a fim de que o tratado, em seguida, comece imediatamente a vigorar entre as partes que o tiverem ratificado.

Nos tratados multilaterais celebrados sob os auspícios das **Nações Unidas** ou da **Organização dos Estados Americanos**, estipula-se geralmente que eles serão depositados na sede da organização, cabendo-lhe cumprir todas as funções do depositário, como informar as partes contratantes do recebimento de assinaturas e adesões, da entrada em vigor do tratado quando este reunir o número de ratificações ou adesões necessárias etc.

Ao tempo da Sociedade das Nações, cominava-se de nulidade o tratado, celebrado entre os seus estados-membros, que junto a esta não fosse registrado.

No atual sistema da ONU a "sanção" decorrente da falta de registro será a inoponibilidade das disposições do referido instrumento, em relação à ONU e, sobretudo, à Corte Internacional de Justiça.

Apenas os estados que assinaram qualquer tratado multilateral devem ratificá-lo; no caso de países que posteriormente desejarem ser parte nele, o recurso é a ***adesão*** ou a ***aceitação***. Alguns autores buscavam diferenciar a adesão da aceitação, mas hoje em dia devem ser consideradas sinônimos. A exemplo do que ocorre com os tratados assinados, a adesão ou a aceitação é feita junto à organização ou ao estado depositário.

2.2.2.5. registro e publicação

A **Carta** das Nações Unidas determina, em seu artigo 102, que todo tratado ou acordo internacional concluído por qualquer Membro deverá, logo que possível, ser registrado no Secretariado e por este publicado, acrescentando que nenhuma parte num tratado não registrado poderá invocá-lo perante qualquer órgão das Nações Unidas.

A **Convenção de Viena** endossou esta regra (art. 80), com duas pequenas modificações que em nada alteram o seu espírito, mas, ao contrário, o completam. Assim, o parágrafo segundo acrescenta que a **designação de depositário constitui autorização para este praticar o registro**, com isto eliminando pequena dúvida. O artigo também evita falar em membro das Nações Unidas, visto que a **obrigatoriedade do registro também incumbe a qualquer organização que eventualmente assine tratado.**

A **Convenção sobre o Direito dos Tratados entre Estados e Organizações Internacionais** regula a matéria nos mesmos exatos termos. Para fins equivalentes.

O artigo 102 da **Carta** das Nações Unidas repetiu nesse particular o artigo 18 do **Pacto** da Sociedade das Nações, que também previa que "nenhum desses tratados ou compromissos internacionais será obrigatório antes de ter sido registrado", dispositivo que deu lugar a muita controvérsia na época. A **Convenção de Havana sobre tratados** (1928) em seu artigo 4 também estipulou a obrigatoriedade de tal publicidade, mas acrescentava que a omissão no seu cumprimento "não prejudicará a vigência dos tratados, nem a exigibilidade das obrigações neles contidas". Essa interpretação já não pode ser acolhida.

2.2.2.6. interpretação

As Convenções de 1969 e de 1986 ocupam-se da **interpretação de tratados** nos artigos 31 a 33, que estipulam como regra geral que **todo tratado deve ser interpretado de boa-fé.**

Diante de algumas interpretações abusivas, convém lembrar um **princípio** que se tornou **axiomático**, ou seja, que "**não é permitido interpretar o que não tem necessidade de interpretação**". É frequente a inclusão em tratados multilaterais de cláusula de que não serão permitidas reservas a eles, o que não tem impedido que alguns estados, ao ratificar tratado, tenham feito declaração interpretativa que consiste numa verdadeira negação de um dentre os princípios básicos do tratado.

A regra básica de interpretação põe-se no sentido de que todo "***tratado deve ser interpretado de boa-fé, segundo o sentido comum atribuível aos termos do tratado em seu contexto e à luz de seu objeto e finalidade***" (art. 31). Na interpretação leva-se em consideração não só o texto, mas também o preâmbulo e os anexos, bem como qualquer acordo feito entre as partes, por ocasião da conclusão do tratado, ou, posteriormente, quanto à sua interpretação. Com referência a esse acordo prévio, é possível que haja dúvidas sobre se pode ou não ser em forma não escrita.

Pode-se recorrer aos **trabalhos preparatórios** da elaboração dos tratados — os ***travaux préparatoires*** — se o texto deixa o sentido ambíguo ou obscuro ou se conduz a resultado manifestamente absurdo ou desarrazoado. Convém salientar, no tocante a grandes convenções multilaterais de codificação, como as firmadas em Viena, que a documentação existente esclarece frequentemente o sentido de artigo. Embora os *travaux préparatoires* sejam considerados meios suplementares de interpretação, podem, às vezes, ser equiparados a acordo prévio entre as partes quanto ao sentido a ser dado a determinado trecho ou vocábulo, ou esclarecer os motivos que levaram, durante a negociação do dispositivo, a ser adotada a redação que veio a prevalecer, em detrimento de outras possíveis, como elemento norteador de interpretação futura.

Os tratados devem ser interpretados como um **todo**, **cujas partes se completam** umas às outras. Um termo será entendido em sentido especial se estiver estabelecido que essa era a intenção das partes. Nesse particular, convém lembrar que principalmente nos tratados de natureza específica a praxe é incluir no início glossário, listando as expressões utilizadas e o sentido destas em relação ao tratado.

Se num tratado bilateral redigido em duas línguas houver discrepância entre os dois textos que fazem fé, cada parte contratante é obrigada apenas pelo texto em sua própria língua, salvo disposição expressa em contrário. Com o objetivo de evitar semelhantes discrepâncias é comum a escolha de terceira língua que fará fé.

A questão poderá tornar-se mais complexa no caso dos **tratados multilaterais** firmados sob os auspícios das Nações Unidas, em que diversas línguas podem fazer fé, como é o caso da **Convenção sobre o direito dos tratados** que menciona o chinês, o espanhol, o francês, o inglês e o russo, visto que a Convenção de 1986 menciona ainda o árabe. A **Convenção sobre o direito dos tratados** adota norma interpretativa que, infelizmente, não pode ser considerada satisfatória, porquanto simplesmente "presume que os termos do tratado têm o mesmo sentido nos diversos textos autênticos", o que, certamente, é desejável, mas pode nem sempre ser efetivamente alcançado.

2.2.2.7. tratados sucessivos sobre a mesma matéria

A aplicação de tratados sucessivos sobre a mesma matéria é problema dos mais complexos, quiçá mais confusos, na área do direito dos tratados, tanto assim que são poucos os autores[87] que dela se ocupam, e, quando o fazem, geralmente, dentre os modos de extinção de tratados. A CDI ocupou-se dos tratados sucessivos de 1953 a 1966 sob cinco ângulos distintos e acabou adotando o artigo 30 da Convenção de 1969, que seria repetido na Convenção de 1986.

No caso de **tratados bilaterais**, a rigor não se pode falar em conflito mesmo quando os seus dispositivos parecem ser incompatíveis: tratando-se de questão de interpretação em que a boa-fé deve prevalecer. A dificuldade aumenta se um tratado bilateral entra em **conflito com outro multilateral**, ou no caso de conflito **entre dois tratados multilaterais**, em que a complexidade aumenta.

Várias soluções têm sido apresentadas, a começar com a tese da ***lex prior***, defendida por H. GRÓCIO, no século XVII, e que contou com a aceitação da CDI em 1953, tomada por base em projeto de H. LAUTERPACHT. A tese contrária, da ***lex posterior***, pode ser acolhida em alguns casos restritos, conforme ocorre no parágrafo 3 do artigo 30. Apesar de favorável à *lex prior*, GRÓCIO era de opinião que, no caso de existir tratado específico — a *lex speciales* —, ele deve ser preferido: *lex specialis derogat generali*.

Com a Sociedade das Nações, surgiu a consciência de que se deveria transpor para o direito internacional a regra de direito interno que reconhece a superioridade legal dos dispositivos constitucionais. Hoje em dia já não se discute a prioridade da **Carta** das Nações Unidas tida como a lei mais alta (***higher law***). A **Carta** das Nações Unidas é clara: "***No caso de conflito entre as obrigações dos membros das Nações Unidas em virtude da presente Carta e as obrigações resultantes de qualquer outro acordo internacional, prevalecerão as obrigações assumidas em virtude da presente Carta***" (art. 103).

---

87. Ferenc MAJOROS, **Les conventions internationales en matière de droit privé: abrégé théorique et traité pratique** (pref. B. DUTOIT, Paris: Pedone, v. I, 1976, e **Le droit des conflites des conventions** (v. II, 1980).

A **Convenção de 1969**, ao reconhecer no artigo 53 a existência em direito internacional de **normas de direito cogente (*jus cogens*)**, estabelece ser nulo o tratado que conflite com norma imperativa de direito internacional geral. O ***jus cogens e a Carta das Nações Unidas são hierarquicamente superiores aos demais tratados***, mas por motivos diferentes. É errado considerar todos os artigos da Carta como sendo de ***jus cogens***, visto que alguns podem ser modificados pela vontade das partes (***jus dispositivum***).

Seja como for, ocorrendo incompatibilidade entre os textos de dois tratados, a solução não consiste em considerar um deles como nulo, visto que por meio de interpretação judiciosa e de boa-fé é possível na maioria dos casos demonstrar que os dois textos podem ser mantidos.

2.2.2.8. nulidade, extinção e suspensão de aplicação

O artigos relativos à **nulidade, extinção e suspensão de aplicação de tratados** foram considerados os mais delicados e os de mais difícil aceitação pela Conferência de 1968-1969, tanto assim que a Convenção se ocupa extensamente da matéria nos artigos 42 até 72.

Ocorreu verdadeira **evolução** no modo de encarar algumas situações, como, por exemplo, as noções de **erro**, **dolo** e **coação**, antes abordados pela doutrina sob a rubrica *condições de validade dos tratados* e que na Convenção passaram a ser estudados como **condições de nulidade**. Houve, da parte de diversas delegações africanas e asiáticas, a preocupação de incluir na Convenção regras que poderiam ser eventualmente invocadas com o objetivo de anular situações por elas consideradas como obtidas em violação ao direito internacional. A proposta, do Brasil e da Suécia, que acabou sendo acolhida, como artigo 4, tinha dentre os seus objetivos fazer com que tais regras não tivessem efeito retroativo.

Seja como for, contrariamente à orientação da doutrina, as Convenções de 1969 e 1986 tratam, separadamente, a nulidade da extinção e da suspensão da aplicação de tratado. A ***nulidade*** ocorre em virtude de erro, dolo, corrupção do representante do estado, coerção exercida sobre o referido representante e coerção decorrente de ameaça ou emprego de força, além da adoção de tratado com desconhecimento do *jus cogens*.

O ***erro*** ou o ***dolo*** capazes de viciar o consentimento na ordem interna são habitualmente excluídos, quando se trata de acordos internacionais, porque, segundo se alega, as partes contratantes, na ordem externa, costumam operar com grandes precauções, com perfeito conhecimento de causa. Tem-se admitido com frequência que **erro *de fato*** possa ocorrer, em caso de fronteira. Foi o argumento apresentado pela Argentina e pela França, mas sem sucesso, para modificar os respectivos limites com o Brasil.

O artigo 51 menciona a ***coação*** como causa de nulidade, embora seja difícil prová-la. Ocorre principalmente nos tratados de paz. HITLER, em mais de uma oportunidade, alegou que houvera **coação** quando da assinatura do **Tratado de Versalhes**, que pôs fim à primeira guerra mundial. Isso parece duvidoso.

Nesse sentido, seria antes exemplo de coação o **Acordo de Munique de 1938**, relativo à cessão da região dos sudetos (*Sudetenland)* na antiga Tchecoslováquia, a tal ponto que este foi declarado nulo pela Grã-Bretanha e pela França em 1942.

O artigo 52 estipula ser "nulo o tratado cuja conclusão foi obtida pela ameaça ou com o emprego da força em violação dos princípios de direito internacional incorporados na Carta das Nações Unidas". Foi esse dispositivo dos mais controvertidos, visto que algumas delegações defenderam a extensão do artigo a fim de nele serem incluídas as pressões políticas e econômicas. A adoção da frase final "direito internacional incorporado na Carta das Nações Unidas" permitiu a sua aceitação.

O artigo 53 relativo ao ***jus cogens***, como causa de nulidade, representa avanço conceitual relevante do direito internacional, embora aceito com muita cautela pela Conferência, sob a alegação de que a seus verdadeiros limites ainda hoje não se acham esclarecidos, e a suposta tendência de considerar como ***jus cogens*** regras que não poderiam ser tidas como tal. A matéria comporta cuidadosa consideração[88].

---

88. *V.*, supra, item 1.1. Estudo da evolução histórica e tb. bibliografia referida a respeito do ***jus cogens***: **Levan ALEXIDZE, Legal nature of "jus cogens" in contemporary international law** (RCADI, 1981, t. 172, p. 219 e s.); Eduardo C. BAPTISTA, ***Ius cogens* em direito internacional** (Lisboa: Lex, 1997); I. BROWNLIE, **Principles of public international law** (Oxford: Clarendon Press, 4. ed., 1990, reprinted 1995, Cap. XXII, "Some incidents of illegality and the concept of *jus cogens*", p. 509-517, esp. 512-515); Carnegie Endowment for International Peace (ed.), **The concept of *jus cogens* in public international law** (Conference of Lagonissi, 1966, papers and proceedings, Genebra, 1967); Francesco CAPOTORTI, **Cours général de droit international public** (RCADI, 1994, t. 248, p. 9-344, esp. Cap. VIII, item 4, "La violence par rapport aux traités. Les traités en conflit avec le *jus cogens*", p. 182 e s.); J. A. CARRILLO SALCEDO, **Droit international et souveraineté des états: cours général de droit international public** (RCADI, 1996, t. 257, p. 135 e s.); P. CASELLA, **Fundamentos** (2008, esp. Cap. IX, "Fundamentos e norma cogente de direito internacional", p. 727-783); B. CONFORTI, **Cours général de droit international public** (RCADI, 1988, t. 212, p. 129 e s.); M. DIEZ DE VELASCO, **Instituciones de derecho internacional público** (Madrid: Tecnos, 16. ed., 2007); T. O. ELIAS, **Problems concerning the validity of treaties** (RCADI, 1971, t. 134, p. 388); Giorgio GAJA, **"Jus cogens" beyond the Vienna Convention** (RCADI, 1981, t. 172, p. 271 e s.); Antonio GOMEZ-ROBLEDO, **Le "jus cogens" international: sa génèse, sa structure, ses fonctions** (RCADI, 1981, t. 172, p. 9 e s.); Jean-Paul JACQUÉ, **Acte et norme en droit international public** (RCADI, 1991, t. 227, p. 357-417); Robert JENNINGS, *Les traités* (in **Droit international: bilan et perspectives**, Paris: Pedone / UNESCO, 1991, v. I., p. 143-186, esp. par. 6, "Jus cogens", p. 169-173); Robert KOLB, **Théorie du *ius cogens* international: essai de relecture du concept** (Paris: PUF / publ. IUHEI, Genebra, 2001); Manfred LACHS, **General course on public international law** (RCADI, 1980, t. 169, p. 202 e s.); H. MOSLER, **The international society as a legal community** (RCADI, 1974, t. 140, p. 1-320, esp., p. 148-50); McNAIR, **The law of treaties** (Oxford, 1961, p. 213);

Para Jean-Paul JACQUÉ (1991)[89], a teoria do ato jurídico, mesmo em se tratando de noção comum aos diferentes sistemas jurídicos, não pode ser captada *in abstracto*, mas se insere em determinada ordem jurídica. A questão não é se a manifestação de vontade pode acarretar consequências jurídicas, exceto se for isso inscrito no subjetivismo total, em razão das suas características próprias, mas porque a ordem jurídica lhe atribui essa faculdade: para tomar o exemplo do tratado, o encontro de vontades somente produz efeitos jurídicos porque a norma ***pacta sunt servanda*** lhe reconhece essa aptidão para criar tais efeitos. Isso, muitas vezes, é esquecido em direito internacional, na medida em que o voluntarismo reinante contribui a reverenciar a vontade estatal.

A aparição da noção de norma de ***jus cogens*** veio mostrar, como parece evidente, que mesmo a vontade dos estados tem de encontrar limites, e que os estados não poderiam atribuir quaisquer efeitos a determinado tratado sendo problema de validade: "***para que determinado ato jurídico possa cumprir a sua função, é preciso que tire sua validade formal e material da ordem jurídica existente. Não existe teoria dos atos, sem teoria da validade***"[90]. Mas, adverte, passa-se insensivelmente do ato à norma e é difícil evitar esse deslize, em razão do próprio vocabulário utilizado: "***o termo tratado é simultaneamente utilizado para designar o documento redigido no curso de negociações e o objeto do documento, que é a norma por este criada***".

As causas de extinção previstas pela Convenção correspondem, de modo geral, aos modos de extinção enumerados pela doutrina, ou seja: 1) a execução integral do tratado; 2) a expiração do prazo convencionado; 3) a verificação de condição resolutória, prevista expressamente; 4) acordo mútuo entre as partes; 5) a renúncia unilateral, por parte do estado ao qual o tratado beneficia de modo

---

G. E. do NASCIMENTO E SILVA, **Le facteur temps et les traités** (RCADI, 1977, v. 154, p. 253-5); Rafael NIETO-NAVIA, *International peremptory norms (jus cogens) and international humanitarian law* (in **Man's Inhumanity to Man** – Essays on International Law in honour of Antonio CASSESE, ed. by Lal Chand VOHRAH et al., Haia: Kluwer Law International, 2003, p. 595-640); S. REISENFELD, *Jus dispositivum* and *jus cogens* (AJIL, 1966, v. 60, p. 511); J. G. RODAS, *"Jus cogens" em direito internacional* (Rev. FDUSP, 1974, v. 69, p. 125 e s.); J. G. RODAS, **Alguns problemas de direito dos tratados relacionados com o direito internacional à luz da Convenção de Viena** (tese de doutoramento em direito internacional, São Paulo: FDUSP, 1973); G. SCHWARZENBERG, **International law and order** (Londres, 1971, p. 27-56); Egon SSCHWELB, *Some aspects of international "jus cogens"* (AJIL, 1957, v. 61, p. 946); Ignaz SEIDL-HOHENVELDERN, **International economic soft-lan** (RCADI, 1979, t. 163, p. 165-246); Malcolm N. SHAW, *Genocide and international law* (in Coletânea em honra de Shabtai ROSENNE, Dordrecht, 1988, p. 800); G. TUNKIN, **International law in the international system** (RCADI, 1975, v. 147, p. 98); Alfred VERDROSS, *Jus dispositivum* and *jus cogens in international law* (AJIL, 1966, v. 60, p. 55 e s.); Michel VIRALLY, *Réflexions sur le "jus cogens"* (AFDI, 1966, t. 12, p. 5 e s.); Ch. de VISSCHER, *Positivisme et "jus cogens"* (RGDIP, 1971, t. 75, p. 5 e s.); Ch. de VISSCHER, **Cours général de droit international public** (RCADI, 1972, t. 136, p. 102 e s.).

89. Jean-Paul JACQUÉ, **Acte et norme en droit international public** (RCADI, 1991, t. 227, p. 357-417).

90. J.-P. JACQUÉ (op. cit., 1991, p. 369-370).

exclusivo; 6) a impossibilidade de execução; 7) a denúncia, admitida expressa ou tacitamente pelo próprio tratado; 8) a inexecução do tratado, por uma das partes contratantes; 9) a guerra sobrevinda entre as partes contratantes; e 10) a prescrição liberatória.

Ainda cabe mencionar a denúncia unilateral, na hipótese de modificação fundamental das circunstâncias que deram origem ao tratado. É a aplicação do princípio ***rebus sic stantibus***, que se considera ponderável, mas, em conclusão, julgamos não ser exata a teoria de que todo tratado traz subentendida a dita cláusula e, por isso, poderá ser denunciado unilateralmente à vontade da parte que dele se queira libertar, uma vez que considere modificadas as circunstâncias em que o tratado foi celebrado.

A regra ***rebus sic stantibus*** acha-se codificada no artigo 62 da Convenção, sendo de notar que a CDI ao aceitá-la agiu com cautela, tanto assim que o artigo é redigido de forma negativa.

Cabe, a seguir, considerar os princípios gerais do direito e as demais fontes de direito internacional.

2.2.3. princípios gerais do direito

Dentre as fontes do direito internacional, enumeradas pelo **Estatuto** da CIJ, os ***princípios gerais do direito***, se considerados ***enquanto fonte formal***, seriam os mais vagos, os de mais difícil caracterização, com consideráveis variações, desde autores[91] que negam o seu valor, enquanto outros julgam que se trata, em

91. ACCIOLY **Tratado** (2009); Hanna BOKO-SZEGÓ, *Principes généraux du droit* (in **Droit international: bilan et perspectives**, Paris: UNESCO, 1991, v. I, p. 223-230); CASELLA, **Fundamentos** (2008, esp. item X, "*Opinio juris* e corte epistemológico – entre conceitos universais e expedientes específicos – princípios, valores e regras", p. 785-839); CASELLA, *Contemporary trends on opinio juris and the material evidence of international customary law ("Gilberto Amado Memorial Lecture"*, apresentada à International Law Commission, em Genebra, em 17 de julho de 2013, disponível no site da Comissão, ilc-cdi); Bin CHENG, **General principles of law as applied by the international courts and tribunals** (London, 1953); M. DIEZ DE VELASCO, **Instituciones de derecho internacional público** (Madríd: Tecnos, 16. ed., 2007); Gerald FITZMAURICE, **The general principles of international law considered from the standpoint of the rule of law** (RCADI, 1957, t. 92, p. 1-228); Georges RIPERT, **Les règles de droit civil applicables aux rapports internationaux (contribution à l'étude des principes généraux du droit visés au Statut de la Cour Permanente de Justice Internationale)** (RCADI, 1933, t. 44, p. 565-664); John HAZARD, *The general principles of law* (AJIL, 1958, t. 52, p. 91); Hermann MOSLER, **The international society as a legal community** (RCADI, 1974, t. 140, p. 1-320, esp. p. 136); Manfred LACHS, **The development and general trends of international law in our time** (RCADI, 1980, t. 169, p. 9-377 esq., e p. 195); Paul REUTER, **Principes de droit international public** (RCADI, 1961, t. 103, p. 425-656); Max SORENSEN, **Principes de droit international public** (RCADI, 1960, t. 101, p. 1-254); Oscar TENÓRIO, **Lei de Introdução ao Código Civil brasileiro** (Rio de Janeiro, 1944, p. 68); A. TRUYOL Y SERRA, **Théorie du droit international public (cours général)** (RCADI, 1981, t. 173, p. 9-443); Haroldo VALLADÃO, **Direito internacional privado** (Rio de Janeiro: Freitas Bastos, v. I, 5. ed., 1980, introdução à parte geral); P. G. VALLINDAS, **General principles of law and the hierarchy of the sources of international law** (Bonn, 1959); Alfred VERDROSS, **Les principes généraux du droit**

última análise, de aspecto do costume internacional, ao passo que, considerados como ***fonte real***, constituem o eixo de valores e princípios que poderá nortear a consolidação e a interpretação das normas, por serem a fonte verdadeira ou fundamental, e a que pode fornecer elementos para a interpretação dos tratados e dos costumes, as duas grandes fontes incontestadas do direito internacional positivo, enquanto ***fontes formais*** ou ***positivas***.

Para o Comitê de Juristas que elaborou o projeto de **Estatuto** da CPJI, os princípios gerais do direito seriam aqueles aceitos pelos estados *in foro domestico*. A transposição de princípios e normas dos direitos internos[92] para o direito internacional comporta desenvolvimentos específicos, em função das mutações do contexto institucional e normativo do direito internacional. Nesse sentido, Georges RIPERT (1933)[93] examinava "as normas de direito civil aplicáveis às relações internacionais" como "contribuição ao estudo dos princípios gerais do direito, visados no Estatuto da Corte Permanente de Justiça Internacional"[94]: "o direito internacional não consiste somente na observância dos tratados. Além dessa ordem jurídica convencional, existe ordem jurídica comum", estabelecida por razões de justiça e de utilidade, que tem tanto às vezes mais valor na sociedade dos estados que na sociedade dos homens[95].

---

dans la jurisprudence internationale (RCADI, 1935, t. 52, p. 191-252); Paul de VISSCHER, **Cours général de droit international public** (RCADI, 1972, t. 136, p. 1-202, esp. p. 112); K. WOLFF, **Les principes généraux du droit applicables dans les rapports internationaux** (RCADI, 1931, t. 36, p. 479-554).

92. **Convenção de Viena sobre direito dos tratados** (1969, em vigor internacionalmente desde 1980), arts. 27 e 46: "Uma parte não pode invocar as disposições de seu direito interno para justificar o inadimplemento de um tratado. Esta regra não prejudica o artigo 46". Este, por sua vez: "1. Um estado não pode invocar o fato de que seu consentimento em obrigar-se por um tratado foi expresso em violação de uma disposição do seu direito interno sobre competência para concluir tratados, a não ser que essa violação fosse manifesta e dissesse respeito a uma norma de seu direito interno de importância fundamental. / 2. Uma violação é manifesta se for objetivamente evidente para qualquer estado que proceda, na matéria, de conformidade com a prática normal e de boa-fé".

93. Georges RIPERT, **Les règles du droit civil applicables aux rapports internationaux (contribution à l'étude des principes généraux du droit visés au Statut de la Cour permanente de justice internationale)** (RCADI, 1933, t. 44, p. 565-664, cit. p. 569), enceta o exame do tema asseverando tratar-se de determinar *quais* normas de direito civil seriam aplicáveis ao direito internacional e não *se* seriam estas aplicáveis: "Le titre même de ce cours implique l'admission de l'idée qu'il y a lieu de faire intervenir dans les rapports internationaux certaines règles du droit civil. Nous nous proposons de rechercher quelles sont les règles applicables et non s'il y a des règles applicables, mais la recherche n'a été entreprise que dans la conviction où nous étions de la possibilité, de la nécessité même de cette application".

94. G. RIPERT (op. cit., 1933, adiante, p. 659-660) considerava, sucessivamente: o contrato; a responsabilidade civil; o exercício dos direitos; a prova e a interpretação. A conclusão punha-se no sentido do "progresso do direito internacional pelo recurso aos princípios gerais do direito": "La démonstration que nous voulions présenter est ainsi faite par la seule citation des décisions rendues par les juridictions internationales. Dans un três grand nombre de cas, et nous n'avons donné que des exemples, ces juridictions et tout particulièrement la Cour permanente de justice, ont appliqué des principes généraux qui, jusqu'ici, n'étaient reconnus que dans le droit civil interne des pays civilisés".

95. G. RIPERT (op. cit., 1933, loc. cit.): "Ces principes ont été dégagés depuis longtemps par la sagesse humaine, ils sont mis en oeuvre dans chaque pays par une technique particulière, mais, sous les règles techniques qui les recouvrent, il n'est point difficile de les retrouver".

O progresso do direito internacional, segundo RIPERT, está ligado a essa aplicação pelo juiz dos princípios do direito, o que é seguramente difícil, pois o juiz internacional parece assim criar a norma que todavia não existe. Existe desconfiança em relação a essa obra criadora e prudência necessária por parte das jurisdições internacionais. Mas pode-se ver qual é o futuro reservado à competência e ao poder dessas jurisdições, se estas se empenharem, deliberadamente, em estatuir, mesmo nos casos em que a convenção e o costume sejam mudos, para impor aos estados, que comparecem diante destas, o respeito de princípios, geralmente admitidos. Fazer apelo a tais princípios significa assegurar o progresso indefinido do direito internacional.

No quadro de sociedade internacional, apontava C. BILFINGER (1938)[96], a rarefação normativa, como então, em tempos de ascensão do nazi-fascismo, se exacerbava, o que conferiria aos princípios gerais caráter indispensável, do que dependeria a função de tais ficções. No contexto pós-moderno, não mais se padece de falta de normas, mas cabe proceder à reorientação de todo o foco do sistema internacional, na linha de E. ROUCOUNNAS (2002)[97], no sentido de conjunto de princípios, para acolher o ser humano como eixo do direito internacional.

Por ocasião da Conferência de São Francisco, a opinião generalizada era de que o artigo 38 do Estatuto da CPJI deveria ser mantido, mas com o acréscimo da frase "decidir de acordo com o direito internacional". Felizmente, a ideia não foi acolhida, visto que o **objetivo da inclusão dos princípios gerais do direito foi precisamente ampliar o campo de ação a que o juiz pode recorrer**. A partir dos direitos internos, deparamo-nos com princípios gerais do direito que poderão igualmente vir a informar o direito internacional.

O Comitê de Juristas, ao incluir os princípios gerais do direito dentre as normas a serem aplicadas pela Corte Permanente de Justiça Internacional, tinha em mente que, mesmo se as normas constantes dos tratados e do costume silenciassem a respeito de caso em julgamento, a Corte seria obrigada a pronunciar-se, isto é, não poderia eximir-se de julgar e declarar a inexistência de norma específica (***non liquet***), conforme analisam G. FITZMAURICE (1974 e 1957)[98], G.

---

96. C. BILFINGER, **Les bases fondamentales de la communauté des états** (RCADI, 1938, t. 63, p. 129-242).

97. Emmanuel ROUCOUNAS, **Facteurs privés et droit international public** (RCADI, 2002, t. 299, p. 9-420, cit. p. 24): "Le développement de la pensée juridique au début du XXe siècle a écarté la conception que la personne morale était une fiction, mais l'état-personne morale n'a pas pour autant cessé d'effacer d'abord, déterminer ensuite, la place de l'individu parmi les sujets du droit international. Pareille démarche est simplement inconcevable dans l'ordre juridique interne, où par définition l'individu constitue le sujet de droit par excellence".

98. Gerald FITZMAURICE, *The problem of "non-liquet": prolegomena to a restatement* (in **La communauté internationale:**

RIPERT (1933)[99] e D. ANZILOTTI (1912, ed. 1999)[100]. Segundo ANZILOTTI, a menção aos princípios gerais "foi ditada pelo cuidado de evitar que a Corte pudesse se encontrar na situação de rejeitar uma demanda por meio de *non liquet*, por falta de normas jurídicas aplicáveis, o que demonstraria, antes de tudo, que se pretendeu levar até o último limite a *produtividade das fontes*, se assim se pode dizer". Desse modo, entende ANZILOTTI, haveria remissão, primeiro, aos princípios gerais da ordem jurídica internacional e, segundo, aos "princípios universalmente admitidos na legislação dos povos civilizados: uma espécie de, como bem se disse, ***novissimum ius gentium***, no sentido clássico, ***quasi quo iure omnes gentes utuntur*** (Inst. I, 1). Os princípios geralmente admitidos nas legislações dos povos civilizados foram, em sua maior parte, aceitos, tacitamente, também na ordem internacional, e a Corte os aplica enquanto tais"[101].

O Comitê de Juristas era da opinião de que não se estava inovando na matéria, visto que tribunais internacionais e domésticos, frequentemente, recorriam aos princípios gerais do direito. É interessante assinalar que o art. 4º da Lei de Introdução ao Código Civil brasileiro espelha esta orientação: "Quando a lei for omissa, o juiz decidirá o caso de acordo com a analogia, os costumes e os princípios gerais do direito".

Oscar TENÓRIO (1944)[102], ao analisar o citado dispositivo, esclarece que "Qualquer pleito terá do juiz uma sentença mesmo quando na lei não encontrar ele a solução", e explica: "Realizará o magistrado o processo de integração do direito, a que se tem chamado de preenchimento das lacunas da lei".

A CIJ, como fizera anteriormente a sua predecessora, a CPJI, tem agido com muita cautela a respeito. Podem ser mencionadas decisões ou pareceres em

---

mélanges offerts à Charles Rousseau, Paris: Pédone, 1974, p. 89-112); Gerald FITZMAURICE, **The general principles of international law considered from the standpoint of the rule of law** (RCADI, 1957, t. 92, p. 1-228).

99. G. RIPERT (op. cit., 1933, p. 574): "La Cour permanente de justice ne peut prononcer le *non liquet* ou refuser de juger sous le pretexte qu'elle ne trouve pas de règle applicable. Pour juger, elle est bien obligée de chercher la solution dans les principes du droit si elle ne la trouve pas ailleurs".

100. Dionísio ANZILOTTI, **Cours de droit international** (ed. original 1912, trad. francesa de G. GIDEL, publ. 1929, nova edição, Paris. LDGJ – diffuseur / éd. Panthéon – Assas, 1999).

101. D. ANZILOTTI (op. cit., ed. 1999, p. 117-118): "Si, au contraire, il arrive qu'il s'agisse de principes propres, exclusivement aux ordres juridiques internes, force est d'admettre que dans cette mesure le juge est renvoyé à une source différente de l'ordre juridique international, et proprement à une source dans le sens matériel, qui peut seulment lui fournir les éléments pour formuler la norme qu'il appliquera dans le cas concret, comme norme de droit international: cette norme n'existe pas dans l'ordre international; c'est le juge qui la crée pour le cas spécial et pour celui-ci seulement (art. 59), d'après certains critères, parmi lesquels le plus important est fourni par la presque universalité des conceptions juridiques sur lesquelles s'appuie ladite règle. Ainsi entendue, la fonction que l'article 38, n. 3, attribue à la Cour n'est pas différente, sinon par les limitations plus grandes qu'elle rencontre, de celle que quelques codes récents attribuent au juge, quand ils disent que celui-ci, en l'absence d'autres sources, appliquera la norme qu'il adopterait si lui-même était législateur".

102. Oscar TENÓRIO, **Lei de Introdução ao Código Civil brasileiro** (Rio de Janeiro, 1944, p. 68); *v.* tb., Oscar TENÓRIO, **Direito internacional privado** (op. cit., 11. ed., 1976).

que, evitando mencionar o artigo 38, e sem utilizar a expressão *princípios gerais de direito*, a Corte preferiu falar em princípios *gerais*, *bem estabelecidos*, *ou geralmente reconhecidos*. Seja como for, ***uma vez aceitos pela "opinio juris", os princípios gerais de direito assumem as características de costume***.

É de lamentar que do **Estatuto** da CIJ não se tenha expurgado a referência aos *princípios "reconhecidos pelas nações civilizadas", por se tratar de anacronismo, "politicamente incorreto"*, que lembra o período anterior à primeira guerra mundial, quando o direito internacional, de inspiração eurocêntrica, ainda padecia da pretensão da projeção civilizadora, em relação ao resto do mundo. Em outras palavras, não se pode admitir que as leis de qualquer Membro das Nações Unidas sejam inaceitáveis; o ideal teria sido a eliminação pura e simples da frase. De outro modo, poder-se-ia compreender o dispositivo como a expressão de ***conteúdo mínimo compartilhado, por parte de todos os sistemas nacionais, que aceitem os imperativos básicos da convivência organizada***, como norteadores da conduta dos sujeitos internacionais. Isso torna aceitável a formulação.

Georges RIPERT (1933)[103] indaga o que seria ***princípio geral***. É uma norma, mas norma geral e importante, que comanda outras. O princípio é norma, pois este é direção de conduta: "***os princípios de direito são as normas essenciais sobre as quais se fundam as normas secundárias de aplicação e de técnica***". Enfatiza a necessidade de bem distinguir os princípios gerais em relação ao conteúdo da equidade[104], do direito natural[105] e da (justa ou reta) razão[106]. Indaga, igualmente,

---

103. G. RIPERT (op. cit., 1933, p. 575).

104. G. RIPERT (op. cit., 1933, loc. cit.): "***L'équité*** est principe, mais principe de morale et non principe de droit. Il arrive même que l'on oppose l'équité au droit dans les cas particuliers où l'application stricte de la règle juridique conduirait à une solution qui révolterait l'esprit de justice tout en se justifiant par d'autres raisons, par exemple le souci de l'ordre. / Le droit doit se proposer de réaliser l'équité, ou tout au moins une certaine équité. Mais on ne peut réduire les principes généraux du droit à cette règle trop simple que l'équité doit être respectée".

105. G. RIPERT (op. cit., 1933, p. 576-577): "Pas davantage on ne peut confoondre ces principes avec les ***règles du droit naturel***. (...) Pour que le recours aux principes du droit naturel fût possible, il faudrait à la fois une croyance commune à l'existence d'un tel droit et un accord sur le contenu de ce droit, ou tout au moins une partie de son contenu. Or, nous n'avons ni croyance commune, ni accord sur le contenu; chacun place dans le droit naturel les règles qui lui paraissent correspondre à son idéal, et personne n'a jamais pu donner une délimitation ferme du contenu de ce droit".

106. G. RIPERT (op. cit., 1933, p. 578-579): "Il est vrai que l'on donne traditionnellement du droit naturel une notion bien rassurante, en affirmant que c'est le droit dicté par la ***raison***. (...) il ne faut pas confondre les règles du raisonnement logique avec les règles juridiques. Il y a une logique judiciaire. L'art de juger doit en faire état. Une juridiction, qu'elle soit nationale ou internationale, ne peut pas statuer sans logique; par exemple, que les différentes parties d'une décision se tiennent; une solution principale commande des solutions sécondaires ou dérivées. Mais cette logique judiciaire dépend uniquement de l'éducation juridique et du bon sens du juge. C'est presque affaire subjective, encore que, par le recrutement des juges et la permanence des juridictions, on arrive à l'application constante de certains procédés. / Ces règles de la logique formelle ne peuvent être considérées comme étant les principes généraux du droit; il nous faut trouver des règles plus précises".

de onde tais princípios tiram sua força. Responde RIPERT ser esta questão que deve permanecer sem resposta, porquanto a solução pressupõe que se tome partido em relação ao fundamento do direito: "Que esse fundamento seja moral ou sociológico, que esse direito seja revelado, imposto, aceito, pouco importa; basta que se constate a existência da norma, não é necessário dar-lhe justificação. É provável que a norma seja justificada pela justiça, pela razão, pela utilidade prática, uma vez que tantos países a aceitaram. Mas o juiz não tem de examinar os motivos que a justificam. Ele não julga a lei, ele a faz aplicar. Quando o juiz internacional constatar a existência de princípio jurídico, na legislação das principais *nações civilizadas*, ele terá a obrigação de fazer respeitar esse princípio"[107].

A referência aos princípios gerais do direito tem se mantido como útil e necessária, apesar de os limites de sua utilização todavia não se encontrarem claramente abordados e definidos. Pode a remissão a esse conceito causar algum constrangimento àqueles que tenham do direito visão estrita, quiçá excessivamente positivista, mas tem seu alcance e seu conteúdo, pode e deve ser conservada como *canal de busca das ideias basilares e conceitos formadores do ordenamento jurídico e de construção progressiva de ordenamento internacional, passível de aperfeiçoamento, mesmo ante a inocorrência de norma específica,* passível de aplicação direta e imediata, ao caso que concretamente tenha de ser julgado.

O dado não é novo. Nesse sentido, M. BOURQUIN (1931)[108] ressalta a existência de semelhanças, quer entre os códigos europeus do século XIX, quer nos costumes compendiados no século XVI, e que se pode encontrar tanto direito comum legislado como direito comum consuetudinário, constituindo "fundo comum", que não se confunde com o direito natural. A constatação de sua existência não implica qualquer julgamento quanto ao seu valor. A coincidência das regras jurídicas é considerada sinal revelador de uma norma[109].

Também Georg SCHWARZENBERGER (1955)[110], Charles ROUSSEAU (1958, 1948)[111], Max SORENSEN (1960)[112], Paul REUTER (1961)[113] e Robert

---

107. G. RIPERT (op. cit., 1933, p. 580-581): "Ces principes sont des *principes du droit interne;* ils se trouvent affirmés dans les lois des états. (...) Il est pourtant certain que l'on ne peut appliquer en matière internationale des règles de droit interne sans que ces règles subissent une certaine transformation".

108. M. BOURQUIN, **Règles générales du droit de la paix** (RCADI, 1931, t. 35, p. 1-232).

109. M. BOURQUIN (op. cit., 1931, p. 73).

110. G. SCHWARZENBERGER, **The fundamental principles of international law** (RCADI, 1955, t. 87, p. 191-386).

111. Charles ROUSSEAU, **Principes de droit international public** (RCADI, 1958, t. 93, p. 369-550); Charles ROUSSEAU, **L'indépendance de l'état dans l'ordre international** (RCADI, 1948, t. 73, p. 167-254).

112. Max SORENSEN, **Principes de droit international public** (RCADI, 1960, t. 101, p. 1-254).

113. Paul REUTER, **Principes de droit international public** (RCADI, 1961, t. 103, p. 425-656).

JENNINGS (1967)[114] apontam o papel e a extensão dos "princípios" no direito internacional público. E. A. WALSH (1935)[115] colaciona o papel dos "princípios fundamentais da vida internacional" e G. D. TASSITCH (1938)[116], as bases da "consciência jurídica internacional". A mesma linha conceitual aí se coloca.

J. RAY (1934)[117] abordava, na Haia, a questão do "conflito entre princípios abstratos e estipulações convencionais": o que pressupõe o ***jus cogens*** – mesmo que à época, não se lhe atribuísse tal denominação, como o burguês fidalgo de MOLIÈRE, pode-se falar prosa, mesmo sem ter consciência disso. A questão, simplesmente, tornou-se mais claramente colocada, após a inserção do conceito de ***jus cogens*** no direito internacional positivo.

A. GOMEZ ROBLEDO (1981)[118], após a entrada em vigor (1980) da **Convenção de Viena sobre direito dos tratados** (1969), mostra que o não tinha sido por esta iniciado, mas remonta a conceito, esboçado no direito romano e posto no direito internacional, já por Francisco de VITÓRIA, na *Relectio*[119] sobre o poder civil (1528)[120].

Cabe, a seguir, passar ao exame da jurisprudência como fonte do direito internacional.

2.2.4. jurisprudência como fonte do direito internacional

O artigo 38 do **Estatuto** da CIJ estipula que, em suas decisões, a Corte poderá recorrer como *meio auxiliar* às decisões judiciárias e à doutrina dos autores

---

114. Robert Y. JENNINGS, **General course on principles of international law** (RCADI, 1967, t. 121, p. 323-606).

115. E. A. WALSH, **Les principes fondamentaux de la vie internationale** (RCADI, 1935, t. 53, p. 97-176).

116. G. D. TASSITCH, **La conscience juridique internationale** (RCADI, 1938, t. 65, p. 305-394).

117. J. RAY, **Des conflits entre principes abstraits et stipulations conventionnelles** (RCADI, 1934, t. 48, p. 631-708).

118. A. GOMEZ ROBLEDO, **Le "jus cogens" international: sa génèse, sa nature, ses fonctions** (RCADI, 1981, t. 172, p. 9-217).

119. F. de VITORIA, **De potestate civili**: "o direito das gentes não tem somente força de pacto ou de convenção entre os homens, mas possui, igualmente, força de lei. O mundo inteiro, na verdade, que, de certo modo, constitui uma república, tem o poder de levar leis justas e ordenadas para o bem de todos, tais como são as do direito das gentes. Consequentemente, quando se trata de questões graves, nenhum estado pode se considerar desvinculado do direito das gentes, pois este é colocado pela autoridade do mundo inteiro".

120. Francisco de VITÓRIA, *Relectio* sobre o poder civil (no volume **Political writings**, edited by Anthony PAGDEN e Jeremy LAWRANCE, "Cambridge texts in the history of political thought", Cambridge: UP, 1991, p. 1-44); ou nas edições: **Leçons sur le pouvoir politique** (intr., trad. et notes par M. BARBIER, Paris: Vrin, 1980) e **Obras: "relectiones" teológicas** (ed. crítica, versão espanhola, intr. geral Pe. Teófilo URDANOZ (OP.), Madri: BAC, 1960); comentários e análises em: A. TRUYOL Y SERRA, **La conception de la paix chez VITORIA** / la présente édition est la reprise de deux articles parus dans les "Recueils de la société Jean BODIN pour l'histoire comparative des institutions", tome XV, "La paix", deuxième partie, Bruxelles: Éditions de la Librairie Encyclopédique, 1961, avec Paul FORIERS, **L'organisation de la paix chez GROTIUS et l'école de droit naturel** (Paris: Vrin, 1987); C. BARCIA-TRELLES, **Francisco de Vitoria et l'école moderne du droit international** (RCADI, 1927, t. 17, p. 109-342); P. CASELLA, **Direito internacional no tempo medieval e moderno até VITORIA** (2012, cap. XIV, p. 603-644); J. MOREAU-REIBEL, **Le droit de société interhumaine et le *jus gentium*: essai sur les origines et le développement des notions jusqu'à Grotius** (RCADI, 1950, t. 77, p. 481-598); A. HERRERO-RUBIO, **Le droit des gens dans l'Espagne du XVIIIe siècle** (RCADI, 1952, t. 81, p. 309-450).

mais qualificados. Esta disposição espelha, a exemplo do que foi dito, no tocante aos princípios gerais do direito, a preocupação do Comitê de Juristas encarregado da elaboração do **Estatuto** de dar à Corte a possibilidade de encontrar regras capazes de permitir uma solução para todos os casos que lhe fossem submetidos, isto é, **evitar o *non liquet***, como ressalta G. FITZMAURICE (1974)[121], mesmo que somente parte da resposta seja dada para a solução de determinado caso[122].

Na apreciação dessas fontes, também chamadas *acessórias* ou *auxiliares*, é importante ter em mente a época da elaboração do **Estatuto**, 1920, e a evolução verificada de então para cá[123]. Sob esse ângulo, é lícito afirmar que, se a redação do artigo 38 do **Estatuto** tivesse levado em consideração as evoluções verificadas, inclusive pelos julgamentos da Corte Internacional de Justiça, a relação das fontes e a ordem de sua aplicação seriam outras. Em outras palavras, da relação constariam as resoluções das organizações internacionais e as declarações unilaterais; a jurisprudência poderia figurar até em segundo lugar, não obstante o disposto no artigo 59, segundo o qual as decisões da Corte somente são obrigatórias para as partes litigantes "a respeito do caso em questão", isto é, a decisão não deve influir em casos futuros quando, sabidamente, a CIJ evita tomar decisões que possam ser consideradas contraditórias e faz referências sistemáticas aos seus precedentes, com menção a "jurisprudência constante".

O artigo 38, alínea *d*, fala em "**decisões judiciárias**", isto é, da jurisprudência, como expressão ampla, destinada a cobrir as decisões dos tribunais internacionais, dos tribunais arbitrais internacionais, dos tribunais nacionais, bem como as decisões dos tribunais de determinadas organizações internacionais[124].

---

121. Gerald FITZMAURICE, *The problem of "non-liquet": prolegomena to a restatement* (in **La communauté internationale: mélanges offerts à Charles ROUSSEAU**, Paris: Pédone, 1974, p. 89-112, cit., p. 92) ressalta duas premissas básicas: "These assumptions are, *first* that a *non-liquet*, in the sense of a refusal or failure on the part of a tribunal to give any decision at all, must at all costs be avoided – somehow, the tribunal *must* decide; and *secondly*, that the *non-liquet* is duly avoided provided the tribunal gives a decision, a decision of some kind that settles the dispute, in the sense of indicating which of the parties succeeds, or that answers the question put to the tribunal, however inconclusive in substance this answer may be, — and even if, in either case, the real underlying issues are left undecided".

122. G. FITZMAURICE (art. cit., 1974, p. 112): "the legal order or system can only be said to be complete (and that this is what saying that it is complete must involve) if we either I) are content with a completeness that is in the last resort only formal, and even so does not extend to important categories of cases; or II) are ready – again in the last resort – to admit judicial legislation or its equivalent in order to fill in material gaps in the substantive content of the law. If we are dissatisfied under both these heads, than the postulate or dogma of "*non-liquet*" in any circumstances, which, as we have seen, becomes logically unjustifiable".

123. Sobre o papel da jurisprudência como fonte do direito internacional, v. tb. item 3.5, "secessão no direito internacional – o Parecer consultivo da Corte Internacional de Justiça sobre o Kosovo, de 22 de julho de 2010". No Parecer consultivo sobre o Kosovo, de 22 de julho de 2010, a Corte Internacional de Justiça cita e analisa a decisão da Corte Suprema do Canadá a respeito do Quebec.

124. Aí ficam compreendidos os vários tribunais internacionais existentes, atualmente, além da Corte Internacional de Justiça, tais como o Tribunal Internacional do Direito do Mar, criado pela Convenção de 1982, os Tribunais internacionais

Tal enumeração, contudo, daria noção equivocada a respeito do peso relativo das decisões emanadas dos vários tipos de tribunais; em outras palavras, não se podem colocar em pé de igualdade as decisões da CIJ com as dos tribunais administrativos internacionais, dos tribunais nacionais ou de arbitragem. A hierarquia entre estes será de ordem material.

A importância das sentenças da CIJ não é contestada; as sentenças dos tribunais domésticos pesam no direito dos países do *common law*, mas não, em equivalente extensão, nos demais sistemas; quanto às decisões arbitrais, constata-se que, na maioria dos casos, considerações que não as jurídicas têm pesado na balança: podem consistir, sobretudo, na solução de determinado caso, mas não necessariamente na solução *jurídica* deste.

As sentenças da CIJ, ao interpretarem tratados ou esclarecerem o verdadeiro conteúdo dos costumes internacionais e dos princípios gerais do direito, contribuem para eliminar incertezas, porventura existentes no direito internacional, a ponto de a Comissão de Direito Internacional haver recorrido a estas em seus projetos de codificação, a fim de cobrir eventuais lacunas ou atualizar determinada regra jurídica. Para Moustapha SOURANG (1991)[125]: *"o direito internacional positivo, especialmente no artigo 38 do* ***Estatuto*** *da Corte Internacional de Justiça, confere autoridade particular à jurisprudência, considerada como meio de determinação do direito. A doutrina estima que a autoridade assim reconhecida à jurisprudência internacional encontra a sua justificação nas garantias que são geralmente asseguradas pelos procedimentos jurisdicionais, e pela composição entre instâncias jurisdicionais internacionais"*.

Alguns autores argumentam que as decisões da CIJ devem ser equiparadas às fontes formais, não mais se justificando a sua equiparação com as dos demais tribunais internacionais ou nacionais. A questão é controvertida, uma vez que a maioria alega que os termos do art. 38 não podem suscitar dúvida, ou seja, a jurisprudência constitui "meio auxiliar" (*subsidiary means*, na versão inglesa). Em outras palavras, cabe à Corte aplicar a lei e não fazê-la.

Outros autores, como PASTOR RIDRUEJO, lembram-nos que, não obstante os termos do Estatuto, é importante levar em conta a atuação da CIJ e não aqueles: "que a Corte se apega a sua jurisprudência como autêntica fonte do direito, dado não ver inconveniente em aplicar regras por esta elaboradas, que

---

ad hoc, criados pelo Conselho de Segurança das Nações Unidas, para a ex-Iugoslávia e para Ruanda, além do Estatuto de Roma, de 1998, por meio do qual se criou o Tribunal Penal Internacional. Ainda poderiam ser lembrados os Tribunais administrativos internacionais.

125. Moustapha SOURANG, *La jurisprudence et la doctrine* (in **Droit international: bilan et perspectives**, Paris: Pedone/UNESCO, 1991, v. I, p. 295-300, cit. p. 298).

invoca não como princípios gerais do direito, costumes ou convenções, mas como a sua própria jurisprudência". Em tal sentido, parece-nos acertada a opinião de Humphrey WALDOCK ao argumentar que é pouco provável que o Comitê de Juristas entregue a tribunal totalmente novo e sem precedentes autoridade explícita para estabelecer direito aplicável a todos os estados.

O fato é que a tendência da CIJ tem sido cada vez mais no sentido de se guiar pela sua própria jurisprudência, evitando em seus julgamentos afastar-se de decisões anteriores, a ponto de levar as partes a recorrerem cada vez mais aos precedentes. Nesse sentido, desempenharia a Corte a sua missão de aplicar o direito internacional, na medida em que confere estabilidade e previsibilidade ao conteúdo de sua própria jurisprudência.

O que foi dito em relação à jurisprudência da CIJ se aplica, *mutatis mutandis*, às decisões dos demais tribunais internacionais, e dos tribunais regionais, como é o caso das Cortes europeia e interamericana dos direitos humanos[126].

A construção do direito internacional, no contexto pós-moderno, tem marcos intrinsecamente internacionais específicos, e estes constituem as ferramentas básicas de trabalho, para os profissionais da área: ninguém pode estudar e pretender conhecer direito internacional sem manejar as bases da jurisprudência internacional (especialmente da Corte Internacional de Justiça, sua predecessora, a Corte Permanente de Justiça Internacional, e da Corte Permanente de Arbitragem)[127].

Dentre julgados emanados dos tribunais internacionais, além do destaque inevitável para a Corte Internacional de Justiça e a sua predecessora, a Corte Permanente de Justiça Internacional, ao lado destas permanece a mais que centenária Corte Permanente de Arbitragem, somando-se-lhes outros tribunais internacionais, como os referidos Tribunal Internacional do Mar, o Tribunal Penal Internacional, bem como os Tribunais penais internacionais *ad hoc* (desde Nuremberg e Tóquio até Ruanda e ex-Iugoslávia), e os tribunais regionais, tais como as Cortes Europeia e Interamericana de direitos humanos (e equivalentes de outras regiões).

Apontava RODRIGO OCTÁVIO os resultados da Haia, em 1907, em que "a rigidez dos princípios da soberania estatal e da igualdade dos estados impediu se estabelecesse a arbitragem obrigatória e se criasse uma Corte Internacional de Justiça", com o espírito novo dos trabalhos de Paris, 1919 e posteriores até 1928,

---

126. Com relação ao papel e à atuação de ambas, *v.*, *infra*, parte 5, com foco no ser humano, como sujeito de direito internacional.

127. J. LIMBURG, **L'autorité de la chose jugée des décisions des juridictions internationales** (RCADI, 1929, t. 30, p. 519-618); *v.* tb. Leonardo N. C. BRANT, **A autoridade da coisa julgada no direito internacional público** (Rio de Janeiro: Forense, 2002).

na aceitação de restrições à soberania[128]. Na base da solidariedade proposta por Clóvis BEVILÁQUA (1910 e 1939), este passa, adiante, a mostrar todas as grandes e justas reformas, do clássico direito das gentes, a começar pela jurisdição internacional obrigatória, com a Corte da Haia[129].

Após falar na "derrocada dos princípios rígidos da soberania nacional e da igualdade dos estados" exclamava RODRIGO OCTÁVIO: "era mister, para o bem da humanidade, assentar as relações dos estados em terreno mais humano, mais democrático, mais espiritual, procurando-se orientar e desenvolver a vida internacional, sob a inspiração de sentimentos menos intolerantes, menos interesseiros, menos egoísticos, para a fraternidade, para a solidariedade, para a cooperação"[130].

O debate, apesar de histórico, não está encerrado, na medida em que o direito internacional, no contexto pós-moderno, há de se implementar, como já apontava Oscar SCHACHTER (1982)[131]. V. MAROTTA RANGEL (1994)[132] indagava a respeito da "efetividade da justiça nas relações internacionais". Esse dilema *legitimidade - efetividade* estará sempre presente[133].

---

128. Ildefonso Dutra ALVIM, **Limitações ao exercício da soberania** (Belo Horizonte: Imprensa oficial, 1953, Parte II, "Soberania", Cap. II, "Exercício", pars. 193 e 194, p. 143-144): "o exercício da soberania fica dividido em superfície e profundidade, de acordo com as normas institucionais do estado. Em superfície, espalhado pelos diversos órgãos estatais, e, em profundidade, na escala descendente da hierarquia do poder exercido. Pois a soberania como já se disse com apoio em J. MENDES, reúne o conjunto dos poderes conferidos ao estado, pelo povo. (...) Não é o poder soberano que se divide em dois ramos, o nacional e o internacional. A soberania continua una. Seu exercício é que se distribui entre os diversos órgãos a que é delegado".

129. Haroldo VALLADÃO, *Rodrigo Octávio, o internacionalista* ("conferência, na qualidade de presidente da Sociedade brasileira de direito internacional, no Palácio Itamaraty, a 10 de outubro de 1966, pelo centenário do nascimento de Rodrigo Octávio", in **Novas dimensões do direito: justiça social, desenvolvimento, integração**, São Paulo: RT, 1970, p. 97-110, cit. p. 105); *v.* tb. M. F. Pinto PEREIRA, **Soberania das nações** (prefácio de Clóvis BEVILAQUA, São Paulo: C. Teixeira & Cia., 1920, "Prólogo", p. IX-XII, cit., p. X): "Esta ideia, verdadeira e fecunda, prepara-nos a intelligencia para aceitar a Sociedade das Nações, que, entretanto, o Sr. Dr. Pinto PEREIRA considera difficilmente conciliável com a soberania. Elle quer a comunhão jurídica; reconhece a solidariedade das nações; e proclama que *ad semper juris vis imperanda.* Esta constituição internacional dos estados ainda é uma simples *liga contra a guerra.* Daí a impressão, que nos deixa, de obra incompleta e de articulação imperfeita. Mas, em honra de seus preparadores, é justo reconhecer que atendeu às necessidades mais urgentes; que, no momento era impossível conseguir coisa melhor; e que, se deixassem passar esta oportunidade, ninguém sabe quando outra se nos apresentaria".

130. H. VALLADÃO (op. cit., loc. cit.): "É neste momento tão extenso e intenso o esforço universal no sentido da regulamentação da vida conjunta dos povos, sob a base do interesse geral e da concórdia humana, em todos os recantos do mundo, sem distinção de raças e de credos políticos ou religiosos, de tendências científicas ou filosóficas, que não é possível que dessa conjugação de esforços não se condense e tome corpo na consciência universal a ideia de que o interesse da humanidade é um só e que em todos nós, cidadãos de cada um dos estados que constituem o mundo civilizado, circula o mesmo sangue irmão".

131. Oscar SCHACHTER, **International law in theory and practice: general course in public international law** (RCADI, 1982, t. 178, p. 9-395).

132. V. MAROTTA RANGEL, *Sobre la efectividad de la justicia en las relaciones internacionales* (in **El derecho internacional en un mundo en transformación: en homenaje al professor Eduardo JIMENEZ de Arechaga**, Montevidéu: Fund. de Cultura Univ., 1994).

133. Determinadas correntes ainda defendem a condição do estado como sujeito, se não único, ao menos o predominante

Pode ainda parecer remota, mas há de se conceber, na linha de G. FITZMAURICE (1957)[134], a ordenação da sociedade internacional sob o ponto de vista da regência legal (***rule of law***). Não somente do ponto de vista dos princípios gerais do direito. Seria esta, em Jesse S. REEVES (1924)[135], a ideia de "comunidade internacional"[136].

A ordenação legal de qualquer sociedade resulta da determinação de sua concepção global na elaboração e formulação dos conceitos basilares. A sociedade internacional pode carecer de estruturas institucionais, mas não de formulações teorizantes, de valor e de alcances variáveis[137] a seu respeito.

A jurisprudência como fonte do direito internacional acompanha as mudanças por que passa a sociedade internacional, e a solução de controvérsias entre estados, objeto de tópico específico, passa de mecanismo essencialmente bilateral para contexto mais e mais frequentemente multilateral: isso se reflete em *Resolução* do Instituto de direito internacional a respeito da **solução judiciária e arbitral de controvérsias internacionais com mais de dois estados** (Berlim, 1999)[138]. A *Resolução* de Berlim (1999) estipula conjunto de princípios[139]:

– o primeiro, necessariamente, no sentido de ser o **consentimento dos estados o fundamento da competência** das cortes e tribunais internacionais; daí resulta a impossibilidade de se pronunciar, qualquer corte ou tribunal internacional, sobre controvérsia que implique mais de dois estados, sem o consentimento

---

no plano internacional (cf. parte 3), e se relega o indivíduo a plano secundário, ou amparado por medidas de cunho "assistencial'. Estas são repulsivas e pouco eficientes, quer nos planos internos, como no plano geral.

134. Gerald FITZMAURICE, **The general principles of international law considered from the standpoint of the rule of law** (RCADI, 1957, t. 92, p. 1-228).

135. Jesse S. REEVES, **La communauté internationale** (RCADI, 1924, t. 3, p. 1-93).

136. J. S. REEVES (op. cit., 1924, Cap. I, "L'observateur et les observés", p. 5-18, cit., p. 5): "c'est en effet le caractère distinctif des intérêts protégés que de se voir attribuer le terme de légal. La source de cette protection, sa mesure, son étendue, ses méthodes de reconnaissance, ses buts et sa force d'exécution apparaîtront au cours du développement de notre sujet: la nature juridique de la société internationale".

137. Dominique CARREAU e F. MARELLA, **Droit international** (Paris: Pedone, 11. ed., 2012, Section "La société transnationale contemporaine et les nouveaux développements du droit international"): "Depuis la fin de la seconde guerre mondiale, la société internationale a connu des bouleversements considérables. Ces transformations profondes sont de deux types, horizontal et vertical. Sur le plan horizontal, des nouveaux acteurs de la société internationale sont apparus de sorte que cette dernière a perdu son homogénéité initiale pour se caractériser maintenant par son 'hétérogénéité'. Sur le plan vertical, des nouveaux et nombreux domaines sont apparus et ont ainsi élargi la sphère d'influence du droit international. Le jeu combiné de ces deux phénomènes a incontestablement rendu plus complexe la compréhension du droit international et de son rôle – sans parler de sa définition".

138. Resolução do *Instituto de direito internacional*, adotada na Sessão de Berlim, em 24 de agosto de 1999, a respeito da **solução judiciária e arbitral das controvérsias internacionais com mais de dois estados**, a 11ª Comissão, Relator Rudolf BERNHARDT.

139. Resolução IDI, **Solução judiciária e arbital das controvérsias internacionais com mais de dois estados**, Berlim (1999), parte I.

de todos os demais. A ausência de tal consentimento impede de chegar à solução deste, ou permitirá somente sua composição parcial;

- os dispositivos, ao regularem a competência e o procedimento, figurando nos estatutos e nos regulamentos das cortes e tribunais internacionais, apresentam, frequentemente, características específicas e únicas. Por esse motivo, a **interpretação dos textos pertinentes** constitui o ponto de partida do exame de qualquer caso, inclusive daqueles contando mais de dois estados. Contudo, é possível deduzir alguns princípios gerais e alinhar dispositivos similares a respeito da intervenção e outros modos de participação de terceiros;
- os **princípios gerais** e as **normas relativas à participação de terceiros estados**, válidas perante a Corte Internacional de Justiça, podem também ser aplicadas, na medida em que sejam apropriadas às circunstâncias do caso, perante outras cortes ou tribunais internacionais.

Quando dois ou mais estados tiverem interesses jurídicos idênticos ou similares, em determinada controvérsia, estes devem examinar a possibilidade de agir conjuntamente perante a corte ou o tribunal internacional competente. Qualquer pedido unilateral nesse sentido, emanado de um ou mais de um estado, e dirigido contra mais de um estado reclamado, exige, em princípio, a introdução de instâncias paralelas e distintas, exceto quando um acordo prévio, em sentido contrário, ocorra entre os estado implicados no caso. Sob reserva dos instrumentos jurídicos pertinentes, a corte ou o tribunal pode, à luz de todas as circunstâncias, determinar a junção de casos ou a organização de procedimentos comuns. A corte ou o tribunal deverá, para assegurar o respeito das exigências de caráter equitativo do procedimento, determinar quais efeitos produzirá a junção dos casos, ou mesmo sem a ocorrência de junção formal, na organização de procedimentos comuns.

O **Estatuto** da Corte Internacional de Justiça estipula, em seu artigo 62: "quando um estado entender que a decisão de uma causa é suscetível de comprometer um interesse seu, de ordem jurídica, esse estado poderá solicitar à Corte permissão para intervir em tal causa" e "a Corte decidirá sobre esse pedido". A intervenção, em virtude do artigo 62 do **Estatuto** da Corte Internacional de Justiça ou de textos similares de outros estatutos, exige que o **estado interveniente tenha interesse jurídico** em fazê-lo. Isso significa que os direitos ou obrigações do referido estado, decorrentes do direito internacional público, são suscetíveis de ser afetados pela decisão. A corte ou o tribunal deverá decidir segundo as circunstâncias do caso, se referido estado pode se prevalecer de tal interesse, e se a decisão a ser proferida afetará ou não esse interesse: se a corte ou tribunal constata a existência do interesse jurídico, o estado, autor da solicitação, deverá ser admitido no procedimento, a título de interveniente.

Em matéria de intervenção de terceiros, sob reserva dos dispositivos específicos, dos instrumentos, regulando o funcionamento da corte ou do tribunal, as duas principais formas de intervenção de terceiros são:

a) intervenção por estado terceiro, que estime em relação a determinada controvérsia que interesse jurídico seu poderá ser afetado; ou

b) intervenção de terceiros estados, em controvérsia que diga respeito à interpretação de tratado multilateral de que estes também são partes.

A intervenção de terceiro estado não o torna, somente por esse motivo, parte do caso. As partes e os terceiros intervenientes têm posições e papéis distintos que não podem ser juntos sem que ocorra acordo a respeito.

A segunda modalidade de intervenção de terceiros estados é regulada pelo artigo 63 do **Estatuto** da Corte Internacional de Justiça: "quando se tratar de interpretação de uma convenção, da qual forem partes outros estados, além dos litigantes, o escrivão notificará imediatamente todos os estados interessados" e "cada estado assim notificado terá o direito de intervir no processo, mas, se usar deste direito, a interpretação dada pela sentença será igualmente obrigatória para ele".

Consequências da intervenção, nos casos em que se trate de questão de interpretação de tratado multilateral[140] são expressamente enunciadas pelos textos pertinentes: se o terceiro interveniente for estado que tenha ratificado o tratado, assegura-se-lhe o direito de intervir e de participar do procedimento, mas tanto as partes principais na controvérsia como os terceiros intervenientes ficarão vinculados pela interpretação que for dada pela corte ou pelo tribunal àqueles dispositivos do tratado multilateral, objeto da questão. A intervenção não exige a existência de vínculo jurisdicional entre as partes na controvérsia e o terceiro estado interveniente, em conformidade com os dispositivos do **Estatuto** da Corte Internacional de Justiça e os dispositivos similares, uma vez que outros textos pertinentes permitem a intervenção.

As modalidades de reação[141] por parte[142] de estado não diretamente afetado[143]

---

140. Artigo 63 do **Estatuto** da Corte Internacional de Justiça, reproduzido, bem como textos similares, de outros estatutos, com consequências equivalentes.

141. Jean-Pierre QUENÉUDEC, **La notion d'état intéressé en droit international** (RCADI, 1995, t. 255, p. 339-462).

142. Louis CAVARÉ, **Le droit international public positif** (troisième édition mise à jour par Jean-Pierre QUENÉUDEC, Paris: Pedone, t. I, 1967; t. II, 1969).

143. J.-P. QUÉNEUDEC (op. cit., 1995, p. 350-351): "lorsqu'il est fait usage de l'expression *état intéressé*, dans un texte de droit international, la signification qui s'y attache n'est pas différente du sens que revêt l'expression dans le vocabulaire courant. [...] Ce n'est que de manière tout à fait occasionnelle qu'un état tiers peut être, en pareil cas, réputé 'intéressé', soit parce qu'un traité bilatéral pourrait produire des effets à son égard, soit parce que les rapports bilatéraux qu'entretiennent deux états font surgir une question qui, examinée dans un cadre institutionnel plus large, va permettre à un tiers de faire valoir ses intérêts devant l'institution chargée de cet examen".

por violação de norma de direito internacional público, que eram praticamente inexistentes até 1970[144], passam a ocorrer e pressupõem a existência de interesses e de valores comuns cuja preservação e aplicação incumbem e interessam igualmente a todos os estados[145].

Cabe, a seguir, considerar o papel da doutrina enquanto fonte do direito internacional[146].

2.2.5. papel da doutrina no direito internacional

Nos primórdios do direito internacional, na sua fase de formação, a opinião dos juristas mais categorizados, como Hugo GRÓCIO, Cornelis van BYNKERSHOEK, Alberico GENTILI e Emer de VATTEL, dentre outros, supriu as lacunas existentes, recorrendo às mais variadas fontes, como o direito romano. Acresça-se a isto o trabalho pioneiro de juristas como BLUNTSCHLI e FIORE, que muito influíram na obra de codificação do direito internacional[147]. A comparação do projeto de **Código de Direito Internacional** de Epitácio PESSOA com as Convenções firmadas em Havana em 1928 mostra claramente a sua influência nos textos então aprovados, muito embora tenha sido negligenciada a importância da contribuição brasileira[148].

---

144. Jochen Abr. FROWEIN, **Reactions by not directly affected states to breaches of public international law** (RCADI, 1994, t. 248, p. 345-438).

145. J. A. FROWEIN (op. cit., 1994, "Introduction", p. 353-354): "up to about 1970 there was hardly any disagreement that international law, as far as violations or countermeasures were concerned, operated in a bilateral relationship between a state violating international law and a victim-state, this view started to alter around 1970. We shall be concerned with the possibilities for states not directly the victims of a violation to take some reaction against it./With notions such as the 'community of states' or 'obligation existing *erga omnes*', in other words against the community of states and all states being members of that community, it is possible to widen what used to be the bilateral relationship into a relationship between the violator and all other states. In our context we shall use the notion 'not directly affected states' to circumscribe first of all those states which are not the ones against whose territory, citizens or other rights and interests the act by the violator is directed. Where the violator does not act against any state at all but against what may be considered a right of the community of states or a common interest, but also where individual human rights are violated we shall also use the notion 'not directly affected states'. / We prefer the notion of 'reaction' to the more technical notion of 'countermeasures'. We shall include reactions below the threshold of real countermeasures and will also deal with the reaction to the use of force, particularly self-defence, which is not normally seem as a countermeasure. As far as countermeasures are concerned we shall deal with retortions as well as with reprisals" *V.* tb. L.-A. SICILIANOS, **Entre multilatéralisme et unilatéralisme: l'autorisation par le Conseil de Sécurité de recourir à la force** (RCADI, 2008, t. 339, p. 9-436).

146. Luiz Antonio Severo da COSTA, *A jurisprudência e a doutrina como fontes do direito* (in **Estudos jurídicos em homenagem ao professor Oscar TENÓRIO**, Rio de Janeiro: U.E.R.J., 1977, p. 373-381).

147. A respeito da codificação do direito internacional, *v.* item específico a seguir (2.3.).

148. Haroldo VALLADÃO, *Epitácio Pessoa, o jurista* (Conferência no Instituto Histórico e Geográfico Brasileiro, em 26 de maio de 1965, in **Novas dimensões do direito: justiça social, desenvolvimento, integração**, São Paulo: RT, 1970, p. 141-149, cit. p. 148-149): "E chega, finalmente, ao cargo judicial supremo no mundo, ao de juiz da Corte Permanente de Justiça Internacional, da Haia, para o qual é eleito em 10 de setembro de 1929 (*sic*, 1923), pela 4ª Assembleia da Sociedade das Nações, em substituição a Ruy BARBOSA que não chegou a tomar posse". (...) "Dos votos que proferiu

Tampouco pode ser ignorado o papel fundamental do *Instituto de direito internacional*, cujas resoluções nortearam os rumos da evolução da matéria, desde a sua criação, em 1873. Muito mais do que em outras áreas do direito, a doutrina tem papel relevante a desempenhar. Mais do que nas obras de autores individualmente considerados, ou em obras coletivas, é preciso ter em mente e sempre levar em consideração, ao estudar e refletir a respeito de temas de direito internacional, no contexto pós-moderno, especificamente, todo o conjunto da atuação sistematizadora do *Instituto de direito internacional*, desde 1873[149], representando legado conciso, cuidadosamente elaborado, pelos melhores especialistas do mundo na matéria, com a vantagem de integrarem o prestigioso colegiado, por suas competências profissionais e acadêmicas pessoais, não vinculados, como representantes estatais ou governamentais, a posições políticas destes.

As **resoluções** e os **votos** do *Instituto de direito internacional*, muitas vezes simplesmente referido como o *Institut*, são **súmulas de princípios** do direito internacional. Podem, ademais, influenciar diretamente a formulação de normas e a redação de tratados. Refletem, muitas vezes, o momento (histórico) e contexto (cultural) em que foram elaboradas, o que justifica sejam às vezes os temas retomados, nas respectivas formulações, especialmente quando transcorram várias décadas ou ocorram mudanças culturais e políticas, de caráter substancial, no contexto internacional.

Os trabalhos apresentados pela *Comissão de Direito Internacional* das Nações Unidas também devem figurar como contribuições doutrinárias até o momento em que as regras propostas são aceitas em conferência internacional, quando passarão a constituir direito internacional convencional.

O papel da **doutrina** pode ter diminuído, e hoje verifica-se que a sua inclusão no Estatuto da CIJ tem sido contestada[150]. A própria Corte, em seus jul-

na Corte sobressaem e têm merecido referência de internacionalistas, aqueles em que versou a competência quando um dos litigantes não é diretamente um estado, mas algum de seus súditos, ou quando as próprias partes querem um aviso consultivo, a possibilidade de rever uma decisão da conferência de embaixadores, a delicadíssima questão do direito penal internacional do célebre caso do vapor '**Lotus**' entre a França e a Turquia, os complexos problemas de direito internacional privado, da autonomia da vontade, do lugar do pagamento, e da ordem pública, em matéria de cláusula-ouro, nos empréstimos sérvios e brasileiros".

149. Citados e examinados em diversos itens, ao longo do texto, os votos e as resoluções do *Instituto de direito internacional* estão disponíveis no site deste, nas duas línguas oficiais, sob rubrica específica. *V.*, a respeito, Gerald FITZMAURICE, **The contribution of the Institute of International Law to the development of international law** (RCADI, 1973, t. 138, p. 203-260).

150. ACCIOLY, **Tratado** (2009); BAXTER, **Treaties and custom** (RCADI, 1979, v. 129, p. 90); BROWNLIE, p. 14 e 19; CASELLA, **Fundamentos** (2008); DIEZ DE VELASCO, **Instituciones de derecho internacional público** (Madrid: Tecnos, 16. ed., 2007); G. FITZMAURICE, **The contribution of the Institute of International Law to the Development of International Law** (RCADI, 1973, t. 138, p. 205-60); H. LAUTERPACHT, **The development of international law by the international court** (London, 1958); H. LAUTERPACHT, **The function of law in the international community** (1st publ., 1933, Oxford: Univ. Press, 2011); E. JIMÉNEZ DE ARECHAGA, *The work and jurisprudence of the International Court of Justice* (BYB,

gamentos, tem evitado mencionar as opiniões dos juristas; mas, em compensação, nas exposições dos governos e nos votos em separado, o recurso à doutrina é frequente, o que dá ideia de seu valor[151].

Parêntese de ordem técnica deve ser aberto no tocante aos **pareceres dos consultores** jurídicos dos ministérios das relações exteriores: embora subscritos por eminentes juristas, devem ser apreciados com cautela, pois espelham quase sempre a opinião do respectivo governo. Além do mais, podem ser, a longo prazo, contraproducentes, o que ocorre quando outros governos invocam tais pareceres para defender posições contrárias ao governo do respectivo titular. O cotejo das práticas nacionais constitui modo de aferir a interpretação e a aplicação das normas internacionais, por parte dos governos, e especificamente dos ministérios ou secretarias responsáveis pela condução da política externa do estado.

Não se pode ignorar a importância de *interpretação doutrinária judiciosa* em que o autor desenvolve normas consuetudinárias ou mesmo textos convencionais que podem carecer de clareza. Na verdade, o autor simplesmente dá ênfase a regra de direito internacional existente, formulando-a de maneira a atender a determinada situação. Mesmo quando, tendo em vista situações novas, decorrentes, por exemplo, de situações criadas pelos avanços da ciência e tecnologia, formula regra recorrendo à analogia, a sua atuação é perfeitamente válida. É óbvio que tese totalmente contrária ao direito internacional e ao bom-senso não pode ser levada em consideração.

2.2.6. equidade como fonte de direito internacional

Dentre as fontes do direito internacional, a equidade suscita ao mesmo tempo as maiores indagações, quanto à sua extensão e conteúdo possíveis, como em relação às suas aplicações práticas. Não obstante seja apontada como "*conceito abstrato*" ou de escassa utilização prática, não se pode negligenciar o seu conteúdo e sua dimensão, como elemento essencial, para a determinação do

1987, p. 1); Celso MELLO, **Curso** (15. ed., 2004); Moustapha SOURANG, *La jurisprudence et la doctrine* (in **Droit international: bilan et perspectives**, Paris: Pedone/UNESCO, 1991, v. I, p. 295-300); Charles de VISSCHER, **Théories et realités en droit international public** (Paris: Pedone, 1953, p. 182 e 225); Paul de VISSCHER, **Cours général de droit international public** (RCADI, 1972, t. 136, p. 1-202, esp. p. 25-66).

151. G. E. do NASCIMENTO E SILVA costumava brincar ser mais frequentemente lembrada a doutrina como fonte por quem perde o caso. Quanto ao fato de serem as considerações doutrinárias muitas vezes influenciadas por interesses nacionais, Erik CASTREN, **Aspects récents de la succession d'états** (RCADI, 1951, t. 78, p. 379-506, Cap. I, Seção 10, "Considérations générales sur la pratique internationale", p. 402-403): "Dans une certaine mesure, la tendance de chaque pays se trouve illustrée par les théories sur la succession d'états (...) et par l'oeuvre de divers jurisconsultes, les savants ne pouvant guère manquer de se solidariser avec leur époque et leur patrie". Por essa "solidarização", com o contexto do tempo e do país, paga a doutrina, em geral, em sua aceitação, como fonte do direito internacional, o que justamente se procuraria colocar em perspectiva de relativo distanciamento, em enfoque pós-moderno.

conteúdo jurídico, ante a ausência ou inocorrência de manifestações, provenientes de outras fontes do direito internacional. Nesse sentido, A. GENTILI (1598), A. FAVRE (1974), V. MAROTTA RANGEL (1989) e, em sentido crítico, G. RIPERT (1933)[152].

A norma *ex aequo et bono*, mencionada expressamente no **Estatuto**, é ponto dos mais importantes e, na opinião da grande maioria dos juristas, corresponde à ***equidade***, o *equity* do direito anglo-saxão. Dizer que o conceito de equidade[153] é dos mais controvertidos em direito internacional[154], bem como na própria jurisprudência internacional, não exclui a necessidade de este, como refere MAROTTA RANGEL (1989), encontrar o equilíbrio entre a certeza do direito e o conteúdo da justiça.

Antes de mais nada, embora de forte influência anglo-saxônica, o princípio em referência não deve ser confundido com o *equity* dos tribunais ingleses e norte-americanos[155]. Recorrendo ao direito romano, verifica-se que a função da equidade pode ser a de adaptação ao direito existente (*infra legem*), na hipótese de a lei não ser suficientemente clara (*praeter legem*), ou a de afastar o direito positivo a critério do juiz (*contra legem*)[156].

---

152. *V. supra*, 1.1.1.3. a respeito de Alberico GENTILI (1598) e as lições de A. FAVRE (1974) e V. MAROTTA RANGEL (1989). *V.* tb., G. RIPERT (1933) a respeito da relação entre princípios gerais do direito e equidade.

153. *V.* MAROTTA RANGEL, *L'equité en droit international: des développements récents* (Tessaloniki: Aristoteleio Panepistimio, "Nomos", "Anatypo": separata, 1989, p. 937-950); *v.* tb. já ref. exame da matéria por Monique CHEMILLIER-GENDREAU, *Equité* (in **Droit international: bilan et perspectives**, coord. M. BEDJAOUI, UNESCO, 1991, v. I, p. 283-294).

154. Nesse sentido, já mencionava A. GENTILI, **Hispanicae Advocationis**, Livro I, Cap. XXI: "o critério da manutenção da liberdade não pode, contudo, pôr em perigo o estado: a equidade almeja a liberdade de comércio, mas o direito natural assegura ao estado o exercício dos meios necessários à sua defesa; enquanto no primeiro caso são (sobretudo) interesses particulares que estarão em jogo, no segundo trata-se da sobrevivência do estado: este interesse público deve prevalecer em relação aos interesses de particulares; a salvação do estado, antes da liberdade do comércio; a natureza, antes do indivíduo; a vida, à frente dos interesses pecuniários; a liberdade comercial pode ser limitada pela necessidade de privar o adversário dos meios econômicos de que poderia servir-se para fazer a guerra – *jus commerciorum aequum est, at hoc aequius tuendae salutis; est illud gentium jus, hoc naturae est* – esta é a noção de base do embargo econômico, tal como pode ser adotado e determinado, inclusive, em nossos tempos pós-modernos, no sistema da Organização das Nações Unidas". A respeito, *v.* P. B. CASELLA, **Direito internacional no tempo moderno de SUAREZ a GRÓCIO** (esp. cap. XVI, "*Alberico GENTILI*").

155. Kenneth SMITH and Denis KEENAN, **English Law** (Londres: Pitman, 8. ed., 1986, "Equity", p. 4); Givoanni CRISCUOLI, **Introduzione allo studio del diritto inglese: le fonti** (Milano: Giuffrè, 1981, Cap. III, Seção II, "Equity", p. 161-237, cit. p. 161): "Nella moderna realtà giuridica inglese l'*equity* è una cosa ben diversa dall'equità. Quest'ultima, infatti, è un dato puramente concettuale o ideale sinonimo di *ius aequum* o 'giustizia secondo sostanza', qualunque sia, poi, il contenuto di questa sostanza: la legge divina, la natura umana, la coscienza sociale o l'utilittà colletiva. *L'equity*, invece tutto all'opposto, è un dato tecnico concreto, specificamente costituito da un corpo di norme che integrano un sistema di fonti legali di diritto positivo".

156. Lambert van VELTHUYSEN, **Des principes du juste et du convenable** (ed. original **Epistolica dissertatio de principiis justi et decori, continens apologiam pro tractatu clarissimi Hobbaei, De Cive**, Amsterdam: Elsevier, 1651; ed. francesa 1680, **Dissertation en forme de lettre sur les principes du juste et du convenable**, traduit et présenté par Catherine SECRETAN, Caen: Centre de Philosophie morale et politique, 1995).

Embora a CIJ nunca tenha sido formalmente convidada a proferir decisão *ex aequo et bono*, já teve ensejo, em mais de uma oportunidade, de fazer referência à equidade:

- no caso da **plataforma continental do Mar do norte** (1969), depois de afastar o conceito tradicional de equidistância como método para delimitar a plataforma continental, afirma a Corte: "a delimitação deve ser feita por meio de acordo, conforme princípios equitativos, e levando em consideração as circunstâncias pertinentes" – seria este, para A. FAVRE (1974)[157], exemplo de decisão ***ex aequo et bono***, embora isso seja negado pela Corte;
- no caso do **estreito de Corfu** (1949), apela a Corte à equidade para avaliar o dano causado pela Albânia à Grã-Bretanha;
- ainda ao tempo da Corte permanente de justiça internacional[158], esta considerou que se determinada cláusula estipula fim equitativo, não deve ser interpretada com excessiva rigidez.

Essa dimensão da equidade é examinada por K. STRUPP (1930)[159] e M. HABICHT (1934)[160]. Recentemente, i.a., retomam o tema E. LAUTERPACHT (1991)[161] e P. WEIL (1992)[162]. A equidade em direito internacional é meio supletivo que visa ao preenchimento de lacunas do direito positivo. Conforme previsto no Estatuto da CIJ, o recurso à equidade não pode ser subentendido: deve ser aceito pelas partes.

O *Instituto de Direito Internacional* teve ensejo de abordar a ***equidade*** em diversas manifestações:

- em relação à matéria da **sucessão de estados** (Vancouver, 2001), da qual foi relator Georg RESS, menciona-a em várias passagens, como meio

---

157. A. FAVRE (op. cit., 1974, "l'équité", p. 292-294, cit. p. 293) a respeito da decisão da **plataforma continental do Mar do Norte** (1969): "Ao fazer repousar seu julgamento sobre a equidade, e prescrever às partes operar a delimitação da plataforma por meio de acordo, em conformidade com os princípios da equidade, a Corte, embora disso se defenda, prolatou julgamento ***praeter legem***, bem difícil não considerar como julgamento ***ex aequo et bono***".

158. CPJI (série B, n. 8, 39-40).

159. K. STRUPP, **Le droit du juge international de statuer selon l'équité** (RCADI, 1930, t. 33, p. 351-482), e tb. K. STRUPP, **Règles générales du droit de la paix** (RCADI, 1934-I, t. 47, p. 257-596).

160. M. HABICHT, **Le pouvoir du juge international de statuer *ex aequo et bono*** (RCADI, 1934, t. 49, p. 277-372).

161. Elihu LAUTERPACHT, **Aspects of the administration of international law** (Cambridge: Grotius Publications, 1991, p. 135), comenta, em relação à equidade, "is not a concept that can be sprinkled like salt on every part of the law".

162. Prosper WEIL, **Le droit international en quête de son identité: cours général de droit international public** (RCADI, 1992, t. 237, p. 9-370, esp. cap. VI, "La crise de normativité internationale: une juridicité sans frontières", section II, "La juridisation de l'équité", p. 245-260, cit. p. 260): "L'équité est un procédé précieux qu'il faut savoir maîtriser et utiliser à bon escient et dans des doses raisonnables: un instrument de normativité qui ne doit pas devenir un apprenti-sorcier".

necessário para preservar a justiça, em meio a processo de sucessão de estados: no art. 5º, ao regular as obrigações dos estados, durante período de transição: "levar em consideração, na medida do possível, os interesses dos estados e as exigências da boa-fé e da equidade"; no art. 9º, na "correlação entre proporção dos bens e dívidas na repartição e a equidade"; no art. 9º, par. 2: "em todas as categorias de sucessão, a equidade exige que não haja diferença substancial entre o resultado da repartição dos bens e o da repartição das dívidas; no art. 16, par. 3: se a divisão entre bens e dívidas leva a resultado inadequado, este tem de ser corrigido mediante equidade; no art. 16, par. 4: em aplicação do princípio da equidade, exclui-se tomar em consideração a origem financeira dos bens, ou a origem física, sejam estes móveis ou imóveis; no art. 28, par. 2: a repartição de dívida, segundo equidade, deve levar em consideração a passagem dos bens (objetos e instalações) ligados à dívida, bem como lucro gerado pelos bens para o estado sucessor no território do qual estão situados[163];

- em matéria da **responsabilidade de direito internacional, por dano ambiental** (Estrasburgo, 1997), cujo relator foi Francisco ORREGO VICUÑA, considera o Instituto os vínculos novos em direito internacional do meio ambiente, com os conceitos de ***equidade entre gerações expressos por meio dos princípios***, de ***precaução***, de ***desenvolvimento sustentável***, de ***segurança ambiental*** e os direitos do homem, da ***responsabilidade compartilhada, porém diferenciada***, e novamente menciona, no art. 25, a ***equidade intergeracional***[164];
- na recomendação a respeito da **utilização de águas internacionais não marítimas (além da navegação)** (Salzburgo, 1961), de que foi relator J. ANDRASSY, de acordo com o art. 3º, em caso de desacordo quanto à utilização, far-se-á a solução com base na equidade, em consideração das necessidades respectivas e outras circunstâncias do caso[165];
- na resolução a respeito da **arbitragem em direito internacional privado** (Amsterdam, 1957), da qual foi relator E. SZÁSZY, segundo o art. 11, na medida em que seja autorizado pela lei da sede do tribunal arbitral,

163. Resolução IDI, em matéria de **sucessão de estados**, adotada em Vancouver, em 26 de agosto de 2001. Com relação à qualidade jurídica aplicada ao caso da divisão do antigo estado tchecoslovaco, *v.* Jiri MALENOVSKY, *Problèmes juridiques iés à la partition de la Tchécoslovaquie* (AFDI, 1993, t. XXXIX, p. 305-336).

164. Esses princípios são abordados e definidos na Parte 7, **"proteção internacional do meio ambiente"**.

165. *V.*, *infra*, itens 6.3., **"domínio fluvial"**, e 6.4.1., **"águas e mares internos"**.

as partes podem dar ao árbitro poder de julgar conforme a equidade;

- ao adotar como foco a **competência do juiz internacional, em matéria de equidade**, em sua sessão de Luxemburgo (1937), em que salientou "**o papel da equidade na obra do juiz internacional**" e formulou o parecer: 1. "**a equidade é normalmente inerente à sã aplicação do direito, e o juiz internacional, como o juiz interno, deve, no desempenho das suas funções, levá-la em consideração, na medida compatível, com o respeito do direito existente**"; e 2. "**o juiz internacional somente pode se inspirar na equidade, para prolatar sentença, sem estar vinculado pelo direito vigente, mediante autorização expressa das partes, para esse fim**"[166];
- no **Manual das leis da guerra** (Oxford, 1880), de que foi relator Gustave MOYNIER, em que retoma e sistematiza manifestações anteriores do *Instituto*, a respeito do tema e, em seu art. 84, estipula: "as represálias são exceção dolorosa ao princípio geral da equidade, de que o inocente não deve sofrer pelo culpado";
- no **exame da Declaração de Bruxelas de 1874** (Haia, 1875), de que foi relator Gustave ROLIN-JACQUEMYNS, a respeito das leis e costumes de guerra, depois de observar ser lamentável o papel que a guerra desempenha na história da humanidade, ao mesmo tempo que considera pouco provável poder afastá-la totalmente da vida internacional, registrava no item IX: "**represálias são exceção dolorosa, mas inevitável, em certos casos, ao princípio geral de equidade, segundo o qual o inocente não deve sofrer pelo culpado**".

Dentre os defensores da linha positivista, ressalta M. CHEMILLIER-GENDREAU (1991)[167] a resistência à aceitação da equidade como fonte do direito internacional, e afirma ser este "conceito ideológico, necessário ao direito", justamente no papel de princípio: "as dificuldades da doutrina são confissão a respeito da verdadeira natureza do direito. Se é preciso corrigi-lo, por meio de princípios equitativos, isso quer dizer que o direito, em sua formulação original, não é equitativo. A partir daí não mais se pode dizer que a norma realiza a jus-

166. O Instituto de Direito Internacional, **Sessão de Luxemburgo**, adota, em 3 de setembro de 1937, a Resolução sobre **La compétence du juge international en équité**, em que teve como Relator Eugène BOREL: "1º que l'équité est normalement inhérente à une saine application du droit, et que le juge international, aussi bien que le juge interne, est, de par sa tâche même, appelé à en tenir compte dans la mesure compatible avec le respect du droit; / 2° que le juge international ne peut s'inspirer de l'équité pour rendre sa sentence, sans être lié par le droit en vigueur, que si toutes les parties donnent une autorisation claire et expresse à cette fin".

167. Monique CHEMILLIER-GENDREAU, *L'équité* (in **Droit international: bilan et perspectives**, 1991, v. I, p. 283-294).

tiça, ao formular obrigações de comportamento, para os diferentes sujeitos de direito, apesar das apresentações feitas, em relação ao direito divino, ao direito natural e ao direito da solidariedade social"[168].

Seja como for, embora controvertida, a equidade tem tido aceitação cada vez maior, com o objetivo de garantir decisões pautadas nos conceitos de ***justiça*** e ***ética***. Estes valores maiores, de caráter constitucional, inclusive para a sociedade internacional, não podem ser negligenciados como vagos e dotados de conteúdo pouco preciso.

2.2.7. resoluções emanadas das organizações internacionais como fonte do direito internacional

No estudo das fontes do direito internacional, referência especial deve ser feita às ***resoluções de organizações internacionais.*** M. SIBERT (1934)[169], já o fazia, e H. THIERRY[170] estuda-as em relação às conferências internacionais, com especial ênfase nas resoluções da Assembleia Geral das Nações Unidas (AGNU), cuja importância no desenvolvimento do direito internacional não pode ser ignorada.

As resoluções não figuram expressamente na enumeração do artigo 38 do **Estatuto** da Corte, mas de longa data se reconhece que podem ser invocadas como eventual manifestação do ***costume***. A importância das resoluções e declarações tem sido analisada pela doutrina, mas na prática é difícil estabelecer regras genéricas, capazes de abranger todas as hipóteses.

Durante as discussões em São Francisco, aventou-se a possibilidade de dar à Assembleia Geral funções legislativas, mas a iniciativa não logrou aceitação, o que não tem impedido a tentativa de alguns membros, por meio da aprovação de ***declarações***, de atribuir erroneamente valor normativo a estas.

Na análise das ***recomendações*** é necessário distinguir entre duas hipóteses: ou a regra existia, antes da intervenção das Nações Unidas, e a ação da Assembleia Geral equivale a reconhecimento dessa regra pela organização ou então a regra ainda não existia, e a resolução da Assembleia Geral das Nações Unidas como

---

168. M. CHEMILLIER-GENDREAU (cap. cit., 1991, p. 292): "La contradiction du droit avec l'équité ruine toutes ces constructions. C'est ce qui explique l'ardeur mise par tant d'auteurs à intégrer l'équité au droit. Mais l'équité rebelle échappe à tout moment à ces efforts. Et la réflexion sur l'équité confirme la vraie nature du droit: expression des rapports de forces à un moment historique donné". Em sentido crítico, *v.*, *supra*, 2.2.3. **princípios gerais do direito**, cf. G. RIPERT (op. cit., 1933), ao chamar a equidade de princípio, sim, mas princípio moral e não princípio legal!

169. M. SIBERT, **Quelques aspects de l'organisation et de la technique des conférences internationaless** (RCADI, 1934, t. 48, p. 387-458).

170. Huber THIERRY, **Les résolutions des organes internationaux dans la jurisprudence de la Cour internationale de justice** (RCADI, 1980, t. 167, p. 385-450).

tal não obriga os estados-membros. Em compensação, ela ***exerce certa pressão política sobre os estados***; se estes se conformarem com a pressão, uma **prática pode desenvolver-se e resultar depois de algum tempo na consciência de que existe obrigação jurídica**, que pode dar origem ao nascimento de costume.

Tem-se atribuído especial importância à prática seguida de invocar repetidamente na AGNU determinadas ***resoluções***. Não há dúvida de que a pressão política poderá acabar por criar ***opinio juris***, surgindo daí costume legal. Mas a repetição só terá essa consequência se esta corresponder ao sentimento da maioria dos membros da organização. A repetição não é necessária quando se tratar de nova situação, provocada na maioria dos casos pela ciência e pela tecnologia, que está a exigir solução rápida. Em tais casos, tem-se verificado que a resolução é seguida pela adoção de convenção, que incorpora as regras nela acolhidas[171].

Para a **determinação do conteúdo e da possibilidade de criação de norma vinculante da conduta de sujeito de direito internacional** será necessário considerar a intenção de vincular-se por aquela declaração, permitindo caracterizar a declaração como compromisso jurídico. Esse é todo o dilema e a controvérsia em torno do conceito e do conteúdo da *soft law*. O fenômeno pode ser ilustrado pela **Ata Final de Helsinki**. Constitui ou não um tratado? Sabe-se que a resposta negativa resulta, ainda nesse caso, da ausência de vontade das partes em se vincularem, ao menos no plano jurídico, tal como esta se manifestou por diversos indícios, dentre os quais a recusa em fazer registrar a ata final.

Na teoria dos atos jurídicos, Paul REUTER (1961)[172] enfatizava "não ser o direito somente produto da vida social, mas, igualmente, o fruto de esforço de reflexão, em que se trata de ordenar os dados, assim recolhidos, em conjunto coerente e tão lógico quanto possível. É o aspecto sistemático do direito internacional, simultaneamente mais importante e mais delicado que o dos direitos nacionais"[173].

---

171. Michel VIRALLY, *Les actes unilatéraux des organisations internationales* (in **Droit international: bilan et perspectives**, op. cit., 1991, v. I, p. 253-276). *V.* tb. José E. ALVAREZ, **International Organizations as Law Makers** (Oxford: Univ. Press, 2005).

172. Paul REUTER, **Principes de droit international public** (RCADI, 1961, t. 103, p. 425-656).

173. REUTER (op. cit., 1961, p. 459): "Il est plus important parce que les sociétés nationales, du fait qu'elles sont profondément centralisées par l'autorité étatique, engendrent un droit déjà systematisé par ses conditions d'élaboration. Au contraire, la 'décentralisation du pouvoir politique', qui règne dans la société internationale rejette sur le juriste un fardeau plus lourd. Il est plus délicat parce que le désordre de la société internationale n'est pas tant désordre de la pensée que désordre du pouvoir; certes le juriste peut se laisser aller à la systématisation, mais s'agit-il de systématiser seulement ses pensées ou de systématiser aussi la réalité? Certes, de par sa nature même, le droit est avide d'ordre, mais à quoi servirait-il, par excès de rigueur dans la pensée, de poursuivre une systématisation en dehors du cadre des solutions admises?".

A teoria do ato jurídico, mesmo em se tratando de noção comum aos diferentes sistemas jurídicos, não pode ser captada *in abstracto*, mas insere-se em determinada ordem jurídica[174]. Não existe teoria dos atos, sem teoria da validade"[175]. Mas adverte que se passa, insensivelmente, do ato à norma, e é difícil evitar esse deslize, em razão do próprio vocabulário utilizado: "o termo tratado é simultaneamente utilizado para designar o documento, redigido no curso de negociações, e o objeto do documento, que é a norma por este criada". Há de se observar a distinção entre o conteúdo e o objeto continente[176].

Na **distinção entre ato e norma**[177], quando "dizemos do tratado ser este fonte de direito, temos em vista o ato, criador do direito, o procedimento segundo o qual as normas convencionais são criadas. Mas quando dizemos que tratado foi celebrado, ou então que em razão de um tratado tal estado têm tais obrigações ou tais direitos, temos em vista as normas criadas por procedimento, cujo elemento essencial é o estabelecimento de acordo de vontades. É importante distinguir, claramente, entre o tratado designando ato criador de direito, e o tratado, designando a norma criada por tal ato, pois a confusão dos dois significados da palavra tratado é a fonte de numerosos erros e mal entendidos, na teoria tradicional do tratado"[178].

Essa visão das coisas conduz à rejeição de qualquer doutrina que desconheça o **concurso de componente de ordem moral – a justiça – na constituição da norma jurídica.** Ora, a noção da justiça é de ordem universal. Doutrina

174. Jean-Paul JACQUÉ, **Acte et norme en droit international public** (RCADI, 1991, t. 227, p. 357-417).

175. Em matéria de nulidades, confunde-se a nulidade do tratado, atingido por vício de consentimento, que é, essencialmente, a nulidade do acordo de vontades, que dá origem à norma, com a nulidade da própria norma, decorrente de conflito com norma de direito internacional geral. No primeiro caso, o instrumento "tratado" não pôde validamente aceder ao plano da existência, para todas as partes, enquanto ato criador de normas, em razão da ausência de um de seus elementos constitutivos; no segundo caso, o direito positivo recusa qualquer existência à norma que este criou. Em um caso, somente o consentimento viciado é inoperante, o instrumento podendo continuar a existir validamente, em relação às demais partes, cujo consentimento não foi viciado; no outro caso, a norma não pôde ser criada porque o direito positivo recusava à vontade das partes a possibilidade de se dotar de tal efeito. *V.* J.-P. JACQUÉ (op. cit., 1991, p. 369-370).

176. J.-P. JACQUÉ (op. cit., 1991, loc. cit.): "Si la doctrine distingue souvent mal la norme de l'acte qui l'a créée, cela ne signifie pas que la théorie des normes suscite la même indifférence que celle des actes. Au contraire, la réflexion sur les sources du droit international rencontre inévitablement le problème des normes et de leur définition. Il en va de même de la théorie de la responsabilité qui impose, pour ses fins propres, de définir ce qu'est une obligation et quels sont les divers types d'obligations. Enfin, l'apparition de la notion de *jus cogens* rend plus actuelle la question de la hiérarchie des normes qui avait déjà retenu l'attention lors des travaux de codification du droit des traités à propos des traités successifs ou contradictoires. *V.*, igualmente, Rafael NIETO-NAVIA, *International peremptory norms (jus cogens) and international humanitarian law* (in **Man's Inhumanity to Man** – Essays on International Law in honour of Antonio CASSESE, ed. by Lal Chand VOHRAH et al., Haia: Kluwer Law International, 2003, p. 595-640).

177. Hans KELSEN, **Théorie du droit international public** (RCADI, 1953, t. 84, p. 1-204).

178. H. KELSEN (op. cit., 1953, p. 136): "traité désignant un acte créateur de droit" et "traité désignant la norme créée par un tel acte".

errônea pode negligenciá-la ou afastá-la; esta se impõe na prática[179]. Certo é importar que o direito seja justo, ou seja, conforme à razão e à natureza das coisas.

Existem matérias em que a **relação entre a *norma* e o *fato*** se impõe espontaneamente (por exemplo, no direito aeroespacial)[180], e outras que são de caráter muito técnico e, normalmente, não exigem recurso direto às normas de conduta moral (por exemplo, o telégrafo e, a partir deste, todos os desenvolvimentos ulteriores nos meios de comunicação, inclusive eletrônicos). Estas podem ser vistas e mantidas como conjuntos de normas *"técnicas"*.

Em todas as questões centrais, fundamentais ou vitais, como se prefira denominá-las, o **acordo geral sobre os princípios é *indispensável***, na falta do que as mais belas regras jurídicas não passarão de enunciados destituídos de eficácia. Aí se põem os limites da implementação do direito internacional[181].

Em matéria de proteção internacional dos direitos fundamentais quanto se pode dizer esteja efetivamente assegurada a aplicação da **Declaração Universal** de 1948 e do **Pacto Internacional de Direitos Civis e Políticos** de 1966, para a proteção desses direitos? O que significa, para alguns, a norma de não ingerência nos assuntos internos dos estados? A causa principal da ONU não está justamente no fato de que alguns estados a veem como instrumento a serviço de sua política nacional? Ignora-se que a ação tendente à promoção do Terceiro Mundo seja freada não somente por interesses, mas também por questões ideológicas, em que a substituição dos conceitos da Guerra Fria – como ainda expunham R. H. CARPENTER Jr. e L. N. ORLOV, em 1990[182] –, pelos do atual conflito de

179. A. FAVRE (op. cit., loc. cit., n. 8, p. 13-14); G. Van der MOLLEN, *The present crisis in the Law of nations* (in **Symbolae Verzijl**, 1958, p. 238 e s., esp. p. 249, 250, 254): "Law and justice are inseparable concepts. The idea of justice must lie at the root of every rule of law. The idea of justice must be the constant touchstone for positive international law"; Charles ROUSSEAU (RGDIP, 1964, p. 255 e s.): "qu'entre le droit et la politique il n'y a pas le hiatus permanent et irréductible que certains se plaisent à dénoncer"; [...] le juriste américain O. J. LISSITZIN a écrit qu'un accord universel sur les fins idéologiques et les valeurs éthiques n'est pas une condition préalable de l'existence et même du développement du droit international (**International law today and tomorrow**, 1965, p. 110); apõe-lhe A. FAVRE: "Nous ne partageons pas cette opinion". Ch. De VISSCHER, **Théories et réalités en droit international public** (Paris: Pedone, 1953) analisa o alcance do dado político sobre as relações e situações reguladas pelo direito internacional ("la portée du fait politique sur les rapports et situations régis par le droit des gens").

180. A. MEIRA MATTOS, **Direito internacional público** (Rio de Janeiro: Renovar, 2. ed., 2002, Cap. 11, "Direito espacial", p. 209-224).

181. V. CASELLA, **Fundamentos** (2008, esp. item III, p. 297-379) para a análise dos mecanismos e do funcionamento, entre "técnica", "espírito" e "utopia" no direito internacional pós-moderno.

182. L. N. ORLOV, **Soviet joint enterprises with capitalist firms and other joint ventures between east and west** (RCADI, 1990, t. 221, p. 371-414) e Russell H. CARPENTER Jr., **Soviet joint enterprises with capitalist firms and other joint ventures between east and west: the western point of view** (RCADI, 1990, t. 222, p. 365-421, "Introduction", p. 371-372): "East-West joint ventures are the vehicles chosen by a succession of Socialist countries to open their previously closed economies to Western investment and capitalist enerprise. The joint venture laws adopted first in several Eastern European countries

civilizações pouco ou nada alteram as consequências práticas de tal imobilismo, alimentado pelas propagandas ideológicas conflitantes? Não se vê ser a falta de acordo sobre valores éticos que refreou o avanço das tentativas de controle sobre armamentos? Em suma, para A. FAVRE, "os graves problemas do direito da guerra e da paz somente podem ser resolvidos mediante o mesmo espírito de justiça. Direito das gentes mundial somente pode ser edificado sobre lei moral universal"[183].

São justamente esses **valores universais que batem em retirada ante as iniciativas norteadas por políticas de poder e de dominação**. Algumas lições podem ser tiradas do tempo da assim chamada "Guerra Fria" (1949-1989) para compreender o que vêm em curso a partir deste tempo presente[184].

Mais que as ideologias, consideram Daniel BELL (1960, ed. 1980)[185], F. M. WATKINS e I. KRAMNICK (1979, ed. 1981)[186] e Celso D. de Albuquerque MELLO (1984, publ. 1985)[187] o papel e o peso da divisão do mundo em blocos e dos alinhamentos automáticos, no interior destes, durante as décadas da Guerra Fria: "a sociedade internacional após a segunda guerra mundial apresenta algumas constantes e outras variáveis", em que "dentro de uma visão política podemos dizer que ela apresenta dois cortes, ou seja, um vertical e outro hori-

---

in the 1970's, then in China in 1979, and finally in the Soviet Union in 1987, were in each of these countries the first attempt to accommodate profit-seeking market-oriented firms inside a Socialist command economy".

183. A. FAVRE (op. cit. 1974, "Introduction", n. 8, p. 13-14, e, a seguir, n. 9, p. 14-15): "Le droit de la coopération internationale – qu'il s'applique dans l'ONU, dans les institutions spécialisés à vocation mondiale ou dans les institutions régionales – exige impérieusement que les peuples les mieux pourvus accordent un large appui aux organismes dont la mission, dictée par la justice distributive, doit apporter soutien et concours au tiers monde. Tout le droit du développement est conçu et doit être soutenu par le même esprit. La coopération internationale dans ce domaine en est à une phase élémentaire. Elle ne correspondra jamais à l'immensité des besoins. Cet ouvrage, qui expose dans maint paragraphe un droit des gens non définitif mais bien établi, ne peut qu'esquisser l'oeuvre de coopération entreprise au cours de cette génération et le droit évolutif qui la régit. Pourtant, c'est par cela notamment que le droit des gens actuel est caractérisé".

184. Cabe observar até que ponto é direito internacional, o que aponta W. Michael REISMAN como conteúdo do **International law in the twenty-first century** no curso geral de direito internacional público, na Haia, 2007, sobretudo à luz de escritos anteriores deste, na linha da controvertida *New Haven School of International Law*: W. Michael REISMAN e Myres S. McDOUGAL (editors), **Power and policy in quest of law: essays in honor of Eugene Victor ROSTOW** (Haia: Martinus Nijhoff, 1985); W. Michael REISMAN, **The supervisory jurisdiction of the International court of justice: international arbitration and international adjudication** (RCADI, 1996, t. 258, p. 9-394); para crítica quanto aos riscos que representa essa visão politizante para o conteúdo e o futuro do direito internacional pós-moderno. *V.* Chr. TOMUSCHAT, **International law: ensuring the survival of mankind on the eve of a new century: general course on public international law** (RCADI, 1999, t. 281, p. 9-438, esp. Cap. I, p. 54-55), bem como Sandra VOOS, **Die Schule von New Haven: Darstellung und Kritik einer amerikanischen Völkerrechtslehre** (Berlim: Duncker & Humblot, 2000).

185. Daniel BELL, **O fim da ideologia** (do original **The end of ideology**, © 1960, trad. Sérgio BATH, Brasília: Ed. UnB, 1980, Col. Pensamento Político, v. 11).

186. Frederick M. WATKINS e Isaac KRAMNICK, **A idade da ideologia** (do original **The age of ideology: political thought 1750 to the present**, © 1979, trad. Rosa Maria e José VIEGAS, Brasília: Ed. UnB, 1981, Col. Pensamento Político, v. 32).

187. Celso D. de Albuquerque MELLO, *Aspectos gerais do direito internacional público contemporâneo* (XI Curso de derecho internacional, Rio de Janeiro, "organizado por el Comité Jurídico Interamericano, con la cooperación de la Secretaría General de la OEA, en agosto de 1984", Washington: OEA - Secretaria General, 1985, p. 3-27).

zontal, isto é, o leste-oeste[188] e o norte-sul"[189]: "no direito internacional este conflito não vai ter maior repercussão. Fala-se em direito internacional capitalista e direito internacional socialista, contudo nenhuma codificação essencial é consagrada na ordem jurídica, a não ser a condenação ao colonialismo e a consequente afirmação do direito de autodeterminação, que jamais foi estendida[190] de modo pleno pelos líderes dos dois grandes blocos e seus aliados".

"O norte-sul é o conflito que maior número de modificações tem trazido ao direito internacional público. Este jamais esteve em vias de sofrer uma transformação tão profunda quanto no momento atual". Observava ainda C. D. A. MELLO (1984, publ. 1985): "os doutrinadores dos países ricos que receiam o 'caos', costumam rotular o momento com que nos defrontamos de crise do direito internacional. Enquanto que, para os internacionalistas com uma visão do terceiro mundo, o "caos" era o direito internacional clássico, que sempre permitiu a dominação e a expropriação dos pobres pelos ricos"[191].

C.D.A. MELLO[192] apontava as fissuras e as inconsistências do antigo modelo internacional[193] onde "a luta contra o colonialismo, que todo o Terceiro Mundo apoiou, sempre teve para os supergrandes uma razão fundamental: afastar a Grã-Bretanha e a França da posição de grandes potências; ou ainda, continuariam grandes potências, mas não seriam supergrandes. A diferença ideológica entre os blocos capitalista e socialista não vai se manifestar no direito internacional, sendo suficiente recordar que os Estados Unidos da América aceitaram

188. C. D. A. MELLO (curso, cit., 1984, publ. Washington, 1985, p. 4-5): "O conflito leste-oeste, iniciado meses antes do final da segunda guerra mundial, vai acarretar a denominada política de blocos que, por sua vez, dominará as relações internacionais no período da Guerra Fria. Os estados seguidores dos supergrandes entregam a eles suas competências soberanas em troca de sua segurança em caso de uma terceira guerra mundial, que não viria e os supergrandes sabiam disso. Enfim, a guerra fria é um pretexto para se estabelecer maior domínio sobre os seus aliados".

189. C. D. A. MELLO (op. cit., Washington, 1985, loc. cit.): "O conflito mais sério a nosso ver é o já tão estudado conflito norte-sul, entre ricos e pobres. Ele envolve a vida de maior número de pessoas. Fala-se em "*day after*", como possível após um conflito leste-oeste, contudo há muito tempo o hemisfério sul já vive o seu "*day after*". É suficiente olharmos os índices estatísticos de subnutrição, de mortalidade infantil, de vítimas das secas, ou ainda o morticínio causado pelas epidemias e endemias. De qualquer modo, é extremamente curioso que o bloco soviético negue a existência desse conflito, considerando que só há o do capitalismo com o socialismo".

190. (*sic*, entendida?)

191. C. D. A. MELLO (op. cit., Washington, 1985, p. 5-6).

192. C. D. A. MELLO (op. cit., Washington, 1985, p. 4): "Não nos parece correto que um autor exponha um elenco de temas do direito internacional público sem que antes ele faça uma análise da sociedade internacional, ou seja, que ele a descreva como a vê. O seu otimismo ou pessimismo em relação ao direito internacional vai depender de sua visão da sociedade internacional".

193. C. D. A. MELLO (op. cit., Washington, 1985, loc. cit.): "Posteriormente temos a chamada "crise das alianças" em que a França denuncia o tratado sobre tropas da Organização do Tratado do Atlântico Norte e o conflito sino-soviético torna-se mais agudo. Finalmente continuamos com a existência de blocos mesmo que eles não tenham mais o aspecto monolítico que possuíam anteriormente".

um tratado afirmando que o princípio da coexistência pacífica é um dos princípios fundamentais das relações internacionais contemporâneas[194], bem como que a mais recente obra de direito internacional público, publicada na União Soviética e divulgada no Ocidente, coordenada pelo professor TUNKIN[195], afirma que o direito internacional público não tem ideologia, e que ele é simplesmente formado por normas de conduta, e que para ele existir não é necessário que haja comunhão ideológica"[196].

"Façamos um estudo desta matéria. É de se notar que ela é uma consequência da descolonização, ou seja, de acederem à independência países afro-asiáticos com líderes que têm uma cultura não cristã-ocidental e capitalista. O direito internacional que estes países encontraram regendo a sociedade internacional não atendia aos seus interesses." Por isso, segundo apontava C. D. A. MELLO, "reivindicações são formuladas, especialmente nas organizações internacionais e dentro delas, na Assembleia, ou Conferência, isto é, no órgão onde há uma igualdade entre os membros e onde todos os estados estão representados. Eles são o Terceiro Mundo que, como já foi assinalado do 'terceiro estado' da Revolução francesa, reivindicam o direito de participar nas decisões, que vão reger as relações internacionais".

"De qualquer modo, é necessário assinalar que nem sempre há, por parte do denominado Terceiro Mundo reivindicações uniformes e homogêneas. Pelo contrário, devido à multiplicidade de ideologias, sistemas políticos e econômicos, eles não formam um bloco unido, isto é, que possa exercer uma pressão eficaz. Em consequência, há uma politização do direito internacional, devido ao afrontamento entre os dois direito internacional, o clássico e o novo. Significa isso que está morrendo o direito internacional sem que surja um novo. O Terceiro Mundo domina as comissões que elaboram o direito internacional, como a Comissão de Direito Internacional, a Comissão de Direito Comercial Internacional, o Comitê do Fundo dos Mares e UNCTADs. É de se observar que tais comissões

---

194. Na linha da Res. 2625 (XXV) da AGNU, tendo anexa a **Declaration on principles of international law concerning friendly relations and cooperation among states in accordance with the UN Charter** (1970).

195. Adicionalmente é interessante ver a evolução do enfoque de G. TUNKIN, desde seu **Coexistence and international law** (RCADI, 1958, t. 95, p. 1-82) até G. TUNKIN, **Politics, law and force in the interstate system** (RCADI, 1989, t. 219, p. 227-396); a referência da obra e mencionada por C. D. A. MELLO, coordenada por G. TUNKIN *et al.*, **Curso de derecho internacional** (trad. do russo por Federico PITA, presentación de V. JARLÁMOV, Moscou: Editorial Progreso, 1979, 2 v.).

196. C. D. A. MELLO (op. cit., Washington, 1985, loc. cit.): "Esta posição que nos parece realista é também de um certo modo uma ironia, vez que foi o marxismo quem salientou e defendeu, a meu ver acertadamente, o caráter ideológico do direito. Enfim, as atitudes dos Estados Unidos da América e da União Soviética, bem como de seus aliados, são profundamente semelhantes, vez que as suas posições e interesses, na sociedade internacional, são semelhantes. Ambos procuram conservar a posição hegemônica que têm e, através de conflitos localizados, aumentar a sua área de influência, sem que haja maior risco de ambos se confrontarem diretamente".

não têm o poder de decidir, no sentido jurídico, isto é, de aprovar normas que serão obrigatórias. Assim, o método utilizado por tais países tem sido a aprovação de declarações, recomendações, as quais têm um valor político e moral. Acresce, ainda, que elas dão legitimidade às reivindicações desses estados, ou, talvez, venham a se transformar, no futuro, em costume internacional. O velho problema do direito internacional, que não desenvolveu critérios precisos para distinguir o jurídico do não jurídico, é agravado no atual momento histórico"[197].

Justamente não é o dado menos interessante do direito internacional o fato de este comportar grande número de questões controvertidas. Agregue-se a isso seu período de transição vivido, também como período de experimentação, mostrando o direito internacional em ação nas instituições e nos mecanismos de implementação: a ênfase na atuação da Corte Internacional de Justiça, da sistematização do *Instituto de Direito Internacional* e da reflexão da doutrina. A sistematização das práticas dos estados muitas vezes dependerá das amostragens feitas pelos seus representantes nacionais[198]. Caberá, inexoravelmente, indagar: até que ponto tais não serão seletivas?[199].

---

197. C. D. A. MELLO (op. cit., Washington, 1985, p. 6-7) enfatiza ter sido o objetivo, ao expor os dois grandes cortes na sociedade internacional, "chamarmos a atenção para a relatividade do que vai ser exposto, no sentido de que o jurídico se confunde com a política; o aspecto técnico com o ideológico. Não pretendemos com isso afirmar que tenha sido possível, em algum momento histórico, existir um direito sem aspecto político e, em consequência, ideológico. O que sustentamos é que atualmente esse aspecto surge, de modo acentuado, sem qualquer máscara, que tente ocultá-lo, e talvez devido à universalização da sociedade internacional ele seja mais acirrado".

198. Shigeru ODA e Hisashi OWADA (editors, with the assistance of Kazuya HIROBE), **The practice of Japan in international law 1961-1970** (Tokyo: University of Tokyo Press, 1982, "Preface", p. XXVII-XXIX, cit. p. XXVIII) mencionam: "Similar projects dealing with state practice in interpretation and application of international law have been launched in various parts of the world: 'Australian practice in international law' (*Australian yearbook of international law*), 'Canadian practice in international law' (*Canadian yearbook of international law*), 'Contemporary practice of the United States relating to international law' (*American journal of international law*), *Digest of United States practice in international law*, 'Italian practice relating to international law (*Italian yearbook of international law*), 'Netherlands state practice' (*Netherlands yearbook of international law*), 'Die österreichische diplomatische Praxis zum Völkerrecht' (*Österreichchische Zeitung fur öffentliches Recht und Völkerrecht*), 'La pratique de pouvoir exécutif à le (*sic*) contrôle des chambres législatives en matière de droit international' (*Revue belge de droit international*), 'Pratique française du droit international' (*Annuaire français de droit international*), 'Pratique suisse en matière de droit international public' (*Revue suisse de droit international*), 'United Kingdom materials on international law' (*British yearbook of international law*), 'Völkerrechtliche Praxis der Bundesrepublik Deutschland' (*Zeitschrift fur ausländisches öffentliches Recht und Völkerrecht*), and others".

199. Dado positivo, ao menos que existam e sejam publicadas as coletâneas das práticas nacionais constitui progresso necessário para o conhecimento do direito internacional e avaliação de seu funcionamento à luz do efetivo comportamento dos estados. Como seria útil existisse possibilidade de acesso ao comum dos mortais, para o repertório de prática brasileira de direito internacional. Enfatiza Karl ZEMANEK a dificuldade de acesso sistemático e a utitlidade conhecimento das práticas nacionais, em matéria de direito internacional, cfr. Karl ZEMANEK, **The legal foundations of the international system: general course on public international law** (RCADI, 1997, t. 266, p. 9-335); essencialmente empírica, igualmente, a construção do direito internacional vigente em matéria de sucessão de estados, cf. analisava Karl ZEMANEK em curso anterior na Haia, versando **State succession after decolonization** (RCADI, 1965, t. 116, p. 181-300); *v.* tb.: Edward McWHINNEY, **Self-determination of peoples and plural-ethnic states (secession and state succession and the alternative federal option)** (RCADI, 2002, t. 294, p. 167-264); Vladimir Djuro DEGAN, *On state succession* (in **Dimensão internacional do direito: estudos em homenagem a G. E. do NASCIMENTO E SILVA**, org. P. B. CASELLA, São Paulo: LTr, 2000, p. 118-140); Vladimir Djuro DEGAN, **Création et**

A convivência entre o velho e o novo modelos de ordenação da convivência entre estados nem sempre é pacífica. Simultaneamente há recorrências ou avanços, seja em sentido positivo, rumo a institucionalização crescente, que poderia levar de direito internacional da *cooperação* para direito internacional da *integração*; seja em sentido negativo, tendendo a negar os pressupostos e a validade de qualquer regulação legal da convivência entre unidades políticas soberanas, reduzindo a interação entre estados às relações de força e equilíbrio de terror, baseado na ameaça e no uso da força.

Falar em direito internacional pós-moderno, e da condição deste entre técnica, espírito e utopia visa, justamente, situar essa dimensão intrinsecamente internacional, inexoravelmente presente no mundo interdependente, e os modos possíveis de ordenação da convivência entre os estados. Entre o progresso possível, para patamares de regulação institucional e normativa internacional, mais abrangente e mais vinculante, e as recorrências dos modelos os mais primitivos, encontra-se, hoje, o mundo: esta é a crise da pós-modernidade e ai se há de inscrever o papel e a atuação do direito internacional pós-moderno.

Antonio CASSESE (1984)[200] fala em **quatro grandes problemáticas do direito internacional pós-moderno**:

(I). as divisões existentes no seio da comunidade internacional, nos planos ideológico, político e econômico, com os seus reflexos no campo do direito: isso configura o caráter não homogêneo da atual comunidade internacional e do direito que a regula – pode ter terminado a Guerra Fria[201], mas permanecem as divisões, com formulação diversa, mas não menos marcantes;

(II). coexistência nessa comunidade internacional de dois grandes modelos político-normativos, compreendendo a formatação inicial das origens da

---

disparition de l'état (à la lumière du démembrement de trois fédérations multiethniques en Europe) (RCADI, 1999, t. 279, p. 195-375); M. BEDJAOUI, **Problèmes récents de succession d'états dans les états nouveaux** (RCADI, 1970, t. 130, p. 455-586); H. M. BLIX, **Contemporary aspects of recognition** (RCADI, 1970, t. 130, p. 587-704); (Conte) Giorgio CANSACCHI, **Identité et continuité des sujets internationaux** (RCADI, 1970, t. 130, p. 1-94); D. P. O'CONNELL, **Recent problems of state succession in relation to new states** (RCADI, 1970, t. 130, p. 95-206); R. ERICH, **La naissance et la reconnaissance des états** (RCADI, 1926, t. 13, p. 427-508); H. LAUTERPACHT, **Recognition in international law** (Cambridge: UP, 1947). Visando sistematizar a prática recente em matéria de sucessão de estados, o IDI adotou resolução na sessão de Vancouver (2001), tendo como relator Georg RESS, cf. se considera e se analisa nos Fundamentos (2008), item IV, "Sujeito e objeto: estado de natureza, natureza do estado e relações entre estados".

200. Antonio CASSESE, **Il diritto internazionale nel mondo contemporaneo** (do original **International law in a divided world**, trad. Rosário SAPIENZA, Bolonha: Il Mulino, 1984, "Prefazione", p. 7-13).

201. Exemplificativamente como ainda expunham L. N. ORLOV, **Soviet joint enterprises with capitalist firms and other joint ventures between east and west** (RCADI, 1990, t. 221, p. 371-414) e Russell H. CARPENTER Jr., **Soviet joint enterprises with capitalist firms and other joint ventures between east and west: the western point of view** (RCADI, 1990, t. 222, p. 365-421), ficaram estes totalmente ultrapassados.

sociedade internacional, o "modelo de Vestfália" (1648) permanece intocado até a primeira e conserva elementos até a segunda guerra mundial, e o atualmente afirmado "modelo da Carta da ONU"[202];

(III). papel do direito na comunidade internacional: quanto pesam os preceitos jurídicos, nas decisões dos estados? Até que ponto todo o riquíssimo instrumental de normas e de instituições jurídicas atualmente existentes guia efetivamente a conduta dos sujeitos?

(IV). contraste entre os velhos e os novos "atores" da comunidade internacional: uma vez que os estados soberanos ainda são os protagonistas, pode-se dizer que os indivíduos, os povos e as organizações internacionais conseguiram desempenhar algum "papel relevante"? Em caso afirmativo, será este tão somente o de "coadjuvantes"? A comunidade internacional é, ainda, regida somente pelos "governantes", ou os "governados" doravante têm algo a dizer e a ser ouvidos?

A construção do quadro jurídico, regulador do contexto internacional, tem essa combinação, entre técnica e espírito, permanentemente testada, até os limites da viabilidade do modelo. A adequação desses dados terá de ser aferida empiricamente. Agregada aos dois dados precedentes, a dimensão da utopia[203].

Os atos emanados das organizações internacionais, como fontes do direito internacional, inscrevem-se nessa dimensão de mutação de paradigma de atuação do direito internacional pós-moderno. A exata configuração de sua extensão e de sua aplicação como fonte de direito internacional ainda tem de ser consolidadas.

2.2.8. atos unilaterais dos estados como fonte de direito internacional

Sob diversas modalidades, os atos unilaterais dos estados são frequentes na vida internacional. Sua forma, seu conteúdo e seus objetivos podem ser extremamente variados, como ressalta Krzysztof SKUBISZEWSKI (1991)[204]. A diversidade dos atos unilaterais e das modalidades de sua realização constituem fenômeno consentâneo com a estrutura e o funcionamento da sociedade internacional, em seu estágio atual de institucionalização.

---

202. A. CASSESE (op. cit., 1984, p. 11): "la coesistenza di queste 'due anime', in seno allo stesso ordinamento, l'incapacità del 'nuovo modello' di soppiantare il primo – che rispunta continuamente e getta la sua ombra sull'assetto attuale della comunità – constituiscono uno dei punti nodali di qualunque disamina realística".

203. A respeito, *v.* **Fundamentos** (2008, item III, "Direito internacional pós-moderno: entre técnica, espítito e utopia", p. 291-374).

204. Krzysztof SKUBISZEWSKI, *Les actes unilatéraux des états* (in **Droit international: bilan et perspectives**, op. cit., 1991, v. I, p. 231-251).

Significativo referir, ainda que de forma sucinta, o papel e alcance dos atos unilaterais e a possível obrigatoriedade destes em direito internacional, como abordam G. BISCOTTINI (1951), J. DEHAUSSY (1965), E. SUY (1960), G. VENTURINI (1964) e E. ZOLLER (1977)[205], em relação à questão do estado como sujeito e objeto do direito internacional. Bem ilustrariam a questão dos atos unilaterais dos estados, dentre outros, os casos do **Estatuto Jurídico da Groenlândia Oriental** (1933)[206], na Corte permanente de Justiça Internacional, e o dos **testes nucleares franceses** (1974)[207], na Corte Internacional de Justiça.

Dada a natureza do direito internacional e o processo de formação de suas regras, torna-se relevante abordar várias faces dos atos jurídicos unilaterais, seus critérios de validade e quando são efetivamente internacionais. Diversas interpretações são possíveis quanto ao ato unilateral e especificamente em relação à promessa no direito internacional.

No caso do **Estatuto Jurídico da Groenlândia Oriental** (1933)[208], a Dinamarca, em oposição à pretensão norueguesa de ocupar a faixa costeira do litoral oriental da Groenlândia, argumenta a soberania exercida de longa data e manifestada de diversos modos, inclusive com expressa aceitação em declaração do minis-

---

205. Entre outros, *v.* a respeito: Giuseppe BISCOTTINI, **Contributo alla teoria degli atti unilaterali nel diritto internazionale** (Milão: Giuffrè, 1951); Jacques DEHAUSSY, *Les actes juridiques unilatéraux en droit international public: à propos d'une théorie restrictive* (JDI, 1.1965, p. 41-60); Eric SUY, *Sur la définition du droit des gens* (RGDIP, 1.1960, p. 762-770); G. VENTURINI, **La portée et les effets juridiques des attitudes et des actes unilatéraux des états** (RCADI, 1964, t. 112, p. 363-468); E. ZOLLER, **La bonne foi en droit international public** (Paris: Pedone, 1977).

206. C.P.J.I., **Estatuto Jurídico da Groenlândia Oriental**, Dinamarca contra Noruega (julgamento de 5 de abril de 1933, série A/B, n. 18, n. 53, n. 55; série C, n. 62, n. 63, n. 64, n. 65, n. 66, n. 67, n. 69) (A/B 53, par. 26): "Le Groënland, qui s'étend du 59º 46´ au 83º 39´ de latitude nord et du 73º au 10º 33´ de longitud ouest, et dont la pointe sud se trouve à environ 63º de longitud ouest de Greenwich, s'étend sur une superficie totale de 2.300.000 Km^2, dont les cinq sixièmes sont couverts par le glacier intérieur, de sorte que seule une bande étroite de dimensions variables, le long des côtes, demeure libre de glaces. Il y a lieu d'ajouter que c'est seulment au cours des dernières années du xixe siècle qu'a été définitivement établie l'absence d'une contiguité territoriale entre le Groënland et les autres parties du continent américain, c'est-à-dire le caractère insulaire du Groënland".

207. CIJ, **Essais nucléaires français** (France contre Australie et Nouvelle-Zélande, ordonnance en mesures conservatoires, rêquete Fidji pour intervention et fond, 22 juin 1973 et 20 décembre 1974).

208. CPJI, **Estatuto Jurídico da Groenlândia Oriental**, Dinamarca contra Noruega (julgamento de 5 de abril de 1933), requerimento para a instauração do caso, apresentado em 12 de julho de 1931, com fundamento no art. 40 do **Estatuto** da Corte, e artigo 35 do Regulamento, e menção à disposição facultativa do art. 36, par. 2, o governo da Dinamarca introduz, perante a Corte Permanente de Justiça Internacional, procedimento contra o governo da Noruega em razão da edição de lei norueguesa, publicada em 10 de julho do mesmo ano, proclamação por meio da qual referido governo declara ter procedido à ocupação de certos territórios da Groenlândia Oriental, territórios estes que, segundo o governo dinamarquês, estariam submetidos à soberania da coroa dinamarquesa. Tendo, assim, indicado o objeto da controvérsia, o requerimento concluía dirigindo à Corte pedido no sentido de, sob reserva de quaisquer memoriais, contra-memoriais e meios de prova, a serem ulteriormente apresentados, "dizer e julgar que a promulgação da ocupação referida, bem como qualquer medida tomada em relação a essa ocupação, pelo governo norueguês, constituem infração ao estado jurídico existente, e, por conseguinte, são ilegais e inválidas" (arrêt du 5 avril 1933, par. 23).

tro norueguês Ihlen, em 22 de julho de 1919. Tendo a Noruega interesse em consolidar sua posição de soberana em relação ao arquipélago do Spitzberg, em abril de 1919, obtém esse país declaração do governo dinamarquês no sentido de que este não manifestaria objeção nem se oporia às aspirações norueguesas, a ponto de a Dinamarca não ter no Spitzberg qualquer interesse conflitante com a Noruega.

Em julho de 1919, na altura em que a Comissão da Conferência de Paz iria examinar a questão relativa ao Spitzberg, a Dinamarca reitera não ter qualquer objeção às pretensões norueguesas. Fazendo conhecer tal declaração ao ministro das Relações Exteriores da Noruega, Sr. Ihlen, em Cristiânia, hoje Oslo, o ministro dinamarquês deveria assinalar:

(I). "que o governo dinamarquês, desde certo tempo, buscava obter o reconhecimento, pelo conjunto das potências interessadas, da soberania da Dinamarca sobre toda a Groenlândia e da intenção de colocar tal questão, perante a referida comissão" (da Conferência de Paz, em Paris);

(II). "que o governo dos Estados Unidos da América tinha feito declaração segundo a qual este não se oporia a que o governo dinamarquês estendesse a sua soberania, bem como seus interesses políticos e econômicos, ao conjunto da Groenlândia";

(III). que entendimentos visando declarações semelhantes eram conduzidas pela Dinamarca junto às quatro principais potências aliadas e associadas; e

(IV). "que o governo dinamarquês acreditava poder contar que tal extensão tampouco encontraria dificuldades por parte do governo norueguês"[209], conforme entendimento expresso em memorando de 18 de janeiro de 1921, dirigido pelo governo dinamarquês ao governo norueguês, e entregue pela legação dinamarquesa, em Cristiânia. Além de retomar a questão do Spitzberg, e das garantias dadas em 1919 pela Dinamarca de que esta não se oporia às pretensões norueguesas sobre tal região. Quanto ao fato de que a Dinamarca buscava assegurar que a extensão da soberania dinamarquesa sobre

209. CPJI (série A/B, n. 53, pars. 57 e 58, parcialmente repr.): "Lorsque, à la date du 14 juillet 1919, le ministre du Danemark eut un entretien avec Mr. IHLEN, ministre des affaires étrangères de Norvège, ce dernier se borna a répondre 'que la question serait examinée'. Le ministre des affaires étrangères de Norvège consigna son entretien avec le représentant du Danemark dans une minute dont l'exactitude n'a pas été contestée par le Gouvernement danois. Le 22 juillet suivant, le ministre des affaires étrangères, après avoir informé ses collègues du Cabinet norvégien, déclara au ministre du Danemark 'que le gouvernement norvégien ne ferait pas de difficultés au règlement de cette affaire' (c'est-à-dire l'affaire mentionée le 14 juillet par le gouvernement danois). Tels sont les mots qui figurent dans la minute rédigée de la main de Mr. IHLEN. Selon le rapport adressé à son gouvernement par le ministre de Danemark, les mots dont s'était servi Mr. IHLEN étaient que 'les projets du gouvernement royal' [danois] relatifs à la souveraineté du Danemark sur l'ensemble du Groënland ... ne rencontreront pas de difficultés de la part de la Norvège".

o conjunto da Groenlândia não encontraria dificuldades por parte da Noruega. O memorando contém referência à declaração do ministro IHLEN, mas indica que essa declaração fora puramente verbal, e a Dinamarca desejaria receber confirmação por escrito. O documento concluía pedindo declaração escrita, constatando que o governo norueguês reconhecia a soberania dinamarquesa sobre toda a Groenlândia.

Os advogados dinamarqueses invocaram a declaração Ihlen para alegar que teria ocorrido reconhecimento da soberania dinamarquesa, existente sobre a Groenlândia. A Corte declarou não poder aceitar essa interpretação[210] sem levar em conta as circunstâncias e o contexto em que estariam inscritos os entendimentos em curso entre os dois governos. Mais adiante, a Corte Permanente de Justiça Internacional deduziu o que considerava ser o caráter incondicional e definitivo dessa declaração[211]: "decorre do compromisso, implicado dos termos da declaração do Ministro Ihlen, de 22 de julho de 1919, encontrar-se a Noruega na obrigação de não contestar a soberania dinamarquesa sobre o conjunto da Groenlândia, e, *a fortiori*, de abster-se de ocupar parte da Groenlândia"[212].

A decisão da Corte Internacional de Justiça nos casos dos **Testes Nucleares Franceses** (1974)[213] não foi apta a ensejar retomada de atenção para os atos jurídicos unilaterais estatais, e o estudo dos atos das organizações internacionais não foi situado, exceto por raros autores, em contexto mais amplo que o âmbito específico daquelas organizações[214]. Contudo, a controvérsia sobre o valor jurí-

---

210. CPJI (série A/B, n. 53, parágrafo 69): "La Cour ne peut pas se rallier à cette manière de voir. Un examen attentif des termes dont on s'est servi, et des circonstances dans lesquelles ils furent employés, ainsi que des événements ultérieurs, montre que Mr. Ihlen ne peut avoir eu l'intention de donner à ce moment une reconnaissance définitive de la souveraineté danoise sur le Groënland, et, en outre, que le gouvernement danois ne peut, à l'époque, avoir attribué cette signification à la déclaration. Selon le texte de la minute de Mr. Ihlen, tel qu'il a été produit devant la Cour, par le gouvernement norvégien, et qui n'a pas été contesté par le gouvernement danois, la phrase dont s'est servi Mr. Ihlen est au futur: 'Il ne fera pas de difficultés'; il avait été informé que c'était à la Conférence de la Paix, que le gouvernement danois entendait soulever la question, et, deux ans plus tard – lorsque des assurances eurent été obtenues des principales puissances alliées –, le gouvernement danois s'adressa de nouveau du gouvernement norvégien, afin d'obtenir la reconnaissance désirée par lui de la souveraineté danoise sur le Groënland tout entier".

211. CPJI (série A/B, n. 53, parágrafo 72, e a seguir parágrafo 73): "Il ressort de ce qui précède que la Cour ne peut envisager la déclaration Ihlen du 22 juillet 1919 que comme inconditionnée et définitive".

212. CPJI (série A/B, n. 53, parágrafo 75): "Par ces motifs / La Cour, stuant par douze voix contre deux: 1. décide que la déclaration d'occupation promulguée par le gouvernement norvégien en date du 10 juillet 1931, ainsi que toutes mesures prises à cet égard, par ce même gouvernement, constituent une infraction à l'état juridique existant, et, par conséquent, sont illégales et non valables".

213. CIJ, **Testes Nucleares Franceses** (Austrália contra França e Nova Zelândia contra França, julgamento de 20 de dezembro de 1974).

214. J.-P. JACQUÉ (op. cit., 1991, loc. cit.): "La situation évolue et l'on perçoit mieux l'intérêt qu'il peut y avoir à mener une analyse de la catégorie d'acte juridique dans son ensemble. La Cour Internationale de Justice a, elle-même, donné l'exemple dans l'affaire des **Essais nucléaires** en empruntant au droit des traités la théorie du changement fondamental de circonstances pour tempérer ses considérations quant à la force obligatoire de la promesse unilatérale".

dico das resoluções das organizações internacionais ou as discussões sobre as diferenças entre resoluções e convenções amplamente abriram o caminho para reflexão mais ampla.

Em se tratando de ordenamento jurídico como o internacional, no qual tem a vontade papel primordial, a reflexão sobre o ato jurídico é determinante, porquanto o estudo dos atos dá-se com a análise dos instrumentos por meio dos quais o direito positivo permite à vontade dos sujeitos de direito internacional ser criadora, e produzir efeitos jurídicos. Assim, para J.-P. JACQUÉ, desenvolver uma teoria dos atos seria buscar os meios de isolar, em meio à massa de comportamentos imputáveis aos sujeitos de direito internacional, quais comportamentos se inscrevem no direito internacional, e quais podem produzir efeitos jurídicos[215].

A adoção das regras normativas internacionais em boa medida pauta-se pela avaliação da sua conveniência e oportunidade. Os estados, em boa medida, servem-se das regras internacionais, na medida em que estas lhes convenham, mas mostram-se muito propensos a descartá-las ou limitar-lhes a incidência, na medida em que lhes pareça atentarem as regras de direito internacional contra as suas prerrogativas de estado, ciosamente "soberano e independente".

Segundo Hans MORGENTHAU (1958)[216], o direito internacional não teria desenvolvido critério para distinguir, de modo objetivo, as regras de direito internacional que sejam e as que pareçam ser válidas, de modo que Aga KHAN contrapõe a esse entendimento (1985)[217] as bases éticas para o direito e a sociedade.

Cumpre constatar quanto lutaram os estados em nome da soberania, cujo futuro analisa J. K. BLEIMAIER (1993)[218], da independência, da não ingerência

---

215. Ao se retomar o caso dos **Testes Nucleares Franceses**, e particularmente as declarações francesas a respeito da renúncia aos testes na atmosfera, somente análise *a posteriori* permitiu estabelecer que se tratava de declarações que vinculavam juridicamente a sua autora e constituíam promessa unilateral. Poderiam ter sido consideradas declarações puramente políticas e, como tais, destituídas de qualquer conteúdo legal? Assim, para J.-P. JACQUÉ (op. cit., 1991, p. 368), "La question de l'exacte portée des déclarations dans l'esprit des autorités françaises reste ouverte. C'est par une interprétation que la Cour leur a conféré force obligatoire. Ceci montre qu'un acte juridique a avant tout pour objet un texte et que la norme est la signification donnée à ce texte"; E cita D. KENNEDY, **International legal structures** (Baden-Baden: Nomos, 1987, p. 54 e s.).

216. Hans J. MORGENTHAU, **Dilemmas of politics** (Chicago: University Press, 1958).

217. Hans J. MORGENTHAU (op. cit., p. 215) observa que o direito internacional, para existir, apoia-se nas "muletas que as ordens jurídicas internas lhe emprestam" e, ademais, na medida em que o direito internacional pretenda se impor aos indivíduos, com base no direito interno, tais relações perdem o seu caráter internacional (**La réalité des normes en particulier des normes du droit international**, Paris: Felix Alcan, 1934, p. 242); Aga KHAN, em conferência na Haia, sobre *Les bases éthiques pour le droit et la société: perspectives de la Commission Indépendante sur les Questions Humanitaires Internationales* (RCADI, 1985, t. 193, p. 389-403).

218. J. K. BLEIMAIER, *The future of sovereignty in the XXIst century* (Hague YIL, 1993, v. 6, p. 17-27). O professor sueco Jens BARTELSON, em seu **A genealogy of sovereignty** (Cambridge: Cambridge Univ. Press, © 1995, reprinted 1996,

nos assuntos internos, para não falar das mais cruentas e tantas vezes efêmeras empreitadas[219] em nome de conquista e manutenção de território[220] e recursos os mais variados, de cursos d'água a jazidas minerais e petróleo, ao longo da história, tudo isso em nome de pretensões hegemônicas mais ou menos superadas, em mais ou menos longos intervalos de tempo. Boa parte desta história é a história dos estados, e esta não prima pela beleza nem pelo equilíbrio. Mas à humanidade como um todo cabia pagar pelos desmandos dos estados.

Curiosamente, o mundo atual mostra-nos quadro diverso, na medida em que vem mudando de forma rápida a configuração do contexto internacional, onde, todavia, sem se poder saber qual modelo virá ser configurado para o futuro, pode-se ver passarmos para contexto internacional menos estruturalmente marcado pela estatalidade das relações internacionais. Tanto lutaram os estados uns com os outros para se verem desalojados de seu papel de primazia, não uns estados por outros, mas por forças não estatais, que atuam de modo cada vez mais marcante no contexto internacional.

Na busca do fundamento do direito internacional[221] pós-moderno, há de se fazer a determinação dos sujeitos sobre cuja atuação essas normas deverão regular. São evidentes a necessidade de regular a vida internacional e os parâmetros, considerados válidos e aceitáveis, para a interação entre os sujeitos de direito internacional.

A liberdade dos estados tem limites, colocados pelas normas de direito internacional, mas estes conservam considerável extensão de discricionariedade de ação, sem incorrer em ilícito internacional. Nesse vasto domínio, podem eles agir conforme as suas políticas nacionais, e adotar, unilateralmente, decisões que terão impacto sobre as suas relações com outros estados. Daí a importância dos atos unilaterais no funcionamento da sociedade internacional.

Cambridge studies in international relations, v. 39, cit. p. 247) observa: "Within this tradition, sovereignty does not merely mean different things during different periods, functions differently within different epistemic arrangements". De tal modo, enfatiza BARTELSON (op. cit., 1996, loc. cit.) a soberania "is something altogether different from time to time": "rather the topic of sovereignty – the concept of sovereignty as opened to definitional change across time – rigorously intertwined with the conditions of knowing, that we could inductively expect a change in the former to go hand in hand with a change in the latter even in the future, if indeed there is one". *V.*, ainda: Celso D. de Albuquerque MELLO (coord.), **A soberania** (Rio de Janeiro: Renovar, 1999, Anuário Direito e Globalização, v. 1, do Programa interdisciplinar direito e globalização da UERJ).

219. Amadou HAMPATÉ BÂ, **Vie et enseignement de Tierno Bokar: le sage de Bandiagara** (Paris: Seuil, © 1980, impr. 2004, cit. p. 16): "Avec ses développements souvent inattendus, l'Histoire semble vouloir nous apprendre qu'à une conquête guerrière succéde généralement une autre, toute pacifique, au cours de laquelle l'occupant est à son tour absorbé par sa conquête. Et c'est sans doute bien ainsi. Dans les cas où ce phénomène ne se produit pas, le conquérant se trouve rapidement isolé, écarté du système, enkysté, réduit en sa tour d'ivoire, d'où il ne voit plus rien et ne conduit plus rien".

220. *V.*, *infra*, Parte 6, "Território".

221. J. L. BRIERLY, **Le fondement du caractère obligatoire du droit international** (RCADI, 1928, t. 23, p. 463-552); BRIERLY's **Law of Nations** – An Introduction to the role of international law in international relations (by Andrew CLAPHAM, Oxford: Univ. Press, 7th ed., 2012); *v.* tb. CASELLA, **Fundamentos do direito internacional pós-moderno** (2008).

2.3. Codificação do direito internacional

No século XIX ocorrem as primeiras importantes tentativas de codificação do direito internacional, sobressaindo nesse particular os projetos de FLIORE e de BLUNTSCHLI. Em 1902, graças à proposta de José HIGINO, na Conferência Internacional Interamericana, realizada na Cidade do México, teve início o trabalho de codificação interamericano. O movimento foi coroado de êxito, tanto assim que em 1928 foram assinadas em Havana a Convenção sobre Direito Internacional Privado (o **Código Bustamante**), bem como diversas convenções de direito internacional, todas elas baseadas no projeto elaborado por Epitácio PESSOA.

O desenvolvimento do direito internacional foi uma das preocupações da Sociedade das Nações (SdN), que criou em 1924 a comissão de peritos, esta encarregada de verificar o que poderia ser feito no campo da codificação. Diversos projetos foram preparados e, em 1930, reuniu-se na Haia a Primeira Conferência de Codificação do Direito Internacional, quando três tópicos foram abordados: conflitos de nacionalidade; águas territoriais; e responsabilidade por danos a bens de estrangeiros. Foi, contudo, tentativa prematura, tanto assim que a conferência foi considerada um fracasso, embora a Convenção sobre Conflitos de Nacionalidade (ratificada pelo Brasil) tenha sido assinada.

A segunda guerra mundial marcou o fim da SdN e a transição desta para o sistema da Organização das Nações Unidas. O projeto de Dumbarton Oaks, que serviu de base à elaboração da **Carta** das Nações Unidas, silencia quanto ao direito internacional, mas durante a Conferência de São Francisco, de 1945, referência ao direito internacional foi incluída graças às pequenas potências. A Carta, ao enumerar as atribuições da Assembleia Geral, dispõe no artigo 13 o seguinte: "promover a cooperação internacional no terreno político e incentivar o desenvolvimento progressivo do direito internacional e a sua codificação"[222].

O passo seguinte foi a criação da Comissão de Direito Internacional das Nações Unidas (CDI) com o objetivo duplo de tratar da codificação do direito internacional e de seu desenvolvimento progressivo. Os primeiros anos da CDI foram tumultuados pela Guerra Fria e com recomendações da Assembleia Geral em que as preocupações políticas criaram numerosos e relevantes obstáculos ao

---

222. *V.* a respeito: P. B. CASELLA, *Artigo 13* (in **Comentário à Carta das Nações Unidas**, org. Leonardo N. C. BRANT, Belo Horizonte: CEDIN, 2008, p. 273-304); Roger PINTO, **Au service du droit** – Réflexions et positions 1936-1982 (textes rassemblés par P. AVRIL, P. JUILLARD et J.-C. MASCLET, Paris: Publications de la Sorbonne, 1984, "*Les difficultés d'élaboration du droit international – tendance de l'élaboration des formes écrites du droit international*", p. 109-126).

seu funcionamento. Charles de VISSCHER, antigo juiz da CIJ, escrevia em 1955 que "hoje em dia as possibilidades de uma codificação do direito internacional num ambiente universal são nulas. O abismo entre as concepções jurídicas que se defrontam no seio da AGNU, mesmo no tocante aos problemas mais fundamentais, é tal que toda nova iniciativa dessa espécie deve ser considerada perigosa para o progresso do direito internacional".

Do mundo da Guerra Fria, passamos ao mundo dividido pelo conflito de civilizações, tornando igualmente questionável a viabilidade e alcance de tentativas de codificação de caráter universal. Ao mesmo tempo, a consolidação de bases comuns mais que nunca se faz necessária, para evitar o acirramento dos conflitos e agravamento das tensões internacionais.

Os fatos, contudo, vieram demonstrar que o pessimismo não se justificava, pois, num primeiro estágio, com a criação da Comissão de Direito Internacional das Nações Unidas (CDI), teve início fase altamente produtiva, de que resultou uma série de importantes convenções, a maioria assinada em Viena, bem como a Convenção sobre o Direito do Mar de Montego Bay, em 1982[223].

Condicionada pela multiplicação do número de sujeitos e vertiginosa ampliação temática, na história do direito internacional do século XX e início deste, ao menos três vertentes podem ser destacadas:

- consideráveis realizações de consolidação e de codificação internacional, como ilustrariam o direito do mar, o direito aeroespacial, e todas as grandes codificações alcançadas; ao lado de
- legado problemático de temas, como a dificuldade em coibir o uso unilateral da força e assegurar a efetividade da norma internacional, para o conjunto dos estados, onde avanços ocorreram, mas o saldo ainda é questionável; e
- (terceira) vertente de temas e áreas em que, todavia, se constroem as normas, e as situações não se acham consolidadas, como seria exemplo a sucessão de estados.

223. Constava de edições anteriores: "Infelizmente, essa fase terminou por vários motivos, e, em tal sentido, verificou-se que os assuntos aptos a serem codificados acabaram, tanto assim que as duas últimas convenções assinadas em Viena em matéria de sucessão de Estados não chegaram a ser ratificadas. A questão da utilização dos rios internacionais por motivos que não a navegação, que esteve na agenda da CDI desde o início, teve cinco relatores, nunca chegou a ser submetida a uma conferência e acabou sendo aceita pela sexta comissão da Assembleia Geral das Nações Unidas sem voto. Outro fator que influiu nessa fase negativa da codificação foi a circunstância de a CDI, por motivos políticos, haver sido aumentada de onze para quinze membros a fim de atender às reivindicações de inúmeros países afro-asiáticos. Convém ainda acrescentar que a CDI, que na fase inicial reunira algumas das maiores autoridades no plano do direito internacional, passou a ser integrada, por motivos políticos, por juristas pouco conhecidos. O resultado desses esforços consequentemente nem sempre veio a ter o impacto que seria necessário para levar à adoção dessas normas".

Entre as situações consolidadas, como em relação à primeira vertente e à segunda, em que a realidade impõe tão claramente limites a qualquer pretensão de regulação jurídica internacional, será justamente na terceira vertente na qual podem ser alcançados progressos, na medida em que se consolidem normas e procedimentos. Justamente em relação a tal vertente temática (*work in progress*) pode exercitar-se de modo construtivo a reflexão teórica e, quiçá, contribuir, de modo válido[224].

2.3.1. Convenção de Viena sobre relações diplomáticas (1961)

A Convenção de Viena sobre relações diplomáticas, de 1961, pode ser considerada um dos mais bem-sucedidos exemplos de codificação do direito internacional. Vários fatores contribuíram para isso, sobressaindo a circunstância de o direito costumeiro a respeito já haver atingido um alto grau de consolidação. É sintomático que algumas das regras básicas codificadas em 1961 não provocaram maiores debates, tal a convicção dos delegados de que o projeto elaborado pela CDI correspondia ao direito existente[225].

Dentre as modificações substanciais feitas, cumpre mencionar a reação da Conferência à orientação liberal acolhida pela CDI no tocante aos beneficiários das prerrogativas diplomáticas e ao conceito amplo dado à noção de liberdade de comunicação quanto à utilização de aparelhos radiofônicos.

A incumbência mais importante da Conferência de 1961 foi a de determinar as prerrogativas e imunidades diplomáticas, havendo-se verificado um inesperado consenso quanto a sua enumeração e mesmo em relação a sua abrangência. As divergências surgiram na determinação dos beneficiários, pois, ao passo que as grandes potências se batiam pela concessão ao pessoal administrativo e técnico e às suas famílias dos mesmos privilégios e imunidades reconhecidos aos agentes diplomáticos, a maioria das delegações foi contrária a semelhante orientação, que iria colocar número excessivo de pessoas em situação privilegiada em relação ao direito local.

---

224. J. RAY, **Des conflits entre principes abstraits et stipulations conventionnelles** (RCADI, 1934, t. 48, p. 631-708); H. W. BRIGGS, **Reflections on the codification on international law by the International Law Comission and other agencies** (RCADI, 1969, t. 126, p. 233-316).

225. G. STUART, **Le droit et la pratique diplomatique et consulaire** (RCADI, 1934, t. 48, p. 459-570); Stanislaw E. NAHLIK, **Development of dipplomatic law: selected problems** (RCADI, 1990, t. 222, p. 187-363); S. E. NAHLIK, *À l'aube de la codification du droit international* (in **Essays in International Law in honour of Judge Manfred LACHS/Études de droit international en l'honneur du juge Manfred LACHS**, ed. by Jerzy MAKARCZYK, Haia: M. Nijhoff, 1984, p. 201-206); G. E. do NASCIMENTO E SILVA, P. B. CASELLA e O. BITTENCOURT NETO, **Direito internacional diplomático** – Convenção de Viena sobre relações diplomáticas na teoria e na prática (São Paulo: Saraiva, 4. ed. revista, atualizada e ampliada, 2012); Joseph M. SIRACUSA, **Diplomacy** – a very short introduction (Oxford: Univ. Press, 2010).

O artigo 37 da Convenção espelha uma emenda brasileira no sentido de incluir o pessoal administrativo e técnico numa categoria à parte, à qual se reconhece imunidade de jurisdição penal, uma relativa imunidade de jurisdição civil e administrativa, e isenção alfandegária para os objetos destinados à primeira instalação[226].

O projeto da CDI estipulava que "a missão poderá empregar todos os meios de comunicação adequados, inclusive correios diplomáticos e mensagens em código ou cifra". Os termos vagos do projeto davam ao estado estrangeiro o direito de livre uso das estações de rádio, fórmula esta que provocou forte reação da maioria. O texto, finalmente aprovado, condiciona a instalação e a utilização de uma emissora de rádio ao consentimento das autoridades locais. Não obstante os termos claros da Convenção, constata-se que, na prática, esse dispositivo não é respeitado.

Na versão inglesa da Convenção, utilizaram-se as expressões *sending State* e *receiving State*, expressões cômodas, mas de difícil tradução, inclusive para o francês e o espanhol, duas das línguas oficiais. Por insistência de Gilberto AMADO, a versão brasileira passou a falar em *estado acreditante* e *estado acreditado*, expressões que na prática vêm sendo abandonadas, por darem lugar a confusão.

A Convenção de 1961 veio consolidar a tendência no sentido do deslocamento da principal responsabilidade diplomática da figura do chefe da missão para a embaixada ou legação, entendida em seu conjunto. De acordo com essa nova filosofia, a expressão *agente diplomático* perdeu o conceito que lhe era dado: deixou de se referir apenas ao chefe de missão, e passou a abranger todo o pessoal diplomático desta.

2.3.2. Convenção de Viena sobre relações consulares (1963)

A assinatura da Convenção de 1961 preparou o caminho para a Conferência sobre relações consulares, que se reuniu dois anos depois, de 4 de março a 24 de abril, em Viena. É impossível desassociar as duas conferências, tanto assim que a CDI, ao elaborar o seu projeto definitivo sobre relações consulares, teve de decidir se continuaria com a orientação seguida no anteprojeto anterior ou se, mesmo discordando em algumas regras da Convenção de 1961, adaptaria o projeto a ele. Acabou por trilhar esta orientação.

A adoção da Convenção sobre Relações Diplomáticas como que tornava automática a assinatura da Convenção sobre Relações Consulares, mas, ao passo que na primeira a CDI tivera diante de si uma série de regras relativamente cla-

---

226. *V.* tb., *infra*, 3.8.3., "Imunidade de jurisdição e de execução".

ras e com aceitação generalizada, na segunda o panorama era menos nítido, pois, além do direito internacional costumeiro, a CDI tinha de examinar inúmeras convenções bilaterais, leis internas e usos diversos com o objetivo de preencher os vácuos existentes. O fato é que, ao passo que a Convenção sobre Relações Diplomáticas consta de 53 artigos, a Consular tem 79.

Uma das tarefas mais árduas da Conferência foi a de determinar as atribuições consulares. Para algumas delegações a solução seria adotar artigo nos moldes da Convenção de Havana sobre Cônsules, segundo a qual "os cônsules exercerão as atribuições que lhes confere a lei do seu Estado, sem detrimento da legislação do Estado onde desempenham as suas funções". A outra solução favorece a enumeração detalhada das funções, mas a dificuldade consiste precisamente em saber quais as que merecem ser mencionadas. A solução proposta pela CDI e aceita pela Conferência consiste numa definição geral, complementada pela enumeração exemplificativa, mas não exaustiva, das principais atribuições consulares. O artigo 5 ainda estabelece que outras funções podem ser exercidas, desde que não proibidas pelo estado local ou previstas expressamente em tratado em vigor entre as partes.

A determinação da condição jurídica dos cônsules honorários foi difícil não só em virtude da quase inexistência de uma prática generalizada e de opiniões doutrinárias, mas principalmente em decorrência das posições distintas dos países possuidores de grandes marinhas mercantes. Países como a Suécia, a Noruega, a Dinamarca, a Grécia e os Países Baixos, possuidores de importantes marinhas mercantes e que necessitam de pessoas capazes e de certa projeção local em todos os portos, possuem serviços consulares muito bem organizados, mas na base de cônsules honorários. Como o título de cônsul traz consigo determinadas vantagens, além da projeção local, razão por que muitos países buscam restringir o número de beneficiários dos privilégios consulares, verificou-se uma tendência desses países de ser mantido o *statu quo*. A Convenção adotou alguns artigos *assimilativos*, em que os privilégios e as imunidades dos cônsules honorários e das repartições por eles chefiadas são análogas às dos cônsules de carreira. Os artigos que reconhecem privilégios e imunidades menos extensas são os *discriminatórios*.

2.3.3. Convenção de Viena sobre direito dos tratados (1969)

A exemplo das Convenções de Viena sobre relações diplomáticas (1961) e consulares (1963), a Convenção de Viena sobre direito dos tratados representa marco relevante e progresso significativo na história da codificação do direito internacional. Mas enquanto na primeira já existia o consenso, que o texto convencional bem soube refletir, e na segunda pôde esse consenso ser construído a partir da prática extensa, mas menos uniforme, dada a diversidade das fontes de regulação e das facetas da atuação consular, no caso da Convenção de Viena sobre direito dos tratados (1969, internacionalmente em vigor desde 1980), a construção do direito internacional em relação à matéria nesta regulada não se fez sem suscitar controvérsias conceituais importantes, como estas, ademais, perduram.

Muitos dos dispositivos convencionais já foram examinados ao serem abordados os tratados (cf. *supra* 2.2.2.) e, antes, a questão do conteúdo e do reconhecimento do *jus cogens* (cf. 2.1. *supra*). Em relação a ambos já foram feitas remissões a alguns itens relevantes da extensa bibliografia disponível a respeito do tema. Cabe, aqui, somente, considerar a Convenção de Viena sobre direito dos tratados, do ponto de vista, e na sequência dos marcos relevantes, do processo de codificação e do desenvolvimento progressivo do direito internacional, que, posteriormente, terá a sua continuação na Convenção de Viena sobre direito dos tratados entre estados e organizações internacionais ou entre organizações internacionais (1986), também referida como "Viena II" (analisada no item 2.3.7., a seguir).

A Convenção de Viena sobre direito dos tratados (1969) aponta o "papel fundamental dos tratados, na história das relações internacionais", reconhece a importância, cada vez maior, dos tratados, como fonte de direito internacional, e como meio de desenvolver a cooperação pacífica entre as nações, quaisquer que sejam os seus sistemas constitucionais e sociais.

Os princípios do livre consentimento e da boa-fé, bem como a norma ***pacta sunt servanda*** são universalmente reconhecidos. As controvérsias relativas aos tratados, tais como outras controvérsias internacionais, devem ser solucionadas por meios pacíficos e de conformidade com os princípios da justiça e do direito internacional. Nesse propósito se exprimiria a determinação, das Nações Unidas, em criar condições necessárias à manutenção da justiça e do respeito às obrigações decorrentes dos tratados.

Esta Convenção ordena o conjunto da matéria dos tratados entre estados (cf. art. 1º), e o fato de não se aplicar a acordos internacionais concluídos entre estados e outros sujeitos de direito internacional, ou entre estes outros sujeitos do direito internacional, ou a acordos internacionais que não sejam concluídos por escrito, não prejudicará (cf. art. 3º): a eficácia jurídica desses acordos, a aplicação a esses acordos de quaisquer regras enunciadas na presente Convenção às quais estariam sujeitos em virtude do direito internacional, independentemente da Convenção, tampouco a aplicação da Convenção, nas relações entre estados, regulados em acordos internacionais em que sejam igualmente partes outros sujeitos do direito internacional. Será esta Convenção (cf. art. 5º) aplicável a todo tratado que seja o instrumento constitutivo de organização internacional e a todo tratado, adotado no âmbito de uma organização internacional, sem prejuízo de quaisquer normas relevantes da organização[227].

Outro tópico, igualmente referido, é a questão dos efeitos dos tratados em relação a terceiros estados. "Não inovou sobre o que já se havia antes entendido como norma costumeira, fundada sobre o mais elementar bom-senso", aponta F. REZEK (2006)[228]: "o tratado obriga os estados que manifestaram, em definitivo, seu consentimento, não outros. ***Pacta sunt servanda***, a norma básica do direito dos tratados, visa às soberanias que pactuaram livremente, e tão só àquelas. O *terceiro*, em relação a certo tratado, assim entendido todo sujeito de direito internacional que nele não seja *parte*, tem em prol de sua desobrigação a máxima *res inter alios acta nec nocere nec prodere potest*: o que foi combinado entre outros, a mim não me constrange nem me aproveita"[229].

Enunciada a regra geral, a seguir vêm as exceções a esta. Obviamente haverá, como ademais, já se referiu, situações nas quais terceiros indeterminados estarão vinculados em decorrência de matéria pactuada entre terceiros[230]: uma das quais, situação evidente, a Convenção de Viena sobre direito dos tratados (1969) nem sequer se ocupa, porquanto, às vezes, todo o conjunto da sociedade internacional pode encontrar-se, de algum modo, e sem qualquer manifestação de vontade aquiescente, obrigado pela ***res inter alios acta***, quando um tratado cria ou modifica certa *situação jurídica objetiva*, formalizando, por exemplo, uma cessão territorial, ou redesenhando a linha de fronteira entre dois países, este produz sobre terceiros em geral um efeito que mais obriga que favorece: "cuida-se de tomar conhecimento da nova situação e de agir em sua conformidade, ainda que apenas para manter em dia o conhecimento da cartografia e

---

227. A respeito das organizações internacionais, *v.* Parte 4, *infra*.

228. J. Francisco REZEK, *Efeitos do tratado internacional sobre terceiros: o artigo 35 da Convenção de Viena* (in **O direito internacional contemporâneo: estudos em homenagem ao professor Jacob DOLINGER**, org. Carmen TIBÚRCIO e Luís Roberto BARROSO, Rio de Janeiro: Renovar, 2006, p. 491-504, cit., nota 1): "Por isso o correto entendimento da matéria interessa tanto aos países partes na Convenção de Viena, hoje cerca de uma centena, como àqueles que assumidamente preferiram manter-se à margem, como a França e os Estados Unidos da América, e àqueles, como o Brasil, onde a Convenção, tardiamente mandada ao exame do parlamento, ainda espera pela aprovação desse, como pressuposto constitucional da ratificação pelo governo".

229. J. F. REZEK (cit., 2006, p. 491).

230. *V.*, *supra*, 1.1.4. "de Versalhes ao contexto presente", 1.1.5. "perspectivas do direito internacional no século XXI" e 1.1.6. "visão de conjunto da evolução do direito internacional". O surgimento de novos estados após a descolonização afetou a operacionalidade do sistema internacional, mas não acarretou total e radical reformulação das bases da ordem jurídica internacional, aceitos como foram as principais instituições e os mecanismos legais existentes no que se poderia caracterizar como o conjunto do direito internacional geral. As mutações, decorrentes do processo de descolonização, foram antes de "forma" que de "fundo".

portanto da realidade jurídica, na definição da soberania, incidente sobre determinados espaços em dado momento histórico[231]".

O artigo 35 da Convenção de Viena sobre direito dos tratados cuida, entretanto, de outra espécie de cenário, aquele em que o *terceiro* é bem definido e em que parecem claras as obrigações por ele assumidas: "tratados que criam obrigações para terceiros estados. Uma obrigação nasce para um terceiro estado de uma disposição de um tratado se as partes nesse tratado tiverem a intenção de criar a obrigação por meio dessa disposição e o terceiro estado aceitar expressamente por escrito esta obrigação". Adequadamente, cabe indagar: "se o estado terceiro aceita expressamente por escrito obrigações resultantes de um tratado, ele é de fato um terceiro, ou é uma parte, diferenciada das partes originais apenas pela ocasião e pela forma ritual da expressão de seu consentimento?". O *terceiro*, de que fala o art. 35, não se confunde, em absoluto, com as *partes*: "ele é efetivamente obrigado, pelo fato de haver consentido, mas ordinariamente – se assim se pode dizer a respeito de situações não muito comuns – suas obrigações não têm a mesma natureza daquelas dos estados contratantes. São obrigações inconfundíveis com a essência dos deveres recíprocos assumidos pelas partes, visto que consistem num ofício típico de *tertius*, o de assegurar às partes certa forma de apoio adjetivo, de apoio instrumental"[232].

A Convenção de Viena sobre direito dos tratados (1969) teve e tem importância não somente pela adequada regulação da importante matéria que constitui o seu objeto – a regulação dos tratados, celebrados por meio de instrumento escrito, no âmbito interestatal – como também configura etapa relevante no desenvolvimento progressivo da ordem jurídica internacional. O enunciado a respeito das normas cogentes de direito internacional geral (***jus cogens***), como assinalado, vai além da formulação de viés voluntarista, para aceder ao patamar de reconhecimento de direitos e de obrigações, por natureza, inderrogáveis, contidos no direito internacional pós-moderno e da necessidade destes, como dados basilares para a ordenação dessa comunidade, não somente de estados, mas, progressivamente, abrangendo os demais sujeitos de direito internacional, tais como as organizações internacionais – na forma específica que o virá a fazer a Convenção de 1986 (cfr., a seguir 2.3.7. e, todavia, ainda está por fazer, em relação ao ser humano como sujeito de direito internacional (tal como se abordará na parte 4 *infra*).

---

231. Para J. F. REZEK (cit., 2006, loc. cit.), os estados terceiros têm obrigações em face desses tratados – não exatamente obrigações impostas por esses tratados –, sempre sob a condição destes configurarem atos internacionais lícitos, onde os estados partes tenham disposto sobre aquilo que tinham o direito de definir e de disciplinar.

232. J. F. REZEK (cit., 2006, p. 493).

2.3.4. Convenção de Viena sobre a representação de estados nas suas relações com organizações internacionais de caráter universal (1975)

A Convenção sobre Relações entre Estados e Organizações Internacionais também teve sua origem nos debates da CDI sobre relações diplomáticas. Foi lembrado à Comissão em 1958 que o desenvolvimento das organizações internacionais aumentara o número e o escopo dos problemas legais e que estes só haviam sido resolvidos parcialmente por intermédio de convenções sobre os privilégios e as imunidades das organizações internacionais[233].

Em 1959, Abdullah EL-ERAIN foi escolhido como relator especial, mas só em 1971 a CDI elaborou o esboço final, constante de 82 artigos, divididos em quatro partes: Introdução, Missões junto a organizações internacionais, Delegações enviadas a órgãos ou a conferências e Dispositivos gerais.

Posteriormente, as conclusões preliminares do relator sobre observadores a conferências internacionais foram, igualmente, submetidas à Conferência, muito embora a CDI não tivesse adotado uma posição definitiva a respeito.

Novamente, a Conferência foi realizada em Viena, de 4 de fevereiro a 14 de março de 1975, e esta apresentou algumas características que a distinguiram das demais. Antes de mais nada, pela primeira vez consolidou-se uma prática nociva, ou seja, o voto em bloco, e note-se que a iniciativa não partiu dos países em desenvolvimento, mas sim dos países europeus. Em 1975, as duas correntes que se defrontaram não tinham relação com a Guerra Fria, ou seja, de um lado os países onde havia uma ou mais organizações internacionais — os *host States* — e, do outro, os demais, ou seja, a quase totalidade dos países em desenvolvimento e os países socialistas.

Embora o projeto da CDI fosse considerado razoavelmente satisfatório, verificou-se desde o início o empenho dos *host States* em modificar grande número dos dispositivos por meio de um trabalho conjunto consolidado por ocasião da votação. Essa tática permitiu àqueles estados algumas vantagens iniciais, mas aos poucos as demais delegações organizaram-se com o objetivo de defender o projeto da CDI, e reverteu-se a situação. Os estados-sede apresentaram emenda que lhes daria o direito de declarar um delegado pessoa *non grata*, tese esta contrária à prática internacional. Mais tarde também houve a tentativa de incluir regras que propiciassem ao estado-sede o direito de exigir a retirada de um delegado. Como consequência das divergências verificadas e também devido ao pouco tempo de que a Conferência dispunha, o projeto de artigo 54, que previa

233. *V.* tb., *infra*, 3.8.3., "Imunidade de jurisdição e de execução".

a inviolabilidade da sede da delegação, não logrou os dois terços necessários, criando uma lacuna na Convenção. Paradoxalmente, a Conferência aprovou o artigo 59, vindo a reconhecer a inviolabilidade da residência particular do chefe da delegação e dos demais funcionários diplomáticos, bem como de seus bens.

Segundo regra curiosa, adotada pelo artigo 90, depois da entrada em vigor da Convenção, o órgão competente de uma organização internacional poderia adotar uma decisão visando à implementação de alguns de seus dispositivos.

Uma das dúvidas enfrentadas pela CDI foi a de determinar quais organizações seriam cobertas pela Convenção. O projeto finalmente adotado, pertinente a organizações de *caráter universal*, excluiu as organizações regionais. Em 1975, foi submetida à Conferência emenda visando à inclusão das organizações regionais, mas a maioria optou pelo texto da CDI.

É importante salientar que a Convenção sobre a representação de estados nas suas relações com Organizações Internacionais de caráter universal ainda não entrou em vigor, visto que ainda não foram depositados os 35 instrumentos de ratificação ou acessão.

2.3.5. Convenção sobre missões especiais (1969)

Ao abordar a questão das missões diplomáticas, a CDI concluiu que paralelamente à diplomacia tradicional havia a diplomacia *ad hoc,* que tratava de enviados itinerantes, das conferências diplomáticas e das missões especiais, enviados a outros estados, com objetivos específicos, ou por tempo limitado[234]. Tradicionalmente tratamento especial sempre foi concedido às missões especiais.

234. Em consequência, a CDI preparou alguns artigos *a* respeito que foram submetidos à Conferência de Viena de 1961, a fim de serem examinados simultaneamente aos artigos sobre as missões diplomáticas. Foram submetidos a uma subcomissão, mas desde o início os seus membros concordaram que *não* convinha tomar uma decisão a respeito, inclusive dada a circunstância de que os artigos nem haviam sido submetidos aos governos *para as suas observações.* A Conferência de 1961 concluiu que a questão deveria ser estudada a fundo pela CDI e adotou uma resolução neste sentido. O preâmbulo da **Convenção sobre missões especiais** (l969) menciona essas circunstâncias: ao enfatizar: "a importância da questão das missões especiais foi reconhecida durante a Conferência das Nações Unidas sobre relações diplomáticas e imunidades, bem como na Resolução, adotada pela Conferência em 10 de abril de 1961". Existe relação complementar direta desta **Convenção sobre missões especiais** (l969) com a **Convenção de Viena sobre relações diplomáticas** (1961), bem como com a **Convenção de Viena sobre relações consulares** (1963): "Acreditar que uma convenção internacional sobre missões especiais complementaria as duas Convenções e contribuiria para o desenvolvimento de relações amistosas entre os estados, independentemente de seus sistemas constitucionais e sociais".

. Da mesma forma, como consta das duas primeiras, enfatiza-se não serem os privilégios voltados ao benefício das pessoas, titulares destes, mas destinados a assegurar a proteção da função: "Convencidos de que o propósito dos privilégios e imunidades, relacionados às missões especiais não se destinam a beneficiar indivíduos, mas assegurar o desempenho eficiente das funções das missões especiais, como missões representativas do estado", como também ressalva-se expressamente que as normas consuetudinárias continuarão a reger as matérias não especificamente reguladas neste instrumento: "as normas de direito internacional consuetudinário continuarão a reger questões não reguladas pelos dispositivos da presente Convenção".

Contrariamente à prática anterior, a AGNU decidiu que o projeto da CDI não seria submetido a uma conferência específica, mas seria examinado pela própria Assembleia, e em 1968 e 1969 coube ao Sexto Comitê considerar o "Esboço de Convenção sobre Missões Especiais". A entrega ao Sexto Comitê dos artigos propostos, para examiná-los e debatê-los, foi considerada experiência negativa, que não deveria repetir-se.

A **Convenção sobre missões especiais**, que foi dotada pela AGNU, em Nova York[235], em16 de dezembro de 1969, entra em vigor em 21 de junho de 1985[236]: Nesta, por *missão especial* se entende "missão temporária, representando o estado, enviada por um a outro estado, com o consentimento deste, e com o·objetivo de tratar de questões específicas ou de executar função específica"[237].

A Convenção é aceitável, embora não tenha merecido acolhida calorosa, na prática – porquanto, somente entra em vigor em 1985 – nem foi calorosa a acolhida, por parte da doutrina, pois recebeu, no conjunto, pouca atenção.

Da mesma forma que ocorre em relação à missão diplomática, a missão especial será chefiada pelo denominado "head of a special mission", como "a pessoa, encarregada pelo estado que envia a missão, para atuar nessa capacidade", enquanto o representante (denominado "representative of the sending State in the special mission") é qualquer "pessoa à qual o estado, que envia a missão, conferiu tal capacidade", e os membros da missão especial (denominados "members of a special mission") compreendem o chefe da missão especial, os representantes do estado que envia, bem como os demais funcionários, integrantes da missão especial, com a especificação ulterior, no sentido de que os membros do *staff* da missão especial ("members of the staff of the special mission") serem os membros do corpo diplomático, o pessoal administrativo e técnico, bem como o pessoal de serviço, da missão especial. Cumpre observar a distinção entre os membros do pessoal diplomático da missão, como os detentores de *status* diplomático, para os fins da missão especial, e os membros do pessoal administrativo e técnico, como os integrantes de missão especial, empregados no serviço administrativo e técnico das missões especiais. Por sua vez, os "membros do corpo de serviço" são os integrantes do *staff* das missões especiais, empregados no trabalho doméstico, ou tarefas similares,

---

235. Convention, opened for signature at New York on 16 December 1969.

236. **Convention on Special Missions**. (I969), adopted by the General Assembly of the United Nations on 8 December 1969: entered into force on 21 June 1985 (United Nations, Treaty Series, v. 1400, p. 231; Copyright © United Nations 2005.2).

237. **Convenção sobre missões especiais** (I969), art. 1º, inc. "a": "a 'special mission' is a temporary mission, representing the State, which is sent by one State to another State with the consent of the latter for the purpose of dealing with it on specific questions or of performing in relation to it a specific task". Ao lado destas, contam-se as "missões permanentes", nos termos da **Convenção de Viena sobre relações diplomáticas** (1961), bem como os "postos consulares", que podem ser instaurados com a categoria de: consulado-geral, consulado, vice-consulado ou agência consular.

e os funcionários particulares (denominados "private staff") são as pessoas empregadas, exclusivamente, no serviço particular dos membros da missão especial.

O consentimento recíproco e, igualmente, a base sobre a qual repousa o fato de enviar e de receber missões especiais[238], bem como a determinação das funções desta[239]. Ou o fato de ser cumulativamente enviada a dois ou mais estados a mesma missão especial, ou de ser enviada missão especial conjunta, por dois ou mais estados, a terceiro estado[240]. A inexistência de relações diplomáticas ou consulares não constitui impedimento para ser enviada missão especial[241].

Observado o disposto nos artigos 8º, 10, 11 e 12 da **Convenção sobre missões especiais** (1969), é livre a nomeação de integrantes da missão especial, depois de terem sido informados, ao estado ao qual esta se dirigirá, todos os dados necessários, a respeito do tamanho e da composição da missão especial, particularmente os nomes e as qualificações das pessoas que pretende nomear. O estado, ao qual é dirigida a missão especial, poderá recusar-se a recebê-la, caso considere não razoáveis o seu tamanho e a sua composição, em razão das circunstâncias e condições, do estado que recebe a missão especial, bem como das necessidades daquela missão especificamente considerada. Poderá, igualmente, declinar como ***persona non grata***, e recusar-se a aceitar qualquer pessoa, como membro da missão especial[242].

O início das funções da missão especial tem lugar quando esta ingressa em contato oficial com o ministério das relações exteriores, ou qualquer outro órgão,

---

238. **Convenção sobre missões especiais** (1969), art. 2º: "A State may send a special mission to another State with the consent of the latter, previously obtained through the diplomatic or another agreed or mutually acceptable channel".

239. **Convenção sobre missões especiais** (1969), art. 3º: "The functions of a special mission shall be determined by the mutual consent of the sending and the receiving State".

240. **Convenção sobre missões especiais** (1969), arts. 4º, 5º e 6º: *Article 4 Sending of the same special mission to two or more States* "A State which wishes to send the same special mission to two or more States shall so inform each receiving State when seeking the consent of that State"; *Article 5 Sending of a joint special mission by two or more States* "Two or more States which wish to send a joint special mission to another State shall so inform the receiving State when seeking the consent of that State"; *Article 6 Sending of special missions by two or more States in order to deal with a question of common interest* "Two or more States may each send a special mission at the same time to another State, with the consent of that State obtained in accordance with article 2, in order deal together, with the agreement of all of these States, with a question of common interest to all of them".

241. **Convenção sobre missões especiais** (1969), art. 7º: "The existence of diplomatic or consular relations is not necessary for the sending or reception of a special mission".

242. ***Convenção sobre missões especiais*** (1969 art. 12*: Persons declared "non grata" or not acceptable "*. 1. The receiving State may, at any time and without having to explain its decision, notify the sending State that any *representative* of the *sending* State *in* the *special mission* or any member of *its* diplomatic staff is *persona* non grata or that any other member of the staff of the mission is not acceptable. In any such case, the sending State shall, as appropriate, either recall the person concerned or terminate his functions with the mission. A person may be declared non grata or not acceptable before arriving in the territory of the receiving State, "2. If the sending State refuses, or fails within a reasonable period, to carry out *its* obligations under paragraph 1 of this article, the receiving State may refuse to recognize the person concerned as a member of the special mission".

do estado que a recebe, tal como acordado[243]. Tal início das funções da missão especial não dependerá de apresentação, pela representação diplomática permanente acreditada no estado que a recebe, tampouco da apresentação de credenciais ou plenos poderes, nos termos do art. 13 da mesma Convenção (1969). A capacidade de atuar em nome da missão especial, prevê o artigo 14, poderá ser atribuída ao chefe desta, ou a qualquer dos seus integrantes, designado, pelo estado que envia, como capacitado a atuar, em nome da missão especial, e a dirigir comunicações, ao estado que a recebe. O mesmo se dá no tocante às comunicações, emanadas do estado, que recebe a missão especial.

As matérias de precedência, de sede da missão especial, da realização de reuniões, pela missão especial, no território de terceiro estado, bem como do uso dos símbolos nacionais, pela missão especial, são reguladas pelos artigos 16 a 19 da Convenção (1969). Conforme prevê o artigo 21, a condição de chefe de estado e outras pessoas de alta posição governamental, integrantes de determinada missão especial, conferirá a estes o reconhecimento das imunidades, dos privilégios e do tratamento, habitualmente dispensado, a tais pessoas, em visitas oficiais.

O término das funções da missão especial pode dar-se, ***inter alia***, por meio de: (a) acordo dos estados interessados; (b) ter sido completada a tarefa da missão especial; (c) ter expirado o prazo assinalado, para a duração da missão especial, exceto se for este, expressamente, prorrogado; (d) notificação do estado que envia, quanto a encerrar ou chamar de volta a missão especial; (e) notificação do estado receptor, quanto a considerar este como terminada a missão especial. A ruptura de relações diplomáticas ou consulares, entre o estado que envia e o que recebe a missão especial, não acarreta, necessariamente, o término das missões especiais, existentes na data em que se dê referida ruptura de relações diplomáticas ou consulares.

Da mesma forma que ocorre em relação às missões diplomáticas e consulares, o estado, que recebe a missão especial, deverá acordar a esta os meios necessários para o desempenho de suas funções, levando em conta a natureza e a tarefa da missão especial, inclusive assistir os seus integrantes, para conseguir instalações, bem como acomodações adequadas, para os seus integrantes. Aí se inscrevem tanto as habituais concessões de isenção fiscal[244], bem como o reco-

243. **Convenção sobre missões especiais** (1969), art. 15: "All official business with the receiving State entrusted to the special mission by the sending State shall be conducted with or through the Ministry of Foreign Affairs or with such other organ of the receiving State as may be agreed".

244. **Convenção sobre missões especiais** (1969), art. 24: "I. To the extent compatible with the nature and duration of the functions performed by the special *mission,* the sending State and the members of the special mission acting on behalf of the mission shall be exempt from all national, regional or municipal dues and *taxes* in respect of the

nhecimento da inviolabilidade das instalações, dos arquivos e dos documentos da missão especial, bem como a liberdade de locomoção e de comunicação, para todos os fins oficiais da missão especial, nos termos dos artigos 25 a 28 da Convenção (1969), inclusive referente ao malote diplomático.

Além da inviolabilidade pessoal dos integrantes da missão especial, e das acomodações privadas destes, estipulam os artigos 29 e 30 da Convenção (1969), inclusive no tocante às imunidades de jurisdição, prevista no artigo 31, e em relação à aplicação da legislação em matéria de seguridade social, nos termos do artigo 32, bem como quaisquer tributos e contribuições fiscais de qualquer natureza, nos termos do artigo 33. Durante o trânsito, através do território de terceiros estados aplicam-se as disposições específicas[245].

Aos integrantes de missão especial é, igualmente, assegurada a isenção de prestação de serviços pessoais, conforme prevê o artigo 34, bem como do pagamento de impostos de importação e de inspeção de bagagens (art. 35). As mesmas imunidades e tratamento se conferem aos integrantes do pessoal administrativo e técnico (art. 36), pessoal de serviço (art. 37) e empregados particulares (art. 38) da missão especial, no tocante aos atos praticados no exercício de suas funções. Os membros das famílias dos representantes do estado, que envia a missão especial, receberão o mesmo tratamento (estipulado nos artigos 35 a 38 da Convenção de 1969), quando estiverem na companhia dos integrantes desta missão especial, exceto se forem nacionais, ou residentes permanentes, do estado que a recebe (arts. 39 e 40).

---

premises occupied by the *special* mission, other than such as represent payment for specific services rendered; 2. The exemption from taxation referred to in this article shall not apply to such dues and taxes payable under the *law* of the receiving State by persons contracting with the sending State or with a member of the special mission".

245. **Convenção sobre missões especiais** (1969), art. 43: "l. If a representative of the sending State in the special mission or a member of its diplomatic staff passes through or is in the territory of a third State while proceeding to take up his functions or returning to the sending State, the third State shall accord him inviolability and such other immunities as may be required to ensure his transit or return. The same shall apply in the case of any members of his family enjoying privileges or immunities who are accompanying the person referred to in this paragraph, whether travelling with him or travelling separately to join him or to return to their country; 2. In circumstances similar to those specified in paragraph 1 of this article, third States shall not hinder the transit of members of the administrative and technical or service staff of the special mission, or of members of their families, through their territories; 3. Third States shall accord to official correspondence and other official communications in transit, including messages in code or cipher, the same freedom and protection as the receiving State is bound to accord under the present Convention. Subject to the provisions of paragraph 4 of this article, they shall accord to the couriers and bags of the special mission in transit the same inviolability and protection as the receiving State is bound to accord under the present Convention; 4. The third State shall be bound to comply with its obligations in respect of the persons mentioned in paragraphs I, 2 and 3 of this article only if it has been informed in advance, either in the visa application or by notification, of the transit of those persons as members of the special mission, members of their families or couriers, and has raised no objection to it; 5. The obligations of third States under paragraphs I, 2 and 3 of this article shall also apply to the persons mentioned respectively in those paragraphs, and to the official communications and the bags of the special mission, when the use of the territory of the third State is due to *force majeure*".

A duração dos privilégios e das imunidades, pela própria natureza da missão especial, será temporalmente limitada, nos termos do artigo 44 da Convenção (1969). Poderá cessar, ao término das funções. Conforme estipula o artigo 45, deverá ser facultada a saída dos integrantes e a remoção dos objetos da missão especial, ao término desta[246]. É possível a renúncia à imunidade, por parte do estado que envia, desde que esta se formule, sempre, de maneira expressa[247].

A contrapartida ao reconhecimento da imunidade se exprime na obrigação de respeitar leis e regulamentos do país que recebe a missão especial, não interferir nos assuntos internos do estado, nem utilizar as instalações de maneira incompatível com as funções da missão especial, inclusive no tocante a não serem praticados atos de natureza profissional ou comercial, visando lucro pessoal, pelos representantes, diplomáticos e administrativos, do estado, que envia a missão especial.

No tocante à propriedade de membro da missão especial ou de membro da família, em caso de falecimento, prevê o artigo 44 da Convenção (1969), exceto se o *de cujus* fosse nacional ou residente permanente do estado que a recebe, este permitirá a retirada da propriedade mobiliária, com exceção, ainda, de bem adquirido no país, cuja exportação fosse proibida à época do falecimento. Não serão cobrados tributos sobre a referida sucessão[248].

Existe dever de não discriminação de tratamento entre integrantes de diferentes missões especiais, por parte do estado que recebe, estipulado pelo artigo 49 da Convenção (1969)[249].

---

246. **Convenção sobre missões especiais** (l969), art. 45: "1. The receiving State must, even in case of armed conflict, grant facilities to enable persons enjoying privileges and immunities, other than nationals of the receiving *State,* and members of the families of such persons, irrespective of their *nationality,* to *leave at* the earliest possible moment. In particular it must in case of need, place at their disposal the necessary means of transport for *themselves and their* property. / 2. The receiving *State* must *grant the* sending State facilities for removing the archives of the special mission from the territory of the receiving State".

247. **Convenção sobre missões especiais** *(*1969), art. 41: "1. The sending State may waive *the* immunity from jurisdiction of its representatives in the special mission, of the members of its diplomatic staff, and of other persons enjoying immunity under articles 36 to 40; 2. Waiver must always be express; 3. The initiation of proceedings by any of the persons referred to in paragraph 1 of this article shall preclude him from invoking immunity from jurisdiction in respect of any counterclaim directly connected with the principal claim; 4. Waiver of immunity from jurisdiction in respect of civil or administrative proceedings shall not be held to imply waiver of immunity in respect of the execution of the judgement, for which a separate waiver shall be necessary".

248. **Convenção sobre missões especiais** (1969), art. 46, inc. 2: "Article 44 – Property of a member of the special mission or of a member of his family in the event of death (...). 2. State, succession and inheritance duties shall not be levied on movable property which is in the receiving State solely because of the presence there of the deceased as a member of the special mission or of the family of a member of the mission".

249. **Convenção sobre missões especiais** (1969), art. 49, inc. 2: "discrimination shall not be regarded as taking place: / (a) where the receiving State applies any of the provisions of the present Convention restrictively because of a restrictive application of that provision to its special mission in the sending State; / (b) where States modify among

Tópicos relativos à ratificação (art. 51), à acessão (art. 52), à entrada em vigor (art. 53), às notificações ao depositário (art. 54) não discrepam da praxe habitual, tal como estipuladas pelas Convenções sobre relações diplomáticas (1961) e consulares (1963) e demais Convenções de codificação do direito internacional. A questão dos textos autênticos se faz segundo as línguas oficiais da ONU, conforme se aplica às Convenções desta emanadas.

2.3.6. Convenções de Viena sobre sucessão de estados (1978 e 1983)

Duas conferências foram realizadas em Viena sobre a sucessão de estados: a primeira em 1977-1978 e a segunda em 1983. A questão da sucessão de estados foi incluída na primeira agenda da Comissão de Direito Internacional (CDI), mas não como assunto prioritário. Diante do aumento no número de novos estados e em face do peso na votação na Assembleia Geral do bloco afro-asiático, a CDI foi convidada a iniciar o estudo do problema em profundidade. Um subcomitê, presidido por Manfred LACHS, opinou no sentido de que a Comissão deveria abordar três tópicos, ou seja, a sucessão em matéria de tratados, a sucessão em outras matérias que não os tratados e a participação nas organizações internacionais.

A CDI em consequência indicou *Sir* Humphrey WALDOCK, como relator para a ***sucessão em matéria de tratados*** e o professor Mohammed BEDJAOUI para os assuntos outros que não os tratados, mais tarde limitados à ***sucessão em matéria de bens, de arquivos e de dívidas***. *Sir* Humphrey WALDOCK tinha a seu favor a circunstância de haver sido o relator das negociações que resultaram na bem-sucedida Convenção sobre o direito dos tratados de 1969.

A M. BEDJAOUI coube tarefa mais ingrata, não facilitada pelas ideias que enunciou logo em seu primeiro relatório, como, por exemplo, que se deveria dar prioridade à sucessão resultante da eliminação do colonialismo, ao contrário do tipo tradicional; que os esforços não se deveriam limitar à codificação de textos em desuso, e muito menos daqueles textos que se haviam tornado letra morta, visto que isto não seria reflexo da prática internacional atual; e, também, que, como a descolonização era fenômeno que deveria evoluir rapidamente, a CDI não se deveria preocupar com soluções abortivas ou precárias. Foi ainda mais longe ao afirmar que as resoluções sobre autodeterminação e colonialismo da

---

themselves, by custom or agreement, the extent of facilities, privileges and immunities for their special missions, although such a modification has not been agreed with other States, provided that it is not incompatible with the object and purpose of the present Convention and does not affect the enjoyment of the rights or the performance of the obligations of third States".

Assembleia Geral das Nações Unidas eram de cumprimento obrigatório pela Comissão e deveriam orientar os seus trabalhos.

Embora se trate de questão sumamente complexa, houve no passado tentativas de formular regras genéricas sobre a sucessão capazes de solucionar as questões supervenientes. As Convenções de Viena seguiram a tendência mais generalizada, ou seja, a de rejeitar a noção de sucessão; a questão é de soberania sobre o território[250]: os direitos do estado sucessor decorrem do direito internacional, e com a extinção do estado ocorre uma tábula rasa.

É preferível analisar separadamente as várias hipóteses de sucessão, tendo em vista os problemas desta decorrentes, como em matéria de tratados, de bens, de arquivos, de dívidas, da legislação e da nacionalidade, bem como as consequências do surgimento de novo estado e a situação deste em face das organizações internacionais.

As duas Convenções de Viena adotaram outra orientação ao examinarem separadamente cinco hipóteses: a) transferência de parte do estado, sem que isto afete a personalidade dos dois estados, ou seja, ambos continuam a existir; b) surgimento de estado de independência recente (*newly independent States*); c) união de estados; d) separação de parte ou de partes de um estado, com a consequente formação de novo estado; e) dissolução de estado.

Ressalta PASTOR RIDRUEJO (1998)[251] **"a sucessão de estados: "tema clássico, com certeza, mas que foi preciso atualizar nesta última década do século XX, depois dos eventos ocorridos na região da Europa Central e Oriental"**[252].

A prática recente mostrou a diversidade dos desdobramentos possíveis do tema, bem como evidenciou o escasso interesse que se demonstrara, durante a negociação e celebração das duas Convenções de Viena (1978 e 1983), considerando serem estes temas do passado, que teriam ficado superados pelo fim do ciclo da descolonização afro-asiática. No entanto, mostraram-se atuais e necessários diante do fim da guerra fria e da reformulação do mapa da Europa, permitindo-se "guiar os estados interessados, tanto em suas negociações como na

---

250. *V.*, tb., *infra*, Parte 6, "Território". *V.* Ahmed ABOU EL WAFA, **Les différends internationaux concernant les frontières terrestres dans la jurisprudence de la Cour internationale de Justice** (RCADI, 2009, t. 343, p. 10-570) enfatiza que a multiplicidade de estados em mundo único faz com que este se componha de numerosos casos de *terra nostrum*, e de pouco de *terra communis*: ademais não mais existem atualmente bens disponíveis (*bona vacantia*) nem tampouco terra de ninguém (*terra nullius*).

251. José Antonio PASTOR RIDRUEJO, **Le droit international à la veille du vingt et unième siècle: normes, faits et valeurs** (RCADI, 1998, t. 274, p. 9-308).

252. J. A. PASTOR RIDRUEJO (op. cit., 1998, Section 11, "La succession d'états", p. 182-193, cit. p. 182).

elaboração de legislação, em caso de ausência de dispositivos contidos em tratados"[253]. Tudo isso levou à retomada do tema, pela CDI, inscrevendo, em sua ordem do dia, em 1993, a **questão da nacionalidade das pessoas físicas em caso de sucessão de estados**[254].

Aí se inscreve vertente da temática da sucessão de estados com consequências diretas sobre direitos fundamentais do homem, ou seja, evidência adicional da pertinência e da relevância, como da atualidade e da necessidade do tema.

O tema da sucessão de estados em direito internacional permite, justamente, examinar a intersecção entre as bases consolidadas do direito internacional clássico, estas abaladas pelos desenvolvimentos do contexto internacional desde a independência das ex-colônias das Américas entre o final do século XVIII (Estados Unidos) e o início do século XIX (entre 1810 e 1825, o conjunto das ex-colônias espanholas na América Latina e o Brasil), bem como das supervenientes mudanças subsequentes à primeira guerra mundial, e, como marcos da pós-modernidade, dois grupos de casos das últimas décadas, na descolonização, posteriormente à segunda guerra mundial, mas, sobretudo, nos últimos vinte anos. A explicação dos fenômenos já traz desafios.

Ressalta V.-D. DEGAN (1996)[255]: "sob o termo "sucessão de estados" poder-se-ia facilmente compreender conjunto ou mesmo sistema de normas jurídicas, regentes das consequências das mutações territoriais. Contudo, para as diferentes causas que serão debatidas, não existe todavia tal sistema completo de normas jurídicas, ainda que *de lege ferenda*. É, assim, mais preciso dizer que a sucessão de estados é uma situação (ou nova situação) à qual se aplicam as normas já existentes do direito internacional geral. Esse direito geral é, outrossim, demasiadamente pobre em normas específicas, para resolver antecipadamente os problemas de sucessão de estados, que podem surgir da prática"[256].

Em suma, poucas normas consuetudinárias do direito internacional geral apareceram, para reger os problemas específicos da sucessão de estados. Quase todas as que se tornaram suficientemente generalizadas, na prática anterior, e em relação às que se poderia pretender terem sido aceitas como a expressão do direito (***communis opinio juris***), nessa matéria, tem o caráter de ***jus dispositivum***.

---

253. J. A. PASTOR RIDRUEJO (op. cit., 1998, p. 183-184).

254. CDI, **Rapport de la Commission du droit international sur les travaux de la quarante-neuvième session** (12 mai-18 juillet 1997); AGNU, **Documents officiels de la 52e session. supplément no. 10** (A/52/10), p. 9 e s.

255. V.-D. DEGAN, *La succession d'états en matière de traités et les états nouveaux* (AFDI, 1996, t. XLII, Paris: CNRS Ed., p. 206-227).

256. V.-D. DEGAN (art. cit., 1996, p. 206-207): "Tous les termes en usage par rapport à cette situation complexe doivent nécessairement couvrir cette diversité. Autrement, les confusions seraient faciles à apparaître".

Estas normas, em sua maioria, reportam-se a diferentes acordos das partes interessadas[257].

A sucessão de estados, em absoluto, não se limita à ***sucessão em matéria de tratados***, tampouco à ***sucessão em matéria de bens, arquivos e dívidas de estado***. Cada uma dessas matérias foi objeto de tentativas de codificação, nas Convenções de Viena (de 1978 e 1983)[258], mas espraiou-se, por outros campos, ainda que pertinentes ao tema, quer formalmente incluídos ou não. No entanto, essa questão tem de ser resolvida, assim como a já mencionada dimensão do tema em direito humano fundamental, com as questões de *nacionalidade dos habitantes dos territórios transferidos* de uma soberania para outra, e também em relação aos *direitos adquiridos* de particulares, em caso de sucessão de estado – com entendimento jurisprudencial, emanado da Corte permanente de justiça internacional, no sentido afirmativo –, bem como para os *contratos e as dívidas privadas, a sucessão em matéria de atos administrativos, legislativos e judiciais do estado predecessor*, além da *sucessão* quanto à participação *nas organizações internacionais*.

O escasso sucesso alcançado pela primeira das duas tentativas de codificação, na Convenção de Viena de 1978 e, todavia, nem sequer em vigor, no caso da Convenção de 1983, segundo PASTOR RIDRUEJO (1998)[259], pode ser explicado pelo sentimento geral de que "essencialmente a sucessão de estados era fenômeno que pertencia ao passado, mais que ao futuro", onde"o fim da Guerra Fria e a remodelação do mapa da Europa, daí decorrente – ou seja, o aparecimento de novos casos de sucessão de estados – sequer poderiam ser imaginados".

257. V.-D. DEGAN (art. cit., 1996, p. 207-208): "cela signifie qu'á défaut d'un accord spécifique, elles s'imposent aux parties comme toutes les autres règles juridiques, sous condition bien entendu qu'elles soient du droit positif".

258. **Convenção de Viena sobre a sucessão de estados em matéria de tratados**, de 23 de agosto de 1978, em vigor desde 6 de novembro de 1996, mediante o recebimento do 15º. instrumento de ratificação, e **Convenção de Viena sobre a sucessão de estados em matéria de bens, arquivos e dívidas de estado**, de 8 de abril de 1983, todavia esta não se encontra em vigor em 1º de março de 2007.

259. J. A. PASTOR RIDRUEJO (op. cit., p. 183-184): "as Convenções não foram aplicáveis, enquanto tais, nos casos de sucessão de estados, ocorridos na Europa, central e oriental, nos primeiros anos da última década do século passado. Em suma, trata-se de codificação que alcançou sucesso bastante reduzido. No meu entender pelas razões seguintes: no momento da realização das conferências de plenipotenciários (em 1978 e 1983), o sentimento geral das delegações governamentais se punha no sentido de que, essencialmente a sucessão de estados era fenômeno que pertencia ao passado, mais que ao futuro. A imensa maioria dos antigos territórios coloniais tinham se tornado independentes – os estados recém-independentes – e ninguém atribuía muita importância à questão. O fim da Guerra Fria e a remodelação do mapa da Europa, daí decorrente – ou seja, o aparecimento de novos casos de sucessão de estados – sequer poderiam ser imaginados. As delegações não levaram muito a sério a tentativa de codificação da matéria, e qualquer ideia de negociação e de engajamento em vista da obtenção de consenso foram negligenciadas. Essas convenções foram, finalmente, adotadas por voto. Logicamente, esse voto refletia as divisões da comunidade internacional, em relação a determinadas questões importantes, fundamentalmente a divisão existente entre os estados ocidentais desenvolvidos e os estados do terceiro mundo, nesse tópico apoiados pelos estados ditos de socialismo real".

Ante o fato de que, logo adiante, os *problemas de sucessão de estados tornaram-se abundantes e complexos, e codificação aceita de modo abrangente teria sido extremamente útil*, a questão pôs-se quanto a saber se os instrumentos em questão constituíam caso de codificação fracassada (*codification ratée*), como indaga PASTOR RIDRUEJO. Dito de outra forma, essas convenções tiveram alguma influência na resolução desses problemas? Entende o autor "ser possível afirmar que o fracasso das Convenções de Viena de 1978 e de 1983 foi somente fracasso relativo. Isso porque referidas convenções demonstraram ter certa utilidade, a ponto de terem sido invocadas na prática diplomática"[260].

Claramente não se poderia afirmar que essas duas Convenções integrariam o que se pode chamar de expressão do direito internacional geral, muito embora alguns de seus dispositivos fossem expressões de normas consuetudinárias de caráter geral. Como se constatou a seguir, *alguns dispositivos dessas convenções somente codificaram normas que já contavam consagração consuetudinária* e, sem qualquer margem para dúvida, ***referidas normas são aplicáveis como direito positivo***.

No plano dos princípios gerais, a construção da Convenção de 1978 põe--se no sentido da ***continuidade dos tratados***, princípio este que tem a vantagem de evitar os vazios convencionais e favorecer valor tão importante quanto o da estabilidade das relações convencionais. Em suma, a segurança jurídica. É, assim, esse princípio inteiramente razoável, que, como se pôde constatar, inspirou a maioria das soluções, aceitas pelos estados interessados nos casos da década de noventa.

Por sua vez, a Convenção de 1983 consagra o princípio geral da *divisão equitativa dos bens do estado predecessor entre os estados sucessores*, princípio este invocado e aplicado tanto pela República Checa e Eslováquia como pelos estados da ex-União Soviética e da ex-Iugoslávia. No entanto, a prática, relativa à sucessão em matéria de bens e de dívidas, mostra que essa Convenção contém muitas normas geradas pelo "*desenvolvimento progressivo*", mas que, todavia, não se tornaram costume internacional. Somente alguns princípios gerais parecem ter encontrado aceitação, na busca do equilíbrio entre conceitos teóricos e questões práticas, como apontam Stefan OETER (1995)[261] e Karl ZEMANEK (1997)[262].

---

260. J. A. PASTOR RIDRUEJO (op. cit., 1998, p. 185): "l'échec des Conventions de Vienne de 1978 et de 1983 sur la succession d'états n'a été qu'un échec rélatif".

261. Stefan OETER, **State succession and the struggle for equity: some observations on the law of state succession with respect to state property and debts in cases of separation and dissolution of states** (German YIL, 1995, t. 38, p. 73-102).

262. K. ZEMANEK (op. cit., 1997, Cap. III, item "C", "State Succession", p. 84-87, cit. par. 140, p. 86): "This may be due to the fact that the actual distribution of assets and debts is strongly influenced by considerations of equity and in most cases nego-

A Corte Internacional de Justiça não parece considerar a **Convenção de Viena** de 1978 como codificação fracassada porquanto, no julgamento do caso do **projeto Gabcikovo-Nagymaros**, em 1997[263], ante a invocação pela Eslováquia de dois dispositivos da Convenção de 1978 como expressão do direito internacional consuetudinário de caráter geral, a saber, o artigo 34, que confirmaria o princípio da continuidade dos tratados, em caso de dissolução de estados, e o artigo 12, relativo aos tratados ditos locais ou territoriais, a Corte não se manifestou a respeito do artigo 34, mas declarou que o artigo 12 traduzia norma de direito internacional consuetudinário[264].

No estudo das questões decorrentes de sucessão de estados, ressalta Daniel O'CONNELL (1970)[265] o ponto central quanto à necessidade de foco especificamente jurídico para o tratamento do tema[266].

As duas **Convenções de Viena** (1978 e 1983) foram, desde logo, úteis para a definição do fenômeno[267], na medida em que a expressão **sucessão de estado** entende-se como: **"substituição de um estado por outro na responsabilidade das relações internacionais de determinado território"**[268], e igualmente consolidaram a terminologia de ***"estado predecessor"*** e ***"estado sucessor"***, identificáveis em todas essas situações.

---

tiated, on the one side among successor states and on the other with the creditors, who are more concerned with salvaging as much as possible than with insisting on the application of abstract rules which may leave them empty-handed".

263 Corte Internacional de Justiça, **Projeto Gabcikovo-Nagymaros** (Hungria c. Eslováquia, acórdão de 25 de setembro de 1997 (mérito)).

264. Corte Internacional de Justiça, **Projeto Gabicikovo-Nagymaros** (**Recueil**, 1997, par. 123).

265. Daniel Patrick O'CONNELL, **Recent problems of state succession in relation to new states** (RCADI, 1970, t. 130, p. 95-206, Cap. VIII, "State succession and governmental contracts", p. 155-161).

266. D. P. O'CONNELL (op. cit., 1970, cit., p. 160-161): "Whatever merits there may be in a political or sociological approach to the question of the effect of change of sovereignty, it remains of paramount importance that the structure of legal analysis be kept discreet, and that the juristic integrity of the subject-matter be preserved. This is because it is the primary function of the jurist to guide the courts in their intellectual apprehension of the problem of reconciling competitive interests. Because of the continuity of law formulae utilized by almost all newly independent states it has been possible to overlook this aspect of the matter. (...) The legal complexity of many of these cases should be a warning against the superficialities of too political an approach to the problem of state succession and governmental contracts".

267. Karl ZEMANEK, **State succession after decolonization** (RCADI, 1965, t. 116, p. 181-300, Chapter 1, "Succession in fact", p. 189-212, cit. p. 189): "According to the concept of state succession, as it existed before decolonization, the change of territorial sovereignty over a given territory carried with it depending on circumstances, some or all of the former sovereignty's international rights and obligations, concerning that territory. Recent scholarly writings as well as discussions in policy-making organs show an uneasiness as to whether, in view of the different status of dependencies, that concept covers all causes arising from the process of decolonization".

268. Aí se tinha em vista, sobretudo, a sucessão em matéria de tratados. Retomada, depois, na Convenção de 1983, tampouco foram abrangidos todos os aspectos e os desdobramentos do tema. No Comentário da CDI, a tarefa desta é, assim, definida: "em que medida os tratados anteriormente celebrados e aplicáveis a determinado território permanecem aplicáveis, depois de se ter produzido mudança de soberania sobre esse território", cfr. **Annuaire de la Commission du Droit International** (1974-II, première partie, p. 169, parágrafo 32); da definição proposta são excluídas "todas as questões relativas aos direitos e obrigações, enquanto consequências jurídicas acessórias de tal mudança" (idem, p. 172, parágrafo 50).

2.3.7. Convenção de Viena sobre o direito dos tratados de organizações internacionais (1986)

A assinatura em 21 de março de 1986 da **Convenção de Viena sobre o direito dos tratados entre estados e organizações internacionais ou entre organizações internacionais** constituiu mais um importante passo na codificação do direito internacional. A importância da ***Convenção (denominada Viena-II)*** reside principalmente na circunstância de esta haver recebido quase total aceitação das delegações presentes à Conferência, a ponto de contrastar com o verdadeiro fracasso da Conferência de 1983.

A CDI iniciou o estudo do direito dos tratados de organizações internacionais em 1950. Embora a maioria dos membros da CDI fosse favorável a reconhecer o direito das organizações internacionais nesse particular, a opinião que finalmente prevaleceu foi de que seria conveniente aguardar a evolução da matéria diante da pobreza da prática internacional a respeito.

Apesar das tentativas de incluir a questão na sua agenda, a CDI só passou a dar prioridade à questão em 1971, quando Paul REUTER foi escolhido como relator especial. Este apresentou onze relatórios. Problema delicado que se enfrentou foi o de determinar a eventual modificação, para melhor, de artigos da Convenção de 1969. A Conferência de 1986 também endossou a orientação da CDI no sentido de evitar referências à Convenção de 1969, prática esta capaz de suscitar dificuldades legais no futuro.

Diante da crise financeira da ONU, a AGNU decidiu que apenas os artigos capazes de suscitar dúvidas de substância seriam debatidos; nos demais, os textos constantes da Convenção de 1969 seriam pura e simplesmente enviados ao Comitê de Redação, que poderia fazer as modificações de estilo necessárias.

O problema central que a Conferência teve de enfrentar, a exemplo do que ocorrera na CDI, foi a determinação da capacidade das organizações internacionais de firmar tratados. Para a maioria das delegações, bem como da doutrina, uma vez reconhecida a personalidade internacional de uma organização internacional, dela decorre o direito de negociar e de firmar tratados. A tese oposta, defendida pelos países que compunham o então chamado bloco socialista, era de que a capacidade das organizações de firmar tratados decorria do respectivo ato constitutivo ou das leis básicas da organização. A CDI acabou por adotar no artigo 6 uma fórmula de compromisso baseada nas duas teses[269]. A Comissão em

---

269. Convenção de Viena sobre o direito dos tratados entre estados e organizações internacionais ou entre organizações internacionais, art. 6º. "A capacidade de uma organização internacional para concluir tratados é regida pelas regras da organização".

seus comentários ao artigo também esclareceu que ele "era o resultado de compromisso baseado principalmente na constatação de que este artigo de forma alguma poderá ser considerado como tendo o objetivo ou o efeito de decidir a questão do *status* de organizações internacionais em direito internacional".

2.3.8. Convenção das Nações Unidas sobre direito do mar (1982)

A Convenção sobre o Direito do Mar, assinada em Montego Bay, em 10 de dezembro de 1982, merece ser estudada separadamente, pois, ao contrário das convenções mencionadas anteriormente, não foi o resultado de anteprojeto da CDI, mas de nove anos de reuniões de delegados de todo o mundo em Genebra, Nova York, Caracas e Kingston, na Jamaica. É bem verdade que os responsáveis pela elaboração da Convenção de 1982 repetiram quase *ipsis verbis* as Convenções de 1958 sobre o Mar Territorial e sobre o Alto-Mar. Em outras palavras, a principal preocupação da maioria das delegações não era de cunho legal, mas sim político e econômico.

A convocação da Terceira Conferência sobre o Direito do Mar nasceu de discurso pronunciado por Arvid PARDO, Delegado de Malta à Assembleia Geral das Nações Unidas de 1967, em que abordou os últimos progressos verificados em relação à exploração dos mares, principalmente dos fundos dos oceanos, de onde, ao que tudo indicava, seria possível extrair quantidades fantásticas de minérios, sobretudo nódulos de manganês, níquel, cobre e ferro, além de outros minérios em menores quantidades, além do potencial do subsolo dos fundos marinhos em matéria de petróleo e gás natural.

O pronunciamento de Arvid PARDO foi recebido com entusiasmo pelos países em desenvolvimento, animados com a possibilidade de poderem participar da exploração dessas riquezas, desde que conseguissem evitar que as grandes potências monopolizassem a sua exploração. Em 1970, foi aprovada uma resolução declarando que a *Área* passaria a constituir *patrimônio comum da humanidade*.

A atenção da UNCLOS (a United Nations Conference on the Law of the Seas) concentrou-se em três grandes tópicos: a exploração do fundo dos mares e de seu subsolo, a extensão dos limites marítimos dos estados costeiros e a determinação dos direitos dos estados sem litoral marítimo e os dos estados geograficamente desfavorecidos. Mas cedo constatou-se que a sorte da Conferência giraria em torno da exploração dos fundos marinhos, visto que os outros dois tópicos seriam equacionados de conformidade com a solução dada à questão dos fundos.

A fim de evitar que a Conferência acabasse por adotar uma convenção aceitável por uma maioria ocasional, ficou decidido que ela seria adotada por *consenso*, isto é, mediante a aceitação de todas as delegações, processo este que resultou na lentidão de seus trabalhos.

A Convenção de 1982 tem sido considerada por muitos como o mais importante tratado de codificação do direito internacional, muito embora as críticas sejam numerosas, tanto assim que já se cogita na busca de regras alternativas aceitáveis pelas principais potências industriais no concernente à exploração dos fundos marinhos[270].

2.3.9. convenções sobre assuntos científicos, tecnológicos e sobre o meio ambiente

Na relação das convenções multilaterais de codificação do direito internacional é ainda necessário mencionar uma série de atos que vieram codificar normas criadas para regulamentar internacionalmente problemas surgidos em decorrência dos progressos realizados pela ciência e pela tecnologia. Dadas as características, essencialmente técnicas, dessas convenções, a sua elaboração não foi entregue à CDI, mas a grupos de especialistas, em muitos casos vinculados a determinada organização especializada, como o PNUMA, a FAO ou a UNESCO.

No período posterior a 1945, o direito internacional, até então tridimensional, isto é, versava sobre a terra, o mar e o espaço aéreo, passa, em virtude dos progressos verificados, a se ocupar do espaço ultraterrestre, dos fundos marinhos e do respectivo subsolo e da Antártica.

Na relação dos tratados que vieram atender a essas novas situações, cumpre mencionar, a título exemplificativo, o Tratado sobre Princípios Reguladores das Atividades dos Estados na Exploração e Uso do Espaço Cósmico, inclusive a Lua e Demais Corpos Celestes (1967), o Tratado Proibindo Experiências (testes) com Armas Nucleares na Atmosfera, no Espaço Cósmico e Debaixo D'água (1963), o Tratado sobre a Proibição da Colocação de Armas Nucleares e outras Armas de Destruição Maciça no Fundo do Mar e no Leito do Oceano e seu Subsolo (1971) e o Tratado da Antártica de 1959. Por sua vez, a Convenção sobre o Direito do Mar de 1982 ocupa-se do leito do mar, dos fundos marinhos e seu subsolo além dos limites da jurisdição nacional.

As convenções destinadas à proteção do meio ambiente também figuraram dentre os atos surgidos em decorrência da evolução da ciência e da tecnologia[271].

---

270. A matéria será objeto de exame no tópico específico, relativo ao domínio marítimo (6.4). *V. infra*, 6.8.2. espaço ultraterrestre.

271. *V.* Parte 7. "Proteção internacional do meio ambiente". Dentre extensa bibliografia a respeito, *v.* ACCIOLY, **Tratado** (2009, v. I, cap. I, seção V, "*Relações entre o direito internacional público e o direito interno*", p. 76-83); Abdelkader BOYE,

São inúmeras, e basta mencionar as mais importantes, tais como, as duas convenções firmadas por ocasião da Conferência do Rio de Janeiro de 1992, sobre Mudança de Clima e sobre Diversidade Biológica, bem como a Convenção de Viena para a Proteção da Camada de Ozônio (1985) e o Protocolo de Montreal sobre Substâncias que Destroem a Camada de Ozônio (1987), a Convenção de Basileia sobre o Controle dos Movimentos Transfronteiriços de Resíduos Nocivos e sua Colocação (1989), a Convenção para a Prevenção da Poluição Marinha pelo Alijamento de Dejetos e outras Matérias (1972), a Convenção sobre o Comércio Internacional das Espécies da Flora e da Fauna Selvagens em Perigo de Extinção (1973), a Convenção sobre as Zonas Úmidas de Importância Internacional (1971) – particularmente como hábitat das aves aquáticas – e o Tratado de Cooperação Amazônica (1978).

Cabe, a seguir, examinar a questão das relações entre o direito internacional e o direito interno.

2.4. Relações do direito internacional com o direito interno

Assinado e ratificado pelos estados, o tratado tem seu conteúdo inserido nos respectivos direitos internos. Essa matéria suscita a problemática do ***relacionamento entre o direito interno e o direito internacional***.

L'application des règles du droit international public dans les ordres juridiques internes (in **Droit international: bilan et perspectives**, Paris: Pedone/UNESCO, 1991, v. I, p. 301-311); DIEZ DE VELASCO, **Instituciones de derecho internacional público** (Madrid: Tecnos, 16. ed., 2007); Eric STEIN, *International law in internal law* (AJIL, 1994, v. 88, p. 427); Hans KELSEN, **Les rapports de système entre le droit interne et le droit international public** (RCADI, 1926, t. 14, p. 231); C. D. A. MELLO, **Curso** (15. ed., 2004, v. I, cap. IV, p. 119-143); Philadelpho AZEVEDO, *Os tratados e os interesses privados em face do direito brasileiro* (Bol. SBDI, 1945, ano 1, p. 12); F. REZEK, **Direito dos tratados** (1984, p. 103) e **Curso** (10. ed., 2005); Fritz SCHWIND, *Verfassung und internationales Privatrecht: Unzeitgemässe Betrachtungen zu einem zeitgemässen Thema* (in **Gedächtnisschrift fur Albert A. EHRENZWEIG**, herausgegeben von Erik JAYME und Gerhard KEGEL, Karlsruhe & Heidelberg: C. F. Muller, 1976, p. 121-127); Nadia de ARAUJO, **Direito internacional privado: teoria e prática brasileira** (Rio de Janeiro: Renovar, 2003, "Conflito de fontes", esp. 7.3.1. "Incorporação dos tratados no direito interno brasileiro", p. 130-158); N. de ARAUJO, *A internalização dos tratados internacionais no direito brasileiro e a ausência de regulamentação internacional* (Rio: Rev. Plúrima – UFF, v. 3, 1999, p. 77/90); L. R. BARROSO, **Interpretação e aplicação da Constituição** (São Paulo: Saraiva, 1996); A. P. CACHAPUZ DE MEDEIROS, **O Poder de celebrar tratados** (Porto Alegre: S. A. Fabris, 1995); P. B. CASELLA, *Constituição e direito internacional* (in **Direito da integração**, São Paulo: Quartier Latin, 2006, p. 29-55); P. B. CASELLA, **Mercosul, exigências e perspectivas** (São Paulo: LTr, 1996, Cap. II, "A integração na perspectiva dos modelos constitucionais e dos ordenamentos jurídicos nacionais", p. 41-63); J. DOLINGER, **Direito Internacional Privado** (Rio de Janeiro: Renovar, v. I parte geral, 6. ed., 2001, p. 89/119), J. DOLINGER, *Acordo sobre os aspectos dos direitos de propriedade intelectual relacionados ao comércio, trips, patente de invenção, aplicabilidade do acordo trips no Brasil* (Rev. Forense, v. 342, p. 225/235);; M. FRAGA, **Conflito entre tratado internacional e norma de direito interno** (Rio de Janeiro: Forense, 1997); F. REZEK, *Recepção da regra de direito comunitário pelas ordens jurídicas nacionais* (in **Direito comunitário**, org. Deisy VENTURA, Porto Alegre: Livraria do Advogado, 1997); Clóvis BEVILÁQUA, **Direito público Internacional: a synthese dos principios e a contribuição do Brasil** (Rio de Janeiro, Freitas Bastos, 2. ed., 1939; t. II, tít. IV: "Relações jurídicas dos estados na vida pacífica internacional"; Cap. II: "Tratados internacionais", p. 14/36); H. VALLADÃO, **Direito internacional privado** (Rio de Janeiro: Freitas Bastos, v. I, 5. ed., 1980, p. 96/97).

Em razão de terem sido as normas brasileiras omissas a respeito, para oferecer soluções, teve de ser levado em conta o contexto de direito internacional geral. O Brasil se alinhou com o estado de desenvolvimento da matéria, ao ratificar a **Convenção de Viena sobre direito dos tratados** de 1969, que se encontra em vigor internacionalmente desde 1980, e foi entre nós completada por meio do Decreto n. 7.030, de 14 de dezembro de 2009.

O Brasil passa a estar inserido no quadro do reconhecimento da existência e dos efeitos do direito internacional cogente, também chamado direito internacional geral ou direito internacional consuetudinário. Na medida em que a conduta dos estados é elemento essencial para a formação e a aplicação das normas de direito internacional, estas condutas se exprimem seja por atos ou omissões, por meio das quais os estados, expressa ou tacitamente, afirmem, reconheçam ou neguem direitos, deveres e reclamações.

A primeira pergunta consiste em saber se o direito internacional e o direito interno são dois ***ordenamentos independentes, estanques, ou dois ramos de mesmo sistema jurídico***. A primeira solução é defendida pelos partidários da tese ***monista***, ao passo que a tese oposta é denominada ***dualista***.

Para os defensores da doutrina ***dualista***, direito internacional e direito interno seriam dois sistemas distintos, dois sistemas independentes e separados, que não se confundem. Salientam que num caso se trata de relações entre estados, enquanto, no outro, as regras visam à regulamentação das relações entre indivíduos. Outro argumento é que o direito internacional depende da vontade comum de vários estados, ao passo que os direitos internos dependem da vontade unilateral do estado. Em consequência, o direito internacional não criaria obrigações para o indivíduo, a não ser que as suas normas se vissem transformadas em direito interno. Na explicação do fenômeno da suposta *transformação* da norma internacional em norma interna os defensores do dualismo mostram a debilidade de seu raciocínio, que, além do mais, não leva em conta a importância do costume.

A doutrina ***monista*** não parte do princípio da vontade dos estados, mas sim de norma superior, pois o direito é um só, quer se apresente nas relações de um estado, quer nas relações internacionais. Aceita a tese fundamental de que o direito é um só, os defensores da doutrina monista enveredam por dois caminhos opostos: para uns, em caso de dúvida, prevalece o direito internacional: é a tese do ***primado do direito internacional***; já os outros defendem a tese do ***primado do direito interno***. Convém examinar cada uma destas.

A jurisprudência internacional tem sido invariável ao reconhecer a ***primazia do direito internacional***. O caráter preeminente do direito internacional foi declarado, em parecer de 1930, pela Corte Permanente de Justiça Internacional, nestes termos: "**É princípio geralmente reconhecido, do direito internacional, que, nas relações entre potências contratantes de tratado, as disposições de lei interna não podem prevalecer sobre as do tratado**". A matéria põe-se como questão de preservação das bases da convivência internacional e tem de ser considerada em sua dimensão externa – na interação entre sujeitos de direito internacional – e não somente como questão administrativa interna de cada estado.

A **Convenção de Viena sobre o direito dos tratados** adota, em seu artigo 27, a mesma regra: "Uma parte não pode invocar as disposições de seu direito interno para justificar o inadimplemento de um tratado".

Na prática, verifica-se que as regras constantes de tratado aprovado e ratificado substituem a lei interna; segundo o mesmo critério, lei interna posterior não pode substituir tratado, aprovado pelo legislativo e ratificado pelo executivo.

A relativa incerteza antes existente entre nós foi sanada com a ratificação pelo Brasil, em 2009, da **Convenção de Viena sobre o direito dos tratados** de 1969. A importância da mutação ocorrida merece ser enfatizada: no sentido de que o Brasil passa a mostrar seu engajamento no sistema institucional e normativo internacional e orienta como se deve dar a relação entre direito interno e direito internacional pelas próximas gerações. Também se aponta para o reconhecimento da intensificação crescente do processo de internacionalização do direito, com a consequente necessidade de adaptação das normas legais às realidades sobre as quais têm estas de incidir, simultaneamente no plano interno e no plano internacional, com constante interação entre ambos.

A partir da ratificação da **Convenção de Viena sobre direito dos tratados**, têm de ser reescritos os manuais nacionais de direito internacional, como os de direito constitucional e administrativo, de processo civil e penal, e de várias outras áreas do direito, todas elas sistêmica e sistematicamente permeadas pelo direito internacional. Do mesmo modo, tem de ser reescrita e repensada a jurisprudência pátria, em todo o capítulo relativo às relações entre o direito internacional e o direito interno, ao cumprimento de tratados, no âmbito do direito interno, e ao conjunto das questões de cooperação internacional. Os vários campos do direito reagirão a seu tempo e a seu modo a tal mutação conceitual ocorrida.

O Brasil integrou ao seu sistema jurídico interno o reconhecimento conceitual da dimensão maior dessa unidade de sistema institucional multilateralizado. Doravante, há de se incorporar à prática judicial e administrativa o que já foi recebido pelo direito positivo, no sentido de que o direito é mais vasto do que o conjunto de normas que se edita, em casa, nos âmbitos federal, estadual e municipal.

Com consciência da importância do avanço feito, pode-se dizer que assim se marca, entre nós, o fim da visão ultrapassada, pautada pelo aspecto estritamente interestatal do direito internacional, que passa a ser obsoleta: pôs-se, assim, fim ao *dualismo* como modo de entender e de estudar o direito, que causou numerosos estragos entre nós, nas últimas décadas. Não mais poderia prevalecer tal entendimento, diante do mundo, cada vez mais interdependente do Brasil, que neste quer inserir-se de maneira competitiva.

O direito internacional e o direito interno, a partir da entrada em vigor no Brasil da **Convenção de Viena sobre direito dos tratados**, não mais se podem considerar como dois compartimentos, somente tangencialmente inter-relacionados: "direito internacional" e "direito interno". Estes não são e não podem ser tratados como dois compartimentos estanques: são crescentes as interações e a interdependência entre estas duas facetas de manifestação do fenômeno jurídico.

Não poderia ser mais claramente estipulada a obrigação, decorrente do art. 27 da Convenção de Viena de 1969: "Uma parte não pode invocar as disposições do seu direito interno para justificar o inadimplemento de um tratado". No direito pátrio vigente, o direito internacional passa a ser parte integrante do sistema jurídico.

Não mais se pode invocar a dicotomia entre as duas ordens, que levou a alguns "enganos" e "desvios de rumo" cometidos no passado. Doravante, superados. Aceito o princípio, resta assegurar a sua implementação, de modo que se passe a aplicar como tal, na jurisprudência, e na administração do estado brasileiro, soberano e independente, mas integrado ao mundo e neste inserto, com todas as consequências daí decorrentes, e que não mais podem ser ignoradas, ou tratadas como emanação da boa vontade nacional, em relação ao exterior. Não mais se tratará de cooperar por força de cortesia internacional (*comitas gentium*), mas em decorrência de dever jurídico, inscrito no direito pátrio, e deste se projetar, por força do instrumento internacional ao qual estamos vinculados, para as relações do Brasil com todos os demais estados, com os quais temos ou tenhamos relações político-jurídicas.

A **Convenção de Viena sobre direito dos tratados**, em seu art. 3º, menciona ser esta aplicável aos instrumentos celebrados por escrito, entre estados, mas não exclui o reconhecimento da validade de outros acordos, inclusive nem sequer celebrados por escrito, tampouco de instrumentos celebrados "entre estados e outros sujeitos do direito internacional ou entre estes outros sujeitos do direito internacional" – e estes outros sujeitos não são somente as organizações internacionais.

O processo de inserção dos ditames desse texto internacional de fundamental importância, conceitual e prática, contidos no "tratado sobre tratados" traz o direito brasileiro para o estado da arte na matéria de relações entre ordens jurídicas nacionais em relação ao conjunto do direito, tal como se manifesta no plano internacional. A ratificação pelo Brasil da **Convenção de Viena sobre direito dos tratados** mostra que já era tempo de sanar esse descompasso entre o direito brasileiro e o sistema institucional e normativo internacional.

As **normas cogentes de direito internacional geral** não são passíveis de derrogação. Elas passaram a ser material e formalmente acolhidas pelo direito brasileiro, a partir da entrada em vigor da **Convenção de Viena sobre direito dos tratados**, tal como as consigna em seus arts. 53 e 64.

A caracterização de regras internacionalmente válidas e aceitas como tais é precedida pela caracterização da sociedade internacional: o que é a sociedade internacional, como esta se estrutura, quais são os sujeitos e, somente a seguir, quais as regras que norteiam a convivência entre sujeitos de direito internacional[272].

Ao lado dessa visão, a percepção das mutações, em curso no contexto pós-moderno, deverá ensejar visões simultaneamente mais abrangentes e mais flexíveis, a respeito do direito internacional e do papel deste como regulador do contexto internacional. Mudou o mundo; resta adaptar de modo consequente seus instrumentos reguladores.

2.5. Sujeitos de direito internacional e atores das relações internacionais

Sujeito do direito internacional é entidade jurídica que goza de direitos e deveres no plano internacional, com capacidade para exercê-los. Enfatiza J. A. PASTOR RIDRUEJO (1998)[273] "se o direito internacional se construiu, no passado, sobre uma sociedade de estados soberanos, aspira este hoje a se fundar sobre comunidade de seres humanos".

No direito internacional clássico, o sujeito por excelência do direito internacional, embora não mais se possa sustentar ser o único, era o estado, tal como se definia a partir de seu ordenamento interno. São também sujeitos de direito

272. *V.* tb. P. B. CASELLA, *Protocolo de Madri sobre registro internacional de marcas e sua aplicação no Brasil* (Revista TRF 3ª Região, v. 82, mar.-abr. 2007, p. 9-109, esp. item II, "Monismo e dualismo no direito e jurisprudência brasileiros", p. 7 e s.); CASELLA, *O Brasil e o Protocolo de Madri sobre registro internacional de marcas* (Rio de Janeiro: Revista Semestral de Direito Empresarial, n. 1, jul.-dez. 2007, p. 159-200).

273. Jose Antonio PASTOR RIDRUEJO, **Le droit international à la veille du vingt et unième siècle: normes, faits et valeurs** (RCADI, 1998, t. 274, p. 9-308, Cap. II, "Les sujets du droit international", p. 109 e s. cit. p. 113). *V.* tb. do internacionalista suiço Roland PORTMANN, **Legal Personality in International Law** (Cambridge : Cambridge Univ. Press, 2010).

internacional as organizações internacionais enquanto associações de estados, ao lado do reconhecimento progressivo da condição internacional do ser humano. Participam das relações internacionais e atuam no contexto internacional, além dos estados e das organizações intergovernamentais, também as organizações não governamentais, as sociedades transnacionais, os rebeldes, os beligerantes, os povos, os movimentos de liberação nacional e mesmo os seres humanos, estejam de um modo ou de outro organizados, como expressão do que se vem chamar de sociedade civil internacional.

Estipula o direito internacional conjunto de princípios e normas a respeito de como os estados devem se comportar. Assim se exprime a convicção quanto à juridicidade e à necessidade do direito internacional pós-moderno, como instrumento de regulação do sistema internacional, seja este o interestatal, tal como nos legou o direito internacional clássico, seja em relação aos novos atores e agentes, em relação aos quais se começa a delinear a configuração do equivalente internacional da "sociedade civil", e tentativamente refere-se como a "sociedade civil internacional"[274] ou a kantiana "sociedade civil universal", embora ainda seja pouco claro o que seja e como atue. Essa fragmentação e esse aumento do número de agentes caracterizam o tempo (histórico) e contexto (cultural) que se denomina pós-moderno[275].

A essa base do direito internacional clássico ainda deve acrescer-se o surdo rumor da atuação, todavia incipiente, mas que não mais pode ser ignorada, do que se poderia chamar "sociedade civil internacional". Aos autores tradicionais, que tinham visão estritamente estatizante do direito internacional, repugna admitir o papel crescente desses atores não estatais, cada vez mais presentes e marcando seus reclamos, a cada momento, adverte P.-M. DUPUY (2004)[276].

Para preservar a ideia de unidade desse direito internacional tradicional, criado à imagem e semelhança dos estados, e mantido na medida em que estes o aceitam e reconhecem diante das mudanças do contexto presente, recorre P.-M.

---

274. Emmanuel ROUCOUNAS, **Facteurs privés et droit international public** (RCADI, 2002, t. 299, p. 9-420, Parte I, Cap. V, "Les acteurs qui se réclament de la 'société civile internationale'", p. 97-103, cit. p. 97-98): "la présence de forces sociales non-étatiques est assurée par la montée spetaculaire de la 'société civile', avec la remarque supplémentaire que nous assistons depuis quelque temps à la formation d'une 'société civile internationale' (ou plutôt *transnationale*) qui, depuis les événements politiques en Europe de 1989, porte même la qualification de globale".

275. V. **Fundamentos** (2008, esp. item I, "Construção do direito internacional e contexto pós-moderno", p. 63-179).

276. Pierre-Marie DUPUY, **Droit international public** (Paris: Dalloz, 7. ed., 2004, cit., p. 98-99): "On ne saurait oublier trop vite la distance que continue à séparer la logique normative de sa réalisation effective par les conduites étatiques". Mas DUPUY também reconhece (e.g., p. 250): "destinataire principal des droits de l'homme, l'individu est également incité à contribuer lui-même activement au controle de leur mise en oeuvre".

DUPUY (2000, publ. 2002)[277] à imagem de dois eixos em torno dos quais essa ordem constituiria a sua unidade: um, formal, e o outro, substancial. Daí resulta certo número de tensões e contradições que alimentam a dinâmica própria do direito internacional deste início de século XXI.

Não se pode esquecer que esse modelo de direito internacional, totalmente criado e controlado pelos estados, não mais responde à realidade nem leva em consideração o contexto pós-moderno em que a correspondente evolução do direito internacional se terá de construir[278]. O fenômeno de ruptura e renovação aconteceu em outras épocas, nos seus respectivos contextos históricos e culturais.

O quadro institucional e normativo internacional, existente há séculos, tornou-se consideravelmente mais extenso (pelo aumento do número de participantes tradicionais do sistema) e mais complexo (pela multiplicação da presença e da influência de todo o conjunto de atores e agentes não estatais, no sistema internacional, cuja existência e efeitos da ação não mais se podem negar). Estes são dados da pós-modernidade em direito internacional, como apontam L. BOISSON DE CHAZOURNES e Rostane MEHDI (2003) ou Habib GHERARI e Sandra SZUREK (2005)[279], que chegam a falar em "privatização do direito internacional".

A noção da capacidade efetiva de exercício de direitos e obrigações como atributiva de personalidade internacional foi definida com clareza pela CIJ em 1949[280], ao declarar que era sujeito do direito internacional a organização que

277. Pierre-Marie DUPUY, **L'unité de l'ordre juridique international** (RCADI, 2002, v. 297, p. 9-490), recorre à imagem de dois eixos em torno dos quais ordem jurídica internacional constituiria a sua unidade: um, formal, e o outro, substancial. Daí vem a observação a respeito de "il en résulte un certain nombre de tensions et de contradictions qui alimentent la dynamique propre du droit international de ce début de siècle."

278. No sentido da mudança do foco e das premissas do sistema institucional e normativo internacional, *v.*: ONUMA Y., **A Transcivilizational perspective on International Law** (RCADI, 2009, t. 342, tb. publicado em Haia: Pocketbooks of the Hague Academy of International Law, 2010); P. CASELLA, **Fundamentos** (2008); o conjunto dos textos e debates no volume **Le droit des peuples à disposer d'eux-mêmes** – Méthodes d'analyse du droit international – Mélanges offerts à Charles CHAUMONT (Paris: Pedone, 1984), e tb. no volume, coordenado por Rafaa Ben ACHOUR e Slim LAGHMANI, **Acteurs non-étatiques et droit international** ("VIIe Rencontre internationale de la Fac. de Sciences Juridiques politiques et sociales de Tunis, 6-8 avril 2006", Paris: Pedone, 2007); René-Jean DUPUY, **Dialectiques du droit international** – Souveraineté des états, communauté internationale et droits de l'humanité (Paris: Pedone/Univ. de Nice-Sophia-Antipolis: Institut du droit de la paix et du développement, 1999).

279. Laurence BOISSON DE CHAZOURNES e Rostane MEHDI (coords.), **Une société internationale en mutation: quels acteurs pour une nouvelle gouvernance?** (Bruxelles: Bruylant, 2005); Habib GHERARI e Sandra SZUREK (coords.), **L'émergence de la société civile internationale: vers la privatisation du droit international?** ("actes du colloque des 2-3 mars 2001, org. sous les auspices de M. Hubert VEDRINE, Ministre des Affaires Étrangères", Paris X: Pedone/CEDIN Paris X, Cahiers Internationaux, n. 18, 2003); b/c o já mencionado René-Jean DUPUY, **Dialectiques du droit international** – Souveraineté des états, communauté internationale et droits de l'humanité (Paris: Pedone/Univ. de Nice--Sophia-Antipolis: Institut du droit de la paix et du développement, 1999).

280. Corte Internacional de Justiça, parecer consultivo de 11 de março de 1949 sobre reparações por danos sofridos a serviço das Nações Unidas.

"tem capacidade de ser titular de direitos e deveres internacionais e que esta tem a capacidade de fazer prevalecer os seus direitos através de reclamação internacional". Nesse parecer de 1949 foi relevante a distinção feita pela Corte Internacional de Justiça no sentido de que "os sujeitos de direito, em determinado sistema jurídico não são necessariamente idênticos, quanto à sua natureza ou à extensão de seus direitos: sua natureza depende das necessidades da comunidade".

Hans KELSEN (1932)[281] identificava a pessoa com o conjunto de normas jurídicas que lhe atribuíam direitos e obrigações, e fazia a distinção entre ***sujeitos diretos*** e ***indiretos***. Analisando o domínio de validade pessoal do direito internacional, considerava ser a tese – aceita pela maioria dos teóricos, de que somente os estados são sujeitos do direito internacional – como "***teoricamente falsa e mesmo se retificada teoricamente (...) permanece contrária ao direito positivo***"[282], e se debruçava sobre os direitos subjetivos e as obrigações dos indivíduos no direito internacional. O direito internacional, escrevia KELSEN, tinha como sujeitos os estados, "ou seja os indivíduos, de modo indireto ou mediato e, excepcionalmente, os indivíduos, também de modo direto ou imediato"[283].

Alfred VERDROSS (1929)[284], a respeito de "membros de pleno direito da comunidade internacional" e de "simples sujeitos do direito das gentes", concluía que "os indivíduos de forma alguma são membros da comunidade internacional", pois indicava: "simples constatatação sobre o direito positivo atual", ordinariamente mais que sujeitos, seriam *objetos* protegidos, e o direito internacional em vigor somente se dirigiria aos indivíduos indiretamente, "por meio do direito interno"[285].

Nicolas POLITIS (1925)[286] destacava: "o que chamamos direito internacional não poderia ser outra coisa que o conjunto de regras que regem as relações dos homens, pertecentes a diversos grupamentos políticos"[287]. E, acrescentava POLITIS (1927): "a maioria dos autores se recusa reconhecer aos interesses

281. Hans KELSEN, **Théorie générale du droit international public** (RCADI, 1932, t. 42, p. 117-352).

282. H. KELSEN (op. cit., 1932, p. 141 e s., cit. p. 146).

283. H. KELSEN (op. cit., 1932, cit. p. 170).

284. Alfred von VERDROSS, **Règles générales du droit international de la paix** (RCADI, 1929, t. 30, p. 271-518).

285. A. von VERDROSS (op. cit., 1929, p. 347-348). Na mesma direção exprimiam-se, no final do século XIX, Walter SCHUCKING e, especialmente, Erich KAUFMANN, **Die Rechtskrafts des internationalen Rechtes** (1899).

286. Nicolas POLITIS, **Le problème des limitations de la souveraineté et la théorie de l'abus des droits dans les rapports internationaux** (RCADI, 1925, t. 6, p. 1-122).

287. N. POLITIS (op. cit., 1925, p. 7): "ce que l'on appelle le droit international ne saurait être autre chose que l'ensemble des règles qui régissent les rapports des hommes appartenant à divers groupes politiques".

individuais o título direto para a aplicação do direito internacional. Mas tais resistências são impotentes contra as realidades da vida"[288].

Jean SPIROPOULOS (1929)[289] declarava: "a posição do indivíduo na vida jurídica internacional é, na hora atual, dos problemas mais discutidos em nossa disciplina". Isso continua verdadeiro e objeto de controvérsia.

A convivência do ser humano, além e ao lado do plano de seus elementos de conexão com determinado estado e com determinado ordenamento jurídico nacional, traz componente novo, cuja expressão ainda se busca institucionalizar, mas que reflete a importância e a extensão das mudanças em curso. E estas terão de acomodar o ser humano, no plano internacional, sob formas todavia não experimentadas.

2.5.1. do direito internacional clássico ao reconhecimento progressivo de outros sujeitos

Dois enfoques existem na determinação dos sujeitos do direito internacional: a *clássica*, que em sua concepção original atribuía a noção de sujeito do direito internacional apenas aos estados; e a *individualista*, *realista* ou *pós-moderna*, para a qual o destinatário do direito internacional, como, aliás, de todos os ramos do direito, só pode ser o indivíduo.

Durante cerca de 300 anos, o direito internacional ocupava-se exclusivamente dos estados[290]. Esse seria o "modelo de Vestfália" (1648), que se mantém em Viena (1815) e prossegue até Versalhes (1919), mas nessa altura se dá a introdução de elementos novos, com o surgimento e a difusão das organizações internacionais[291] e crescente atuação destas nos mais variados campos da vida internacional.

---

288. Nicolas POLITIS, **Les nouvelles tendances du droit international** (Paris: 1927, p. 61) a respeito de E. KAUFMANN: "il montre que dans la complexité de la vie internationale, à côté de l'activité des états et de leurs associations, il y a des multiples activités non étatiques des invidus et des associations internationales privés qui toutes donnent naissance à des règles dont l'ensemble forme le droit international moderne. Contre ce courant doctrinal se dressent, avec toute la force de leur ancienneté, de séculaires habitudes de pensée et de langage. La plupart des auteurs refusent de reconnaître aux intérêts individuels un titre direct à l'application du droit international. Mais ces résistances sont impuissantes contre les réalités de la vie".

289. Jean SPIROPOULOS, **L'individu et le droit international** (RCADI, 1929, t. 30, p. 191-270). *V.* tb. Kate PARLETT, **The individual in the international legal system** – Continuity and change in international law (Cambridge: Cambridge Univ. Press, 2011).

290. A primeira dúvida séria surgiu com a extinção dos Estados Pontifícios e sua incorporação ao Reino da Itália, em 1870, e a constatação de que os estados continuavam a reconhecer o direito de legação do Papa, ou seja, continuavam a manter os seus representantes junto a ele e a receber os seus núncios. Em outras palavras, verificou-se que até então o Sumo Pontífice reunia em si duas entidades: Chefe dos Estados Pontifícios e Chefe da Igreja Católica. Em consequência, a prática internacional, endossada pela doutrina, passou a lhe reconhecer a qualidade de sujeito do direito internacional. A respeito, *v.* P. B. CASELLA, **Direito internacional dos espaços** (2009, item 2.1, "*soberania e território: a Santa Sé e o estado do Vaticano*", p. 83-89).

291. Giorgio CANSACCHI, **Identité et continuité des sujets internationaux** (RCADI, 1970, t. 130, p. 1-94).

Atualmente, a personalidade internacional das Nações Unidas e das organizações intergovernamentais, em geral, não é contestada, mas na ocasião em que foi criada a Sociedade das Nações (SdN) a doutrina relutou em lhe reconhecer a qualidade de pessoa internacional – tanto assim que SIOTTO PINTOR reagiu com ceticismo à iniciativa brasileira de nomear, em 1924, um representante permanente junto à organização.

Paul FAUCHILLE ponderou no sentido de que, embora a SdN não fosse um superestado, era com efeito um sujeito do direito internacional. Outras entidades eram mencionadas, como, por exemplo, os movimentos de libertação internacional, os domínios britânicos (*dominions*) antes de serem reconhecidos como estados independentes[292].

Dentre os sujeitos de direito internacional, cumpre citar e preservar o papel crescente do indivíduo não como sujeito indireto de direitos e deveres internacionais, mas como sujeito direto. Isso começa a se colocar a partir da responsabilidade penal internacional, e se estende, progressivamente, a outros campos do direito internacional pós-moderno.

Cabe, contudo, enfatizar os valores construtivos que se contrapõem aos não valores da guerra e toda a gama de violência da pobreza e da repressão. Na linha de L. GROSS (1967), propõe R. A. FALK (1969)[293] cinco valores: (I) a minimização da violência, (II) a proteção e a promoção dos direitos do homem e dos povos; (III) as transferências de recursos e de riquezas dos países ricos aos pobres; (IV) a participação equitativa das várias culturas, regiões e ideologias em sistema mundial, de base equilibrada em relação aos povos do mundo; (V) o desenvolvimento de instituições internacionais e supranacionais.

É preciso resistir à tentação de tentar manipular e engessar a realidade, para poder melhor enquadrá-la nas categorias teóricas desejadas. A realidade se intromete continuamente, e não pode ser negligenciada. Por isso se exprime sempre a inserção do direito internacional pós-moderno no tempo histórico e contexto cultural.

A referência a KELSEN (1951) mostra exatamente sua adaptação de modelos de "teoria pura" para a vida do direito e a adaptação "material" deste, mesmo sem haver exata observância de dispostivos, na medida em que possa

292. Henri GRIMAL, **Histoire du Commonwealth britannique** (Paris: PUF, 1962) e tb. visite o site desta associação de estados: <www.thecommonwealth.org>.

293. L. GROSS, **The International Court of Justice and the United Nations** (RCADI, 1967, t. 120, p. 313-440); *v.* tb. W. MENEZES, **Tribunais internacionais** (São Paulo: Saraiva, 2013); R. A. FALK, *The interplay of Westphalia and Charter conceptions of international legal order* (in **The future of the international legal order**, C. A. BLACH & R. A. FALK (editors), Princeton: UP, v. I, 1969, p. 33 e s.).

haver consistência entre os meios utilizados e os objetivos que formaram e informaram aquele sistema jurídico. A necessidade de adaptação – do modelo da ONU à realidade internacional – foi percebido e avaliado por KELSEN e reflete-se até o momento presente[294] em sucessivas retomadas da discussão a respeito do tema. Em boa medida, todavia, inconclusivas, pois o equilíbrio de forças, que poderia permitir a reformulação da regulamentação do sistema, não foi, todavia, alcançado.

A caracterização da condição de sujeito de direito internacional teve considerável evolução nas últimas décadas. Ponto central dessa evolução é a condição do indivíduo, no plano internacional[295].

---

294. P. B. CASELLA, *ONU pós-KELSEN* (in **Reflexões sobre os 60 anos da ONU**, coord. Araminta MERCADANTE e J. C. de MAGALHÃES, Ijuí: Ed. Unijuí, 2005, p. 13-64); P. B. CASELLA, *Reforma da ONU pós-Kelsen* (in IV Conferência Nacional de Política Externa e Política Internacional, **Reforma da ONU** (Rio de Janeiro, Palácio Itamaraty, 21 de agosto de 2009, "O Brasil e o mundo que vem aí", Brasília: FUNAG, 2010, p. 143-210).

295. Nesse sentido, a análise desenvolvida na Parte 5, "Ser humano como sujeito de direito: reconhecimento progressivo". *V.* tb. Kate PARLETT, **The individual in the international legal system** – Continuity and change in international law (Cambridge: Cambridge Univ. Press, 2011).

3

ESTADO COMO SUJEITO DE DIREITO INTERNACIONAL

O estado como sujeito por excelência do direito internacional, embora não o único. O estado tal como o conhecemos hoje em dia é o resultado de longa evolução, mas o direito internacional deste se ocupa[1], precipuamente a partir de sua incorporação à comunidade internacional, ou seja, a partir do momento em que passa a ter direitos e deveres no contexto internacional.

O paradoxo central do direito internacional está no fato de este ter o estado como sujeito e ao mesmo tempo somente se ordena e se constrói como sistema institucional e normativo, na medida em que põe limites a esse sujeito, na expressão concreta da soberania do estado. Hubert THIERRY apresenta a ***evolução do direito internacional*** como linha condutora do exame da matéria em seu

---

1. Para desenvolver a questão: P. B. CASELLA, **Direito internacional no tempo medieval e moderno até VITORIA** (2012, esp. cap. XIII, "*estado como sujeito de direito internacional – a contribuição de MAQUIAVEL e BODIN*", p. 525-602); A. CASSESE, *States: rise and decline of the primary subjects of international law* (in FASSBENDER e PETERS (ed.), **The Oxford Handbook of the History of International Law**, Oxford: Univ. Press, 2012, p. 49-70); H. KRABBE, **L'idée moderne de l'état** (RCADI, 1926, t. 13, p. 509-584); Jacques-Yvan MORIN, **L'état de droit: émergence d'un principe du droit international** (RCADI, 1995, t. 254, p. 9-462); J.-P. PUISSOCHET, **L'état souverain dans le monde d'aujourd'hui** – Mélanges en l'honneur de J.-P. P. (Paris: Pedone, 2008); SFDI. **Le sujet en droit international** ("cet ouvrage constitue les actes du 38e Colloque de la SFDI, qui s'est tenu aux Mans les 4 et 5 juin 2004, org. par l'Univ. du Maine", Paris: Pedone, 2005); SFDI. **Les compétences de l'état en droit international** ("cet ouvrage constitue les actes du 39e Colloque de la SFDI, qui s'est tenu à la Fac. de droit et de science politique de l'Univ. Rennes du 2 au 4 juin 2004", Paris: Pedone, 2006); Monique CHEMILLIER-GENDREAU, **Humanité et souverainetés: essai sur la fonction du droit international** (Paris: La découverte, 1995); Mireille DELMAS-MARTY, **Vers un droit commun de l'humanité** (Paris: Ed. Textuel, 2005, cit., p. 126) : "Il est incontestable, qu'à l'heure actuelle il existe une grande hétérogénéité entre les droits de l'homme tels qu'ils son reconnus et tels qu'ils sont appliqués".

curso geral (1990)[2]. Para H. THIERRY, ***é em função das limitações que, impostas à soberania dos estados, que se constrói o direito internacional***.

3.1. Elementos constitutivos

Pode-se definir o estado como agrupamento humano, estabelecido permanentemente num território determinado[3] e sob governo independente. Da análise dessa definição, constata-se que, teoricamente, são quatro os elementos constitutivos do estado, conforme estabelece a Convenção Interamericana sobre os Direitos e Deveres dos Estados, firmada em Montevidéu, em 1933, que indica os seguintes requisitos: *a*) população permanente; *b*) território determinado; *c*) governo; *d*) capacidade de entrar em relação com os demais estados.

Em inglês a palavra *nação* é utilizada como sinônimo de estado, o que explica as expressões *Liga das Nações* e *Organização das Nações Unidas*. Em português, contudo, tem acepção específica, ou seja, designa conjunto de pessoas ligadas pela consciência de que possuem a mesma origem, tradições e costumes comuns, e geralmente falam a mesma língua. Em janeiro de 1851, Pasquale MANCINI abriu seu Curso na Universidade de Torino, defendendo o *princípio das nacionalidades*, segundo o qual os estados deveriam ser organizados tendo em consideração o fator nação[4]. A tese teve aceitação imediata na Itália não por motivos jurídicos, mas sim políticos, visto que MANCINI tinha em vista a unificação italiana.

O *princípio das nacionalidades* não teve maior aceitação como norma básica do direito internacional, mas cabe considerar a "vida jurídica desses grandes seres na sociedade do gênero humano", como indagava MANCINI[5], a respeito dos estados? Reflete o espírito de seu tempo o *Zeitgeist* reinante no século XIX, que

---

2. Hubert THIERRY, **L'évolution du droit international: cours général de droit international public** (RCADI, 1990, t. 222, p. 9-186).

3. *V.*, tb., *infra*, Parte 6, "Território". Ver P. B. CASELLA, **Direito internacional dos espaços** (São Paulo: Atlas, 2009); Ahmed ABOU EL WAFA, **Les différends internationaux concernant les frontières terrestres dans la jurisprudence de la Cour internationale de Justice** (RCADI, 2009, t. 343, p. 10-570, cit., p. 27), observa: "Por meio da fronteira, o território de um Estado se vê enquadrado e individualizado. Trata-se de uma realidade incontestável. De fato, a jurisdição é certamente territorial. A fronteira une o estado à sua realidade material, o território. Respeito e inviolabilidade da fronteira, tais são o cimento e a pedra angular que, atualmente e para sempre, mantêm de pé todo o aparelho do estado".

4. Pasquale Stanislao MANCINI, **Direito internacional** (intr. Tito BALLARINO, trad. Ciro MIORANZA, do original **Diritto internazionale: prelezioni**, da ed. italiana de 1873, Col. Clássicos do Direito Internacional, Ijuí: Ed. Unijuí, 2003).

5. P. S. MANCINI, **Direito internacional** (ed. cit., 2003, II, "Características do velho e do novo direito das gentes", p. 87 e s., cit. p. 91): "exposição daquela parte do direito internacional que estuda as relações públicas, entre as nações coletivamente consideradas e, portanto, deduz as leis reguladoras da vida jurídica destes grandes seres na sociedade do gênero humano".

parecia acreditar na capacidade humana de chegar à verdadeira e efetiva essência das coisas, e parece esquecer-se quanto, inevitavelmente, toda e qualquer obra humana terá de contingente. MANCINI declarava: "procuramos estabelecer seus direitos e as obrigações primeiras, não sobre a areia movediça dos acordos, dos costumes e também da vontade dos estados, determinadas pelo arbítrio espontâneo ou pelo próprio interesse à recíproca benevolência (aquela que os escritores chamam *comitas gentium*), mas sobre a base eterna, inalterável e inconcussa da natureza das coisas, da ordem necessária à humanidade, da finalidade moral da ampliação de seu bem-estar e de seu progressivo aperfeiçoamento, que é a primeira ordem querida pela providência criadora e conservadora de nossa espécie"[6].

MANCINI acreditava poder "refundar" o direito internacional: "não são os estados, mas as nações e, desse modo, substituímos um sujeito artificial e arbitrário por outro natural e necessário"[7]. Desnecessário apontar a dificuldade inerente à expressão da vontade da "nação" enquanto tal, como elemento de base e fundador do direito internacional.

Como mostram Henri BATIFFOL, em seus "aspectos filosóficos do direito internacional privado" (1956)[8], e Erik JAYME (1980, 1988)[9]: "MANCINI buscou encontrar o fundamento do seu sistema em obrigação de direito internacional. Segundo sua opinião, a aplicação do direito estrangeiro não poderia estar baseada na *comitas gentium*, acolhida como fundamento de tal aplicação, pela doutrina da época e denominada por SAVIGNY '*freundliche Zulassung*'[10]. O funda-

---

6. P. E. MANCINI (op. cit., loc. cit.) prossegue: "E destes sujeitos jurídicos que são as nacionalidades, analisamos as relações naturais e legítimas e aquelas induzidas pela violência e pelo esquecimento das leis da natureza e da providência, além de falarmos amplamente das uniões dos estados e de suas separações, das alianças, das federações de estados e dos estados federativos. Passamos depois aos objetos do direito internacional, ou seja, às coisas, e colhemos os princípios racionais e as normas mais seguras que regulam as importantes matérias do domínio internacional e do comércio internacional".

7. P. E. MANCINI (op. cit., p. 93 e s.): "Não consideramos como a fonte mais elevada desta geração de direitos e deveres as normas segundo as quais cada Estado se constitua e determine entrar em acordo e colocar-se em relações com os outros, mas ao contrário, ao estabelecimento destas normas e relações mais ou menos voluntárias e contingentes [,] reconhecemos existentes nas nacionalidades relações recíprocas e direitos anteriores, inseparáveis de sua essência, inalteráveis e eternos e, por isso, subtraídos à autoridade e à disposição de seus governos. Desse modo, enquanto os outros até agora puseram as bases supremas da ciência em fatos e leis que brotaram e foram produzidas pela vontade humana e, como ela, mutáveis e variadas, nós, pelo contrário, essas mesmas leis, esses acordos e esses costumes submetemos à autoridade de leis mais sublimes e veneráveis, das quais é eloquente e não mentirosa reveladora no mundo dos povos a natureza, sendo legislador, Deus".

8. Henri BATIFFOL, **Aspects philosophiques du droit international privé** (Paris: Dalloz, 1956, p. 12): "C'est sans doute l'écart excessif entre le système de Mancini et le donné historique et jurisprudentiel qui explique son déclin, aussi rapide et complet que son ascension avait été immédiate et brillante".

9. Erik JAYME, **Pasquale Stanislao Mancini: il diritto internazionale privato tra Risorgimento e attività forense** (do original **Pasquale Stanislao Mancini: Internationales Privatrecht zwischen Risorgimento und praktischer Jurisprudenz**, 1980, Ebersbach: Verlag Rolf Gremer, trad. italiana Antonio RUINI, Padova: CEDAM, 1988, esp. item I, "Savigny e Mancini", p. 17-19, e item II, "I tre principi del sistema di MANCINI", p. 20-22).

10. Friedrich Carl von SAVIGNY, **Sistema do direito romano atual**, v. VIII (do original **System des heutigen römischen**

mento da aplicação do direito estrangeiro, segundo MANCINI, derivava da obrigação de cada estado, frente ao outro, de respeitar os direitos dos estrangeiros"[11].

De certo modo, a ênfase do direito internacional, no contexto pós-moderno, no fato de passar de ***sociedade de estados*** para ***comunidade internacional de pessoas***, sob outro prisma, retoma o questionamento da legitimação do sistema internacional, já encetado por MANCINI, embora com foco diverso, na medida em que se enfatize não esta ou aquela "nação", mas a comunidade humanidade como um todo, em sua dimensão global, na perspectiva das relações internacionais[12].

Por *população* entende-se a coletividade de indivíduos, nacionais e estrangeiros, que habitam o território[13] em determinado momento histórico; é a expressão demográfica ou conceito aritmético, quantitativo. Não deve ser confundida com a palavra *povo*, que tem sentido sobretudo *social*, ou seja, *povo* em oposição a *governo*, ou parte da coletividade determinada pelo aspecto social.

A exigência de *território determinado* não deve ser entendida em sentido absoluto, ou seja, o adjetivo *determinado* não significa que o território deva estar perfeitamente delimitado, conforme alguns poucos internacionalistas sustentam. No caso da América Latina, por exemplo, os países foram reconhecidos internacionalmente, muito embora as suas fronteiras ainda não fossem definitivas. O mesmo fenômeno ocorre, mais recentemente, na África e na Ásia e na Europa nos anos 1990. É dado positivo para o direito internacional a utilização da Corte Internacional de Justiça como instância jurisdicional para solução de controvérsias, entre estados, em questões territoriais.

Rechts, trad. Ciro MIORANZA, apres. Arno DAL RI Jr., intr. Erik JAYME, Ijuí: Ed. Unijuí, 2004, parágrafo 348, p. 47-52, cit. p. 50): "darin eine eigenthumliche und forstschreitende Rechtsentwicklung". Ou em vernáculo: "Não se deve somente ver nessa concessão o efeito de simples benevolência, o ato revogável de vontade arbitrária, mas muito mais desenvolvimento próprio do direito, seguindo em seu curso a mesma marcha que seguem as normas sobre a colisão entre os direitos particulares de um mesmo estado".

11. E. JAYME (op. cit., 1980, 1988, item IV, "Mancini e la codificazione italiana del 1865", p. 27-28, cit., p. 28): "MANCINI riuscí a dimostrare che i nuovi aspetti della disciplina della materia erano conformi alle esigenze del tempo moderno e contemporaneamente che talle disciplina, d'altro canto, non si allontanava dalle precedenti proposte, ma solamente ne colmava le lacune. (...) Nella codificazione italiana del 1865, la disciplina del diritto internazionale privato, a differenza della soluzione precedentemente adottata in Francia, è contenuta in una legge separata dal Codice civile, e precisamente nella legge che contiene le norme sulla applicazione del diritto. In questo modo è stata, al tempo stesso, assunta una chiara posizione sul problema della distinzione sul piano scientifico tra norme di conflitto e norme materiali, distinzione che ai giorni nostri è di nuovo oggetto di contestazione".

12. *V.* o volume coordenado por Rafaa Ben ACHOUR e Slim LAGHMANI, **Acteurs non-étatiques et droit international** ("VIIe Rencontre internationale de la Fac. de Sciences Juridiques politiques et sociales de Tunis, 6-8 avril 2006", Paris: Pedone, 2007), no qual colocam em paralelo o conceito de ator, das relações internacionais, e seu equivalente epistemológico, o conceito de sujeito em direito internacional, para situar algumas das mutações essenciais em curso no direito internacional pós-moderno. *V.* tb. Odete Maria de OLIVEIRA, **Teorias globais e suas revoluções** (Ijuí: Unijuí, 2005, v. I: Elementos e estruturas; v. II: Impérios de poder e modos de produção; v. III: Fragmentações do mundo).

13. A respeito da evolução do território no direito internacional, *v. infra*, item 6.1.

Ilustram, dentre outros casos de importância considerável em matéria de contencioso internacional versando questões de território[14], nos quais o comportamento das partes foi destacado como elemento crucial pela Corte Internacional de Justiça, o do **templo de Preah Vihear** 1962[15], bem como o da **controvérsia de fronteiras terrestre, insular e marítima** (1992)[16]. A questão do comportamento das partes, na medida em que traduz a existência de aquiecescência implícita, pode ser o argumento central de decisão, esclarece L. I. SÁNCHEZ RODRÍGUEZ (1997)[17], visando precisar o alcance e o sentido dos títulos que provem o *uti possidetis juris* e, igualmente – no caso da ocupação efetiva –, completar títulos insuficientes ou mesmo deslocar outros títulos contraditórios, como se deu no caso da **Ilha de Palma**, conforme laudo arbitral prolatado por Max HUBER, em 1928[18].

Observa Pedro DALLARI (2004)[19] a formação do território brasileiro do

---

14. *V., infra*, Parte 6, "Território", b/c P. B. CASELLA, **Direito internacional dos espaços** (São Paulo: Atlas, 2009).
15. Cambodja contra Tailândia, julgado pela CIJ em 15 de junho de 1962.
16. El Salvador e Honduras, com intervenção da Nicarágua, tiveram o mérito julgado pela CIJ em 1992, depois de ser deferida a intervenção da Nicarágua por possuir interesse na questão da soberania das ilhas do Golfo de Fonseca. A decisão da CIJ abrangeu: controvérsias terrestres, em relação às quais a Corte dividiu seis setores e prolatou decisões para cada setor; as ilhas do Golfo de Fonseca, em relação às quais a Corte determina quais são as ilhas objeto de controvérsias, daí resultando ser atribuída à soberania de Honduras a ilha El Tigre e à El Salvador as ilhas de Meanguera e Meanguerita; finalmente, com relação às controvérsias acerca do espaço marítimo, depois de aceita a intervenção da Nicarágua, a Corte mantém a situação anteriormente vigente entre os três estados, enfatizando a condição histórica das águas no Golfo de Fonseca, no sentido de prevalecer o condomínio dos três estados, na utilização das águas, a partir do limite de três milhas marítimas. Qualquer modificação no regime das águas internas ou externas deveria ser acordada entre os três estados. Em 2002, El Salvador postulou revisão da decisão da CIJ. Para ser aceita a revisão, esta deve configurar os requisitos estipulados no *caput* e parágrafos do art. 61 do Estatuto da CIJ: "em razão do descobrimento de algum fato suscetível de exercer influência decisiva, o qual, na ocasião de ser proferida a sentença, era desconhecido da Corte e também da parte que solicita a revisão, contanto que tal desconhecimento não tenha sido devido a negligência". Pedido de revisão, cf. o art. 61, parágrafo 4, deverá ser feito "no prazo máximo de seis meses a partir do descobrimento do fato novo", e o art. 61, parágrafo 5, estipula que nenhum pedido de revisão poderá ser feito após o limite temporal de dez anos da data da sentença. Para justificar o pedido de revisão, El Savaldor argumentou com fatos novos a transposição do rio Goascorán e novas cópias da carta esférica e do relatório de 1794 da expedição El Activo. A Corte rejeitou os argumentos salvadorenhos, afirmando que tais "descobrimentos" não seriam relevantes nem levariam a mudar a decisão proferida anteriormente.
17. L. I. SÁNCHEZ RODRÍGUEZ, **L'uti possidetis et les effectivités dans les contentieux territoriaux et frontaliers** (RCADI, 1997, t. 263, p. 149-381, cit. p. 372): "Le comportement manifestant l'existence de l'acquiescement, par rapport au principe de la bonne foi, peut rester la clef de voûte dans le processus de décision d'un tribunal, qu'il s'agisse de contentieux qualifiés a priori de délimitation ou d'acquisition de la souveraineté territoriale".
18. Corte Permanente de Arbitragem. Estados Unidos da América contra Reino dos Países Baixos. Árbitro Max HUBER. **Ilha de Palma**. Sentença arbitral de 4 de abril de 1928, declara o árbitro: "Il semble en outre évident que les traités conclus par l'Espagne avec les tierces puissances et qui reconnaissaient sa souveraineté sur les Philippines ne pourraient lier les Pays-Bas". Deste caso destacam-se três princípios aplicáveis em diversas outras decisões em matéria territorial: a plenitude e a exclusividade da competência estatal; a regra da ocupação efetiva; e o fato de não ser oponível, em relação a terceiros, disposição contida em tratado. O princípio do efeito relativo dos tratados figura, atualmente, no art. 38 da Convenção de Viena sobre direito dos tratados: nada impede que regra prevista em tratado se torne obrigatória para terceiros estados, como regra consuetudinária de direito internacional, reconhecida como tal.
19. Pedro B. de Abreu DALLARI, *Aspectos jurídicos da formação e da gestão do território nacional: o caso brasileiro* (no volume **Relações internacionais: múltiplas dimensões**, coord. Pedro B. de Abreu DALLARI, São Paulo: Aduaneiras, 2004, p. 12-18).

ponto de vista do direito internacional. B. de MAGALHÃES, por sua vez, examinava a "expansão geográfica do Brasil colonial" (1978)[20].

Em decorrência do princípio da igualdade jurídica dos estados, a extensão territorial não influi sobre a personalidade internacional do estado. Antes da segunda guerra mundial, contudo, a personalidade jurídica de Andorra, Mônaco, Liechtenstein e San Marinan era discutida. R. HIGGINS analisa as flutuações da prática internacional em seu curso geral (1991)[21], observa as incongruências em relação à então recente crise iugoslava, quando comentava ter sido recusada a adesão do Principado do Liechtenstein à Sociedade das Nações, sob a alegação de ter as suas relações internacionais confiadas a outro estado, mas ter este sido aceito como membro da Organização das Nações Unidas com a indagação: o que mudou?

A partir de 1960, diversos estados recém independentes foram aceitos como membros das Nações Unidas, o *status* a ser atribuído a uma série de territórios, denominados microestados, passou a ser questão séria. Em tese, reuniam os citados elementos constitutivos de um estado, mas se discutia sua aptidão de existirem sem o auxílio das antigas metrópoles ou da ONU. Em relatório, o então secretário-geral U THANT lembrava que possivelmente o problema dos micro-estados poderia constituir no futuro um dos mais graves problemas da Organização, e o ingresso de algumas ilhas minúsculas do Caribe e do Pacífico, algumas com menos de 100.000 habitantes, veio agravar o caso, que está a exigir solução.

O terceiro e o quarto elementos constitutivos do estado – governo e capacidade de manter relações com os demais estados – completam-se. Em outras palavras, é necessária a existência de governo soberano, isto é, de governo não subordinado a qualquer autoridade exterior, e cujos únicos compromissos sejam pautados pelo próprio direito internacional. A Convenção de Viena sobre relações diplomáticas (1961) prevê no preâmbulo que a Convenção "contribuirá para o desenvolvimento de relações amistosas entre as nações, independentemente da

---

20. Basílio de MAGALHÃES, **Expansão geográfica do Brasil colonial** (São Paulo / Brasília: Nacional / INL, 1915; 2. ed., 1935; 4. ed., 1978).

21. Rosalyn HIGGINS, **International law and the avoidance, containment and resolution of disputes: general course on public international law** (RCADI, 1991, t. 230, p. 9-342, tangencialmente, Cap. III, "Participants in the international legal system", p. 68-87, item I, "States", p. 68-76), menciona vários exemplos, com destaque para a "crise" iugoslava, com a clara aceitação do surgimento de estados admitidos como novos membros das Nações Unidas, em 1992, no caso da Eslovênia, da Croácia, da Bósnia-Herzegovina, ao mesmo tempo que a Resolução da AGNU 47/1 (1992) suspende a participação da Sérvia e Montenegro na AG. Desse modo, não ficava claro o quadro: "Serbia-Montenegro was also not recognized as being the legal successor to federal Yugoslavia; and was invited under the same resolution to apply *de novo* for United Nations membership. And for the time being, 'Yugoslavia' (which surely no longer exists) remains a member of the United Nations, able to participate in everything save the Security Council. The situation can only be described as legally confused".

diversidade dos seus regimes constitucionais e sociais". Dispositivos semelhantes foram incluídos nas convenções multilaterais assinadas posteriormente em matéria consular (1963) e de tratados (1969 e 1986).

Se, teoricamente, a existência do estado está ligada à existência dos elementos constitutivos, na prática a atribuição da qualidade de estado a determinada coletividade pode ser motivo de discussão[22]. Atualmente, com o conceito amplo dado à noção de autodeterminação pelas Nações Unidas, o *status* de estado tem sido atribuído sem maiores exigências. Antes da segunda guerra mundial, contudo, exigia-se população mínima e território razoável e, sobretudo, que a existência econômica da coletividade não pudesse ficar na dependência de outro ou outros estados[23].

Dentre precedentes, ilustrativo considerar três momentos da história do século XX:

- a tentativa de a ex-União Soviética reescrever a seu modo o passado, herdado da Rússia dos czares, de forma que ao tentar renegar as dívidas internacionais contraídas pelo *ancien régime*, a seguir se vê forçada a transigir e a negociar depois de alguns anos de isolamento no contexto internacional. Contemporaneamente, a República Turca, em relação ao Império Otomano, ou à Áustria, e em relação ao Império Austro-Húngaro, somente em parte conseguiu marcar e manter a distância em relação aos estados que a sucederam, e os caminhos da prática mostraram mais meandros do que pretenderia ter aceitado;
- no processo de **descolonização**, após a segunda guerra mundial, alguns estados negociam e constroem o ingresso como novos sujeitos de direi-

22. Dentre considerável bibliografia: ACCIOLY, **Tratado** (2009); C. BEVILÁQUA, **Direito público internacional**, op. cit., (1939, p. 30); J. A. CARRILLO SALCEDO, **Droit international; et souveraineté des états: cours général de droit international public** (RCADI, 1996, t. 257, p. 35-221); os estudos do volume **Le droit des peuples à disposer d'eux-mêmes** – Méthodes d'analyse du droit international – Mélanges offerts à Charles CHAUMONT (Paris: Pedone, 1984); Rafaa Ben ACHOUR e Slim LAGHMANI (dir.), **Acteurs non-étatiques et droit international** ("VIIe Rencontre internationale de la Fac. de Sciences Juridiques politiques et sociales de Tunis, 6-8 avril 2006", Paris: Pedone, 2007); DIEZ DE VELASCO, **Instituciones de derecho internacional público** (Madrid: Tecnos, 16. ed., 2007); P.-M. DUPUY, **Droit international public** (2004, p. 21); Eduardo ESPÍNOLA, **Tratado de direito civil brasileiro** (Rio de Janeiro, 1940, v. 5, p. 59); H. CHIU, *The international legal status of the Republic of China* (**Asian Studies**, coletânea da School of Law, University of Maryland, n. 5, 1992); James CRAWFORD, **The creation of States in international law** (Oxford: Clarendon Press, 2nd ed., 2006, reprinted 2011); C. D. A. MELLO, **Curso** (15. ed., 2004, v. I, Caps. XVI a XXII, p. 333-554); G. E. do NASCIMENTO E SILVA, *Os Mini Estados* (**Bol. SBDI**, abr.-jun. 1992, p. 77); OPPENHEIM, **International law: a treatise** (8. ed., 1955, p. 119); PODESTÀ COSTA, **Derecho internacional público** (1984, vol. 1, p. 59); NGUYEN Quoc Dinh, **Droit international public** (p. 352); F. REZEK, **Direito dos tratados** (1984, p. 163); G. C. M. RUSSOMANO, **Direito internacional público** (Rio de Janeiro, 1989, p. 191).

23. Constava de edições anteriores: A facilidade com a qual as Nações Unidas admitiram como membros alguns estados como que criou verdadeiros estados-mendigos, que só sobrevivem graças à assistência financeira da coletividade internacional. *V.*, tb., *infra*, Parte 6, "Território".

to internacional, mediante *acordos de devolução* com as ex-potências coloniais ou mediante renegociação de vínculos em relação a acordos bilaterais e multilaterais, enquanto outros se declaram livres e desvinculados de obrigações em relação ao passado e às obrigações que, porventura, pretenderam contrair, em nome destes, ou de algum outro estado, a qualquer título, mas não puderam manter tal linha de argumentação, em favor da pretensão da ***tabula rasa***, na prática: na assunção de direitos e de obrigações, regidas pelo direito internacional não como camisa de força ou imposição colonialista ou neocolonialista, mas como garantia e visando à proteção dos interesses do próprio estado, novamente pode ter havido alguma flutuação na aplicação, pois nem todos os casos mostram perfeita coerência e consistência entre os princípios e a ação, mas o conjunto mostra que a transição negociada tem maiores chances de transcorrer de modo pacífico e sem causar traumas, sejam estes de repercussão sobretudo interna ou internacional – novamente a lição terá sido quanto à necessidade e à operacionalidade do direito internacional;

– na Europa Central, nos anos 1990, houve rumos e caminhos distintos para três casos ocorridos, com extremos entre estes quanto à vigência e aplicação do direito internacional, bem como em relação à qualidade dos resultados alcançados:

a. Ao se dividir a **Tchecoslováquia**, o planejamento e a negociação conduziram ao resultado de "divórcio quase perfeito", a ruptura da República Federal, que nunca funcionara como tal nesse país criado após a primeira guerra mundial com duas metades desproporcionais, onde as diferenças históricas e culturais e as desigualdades conservaram e acirraram-se, fracionada pelos Acordos de Munique, em 1938, ocupada pela Alemanha durante a segunda guerra mundial, mantida como satélite da então União Soviética, apesar da violência da primavera de Praga, em 1968, ressurge, como estado independente, e se fraciona de modo consensual, regulado por acordos internos e internacionais e faz-se a transposição para nova inserção internacional: em 1993, a República Tcheca e a Eslováquia pleiteiam e são admitidas na Organização das Nações Unidas[24] em 1º de maio de 2004, ambos aderem à União Europeia;

24. Em relação ao Brasil: a anteriormente vigente **Convenção destinada a evitar a dupla tributação e a prevenir a evasão fiscal em matéria de impostos sobre a renda**, celebrada, em Brasília, em 26 de agosto de 1986, entre o Brasil e a República Federativa Socialista Tcheca e Eslovaca, conserva e encontra-se em vigor, entre o Brasil e cada um dos dois estados – como informa a Secretaria da receita federal, na rubrica relativa aos países com os quais o Brasil mantém acordos de bitributação. P. B. CASELLA, **Direito internacional tributário brasileiro: convenções de bitributação** (São Paulo: Quartier Latin, 2. ed., 2005, Cap. XXVI, p. 508-524).

b. no caso da antiga **União Soviética**, a necessidade de distinguir dentre diversas situações ocorridas em relação aos vários antigos componentes desse vasto conjunto de estados: a **Federação Russa**, aceita como sucessora da URSS, inclusive como membro permanente do Conselho de Segurança da ONU; a **Ucrânia** e a **Bielo-Rússia**, em relação às quais fora antes aplicada a ficção de serem sujeitos de direito internacional e atribuída a condição de membros originários da ONU, conservaram sua condição; e, finalmente, os três bálticos, **Estônia**, **Letônia** e **Lituânia**, em relação aos quais se fez valer a alegação do não reconhecimento da ocupação soviética, de 1940, o que permitiu fazer a retomada das relações "normais" com referidos estados, uma vez terminados os impedimentos que osbtavam a normalidade das relações internacionais e o exercício externo da condição de estados, bem como da soberania destes, integrados à União Europeia desde 1º de maio de 2004; enquanto os demais integrantes da ex-URSS acedem à independência e são reconhecidos como estados no início dos anos 1990;

c. no caso da **antiga** República Federativa Socialista da **Iugoslávia**, eclodem sucessivas levas de guerra civil, inicialmente na **Eslovênia**, em junho de 1991, logo a seguir na **Croácia** e **Bósnia-Herzegovina**, até a transição civilizada, acontecida em 2006, com a separação de **Montenegro**, após referendo em que a maioria dos eleitores se declarou favoravelmente à independência – nesses quinze anos, quantas mortes e destruição causada, quantas violações de direitos fundamentais e do direito internacional. A lição é eloquente e foi dada: as transições feitas de modo brutal, como rupturas, criaram traumas e problemas todavia não superados; a transição legalmente ordenada fez-se sem maiores problemas. O aprendizado tem dimensão relevante em relação ao que pode fazer a pressão em favor da defesa dos direitos fundamentais e da legalidade internacional: por exemplo, em aplicação do artigo 42 da **Carta da ONU**, a determinação pela **Resolução 827** do Conselho de Segurança, em 25 de maio de 1993, da criação do **Tribunal para os Crimes Cometidos na ex-Iugoslávia**[25] e a atuação deste, desde então; pode-se falar também na presença e na

25. F. CAPOTORTI (op. cit., 1994, Cap. XIV, "Les Nations Unies et le maintien de la paix", p. 293-321, cit. p. 315): "bien que l'article 42 prévoie des actions à caractère essentiellement militaire, à celles-ci peuvent être reliées aussi des mesures d'un autre genre. C'est le cas de la récente création du Tribunal pour les crimes dans l'ex-Yougoslavie, établi par la résolution 827 du Conseil de sécurité du 25 mai 1993, explicitement fondé sur le chapitre vii de la Charte. En opérant par rapport à une situation de conflit dans laquelle sont engagées les Nations Unies, aux termes de ce chapitre, il peut être compris à juste raison dans le nombre des instruments par lesquels le Conseil de sécurité peut agir en vertu de l'article 42".

pressão da *sociedade civil internacional*, como um todo; mais especificamente o impacto das pretensões em relação ao ingresso na União Europeia nortearam a mudança de rumos – nesse meio tempo, a **Eslovênia** passa a integrar a União Europeia a partir de 1º de maio de 2004[26], e a **Croácia**, que se encontrava em processo de negociação, aderiu à União Europeia em 2013. A Iugoslávia era composta por Sérvia e Montenegro até a independência deste último, em 2006. Durante algum tempo, manteve a Sérvia a pretensão de ser a sucessora da antiga República socialista federativa da Iugoslávia. Não aceita esta pretensão pela comunidade internacional, a Sérvia pleiteia e obtém ingresso na ONU. Sucedeu à de Montenegro a independência de Kosovo, em 17 de fevereiro de 2008[27]. Diversas e complexas questões internas e internacionais foram suscitadas desde a ocorrência de questões de sucessão e, como consideram J. F. WILLIAMS (1933)[28], J. VERHOEVEN (1993) e M. SAHOVIC (1996)[29], também de reconhecimento de estado, em relação às quais este último aponta: "a obrigação de negociar separadamente sobre as questões de sucessão não implica o reconhecimento da continuidade estatal", e, onde **"as questões mais atuais e discutíveis da sucessão permaneceram abertas"**[30].

A complexidade e o caráter empírico do tema, em que pese a ausência de normas convencionais, amplamente aceitas e consolidadas, faz, todavia, remeter às correspondentes normas consuetudinárias, de modo que marcam a reflexão

---

26. P. B. CASELLA, *Ampliação da União Europeia: a Europa central se integra* (in **O novo direito internacional: estudos em homenagem a Erik JAYME**, org. Claudia Lima MARQUES e Nadia de ARAUJO, Rio de Janeiro: Renovar, 2005, p. 723-743).

27. *V.* item 3.5, "*secessão no direito internacional – o Parecer consultivo da Corte Internacional de Justiça sobre o Kosovo, de 22 de julho de 2010*".

28. John Fischer WILLIAMS, **La doctrine de la reconnaissance en droit international et ses développements récents** (RCADI, 1933, t. 44, p. 199-314).

29. Joe VERHOEVEN, *La reconnaissance internationale: déclin ou renouveau?* (AFDI, 1993, t. XXXIX, p. 7-40); Milan SAHOVIC, *La reconnaissance mutuelle entre les républiques de l'ex-Yougoslavie* (AFDI, 1996, t. XLII, p. 228-233, cit., p. 229): "comme d'habitude, d'ailleurs, la vie n'a pas permis que le problème de la reconnaissance des nouveaux états qui se sont substitués à l'ex-Yougoslavie soit règlé tout simplement par les décisions de l'U.E., des grandes puissances de l'OSCE, et par l'admission de la Slovénie, la Croatie, la Bosnie-Herzégovine et de la Macédoine aux Nations-Unies. Le refus de la nouvelle RF de Yougoslavie (Serbie et Monénegro) de reconnaître ces états a reflété toute la complexité de ce problème (...) nouvelle dimension dont l'importance politique et juridique ne pourrait être sous-estimée. Du point de vue politique, sans leur reconnaissance mutuelle, une normalisation de leurs rapports ne pouvait pas être rálisée, et par ce fait, la consolidation de la situation dans cette partie de l'Europe n'était pas probable. L'impossibilité d'une réglementation juridique des conséquences des conflits armés, de la succession d'états, de la situation des réfugiés, etc., s'est confirmée comme une des conséquences du manque de la reconnaissance au cours des actions initiées durant les hostilités actives et les négociations diplomatiques et politiques parallèles".

30. M. SAHOVIC (cit., 1996, p. 232 e, a seguir, p. 233).

de vários autores em relação à sucessão de estados, tais como Mohammed BEDJAOUI (1970)[31], Giorgio CANSACCHI (1970)[32], D. P. O'CONNELL (1970)[33], Stefan OETER (1991)[34], J. F. WEISS (1994)[35], Vladimir-Djuro DEGAN (2000, 1999, 1996, etc.)[36], E. McWHINNEY (2002)[37]. Considerável trabalho de ordenação e de sistematização do tema foi desenvolvido por Georg RESS, na qualidade de Relator, na Resolução de Vancouver (2001), do *Instituto de Direito Internacional*, sobre **sucessão de estados**[38]. Relevantes questões são suscitadas pelas sucessões de estado em relação aos tratados multilaterais, à luz das mutações territoriais recentes[39].

Em matéria de sucessão de estados, mais do que ter mudado substancialmente a regulação convencional da matéria, será, contudo, consideravelmente diverso o quadro fático e serão outros os exemplos mais marcantes, desde a análise desenvolvida por M. UDINA (1933)[40] até B. STERN (1996)[41], passando por K. ZEMANEK (1965), Mohammed BEDJAOUI (1970)[42], Giorgio CANSACCHI (1970)[43], e D. P. O'CONNELL (1970)[44]: o assunto contém mais diversidade

31. Mohammed BEDJAOUI, **Problèmes récents de succession d'états dans les états nouveaux** (RCADI, 1970, t. 130, p. 455-586).
32. (Conde) Giorgio CANSACCHI, **Identité et continuité des sujets internationaux** (RCADI, 1970, t. 130, p. 1-94).
33. D. P. O'CONNELL, **Recent problems of state succession in relation to new states** (RCADI, 1970, t. 130, p. 95-206).
34. Stefan OETER, **German unification and state succession** (ZaöRV, 1991, p. 349-383).
35. J. F. WEISS, *Succesion of states in respect of treaties concluded by the European Communities* (Tijschrift voor Europees en economisch recht, oct. 1994, p. 670).
36. Vladimir-Djuro DEGAN, *On state succession* (in **Dimensão internacional do direito: estudos em homenagem a G. E. do NASCIMENTO E SILVA**, org. P. B. CASELLA, São Paulo: LTr, 2000, p. 118-140); V.-D. DEGAN, **Création et disparition de l'état (à la lumière du démembrement de trois fédérations multiethniques en Europe)** (RCADI, 1999, t. 279, p. 195-375); V.-D. DEGAN, *Some objective features in international law* (in **Essays in honour of Krystof SKUBISZEWSKI**, edited by Gerzy MAKARCZYK, Haia: Kluwer Law International, 1996, p. 123-146); V.-D. DEGAN, *La succession d'états en matière de traités et les états nouveaux* (AFDI, 1996, t. XLII, Paris: CNRS Ed., p. 206-227); *v.* tb., V.-D. DEGAN, *L'affirmation des principes du droit naturel par la Révolution française* (AFDI, 1989, *v.* XXV, p. 99-116).
37. Edward McWHINNEY, **Self-determination of peoples and plural-ethnic states (secession and state succession and the alternative federal option)** (RCADI, 2002, t. 294, p. 167-264).
38. *Instituto de direito internacional*, sessão de Vancouver, 2001, 7ª Comissão, rel. Georg RESS **La succession d'Etats en matière de biens et de dettes** *(Le texte français fait foi. Le texte anglais est une traduction.)* Adotada em 26 de agosto de 2001. Antes abordara o IDI a questão da sucessão de estados na sessão de Siena, 1952 (Resolução n. 1), e na sessão de Bruxelas, 1936 (também a respeito da sucessão de estados).
39. Photini PAZARTZIS, **La succession d'états aux traités multilatéraux – à la lumière des mutations territoriales récentes** (pref. P.–M. EISENMANN, Paris: Pedone, 2002).
40. Manlio UDINA, **La succession des états quant aux obligations internationales autres que les dettes publiques** (RCADI, 1933, t. 44, p. 665-774).
41. Brigitte STERN, **La succession d'états** (RCADI, 1996, t. 262, p. 9-437).
42. Mohammed BEDJAOUI, **Problèmes récents de succession d'états dans les états nouveaux** (RCADI, 1970, t. 130, p. 455-586).
43. (Conde) Giorgio CANSACCHI, **Identité et continuité des sujets internationaux** (RCADI, 1970, t. 130, p. 1-94).
44. D. P. O'CONNELL, **Recent problems of state succession in relation to new states** (RCADI, 1970, t. 130, p. 95-206).

do que comportam as tentativas de classificação sistemática, e as análises doutrinárias ficam diretamente marcadas pelo contexto histórico e fático em que se inscrevem, e, em boa medida, deram causa.

Taiwan, ou Formosa, representa exemplo curioso, pois reúne os elementos necessários para ser reconhecida como estado, mas não pode ser assim considerada pelo simples motivo de que evita declarar-se como tal. Para J. CRAWFORD, seu *status* é o de governo *de facto* local, consolidado a partir de uma situação de guerra civil, e acrescenta: "isto não significa que Formosa não possui nenhum *status* em direito internacional". Somente não há clara tipificação de qual seja esse *status*.

3.2. Classificação

O primeiro princípio da Carta das Nações Unidas é que "a Organização é baseada no princípio da igualdade soberana de todos os seus membros", mas na prática verificamos que essa igualdade assume diversos aspectos. Pondo de lado as classificações embasadas no poder (grandes, pequenos e médios), no grau de desenvolvimento (desenvolvidos ou industrializados e estados em desenvolvimento) e em democracias e ditaduras, constatamos que o direito internacional se interessa na razão de sua personalidade internacional, ou seja, de sua capacidade de exercer os direitos e as obrigações por ela enunciados.

BRIERLY salientava acertadamente que o direito internacional não se ocupa com todas as instituições genericamente denominadas estados, "mas somente com aquelas cujos poderes governamentais se estendem à direção de suas relações externas". Seja como for, verifica-se que a maioria dos autores se ocupa da classificação dos estados de acordo com a sua estrutura, ou seja, em *estados simples* e *estados compostos*.

3.2.1. estado simples

Os estados simples são para o direito internacional os plenamente soberanos, em relação aos negócios externos, e sem divisão de autonomias, no tocante aos internos. Representam todo homogêneo e indivisível. Trata-se da forma mais comum de estado, sendo o tipo existente na maioria dos estados latino-americanos.

No verdadeiro estado simples, todas as frações se encontram em pé de igualdade, isto é, sem a existência de colônias e protetorados. Os estados simples que, em parte se achavam sujeitos a regime especial, deixaram de existir com as Nações Unidas e a outorga da independência aos territórios sem governo próprio.

3.2.2. estados compostos por coordenação

O estado composto por coordenação é constituído pela associação de estados soberanos, ou pela associação de unidades estatais, que, em pé de igualdade, conservam apenas uma autonomia de ordem interna, enquanto o poder soberano é investido num órgão central.

Dessa dupla categoria de estados compostos por *coordenação*, podem mencionar-se como exemplos: 1º) a união pessoal, a união real e a confederação de estados; e 2º) a união federal. Na configuração anteriormente aceita, de estado composto por *subordinação*, esta poderia se apresentar sob qualquer destas formas: estado vassalo, protetorado, estado cliente, país sob tutela.

União pessoal – É a reunião acidental e temporária de dois ou mais estados independentes, sob a autoridade de soberano comum. Por sua natureza, esse tipo de estado composto quase só se pode conceber sob a forma monárquica. Dele não existe mais exemplo.

Entre os antigos casos de união pessoal, podem mencionar-se os seguintes: Lituânia e Polônia (de 1386 a 1569); Grã-Bretanha e Hanôver (de 1714 a 1837); Holanda e Luxemburgo (de 1815 a 1890); Bélgica e Congo (de 1885 a 1908).

União real – É a reunião, sob o mesmo monarca ou chefe de estado, de dois ou mais estados soberanos que conservam a sua plena autonomia interna, mas, por acordo mútuo, delegam a órgão único os poderes de representação externa e, geralmente, fundem todos os interesses comuns no tocante às relações exteriores.

Por exemplo, a união real entre Dinamarca e Islândia, constituída em 1918, termina em 1944.

A alegada *união* entre a Itália e a Albânia, estabelecida em 1939, colocara esta última em estado de completa subordinação, o que é contrário à natureza desse tipo de estado composto, que se baseia na igualdade das partes componentes. Presentemente, já não existe caso algum de *união real*. O último foi o da Indonésia com a Holanda, sob o cetro da rainha da Holanda, que deu lugar a complexo processo de descolonização e sucessão de atos internacionais, visando regular a transição. Após a segunda guerra mundial, a independência da Indonésia e os problemas daí resultantes fizeram-se mediante monumental rede de tratados, de caráter efêmero.

Como exemplos históricos de *união real*, mencionam-se: Polônia e Lituânia (de 1569 até as partilhas da Polônia no fim do século XVIII); Suécia e Noruega (de 1814 a 1905); Áustria e Hungria (de 1867 a 1919); Dinamarca e Islândia (de 1918 a 1944).

Confederação de estados – É a associação de estados soberanos, que conservam integralmente sua autonomia e sua personalidade internacional e, para certos fins especiais, cedem permanentemente a uma autoridade central parte de sua liberdade de ação. Esses fins especiais são, geralmente: a manutenção da paz entre os estados confederados; a defesa destes; a proteção dos interesses comuns.

A autoridade central, às vezes, o único órgão comum da confederação, tem quase sempre o nome de *Dieta*. Esta não constitui governo supremo, mas apenas a assembleia de plenipotenciários dos governos dos estados confederados. As suas decisões são adotadas por unanimidade e só podem ser executadas por intermédio do governo diretamente interessado.

Tais são as características teóricas desse tipo de união de estados. A prática, entretanto, pode apresentar variedades.

Atualmente, não há exemplo algum vigente de confederação de estados. A União Europeia[45], contudo, claramente tem elementos nesse sentido, que vão além de mera organização internacional, sem que referência ao modelo de confederação de estados seja mencionado[46]. Mesmo se dividida e compartilhada entre a esfera "federal" europeia e os âmbitos nacionais, continua a existir, ainda que parcialmente, soberania entre os vinte e oito estados integrantes da UE.

Como exemplos históricos, citam-se os seguintes: a Confederação Helvética (de 1291 a 1848)[47]; a República das Províncias Unidas dos Países Baixos (de 1579 a 1795); os Estados Unidos da América ou Confederação Americana (de 1781 a 1789)[48]; a Confederação Germânica (de 1815 a 1866)[49]; a União Centro-americana (de 1895 a 1898).

Quanto à *Comunidade Britânica de Nações*[50], pode-se dizer ser esta associação de estados, que não se inclui em nenhuma das modalidades conhecidas de estado composto. Seus estados-membros são plenamente soberanos e acham-se associados em pé de perfeita igualdade, especialmente para fins de natureza política. O símbolo dessa livre associação de povos é a Coroa Britânica. Da Comunidade fazem parte atualmente: o Reino Unido da Grã-Bretanha e Irlanda do Norte; a Austrália; a Nova Zelândia; o Canadá; a Guiana Britânica; e outros[51].

---

45. *V.* tópico específico, 4.2.1. *infra*.
46. P. B. CASELLA, **União Europeia** (São Paulo: LTr, 2002). Para referências, também considerável literatura específica.
47. *V.* John WILSON (1785-1854), **The History of Switzerland** (1832, New York: Cosimo Classics, 2007); Richard WHATMORE, **Against War & Empire** – Génève, Britain and France in the Eighteenth Century (New Haven: Yale Univ. Press, 2012).
48. George C. HERRING, **From Colony to Superpower** – U. S. Foreign Relations since 1776 (Oxford: Univ. Press, 2008, cap. 1, "*To begin the world over again – Foreign Policy and the Birth of the Republic, 1776-1788*", p. 11-55, e cap. 2, "*None who can make us afraid – The New Republic in a hostile world, 1789-1801*", p. 56-92).
49. Wolf D. GRUNER, **Der deutsche Bund 1815-1866** (München: Beck, 2012).
50. Henri GRIMAL, **Histoire du Commonwealth Britannique** (Paris: PUF, Coll. Que sais-je ? V. 332, 1962).
51. Para atualização a respeito da CBN – Comunidade Britânica de Nações (*British Commonwealth of Nations*), consulte o

Estado federal ou federação de estados – É a união permanente de dois ou mais estados, em que cada um deles conserva apenas sua autonomia interna, sendo a soberania externa exercida por um organismo central, isto é, pelo *governo federal*, plenamente soberano nas suas atribuições, entre as quais se salientam a de representar o grupo nas relações internacionais e a de assegurar a sua defesa externa.

Nesse tipo de união de estados, a personalidade externa existe somente no superestado, isto é, no estado federal. Os seus membros, ou seja, os estados federados, possuem simplesmente a autonomia interna, sujeita esta, entretanto, às restrições que forem impostas pela constituição federal. Existe, pois, nesse tipo de estado composto, a partilha de atribuições do poder soberano, cabendo, porém, sempre ao estado, resultante da união, o exercício, conforme ficou dito, da soberania externa.

Como exemplos de federações, podem mencionar-se os seguintes: *a*) Estados Unidos da América (a partir da entrada em vigor, em 1789, da constituição adotada, dois anos antes, na convenção de Filadélfia); *b*) a Suíça (desde a constituição de 1848); *c*) o Império Alemão (de 1871 a 1919); *d*) a República Federal Alemã (desde 1949); *e*) o México (desde 1875); *f*) a Argentina (desde 1860); *g*) a Venezuela (desde 1893); *h*) a União das Repúblicas Socialistas Soviéticas (de 1923 até a dissolução desta, em 1990) – além de alguns dos domínios britânicos (o Canadá, a Austrália). O Brasil é estado federal desde a Constituição da República, de 24 de fevereiro de 1891.

3.2.3. estados compostos por subordinação

O direito internacional estudava não só os estados soberanos, mas também alguns outros tipos de uniões em que os integrantes não se achavam em pé de igualdade, ou não possuíam plena autonomia, ou se achavam despidos do gozo de determinados direitos, entregues a outros. Nesse sentido, C. BEREZOWSKI (1938)[52] estudava os sujeitos não soberanos do direito internacional.

Estados compostos por subordinação eram estados vassalos, protetorados ou estados clientes, hoje inexistentes, cujo estudo pode ser referido a título de curiosidade histórica.

Os estados *vassalos* eram fenômeno típico do Império Otomano, que mantinha sob tal regime países como a Moldávia, Valáquia, Sérvia, Montenegro,

---

site www.thecommonwealth.org. *V.* tb. Henri GRIMAL, **Histoire du commonwealth britannique** (Paris: PUF, 1962) para análise histórica do conjunto.

52. Cezary BEREZOWSKI, **Les sujets non-souverains du droit international** (RCADI, 1938, t. 65, p. 1-86).

Bulgária, Egito etc.[53]. Podiam ser definidos como entidades cuja autonomia interna era reconhecida pelo estado suserano, o qual os representava do ponto de vista externo e lhes exigia ainda o pagamento de um tributo.

O *protetorado* era a versão mais moderna do estado vassalo, onde, em virtude de tratado, determinado estado entregava a administração de certos direitos a um ou vários estados. Foram exemplos de tais práticas colonialistas o Marrocos e a Tunísia, sob a "*proteção*" da França; Abissínia, da Itália, e o Egito e o Transvaal, sob a dependência da Inglaterra.

No protetorado ocorria *capitis diminutio* voluntária, geralmente em virtude de tratado. O estado conservava sua personalidade internacional, nem este era parte do território do estado protetor, e os súditos mantinham a sua nacionalidade. Clássico no tratamento da matéria, o parecer da CPJI a respeito dos **Decretos de nacionalidade da Tunísia e do Marrocos** (1923)[54] trata de questão essencialmente relativa, que depende do desenvolvimento das relações internacionais. Também relativa a questão, no sentido de variar de estado para estado, conforme existam ou não dispositivos específicos em tratados sobre a matéria.

Na elaboração dos **Princípios de direito internacional concernentes às relações amistosas e cooperação dos estados, em conformidade com a Carta das Nações Unidas** (1970)[55], fez-se particular referência ao dever de não intervenção em assuntos pertencentes ao domínio reservado de qualquer estado[56]. E este haveria de ser contado dentre os princípios fundamentais do direito internacional, no contexto pós-moderno, consequentemente vinculando todos os estados, para se guiarem por tais princípios, nas suas respectivas atuações internacionais e para desenvolverem suas relações, com base na estrita observância de tais princípios[57].

Os estados *clientes* (ou quase protetorados) apenas confiavam a outro estado a defesa de determinados negócios ou interesses, mantendo, formalmente, intacta a sua personalidade internacional[58].

---

53. Para visão de conjunto de séculos de história e de evolução, *v.* Albert HOURANI, **Uma história dos povos árabes** (trad. Marcos SANTARRITA, São Paulo: Cia. das Letras, 2006, esp. Parte III, "A era otomana (séculos XVI-XVIII)", p. 275-345).

54. CPJI, **Decretos de nacionalidade da Tunísia e do Marrocos** (série B, n. 4, e série C, n. 2 – "Nationality decrees issued in Tunis and Morocco").

55. AGNU, Res. 2625 (XXV), **Declaration on principles of international law concerning friendly relations and co--operation among states in accordance with the Charter of the United Nations** (A/8082).

56. Gaetano ARANGIO-RUIZ, **Le domaine réservé: l'organisation internationale et le rapport entre droit international et droit interne** (RCADI, 1990, t. 225, p. 9-484) é obra de referência sobre o tema.

57. AGNU, Res. 2625 (XXV), nos *Consideranda* desta: "the duty not to intervene in matters within the domestic jurisdiction of any state, in accordance with the Charter". O item final desta mesma Resolução: "The principles of the Charter which are embodied in this Declaration constitute basic principles of international law, and consequently appeals to all states to be guided by these principles in their international conduct and to develop their mutual relations on the basis of the strict observance of these principles".

58. No século XX, alguns exemplos: na atuação dos Estados Unidos, com a política do *big-stick* de Theodore Roosevelt,

A bibliografia sobre o estado no direito internacional é enorme. Qualquer enumeração será estritamente exemplificativa[59].

3.2.4. sujeitos atípicos de direito internacional

Além das classificações de diferentes categorias de estados, simples ou compostos, por coordenação ou por subordinação, cabe ainda brevemente lembrar alguns dos assim chamados sujeitos atípicos do direito internacional, tais como a Santa Sé [60], o Comitê Internacional da Cruz Vermelha, bem como a Soberana Ordem de Malta, todos amplamente reconhecidos pela comunidade internacional, em razão das funções relevantes que desempenham.

3.2.4.1. Federação Internacional das Sociedades da Cruz Vermelha e do Crescente Vermelho

O Comitê Internacional da Cruz Vermelha (CICR) começou a atuar como organização, estabelecida em 1863, regida pela lei suíça, para desempenhar funções humanitárias em tempos de guerra. O papel da Federação Internacional das Sociedades da Cruz Vermelha e do Crescente Vermelho (também referido como o "Movimento"), na promoção e na implementação das leis da guerra, levou a lhe serem atribuídos direitos, especificamente regulados pelas quatro Convenções de Genebra de 1949. Além disso, o CICR celebrou numerosos tratados com diferentes estados e diversas organizações internacionais, tais como

---

arrogando-se o direito de intervenção em países como: Cuba (1901 e 1934); Panamá (1903); República Dominicana (1907); Haiti (1915); Filipinas (1934-1946); a intervenção do Japão na Manchúria (1932) tem certa semelhança com as citadas anteriormente, bem como a antiga relação da URSS com os chamados países *satélites*, como a Tchecoslováquia, a Polônia, a Hungria, a Romênia e a Bulgária, durante o período da Guerra Fria (1949-1989): o controle destes, na área militar, econômica e comercial, não em decorrência de tratado aceito livremente, tanto assim que com o desmoronamento da União Soviética os países em questão trataram de romper as suas relações de subordinação, e, depois da divisão pacífica da República Tcheca e da Eslováquia, todos aderiram e passam a integrar a União Europeia em duas sucessivas ampliações (2004 e 2007).

59. ACCIOLY, **Tratado** (2009, v. 1); Bengt BROMS, *Les états* (in **Droit international**, UNESCO, 1991, p. 43-68); CASELLA, **Fundamentos** (2008, esp. IV, "*sujeito e objeto: estado de natureza, natureza do estado e relações entre estados*", p. 381-448); DIEZ DE VELASCO, **Instituciones de derecho internacional público** (Madrid: Tecnos, 16. ed., 2007); H. KELSEN, **The law of the United Nations – a critical analysis of its fundamental problems** (New York: Praeger, 1st. publ., 1950, reprinted, 1951); M. PILOTTI, **Les unions d'États** (RCADI, 1928, t. 24, p. 441-556); C. D. A. MELLO, **Curso** (v. 1, livro II **pessoas internacionais (coletividades estatais)**, p. 353-554); G. C. M. RUSSOMANO (1989, p. 209); Themístocles Brandão CAVALCANTI, **Direito administrativo brasileiro** (Rio de Janeiro, 1942, v. 2, p. 93); Alfred VERDROSS e Bruno SIMMA, **Universelles Völkerrecht: Theorie und Praxis** (Berlim: Duncker & Humblot, unveränderter Nachdruck der 1976 erschienenen 1. Auflage, Zweite Auflage, 1981, esp. 3.2. "Die Grundrechte und Grundpflichten der Staaten", p. 229-256); VERDROSS, **Idées directrices de l'Organisation des Nations Unies** (RCADI, 1953, t. 83, p. 1-78); VERDROSS, **Le fondement du droit international** (RCADI, 1927, t. 16, p. 247-324); W. B. COWLES, **International law as applied between subdivisions of federations** (RCADI, 1949, t. 74, p. 655).

60. Objeto do item 6.2.1, soberania e território: a Santa Sé e o estado do Vaticano.

a ONU, o que caracteriza a sua personalidade jurídica internacional, visto ter direitos e obrigações, regidos pelo direito internacional[61].

O Estatuto da Federação Internacional do Movimento da Cruz Vermelha e do Crescente Vermelho foi adotado em 1986, em Conferência Internacional do Movimento, e posteriormente emendado, em 1995, e novamente em 2006, durante sucessivas Conferências. A Conferência Internacional é o supremo órgão deliberativo do Movimento. Ela é formada por representantes dos componentes do Movimento e por delegados dos Estados Partes das Convenções de Genebra e, desse modo, reúne representantes governamentais e agentes não governamentais do Movimento.

3.2.4.2. Soberana Ordem de Malta

A Soberana Ordem de Malta, historicamente ligada ao cuidado dos doentes e à gestão de hospitais para o cuidado de peregrinos e mercadores, remonta ao século XI, quando o bem-aventurado GERARD construiu uma igreja e um hospício em um dos bairros de Jerusalém. A partir da conquista da Terra Santa, em 1099, a fraternidade que administrava a instituição mais e mais se identifica com o espírito das Cruzadas e a prestação de assistência médica e também militar aos soldados cristãos[62]. Por meio de bula do papa NICOLAU V, em 1446, o Grão-mestre da ordem foi reconhecido como príncipe soberano da ilha de Rodes. A soberania territorial sobre a ilha de Rodes terminou em 1522.

Em 15 de julho de 1530, a Ordem recebeu do imperador CARLOS V, como "feudo nobre e livre", o castelo de Trípoli, as ilhas de Malta e de Gozo, com "seus territórios, jurisdições e direitos". A presença soberana no arquipélago de Malta cessou em 12 de junho de 1798, com a invasão deste pelas tropas de NAPOLEÃO. Depois de frustradas tentativas da Ordem em recuperar uma base territorial soberana, apesar de suas gestões nos Congressos de Paris, de Viena, em 1814-1815, bem como nos de Aachen e de Verona, a Ordem transferiu sua

---

61. Christian WALTER, **Subjects of international law** (in **The Max Planck Encyclopedia of Public International Law**, ed. R. WOLFRUM, Oxford: Univ. Press, 2012, v. IX, p. 634-643); Hans-Peter GASSER, *International Committee of the Red Cross* (in **Encyclopedia**, 2012, v. V, p. 445-454).

62. Francesco GAZZONI, *Malta, Order of* (in **The Max Planck Encyclopedia of Public International Law**, ed. R. WOLFRUM, Oxford: Univ. Press, 2012, v. VI, p. 984-988, cit., p. 985). Foi solicitada a proteção de São Pedro (*Protectio Sancti Petri*), conferida por meio da bula papal *Piae postulatio voluntatis*, de 15 de fevereiro de 1113, pelo papa PASCOAL II. Posteriormente, o papa EUGÊNIO III aprovou a Ordem e seu Estatuto, em 1145. A criação de ordem monástica não acarretou mudança substancial de natureza confessional, dado que a Ordem manteve o seu caráter hospitalar, além da sua atuação militar. A ocupação da ilha de Chipre, em 1291, e da ilha de Rodes, em 1308, assinala crescente emancipação da ordem em relação ao papa.

sede, sucessivamente, para Trieste, para Catânia e para Ferrara, até se fixar em Roma, em 1834, onde permanece até hoje.

A Ordem manteve a sua característica principal, o caráter supranacional em sua organização e estrutura, mesmo durante os séculos em que exerceu soberania territorial. Seus integrantes são nacionais de diferentes estados, que professam a fé católica. Desde o final do século XVIII, a Ordem perdeu o seu perfil militar, mas conserva as suas principais características: humanitária e assistencial (*obsequium pauperum*), bem como espiritual e religiosa. E tanto pertencer à aristocracia, como proferir votos monásticos, deixaram de ser requisitos para integrá-la.

A Ordem não é uma organização internacional, cuja existência derive da vontade de estados, por meio de tratado, como comprovam o seu percurso histórico e a sua condição atual. Também não é uma ordem religiosa, como outras, submetida à Congregação para as ordens religiosas da Igreja católica[63], nem tampouco é um estado, pois há mais de duzentos anos não depende de base territorial.

Mais de cem estados mantêm relações diplomáticas com a Ordem, e reconhecem a ela, e à sua missão diplomática, os privilégios e as imunidades do direito internacional costumeiro. Desde 1994, a Assembleia-geral da ONU admitiu a Ordem como observador permanente, que antes já mantinha relações institucionais com diversas dentre as agências especializadas da ONU.

Em 14 de julho de 2000, o Parlamento da República de Malta autorizou a ratificação do tratado que concedeu à Ordem o uso exclusivo do Forte de Santo Ângelo, por 99 anos, com as imunidades e os privilégios diplomáticos estipulados, com exceção de direito de asilo, e algumas limitações no exercício de imunidade jurisdicional.

3.3. Nascimento e reconhecimento do estado

O problema da formação dos estados é igualmente do domínio da história, da política e da sociologia, como do direito internacional. Este último, a rigor, só passa a se interessar pelo fenômeno *estado* após a sua constituição, estipulando modalidades e conteúdo do reconhecimento de estado e de governo[64], como abordava J. F. WILLIAMS (1933)[65], além de outros, como R. ERICH (1926), H.

---

63. A Carta constitucional da Ordem, datada de 1961, foi emendada em 1997, removendo-se as disposições que poderiam configurar dependência da Ordem em relação à hierarquia da Santa Sé. Ver o *site* da Ordem de Malta.

64. P. B. CASELLA, *Reconhecimento de estado e de governo no direito internacional contemporâneo* (in **O direito internacional no terceiro milênio: estudos em homenagem ao professor Vicente Marotta Rangel**, org. L. O. BAPTISTA e J. R. FRANCO DA FONSECA, São Paulo: LTr, 1998, p. 287-318).

65. John Fischer WILLIAMS, **La doctrine de la reconnaissance en droit international et ses développements récents** (RCADI, 1933, t. 44, p. 199-314, cit. p. 204): "La fonction principale, bien que non la seule, de la doctrine de la recon-

KELSEN (1941), H. LAUTERPACHT (1947), e H. BLIX (1970) e, ainda, J. VERHOEVEN (1975 e 1993)[66]. Caberá aos tempos futuros aferir a medida em que se vai poder alcançar sistematização do tema, no plano do direito internacional.

Mas, não obstante a insistência da doutrina nesse particular, não se pode ignorar que a questão do nascimento dos estados se acha vinculada aos vários tipos de sucessão de estado, especialmente à sucessão por separação ou pelo desmembramento de estado.

As guerras têm sido tradicionalmente fator de nascimento de estados, não só as guerras de independência, mas também como consequência indireta da conflagração, a exemplo do que ocorreu depois da primeira guerra mundial, quando os Impérios Russo, Austro-Húngaro e Otomano se esfacelaram com o consequente surgimento de numerosos novos estados. Na segunda guerra mundial, verifica-se o surgimento de centenas de novos estados, no fenômeno da ***descolonização:*** os novos estados surgiram a partir das antigas colônias, visto que adquiriram as respectivas independências graças à aplicação do princípio da ***autodeterminação dos povos*** pela Assembleia Geral das Nações Unidas.

O desmembramento da URSS e os exemplos acima referidos acarretaram igualmente o nascimento, ou melhor dito, o renascimento de diversos novos estados, a começar com os três países bálticos. Simultaneamente, a Tchecoslováquia desdobrou-se em duas Repúblicas. Na RSF da Iugoslávia, onde se tentara unir países de etnias e religiões diferentes, o desmembramento operou-se à custa de sangrenta guerra interna. Dessas transformações, da década de 1990, resultaram 26 novos estados-membros da ONU.

O estado nasce em decorrência da reunião de determinados elementos constitutivos, conforme visto[67]. A simples reunião desses elementos não acarreta a formação de fato do estado; é necessário que haja um elemento de conexão entre eles, isto é, que haja condições propícias de afinidades. Para MANCINI, na se-

---

naissance dans les affaires internationales a consisté, jusqu'à présent à consacrer: 1. la capacité d'un état de devenir membre de la communauté internationale; 2. le droit d'une communauté de gérer ses affaires internationales par l'intermédiaire de mandataires qui sont soit ceux que cette communauté a choisis librement, soit ceux qui se sont imposés. La doctrine de la reconnaissance a été, si on veut bien me permettre l'emploi d'une métaphore théologique, une doctrine de baptême, soit de nouveau-né, soit de grande personne".

66. Extensa a bibliografia a respeito da questão do reconhecimento de estado e de governo, cabendo remeter a algumas referências para o estudo da matéria: R. ERICH, La naissance et la reconnaissance des états (RCADI, 1926, t. 13, p. 427-508); H. KELSEN, *Recognition in international law* (AJIL, 1941, p. 605-617); H. LAUTERPACHT, **Recognition in international law** (Cambridge: University Press, 1947); H. M. BLIX, **Contemporary aspects of recognition** (RCADI, 1970, vol. 130, p. 587-704); J. VERHOEVEN, **La reconnaissance internationale dans la pratique contemporaine** (Paris: Pédone, 1975); VERHOEVEN, *La reconnaissance internationale: déclin ou renouveau?* (AFDI, 1993, t. XXXIX, p. 7-40); M. J. PETERSON, *Recognition of governments should not be abolished* (AJIL, 1983, p. 31-50).

67. *V., supra*, parte inicial deste tópico.

gunda metade do século XIX, esse elemento era a nacionalidade, tese por ele defendida tendo em vista a unificação italiana. R. ERICH ensinava que os diversos elementos que contribuíram para a criação de novos estados, depois da primeira guerra mundial, eram complexos: cálculo das potências estrangeiras, que se esforçaram para tirar proveito das aspirações dos elementos nacionais descontentes; esforço das minorias nacionais para se emanciparem do jugo estrangeiro[68]; movimentos revolucionários de ordem social e política; desmoronamento de potências importantes, mas heterogêneas etc. Conclui insistindo na necessidade de algum elemento nacional se ter aproveitado da ocasião em que se ofereceu[69].

Mas além do fator nacional, outros têm sido lembrados, como a existência no novo estado de fatores econômicos que o permitam sobreviver. Para autores, escrevendo antes da segunda guerra mundial, a existência de população e de território de proporções razoáveis era de rigor. Esses elementos, contudo, deixaram de ser exigidos no âmbito das Nações Unidas, onde a autonomia da vontade passou a vigorar, a ponto de jogar sobre a comunidade internacional o ônus de arcar com a existência do novo membro. Aliás, M. SIBERT, ao enumerar os elementos constitutivos do estado, citava, em primeiro lugar, "associação permanente e bastante numerosa de homens capaz de subsistir com os seus próprios recursos", bem como território suficiente para garantir a permanência da sociedade que o ocupa.

Dentre os modos de formação do estado, cita-se em primeiro lugar o estabelecimento permanente de certa população num território determinado. Em tese, tratar-se-ia de território "desocupado" (*terra nullius*), o que não mais existe em nossos dias[70].

Na atuação da CIJ, pode-se ver como foi mais incisiva a manifestação da Corte no parecer consultivo **consequências Jurídicas para os estados, decorrentes da presença continuada da África do Sul na Namíbia (Sudoeste africano), apesar da Resolução do Conselho de Segurança 276 (1970)**, prolatado em 21 de junho de 1971[71], em comparação à manifestação da Corte, apenas cinco anos antes, no parecer consultivo a respeito do **Sudoeste Africano** (Etiópia

68. A respeito da evolução do sistema internacional de proteção das minorias, *v.* 5.2.7. e subitens.

69. *V.* também Daniel COLARD, **Les relations internationales de 1945 à nos jours** (Paris: Armand Colin, 8. ed., 1999, "La protection des minorités", p. 406).

70. Como exemplo, mencionava-se a República do Transvaal, ocupada por holandeses que deixaram a Colônia do Cabo em 1836 e se dirigiram para o *hinterland* sul-africano, localizando-se finalmente além do rio Vaal. A República do Transvaal foi reconhecida internacionalmente e só deixou de existir em 1902, depois da guerra com a Grã-Bretanha. Outro caso é o da Libéria, criada depois que entidades norte-americanas conseguiram obter, em 1821, dos chefes nativos, concessões territoriais na Costa da Guiné, para lá enviando escravos libertos.

71. CIJ, parecer consultivo, 21 de junho de 1971, **Recueil**, 1971, p. 16.

e Libéria contra África do Sul), prolatado em 18 de julho de 1966[72]. Passo adicional relevante foi dado pela CIJ no parecer consultivo a respeito do **Saara Ocidental**, prolatado em 16 de outubro de 1975[73]. Neste se passa da alegação de se tratar de *terra nullius* ao reconhecimento da existência de titularidade sobre o território pelo povo saraui[74].

Andréa KOULAIMAH-GABRIEL (1995)[75] fala a respeito da descolonização mal conduzida no caso do Saara Ocidental e expõe a responsabilidade da União Europeia em relação a esse caso – como em relação ao caso palestino: "a questão do Saara Ocidental pode, hoje, ser qualificada como conflito internacional opondo o Reino do Marrocos à Frente Polisário, representante reconhecido do povo saraui. Isso nem sempre foi assim. Na verdade, as raízes desse conflito, que as Nações Unidas tentam, em vão, solucionar, decorrem de processo de descolonização mal conduzido"[76].

A Corte prolata seu parecer em 18 de outubro de 1975, contrariamente à existência dos alegados laços de soberania, e se pronuncia em favor da descolonização do Saara Ocidental e pela aplicação do princípio da autodeterminação dos povos, "graças à expressão livre e autêntica da vontade das populações do território"[77].

---

72. CIJ, parecer consultivo, exceções preliminares e segunda fase, 11 de julho de 1950, 21 de dezembro de 1962 e 18 de julho de 1966.

73. CIJ, ordonnance, 22 de maio de 1975; parecer consultivo, 16 de outubro de 1975, **Recueil**, 1975 (p. 6).

74. Exame do caso in P. B. CASELLA, *Special rules for areas not under national jurisdiction and the Achille Lauro affair* (colóquio na Academia de Direito Internacional, Haia, agosto-setembro de 1988, com versão resumida publicada in **The legal aspects of international terrorism / Les aspects juridiques du terrorisme international**, edited by Jochen Abr. FROWEIN e J. A. CARRILLO SALCEDO, Haia: Kluwer – Monographs of the Centre for Studies and Research in International Law and International Relations / Monographies du Centre d'Étude et de Recherche de Droit International et de Relations Internationales, 1988). *V.* tb. Antonio CASSESE, **Il caso Achille Lauro** (Roma: Riuniti, 1987).

75. Andrea KOULAIMAH-GABRIEL, **Raison d'état ou droit des peuples? – Le dilemme de l'Union européenne dans ses rapports avec le Maroc et Israël** (Bruxelas: Presses Interuniversitaires Européennes, 1995, Chap. I, "Le poids du passé", item "c", "Le sahara occidental: histoire d'une décolonisation mal menée", p. 33-39).

76. Depois de manifestar interesse histórico pelas costas africanas, como testemunham expedições conduzidas a partir das Ilhas Canárias, desde 1405, a Espanha somente a partir de 1934 estabelece sua autoridade sobre o território saraui, e somente em 1946 se ocupa em conferir estatuto integrando o Saara Ocidental à nova África Ocidental Espanhola (AOE), mas a presença espanhola permanece fraca até que Madrid sinta o risco de perder o território, risco esse proveniente da pressão dos países limítrofes, da crescente onda independentista e da pressão da comunidade internacional. A degradação progressiva do quadro colonialista leva a Espanha a criar, em 1967, a Assembleia do Saara, pretensamente associada à administração do território, a *Djemaa*. Na época, o governo espanhol acreditou que poderia utilizar tal expediente contra a atuação da Frente Polisário, criada em 1973, e esta se pronunciava pela independência e contrariamente à ligação a qualquer outro estado, a ponto de alcançar sucessivos avanços militares e políticos. Marrocos e Mauritânia mudam de atitude, e pedem seja convocada a Corte Internacional de Justiça para se pronunciar sobre os laços de soberania que pleiteam existir entre o território saraui e estes, no tocante a dois terços ao Norte, em relação ao Marrocos, e a um terço ao sul, em relação à Mauritânia. Observa A. KOULAIMAH-GABRIEL (op. cit., p. 33): "Son auteur était l'Espagne, son objet le peuple sahraoui, ses principales parties intervenantes furent le Marroc et la Mauritanie d'une part, l'Algérie d'autre part. D'autres acteurs s'en mêlèrent parfois: ce fut notamment le cas de la Libye et dans une moindre mesure de la France. A travers cet enchevêtrement de responsabilités et de jeux d'influence, il importe de dégager le rôle joué par les différentes puissances européennes, directement ou indirectement liées au conflit".

77. CIJ, **Recueil**, 1975 (p. 68): "grâce à l'expression libre et authentique de la volonté des populations du territoire".

O modo como o Saara Ocidental foi abandonado pelo governo da Espanha constituiria ***ilícito internacional***[78], nos termos do art. 73 da Carta da ONU, na "declaração relativa a territórios sem governo próprio", na medida em que os estados que "assumiram ou assumam responsabilidades pela administração de territórios cujos povos não tenham atingido a plena capacidade de se governarem a si mesmos reconhecem o princípio de que os interesses dos habitantes desses territórios são da mais alta importância, e aceitam, como missão sagrada, a obrigação de promover, no mais alto grau, dentro do sistema de paz e segurança internacionais estabelecido na presente Carta, o bem-estar dos habitantes desses territórios"[79]. Tal dispositivo se põe em paralelo com o art. 74 da Carta[80]. O gesto de abandonar o Saara Ocidental, em troca da composição com o Marrocos, para conservar Ceuta e Mellila, as duas últimas possessões espanholas no Norte da África, deixou responsabilidades para o novo governo espanhol, após 1975[81].

O parecer sobre o **Saara Ocidental** (1975), além do interesse específico do caso concreto, ensejou manifestação relevante da CIJ a respeito das regras da

---

78. A. KOULAIMAH-GABRIEL (op. cit., p. 38): "Sur le plan du droit international, l'abandon par l'Espagne du Sahara est un acte illégal dans la mesure où, en vertu de l'article 73 de la Charte des Nations, un TNA (territoire non autonome) a une nature juridique distincte de l'état qui l'administre. L'Espagne ne pouvait donc pas, au regard du droit international, céder un territoire qu'elle ne possédait pas. Ce départ en catastrophe s'explique, en partie, par le vide laissé par l'agonie de FRANCO, et par le repli de l'Espagne sur elle-même au début de la transition démocratique".

79. Daí decorre, para tais estados, nos termos do art. 73 da Carta da ONU, a obrigação de: "(a) assegurar, com o devido respeito à cultura dos povos interessados, o seu progresso político, econômico, social e educacional, o seu tratamento equitativo e a sua proteção contra todo abuso; (b) desenvolver sua capacidade de governo próprio, tomar devida nota das aspirações políticas dos povos e auxiliá-los no desenvolvimento progressivo de suas instituições políticas livres, de acordo com as circunstâncias peculiares a cada território e seus habitantes, e os diferentes graus de seu adiantamento; (c) consolidar a paz e a segurança internacionais; / (d) promover medidas construtivas de desenvolvimento, estimular pesquisas, cooperar uns com os outros, e, quando for o caso, com entidades internacionais especializadas, com vistas à realização prática dos propósitos de ordem social, econômica ou científica, enumerados neste artigo; e (e) transmitir regularmente ao Secretário-geral, para fins de informação, sujeitas às reservas impostas por considerações de segurança e de ordem constitucional, informações estatísticas ou de outro caráter técnico, relativas às condições econômicas, sociais e educacionais dos territórios pelos quais são respectivamente responsáveis e que não estejam compreendidos entre aqueles a que se referem os capítulos XII e XIII da Carta".

80. Carta da ONU, art. 74: "Os membros das Nações Unidas concordam também em que a sua política com relação aos territórios a que se aplica o presente capítulo deve ser baseada, do mesmo modo que a política seguida nos respectivos territórios metropolitanos, no princípio geral de boa-vizinhança, tendo na devida conta os interesses e o bem-estar do resto do mundo no que se refere às questões sociais, econômicas e comerciais".

81. A. KOULAIMAH-GABRIEL (op. cit., p. 38-39): "L'abandon par l'Espagne de ses responsabilités vis-à-vis du Shara laisse encore un goût amer dans la politique extérieure du nouveau régime. Dès lors tout en déclarant ne plus être partie au conflit, le gouvernement espagnol pousse à sa résolution. C'est le cas également des autres pays européens, notamment de la France qui s'est trouvée impliquée à un moment donné dans le conflit, lors de la fameuse opération Lamantin en décembre 1977, lorsqu'elle intervint contre le Front Polisario aux côtés du gouvernement mauritanien au bord de l'effondrement. En effet, la France assista le Maroc et la Mauritanie contre le Front Polisario, jusqu'en 1979 (date à laquelle la politique de rapprochement franco-algérien amena la reconnaissance du droit des sahraouis à l'autodétermination). L'Europe occidentale a depuis lors unanimement favorisé une solution à un conflit qui déstabilise cette région stratégiquement proche, et qui complique les relations avec l'Algérie et le Maroc. L'implication de la Grande-Bretagne, de l'Espagne et dans une moindre mesure de la France dans l'émergence de ces deux revendications, les rend sensibles à l'égard de toute politique vis-à-vis de ces régions, ce dont l'Union et ses autres états membres ne peuvent faire abstraction".

Convenção de Viena sobre direito dos tratados, que podem ser consideradas "codificação do direito costumeiro existente nesse domínio".

A formação do estado, em nossos dias, pode ocorrer de três maneiras:

1) separação de parte da população e do território do estado já existente, subsistindo a personalidade internacional da mãe-pátria;

2) dissolução total do estado, não subsistindo a personalidade do antigo estado;

3) fusão de dois ou mais estados em um estado novo.

A grande maioria dos estados, surgidos nos séculos XIX e XX, nasceu mediante a separação de parte da população e do território do estado. No final do século XVIII e início do XIX, os países americanos surgiram dessa maneira, o mais das vezes depois de guerra de libertação, a exemplo do que ocorreu com os Estados Unidos, os países hispano-americanos e o Brasil, com as especificidades do caso deste.

O novo estado pode surgir mediante entendimento com a mãe-pátria, conforme ocorreu com a Província Cisplatina, em 1828, incorporada ao Brasil sete anos antes[82]. A independência de dezenas de antigas colônias, territórios sob tutela e territórios sem governo próprio enquadra-se nesse caso; embora as antigas potências colonialistas tenham resistido, acabaram concordando, diante da pressão exercida internacionalmente, com base no princípio da autolimitação.

Como exemplos de formação dos estados em virtude de desmembramento de estado que deixa de existir, citam-se alguns, aliás, já referidos:

- o caso da Grã-Colômbia, que se dissolve em 1830, e dá lugar ao nascimento das Repúblicas de Nova Granada (hoje Colômbia), Venezuela e Equador;
- o Império Austro-Húngaro, dissolvido depois da primeira guerra mundial, com o consequente surgimento das Repúblicas da Áustria, da Hungria e da Tchecoslováquia;
- o desmembramento da URSS resultou no nascimento de vários novos estados, surgindo daí a Federação Russa e outras repúblicas, como Ucrânia, Geórgia e Bielo-Rússia;
- a RSF da Iugoslávia, em processo de desagregação desde a morte de I. B TITO, sofreu uma série de sangrentas guerras de independência, da qual surgiram as Repúblicas da Eslovênia[83], Croácia, Bósnia-Herzegovina e

82. Gerardo CAETANO e José RILLA, **Historia contemporanea del Uruguay** – de la Colonia al Siglo XXI (Montevideu: Edtrl. Fin de Siglo, 2010, esp. Primera parte, "*De la colonia a la independencia 1500-1830*", p. 15-59); Benjamin NAHUM, **Breve Historia del Uruguay independiente** (Montevideu: Ediciones de la Banda Oriental, 8. ed., 2011).

83. Integra-se à UE em 2004.

Macedônia, ao passo que a separação se deu de forma pacífica, mediante referendo popular, desligando-se em 2006 Montenegro da Sérvia;

- o desmembramento da Tchecoslováquia realizou-se pacificamente, com o surgimento da República Checa e da Eslováquia. Ambas integram-se à União Europeia em 2004.

O terceiro modo de formação do estado – a *fusão* – ocorre quando o estado-núcleo absorve outras entidades, passando todos a formar um novo estado, isto é, mediante o desaparecimento da personalidade de todos, inclusive a do estado-núcleo. A fusão poderá ocorrer pacificamente ou por meio de conquistas. O exemplo clássico de estado por fusão é o da **Itália**, onde, em 1860, os ducados de Modena, Parma e Toscana e o Reino de Nápoles foram incorporados ao Reino da Sardenha e Piemonte, para formar o novo país[84], após séculos de divisão interna, analisam G. GRECO, M. ROSA *et al.* (1996)[85], o que não constitui novidade, como já apontava G. LEOPARDI (1824, publicado 1906)[86]. A controvérsia acerca da regionalização política italiana, nas últimas décadas, ilustraria fenômeno inverso[87]. Concomitantemente à crise do estado italiano e regionalização da atuação deste, dá-se a crescente atuação da União Europeia em quase todas as esferas relevantes da vida política e econômica de cada um dos vinte e sete estados que a integram.

Depois da segunda guerra mundial, houve ainda algumas tentativas de fusão, todas elas de curta duração, como a união entre o Egito e a Síria, na República Árabe Unida (RAU), de 1958 a 1961, e a da Síria com a Líbia.

Exemplo bem-sucedido, raramente lembrado, é o da fusão em 1964 de Zanzibar e Tanganica para constituir a **Tanzânia**.

Com a formação do estado, surge o problema de seu reconhecimento internacional. Ao ocorrer mudança de governo, em violação das normas constitucionais do estado, sobrevém o problema do reconhecimento de governo *de facto*. As duas situações têm muito em comum, e o direito internacional estabelece regras bastante semelhantes, aplicáveis quer a um caso, quer ao outro, mas é importante salientar situações bem distintas[88].

---

84. Mas, ao contrário do exemplo italiano, verifica-se que na maioria dos casos de fusão inexiste o sentimento de unidade nacional, e, em consequência, com o enfraquecimento do poder central, a fusão se desfaz, conforme ocorreu na URSS, na RSF da Iugoslávia e na antiga República Árabe Unida.

85. G. GRECO e M. ROSA (a cura di), **Storia degli antichi stati italiani** (Roma – Bari: Laterza, 1996).

86. Giacomo LEOPARDI, **Discorso sopra lo stato presente dei costumi degli italiani** (intr. Salvatore VECA, edição de Maurizio MONCAGATTA, Milão: Feltrinelli, 2. ed., 1991).

87. Paolo Sylos LABINI, **La crisi italiana** (Roma – Bari: Laterza, 1995); Sergio ROMANO, **Finis Italiae: declino e morte dell'ideologia risorgimentale** (Milano: All'insegna del Pesce d'Oro/Vanni Scheiviller, 1994); Marco SABELLA e Nadia URBINATI (a cura di), **Quale federalismo? Interviste sull'Italia del futuro** (Firenze: Vallecchi, 1994).

88. Accioly, **Tratado** (2009, v. I, livro primeiro, "*os estados*", p. 151 e s.); Bengt Broms, *States* (in **International Law**, UNES-

3.3.1. reconhecimento do estado

Reunidos os elementos que constituem o estado, o governo da nova entidade buscará o seu reconhecimento pelos demais membros da comunidade internacional, pois a esta implicará a aplicação das normas de direito internacional. No passado, o problema do reconhecimento das antigas colônias europeias nas Américas representou ato político-jurídico sumamente importante e foi, na maioria dos casos, objeto de prolongadas e difíceis negociações, que envolviam as antigas metrópoles e os novos estados.

O exemplo do Brasil é típico: proclamada a independência em 7 de setembro de 1822, só foi obtido o seu reconhecimento pelo Rei de Portugal, em 29 de agosto de 1825, por meio do Tratado de Paz e Aliança, em que as condições do reconhecimento, até mesmo as de natureza financeira, achavam-se enumeradas[89]. Com anterioridade, apenas os Estados Unidos e a Argentina haviam reconhecido o Brasil; a partir daquela data todos os demais países estavam livres para fazê-lo. No caso das antigas colônias espanholas, ocorreu o mesmo, ou seja, a Corte de Madri não só se recusou a reconhecê-las como independentes mas considerou qualquer iniciativa em tal sentido como ato inamistoso; aliás, a Espanha só reconheceu a independência do México em 1836.

Reconhecimento significa a decisão do governo de um estado existente de aceitar outra entidade como tal. Trata-se de ato jurídico, e tem este consequências jurídicas, mas na prática constatam-se considerações políticas, e pesam sobretudo no ato de reconhecimento. Tem-se discutido sobre se existe ***dever*** dos antigos estados de outorgar o reconhecimento a uma entidade que reúna os citados elementos constitutivos do estado; se em tese tal obrigação deveria existir, verifica-se ser a prática dos estados no sentido contrário.

CO, 1991, p. 43); C. BEVILÁQUA, **Direito público internacional** (1910, p. 30); Díez DE VELASCO, **Instituciones de derecho internacional público** (16. ed., 2007, cap. X, p. 269 s., esp. item 2, "*el estado como sujeto del derecho internacional*", p. 273-289); Frederick Hartmann, **The relations of nations** (3. ed., New York, 1967, p. 20); G. E. do Nascimento e Silva, *Os novos-antigos países da Europa Oriental*, **Jornal do Brasil**, 1º fev. 1993; H. Krabbe, **L'idée moderne de l'État** (RCADI, 1926, t. 13, p. 509); Hungdah Chiu, The international legal status of the Republic of China, in **Occasional papers, contemporary Asian studies**, University of Maryland, n. 5, p. 1, 1992; James Crawford, **The creation of States in international law** (Oxford: Clarendon Press, 2nd. ed., 2006, reprinted 2011); NASCIMENTO E SILVA, *La formación de los estados en la postguerra*, **Revista Jurídica y Social** (da Faculdade de Direito da Universidade del Litoral - Santa Fé, Argentina), n. 68-69, p. 331, 1951, reproduzido no **Jornal do Commercio**, 18 nov. 1951; Pastor RIDRUEJO, p. 309; Queiroz Lima, **Teoria do Estado**, Rio de Janeiro, 1943, p. 183; Quoc Dinh, p. 353; R. W. ERICH, **La naissance et la reconaissance des États** (RCADI, 1926, v. 13, p. 427-508).

89. *V.* P. B. CASELLA, **Direito internacional dos espaços** (São Paulo: Atlas, 2009, esp. cap. XXVII, "*território brasileiro e direito internacional*", p. 699-755 e cap. XXVIII, "*fases da formação do território brasileiro: algumas lições de direito internacional*", p. 756-776).

A natureza do reconhecimento do estado é tema sobre o qual a doutrina não chega a uma conclusão determinada: Para a maioria, o ato tem efeito ***declarativo***, mas existe importante corrente que defende a tese contrária, ou seja, que o efeito é ***atributivo***. O *Institut de Droit International* adotou resolução em Bruxelas, em 1936, cuja tese pendeu pelo efeito declarativo, ao afirmar que "é o ato livre pelo qual um ou mais Estados reconhecem a existência, em território determinado, de sociedade humana politicamente organizada, independente de qualquer outro estado existente, e capaz de observar as prescrições do direito internacional". Posteriormente, o Instituto retomaria o tema, com Resoluções adotadas nas sessões de Siena (1952) e Vancouver (2001).

Se se atribui ao reconhecimento o efeito ***declarativo***, o organismo que reúna todos os elementos constitutivos do estado tem o direito de ser assim considerado, e não deixa de possuir a qualidade de estado pelo fato de não ser reconhecido. Cumpre acrescentar a produção de efeitos retroativos, que remontam à data da formação definitiva do estado.

Se, para os defensores da doutrina do efeito ***declarativo***, o reconhecimento é ato unilateral em que um estado admite a existência de outro, para os defensores da tese atributiva ou constitutiva o reconhecimento, do ponto de vista do direito internacional, seria este o ato bilateral cuja atribuição da personalidade internacional aos estados se dá por consenso mútuo. Em outras palavras, há distinção entre o nascimento histórico e o nascimento da pessoa internacional.

D. ANZILOTTI expunha magistralmente a razão por que a personalidade internacional de estado surge concomitantemente com o seu reconhecimento. Assim como toda ordem jurídica determina os seus sujeitos, estabelece igualmente o momento em que começam a existir. E como sujeito jurídico significa ser destinatário de normas jurídicas, a personalidade existe quando uma entidade se torna destinatária de normas. As normas jurídicas internacionais constituem-se por meio de acordos; os sujeitos da ordem jurídica internacional começam, portanto, a existir no momento em que se verifica um primeiro acordo: precisamente nesse instante as entidades envolvidas tornam-se uma em relação à outra destinatárias das normas resultantes do referido acordo e, portanto, sujeitos da ordem jurídica de que estas normas fazem parte.

O reconhecimento de novos estados pode ser ***expresso*** ou ***tácito***, mas deve sempre indicar claramente a intenção do estado que o pratica. No primeiro caso, faz-se objeto de alguma declaração explícita numa nota, num tratado, num decreto. No segundo caso, o reconhecimento resulta implicitamente de algum ato que torne aparente o tratamento de novo estado como membro da comunidade internacional: é o caso, por exemplo, do início de relações diplomáticas ou o da celebração de um tratado com esse estado.

Segundo muitos internacionalistas e de acordo com resolução do IDI, o reconhecimento pode também ser ***de jure***, ou ***de facto***, sendo definitivo e completo o primeiro, e provisório ou limitado a certas relações jurídicas o segundo.

O reconhecimento pode igualmente ser ***individual*** ou ***coletivo***, conforme emane de um só estado ou, ao mesmo tempo, de vários estados. De ato essencialmente individual, mais e mais se coloca o reconhecimento de estado como ato coletivo, relacionado à entrada do novo estado na Organização das Nações Unidas.

O reconhecimento é feito, em geral, sem condições, mas, como se trata de ato unilateral, pode ser subordinado a condições. Citam-se, aliás, diversos casos de reconhecimento condicional.

A inexecução ou desrespeito, por parte do novo estado, da condição ou condições estabelecidas deve determinar a suspensão ou anulação do reconhecimento.

O reconhecimento, feito sem condições, pode ser considerado como ***irrevogável***.

Se um estado cessa de existir ou perde definitivamente qualquer dos elementos essenciais cuja reunião determina o ato de reconhecimento, este se torna ***caduco***.

Não há regras precisas e absolutas sobre o momento oportuno para o reconhecimento. Parece, entretanto, que a esse respeito se podem admitir os três princípios seguintes:

1º) se se trata de estado surgido de movimento de sublevação, o reconhecimento será prematuro enquanto não cessar a luta entre a coletividade sublevada e a mãe-pátria, a menos que esta, após luta prolongada, mostre-se impotente para dominar a revolta e aquela se apresente perfeitamente organizada como estado;

2º) desde que a mãe-pátria tenha reconhecido o novo estado, este poderá ser logo reconhecido pelos demais membros da comunidade internacional;

3º) se se trata de estado surgido por outra forma, este poderá ser reconhecido logo que apresente todas as características de estado organizado e demonstre, por atos, sua vontade e sua capacidade de observar os preceitos do direito internacional.

O estudo do reconhecimento internacional de estado tem sofrido certa evolução diante da processualística seguida na admissão de novos membros nas Nações Unidas. Na vigência da Sociedade das Nações, argumentou-se que a admissão na organização implicava o reconhecimento tácito do novo estado pelos demais membros da Liga. R. ERICH, contudo, declarava ser errônea a pretensão de que a simples admissão acarretasse seu reconhecimento como estado, a ponto de ele lembrar, entre outros argumentos, que a organização genebrina admitia como seus membros não só os estados, mas também os *domínios britânicos* e até colônias, e que um estado podia ser admitido mesmo com o voto em sentido contrário de um membro.

Segundo a melhor doutrina, contudo, não se pode endossar tal tese, pois a admissão na Sociedade das Nações acarretava direitos e obrigações que só uma pessoa internacional podia possuir. Mais ainda, o **Pacto**, aceito por todos os estados, estipulava expressamente que um estado podia ser admitido pela maioria de dois terços dos membros da Assembleia.

Os mesmos argumentos aplicam-se às Nações Unidas, e, em tal sentido, cabe referir o ensinamento de Hans KELSEN, cuja posição, contrária à de Charles de VISSCHER, considera que a admissão nas Nações Unidas não implica reconhecimento individual pelos estados-membros nem cria a obrigação individual de estes reconhecerem determinado governo ou de com ele manterem relações diplomáticas.

A questão da **admissão como membro das Nações Unidas** foi objeto de dois pareceres, emanados da Corte Internacional de Justiça. Por Resolução da AGNU, datada de 17 de novembro de 1947, esta formula à Corte a pergunta quanto à possibilidade de um membro das Nações Unidas ser chamado a se manifestar, por meio de voto do estado, seja no Conselho de Segurança ou na Assembleia geral, a respeito das condições de admissão de estado como membro da organização, e indaga quanto a ser juridicamente fundado fazer depender o consentimento de condições não estipuladas na Carta.

A questão girava em torno das condições estipuladas no artigo 4º da Carta, em que a "admissão como membro das Nações Unidas fica aberta a todos os estados amantes da paz que aceitarem as obrigações, contidas na presente Carta, e que, a juízo da organização, estiverem aptos e dispostos a cumprir tais obrigações"[90].

Deve a interpretação dos dispositivos do artigo 4º ser no sentido de que estes excluem qualquer apreciação política por parte dos estados-membros, ao apreciar a candidatura de novo estado? A Corte respondeu não terem tais condições qualquer relação com as responsabilidades políticas quer da Assembleia geral, quer do Conselho de Segurança,uma vez que são claras e devem como tal ser aplicadas, independentemente de quaisquer outras considerações. Vários juízes formularão votos dissidentes, dentre os quais o do juiz Basdevant, que defendeu ser a admissão de novo membro das Nações Unidas, antes de tudo, ato político e confiado a órgãos políticos (CS e AGNU), que permanecem livres para apreciar cada pedido.

90. Carta da ONU, art. 4º, parágrafo 2º: "A admissão de qualquer desses estados, como membros das Nações Unidas, será efetuada por decisão da Assembleia Geral, mediante recomendação do Conselho de Segurança".

O segundo parecer foi solicitado pela AGNU um ano mais tarde, conforme Resolução de 22 de novembro de 1949. A resposta da CIJ é incisiva, no sentido da "necessidade da recomendação do Conselho de Segurança", sob pena de vício de procedimento, o que caracteriza ato essencial (*acte condition*). Na forma do artigo 4º, a Corte acrescenta que tal recomendação do CS deve ser favorável, para que a admissão seja pronunciada pela AGNU[91].

A questão do reconhecimento de estado teve desenvolvimentos específicos relacionados ao movimento de autodeterminação dos povos, após a segunda guerra mundial. Este se fez, muitas vezes, sem modelos conceituais[92] nem planejamento, na medida em que aconteceu em lapso temporal bastante determinado a ponto de despejar no sistema internacional, por cerca de quinze anos, número de estados que multiplicou ao longo desse tempo. Ainda recentemente, no caso do **Timor Leste**, mostra não ter progredido o modelo[93] O impacto e os desdobramentos desse quadro ainda estão sendo absorvidos dada a irreversível mudança do sistema internacional a partir de 1960.

A passagem da autodeterminação ***nacional*** para a autodeterminação ***dos povos*** faz-se de modo sutil, como analisam E. McWHINNEY (2002) e A. A. CANÇADO TRINDADE (2002)[94], e viria a ter lugar depois da segunda guerra

---

91. Como observa Blaise TCHIKAYA, **Mémento de la jurisprudence du droit international public** (Paris: Hachette, 2000, p. 57-58, cit. p. 58): "Ces avis ont un fonds politique: d'une part, la guerre froide et la bipolarité idéologique faisaient préférer un candidat à l'adhésion plutôt qu'un autre, d'autre part, la politique de la 'chaise vide' appliquée par l'URSS paralysa un certain temps le Conseil de sécurité". Além da situação concreta com dois pareceres a seguir indicados, a Corte impõe às Nações Unidas critérios de interpretação lógica e eficaz: a CIJ completa precedentes da CPJI, com os pareceres consultivos a respeito do **serviço postal polonês em Dantzig**, de 16 demaio de 1925, bem como sobre o **trabalho feminino noturno**, de 15 de novembro de 1932, buscando *o sentido do texto em seu significado corrente.* A Corte ressalta ser este o primeiro dever de tribunal (Recueil, 1950, p. 8) e conclui "não haver necessidade de recorrer aos *travaux préparatoires* quando o texto de uma convenção for suficientemente claro". *V.*, a respeito dos *travaux préparatoires*, a interpretação de H. LAUTERPACHT, **Les travaux préparatoires et l'interprétation des traités** (RCADI, 1934, t. 48, p. 709-818).

92. Embora se admita como marco inicial de uso corrente a instauração da **autodeterminação dos povos** como princípio de direito internacional após a primeira guerra mundial, a ideia remonta ao Iluminismo do século XVIII. A inspiração histórica, exportada a partir da França revolucionária, dos conceitos de soberania popular e da renúncia às guerras de conquista, combina com o tríplice imperativo filosófico do liberalismo, nacionalismo e independência. A respeito *v.* 3.5, "*secessão no direito internacional – o Parecer consultivo da Corte Internacional de Justiça sobre o Kosovo, de 22 de julho de 2010*", e tb. P. B. CASELLA, *Contemporary trends on opinio juris and the material evidence of international customary law (Gilberto Amado Memorial Lecture*, apresentada à International Law Commission, em Genebra, em 17 de julho de 2013, disponível no *site* da Comissão, ilc-cdi).

93. A. A. Cançado TRINDADE, *O caso Timor Leste (1999): o direito de autodeterminação do povo timorense* (in **O direito internacional em um mundo em transformação: ensaios 1976-2001**, prefácio de Celso D. de Albuquerque MELLO, Rio de Janeiro: Renovar, 2002, p. 723-745); *v.* também Geoffrey C. GUNN, **Complicity in Genocide: report to the East Timor "Truth Commission" on International Actors** (Macau: Tipografia Macau-Hong Kong / Geoffrey C. Gunn, 2006).

94. Edward McWHINNEY, **Self-determination of peoples and plural-ethnic states (secession and state succession and the alternative federal option)** (RCADI, 2002, t. 294, p. 167-264, Chapter I, "Self-determination of peoples as United Nations Charter principle. Historical roots and contemporary international law / municipal (constitutional) law antinomies", p. 177-190, cit., p. 179-180): "Self-determination was not recognized, as a general principle, in the Covenant of the Le-

mundial, em mutação sem dúvida essencialmente influenciada pelas reações pós-guerra quanto aos excessos patológicos cometidos, em nome do nacionalismo, durante os anos 1930 e durante todo o período do conflito armado. Se a mudança pareceu antes orientada para questão de terminologia que de conteúdo, logo foi aceita como paradigma nas Nações Unidas e nas esferas correlatas de geração de normas internacionais.

A *autodeterminação dos povos* incide, inexoravelmente, sobre o tema do reconhecimento de estado, ou seja, torna-se a rubrica legal em cujos termos os movimentos políticos autóctones nas antigas colônias europeias no além-mar procuraram legitimar as rupturas com as antigas metrópoles, ou contentando-se com menos, a autonomia e autogoverno, sem desligamento total em relação a esses estados. A independência política levará a outros questionamentos.

A partir do desligamento político, total ou parcial, coloca-se, para esses novos sujeitos de direito internacional, o inevitável e insolúvel questionamento desse direito, que foi consideravelmente herdado das antigas metrópoles, e que se vai tentar reestruturá-lo, no que vem a ser o direito internacional pós-moderno. Pouco clara em sua formulação, pouco clara em seus objetivos, essa reformulação estrutural do direito internacional, em contexto pós-moderno, em boa medida ainda permanece por fazer, por parte desses novos estados, desde meados do século XX.

A **Carta** da ONU estipula como um dos princípios da organização, no artigo primeiro, parágrafo segundo, o "princípio da igualdade de direito e de autodeterminação dos povos", o que se retoma e detalha, no Capítulo XII da Carta, "sistema internacional de tutela"[95], cujo artigo 76, letra 'b', declara como objetivo básico do sistema de tutela "fomentar o progresso político, econômico, social e educacional dos habitantes dos territórios tutelados e o seu desenvolvimento progressivo para alcançar governo próprio ou independência, como mais convenha às circunstâncias particulares de cada território e de seus habitantes e aos

ague of Nations created (without the participation of the United States) as part of the Versailles settlements. It was, however, clearly influential in the post-Versailles series of treaties on protection of minorities, concluded under the auspices of the League of Nations, and in a number of plebiscites conducted in areas of conflicting national claims so as to determine final disposition of territorial claims and to arrange, where necessary, for peaceful transfer or exchange and resettlement of populations. It was a system that was able to work, well enough, in the 1920s, before the onset of the world crisis in the 1930s and the challenge by the extreme nationalist forces in the defeated enemy countries of World War I to the fundamentals of the Versailles peace settlements. It does, however, demonstrate what might have been, if a genuine will to apply the self-determination principle, in the full spirit of Wilson's Fourteen points, had already been there at Versailles".

95. Em muitos aspectos pode ser comparado ao anterior sistema dos mandatos, no quadro da Sociedade das Nações, como já analisava N. BENTWICH, **Le système des mandats** (RCADI, 1929, t. 29, p. 115-186). Sobre a mutação qualitativa ocorrida no sistema, ver P. B. CASELLA, *Contemporary trends on opinio juris and the material evidence of international customary law (Gilberto Amado Memorial Lecture*, apresentada à International Law Commission, em Genebra, em 17 de julho de 2013, disponível no *site* da Comissão, ilc-cdi).

desejos livremente expostos dos povos interessados, e como for previsto, nos termos de cada acordo de tutela".

A **Resolução 1514 (XV) da AGNU, adotada em 14 de dezembro de 1960**[96], depois de declarar no preâmbulo o princípio das Nações Unidas de iguais direitos e da autodeterminação de todos os povos, proclama a "necessidade de levar a pronto e incondicional termo todas as formas e as manifestações do colonialismo". Estipula: "1. a sujeição de povos a subjugação, dominação e exploração estrangeira constitui denegação de direitos humanos fundamentais; é contrária à Carta das Nações Unidas e constitui impedimento para a promoção da paz e da cooperação mundiais; 2. todos os povos têm o direito à autodeterminação; em virtude de tal direito, determinarão eles livremente seu estatuto político e livre persecução de seu desenvolvimento econômico, social e cultural".

O acionamento do princípio de autodeterminação dos povos ensejou várias consequências na acomodação deste em relação a outros princípios de direito internacional, estipulados no sistema da ONU, como enfatiza McWHINNEY (2002)[97], "cada princípio positivo marcha em companhia de outro, potencialmente contrário", sob a forma de antinomias jurídicas. Assim, ao princípio de autodeterminação dos povos se contrapõe o princípio estipulado no artigo 2º, parágrafo 4º, da Carta, segundo o qual "todos os membros deverão evitar em suas relações internacionais a ameaça ou o uso da força contra a integridade territorial ou a independência política de qualquer Estado, ou qualquer outra ação incompatível com os propósitos das Nações Unidas", ao qual se acresce o artigo 2º, parágrafo 7º, no sentido de que "nenhum dispositivo da presente Carta autorizará as Nações Unidas a intervirem em assuntos que dependam essencialmente da jurisdição interna de qualquer estado, ou obrigará os membros a submeterem tais assuntos a uma solução, nos termos da presente Carta", sob ressalva expressamente colocada quanto à aplicação das medidas coercitivas do Capítulo VII da **Carta**.

A Guerra Fria deixa a sua marca na regulação da convivência pacífica entre os povos[98]. Como ilustra a **Resolução AGNU 2625 (XXV), de 24 de outubro**

---

96. E. McWHINNEY (op. cit., loc. cit.): "The United Nations General Assembly's striking resolution 1514 (XV) of 14 December 1960, adopted by a vote of 89 to 0, with 9 abstentions (the abstentions include some then still active European colonial powers – Belgium, France, Great Britain, Portugal, Spain, as well as the United States, Australia and the white-minority-ruled Union of South Africa) is much more categorical".

97. E. McWHINNEY (op. cit., p. 181-184).

98. P. B. CASELLA, **Direito internacional no tempo medieval e moderno até VITORIA** (2012, cap. XI, "*tratadistas da guerra: Balthazar AYALA e Pierino BELLI*", p. 245-379); H. WEHBERG, **Le problème de la mise de la guerre hors la loi** (RCADI, 1928, t. 24, p. 147-306); L. de BROUCKÈRE, **Les travaux de la Société des Nations en matière de désarmement** (RCADI, 1928, t. 25, p. 365-450); E.-E.-F. DESCAMPS, **Le droit international nouveau: influence de la condamnation de la guerre sur l'évolution juridique internationale** (RCADI, 1930, t. 31, p. 393-560); G. I. TUNKIN, **Coexistence and international law** (RCADI, 1958, t. 95, p. 1-82); O. V. BOGDANOV, **Outlawry of war, and disarma-**

de 1970, sobre as Relações amistosas e cooperação entre estados, em conformidade com os princípios da Carta da ONU[99], espécie de racionalização das regras do jogo do período da Guerra Fria. Isso se mostra também no plano econômico[100]. Aponta J. SOUBEYROL (1970)[101] a necessidade desse sistema.

O princípio da ***autodeterminação*** dos povos estaria dentre os princípios do direito internacional, no contexto pós-moderno, como parte de ***jus cogens*** internacional. Isso altera a visão e o tratamento tradicionais do ***reconhecimento*** de estado, o que pode ser algo a ser compatibilizado com os demais princípios já apontados também no âmbito da ONU.

A ***questão do conteúdo e dos efeitos do reconhecimento*** perdeu importância, principalmente em face do sistema das Nações Unidas. Antes de mais nada, a admissão depende, em primeiro lugar, do voto positivo dos cinco membros permanentes do Conselho de Segurança, para então ser levada à Assembleia Geral, onde, de acordo com a atual praxe, as decisões são tomadas por consenso, isto é, não há voto contra. A questão podia ser discutida no passado, mas atualmente o que se verifica é que ocorre reconhecimento coletivo e mútuo, sem que isto signifique a obrigatoriedade da manutenção de relações diplomáticas.

---

ment (RCADI, 1971, t. 133, p. 15-42); A. S. FISCHER, **Outlawry of war, and disarmament** (RCADI, 1971, t. 133, p. 389-412); P. C. JESSUP, **To form a more perfect United Nations** (RCADI, 1970, t. 129, p. 1-24); S. M. SCHWEBEL, **Aggression, intervention and self-defence in modern international law** (RCADI, 1972, t. 136, p. 411-498); G. ARANGIO-RUIZ, **The normative role of the General Assembly of the United Nations and the Declaration of principles of friendly relations, with an appendix on the concept of international law and the theory of international organization** (RCADI, 1972, t. 137, p. 419-742); José E. ALVAREZ, **International organizations as law-makers** (Oxford: Univ. Press, 2005).

99. AGNU, Resolução 2625 (XXV), **Declaration on Principles of International Law Concerning Friendly Relations and Co-operation Among States in Accordance with the Charter of the United Nations** (A/8082).

100. L. N. ORLOV, **Soviet joint enterprises with capitalist firms and other joint ventures between east and west** (RCADI, 1990, t. 221, p. 371-414) e Russell H. CARPENTER Jr., Soviet joint enterprises with capitalist firms and other joint ventures between east and west: the western point of view (RCADI, 1990, t. 222, p. 365-421, "Conclusion", p. 421): "From the standpoint of many would be Western participants, what is most important is the conviction that the course of change to a market system is irreversible. In July of 1990, it is somewhat easier to form that conviction as to some of the Eastern European countries, like Hungary and Poland, than it is for the Soviet Union, where the equivocations, the uncertainty of the leadership about how to proceed and the resistance to change in important elements of the society as a whole are more conspicous".

101. Apontava Jacques SOUBEYROL, no curso **Las iniciativas coercitivas de la O.N.U. y la legalidad interna de la organización** (trad. do original francês por Alberto HERRERO de la Fuente, Valladolid: Cuadernos de la Cátedra J. B. Scott, Univ. de Valladolid, 1970, "Conclusion", p. 95-98, cit. p. 95), a necessidade de não sentir desalento diante do fracasso quase latente das tentativas das Nações Unidas de pôr de pé política de sanções internacionais de caráter pacífico. A essa avaliação tanto pessimista acresce ressalva de que somente pequeno número, dentre todas as múltiplas resoluções adotadas pela organização, pode ser considerado como revestido de alcance juridicamente obrigatório. *V.* tb.: P. B. CASELLA, *Reforma da ONU pós-Kelsen* (in IV Conferência Nacional de Política Externa e Política Internacional, **Reforma da ONU** (Rio de Janeiro, Palácio Itamaraty, 21 de agosto de 2009, "O Brasil e o mundo que vem aí", Brasília: FUNAG, 2010, p. 143-210); Aziz HASBI, **ONU et ordre mondial: réformer pour ne rien changer** (Paris: L'Harmattan, 2005); Djacoba L. TEHINDRAZANARIVELO, **Les sanctions des Nations Unies et leurs effets secondaires** – Assistance aux victimes et voies juridiques de prévention (Paris: PUF/Publications de l'Institut Universitaire de Hautes Études Internationales, 2005).

Se dúvidas podem existir quanto à obrigação de reconhecer novos estados, a doutrina e a prática indicam que, ao contrário, estado criado em violação do direito internacional não deve ser reconhecido. Essa doutrina do ***não reconhecimento*** surgiu a propósito da criação de suposto estado na Manchúria pelo Japão à custa da China. A **doutrina** foi proclamada em janeiro de 1932 pelo então Secretário de estado norte-americano, Henry **SIMPSON**, justamente a propósito do conflito sino-japonês, iniciado no ano anterior.

A mesma doutrina foi consagrada pela Assembleia da Sociedade das Nações, a 11 de março de 1932, ao aprovar unanimemente **Resolução** que declarou: "os membros da Sociedade das Nações são obrigados a não reconhecer situação alguma, tratado ou acordo algum, que possa resultar de meios contrários ao Pacto da Sociedade das Nações ou ao Pacto de Paris".

As repúblicas americanas também aceitaram a referida doutrina quando, em nota de 3 de agosto de 1932, um total de dezenove, dirigindo-se à Bolívia e ao Paraguai, anunciou que não reconheceria solução territorial alguma do litígio paraguaio-boliviano, obtida por ocupação ou conquista, por meio da força de armas, e quando, pelo artigo 1º do Tratado Antibélico do Rio de Janeiro, de 10 de outubro de 1933, e pelo artigo 11 da Convenção de Montevidéu, de 26 de dezembro de 1933, sobre direitos e deveres dos estados, declararam-se obrigadas a não reconhecer aquisições territoriais realizadas pela força.

3.3.2. reconhecimento de beligerância e insurgência

O direito internacional admite alguns atos que podem proceder ao reconhecimento de estado como tal. Dentre eles figura em primeiro lugar o reconhecimento como ***beligerante***. Tal ato, embora não seja suficiente, de per si, para a finalidade do reconhecimento, significa que passará o beligerante a desfrutar das regras de direito internacional aplicáveis nos casos de neutralidade.

Na *busca de critério para a integração da guerrilha ao direito internacional humanitário contemporâneo*, observa Charles CHAUMONT (1974)[102] ter a comunidade internacional muitas caras. A tal ponto que a própria noção de "comunidade", se não lhe for atribuído conteúdo preciso, vê-se esvaziada de sentido,

102. Charles CHAUMONT, *La recherche d'un critère pour l'intégration de la guérilla au droit international humanitaire contemporain* (in **La communauté internationale**, Paris: Pedone, 1974, p. 43-61). *V.* tb. Raymond RANJEVA, *Les peuples et les mouvements de libération nationale* (in **Droit international: bilan et perspectives**, M. BEDJAOUI red. geral, Paris: UNESCO / Pedone, 1991, v. I, p. 107-118; P. B. CASELLA, **Direito internacional no tempo medieval e moderno até VITORIA** (2012, cap. XI, "*tratadistas da guerra: Balthazar AYALA e Pierino BELLI*", p. 245-379, esp. 11.7, "*a guerrilha e o direito internacional*", p. 372-379).

parecendo antes modo de falar; que traduz certo número de exigências, mais que realidades verificadas. Dentre tais exigências, os imperativos do direito internacional humanitário, aplicados em período de conflito armado, parecem inscrever-se dentre os dados incontestáveis[103]. Poderia parecer que o reconhecimento da *guerrilha* em perspectiva distinta do que o faziam as normas da Haia de 1907 acarretaria, na opinião de alguns, recuo em relação aos ideais do direito internacional humanitário, e daí a decorrente diminuição do valor do ideal de *"comunidade internacional"*. Mas é preciso ver de frente as realidades: para os engajados na resistência e os revolucionários trata-se de questão de vida e morte uma vez que eles lutam pela subsistência e pela liberdade de sua pátria e de seu povo[104].

Dentre os atos mencionados como preliminares àquela finalidade, cita-se o reconhecimento como nação, bem como em tal sentido alguns pronunciamentos feitos no decorrer da primeira guerra mundial. Os autores têm salientado que tal reconhecimento não tem alcance jurídico, mas o fato é que nas negociações de paz certas coletividades foram devidamente contempladas e deixaram de pertencer à antiga mãe-pátria. Mas é forçoso reconhecer que em todos os casos, após a primeira guerra mundial, a motivação era política e visava ao enfraquecimento dos impérios centrais.

O reconhecimento como beligerante ocorre quando parte da população se subleva para criar novo estado ou então para modificar a forma de governo existente e quando os demais estados resolvem tratar ambas as partes como beligerantes num conflito aplicando as pertinentes regras de direito internacional. No caso de revolução, com o objetivo apenas de modificar de modo violento a forma de governo existente, não se trata obviamente de ato que precede o reconhecimento, mas as regras aplicadas em ambos os casos são idênticas.

Se a luta assume vastas proporções, de tal sorte que o grupo sublevado se mostra suficientemente forte para possuir e exercer de fato poderes análogos aos do governo do estado, constitui governo responsável, mantém a sua autoridade sobre parte definida do território do estado, possui força armada regularmente organizada, submetida à disciplina militar, e se mostra disposto a respeitar os direitos e os deveres de neutralidade, os governos estrangeiros poderão pôr as

---

103. Ch. CHAUMONT (cap. cit., 1974, p. 43); deste, *v.* também **Cours général de droit international public** (RCADI, 1970, t. 129, p. 333-528) e **Nations Unies et neutralité** (RCADI, 1956, t. 89, p. 1-60).

104. Ch. CHAUMONT (cap. cit., p. 60-61): "la guérilla est l'ultime recours, ou parfois même le seul vrai recours contre l'injustice et l'oppression. Celles-ci ont pris tant de formes nouvelles et subtiles dans les relations internationales et les sociétés contemporaines, qu'il est très difficile de compter, pour y mettre fin, sur les expressions pacifiques, orales ou écrites, de la volonté". *V.* tb. P. B. CASELLA, **Direito internacional no tempo medieval e moderno até VITORIA** (2012, cap. XI, "*tratadistas da guerra: Balthazar AYALA e Pierino BELLI*", esp. 11.7, "*a guerrilha e o direito internacional*", p. 372-379).

duas partes em luta no mesmo pé de igualdade jurídica, reconhecendo-lhes a qualidade de beligerantes. Para isto, os interesses do governo que deseje efetuar tal reconhecimento devem ter sido atingidos pela luta ou, pelo menos, o desenvolvimento do conflito deve ser tal que os demais estados não possam, por assim dizer, ficar alheios acerca dele.

O reconhecimento da beligerância não deve ser prematuro. Mas se é a própria mãe-pátria quem a reconhece, por declaração expressa ou, implicitamente, por atos inequívocos (tal como, por exemplo, a declaração do bloqueio de um porto ocupado pelos sublevados), considera-se que o mesmo reconhecimento, por parte de governos estrangeiros, não será intempestivo.

O principal dos efeitos do reconhecimento da beligerância é conferir *de fato* ao grupo insurreto os direitos e deveres de estado, no tocante à guerra. Se os insurretos são reconhecidos como beligerantes pela mãe-pátria (ou pelo governo legal), esta não poderá mais tratá-los, até o fim das hostilidades, como rebeldes, mas, ao mesmo tempo, exonera-se de qualquer responsabilidade pelos seus atos ou pelos danos e prejuízos sofridos por potências estrangeiras ou seus nacionais em consequência da incapacidade do estado de preencher suas obrigações internacionais sobre a parte ou partes do território que, na ocasião, não se achem sob a sua autoridade.

Em geral, o reconhecimento da ***beligerância*** toma a forma de ***declaração de neutralidade***.

Quando uma insurreição, com fins puramente políticos, deixa de ter o caráter de simples motim e assume proporções de guerra civil, sem, contudo, se lhe poder reconhecer o caráter jurídico desta, considera-se existir situação de fato que, não podendo ser classificada como estado de beligerância, não deve ser qualificada como situação de pura violência ou de banditismo.

A esse estado de fato, que poderá ser reconhecido por governos estrangeiros, dá-se a denominação de ***insurgência***. O seu reconhecimento não confere propriamente direitos especiais aos insurretos, mas produz certos efeitos. Assim:

1º) os insurgentes não poderão ser tratados como "terroristas", nem, a exemplo do que lhes era antigamente atribuído, de "piratas" ou "bandidos" pelos governos que os reconheçam;

2º) a mãe-pátria (ou o governo legal), se os reconhece, deverá tratar como prisioneiros de guerra os que caírem em seu poder;

3º) nessa mesma hipótese, os atos dos insurretos não comprometerão, necessariamente, a responsabilidade da mãe-pátria (ou do governo legal).

Em qualquer caso, aos insurretos não será lícito exercer os direitos de visita e busca, nem o de captura de contrabando de guerra, nem o de bloqueio.

Admite-se, contudo, que, nas águas territoriais do seu próprio país, exerçam o direito de se opor à entrega de fornecimento de guerra à parte adversa.

3.3.3. reconhecimento de governo

As modificações constitucionais da organização política de estado são da alçada do direito interno, mas quando a modificação ocorre em violação da Constituição, como no caso de uma guerra civil, os governos resultantes de tais golpes de estado precisam ser reconhecidos pelos demais estados. O reconhecimento do novo governo não importa no reconhecimento de sua legitimidade, mas significa apenas que este possui, de fato, o poder de dirigir o estado e o de representá-lo internacionalmente.

O reconhecimento de governos não deve ser confundido com o de estados. Mas o de estado comporta, automaticamente, o do governo que, no momento, se acha no poder. Se a forma de governo muda, isto não altera o reconhecimento do estado: só o novo governo terá necessidade de novo reconhecimento.

Em relação aos novos governos, o reconhecimento poderá também ser expresso ou tácito. O primeiro é feito, geralmente, por meio de nota diplomática. O segundo deve resultar de fatos positivos que importem na admissão da existência de novo governo e de que este exerce autoridade sobre o respectivo estado e o representa internacionalmente.

A simples circunstância de determinado governo deixar que os seus próprios cônsules continuem a desempenhar as suas funções em território sob a autoridade de um governo de fato não implica o reconhecimento deste último. Da mesma forma, não se deve concluir a existência de reconhecimento se um governo permite que, no território do respectivo estado, continuem a exercer funções cônsules de um governo de fato, se estes já possuíam *exequatur*. O mesmo, finalmente, ainda se poderá dizer quando um governo se limita a nomear alguém para exercer funções consulares em território submetido a um governo de fato, anterior à nomeação, mas não solicita o *exequatur*.

Do mesmo modo que o reconhecimento de estado, o de governos pode ser ***de jure***, quando definitivo e completo, ou ***de facto***, quando provisório ou limitado a certas relações jurídicas. A doutrina contribui com especificações adicionais[105].

---

105. ACCIOLY, **Tratado** (2009); Bengt BROMS, *International law: achievements and prospects*, p. 47 (coletânea); D. ANZILOTTI, **Cours de droit international public** (trad. Gilbert GIDEL, 1929, avant propos de P.-M. DUPUY e C. LEBEN, Paris: Ed. Panthéon-Assas, 1999); M. DIEZ DE VELASCO, **Instituciones de derecho internacional público** (Madrid: Tecnos, 16. ed., 2007); G. E. do NASCIMENTO E SILVA, *Efeito do reconhecimento internacional dos estados* (**Bol. SBDI**,

O próprio governo, resultante de transformação da estrutura interna do estado ou de um golpe de estado, pode ser – e é geralmente – *de facto* antes de se tornar *de jure*, isto é, antes de obedecer, na sua formação e no exercício da sua autoridade, a normas constitucionais.

De conferência reunida em Cannes, em 1922, resultou a doutrina de que um governo, para ser reconhecido, deveria aceitar os seguintes princípios: a proteção da propriedade individual, o reconhecimento das dívidas; a garantia da execução dos contratos, o compromisso da abstenção de toda propaganda subversiva contra outros países. Fundadas nessa doutrina, as potências ali reunidas resolveram, então, não reconhecer o governo soviético russo.

Em geral, o reconhecimento de governos ***de facto*** ou de qualquer novo governo obedece exclusivamente a conveniências políticas. Diversas doutrinas, entretanto, têm procurado submeter o ato a princípios precisos. Alguns países têm, por outro lado, adotado certas normas que inspiram a respectiva política nessa matéria.

Assim, por exemplo, os Estados Unidos da América, desde os primórdios da sua independência, sustentaram que se devia reconhecer como legítimo todo governo oriundo da vontade nacional, claramente manifestada. Mais tarde, acrescentaram a esse princípio o da intenção e capacidade do novo governo de preencher as obrigações internacionais do estado.

A doutrina brasileira sobre o assunto muito se aproxima dessa formulação. É assim que o Brasil adota, como a União Americana, o princípio das situações de fato. Mas, na sua aplicação, leva em conta as seguintes circunstâncias:

1ª) a existência real de governo aceito e obedecido pelo povo;

2ª) a estabilidade desse governo;

3ª) a aceitação, por este, da responsabilidade pelas obrigações internacionais do respectivo estado.

Cumpre referir, brevemente, as doutrinas Tobar e Estrada, em relação ao tema[106].

A **doutrina Tobar**, elaborada por antigo ministro das relações exteriores do Equador, pretende que se não deve reconhecer governo algum oriundo de

1945, v. 1, p. 37); Georges SCELLE, **Précis de droit des gens** (Paris, 1932, v. 1, p. 103); H. LAUTERPACHT, **Recognition in international law** (Cambridge: Univ. Press, 1947); R. ERICH, **La naissance et la reconaissance des états** (RCADI, 1926, t. 13, p. 427-508); Robert REDSLOB, La reconnaissance de l'État comme sujet de droit international (*Revue de Droit International*, 1934, t. 13, p. 450); G. C. M. RUSSOMANO, **Direito internacional** (1989, p. 199); Charles de VISSCHER, **Théories et réalités en droit international public** (Paris: Pedone, 1953, '*La reconnaissance internationale*', p. 277-290); WHITEMAN, v. 2, p. 15; Roberto Luiz SILVA, **Direito internacional público** (Belo Horizonte: Del Rey, 4. ed., 2010, pref. P. B. CASELLA, Cap. 11 "Reconhecimento de estado e de governo", p. 213-218).

106. *V.* tb., a seguir, item 3.7. "Doutrinas".

golpe de estado ou de revolução, enquanto o povo do respectivo país, por meio de representantes livremente eleitos, não o tenha reorganizado constitucionalmente. No contexto interamericano seria tentativa de proteger o princípio da legitimidade democrática.

Por sua vez, a **doutrina Estrada** surge em setembro de 1930, quando o então secretário de estado das relações exteriores do México, Genaro ESTRADA, afirma que o reconhecimento de governos constitui prática afrontosa, que fere a soberania da nação interessada e importa em atitude de crítica. Por isso, um governo não deve subordinar a manutenção ou retirada dos seus agentes diplomáticos junto a outro governo à preocupação de o reconhecer ou não. Essa doutrina peca pela base, porque o reconhecimento nada tem que possa ferir a soberania do governo a que se aplique, nem é atitude de crítica em relação aos negócios internos de outro estado. É uma consequência do direito que tem todo governo de manter ou deixar de manter relações com outro governo. Por outro lado, manter ou retirar uma missão diplomática, em semelhante circunstância, importa, afinal de contas, em reconhecer ou não reconhecer, tacitamente, o novo governo.

3.4. Extinção e sucessão de estado

Os desmembramentos da URSS, da RSF da Iugoslávia e da República Tchecoslovaca, já mencionados, vieram chamar a atenção, mais uma vez, para o complexo problema da ***extinção*** de estados e a consequente ***sucessão***. Depois da primeira e da segunda guerras mundiais, o problema fora motivo de preocupação, sem que a doutrina tenha conseguido consolidar normas gerais para assegurar a evolução da regulação da matéria.

O direito internacional ainda não apresentou conceito objetivo a respeito da extinção de estado. A anexação da Estônia, Letônia e Lituânia pela ex-URSS, em 1940, parecia fato consumado, mas, passados mais de 50 anos, pode-se perguntar se efetivamente ocorrera a sua extinção, que ressurgem e retomam a sua vida de estados independentes. Convém notar que, mesmo depois de concretizada a anexação, vários países, inclusive o Brasil, não reconheceram a anexação e continuaram a manter, durante alguns anos, relações diplomáticas com aqueles países bálticos.

Indagação semelhante pode ser feita com relação à ocupação da Áustria pela Alemanha hitlerista em 15 de março de 1938. Terminada a guerra, a Áustria poderia justificadamente esperar que a ocupação chegaria a seu fim, visto que as potências aliadas declararam em 1943 a intenção de restaurar a sua independência, que, contudo, só viria a ocorrer em 15 de maio de 1955. A pergunta que surge é saber se a Áustria de 1938 é a mesma de hoje, ou se ocorreu naquela ocasião a extinção do estado.

Do ensinamento da doutrina[107] de que o estado nasce mediante a reunião dos elementos constitutivos, antes analisados, decorre a consequência lógica de que o desaparecimento de qualquer desses elementos implicará a sua extinção. O desaparecimento de toda a população, como num êxodo total, ou do território, eram exemplos pouco viáveis, mas atualmente cientistas têm alertado que em decorrência do *efeito estufa* poderá ocorrer o degelo das calotas polares com o consequente aumento nos níveis dos oceanos e desaparecimento de alguns microestados do Pacífico e do Caribe, bem como de consideráveis extensões costeiras. Aí se inscreve a categoria, todavia incipientemente determinada, de ***refugiados ambientais***[108].

Há necessidade de que o direito internacional se inscreva além da notação do anedotário da prática diplomática e da casuística das relações internacionais, em matéria de sucessão de estados, sob pena de se perder enquanto sistema normativo. Adverte O'CONNELL (1970)[109]: "ocorre, em muitos estudos contemporâneos a respeito da sucessão de estados, serem seletivamente utilizados os fatos da prática estatal, visando dar sustentação a proposições apriorísticas, muitas das quais são motivadas politicamente, ou mesmo emocionalmente. Privados do embasamento filosófico das doutrinas a respeito do estado, sobre o qual

---

107. ACCIOLY, **Tratado** (2009, v. 1, livro primeiro, "*os estados*"); Mohammed BEDJAOUI, **Problèmes récents de succession d'États** (RCADI, 1970, t. 130, p. 533); J. A. CARRILLO SALCEDO, **Droit international et souveraineté des états: cours général de droit international public** (RCADI, 1986, t. 257, p. 35-221); Erik CASTREN, **Aspects récents de la succession d'états** (RCADI, 1951, t. 78, p. 379-506); James CRAWFORD, **The creation of states in international law** (Oxford: Clarendon Press, 2nd. ed., 2006, reprinted 2011); DIEZ DE VELASCO, **Instituciones de derecho internacional público** (Madrid: Tecnos, 16. ed., 2007); GONÇALVES PEREIRA, **Succession d'états en matière de traités** (Paris, 1969); GRÓCIO, **De jure belli ac pacis** (Livro 2, Capítulo 9, parágrafo 12); K. KEITH, *Succession to bilateral treaties by succeding States* (AJIL, 1967, t. 61, p. 521); Krystyna MAREK, **Identity and continuity of State in public international law** (Genebra, 1954); C. D. A. MELLO, **Curso** (2004, v. 1, Cap. XVIII, "Sucessão e extinção de estados", p. 425 e s.); G. E. do NASCIMENTO E SILVA, *Succession of State debts* (in coletânea E. JIMÉNEZ DE ARÉCHAGA, Montevidéu, 1994, v. 2, p. 948-62); Eli NATHAN, *The Vienna Convention on succession of States in respect of State property, archives and debts* (in Coletânea Shabtai ROSENNE, Dordrecht, 1988, p. 489); D. P. O'CONNELL, **Recent problems of State succession** (RCADI, 1970, t. 130, p. 198-9); Photini PAZARTZIS, **La succession d'états aux traités multilateraux – à la lumière des mutations territoriales récentes** (Paris: Pedone, 2002); Ch. ROUSSEAU (3, p. 443); SHEARER (p. 290); Rudolf STREINZ, *Succession of States in assets and liabilities* (GYIL, 1993, t. 28, p. 234); Santiago TORRES Bernardez, *Succession d'états* (in **Droit international: bilan et perspectives**, 1991, v. I, p. 405-424); Manlio UDINA, **La succession des États quant aux obligations internationales autres que les dettes publiques** (RCADI, 1933, t. 44, p. 665-773).

108. José Henrique FISCHEL DE ANDRADE, *Regionalização e harmonização da definição de refugiados e dos procedimentos para a determinação da condição de refugiado no âmbito do MERCOSUL* (in **MERCOSUL: integração regional e globalização**, coord. P. B. CASELLA *et al.*, Rio de Janeiro: Renovar, 2000, p. 63-98).

109. Daniel Patrick O'CONNELL, **Recent problems of state succession in relation to new states** (RCADI, 1970, t. 130, p. 95-206, Cap. III, "the methodology of state succession", p. 116-121), conclui o capítulo: "A philosophy of state succession must therefore centre upon the question of the continuity of law".

a doutrina da sucessão de estados foi erigida no século XIX, os argumentos contemporâneos tendem a perder a consistência interna"[110].

Para O'CONNELL (1970)[111], "**o princípio central em matéria de sucessão de estados pode ser considerado como o mínimo de distúrbio às situações jurídicas existentes**, de modo consistente com o atual estado das relações, resultantes da sucessão de estados. Isso pode parecer não querer dizer muito, mas ao menos serve para sugerir que existe série de soluções práticas, quando o teste do efeito desestabilizador (*the test of disruption*) é aplicado a uma variedade de situações. **Nenhuma norma única provavelmente será *encontrável, que se ajuste a todas as situações de mudança de soberania,*** e a função do jurista será a de aplicar, a cada caso de sucessão de estados, as normas tal como sejam discerníveis na tradição jurídica, com referência ao padrão de continuidade ou descontinuidade[112].

O tema da sucessão de estados no direito internacional pós-moderno traz a combinação de elementos de direito internacional positivo, de prática dos estados e das organizações internacionais, de jurisprudência e de doutrina, características do tema por sua relevância, complexidade e atualidade. É tema vivo e pode ter mutações, em razão de novos fatos, como ensina a análise da evolução histórica da matéria.

"Direito internacional consuetudinário não é corpo estático de normas", enfatizava Karl ZEMANEK em **Sucessão de estados, pós-descolonização** (1965)[113]. E, mais de trinta anos depois, ao prolatar seu curso geral na Haia sobre os **Fundamentos legais do sistema internacional** (1997)[114], em relação ao mesmo tema

110. D. P. O'CONNELL (op. cit., 1970, p. 117) prossegue: "o direito internacional não é a única matéria a padecer da incoerência do mundo moderno, e a busca de princípios não é menos difícil neste campo do que em qualquer outro. Muita discussão contemporânea, a respeito da sucessão de estados, evitou totalmente essa busca, e se concentrou nas modalidades da questão, em vez das normas, que poderiam resolvê-las. Esse enfoque não pode ser condenado como ilegítimo, porquanto a experiência mostra que a maioria dos problemas, em matéria de sucessão de estados, particularmente os expostos pelo processo de descolonização, podem ser satisfatoriamente dispostos, por meio de medidas administrativas. E, naturalmente, o exame dos méritos, das respectivas medidas, é exercício útil. Mas, não se pode cometer o erro de equacionar procedimentos diplomáticos e arranjos administrativos como normas legais. Esses procedimentos e arranjos dependem, inteiramente, quanto à sua eficácia, da cooperação de todos os estados envolvidos. Quando a cooperação não é possível, a sucessão de estados tende a tornar-se contenciosa, e é, justamente, aí que o direito desempenha sua função específica de resolver o conflito segundo um princípio, sem conceder aos interesses e conveniência de uma das partes envolvidas na controvérsia, somente por ser mais prático fazer desse modo. Exceto se a investigação jurídica alcançar esse nível de abstração doutrinal, pode-se abandonar a pretensão de que essa discussão diga respeito ao direito internacional, e admitir que o tópico não passa de história diplomática ou de relações internacionais".

111. D. P. O'CONNELL (op. cit., 1970, p. 118-119): "The law of state succession must, like any other juristic solution of human problems, take its point of departure from the social nature of man and the metaphysical character of human society".

112. D. P. O'CONNELL (op. cit., 1970, p. 120).

113. Karl ZEMANEK, **State succession after decolonization** (RCADI, 1965, t. 116, p. 181-300).

114. K. ZEMANEK, **The legal foundations of the international system: general course on public international law** (RCADI, 1997, t. 266, p. 9-336).

da sucessão de estados[115], este investiga quanto os eventos recentes "proporcionavam oportunidade para testar a extensão na qual as Convenções de Viena (1978 e 1983) tinham sido observadas e aplicadas na prática, e se poderiam, assim, ser consideradas como refletindo, ou tendo gerado, costume internacional", e quanto "saíra de moda" a pretensão à ***tabula rasa*** ou ***clean slate***, formulada por alguns estados recém-independentes, pretendendo ingressar no sistema internacional sem quaisquer direitos ou obrigações do estado predecessor, passando novos estados a perceber quanto essa teoria conflita com o fato da interdependência entre os estados, no mundo real, e em vista dos próprios interesses do estado.

Podem ser enumerados os modos de extinção de estado, embora os exemplos nem sempre sejam satisfatórios.

Em primeiro lugar, temos a absorção completa de um estado por outro, e os exemplos, acima mencionados, dos países bálticos e da Áustria são ilustrativos. No passado, houve exemplos de ocupação, com a consequente transformação de estado em simples colônia, conforme ocorreu, temporariamente, com a Abissínia e a Argélia. No caso da Tunísia e do Marrocos, argumentava-se que a personalidade desses estados perdurara, visto que, ao se tornarem "*protetorados*" da França, passaram a ser semissoberanos, mas não teriam desaparecido, enquanto sujeitos de direito internacional. A Corte Permanente de Justiça Internacional examinou a questão, no parecer **Decretos de Nacionalidade da Tunísia e do Marrocos** (1923)[116], que se trata de questão essencialmente relativa, dependendo do desenvolvimento das relações internacionais. Também relativa a questão no sentido de variar de estado para estado, conforme existam ou não tratados sobre a matéria.

Atualmente, a anexação e posterior transformação de qualquer país em colônia, ou que se pretenda o seu desaparecimento, enquanto sujeito de direito internacional é, teórica e juridicamente, impossível, em face dos termos peremptórios da Carta das Nações Unidas. A Guerra do Golfo, desencadeada em 1991 após a invasão do Koweit pelo Iraque, segundo determinações emanadas do Conselho de Segurança da ONU, seria exemplo de funcionamento do sistema institucional e normativo internacional nesse sentido. A invasão do Iraque, em 2003, constitui violação desses mesmos parâmetros institucionais e legais internacionais. Ilegal e abusivamente praticada, constitui ilícito internacional[117].

---

115. K. ZEMANEK (op. cit., 1997, Cap. III, item "C", "state succession", p. 84-87).

116. CPJI, **Decretos de nacionalidade da Tunísia e do Marrocos** (série B, n. 4 e série C, n. 2 – "Nationality decrees issued in Tunis and Morocco").

117. Gisela PADOVAN, **Diplomacia e uso da força: os painéis do Iraque** (Brasília: FUNAG, 2010); Celso AMORIM, **Breves**

Caso o território de estado não seja anexado por um só estado, ocorreria o seu ***desmembramento***, com o território repartido entre dois ou mais estados, conforme ocorreu:

- com a Grã-Colômbia em 1830, dividida em três países (a Colômbia de hoje, a Venezuela e o Equador); ou
- com a Polônia, cujo território foi repartido em 1795 entre a Áustria, a Prússia e a Rússia;
- com o Império Austro-Húngaro, em decorrência da primeira guerra mundial, quando surgiram novos estados: a Áustria, a Hungria, a Tchecoslováquia, sendo alguns territórios entregues a outros países, como a Iugoslávia e a Polônia;
- com os exemplos recentes da ex-URSS e da antiga RSF da Iugoslávia, visto que esses antigos estados desaparecem para dar lugar a novos sujeitos de direito internacional – muito embora, por razões políticas, entende-se que tenha havido continuidade e consequentemente sucessão da URSS para a Federação Russa, mas a extinção da ex-Iugoslávia e surgimento de novos estados, inclusive a Sérvia.

O nascimento de estado por ***fusão*** pode resultar da união de dois estados soberanos, com a sua consequente perda de personalidade internacional em favor da nova entidade. Os exemplos, já citados:

- do nascimento da Tanzânia em 1964, que teve como consequência a extinção de Tanganica e de Zanzibar;
- do surgimento do Reino da Itália, caso clássico de fusão, sem esquecer que numa primeira fase ocorre a anexação, pelo Reino da Sardenha e Piemonte, do Reino de Nápoles, dos ducados de Modena, Parma e Toscana; posteriormente, pode-se considerar ter a própria identidade do estado-núcleo inicial desaparecido, em favor do Reino da Itália.

A sucessão de estados significa, nos termos das Convenções de Viena de 1978 e 1983, a substituição do ***estado predecessor*** por outro, o ***estado sucessor***, na responsabilidade pelas relações internacionais de determinado território. O problema não é novo, tanto que GRÓCIO dele já se ocupara em 1625, ao delinear regras baseadas no direito romano ou, mais precisamente, no direito civil. Dada

---

narrativas diplomáticas (São Paulo: Benvirá, 2013, "*Primeiros passos: Iraque*", p. 15-33); deste tb. **Conversas com jovens diplomatas** (São Paulo: Benvirá, 2011).

a sua influência sobre os tratadistas posteriores, os seus ensinamentos chegaram ao século XX e serviram de fundamento para algumas decisões judiciárias.

Com o término da primeira guerra mundial e o fim dos Impérios Russo, Alemão, Austro-Húngaro e Otomano, os tratados de Versalhes, Saint-Germain, Neuilly, Trianon e Sèvres, em 1919 e 1920 – considerando que o último não entra em vigor e vem a ser substituído pelo de Lausanne, em 1923 –, criam uma série de novos estados na Europa, bem como modificam numerosas fronteiras. Em tese, as modificações decorreram da teoria da ***autodeterminação***, tal como enunciada pelo Presidente Woodrow Wilson, dos Estados Unidos, em seus **14 pontos**, embora na prática tenha ocorrido, em muitos casos, a simples imposição da vontade dos vencedores. Tais excessos consideravelmente contribuíram para a posterior eclosão da segunda guerra mundial.

A segunda guerra mundial também teve profundas consequências não só no panorama europeu, mas principalmente na África e no Pacífico, onde novamente o princípio da ***autodeterminação***, tal como esboçado na **Carta** das Nações Unidas, e consagrado, em 1960, passou a ser invocado visando à independência da quase totalidade dos territórios dependentes, como as antigas colônias e os territórios sob tutela.

A questão da ***sucessão de estados*** foi incluída na primeira agenda da Comissão de Direito Internacional (CDI), mas não como assunto prioritário. Posteriormente, a CDI foi convidada pela Assembleia Geral a iniciar o estudo em profundidade do problema. Foram indicados dois relatores: Sir Humphrey Waldock, para a sucessão em matéria de tratados, e Mohammed Bedjaoui, para a sucessão em matéria de bens, arquivos e dívidas[118].

Embora os problemas vinculados à sucessão de estados sejam sumamente complexos, houve tentativas de formular regras genéricas capazes de solucionar as questões supervenientes, a começar com as ideias de Grócio, na primeira metade do século XVII, que buscava no direito romano as soluções, ou seja, de que, por analogia com as regras de direito civil, com a morte de uma pessoa a aceitação da herança implique também a dos ônus. Esses ensinamentos chegaram ao século XX, bem como a utilização da expressão *sucessão de estados*, que tem sido criticada, mas para a qual não foi encontrada outra mais satisfatória.

Para a segunda corrente, a utilização de regras de direito privado deve ser evitada, recorrendo-se ao direito público. Na prática, os resultados são bastante semelhantes.

---

118. *V.*, *supra*, a respeito das duas Convenções de Viena em matéria de sucessão de estados (1978 e 1983), no tópico relativo à codificação do direito internacional, 2.3.

A tendência mais aceita é a de rejeitar a noção de sucessão, isto é, de direitos e obrigações ligados à extinção do estado; a questão é de soberania sobre o território: os direitos do estado sucessor decorrem do direito internacional, segundo o qual com a extinção do estado ocorre *tabula rasa*, ou, para utilizar a expressão inglesa, *clean slate*. Essa regra, contudo, não deve ser encarada de maneira absoluta, pois admite exceções, como nos tratados de fronteiras e no reconhecimento dos direitos adquiridos e da equidade.

Na prática, busca-se analisar separadamente as várias hipóteses de sucessão, tendo em vista os problemas planteados, como a sucessão em matéria de tratados, bens, arquivos, dívidas, legislação e nacionalidade, bem como as consequências do surgimento de novo estado e a sua situação em face das organizações internacionais.

As duas Convenções de Viena, de 1978 e de 1983, adotam essa orientação, examinando cinco hipóteses:

a) transferência de parte do estado, sem que isso afete a personalidade dos dois estados, ou seja, ambos continuam a existir;

b) surgimento de estado recém-independente (*newly independent State*);

c) união de estados;

d) separação de parte ou de partes de estado, com a consequente formação de novo estado;

e) dissolução de estado.

Na apreciação das Convenções de Viena é importante salientar que houve relativa aceitação das regras incorporadas na Convenção de 1978, ademais em vigor, desde 1996, ao passo que as da Convenção de 1983 foram praticamente rejeitadas pela comunhão internacional, tanto que, ao término da Conferência de 1983, esta não foi assinada por nenhuma das delegações presentes[119]. Em ambas as Convenções houve muita relutância em admitir a existência de direitos específicos para os *newly independent States*. Aliás, em muitos casos existia argumento forte contra a ênfase dada a eles, ou seja, de que os territórios, que poderiam eventualmente tornar-se independentes, eram poucos e que as Convenções, tal como as assinadas, em Viena, depois de 1969, previam que as suas regras só se aplicariam às situações criadas depois de sua respectiva entrada em vigor.

Cumpre analisar, dentre as cinco hipóteses mencionadas, as regras mais generalizadas, a começar com a sucessão em matéria de tratados.

---

119. Até 1º de março de 2007, eram somente sete os signatários da Convenção de 1983, que exige quinze para a sua entrada em vigor. *V. site* ONU: Doc. A/CONF. 117/14.

Para P. GUGGENHEIM, por exemplo, em direito internacional, o problema da sucessão verifica-se sobretudo no campo do direito convencional, mormente no caso de existir acordo anterior. A circunstância de existirem duas convenções capazes de mostrar as soluções a respeito, ou seja, a de 1969, sobre o direito dos tratados, e a de 1978, sobre sucessão em matéria de tratados, simplificou a questão, principalmente porque se ocupam dos tratados multilaterais, tendo em vista que a doutrina anterior à segunda guerra mundial era pouco satisfatória no tocante a esse aspecto.

Os **tratados relativos às fronteiras não sofrem modificação**. A Convenção de 1978, em seu artigo 13, é categórica: a sucessão de estado não afeta as fronteiras estabelecidas por tratado, tampouco as obrigações e os direitos estabelecidos em tratado relativo ao regime vigente na zona fronteiriça. É bem verdade que, no caso dos chamados tratados sobre direitos reais, sua continuação em vigor dependerá do estado vizinho, que poderá objetar a que um tratado sobre navegação ou servidão continue a vigorar, como no caso de as relações entre os dois estados não serem amistosas[120].

3.4.1. sucessão em matéria de tratados e outros atos

A **Convenção de Viena sobre sucessão de estados em matéria de tratados** foi assinada em 23 de agosto de 1978. Convocada a Conferência em 1977, calculava-se que a Convenção seria assinada no mesmo ano, mas, em virtude dos impasses verificados em relação a diversos artigos, foi necessária nova reunião, efetuada no ano seguinte. Somente em 1996 entra em vigor.

Decidido que se deveria dar prioridade à questão da sucessão de estados, a CDI indicou como relator Sir Humphrey WALDOCK, que havia sido o último relator do projeto que resultou na **Convenção de Viena sobre o direito dos tratados de 1969**, considerado um dos melhores documentos em matéria de codificação do direito internacional. Não obstante as ressalvas feitas por inúmeras delegações, em decorrência dos privilégios dados aos estados de formação recente, as normas nela adotadas são de um modo geral aceitáveis, tanto assim que a Convenção teve relativa aceitação, e entra em vigor em 1996, ao contrário do que ocorreu com a Convenção de 1983.

120. ACCIOLY, **Tratado** (2009, v. 1, p. 197); Hans KELSEN, *The international legal status of Germany*, AJIL, 1944, v. 38, p. 689; *The international legal status of Germany*, AJIL, 1945, v. 39, p. 518; J. L. KUNZ, *Identity of States in international law*, AJIL, 1955, v. 49, p. 69-73; Krystyna MAREK, *Identity and continuity of States in public international law* (tese Genebra, 1954); Yilma MAKONNEN, **State succession in Africa: selected problem** (RCADI, 1986, t. 200, p. 93-234).

O artigo 11 da Convenção de 1978 contém dispositivo que se aplica a todos os casos, ou seja, estabelece que a sucessão de estados não afeta as fronteiras nem as obrigações e os direitos determinados por tratado, relativos ao regime de fronteiras.

No caso de sucessão, em relação à transferência de porção do território, em que ambas as partes são sujeitos do direito internacional, isto é, não ocorre extinção de uma delas, o artigo 15 prevê que os tratados do estado predecessor deixam de vigorar, salvo se ficar demonstrado que a aplicação do tratado àquele território seria incompatível com o seu objetivo e finalidades, ou que poderá modificar radicalmente as condições para a sua implementação. Aplica-se o princípio da imobilidade das fronteiras dos tratados.

Ocorrendo separação de parte ou de partes do território para a formação de novo estado (fenômeno que não ocorre no caso anterior), os tratados políticos desaparecem, visto que ocorre mudança fundamental de circunstâncias, tal como previsto no artigo 62 da **Convenção sobre direito dos tratados** de 1969. Tratado em vigor relativo a todo o território do estado predecessor assim o continua, a não ser que as partes decidam de outra maneira.

Em caso de separação ou desmembramento, admite-se, em princípio, que os novos estados podem não estar ligados aos tratados celebrados pelo estado de que faziam parte, quando não os poderão invocar em seu favor.

Na fusão de estado, os tratados multilaterais em vigor devem continuar a ser respeitados: questões cruciais para a existência e o funcionamento do sistema internacional são reguladas por estes, cuja manutenção interessa ao conjunto dos estados. Por sua vez, os tratados bilaterais devem ser renegociados, exceto se expressamente mantidos, mediante a expressão do consentimento dos estados interessados.

3.4.2. sucessão em matéria de bens, arquivos e dívidas

A **Convenção sobre sucessão de estados em matéria de bens, arquivos e dívidas,** assinada em Viena, em 8 de abril de 1983, embora baseada em projeto da CDI, é a única tida pela doutrina como quase inaceitável. Até o momento nem sequer entrou em vigor[121]. Por ocasião da Conferência de 1983, constatou-se, ao serem encerrados os trabalhos, que nenhum país havia assinado a Convenção, que só iria merecer uma ratificação posteriormente. A razão da não aceitação da Convenção de 1983 reside principalmente na preocupação dos países afro-asiá-

---

121. A entrada em vigor exigiria mínimo de quinze ratificações, todavia não alcançado.

ticos de forçar a adoção de regras destinadas a favorecer os países, geralmente antigas colônias, que haviam adquirido a sua independência recentemente. A Convenção e sobretudo os trabalhos do Relator, Mohammed Bedjaoui, da Argélia, representam, contudo, a contribuição mais importante no tocante aos três tópicos que até então só haviam sido abordados de maneira sumária.

Numa fase inicial, a CDI havia decidido que o tópico a ser abordado deveria tratar de todos os relacionados com a sucessão, com exceção dos tratados, mas posteriormente julgou-se preferível limitá-los aos três. Assim, não foram abordadas certas questões como as relações com organizações internacionais, a nacionalidade e a legislação.

Em caso de anexação total ou parcial, a legislação do estado anexante passa a vigorar: em caso de fusão, a matéria é regulada pelos estados que se fundem; ocorrendo separação ou desmembramento, é natural que o novo estado estabeleça a sua própria legislação, podendo, durante um período de transição, viver com a do estado predecessor.

Na hipótese de anexação total, os habitantes do estado anexado devem adquirir a do anexador, embora exceções em contrário possam ser apontadas; no caso da anexação parcial, a nacionalidade do estado anexador deve estender-se aos habitantes da parte anexada, apesar da possibilidade de poderem eles optar pela nacionalidade que possuíam; na fusão, haverá apenas uma nacionalidade, ou seja, a do novo estado; em caso de separação ou desmembramento, surge novo estado e nova nacionalidade aplicada a todos os habitantes.

A sucessão em matéria de bens do estado é regulada pelos artigos 7 a 18 da Convenção. Tradicionalmente, os bens do domínio público eram transferidos automaticamente e sem pagamento ao sucessor; os bens de natureza privada só eram transferidos mediante pagamento. A Convenção modificou essa regra: a passagem será realizada sem compensação, salvo acordo entre as partes ou decisão de órgão internacional. O artigo 9 estipula que as passagens desses bens acarretam a extinção dos direitos do estado predecessor e o nascimento dos direitos do sucessor.

No caso de transferência de parte ou de partes do território de um estado, os imóveis passarão ao sucessor, bem como os móveis vinculados às atividades do estado predecessor no referido território, a não ser que as partes adotem, mediante acordo, outra solução.

Quando dois ou mais estados se unem, para formar novo estado, os bens dos antigos estados passarão à nova unidade.

Ocorrendo dissolução, os bens imóveis passarão aos estados sucessores em cujo território se encontrem; os bens imóveis e móveis situados no exterior passarão aos estados sucessores em proporções equitativas.

A sucessão em matéria de arquivos, dos artigos 19 a 31, é assunto importante que não tem merecido o devido estudo, principalmente da parte dos países de formação recente. Nos termos do artigo 20, a expressão *arquivos estatais do estado predecessor* significa todos os documentos – seja qual for a sua data ou espécie, produzidos ou recebidos pelo estado predecessor no exercício de suas funções – que na data da sucessão do estado lhe pertenciam, de acordo com a sua legislação interna, e eram por ele conservados direta ou indiretamente.

A Convenção de 1983 estipula que, em princípio, a transferência de arquivos deve efetuar-se sem o pagamento de compensação, bem como que o caráter integral dos arquivos deve ser respeitado.

No caso de transferência de parte do território sem que tenha ocorrido a formação de novo estado, a transferência de arquivos dependerá de acordo, mas os arquivos relativos à administração normal ou ao território, como em matéria de fronteiras, devem passar ao estado sucessor.

Na enumeração dos estados recentemente independentes (*newly independent states*), podemos incluir os que na realidade readquiriram a sua independência, como, por exemplo, o caso dos países bálticos. Nesse caso, como existe o direito a reaver os antigos arquivos, consequentemente os tratados de fronteira que dizem-lhe respeito. Ainda no concernente às fronteiras, o estado predecessor deve fornecer ao estado sucessor os documentos tendentes a comprová-las, os seus direitos sobre elas.

No caso de união de estados para a formação de novo estado, os arquivos dos estados predecessores passarão ao estado resultante da fusão.

Quando um estado se desmembra e deixa de existir, como ocorreu com a ex-URSS, e partes de seu território passam a formar novo ou novos estados, as partes dos arquivos que se deveriam encontrar no território do estado sucessor para fins administrativos e os arquivos que dizem respeito ao território passarão ao estado sucessor, a não ser que os estados resultantes do desmembramento decidam de outra maneira. A Convenção ainda prevê a possibilidade de troca de informações, de arquivos ou de reproduções tendentes a garantir a memória nacional.

A sucessão em matéria de dívidas, objeto dos artigos 32 a 41 da Convenção, é um dos problemas mais difíceis e complexos em direito internacional, pois nem a prática dos estados nem a doutrina apresentam soluções satisfatórias. Cabe considerar os critérios de equidade e de proporcionalidade, adotados na Resolução de Vancouver, de 2001, do Instituto, sobre o tema da sucessão, em matéria de dívidas de estado.

As dificuldades começam com a própria definição de *dívida do estado*, conforme se verificou por ocasião da Conferência de 1983. O projeto da CDI, que acabou sendo acolhido, prevê que por *dívidas do estado* se entende, para efeitos da Parte IV da Convenção, "qualquer obrigação financeira de estado predecessor surgido de conformidade com o direito internacional para com outro estado, organização internacional ou qualquer outro sujeito do direito internacional"[122].

A regra adotada pela Convenção no tocante às dívidas, no caso de transferência de parte do território, corresponde de modo geral à regra tradicionalmente adotada na Europa continental, ou seja, de que parte da dívida, baseada nas taxas pagas no passado pela população do estado predecessor, deve passar ao estado sucessor. A tendência posterior ao julgamento da *Dívida pública otomana* de 1925 passou a ser no sentido de que, salvo tratado em contrário, não há a obrigação do estado sucessor de arcar com as dívidas do predecessor. Abrem-se, contudo, exceções no caso de dívidas que beneficiam partes localizadas do território cedido, como, por exemplo, para a construção de estradas de ferro, barragens ou portos.

A preocupação do Relator M. Bedjaoui em proteger, na medida do possível, os estados recentemente independentes (*newly independent states*) resultou em regras que foram muito combatidas, quer na CDI, quer na Conferência. A regra parte do princípio de que nenhuma dívida do estado predecessor passará ao estado sucessor. Defendia, inclusive, a tese de que o estado sucessor tinha o direito de repudiar tratado assinado com o estado predecessor às vésperas de sua independência, ou pouco depois. Essa tese consta do parágrafo 2º do artigo 38. A adoção desse artigo foi um dos motivos da rejeição por diversas delegações da Convenção.

No caso de união de estados, as dívidas do estado predecessor passarão ao estado sucessor.

Na separação de parte ou de partes do território de estado que continua a existir como tal, a dívida passará numa proporção equitativa, a não ser que as partes decidam diversamente.

Na dissolução de estado, a mesma regra se aplica: os estados sucessores arcarão com uma parte da dívida, em base aos direitos de propriedade.

3.4.3. naturalização coletiva, por cessão ou anexação territorial

Além dos meios indicados na parte relativa à aquisição ou mudança de nacionalidade[123], deve ser mencionado o que deriva, necessária e logicamente,

---

122. Iniciado o estudo da matéria, a Delegação do Brasil sugeriu que à definição fosse acrescida a frase "qualquer outra obrigação financeira cobrável de um estado". Tratava-se de princípio que havia sido adotado pela própria CDI, em projeto anterior, e fora suprimido, posteriormente, diante da insistência do Relator. Não obstante a sua aceitação por grande número de delegações, a emenda brasileira acabou não sendo acolhida.

123. *V.* item 5.3., *infra.*

de anexação territorial, quer por efeito de cessão pacífica, quer como imposição consecutiva a guerra. Ocorre, então, a *naturalização coletiva* dos habitantes do território anexado, excluídos, naturalmente, os nacionais de qualquer país estrangeiro, ali domiciliados ou residentes.

Relativamente aos nacionais do estado anexado ou de cuja parte é transferida a outro, vários sistemas têm sido sugeridos ou aplicados para a imposição da mudança da nacionalidade. Um desses sistemas aplica tal mudança apenas aos *domiciliados* no território transferido. Outro atende à *origem*: os naturais do território, tenham ou não domicílio nele, devem adquirir a nova nacionalidade. Um terceiro sistema exige, ao mesmo tempo, a *origem* e o *domicílio*. Num quarto sistema, basta qualquer dessas circunstâncias para a mudança da nacionalidade.

O sistema que reúne mais adeptos é o primeiro. E foi o que, em geral, o tratado de paz de Versalhes, de 1919, adotou[124].

Como não se pode ou não se deve impor a uma pessoa nacionalidade que esta não queira, porque isso seria contrariar o direito primordial que tem o homem de escolher a sua nacionalidade, concede-se, geralmente, aos habitantes do território transferido o *direito de opção*.

Em sua aplicação, esse direito pode obedecer a várias modalidades. Numa dessas, a opção manifesta-se pela simples emigração, para fora do território transferido, dos indivíduos que não querem adquirir a nova nacionalidade; noutra, a opção é expressa por declaração formal, relativa à conservação da nacionalidade de origem, sem obrigatoriedade de emigração; noutra ainda, a opção torna-se conhecida por declaração formal, que pode ser acompanhada de emigração, que, por sua vez, pode ser imposta como consequência necessária de tal declaração. Conhece-se, por fim, ao menos teoricamente, quarta modalidade, adotada pela **Convenção sobre Nacionalidade**, subscrita em Montevidéu, em dezembro de 1933, segundo a qual os habitantes de território transferido poderão manter a antiga nacionalidade e só adquirirão a nova se por ela optarem expressamente.

3.5. Secessão no direito internacional – o Parecer consultivo da Corte Internacional de Justiça sobre o Kosovo, de 22 de julho de 2010

> "Durante os séculos XVIII, XIX e início do XX, ocorreram numerosos casos de declarações de independência, muitas vezes firmemente

124. P. B. CASELLA, **Tratado de Versalhes na história do direito internacional** (São Paulo: Quartier Latin, 2007).

> combatidos pelo estado, em relação ao qual se declarava a independência. Algumas vezes, a declaração resultou na criação de um novo estado, em outras isso não ocorreu. Em nenhum caso, contudo, a prática dos estados, como um todo, sugere que o ato de promulgação da declaração tenha sido considerado contrário ao direito internacional. (...) Muitos novos estados passaram a existir, como resultado do exercício desse direito[125]."

A matéria da secessão no direito internacional tem aspectos fáticos e legais a serem considerados. Em decorrência da natureza variada e das consequências fáticas, esta muitas vezes foi negligenciada de ponto de vista conceitual[126].

A secessão, mais que qualquer capítulo do direito internacional, como se deu no passado, passou por sucessivas reavaliações, em contexto tipicamente pós-moderno, com leituras e releituras da questão, à luz de ocorrências recentes de tais fenômenos, como o processo de descolonização *em massa* (a partir de 1945 até o início dos anos 1960) e, mais recentemente, nos anos 1990[127], como resultado dos confrontos do "tribalismo" europeu, levando ao surgimento e ingresso de dezenas de novos estados membros na Organização das Nações Unidas (ONU), dos quais o mais recente, a declaração unilateral de independência do Kosovo, é a seguir especificamente considerado.

A matéria passa a ter novo parâmetro a ser tomado em consideração, pois o Parecer consultivo sobre a independência do Kosovo, prolatado em 2010[128],

---

125. INTERNATIONAL COURT OF JUSTICE, **Advisory Opinion on the Accordance with international law of the unilateral declaration of independence in respect of Kosovo** (General List No. 141, 22 July 2010, par. 79): "During the eighteenth, nineteenth and early twentieth centuries, there were numerous instances of declarations of independence, often strenuously opposed by the State from which independence was being declared. Sometimes a declaration resulted in the creation of a new State, at others it did not. In no case, however, does the practice of States as a whole suggest that the act of promulgating the declaration was regarded as contrary to international law. (...) A great many new States have come into existence as a result of the exercise of this right".

126. Dentre referências sobre este tópico, vejam-se: M. BEDJAOUI, **Problèmes récents de succession d'états dans les états nouveaux** (RCADI, 1970, t. 130, pp. 455-586); H. M. BLIX, **Contemporary aspects of recognition** (RCADI, 1970, t. 130, pp. 587-704); Giorgio CANSACCHI, **Identité et continuité des sujets internationaux** (RCADI, 1970, t. 130, p. 1-94); E. S. CASTRÉN, **Aspects récents de la succession d'états** (RCADI, 1951, t. 78, p. 379-506); D. P. O'CONNELL, **Recent problems of state succession in relation to new states** (RCADI, 1970, t. 130, p. 95-206); R. ERICH, **La naissance et la reconnaissance des états** (RCADI, 1926, t. 13, p. 427-508); M. KAMTO, **La volonté de l'état en droit international** (RCADI, 2004, t. 310, p. 9-428, publ. 2007); H. LAUTERPACHT, **Recognition in international law** (Cambridge: Univ. Press, 1947); Y. MAKONNEN, **State succession in Africa: selected problems** (RCADI, 1986, t. 200, p. 93-234); Photini PAZARTZIS, **La succession d'états aux traités multilatéraux: à la lumière des mutations territoriales récents** (Paris: Pedone, 2002); B. STERN, **La sucession d'états** (RCADI, 1996, v. 62, p. 9-437); Edward McWHINNEY, **Self-determination of peoples and plural-ethnic states (secession and state succession and the alternative federal option)** (RCADI, 2002, t. 294, p. 167-264, esp. chap. IV, "The United Nations Charter principle of territorial integrity of states. The *uti possidetis* doctrine as element in state succession", p. 229-235).

127. Torsten STEIN e Christian von BUTTLAR, **Völkerrecht** (Colonia / Munique: Carl Heymann, 12. ed., 2009, Abs. 3 / 1. Kap. / § 5 "Staatennachfolge", p. 107-111); Karl ZEMANEK, **State succession after decolonization** (RCADI, 1965, t. 116, p. 181-300).

128. ICJ, Advisory opinion on Kosovo, 22 July 2010, paragraph 79, acresce ao antes ref.: "On the contrary, State practice

especificamente apontou o fato de que, embora a integridade territorial dos estados tenha de ser tomada em consideração, o direito à autodeterminação deve ser considerado como um dos principais desenvolvimentos do direito internacional durante a segunda metade do século XX[129]. À luz dessa recente assertiva, a matéria deverá passar a ser considerada.

Além do objeto específico do parecer solicitado, a CIJ fez paralelos entre este caso e outras situações similares, e formulou distinções claras, a respeito, por exemplo, do estatuto da Faixa de Gaza, citando extensamente o parecer da CIJ, prolatado a respeito, em 2004 (*Advisory Opinion on the legal consequences of the building of a wall in the occupied Palestinian territory*), e também menciona os casos de Chipre, da Rodésia do Sul, da tentativa de criação da "Republika Srpska"[130] e também nominal e extensamente refere o caso do Quebec[131], tal como este foi julgado pela Corte Suprema do Canadá[132].

---

during this period points clearly to the conclusion that international law contained no prohibition of declarations of independence. During the second half of the twentieth century, the international law of self-determination developed in such a way as to create a right to independence for the peoples of non-self-governing territories and peoples subject to alien subjugation, domination and exploitation (cf. *Legal Consequences for States of the Continued Presence of South Africa in Namibia (South West Africa) notwithstanding Security Council Resolution 276 (1970), Advisory Opinion, I.C.J. Reports 1971*, p. 31-32, paragraphs 52-53; *East Timor (Portugal v. Australia), Judgment, I.C.J. Reports 1995*, p. 102, par. 29; *Legal Consequences of the Construction of a Wall in the Occupied Palestinian Territory, Advisory Opinion, I.C.J. Reports 2004 (I)*, p. 171-172, par. 88). (...) There were, however, also instances of declarations of independence outside this context. The practice of States in these latter cases does not point to the emergence in international law of a new rule prohibiting the making of a declaration of independence in such cases".

129. ICJ, Advisory opinion on Kosovo, 22 July 2010, paragraph 82: "one of the major developments of international law during the second half of the twentieth century has been the evolution of the right to self determination".

130. ICJ, Advisory opinion on Kosovo, 22 July 2010, paragraph 81. Diversos intervenientes invocaram Resoluções do Conselho de Segurança, condenando declarações específicas de independência: veja-se, *inter alia*, Security Council resolutions 216 (1965) e 217 (1965), a respeito da Rodésia do Sul; Security Council resolution 541 (1983), a respeito do norte de Chipre; e a Security Council resolution 787 (1992), a respeito da Republika Srpska. A Corte observa, contudo, que em todas estas instâncias o Conselho de Segurança fazia a determinação a respeito das situações concretas, existentes no momento em que tais declarações de independência tinham sido feitas; a ilegalidade atribuída a tais declarações de independência decorriam, assim, não do caráter unilateral dessas declarações, enquanto tais, mas do fato de terem sido, ou teriam sido, vinculadas ao uso ilícito da força, bem como outras notórias violações de normas de direito internacional geral, particularmente normas cogentes (*jus cogens*). No contexto do Kosovo, o Conselho de Segurança nunca assumiu tal posição. O caráter excepcional das resoluções enumeradas pareceu à Corte confirmar não existir proibição geral de declarações unilaterais de independência, tal como se pode deduzir da prática do Conselho de Segurança.

131. ICJ, Advisory opinion on Kosovo, 22 July 2010, paragraph 55: "While many of those participating in the present proceedings made reference to the opinion of the Supreme Court of Canada in *Reference by the Governor-General concerning Certain Questions relating to the Secession of Quebec from Canada* ([1998] 2 *S.C.R.* 217; 161 *D.L.R.* (4th) 385; 115 *Int. Law Reps.* 536), the Court observes that the question in the present case is markedly different from that posed to the Supreme Court of Canada. The relevant question in that case was 'Does international law give the National Assembly, legislature or government of Quebec the right to effect the secession of Quebec from Canada unilaterally? In this regard, is there a right to self-determination under international law that would give the National Assembly, legislature or government of Quebec the right to effect the secession of Quebec from Canada unilaterally?'"

132. ICJ, Advisory opinion on Kosovo, 22 July 2010, paragraph 56. "The question put to the Supreme Court of Canada inqui-

Sobremodo interessante a Corte Internacional de Justiça referir, em texto de parecer consultivo, o conteúdo de outro julgado, proveniente de uma corte nacional. Ilustra, assim, este caso, o papel da jurisprudência como fonte do direito internacional, e a interação entre distintas instâncias julgadoras, na construção do direito internacional pós-moderno[133].

O assunto pode ser considerado em duas facetas: inicialmente apontar algumas das principais questões conceituais, e a seguir analisar o caso do Kosovo, e o parecer consultivo da CIJ sobre a questão.

3.5.1. aspectos conceituais da secessão no direito internacional

"Não existem atualmente leis, exceto algumas constituições, que regulem quais secessões são legais e quais não."

A. PAVKOVIC & P. RADAN (2007)[134]

Existe considerável literatura disponível sobre as matérias da secessão e da sucessão de estado no direito internacional. Esta nem sempre dá conta da diversidade de aspectos da questão, em razão da mescla de elementos fáticos e jurídicos neste assunto[135].

Nessa matéria existe distinção básica a ser feita entre a secessão e a sucessão de estado. Ao menos até certo ponto, A. PAVKOVIC e P. CASELLA

---

red whether there was a right to 'effect secession', and whether there was a rule of international law which conferred a positive entitlement on any of the organs named. By contrast, the General Assembly has asked whether the declaration of independence was 'in accordance with' international law. The answer to that question turns on whether or not the applicable international law prohibited the declaration of independence. If the Court concludes that it did, then it must answer the question put by saying that the declaration of independence was not in accordance with international law. It follows that the task which the Court is called upon to perform is to determine whether or not the declaration of independence was adopted in violation of international law. The Court is not required by the question it has been asked to take a position on whether international law conferred a positive entitlement on Kosovo unilaterally to declare its independence or, *a fortiori*, on whether international law generally confers an entitlement on entities situated within a State unilaterally to break away from it. Indeed, it is entirely possible for a particular act, such as a unilateral declaration of independence, not to be in violation of international law without necessarily constituting the exercise of a right conferred by it. The Court has been asked for an opinion on the first point, not the second".

133. Sobre o papel da jurisprudência como fonte do direito internacional, *v.* item 2.2.4., "jurisprudência como fonte do direito internacional", *supra*.

134. Aleksandar PAVKOVIC and Peter RADAN, **Creating new states: theory and practice of secession** (Aldershot / Burlington: Ashgate, 2007, Part II. Secession in theory, p. 171): "There are at present no laws, except a few constitutions which rule which secessions are legal and which not".

135. P. B. CASELLA, *Sucessão de estado no direito internacional pós-moderno* (**Revista da Faculdade de Direito da Universidade de São Paulo**, v. 102, 2007, p. 1155-1170) para a apresentação das grandes linhas em matéria de sucessão de estado no direito internacional pós-moderno. *V.* tb. Serge DAUCHY e Milos VEC (orgs.), **Les conflits entre peuples** – de la résolution libre à la résolution imposée (Baden-Baden: Nomos, 2011), observam a combinação de atos unilaterais – inclusive comportando uso da força – e soluções negociadas para a resolução de conflitos entre povos, e insistem na necessidade de elementos negociados, para construir soluções duradouras.

(2007) parecemos ter opiniões distintas a respeito. Como citado, A. PAVKOVIC e P. RADAN (2007) têm formulação clara a respeito[136].

A secessão pode ser o resultado de conflito armado, mas a violência não é elemento intrínseco desta. O ponto central de interesse é a criação de novo estado. Isso se dá devido ao estranhamento e distanciamento de parte da população e do território de estado anterior, cuja existência e identidade podem ou não ser afetadas, como tais, em decorrência do surgimento de novo sujeito de direito internacional. A prática das duas últimas décadas mostra praticamente todas as variações possíveis sobre este tema.

ARISTÓTELES (384-322 a. C.), na **Política**[137], questionava quando e como se altera a identidade da *polis*, no sentido de comunidade politicamente organizada, ou cidade-estado. E como se pode afetar a identidade desta, em razão de mudanças que ocorram, na sua estrutura interna e seu funcionamento.

Isso antes de MAQUIAVEL ter cunhado o termo "estado", no início do século XVI, e passar a ser como tal chamado. E aí também cabe considerar o "estado", quando se passa da tirania para a oligarquia, e desta para a democracia, no sentido de determinar quando a identidade da entidade permanece inalterada ou tem nova configuração.

A questão da identidade e da continuidade do estado é o dado crucial. Como já considerava ARISTÓTELES e permanece tópico recorrente em toda a literatura que aborda as questões da secessão e da sucessão de estado.

Nessa matéria, a diversidade de situações possíveis é muitas vezes apontada como aspecto proeminente do assunto. A diversidade é mostrada pela prática dos estados, e mencionada pelos internacionalistas, mas poderia ser útil e relevante destacar algumas das diretrizes basilares, em meio a tal diversidade: em que medida existem linhas comuns, e possam estas ser apresentadas, para permitir melhor compreensão do fenômeno? Existem dados específicos a serem formatados no direito internacional pós-moderno, e cumpre determinar em que medida pode se alcançar apresentação coerente do tópico.

Um dos aspectos a ser mencionado é o fato de que tanto a secessão como a sucessão de estado, do mesmo modo como ocorre em relação ao conjunto do direito internacional, são marcados pela passagem do bilateralismo para o multilateralismo, e do anterior tratamento caso a caso para a tentativa de determinação de linhas gerais.

136. A. PAVKOVIC & P. RADAN, citados, **Creating new states: theory and practice of secession** (Aldershot / Burlington: Ashgate, 2007).

137. ARISTOTLE, **Politics** (with an English translation by H. RACKHAM, Cambridge, Ma. / London: Harvard Univ. Press, Loeb Classical Library, v. 264, ARISTOTLE, v. XXI, 1st. publ. 1932, reprinted, 2005).

Assim, em lugar de focar na diversidade, pode ser mais útil assinalar linhas conceituais gerais, a serem deduzidas da prática das duas últimas décadas. O caso do Kosovo pode ser útil para esse efeito.

Em perspectiva histórica, pode ser mencionada a independência das antigas colônias europeias nas Américas, entre 1776 e 1825. Considerável evolução ocorre no direito internacional da época, nessa matéria, desde a independência dos Estados Unidos, encetada em 1776, até o tratado de Lisboa, de 1825, por meio do qual a independência do Brasil, de 1822, foi reconhecida por Portugal. Sucedem-se atos unilaterais, uso de força, e negociações internacionais, que conduzem a acordos, mediante os quais se normalizam as relações entre as ex-colônias e as antigas metrópoles.

No caso brasileiro, isso se dá mediante "consenso" da antiga metrópole, e para tanto foram precisos três anos. A partir desse marco, talvez tanto ou mesmo mais relevante que a simbolização da independência expressa no dia 7 de setembro de 1822, as demais potências europeias passaram a reconhecer o Brasil. Antes, somente os Estados Unidos e a Argentina tinham estabelecido relações diplomáticas e aceitado o Brasil, como novo sujeito de direito internacional.

A dicotomia recorrente já estava e permanece presente: trata-se de ato unilateral ou bilateral? Este também foi tópico para a ponderação da CIJ no parecer consultivo sobre o Kosovo, em 2010.

Em que medida tem lugar seja o consenso ou a ruptura? A mesma questão pode ser ilustrada pelo Tratado JAY, de 1791, entre a Inglaterra e os Estados Unidos. Este pode ser posto em paralelo com o Tratado de Lisboa de 1825, entre Portugal e Brasil: antes do instrumento internacional, elementos de ruptura e de consenso estão presentes em ambos os casos, como em praticamente todos os demais exemplos nessa matéria, desde então.

Dentre os casos disponíveis, existem rupturas, consenso, e também exemplos negociados podem ser mencionados. O caso brasileiro, com as suas especificidades, mostra a construção da secessão – que incluiu conflito armado com tropas da antiga metrópole – até a sucessão de estado, e instauração do novo sujeito de direito internacional, em meio ao "concerto das nações" do seu tempo – levando ao resultado negociado, com mediação da Inglaterra, por meio do qual se estipulou a compensação por custos da guerra e a indenização por bens da coroa portuguesa, deixados na antiga colônia, dentre os quais se inclui a antiga biblioteca real portuguesa – trazida de Lisboa para o Rio de Janeiro, em 1807-1808 – que foi o núcleo original da Biblioteca Nacional, do Rio de Janeiro[138].

138. Lilia Moritz SCHWARCZ com Paulo César de AZEVEDO e Ângela Marques da COSTA, **A longa viagem da biblioteca dos reis**: do terremoto de Lisboa à independência do Brasil (São Paulo: Cia. das Letras, 2002).

Ainda em perspectiva histórica, três vagas sucessivas podem ser referidas durante o século XX: a primeira, segue-se ao final da primeira guerra mundial, com o fim dos impérios otomano, russo e austro-húngaro. Ante o esforço para redesenhar o mapa da Europa, intenta-se passar dos antigos impérios multinacionais, para a Europa dos estados nacionais, baseada no estado como expressão das identidades nacionais. A nacionalidade, ao menos na concepção original de W. WILSON, seria a diretriz para a configuração da nova fase da Europa.

Esse anseio somente em parte foi realizado. A meio caminho entre os idealistas e os realistas, que se enfrentaram nas negociações dos tratados de Versalhes e demais instrumentos que puseram termo ao estado de guerra, entre 1919 e 1923[139].

Tanto rupturas como aspectos negociados podem ser mencionados, no período que se segue à primeira guerra mundial. E não somente em relação aos antigos impérios coloniais[140].

Em decorrência da recusa inicial em honrar dívidas herdadas do regime czarista, a União das Repúblicas Socialistas Soviéticas (URSS), então em vias de ser instaurada, depois de anos de guerra civil, se viu em quase total isolamento nas relações internacionais, financeiras e diplomáticas, durante a maior parte da década de 1920. A ponto de levar à aceitação pelas autoridades da URSS de rever a anterior negação. Reconsiderada a posição anterior, retoma a URSS os pagamentos de antigas dívidas, de modo a voltar a ser participante do sistema de relações internacionais, especialmente em matéria de finanças.

O exemplo é relevante para evidenciar que as rupturas, com confrontação e sem negociação, mesmo se mantidas por algum tempo, tendem a ser substituídas

---

139. P. B. CASELLA, **Tratado de Versalhes na história do direito internacional** (São Paulo: Quartier Latin, 2007).

140. Nathaniel BERMAN, **Passions et ambivalence: le colonialisme, le nationalisme et le droit international** (présentation d'Emmanuelle JOUANNET, Paris: Pedone, 2008); Jan BREMAN et al., **Kolonialisme, racisme & cultuurpolitiek** (Amsterdam: Meulenhoff / De Gids, ano 154, n. 5-6, mei-juni 1991); Alfredo BOSI, **Dialética da colonização** (São Paulo: Cia das Letras, 1992); Aimé CÉSAIRE, **Discours sur le colonialisme** suivi de Discours sur la négritude (© 1955, Paris: Présence africaine, 2004); Emmanuel DECAUX, **Les formes contemporaines de l'esclavage** (Leiden: M. Nij--hoff, 2009); Bernard DROZ, **Histoire de la décolonisation** au XX siècle (© 2006, Paris: Seuil, 2009); Marc FERRO, **História das colonizações** – das conquistas às independências, séculos XIII a XX (do original **Histoire des colonisations** © 1994, trad., Rosa Freire D'AGUIAR, São Paulo: Cia das Letras, 1996, 5. reimpr., 2008); Alain FOIX, **Toussaint Louverture** (Paris: Gallimard, 2007); Vaios KOUTROULIS, **Le début et la fin de l'application du droit de l'occupation** (préface de Pierre KLEIN, Paris: Pedone, 2010); Ruggiero ROMANO, **Os mecanismos de conquista colonial:** os conquistadores (do original francês **Les mécanismes de la conquête coloniale:** les conquistadores © 1972, trad. Marilda PEREIRA, rev. Vera de Camargo TOLEDO, São Paulo: Perspectiva, 1973); Henri WESSELING, **Les empires coloniaux européens 1815-1919** (do original **Europa's koloniale eeuw: de koloniale rijken in de negentiende eeuw 1815-1919** © 2003, trad. du neerlandais par Patrick GRILLI, Paris: Gallimard – Folio Histoire, 2009); Eric R. WOLF, **A Europa e os povos sem história** (do original **Europe and the people without history** © 2005, trad. Carlos Eugênio Marcondes de MOURA, São Paulo: Edusp, 2005); Robert J. C. YOUNG, **Postcolonialism** – a very short introduction (Oxford: Univ. Press, 2003).

por soluções negociadas. O mesmo se verifica em relação aos efeitos da descolonização, que se seguiu à segunda guerra mundial.

A construção da nova Europa, com numerosos casos de secessão e de sucessão de estado, após a primeira guerra mundial, se produz em ainda maior escala na África e na Ásia, após a segunda guerra mundial, com o fenômeno da descolonização em série. Após a segunda guerra mundial, muitas dezenas de antigas colônias se tornam novos estados independentes – os assim chamados *newly independent states* – e estes, ao se estabelecerem, questionaram as bases e postularam colocar de lado, em considerável extensão, o direito internacional, herdado dos tempos coloniais. Estes novos estados logo constataram quanto deste direito internacional continuava a ser necessário, e se haveria de aplicar, como tal, com pouca ou nenhuma discussão, nas relações diplomáticas e consulares, no direito dos tratados, e na participação destes novos estados na maioria das organizações internacionais, dentre as quais, sobretudo na Organização das Nações Unidas. Ajustes menores foram efetuados sobretudo em matéria financeira.

Do antigo reconhecimento bilateral e *ad hoc* de estado a estado se passou à nova prática de aceitação multilateral de novo membro, em organizações internacionais como a ONU. A questão de se estruturar novo estado e o seu consequente reconhecimento passa do estrito enfoque bilateral do passado para o tratamento multilateralizado de tais casos.

Como mostram os Pareceres consultivos da CIJ sobre as condições de admissão de novos membros da ONU, prolatados em 1948 e em 1950[141]. Estes afirmam claramente: nenhum requisito adicional poderia ser exigido, além dos estipulados na Carta da ONU, dos potenciais candidatos, no momento do ingresso na organização.

Esse dado aponta para contexto de crescente institucionalização multilateral. E foi crucial para a consolidação da ONU, em meio ao contexto da guerra fria (1949-1989) que pautaria décadas das relações internacionais.

No curso do processo de descolonização, duas tendências podem ser apontadas: de um lado, a confrontação, claramente enunciada, dos preceitos básicos do antigo sistema internacional, como expressado na pretensão de se instaurar cenário de *tabula rasa*, com extinção de todos os vínculos preexistentes no contexto internacional, em que nem direitos nem obrigações se transmitiriam aos novos estados, sem ônus herdados das antigas metrópoles. Somente os novos compromissos, celebrados pelos novos estados independentes, poderiam vinculá-

141. O precedente Parecer consultivo de 1948 foi citado pela CIJ no Parecer consultivo sobre o Kosovo, em 2010.

-los no plano internacional, como novo sujeito de direito internacional. Isso logo se mostrou excessivo e dificilmente passível de implementação.

No extremo oposto, formulou-se a pretensão de se estabelecer a sucessão universal, pela qual o novo sujeito de direito internacional estaria, desde o início, vinculado por todos os compromissos, anteriormente estipulados pela antiga potência colonial. Isso foi igualmente considerado excessivo.

Quais são as lições a serem tiradas do período de descolonização, de 1945 a 1960? O mais relevante ensinamento nessa matéria foi no sentido de nenhuma das duas formulações extremas ter prevalecido.

A visão intermediária da sucessão parcial prevaleceu na maioria dos casos ocorridos. Mesmo naqueles casos nos quais inicialmente houvesse a negação total dos vínculos do passado – como se formulou enquanto *slogan* básico dos novos estados independentes –, mesmo nesses casos logo se seguiu a aceitação de alguns dos direitos e dos ônus, relacionados com a condição de estado no contexto do direito internacional e das relações internacionais, para cada caso específico.

A lição da história mostra que, apesar da aparente diversidade, existiu grau substancial de consistência na aplicação das normas, e a percepção da necessidade destas, embora inicialmente contestadas, ou mesmo renegadas, em bloco, por alguns dos novos estados independentes. A construção de aceitação mais ampla das normas de direito internacional foi testada na prática e esta mostrou a sua resistência e a sua capacidade de adaptar-se a mutação essencial dessa ordem.

Dentre as antigas colônias britânicas, como mostra o ato de independência da Birmânia (atual Myanmar), ou também nos casos da Indonésia em face dos Países Baixos, ou das Filipinas frente aos Estados Unidos, foram casos marcados por tentativas de composição, e algumas dificuldades, encontradas no curso dos procedimentos de implementação das respectivas independências.

Caso único de transição, sem qualquer negociação, foi o antigo Congo belga. O tratado de 1960 entre a Bélgica e o Congo nunca entrou em vigor[142]. Não por acaso, este foi um dos casos mais difíceis, com graves problemas e efeitos colaterais, para ambos os lados.

No caso das antigas colônias francesas, a Constituição francesa de 1958 esboça a ideia de uma comunidade, da qual a França teria a presidência e, em considerável extensão, o desempenho das atribuições externas da condição de

142. Patrick MASELIS, **Dos Açores ao Zaire – todas as colônias belgas nos seis continentes** (1451-1916) (do original **Van de Azores tot de Zuidpool**, © 2005, trad; Accolade Language Serviices, Roselaere, Bélgica: Roularta Books N.V., 2005, esp. cap. X, "Congo (1885-1960)", p. 176-274).

sujeito de direito internacional permaneceria sob controle francês, com espécie de primazia, ou *primus inter pares*. Essa ideia nunca chegou a ser implementada, mas se inscreve na mesma linha de sucessões negociadas.

Curiosamente, depois do final das duas grandes vagas de descolonização, que se seguem às duas guerras mundiais, quando o assunto parecia encerrado, foram negociadas as duas Convenções de Viena sobre sucessão de estados: tanto a de 1978, Convenção sobre tratados em caso de sucessão de estado, como a de 1983, Convenção sobre bens, arquivos e dívidas de estado, em casos de sucessão. Tanto os respectivos processos de negociação como também a pouco entusiasta aceitação que estas encontraram parecem apontar para a percepção de que se tratava de assunto datado, na altura em que se alcançava a regulação internacional da questão.

Logo depois, contudo, nova onda de descolonização foi encetada: nos anos 1990 ingressam na ONU mais de duas dezenas de novos estados membros, dos quais Montenegro, em 2006, era o mais recente, até ocorrer o caso do Kosovo, em 2008. O que serve para mostrar que o tema, longe de ser mera curiosidade histórica, continua presente e suscita questões que não podem ser deixadas sem solução.

A mais recente leva de reengenharia estatal mostrou não somente secessões e sucessões de estado, mas também fusões, como se deu na unificação da Alemanha e na unificação do Iêmen. Especialmente três casos merecem considerações específicas, porquanto foram conduzidos de modo distinto, com particularidades e consequências diversas, tanto para as partes diretamente envolvidas como em relação ao conjunto da comunidade mundial.

A divisão entre a República Checa e a Eslováquia pôs fim à Tchecoslováquia como sujeito de direito internacional[143] e deu lugar às duas Repúblicas que ingressam na ONU em janeiro de 1993, e na União Europeia, como dois novos estados membros em maio de 2004. Este foi considerado um modo perfeitamente civilizado de conduzir a questão, e tanto bens públicos quanto dívidas foram equitativamente divididos, na proporção da população, sendo dois terços para a República Checa e um terço para a Eslováquia, e também abrangeram compromissos internacionais, anteriormente assumidos, dentre os quais a participação em muitas centenas de tratados multilaterais e muitos milhares de tratados bilaterais, mantidos em vigor e sem qualquer descontinuidade de aplicação. Sem maiores traumas, em todo o processo de transição.

---

143. Jiri MALENOVSKY, **Problèmes juridiques liés à la partition de la Tchécoslovaquie** (Annuaire Français de Droit International, 1993, v. XXXIX, p. 305-336).

No caso da antiga URSS, várias situações se apresentaram: a Federação russa foi aceita como sucessora, em relação à quase-totalidade dos compromissos internacionais, anteriormente assumidos pela União Soviética, incluindo sua condição de potência nuclear e a participação na ONU, inclusive em relação ao assento permanente, com direito de veto, no Conselho de Segurança. Essa foi questão de conveniência para a comunidade internacional, como um todo, e parece ter sido compreendida como requisito para manter a estabilidade do inteiro sistema internacional, como este tinha sido estruturado, a partir de 1945.

Além do caso russo[144], as repúblicas, integrantes da antiga União Soviética tomaram rumos diversos: os três Bálticos, a Estônia, a Letônia e a Lituânia trataram de recuperar as suas soberanias, cujo exercício se interrompera desde 1940 – quando tinham sido invadidos por tropas do exército vermelho, e estes estados se viram de fato integrados ao conjunto da URSS. Os três estados bálticos, depois de substancial reestruturação, aderem à União Europeia, em 2004, como três novos estados membros. A violação do direito internacional, ocorrida meio século antes, com a ocupação, serviu de argumento para conferir legitimidade para a retomada das relações diplomáticas e outros vínculos com os três estados bálticos. Estes não seriam novos estados, mas simplesmente se trataria de retomar a conduta normal das relações internacionais, depois que tinham cessado os fatores, causadores da interrupção[145].

Dentre as antigas repúblicas soviéticas, Belarus e a Ucrânia eram (formalmente) membros fundadores da ONU, com assentos nesta, desde 1945. Tratou-se, assim, simplesmente de dar continuidade ao exercício de sua condição internacional, em bases mais realistas, após o fim da União soviética. Com relação às demais antigas repúblicas soviéticas, um modelo de transição foi estipulado, por meio do qual formaram a assim chamada Comunidade de Estados Independentes

144. A respeito, v., P. B. CASELLA, **BRIC – Brasil, Rússia, Índia, China e África do Sul** – uma perspectiva de cooperação internacional (São Paulo: Atlas, 2011, esp. cap. 4, "da santa Rússia dos Czares, à URSS e a Rússia de hoje"); Karen DAWISHA e Bruce PARROTT, **Rússia and the new states of Eurasia** (Cambridge: Univ. Press, © 1994, reprinted 1995); Mohammed-Reza DJALILI (sous la direction de), **Le Caucase postsoviétique**: la transition dans le conflit (Bruxelas: Bruylant / Paris: L.G.D.J., 1995); Yves PLASSERAUD, **Les états baltes** (Paris: Montchrestien, 1992); Anna POLITKVOSKAYA, **La Russia di Putin** (© 2004, trad. Claudia ZINGHETTI, Milão: Adelphi Ed., 2005, 7. ed., 2009); Nicholas V. RIASANOVSKY e Mark D. STEINBERG, **A History of Russia** (Oxford: Univ. Press, 7. ed., 2005); Robert SERVICE, **A History of modern Russia** – from NICHOLAS II to PUTIN (© 1997, Londres: Penguin, 2003) ; Michael THUMAN, **La puissance russe: un puzzle à reconstituer?** (do original **Das Lied von der russischen Erde**, 2002, trad. de l'allemand par Jean-Marie ARGELÈS, Paris: Alvik, 2002); Hans-Joachim TORKE (Hg.), **Die russische Zaren** 1547-1917 (orig. publ., 1995, Munique: Beck, 4. ed., 2012).

145. P. B. CASELLA, *Ampliação da União Europeia: a Europa central se integra* (in **O novo direito internacional**: estudos em homenagem a Erik JAYME ed. by Claudia Lima MARQUES and Nadia de ARAUJO, Rio de Janeiro: Renovar, 2005, pp. 723-743); v. tb. o já ref., Yves PLASSERAUD, **Les états baltes** (Paris: Montchrestien, 1992).

(CEI), uma contradição tanto terminológica quanto conceitual, na medida em que simultaneamente tentavam tanto ser uma "comunidade" quanto ser estados "independentes", como assim se expressavam. O modelo CEI claramente se destinou a preparar para o futuro pleno exercício de suas soberanias nacionais como já registravam as Atas de Alma Ata e de Minsk, em 1991, por meio das quais o modelo transicional foi criado, para regular a sucessão de estados, que deixavam o quadro da antiga URSS.

Em matéria de direito dos tratados, questões substanciais foram solucionadas, tais como a participação nos tratados nucleares – sobretudo porque Belarus, Cazaquistão e Ucrânia eram também potências nucleares. Esta era uma questão vital para toda a humanidade, e essa passagem se deu com consistência na interpretação e na aplicação das normas de direito internacional, em medida que merece ser enfatizada.

O tratado de não proliferação nuclear de 1968, o tratado sobre mísseis antibalísticos de 1972 e seu Protocolo de 1974, bem como o seu Memorando de entendimento de 1997 mostram a prevalência do interesse comum dos estados, com a consequente desnuclearização da Belarus, do Cazaquistão e da Ucrânia, e a correspondente transferência da condição de potência nuclear, parte contratante dos tratados nucleares, para a Federação russa, como estado sucessor da antiga URSS.

Os vários casos das antigas Repúblicas soviéticas mostram a variedade das soluções adotadas. Estas se estendem da continuidade, no caso da Federação russa, à recuperação da identidade nacional e da independência, no caso da Estônia, Letônia e Lituânia, a recuperação da ficção jurídica, depois tornada realidade, nos casos da Belarus e da Ucrânia, e a construção de modelo de transição, em vista do futuro, para as demais antigas integrantes da União das repúblicas socialistas soviéticas.

A Tchecoslováquia e a URSS são bons exemplos da prática das duas últimas décadas, com predominância da solução pacífica das controvérsias. Além desses casos, o trágico fim da antiga Iugoslávia levou a sucessivas ondas de guerra civil, em que se cometeram crimes de genocídio, crimes contra a humanidade e crimes de guerra[146], no curso dos anos 1990, envolvendo a Sérvia, em relação à Eslovênia, a Croácia, a Bósnia-Herzegovina, a Macedônia. Mais recentemente, e de modo pacífico, em relação ao Montenegro. Em situação de tensão, todavia não solucionada, no caso do Kosovo.

---

146. Roy GUTMAN, David RIEFF and Anthony DWORKIN (edited by), **Crimes of war** (New York: Norton, © 1999, "revised and updated edition", 2007); Théodore CHRISTAKIS, **L'ONU, le chapitre VII et la crise yougoslave**, Paris: Montchrestien, 1996); Théodore CHRISTAKIS, *La nécessité en droit international* (in **La nécessité en droit international**, Paris: Pedone / SFDI, 2007, p. 11-63).

A independência do Montenegro em 2006 marcou o fim da antiga República da Iugoslávia. Este se fez de modo pacífico, por meio de referendo, no qual a questão da independência foi decidida pela maioria e nova guerra foi evitada. Ainda mais presente e necessário se fazia nesse caso, depois dos trágicos precedentes ocorridos quando da secessão das antigas repúblicas iugoslavas nos anos 1990.

Surge a seguir o caso da independência do Kosovo, proclamada em 17 de fevereiro de 2008. Como se passa a considerar.

3.5.2. o Parecer da CIJ, de 22 de julho de 2010, sobre o caso do Kosovo

> "Por esses motivos, a Corte, (...) por dez votos a quatro, declara seu entendimento de que a declaração de independência do Kosovo, adotada em 17 de fevereiro de 2008 não violou o direito internacional[147]."

O primeiro tópico com o qual a Corte teve de lidar foi a questão da jurisdição. A CIJ considerou a base legal para prolatar o parecer, como requerido neste caso[148]. A questão habitual, quanto a ser ou não o escopo do pedido uma "questão jurídica" (*legal question*) foi, como muitas vezes acontece, também aqui suscitada. E a mesma foi adequadamente solucionada pela Corte.

A alegação da existência de "questões políticas" (*political issues*) em qualquer questão de direito internacional não é suficiente para privar a Corte da possibilidade de exercitar a sua jurisdição em determinado caso. Nessa matéria, foi ainda alegado que a questão deveria ser regulada pelo direito (constitucional) interno, mas a Corte considerou a matéria na perspectiva do direito internacional – como expressamente lhe fora solicitado – e entendeu ser desnecessário considerar aspectos de direito interno, ou quanto aos "motivos" (*motives*) que teriam levado ao pedido de parecer[149].

---

147. ICJ, Advisory opinion on Kosovo, 22 July 2010, par. 123. The Court unanimously found that it had jurisdiction to give the advisory opinion requested, and by nine votes to five, decided to comply with the request for an advisory opinion. (...) For these reasons, THE COURT, (...) By ten votes to four, is *of the opinion* that the declaration of independence of Kosovo adopted on 17 February 2008 did not violate international law.

148. ICJ, Advisory opinion on Kosovo, 22 July 2010, p. 2: "Jurisdiction of the Court to give the advisory opinion requested is grounded on Article 65, paragraph 1, of the Statute, as well as Article 96, paragraph 1, of the UN Charter: Power of General Assembly to request advisory opinions, in accordance with Articles 10 and 11 of the Charter. There was contention that General Assembly acted outside its powers under the Charter Article 12, paragraph 1, of the Charter, but the ICJ considered that authorization to request an advisory opinion is not limited by Article 12".

149. ICJ, Advisory opinion on Kosovo, 22 July 2010, p. 2: "The Court can respond to the question by reference to international law without the need to address domestic law. The fact that a question has political aspects does not deprive it of its character as a legal question. The Court is not concerned with the political motives behind a request or the political implications which its opinion may have. The Court has jurisdiction to give advisory opinion requested".

Obviamente, a CIJ deveria e considerou o caso na perspectiva do direito internacional. Como estipula o **Estatuto** da CIJ, em seu art. 38, a função da Corte é decidir, em conformidade com o direito internacional, as questões que lhe forem submetidas.

Seria, assim, impensável pretender privar a CIJ da possibilidade de exercer a sua jurisdição mediante a alegação que determinada questão deveria ser regida pelo direito nacional de país A ou B, em lugar de ser pelo direito internacional[150].

A Corte tinha, assim, a discricionariedade para decidir se deveria prolatar ou não o parecer[151]. E somente em casos nos quais possa haver sólidas razões (*compelling reasons*) para a Corte deixar de exercer a sua jurisdição poder-se-ia encontrar motivo para que esta não prolate parecer consultivo em determinado caso.

A Corte Internacional de Justiça assim afirmou a inocorrência de motivo para deixar de prolatar esse parecer consultivo – *no compelling reasons for Court to use its discretion not to give an advisory opinion*. Compete à Corte a determinação do entendimento quanto ao exercício de sua jurisdição.

Decidida a questão da jurisdição, a Corte se volta para o escopo e alcance da questão de mérito:

> "O texto em questão, na Resolução 63/3 da Assembleia geral. Poder da Corte de esclarecer a questão. Não há necessidade de reformular a questão colocada pela Assembleia geral. Para o adequado exercício de sua função judicial, a Corte tem de determinar a identidade dos autores da declaração de independência. Não houve intenção da Assembleia geral em restringir a liberdade da Corte em determinar essa questão. A tarefa da Corte é a de determinar se tal declaração foi adotada em violação do direito internacional[152]".

---

150. ICJ, Advisory opinion on Kosovo, 22 July 2010, p. 2: "Discretion of the Court to decide whether it should give an opinion Integrity of the Court's judicial function. Only "compelling reasons" should lead the Court to decline to exercise its judicial function The motives of individual States which sponsor a resolution requesting an advisory opinion are not relevant to the Court's exercise of its discretion Requesting organ to assess purpose, usefulness and political consequences of opinion".

151. ICJ, Advisory opinion on Kosovo, 22 July 2010, p. 2: "Delimitation of the respective powers of the Security Council and the General Assembly. Nature of the Security Council's involvement in relation to Kosovo. Article 12 of the Charter does not bar action by the General Assembly in respect of threats to international peace and security which are before the Security Council. General Assembly has taken action with regard to the situation in Kosovo".

152. No texto original: "Text of the question in General Assembly resolution 63/3. Power of the Court to clarify the question. No need to reformulate the question posed by the General Assembly. For the proper exercise of its judicial function, the Court must establish the identity of the authors of the declaration of independence. No intention by the General Assembly to restrict the Court's freedom to determine that issue. The Court's task is to determine whether or not the declaration was adopted in violation of international law".

A Corte sustentou que no âmbito da administração interina do Kosovo, criada (*put in place*) pelo Conselho de Segurança da ONU, em conformidade com a Resolução 1.244 (1999), tinha sido expressamente estipulado o "Estabelecimento da Missão das Nações Unidas para a administração interina no Kosovo (the United Nations Interim Administration Mission in Kosovo, UNMIK), e o papel do Representante Especial do Secretário geral *(Special Representative of the Secretary-General)*", e também, como em relação aos assim chamados quatro pilares do regime de adminsitração do Kosovo, sob a égide da ONU (*four pillars of the UNMIK régime*) a Corte acrescentou que se tratava de "parâmetros constitucionais (*constitutional framework*) para o governo provisório para as relações entre as instituições do autogoverno e o Representante especial do Secretário geral. Eventos relevantes, no final do processo de constituição. Nomeação, de Enviado especial do Secretário geral, para o processo, em vista do *status* futuro do Kosovo (t*he future status process for Kosovo*). Diretrizes para o Grupo de contato. Falha do processo consultivo. Proposta abrangente para o *status* do Kosovo, pelo Enviado especial. Falha das negociações sobre o futuro *status* do Kosovo, sob os auspícios da Troika. Eleições realizadas para a Assembleia do Kosovo em 17 de Novembro de 2007. Adoção da declaração de independência em 17 de Fevereiro de 2008".

A Corte abordou a questão de determinar se a declaração de independência do Kosovo se deu em conformidade com o direito internacional. E conclui a respeito: "Não há proibição de declarações de independência, segundo a prática dos estados".

A seguir, a Corte considerou a alegada proibição de declarações unilaterais de independência, como implícita no princípio da integridade territorial: "O escopo do princípio de integridade territorial está limitado ao âmbito das relações entre estados. A não existência de proibição geral pode ser inferida da prática do Conselho de Segurança, com relação a declarações de independência. Questões relacionadas com a extensão do direito de autodeterminação e a existência de qualquer direito de secessão (*remedial secession*) estão fora do escopo da questão formulada pela Assembleia geral. O direito internacional geral não contém qualquer proibição, aplicável a declarações de independência".

A evolução do direito internacional desencadeou e ainda produz profundas mudanças conceituais e estruturais no inteiro sistema institucional e normativo internacional. A crescente institucionalização do direito internacional está em curso há mais de um século, e relevantes progressos foram alacançados, desde as Conferências de Paz da Haia, de 1899 e 1907. Muito mais se fez desde então. Essas mudanças estruturais e operacionais assinalam novos parâmetros no presente e no futuro do direito internacional.

Dentre as inovações conceituais merecem menção a emergência do *jus cogens* e as obrigações *erga omnes*[153] os estritos limites ao uso legal da força[154], a proibição da agressão[155], e da ocupação[156], como meios válidos para a criação de título jurídico para o exercício de soberania, em conformidade com o direito internacional, como tantas vezes ocorrera no passado[157]. Tais progressos conceituais e institucionais não podem deixar de ser enfatizados.

3.5.3. observação a respeito da posição brasileira neste caso

> "Uma comunidade de destino, em um mundo imprevisível, é uma comunidade capaz tanto de antecipar como de inovar, em tecnologias, mas também em respostas jurídicas."
>
> M. DELMAS-MARTY (2010)[158]

No parecer sobre o Kosovo, em 2010, a conclusão da CIJ foi no sentido de que a declaração de independência, de 17 de fevereiro de 2008, não violou o direito internacional geral, a Resolução 1.244 (1999) do Conselho de Segurança, nem tampouco o parâmetro constitucional ("Constitutional framework")[159].

---

153. P. de LA PRADELLE, Sur quelques résurgences du droit naturel (in **Mélanges offerts à Mr. le Doyen Louis TROTABAS**, Paris: L.G.D.J., 1970, p. 317-335) ; Maurizio RAGAZZI, **The concept of international obligations** *erga omnes* (Oxford: Clarendon Press, 1997); Lisa YARWOOD, **State accountability under international law** – Holding states accountable for a breach of *jus cogens* rules (London: Routledge, 2011); A. ORAKHELASHVILI, **Peremptory norms in international law** (Oxford: Univ. Press – Oxford Monographs in International Law, 1st. publ. 2006, reprinted 2008).

154. C. H. M. WALDOCK, **The regulation of the use of force by individual states in international law** (RCADI, 1952, t. 81, p. 451-518); H. WEHBERG, **L'interdiction du recours à la force: le principe et les problèmes qui se posent** (RCADI, 1951, t. 78, p. 1-122).

155. Bengt BROMS, **The definition of aggression** (RCADI, 1977, t. 154, p. 299-399); Yoran DINSTEIN, **Guerra, agressão e legítima defesa** (originally published as **War, aggression and self-defence** © 1988, 3rd English edition, 2001, transl. by Mauro Raposo de MELLO, Barueri: Manole, 3. ed., 2004); W. KOMARNICKI, **La définition de l'agresseur dans le droit international moderne** (RCADI, 1949, t. 75, p. 1-114).; John FISCHER WILLIAMS, **La convention pour l'assistance financière aux états victimes d'agression** (RCADI, 1930, t. 34, p. 77-176); S. M. SCHWEBEL, **Aggression, intervention and self-defense in modern international law** (RCADI, 1972, t. 136, p. 411-498); J. ZOUREK, **La définition de l'agression et le droit international: développements récents de la question** (RCADI, 1957, t. 92, pp. 755-860).

156. P. B. CASELLA, **Direito internacional dos espaços** (São Paulo: Atlas, 2009); Vaios KOUTROULIS, **Le début et la fin de l'application du droit de l'occupation** (Paris: Pédone, 2010); G. DISTEFANO, **L'ordre international entre légalité et effectivité: le titre juridique dans le contentieux international** (Paris: Pedone / Genève: Institut universitaire des hautes études internationales, 2002); Philippe WECKEL (sous la direction de), **Le juge international et l'aménagement de l'espace: la specificité du contentieux territorial** (Paris: Pedone, 1998); Ahmed ABOU EL WAFA, **Les différends internationaux concernant les frontières terrestres dans la jurisprudence de la Cour internationale de Justice** (RCADI, 2009, t. 343, p. 10-570).

157. P. B. CASELLA, **Fundamentos do direito internacional pós-moderno** (São Paulo: Quartier Latin, 2008).

158. Mireille DELMAS-MARTY, **Libertés et sûreté dans un monde dangereux** (Paris: Seuil, 2010, p. 247): "une communauté de destin, dans un monde imprévisible, c'est une communauté capable à la fois d'anticiper et d'innover, dans les technologies, mais aussi dans les réponses juridiques".

159. ICJ, Advisory opinion on Kosovo, 22 July 2010, par. 121, and also paragraphs 102 to 109: "the declaration of independence of 17 February 2008 was not issued by the Provisional Institutions of Self-Government, nor was it an act intended

Desse modo, a Corte concluiu que a adoção da declaração de independência de 17 de fevereiro de 2008 não violou o direito internacional geral, nem tampouco a Resolução 1.244 (1999), ou o "Constitutional framework". Consequentemente, a adoção da declaração de independência do Kosovo não violou qualquer norma aplicável do direito internacional (textualmente, a Corte fala em "*any applicable rule of international law*").

Além da solução para o caso, o Parecer consultivo da CIJ sobre o Kosovo, prolatado em 22 de julho de 2010, estipulou novo parâmetro em relação ao objeto do mérito da consulta. Este Parecer consultivo muito provavelmente se colocará como inovação relevante e inaugura tendência inovadora na matéria, como se deu no caso do Parecer consultivo de 9 de julho de 2004, sobre as consequências jurídicas da construção do muro, nos territórios palestinos ocupados. Não por acaso, o precedente de 2004 foi extensamente citado pela Corte, no texto do Parecer consultivo de 2010.

De um lado, a Corte reconheceu que, em considerável extensão, questões como a secessão e a sucessão de estado permanecem sem regulação pelo direito internacional, por existirem dados de fato que dificilmente podem ser submetidos a normas jurídicas, até que estes dados fáticos alcancem a condição de fato consumado (*fait accompli*), e a partir de então as consequências legais podem ser deduzidas. Por outro lado, a CIJ, embora reconheça que a proteção da integridade territorial dos estados seja parte do direito internacional consuetudinário, também enfatizou a importância do equilíbrio a ser alcançado em relação a não menos relevante aceitação da autodeterminação como princípio basilar do direito internacional presente, e um dos principais desenvolvimentos nele ocorridos, durante a segunda metade do século passado.

Essas são evidências de profundas mudanças estruturais, em curso no direito internacional, como sistema institucional e normativo. Isso se denomina direito internacional pós-moderno.

Por todos esses motivos causa surpresa a manifestação contrária do Brasil. Como um dentre os numerosos "terceiros intervenientes" no caso do **Parecer sobre a legalidade perante o direito internacional vigente da adoção da declaração unilateral de independência do Kosovo**, teve o Brasil motivo de se manifestar a respeito do seu entendimento do caso.

---

to take effect, or actually taking effect, within the legal order in which those Provisional Institutions operated. It follows that the authors of the declaration of independence were not bound by the framework of powers and responsibilities established to govern the conduct of the Provisional Institutions of Self-Government. Accordingly, the Court finds that the declaration of independence did not violate the Constitutional Framework".

Na ocasião, alegou a representação brasileira que a referida declaração violava "vários" (*various*) princípios do direito internacional vigente. Muito embora nesta manifestação brasileira à Corte Internacional de Justiça não se diga quais teriam sido os preceitos de direito internacional violados pela adoção da referida declaração unilateral.

3.6. Direitos e deveres dos estados

Ao nascer, o estado ingressa na comunhão internacional gozando de todos os direitos reconhecidos pelo direito internacional e com a obrigação de arcar com os deveres por este impostos. Hoje não mais se discute a igualdade jurídica dos estados e, em consequência, os direitos reconhecidos aos mais poderosos devem também o ser aos menores e mais fracos, desde que se trate de estado-membro das Nações Unidas que, em tal capacidade, desfruta de todos os direitos enumerados na **Carta**.

A dificuldade dos internacionalistas consiste em identificar *direitos* e *obrigações*, principalmente os chamados direitos fundamentais, sem os quais o estado deixaria de ser entidade soberana[160]. Os positivistas, contudo, negam a existência daqueles. Somos, contudo, da opinião de que só existe para o estado um direito fundamental: o *direito à existência*, que pode ser chamado *primordial*, e de que decorrem os demais.

Segundo VERDROSS, a doutrina tradicional admitia cinco direitos fundamentais, quais sejam: direito à *independência*; direito de *conservação*; direito de *igualdade*; direito à *honra* (ou ao *respeito mútuo*); e direito de livre *comércio* ou simplesmente de comerciar. A **Carta** da Organização dos Estados Americanos contém capítulo denominado "Direitos e Deveres Fundamentais dos Estados", em que, do artigo 9º ao 22, estão mencionados todos os direitos tidos como tais. Em outras palavras, o que se constata é que os direitos fundamentais podem evoluir com o passar dos anos, visto que as prioridades variam de estado para

160. *Bibliografia*: ACCIOLY, **Tratado** (2009, v. 1, "direitos e deveres dos estados", p. 259-443); Ricardo ALFARO, **The rights and duties of States**, RCADI, 1969, v. 97, p. 91-202; Antônio Celso Alves PEREIRA, *O direito ao desenvolvimento no contexto dos direitos humanos*, Boletim, jan./mar. 1992, p. 27-43; BEVILÁQUA - 1, p. 54; FAUCHILLE - 1, p. 461; Raul FERNANDES, **L'égalité juridique des États**, Genebra, 1921; F. V. Garcia AMADOR, **El derecho internacional del desarollo**, Madri, 1987; Hague Academy of International Law Colloque sur Le Droit International au Développement au Plan International, Dordrecht, 1980; Hans KELSEN, *The draft declaration on rights and duties of States*, AJIL, 1950, v. 44, p. 259-76; MELLO - 1, p. 360; PESSOA, artigo 15; PODESTÀ - 1, p. 119; Robert ROSENSTOCK, *The Declaration of Principles of International Law Concerning Friendly Relations*, **AJIL**, 1970, v. 65, p. 713; Stélio SÉFÉRIADES, **Principes généraux du droit international de la paix**, RCADI, 1930, v. 34, p. 343; VERDROSS, p. 167; David VITAL, **The unequality of States**, Oxford, 1967.

estado, tanto que para muitos estados de formação recente o principal direito, depois da independência e da igualdade, é o ao desenvolvimento.

Segundo H. KELSEN, a adequada enumeração dos *deveres* tornaria desnecessária a dos *direitos*. É importante lembrar que as relações internacionais não estariam garantidas se os estados só tivessem direitos sem estarem submetidos a deveres correspondentes.

Embora os estados americanos tenham logrado determinar direitos e deveres fundamentais, o projeto elaborado pela Comissão de Direito Internacional da ONU, não obstante os seus méritos, não foi adotado pela Assembleia Geral.

Menção específica terão os seguintes direitos: direito à *liberdade* (3.6.1.); direito de *igualdade* (3.6.2.); direito ao *respeito mútuo* (3.6.3.); direito de *defesa* e *conservação* (3.6.4.); direito internacional do *desenvolvimento* (3.6.5.); direito de *jurisdição* (3.6.6.); e princípio de não intervenção situado este entre *jus cogens e soft law* (3.6.7.); por sua vez, desdobrando-se em três ordens de exceções: intervenção em nome do direito de defesa e de conservação (3.6.7.1.); intervenção para a proteção dos direitos humanos (3.6.7.2.); e intervenção para a proteção de interesses de nacionais (3.6.7.3.).

3.6.1. direito à liberdade

O direito à liberdade confunde-se com a noção de soberania, que deixou de ser o direito absoluto e incontestável de outrora. Admitida a noção dessa soberania relativa, é lícito falar em direitos decorrentes da soberania interna e externa (que se confunde com o conceito de independência).

A *soberania interna* representa o poder do estado em relação às pessoas e coisas dentro do seu território ou, melhor, dentro dos limites da sua jurisdição. Enquanto projeção interna, também poderia ser chamada *autonomia*.

A *soberania externa* é competência conferida aos estados pelo direito internacional e manifesta-se na afirmação da liberdade do estado em suas relações com os demais membros da comunidade internacional. Enquanto projeção externa, confundir-se-ia, pois, com a *independência*.

A *soberania interna* compreende *direitos*:

a) de organização política, ou seja, o de escolher a forma de governo, adotar uma constituição política, estabelecer, enfim, a organização política própria e modificá-la à vontade, contanto que não sejam ofendidos os direitos de outros estados;

b) de legislação, ou seja, o de formular as próprias leis e aplicá-las a nacionais e estrangeiros, conforme, naturalmente, certos limites;

c) de jurisdição, ou seja, o de submeter à ação dos próprios tribunais as pessoas e coisas que se achem no seu território, bem como o de estabelecer a sua organização judiciária;

d) de domínio, isto é, o estado possui uma espécie de *domínio eminente* sobre o seu próprio território.

A soberania externa compreende vários direitos, podendo-se salientar: o de pactuar direitos e obrigações com outros sujeitos de direito internacional, por meio de tratados; o de legação ou de representação; o de igualdade e o de respeito mútuo.

3.6.2. direito à igualdade

Atualmente, o direito de igualdade é reconhecido pelo direito internacional, embora alguns poucos autores ainda insistam em afirmar que a realidade internacional é a negação de tal direito. O direito de igualdade é reconhecido a todo ser humano, ocorrendo o mesmo em relação aos estados.

Todos os estados são iguais perante o direito internacional. Esse dado é premissa basilar do sistema institucional e normativo internacional, tal como expunham Hans KELSEN (1920)[161], B. BOUTROS-GHALI (1960)[162] e R. P. ANAND (1986)[163]. M. BEDJAOUI e H. THIERRY mostram o papel do direito internacional na construção de limites à soberania e ao poder discricionário dos estados (1991)[164].

O artigo 4º da Convenção Panamericana sobre os Direitos e Deveres dos Estados, concluída em Montevidéu em 1933, dispõe o seguinte: “Os estados são juridicamente iguais, gozam dos mesmos direitos e têm a mesma capacidade no seu exercício. Os direitos de cada um não dependem do poder que tenha para assegurar o seu exercício, mas do simples fato de sua existência como pessoa do direito internacional”.

O preâmbulo da **Carta** das Nações Unidas proclama o princípio, ao declarar que a Organização **“é baseada no princípio da igualdade soberana de todos**

161. Hans KELSEN, **Il problema della sovranità e la teoria del diritto internazionale: contributo per uma dottrina pura del diritto** (trad. do original alemão **Das Problem der Souveränität und die Theorie des Völkerrechts: Beitrag zu einer Reinen Rechtslehre,** Tubingen: Mohr, 1920, a cura di Agostino CARRINO, Milão: Giuffrè, 1989).

162. Boutros BOUTROS-GHALI, **Le principe d'égalité des états et les organisations internationales** (RCADI, 1960, t. 100, p. 1-74).

163. R. P. ANAND, **Sovereign equality of states in international law** (RCADI, 1986, t. 197, p. 9-228).

164. M. BEDJAOUI e H. THIERRY (in **Droit international: bilan et perspectives**, Paris: Pedone / UNESCO, 1991, Chap. LVI, “avenir du droit international”, p. 1305-1317, cit. p. 1313, par. 29): “C'est ainsi en fonction des limitations qu'il impose à la souveraineté que le droit international se construit”.

os seus Membros". É verdade, contudo, que, na composição e funcionamento do órgão principal da dita Organização, o referido princípio não foi respeitado. Mas o fato é que os elaboradores da Carta não ousaram deixar de enunciar o princípio, nem declarar abertamente que o subordinam a certas restrições.

As principais consequências da igualdade jurídica dos estados são, em tese, as seguintes:

a) em qualquer questão que deva ser decidida pela comunidade internacional, cada estado terá direito de voto, e o voto do mais fraco valerá tanto quanto o do mais forte;

b) nenhum estado tem o direito de reclamar jurisdição sobre outro estado soberano.

Desta segunda resulta como consequência não terem os tribunais de um estado ***jurisdição*** sobre outro estado tampouco ***competência judiciária*** em relação a outro estado. Esse princípio, entretanto, não deve ser tomado em sentido absoluto, pois igualmente existe o imperativo do interesse comum na administração da justiça e o ***dever de cooperação judicial***, a ser considerado no conjunto de matérias que exigem "cooperação internacional judicial e administrativa", como aborda P. SCHLOSSER (2000)[165].

Existem extensas e complexas esferas de atuação interna dos estados. Em boa medida, esse conjunto de prerrogativas e atribuições que compõe a esfera de atuação interna dos estados fica fora do campo do direito internacional. A aplicação dos conceitos de "***não ingerência nos assuntos internos dos estados***" se põe como exercício do poder no âmbito interno, e da "***soberania***"[166], como exercício do poder voltado aos limites (desse mesmo poder) em relação ao âmbito externo. Tais conceitos se fazem presentes no sentido de criar esferas de atuação exclusiva ou "reservas de mercado" dos estados, e isto se exerce, quer em relação aos habitantes, nacionais ou estrangeiros, estabelecidos em caráter estável, ou mesmo somente de passagem por seu território, bem como bens e direitos, em relação aos quais, por meio de normas de ordem pública, cf. J. DOLINGER (1979)[167] e T. H. HEALY (1925)[168], ficam estipuladas as modalidades

165. Peter SCHLOSSER, **Jurisdiction and international judicial and administrative co-operation** (RCADI, 2000, t. 284, p. 9-430).

166. Adherbal MEIRA MATTOS exclama: "quanto à soberania – segundo Casella – o mito permanece substancialmente inalterado. Mito? Realidade? Organicamente – acredito – o instituto da soberania permanece realidade, a despeito de atitudes hegemônicas tendentes à relativização da soberania, o que não elide a racional operacionalização de reestruturação de que fala o próprio Casella. Tudo se resume na ação de dois vetores: **autolimitação** e **alter-limitação**. A primeira é positiva e a segunda, negativa. Esta se submete a pressões, enquanto aquela não" (na Apresentação ao **Direito da integração**, coords. P. B. CASELLA e V. L. V. LIQUIDATO, São Paulo: Quartier Latin, 2006, p. 15-20, cit. p. 19).

167. Jacob DOLINGER, **A evolução da ordem pública no direito internacional privado** (tese de cátedra, Rio de Janeiro: s/ed. 1979).

de exercício da jurisdição, pelos tribunais nacionais, ou a possibilidade de aceitação de disposições, oriundas do exercício da jurisdição por tribunais estrangeiros, por meio da cooperação judiciária.

Exceções e limitações a tais esferas reservadas de exercício da jurisdição serão determinadas pela lei interna, seja o direito material, seja a norma de conflito ou mediante tratados bilaterais ou multilaterais, por exemplo, de forma a estipular regimes de cooperação entre sistemas legais e judiciais nacionais[169]. A extensão do tratamento da autonomia da vontade das partes contratantes teve ampliação em decorrência da institucionalização da arbitragem comercial internacional no direito brasileiro.

A interdependência e a globalização tornam mais frequentes e mais necessários tais mecanismos institucionais de *cooperação*. Isso representa evolução institucional em relação ao tradicional direito internacional de *coexistência*, uma vez que existe a esfera de ação e interação externa entre estes. Johannes ALTHU-

---

168. T. H. HEALY, **Théorie générale de l'ordre public** (RCADI, 1925, t. 9, p. 407-558).

169. Não se trata de desenvolver abordagem específica de todos os conjuntos de sistemas possíveis de cooperação judicial e judiciária, organizados quer em bases bilaterais ou multilaterais, e dentre estas sejam de vocação universal, como as Convenções da Haia de direito internacional privado ou, em caráter regional, como ilustrariam as convenções europeias ou as convenções interamericanas de direito internacional privado, a respeito das quais remeteria p. ex.: T. M. C. ASSER Instituut, **The influence of the Hague conference on private international law**, selected essays to celebrate the 100th anniversary of the Hague conference on private international law (Dordrecht: M. Nijhoff, 1993); A. BOGGIANO, **The contribution of the Hague conference to the development of private international law in Latin America: universality and genius loci** (RCADI, 1992, t. 233, p. 99-266); J. D. McCLEAN, **The contribution of the Hague conference to the development of private international law in the common law countries** (RCADI, 1992, t. 233, p. 267-304); A. DYER, M. L. PELICHET e G. A. DROZ, **La conférence de la Haye de droit international privé vingt cinq ans après la création de son bureau permanent: bilan et perspectives / The Hague Conference on Private International Law 25 years after the founding of its permanent bureau: achievements and prospects** (RCADI, 1980, t. 168, p. 123-268); M. FALLON, **Les conflits de lois et de juridictions dans un espace économique integre: l'expérience de la Communauté européenne** (RCADI, 1995, t. 253, p. 9-282); Erik JAYME (coord.), **Ein internationales Zivilverfahrensrecht fur Gesamteuropa**: EuGVU, Lugano-Ubereinkommen und die Rechtsentwicklungen in Mittel- und Osteuropa (Heidelberg: C. F. Muller, 1992); A. Von MEHREN, **Recognition and enforcement of foreign judgments: general theory and the role of jurisdictional requirements** (RCADI, 1980, t. 167, p. 9-112); Rui M. de MOURA RAMOS, *The impact of the Hague conventions on portuguese private international law* (in T. M. C. ASSER Instituut, **The influence of the Hague conference on private international law,** selected essays to celebrate the 100th anniversary of the Hague conference on private international law, Dordrecht: M. Nijhoff, 1993, p. 79-92); A. E. von OVERBECK, **La contribution de la conférence de la Haye au développment du droit international privé** (RCADI, 1992, t. 233, p. 9-98); Philippe-Emmanuel PARTSCH, **Le droit international prive: de Rome à Nice** (préface de François RIGAUX, Bruxelas: De Boeck & Larcier, 2003); A. V. M. STRUYCKEN, **Les conséquences de l'intégration européenne sur le développement du droit international privé** (RCADI, 1992-I, t. 232, p. 257-384); P. B. CASELLA e Nadia de ARAUJO (coords.), **Integração jurídica interamericana: as Convenções interamericanas de direito internacional privado** (CIDIPs) e o direito brasileiro (pref. G. E. do NASCIMENTO E SILVA, São Paulo: LTr, 1998); P. B. CASELLA e R. E. SANCHEZ (coords.), **Cooperação judiciária internacional** (Rio de Janeiro: Renovar, 2002), para as convenções bilaterais nessa matéria celebradas e vigentes no Brasil; P. B. CASELLA, *Autonomia da vontade, arbitragem comercial internacional e direito brasileiro* (in **O direito internacional contemporâneo: estudos em homenagem ao professor Jacob DOLINGER**, org. Carmem TIBURCIO e Luís Roberto BARROSO, Rio de Janeiro: Renovar, 2006, p. 737-750).

SIUS, em **Política** (1603)[170], enfatiza o papel desta em unir os homens entre si, para estabelecer a vida social comum, cultivá-la e conservá-la[171].

Muitos autores, ao distinguirem entre os atos praticados pelo estado como pessoa pública ou no exercício do seu direito de soberania e os que ele executa como pessoa privada, entendem que os primeiros estão isentos da competência de qualquer tribunal estrangeiro, ao passo que os últimos são passíveis dessa jurisdição. Na verdade, porém, não é fácil distinguir precisamente os atos de autoridade do estado, ou a sua atividade ***jure imperii***, dos atos de simples gestão, ou a sua atividade ***jure gestionis***.

Não mais se pode sustentar a pretensão à manutenção da doutrina da absoluta imunidade de jurisdição dos estados, aponta I. PINGEL (1998)[172], como decorrência do imperativo da convivência organizada entre os sujeitos de direito internacional.

Nos pontos, porém, em que tal pretensão prevalece, tem-se admitido, em geral, que o princípio só não é aplicável quando o próprio estado renuncia à dita imunidade, expressa ou tacitamente. A renúncia será expressa quando conste de tratado ou convenção internacional, ou de uma declaração oficial. Será tácita: 1º) quando o estado propõe uma ação perante tribunal estrangeiro; 2º) quando, acionado perante tribunal estrangeiro, não levanta a declinatória da incompetência; 3º) quando exerce atos de comércio em território estrangeiro, e a ação judiciária se refere a tais atos; 4º) quando se trata de ações reais relativas a direitos ou interesses que possua em bens imóveis situados no território de um estado estrangeiro; 5º) quando se trata de ações referentes à aquisição, por sucessão ou doação, de bens sujeitos à jurisdição de outro estado.

---

170. Johannes ALTHUSIUS, **Política** metodicamente apresentada e ilustrada com exemplos sagrados e profanos (edição reduzida, trad. para o inglês e intr. Frederick S. CARNEY, pref. Daniel J. ELAZAR, trad. Joubert de Oliveira BRÍZIDA, RIO: Topbooks / Liberty Fund, 2003). A respeito de ALTHUSIUS e sua obra, *v.* P. B. CASELLA, **Direito internacional no tempo moderno de SUAREZ a GRÓCIO** (São Paulo: Atlas, 2013).

171. J. ALTHUSIUS (op. cit., ed. cit., XI, p. 198 e s.): "O direito secular e especial de soberania indica e prescreve os meios particulares para que sejam atingidas as necessidades e carências de todas as simbioses dessa associação, para a promoção de benefícios para elas e que sejam evitadas as desvantagens. Pois, assim como todo membro de um corpo foi criado e constituído para desempenhar suas funções, mas cada um deles e todos têm uma única finalidade, que é a conservação do corpo como um todo, assim também cada um de nós está destinado a um papel próprio e individual na vida, mas todos temos que glorificar a Deus e cuidar do bem-estar do próximo. Esse direito especial deve ser equitativo, bom, útil e adaptado a lugar, tempo e pessoas. Daí ele ser chamado de direito civil (*jus civile*) e ser considerado peculiar a cada forma de governo".

172. A respeito, *v.* 3.8.3., *infra*, "Imunidade de jurisdição e de execução". Isabelle PINGEL, **Les immunités des états en droit international** (Bruxelas: Bruylant / Ed. de l'Univ., 1998), enfatiza a evolução da matéria no sentido do acolhimento progressivo da imunidade relativa, como a norma de base, com exame minucioso das razões que levaram à sua adoção, bem como a influência das avaliações conceituais sobre a prática dos estados. *V.* tb. Márcio GARCIA e Antenor Pereira MADRUGA Filho (coord.). **A imunidade de jurisdição e o estado brasileiro** (Brasília: CEDI, 2002).

A imunidade de jurisdição e de execução aplica-se também às simples subdivisões políticas dos estados; estados de uma federação, províncias, municípios, uma vez que a ação intentada contra uma dessas subdivisões, perante uma jurisdição estrangeira, será dirigida, afinal de contas, contra o estado a que pertença a subdivisão e ao qual cabe representá-la nas relações internacionais.

Essa distância a ser percorrida pode ser mapeada pelo direito internacional no contexto pós-moderno. Os mecanismos de cooperação judicial – no interesse dos estados e do bom funcionamento de seus sistemas e necessidades externas – são instaurados e regulados por mecanismos de cooperação estatal que não se sobrepõem, mas somam-se aos estados. Além disso, visam atender às necessárias projeções externas destes, sem que haja conflito com as prerrogativas de outro estado em relação a seu território, jurisdição e competências[173].

A distorção essencial da política internacional será qualquer tentativa de impor externamente essa respectiva esfera interna de competência e atuação, seja pela força ou por outros meios indiretos (como a propaganda), mas em detrimento das regras estipuladas e mantidas de forma unilateral. Em considerável medida, a construção e a aplicação do direito internacional se fez e será feita pelos estados e mediante as relações entre estados[174]. Inevitavelmente. Ante a impossibilidade de pretender estabelecer mecanismos que os substituam, trata-se de estipular mecanismos que regulem a sua atuação[175].

Cabe perceber que a relação *entre* estados pressuporá o reconhecimento ao menos implícito quanto a ambos preencherem tal condição, ou seja, somente após e na medida em que *reciprocamente* se reconheçam como estados, celebrarão tratados ou acordos entre si, como estabelecerão relações diplomáticas e o envio de missões diplomáticas permanentes[176], por *consentimento mútuo*[177].

173. Da mesma forma, necessidades internacionais terão de ser tratadas e atendidas internacionalmente. Nem a absoluta proscrição de qualquer ingerência nos assuntos ditos internos, nem a tentativa de construção de "dever" de ingerência, cuja manipulação será sempre condicionada pelo alvo e por quem maneje a ferramenta!

174. Antoine PILLET, **Principes** (1903, ns. 62 e 66): "à défaut d'une souveraineté supérieure il ne peut évidemment appartenir qu'à l'État de tracer lui-même les limites de sa souveraineté et de la souveraineté d'autre sur son territoire"; P. B. CASELLA, *Reconhecimento de estado e governo no direito internacional contemporâneo* (in **O direito internacional no terceiro milênio: estudos em homenagem ao professor Vicente Marotta Rangel**, org. L. O. BAPTISTA e J. R. FRANCO DA FONSECA, São Paulo: LTr, 1998, p. 287-318).

175. *V.*, por exemplo, SFDI. **La juridictionnalisation du droit international** ("Actes du XXXVIe Colloque de la SFDI org. par l'Univ. de Lille ... les 12, 13 et 14 septembre 2002", Paris: Pedone, 2003).

176. Cumpre, nesse sentido, ressaltar o pragmatismo do enfoque adotado pelas **Convenções de Viena sobre relações diplomáticas (1961), sobre relações consulares (1963)** e as seguintes, no sentido de que "o estabelecimento de relações diplomáticas entre estados e o envio de missões diplomáticas permanentes se esfetuam por consentimento mútuo" (cf. CVRD, art. 2º).

177. G. E. do NASCIMENTO E SILVA, P. B. CASELLA e O. BITTENCOURT Neto, **Direito internacional diplomático** – Convenção de Viena sobre relações diplomáticas na teoria e na prática (São Paulo: Saraiva, 4. ed., 2012, p. 146-152, a

Celebrar tratados e estabelecer relações diplomáticas os estados o fazem desde a mais remota antiguidade, da qual nos restam registros escritos. Ante a impossibilidade de aniquilar ou submeter o outro (o estado em relação à ordem interna, funda a instauração da ordem na força), o estado passa a regular a *convivência* com o outro estado ou os outros estados, cujas relações serão regidas pelo ***reconhecimento recíproco*** da ***igualdade*** de condição, mediante redução a termo por escrito, ou tratado, do resultado das relações de força entre estes estabelecidas. Se a formulação é nova, a realidade está longe de o ser.

3.6.3. direito ao respeito mútuo

O direito ao respeito mútuo consiste no direito, que tem cada estado, de ser tratado com consideração, pelos demais estados, e de exigir que os seus legítimos direitos, bem como a sua dignidade moral e a sua personalidade física ou política, sejam respeitados pelos demais membros da comunidade internacional.

Assim, um estado não deve tratar outro estado de maneira injuriosa ou ofensiva, e, ao contrário, deve prestar-lhe as honras de praxe e respeitar os seus símbolos nacionais. Assim também, um estado não deve atentar contra a integridade territorial de outro, nem violar as suas fronteiras. Por outro lado, todo estado tem direito ao respeito das suas instituições políticas pelos demais, de forma que estas não atentem contra a segurança dos estados em referência[178].

A preservação da existência e da dignidade da população, bem como o respeito de identidade étnica, linguística e cultural devem ser considerados elementos cruciais dessa dimensão. Colocar-se-á com frequência a tentativa de descaracterizar a questão jurídica como política, ou alegar não ser determinado "povo" passível de atuação internacional como exigiria a capacidade postulatória de "estado", perante tribunal internacional

Mais que mera abstração, o ***direito ao respeito mútuo*** deve ser compreendido a partir de construções jurisprudenciais ensaiadas nas últimas décadas. Nesse sentido, contraposição entre o parecer consultivo da Corte Permanente de

---

respeito do art. 2º): "o artigo veio solucionar um ponto controvertido pela doutrina, ou seja, quais as condições exigidas de um estado, para o estabelecimento de relações diplomáticas". E conclui: "o artigo em apreço veio simplificar a questão pois exige, apenas, o 'consentimento mútuo', isto é, não entra em maiores detalhes quanto à capacidade internacional do estado".

178. Entre os símbolos nacionais, figura a bandeira do país. Esta, porém, só é assim considerada quando hasteada por quem tenha autoridade para isso. Não se deve, pois, considerar como ultraje à dignidade de uma nação o desrespeito à sua bandeira quando esta seja arvorada em edifício não oficial, ou por quem não se ache revestido de caráter oficial, e se apresente apenas como objeto de ornamentação, salvo se o desrespeito é aplicado acintosamente como insulto à nação de que a bandeira é símbolo.

Justiça Internacional, sobre o **Estatuto da Carélia Oriental**, prolatado em 23 de julho de 1923[179], e o parecer da Corte Internacional de Justiça, sobre as **consequências jurídicas da construção do muro nos territórios palestinos ocupados** (2004) merece ser desenvolvida.

A Corte Permanente de Justiça Internacional, no parecer consultivo a respeito do **Estatuto da Carélia Oriental** (1923)[180], teve ocasião de examinar a questão que dizia respeito à região da Carélia, compreendendo população de cerca de 1 milhão de pessoas em extensão territorial de cerca de 200.000 Km^2, e às relações entre a Rússia e a Finlândia, entre o final da primeira guerra mundial e o início da segunda. O maior problema enfrentado pela Sociedade das Nações e pela Corte Permanente de Justiça Internacional foi o fato de a Rússia então não participar da Liga, nem ter aceito a jurisdição da Corte em relação ao caso[181].

A questão do consentimento do estado em obrigar-se perante jurisdição internacional é requisito para o exercício dessa jurisdição, mesmo em se tratando de questão de natureza consultiva, como nesse caso se colocava. A respeito, haveria evolução interessante a ser assinalada. Daí a comparação entre o parecer a respeito do **Estatuto da Carélia Oriental** (1923) e o parecer prolatado em 2004 a respeito das consequências jurídicas da construção do muro nos territórios palestinos ocupados.

Em 1917 a Finlândia consegue reaver a sua independência da Rússia, e, a seguir, eclode guerra com esta. Durante as hostilidades ficaram sob a proteção da Finlândia duas comunidades da Carélia (Repola e Porajärv). No ano de 1920, a Finlândia ingressa na Sociedade das Nações.

O tratado de paz de Dorpat põe termo ao conflito entre Finlândia e Rússia, em 14 de outubro de 1920. Nesse tratado, os artigos 10 e 11 garantiam a autonomia da Carélia Oriental. A declaração de poderes da delegação russa, incumbida da assinatura do tratado de paz, trazia, igualmente, o reconhecimento, pela Rússia, de uma série de garantias para a população da Carélia como a reafirmação do direito de autodeterminação, a definição da Carélia como território autônomo, unido à Rússia em base federativa, a eleição interna de representantes nacionais,

179. CPJI, **Status of Eastern Carelia** (advisory opinion, 23 July 1923, série B, n. 5). Talvez melhor fosse considerar parecer **não** prolatado.

180. CIJ, "Conséquences juridiques de l'édification d'un mur dans le territoire palestinien occupé" (Avis consultatif du 9 juillet 2004).

181. Em 1939, após ato de agressão contra a Finlândia, foi a antiga URSS excluída da Sociedade das Nações, aplicando-se o art. 16, parágrafo 4º, do **Pacto**: "Todo membro da Sociedade que se tornar culpado da violação de algum dos compromissos resultantes do Pacto poderá dela ser excluído. A exclusão será pronunciada pelo voto de todos os outros membros da Sociedade, representados no Conselho".

para a defesa dos interesses destes, o direito de tributar, de promulgar normas e regulamentos, de organizar a administração interna e a proteção da língua nativa.

A Finlândia alegava que a Rússia nunca cumprira as suas obrigações, decorrentes do tratado de paz. Tais condições tinham sido consideradas essenciais pela Finlândia, para a assinatura do tratado de paz. Não somente negara a Rússia o exercício do direito de autodeterminação, como espoliara bens e usurpara direitos da população da Carélia, tanto finlandeses quanto carélios, por meio de tributação elevada e confisco de terras, esvaziando, pela ação contrária, as garantias contidas nos artigos 10 e 11 do tratado de Dorpat e da declaração anexa. Ao descumprir tais obrigações, a Rússia negava a efetividade e a validade do tratado como todo, violando as obrigações livremente pactuadas entre sujeitos de direito internacional[182].

Em 18 de junho de 1922, o Comissário do povo russo para assuntos externos envia carta à Sociedade das Nações, a respeito da questão da Carélia Oriental, em que a Rússia nega qualquer participação nos procedimentos que intentava a Corte instaurar, para a análise do caso; que a autonomia da Carélia estava baseada no decreto do Conselho Executivo Central Pan-Russo, de 8 de junho de 1920, anterior, portanto, ao tratamento da questão pelo tratado de Dorpat; que a autonomia da Carélia era questão interna, que afetaria apenas a federação russa, uma vez que esta se tornara parte integrante da Rússia; que as afirmações contidas nos artigos 10 e 11 do tratado fino-russo destinavam-se tão somente à informação da Finlândia, não constituindo obrigações daquela com esta, o que, ademais, teria sido comunicado aos representantes da Finlândia, por ocasião da assinatura do tratado; da mesma forma, a declaração russa, anexa ao tratado, teria, igualmente, caráter meramente informativo, não sendo parte integrante do tratado de paz; que repudiava a intenção da Sociedade das Nações de intervir na questão interna da Carélia, e qualquer tentativa, por parte de qualquer potência, de considerar o caso nos termos do artigo 14 do Pacto[183], seria considerado ato hostil

---

182. A carta do governo central da Carélia ao Conselho da Sociedade das Nações, em 31 de dezembro de 1921, descreve a história de dominação estrangeira e de opressão desse povo, em razão do fato de seu território estar estrategicamente posicionado, e de serem pouco férteis as terras, exigindo esforço comum sempre renovado. Sustenta ser esse povo pacífico, cuja complexa cultura data de tempos imemoriais, contando com língua própria. Mas parte do povo finlandês, por razões históricas fora de seu controle, tinha sido sujeita a jugos estrangeiros, que nunca respeitaram nem as características nem a autonomia como nação. Nas últimas décadas, a pressão russa fizera-se mais forte, no sentido de suprimir a língua e a cultura étnicas, tendo havido espoliação de bens e de terras, e trabalho forçado, para cumprimento de metas e segundo ditames do governo central russo.

183. **Pacto da Sociedade das Nações**, art. 14: "O Conselho é incumbido de preparar um projeto de Corte Permanente de Justiça Internacional e de o submeter aos membros da Sociedade. Essa Corte conhecerá de todas as controvérsias de caráter internacional que as partes lhe submetam. Também dará pareceres consultivos sobre toda controvérsia ou questão a ela submetida pelo Conselho ou a Assembleia".

em relação ao estado russo; finalmente, seria questão de jurisdição interna russa, e não seria possível considerar a Sociedade das Nações como imparcial para a análise da questão, uma vez que esta não havia, ainda, reconhecido, *de jure*, o governo soviético, tendo, *de facto*, se recusado a estabelecer relações e adotado decisões, diversas vezes, contrárias a interesses vitais das repúblicas soviéticas.

A região já fora objeto de disputa, na "Guerra do Norte" (1700-1708). A mais séria invasão sofrida pela Rússia, no século XVIII, foi feita pela Suécia. Posteriormente viria a ser, no século XIX, pela França, durante a campanha de Napoleão, e no século XX, durante a segunda guerra mundial, ou a "grande guerra patriótica" (1941-1945), como comparava Evgueni V. TARLÉ (1966)[184].

Questão central nesse caso era a extensão da obrigação a ser atribuída ao tratado de Dorpat, de 1920. Segundo a interpretação finlandesa, decorreria desse tratado a obrigação para a Rússia de preservar a autonomia da Carélia. Do lado russo, além de não participar da Liga, nem aceitar a jurisdição da Corte, foi declarado que seria problema meramente interno russo, entendendo não estar caracterizada **controvérsia internacional** que pudesse justificar a submissão do caso à Corte Permanente de Justiça Internacional.

Alegou-se, ademais:

(i) que a Corte não seria imparcial, visto o fato de a maioria dos seus membros não ter reconhecido, quer de direito, quer de fato, a existência da então União das Repúblicas Socialistas Soviéticas;

(ii) na ocasião foi ainda declarado que a intervenção de qualquer estado seria considerada ato hostil contra a União das Repúblicas Socialistas Soviéticas;

(iii) a União Soviética enfatizou, ainda, que a declaração russa não poderia ser interpretada nem constituir obrigação internacionalmente vinculante, mas somente declaração de mera informação a respeito da existência dessa situação.

Dentre os documentos apresentados à Corte Permanente de Justiça Internacional, os dois principais eram: a declaração da representação russa a respeito

---

184. Evgueni Viktorovitch TARLÉ, **La guerre du nord** (trad. du russe par Jean CHAMPENOIS, Moscou: Edtrl. Progresso, 1966, 2 v., "Avant-propos des éditeurs", v. i, p. 3-4): "Au cours des dernières années de sa vie, l'académicien Evguéni Viktorovitch Tarlé travaillait assidûment à une série de monographies consacrées à la lutte du peuple russe contre les trois plus dangereuses agressions dont la Russie fut l'objet aux XVIII.e, XIXe et XXe siècles: l'invasion suédoise, pendant la Grande Guerre du Nord, l'invasion de Napoléon au temps de la Guerre nationale de 1812; la triolgie devait s'achever par un livre sur le geste héroïque du peuple soviétique, dans la période de la Grande guerre nationale de 1941-1945. Une même idée inspirait les trois volets de ce tryptique: montrer la faillite des efforts des agresseurs pour asservir à force ouverte les peuples de la Russie, montrer l'héroïsme des masses populaires, en tant que la force décisive qui assura la victoire sur les envahisseurs".

da autonomia da Carélia Oriental[185]; e o tratado de Dorpat, de 1920. Ambos os estados admitiam a existência e o conteúdo do tratado de Dorpat, mas cada um destes conferia aos seus artigos 10 e 11 interpretação e alcance diversos[186].

A Corte Permanente de Justiça Internacional manifesta-se sobre a questão em 27 de abril de 1923. Declara tratar o caso de questão de fato e não de direito, porquanto, em momento algum, nem o governo finlandês nem o russo teriam negado a existência e a validade do tratado de paz, celebrado em Dorpat.

A questão, fundamentalmente, reportar-se-ia a dúvidas fáticas, e qualquer declaração, se feita pela Corte, seria equivalente à decisão proferida em relação ao caso. O parecer consultivo dependeria de apoio por parte dos governos finlandês e russo, para permitir a produção das provas necessárias. Em vista da negativa absoluta do governo russo em colaborar no feito, a Corte via-se impossibilitada em produzir provas, estas indispensáveis para permitir a formulação do parecer. E conclui no sentido da impossibilidade da produção de provas

185. No concernente à autonomia da Carélia, são garantidos pela Rússia, por parte dos governos de Archangelsk e Olometz, os direitos seguintes: (I) a população da Carélia, por parte dos governos citados, deverá ter o direito de autodeterminação; (II) a parte da Carélia Oriental, habitada pela população mencionada, deverá constituir território autônomo, unido à Rússia em bases federativas; (III) os assuntos regionais deverão ficar a cargo de representantes eleitos pela população, com o direito de instituir e de recolher tributos, segundo as necessidades do território, bem como editar decretos e regulamentos, nos assuntos de seu peculiar interesse, e regular a administração local; (IV) os idiomas nativos poderão ser usados em matérias relativas a administração, legislação e educação pública; (V) o território autônomo da Carélia Oriental deverá ter o direito de regular a sua vida econômica, segundo as necessidades locais, e observando a organização econômica geral da República; (VI) em razão da reorganização das forças militares defensivas da República russa no território autônomo da Carélia Oriental, deverá ser constituído corpo de milícia, visando a supressão de exército permanente e a criação de guarda nacional, para a defesa local.

186. Tratado de Dorpat (1920), art. 10: "A Finlândia deve, no prazo de 45 dias, a contar da data de entrada em vigor do presente tratado, retirar as suas tropas das comunas de Repola e Porajärv. Estas comunas devem ser reincorporadas ao estado da Rússia e ser anexadas ao território autônomo da Carélia Oriental, incluindo a população careliana dos governos de Archangelsk e Olometz, e gozar do direito de autodeterminação". E art. 11: "As partes contratantes adotam as seguintes estipulações em prol da população local das comunas de Reopa e Porajärv, visando regulação das condições segundo as quais a união dessas comunas ao território autônomo da Carélia Oriental, tal como referido no artigo precedente, terá lugar tal como a seguir se estipula: (I) os habitantes das [referidas] comunas devem estar de acordo, tal como determinado no artigo 35 do presente tratado; (II) a manutenção da ordem no território das comunas deverá estar a cargo de milícia, organizada pela população local, por período de dois anos, contado da data da entrada em vigor do presente tratado; (III) aos habitantes dessas comunidades são assegurados o uso e o gozo de todos os bens móveis, situados no território, bem como o direito de uso irrestrito dos campos a estes pertencentes, ou por estes cultivados, e de todas as propriedades imobiliárias em sua posse, observados os limites da legislação vigente, no território autônomo da Carélia Oriental; (IV) todos os habitantes dessas comunas devem ser livres para, se desejarem, ir embora da Rússia, dentro do período de um mês, contado da data da entrada em vigor do presente tratado, assegurando aos que saírem sob tais condições, o direito de levar consigo as suas posses pessoais e de manter, observados os limites das legislação vigente, no território autônomo da Carélia Oriental, todos os seus direitos sobre qualquer propriedade imóvel, que venham a deixar no território dessas comunas; (V) cidadãos, bem como associações ou sociedades comerciais e industriais finlandesas, devem estar autorizadas, pelo prazo de um ano, contado da data da entrada em vigor do presente tratado, completar nessas comunas a derrubada das florestas, sobre as quais lhes tenham sido conferidos direitos, segundo contratos celebrados antes de 1º de junho de 1920, e proceder à retirada da madeira cortada".

e quanto ao fato de que a Rússia, não fazendo parte da Sociedade das Nações, nem ter formulado aceitação da jurisdição da Corte, não poderia prolatar parecer consultivo, que seria equivalente a decisão sobre o caso, sem ferir a independência dos estados.

Poder-se-ia argumentar, com respaldo na evolução normativa internacional das últimas décadas, que haveria base jurídica para permitir que a matéria fosse examinada e sujeita a, consequentemente, objeto de deliberação, em se tratando de direito de autodeterminação de povo e de risco de atentado contra a sua identidade étnica e cultural, com base nos princípios e normas de direito internacional pós-moderno vigente. Mas viria, a seguir, a incômoda interrogação: poder-se-ia mesmo?

A própria Corte Permanente de Justiça Internacional faz menção à questão do **Estatuto da Carélia Oriental**, de 1923, e reafirma a sua posição, ao examinar o caso das **Concessões Mavrommatis na Palestina e em Jerusalém**, em 1924 e 1925[187].

Pode ser feito paralelo entre a questão do referido Estatuto, nos anos vinte do século passado, e a da natureza e extensão do exercício da jurisdição internacional, tal como se colocara na época em relação ao modo como se colocou no parecer consultivo sobre as **consequências jurídicas da construção do muro nos territórios palestinos ocupados**, prolatado pela Corte Internacional de Justiça, em 2004[188].A Corte faz menção, em diversas passagens do parecer de 2004, ao precedente da Corte Permanente de Justiça Internacional a respeito da **Carélia Oriental**[189].

---

187. CPJI, **Mavrommatis Palestine concessions case** (Grécia contra Grã-Bretanha, 30 de agosto de 1924, série A, n. 2), muito embora não tenha ulteriormente elaborado a respeito dessa menção, bem como nos votos dissidentes dos juízes FINLAY e MOORE (parágrafos 42 e 60); *v.* tb. **Mavrommatis Jerusalém concessions case** (Grécia contra Grã-Bretanha, 26 de março de 1925, série A, n. 5).

188. CIJ, **Legal consequences of the construction of a wall in the occupied Palestinian territory** (advisory opinion, 9 July 2004).

189. C.I.J., **Legal consequences of the construction of a wall in the occupied Palestinian territory** (advisory opinion, 9 July 2004), especificamente paragrafos 44, 46 e 56; parágrafo 44: "Only on one occasion did the Court's predecessor, the Permanent Court of International Justice, take the view that it should not reply to a question put to it (**Statute of Eastern Carelia**, Advisory Opinion, 1923, PCIJ, séries B, no. 5), but this was due to the very particular circumstance of the case, among which were that the question directly concerned an already existing dispute, one of the State parties to which was neither a party to the Statute of the Permanent Court nor a member of the League of Nations, objected to the proceedings, and refused to take part in any way" (**Legality of the threat or use of nuclear weapons**, ICJ Reports, 1996 (I), p. 235-236, parágrafo 14); e a seguir, no parágrafo 46: (...) "Israel has emphasized that it has never consented to the settlement of this wider dispute by the Court or by any other means of compulsory adjudication; on the contrary, it contends that the parties repeatedly agreed that these issues are to be settled by negotiation, with the possibility of an agreement that recourse could be had to arbitration. It is accordingly contended that the Court should decline to give the present Opinion, on the basis *inter alia* of the precedent of the decision of the Permanent Court of International Jurisdiction on the **Status of Eastern Carelia**"; parágrafo 56: (...) "Thus, for instance, in the proceedings concerning the **Status of Eastern Carelia**, the Permanent Court of International Justice decided to decline to give an opinion inter alia because the question put "raised a question of fact which could not be

O exposto evidencia que a questão do consentimento do estado, como também se põe em relação às organizações internacionais, há de ser diversamente interpretada e aplicada quando se tratar de outros sujeitos e agentes de direito internacional – no contexto pós-moderno –, entidades que não sejam de direito público – indivíduos e organizações não governamentais –, que, mais e mais, passam a ter reconhecido o direito de ação perante numerosas instâncias jurisdicionais internacionais, tais como os tribunais internacionais penais, em certa medida, as cortes internacionais de direitos humanos e o Tribunal da União Europeia.

Aponta Ian BROWNLIE (1995)[190] muitas vezes serem suscitadas objeções de natureza "política", para tentar refrear o exercício da jurisdição pela Corte Internacional de Justiça. Na medida em que o artigo 65 do **Estatuto** da Corte[191] lhe confere o poder para examinar e dar parecer consultivo "sobre qualquer questão jurídica", tem esta interpretado a sua competência de modo mais abrangente.

A alegação da linha divisória entre questão *jurídica* e questão *política*, para tentar impedir o exercício da jurisdição pela Corte Internacional de Justiça, é recorrente e tem sido descartada, às vezes não sem suscitar controvérsias, mesmo entre os seus integrantes. Na medida em que a Corte não decline de exercer a sua competência, não obstante alegações a respeito das implicações políticas de parecer consultivo, a questão deixa de ser de *jurisdição* e passa a ser de *adequação*.

Comenta Cesare P. R. ROMANO em artigo a respeito "Do paradigma consensual ao compulsório na adjudicação internacional, como elementos para uma teoria do consenso" (2006)[192] sobre o caráter evolutivo: "os termos e o escopo do princípio do consentimento das partes, como elemento necessário para a

---

elucidated without hearing both parties" (**Interpretation of peace treaties with Bulgaria, Hungary and Romania**, ICJ, Reports 1950, p. 72; **Status of Eastern Carelia**, PCIJ, séries B, no. 5, p. 28). "On the other hand, in the **Western Sahara opinion**, the Court observed that it had been provided with very extensive documentary evidence of the relevant facts (ICJ Reports, 1975, p. 29, par. 47)".

190. Ian BROWNLIE, **Principles of public international law** (Oxford: Clarendon Press, 4. ed., 1990, paperback reprinted with corrections, 1995, p. 731-732): "In the *Eastern Carelia* case, the Council of the League of Nations asked for an opinion on a dispute between Finland and the Soviet Union, the latter objecting to the exercise of jurisdiction, and the Court refused jurisdiction on the ground that the requesting organ was not competent to request an opinion in the circumstances: no state can be compelled to submit disputes to a tribunal without its consent, and the Soviet Union was not bound by the League Covenant. (...) In practice objections have often challenged the power of the Court to deal with political questions. Article 65 of the Statute refers to 'any legal question' and the Court has taken the view that however controversial and far-reaching in their implications, issues of treaty interpretation, arising in the context of the United Nations Charter, are legal questions".

191. Cf. ressalta V. MAROTTA RANGEL, **Direito e relações internacionais** (São Paulo: RT, 8. ed., 2005, nota 9 à página 60) a respeito do artigo 65 do **Estatuto** da Corte Internacional de Justiça: "precedente deste artigo está em quatro artigos do Estatuto da antiga Corte Permanente de Justiça Internacional (71 a 74, inclusive)".

192. Cesare P. R. ROMANO, **From the consensual to the compulsory paradigm in international adjudication: elements for a theory of consent** (New York University School of Law, New York University Public Law and Legal Theory Working Papers, 2006, paper n. 20).

instauração de jurisdição internacional pouco mudaram no curso do século XX, desde a manifestação, contida no parecer a respeito do **estatuto da Carélia Oriental**, que se tornou cânone do direito internacional desde então[193].

Cumpre ressalvar os artigos 33 a 38 da **Carta** da ONU, que regulam a solução pacífica de controvérsias, e a **Declaração de princípios reguladores das relações amistosas e da cooperação entre estados em conformidade com a Carta da ONU** (1970)[194]. A obrigação para os estados de buscar a solução pacífica de controvérsias, nos termos do art. 33, é a seguinte: "procurar, antes de tudo, chegar a uma solução por negociação, inquérito, mediação, conciliação, arbitragem, solução judicial, recurso a entidades ou acordos regionais, ou a qualquer outro meio pacífico, à sua escolha"[195].

Como condição de sobrevivência humana, põe-se o direito internacional pós-moderno na ênfase de Christian TOMUSCHAT (1999)[196], no sentido da construção de ordenação humana do mundo. A conscientização dessa necessidade será indispensável para que as limitações decorrentes da adoção e da implementação do arcabouço institucional e normativo internacional possam se tornar aceitáveis.

A regulação da convivência internacional fez-se, por exemplo, no contexto da confrontação direta do tempo da guerra fria[197] em matéria de controle de testes nucleares, de modo a suscitar numerosas questões jurídicas[198], e de não proliferação nuclear, no auge desse período[199].

---

193. C. P. R. ROMANO (art. cit., 2006): "The **Eastern Carelia** *dictum* has become a canon in international law since [over the course of the XXth century]. It has rarely, if ever, been challenged or questioned both in legal theory and practice. Yet, over the past two decades theory and practice in relation to the compulsory exercise of international jurisdiction have increasingly grown apart. While some scholars have taken notice, to date a systematic analysis of the phenomenon has not yet been attempted, nor has it been considered whether thinking and traditional assumptions surrounding international dispute resolution need to be reconsidered".

194. Res. 2625 (XXV) AGNU, annex, **Declaration on principles of international law concerning friendly relations and cooperation among states in accordance with the U.N. Charter**.

195. V. MAROTTA RANGEL (op. cit., 2005, nota 18 à p. 35) observa, em relação ao artigo 33 da **Carta**: "nessa enumeração faltaria – para ser completa – incluir os "bons ofícios" e "recursos a entidades ou acordos universais, inclusive à própria ONU".

196. Chr. TOMUSCHAT, **International law: ensuring the survival of mankind in the eve of a new century: general course on public international law** (RCADI, 1999, t. 281, p. 9-438).

197. Nesse sentido, ainda em 1990: L. N. ORLOV, *Soviet joint enterprises with capitalist firms and other joint ventures between east and west* (RCADI, 1990, t. 221, p. 371-414) e Russell H. CARPENTER Jr., **Soviet joint enterprises with capitalist firms and other joint ventures between east and west: the western point of view** (RCADI, 1990, t. 222, p. 365-421, "Conclusion", p. 421): "Joint ventures between capitalist firms and socialist enterprises have been designed as bridges between incompatible legal and economic systems. The Socialist shores to which these bridges are built are undergoing significant change at an uncertain pace and to an uncertain end. In the final analysis, the success of the joint venture experiments in these countries will depend much more on the progress toward fundamental change in the host country's economic system than on the specific provisions of the applicable joint venture law".

198. R. E. CHARLIER, **Questions juridiques soulevées par l'évolution de la science atomique** (RCADI, 1957, t. 91, p. 213-382).

199. Sobre a consolidação de regulação internacional de proscrição de testes nucleares entre EUA e URSS, durante a

3.6.4. direito de defesa e conservação

A importância do direito de defesa e conservação varia de estado para estado. Nos países pequenos, com a vizinhança de outro mais poderoso e tanto mais se este último pautado por política expansionista, poderá ser tão importante como o direito à existência; aliás, está a este vinculado. A existência de dois países poderosos tende a provocar idêntico fenômeno, conforme ocorreu durante a guerra fria. Para os pequenos, organização internacional operante, como se esperava no advento da assinatura da **Carta** das Nações Unidas, poderia representar importante garantia para a sua segurança. Programas mundiais de desarmamento constituiriam motivo de tranquilidade para estados que não dispõem de indústria bélica e são obrigados a incorrer em gastos consideráveis na aquisição de armamento. A Sociedade das Nações, como mais alta expressão do pacifismo jurídico, tinha como ideia fundamental substituir a guerra como *ultima ratio* da política, por decisão de natureza jurídica, seja por meio das normas de direito internacional universal, seja por meio de arbitragem. Isso representou, historicamente, importância relativa como meio de solução de pequenos conflitos de ordem política e econômica. Mas, quanto ao seu objetivo fundamental, a solução do problema do ***desarmamento***[200] não teve resultados práticos.

O direito de conservação abrange todos os atos necessários à defesa do estado contra os inimigos internos ou externos, tais como a adoção de leis penais, a organização de tribunais repressivos, a prática de medidas de ordem policial, a expulsão de estrangeiros nocivos à ordem ou à segurança públicas, a proibição da entrada de indesejáveis, a celebração de alianças defensivas, a organização da defesa nacional etc.

Guerra Fria, examinam Harold Karan JACOBSON e Eric STEIN, **Diplomats, scientists, and politicians: The United States and the Nuclear Test Ban Negotiations** (Ann Arbor: Univ of Michigan Press, e impr. 1966, "Preface", p. V-VI): "a limited attempt to assess the impact of science and modern technology on the negotiating process and concepts of international organization, using the test ban negotiations then in progress as a case study. When the Moscow Treaty was signed, however, it seemed wise to broaden the focus and to capture as many of the details as we could which might help to explain this first formal arms control agreement between East and West in the nuclear age".

200. Os avanços alcançados durante a década 1990-2000 infelizmente não vêm tendo prosseguimento. Naquele contexto chegava a ser positiva a avaliação de Serge SUR, *Système juridique international et utopie* (**Le droit international; archives de philosophie du droit**, t. 32, Paris: Sirey, 1987, p. 35-45); S. SUR, **Relations internationales** (Paris: Montchrestien, 1995; 3. ed., 2004); S. SUR, **Vérification en matière de désarmement** (RCADI, 1998, t. 273, p. 9-102, nota 1, p. 22), menciona a atuação do **Instituto das Nações Unidas para Pesquisa sobre o Desarmamento** (UNIDIR): "un institut de recherche indépendant, qui n'exprime pas de vues officielles et dont les analyses sont propres à leurs auteurs". E a série de pesquisas e publicações feitas a respeito: **La vérification des accords sur le désarmement et la limitation des armements: moyens, méthodes et pratiques / Verification of current disarmament and arms limitation agreements: ways, means and practices** (1991); **Vérification du désarmement ou de la limitation des armements: instruments, négociations, propositions / Verification of disarmament or limitation of armaments: instruments, negotiations, proposals** (Nations Unies, 1994); **Obligations en matière de désarmement: problèmes de respect et mesures d'impostion / Disarmament and arms limitation obligations: problems of compliance and enforcement** (1994).

O ***direito de defesa e conservação***, porém, não pode ser ***absoluto***: tem que ser ***limitado*** pelo direito à existência e conservação dos demais membros da comunidade internacional. O direito internacional vigente tem limites estritamente estipulados, no tocante ao uso unilateral da força, mesmo em caso de legítima defesa, nos termos do art. 51 da **Carta** da ONU.

Alguns juristas, contudo, têm pretendido que a necessidade tudo poderia justificar. Semelhante doutrina é muito perigosa e permite todas as injustiças. Ao contrário, deve manter-se o princípio de que "o direito de cada estado tem por limite o direito dos outros estados" e, portanto, o direito de conservação não pode justificar o fato de um estado cometer atos ilegais contra outro estado, inocente e inofensivo.

Isto não implica o desconhecimento do direito de *legítima defesa*, admitido tanto na ordem internacional como na ordem interna. A ***legítima defesa***, porém, só existe em face de uma agressão injusta e atual "contra a qual o emprego da violência é o único recurso possível".

3.6.5. do direito internacional do desenvolvimento ao direito ao desenvolvimento

O reconhecimento do direito internacional do desenvolvimento, que não deve ser confundido com o *direito ao desenvolvimento*[201], ocorreu, nas Nações Unidas, como consequência do ingresso de numerosos novos estados, cuja viabilidade econômica era contestada. A **Declaração da Concessão de Independência a Países Coloniais e Povos** (1960), ao salientar que a falta de preparo político, econômico, social ou educacional nunca deve servir para postergar a independência, abriu as portas das Nações Unidas para novos membros que não poderiam sobreviver sem o auxílio, principalmente econômico, da comunidade internacional.

Argumentava-se que o reconhecimento desse direito internacional do desenvolvimento colidia com os princípios da reciprocidade e da não discriminação, ambos corolários do direito da igualdade jurídica dos estados. Visando contornar esse óbice jurídico, passou-se a falar em estados juridicamente iguais, mas economicamente desiguais.

---

201. Enquanto o direito do desenvolvimento se situa como política de estado e opera, no plano interno deste, como por meio de acordos com outros estados (sejam estes bilaterais, regionais ou multilaterais), por sua vez, o direito ao desenvolvimento se inscreve no âmbito dos direitos fundamentais, cuja realização incumbe aos estados, separadamente considerados, como ao conjunto destes, por meio de ação internacional correlativa. Aí cabe falar em "internacionalismo necessário" na linha de H. GROS ESPIELL, como aspecto dos "direitos de solidariedade" *V.* Hector GROS ESPIELL, Introduction (in **Droit international**, Paris: UNESCO / Pedone v. II, "Les droits "à vocation communautaire".

O então secretário-geral U THANT alertava a Organização em seu relatório anual (1965)[202] que o problema dos microestados poderia tornar-se um dos mais sérios que as Nações Unidas teriam que enfrentar. A Assembleia Geral adotou várias resoluções em que buscava criar, para os estados em desenvolvimento, série de medidas visando sua melhoria, a começar com a adoção da ***nova ordem econômica internacional***, seguida pela primeira Conferência sobre Comércio e Desenvolvimento – a UNCTAD – e a criação da Organização das Nações Unidas para o Desenvolvimento Industrial (ONUDI ou UNIDO)[203]. O anseio pela instauração de possível ***nova ordem econômica internacional***, dada a fluidez e a imprecisão de sua formulação, pode se prestar a entendimentos contraditórios, tal como apontam C. NIGOUL e M. TORRELLI, ao examinarem a questão em **As mistificações da nova ordem internacional** (1984)[204].

Modismos como o direito do desenvolvimento, seguidos da crise e da crítica deste, a proposta da nova ordem econômica internacional, a crítica das mistificações dessa nova ordem, de acordo com C. D. A. MELLO (1984)[205], e mais recentemente resultaram na circunstância de ver lançada boa parte das expectativas, ligadas ao direito internacional do meio-ambiente, como exemplos recentes dessa dimensão. Outros preferem chamar de *soft law*, no sentido de que são necessários, mas nem por isso serão imediata ou facilmente alcançáveis, dada a resistência das modalidades tradicionais de atuação dos estados, que manifestarão externamente as mesmas condicionantes marcadas pelas injunções políticas internas, que possam influenciar ou determinar os resultados das eleições seguintes. Políticos demais; estadistas de menos. E a formulação da *soft law* como outro modismo, a ser usado com cautela, dada a rarefação e a fluidez de sua juridicidade.

---

202. Introdução ao Annual Report of the Secretary-General on the Work of the Organization, 20 UNGAOR, Supp. n. 1A, UN doc. A/6001/Add.1, 1965, 2.

203. Cf. TOMUSCHAT, Christian. **International Law: Ensuring the Survival of Mankind on the Eve of a New Century. General Course on Public International Law** (RCADI 1999), v. 281, p. 111.

204. Claude NIGOUL e Maurice TORRELLI, **Les mystifications du nouvel ordre international** (Paris: PUF, 1984).

205. Celso D. de Albuquerque MELLO, Aspectos gerais do direito internacional público contemporâneo (**XI curso de derecho internacional**, Rio de Janeiro, "organizado por el Comitê Jurídico Interamericano, con la cooperación de la Secretaria General de la OEA, en agosto de 1984", Washington: OEA, secretaria general, 1985, p. 3-27, item VII, "nova ordem econômica internacional", p. 15-16): "Este tema surgiu por pressão dos subdesenvolvidos, em 1974, na Assembleia Geral da Organização das Nações Unidas. Os documentos que a integram não são apenas econômicos, mas também políticos. Um autor francês (Jacques MOURGEON) sustenta que a 'declaração relativa à instauração de uma nova ordem econômica' e o 'programa de ação relativa à instauração de uma nova ordem econômica internacional' têm na descolonização econômica a mesma importância que a **Declaração de Bandung** para a descolonização política. Um de seus mais famosos documentos é a Carta de direitos e deveres econômicos dos estados, aprovada pela Assembleia Geral em 1974, e que tem a sua origem em um discurso do presidente Etcheverria do México na Terceira conferência das Nações Unidas sobre comércio e desenvolvimento (1972), em Santiago do Chile. Esta Carta estabelece os 'princípios das relações econômicas internacionais', bem como indica o seu título, os direitos e deveres econômicos dos estados. Não é fácil classificar a natureza dessa Carta, vez que ela não é um tratado no sentido clássico da palavra".

Ao mesmo tempo que não se pode nem deve descartar o lugar das sínteses doutrinais no direito internacional pós-moderno, já mencionava P. REUTER (1950, 1995)[206]: "em nenhum ramo do direito, as grandes sínteses doutrinais têm lugar tão importante quanto em direito internacional público. Isso se deve não somente à gravidade e complexidade dos problemas, às imperfeições de disciplina relativamente nova, e ao caráter anárquico da sociedade internacional, mais ainda à ausência de base formal fundamental, análoga à constituição, tal como existe na maioria dos sistemas internos. Quais são as fontes do direito internacional? Quais são os órgãos competentes para dizer o direito e aplicá-lo? Não é possível responder a essas questões fundamentais, sem operar opções doutrinais, mesmo sem concordar com posições doutrinárias de Paul GUGGENHEIM (1958, 1952, 1949, 1932) ou contrapor A. BOYE (1991)[207]. Sem dúvida a parte da construção teórica pode ser maior ou menor, mas mesmo o trabalho que se pretenda o mais impessoal não o poderia dispensar".

Seja qual for o modo de elaboração das normas de direito internacional, qualquer que seja o objeto desse direito, cumpre assinalar em relação ao positivismo (ou voluntarismo) jurídico que o direito não é principalmente vontade, mas essencialmente *razão* e *justiça*. No ato jurídico, que é o enunciado de qualquer norma legal ou convencional, encontra-se a conjugação de operação da inteligência e da vontade. A deliberação e o julgamento que lhe põe termo são atos da razão. A vontade tem, aqui, papel secundário. Ela assume a ideia que a inteligência lhe propõe; ela confere-lhe eficácia. É, assim, da razão que a norma tira a sua essência. É por se justificar, enquanto razão, como a expressão do justo, que a norma se impõe à consciência, apesar de a reflexão, sobre a teoria dos atos jurídicos, nunca ter encontrado grande repercussão em direito internacional público, segundo observa Jean-Paul JACQUÉ (1991)[208]: "mais inspirados pelo estudo de atos considerados individualmente, e sobretudo dos tratados, os

---

206. Paul REUTER, *Quelques remarques sur la situation juridique des particuliers en droit internacional public* (1950, in **Le développement de l'ordre juridique international**: **écrits de droit international**, Paris: Economica, 1995, p. 51-64, cit. p. 51-52) e prossegue: "Sans grand arbitraire, on peut dire que le sort et le rôle assignés aux particuliers, leurs droits et leur personnalité par rapport à l'état soulèvent des problèmes décisifs, sur lesquels se partagent les systèmes et les esprits. (...) Les constructions systématiques du droit international de ces dernières années qui ont visé à la plus grande rigueur, qui ont voulu ordonner l'ensemble des règles de droit en un tout parfaitement cohérent pour constituer ce que nos anciens auteurs appellaient justement 'un corps de droit' sont nécessairement celles qui sont applées à prendre les positions les plus radicales sur la situation des particuliers en droit international public".

207. P. GUGGENHEIM, **Contribution à l'histoire des sources du droit des gens** (RCADI, 1958, t. 94, p. 1-84); **Les principes de droit international public** (RCADI, 1952, t. 80, p. 1-190); **La validité et la nullité des actes juridiques internationaux** (RCADI, 1949, t. 74, p. 191-268); **Les mesures conservatoires dans la procédure arbitrale et judiciaire** (RCADI, 1932, t. 40, p. 645-764).

208. Jean-Paul JACQUÉ, **Acte et norme en droit international public** (RCADI, 1991, t. 227, p. 357-417).

autores negligenciaram examinar os traços comuns aos diversos atos jurídicos"[209].

Sistemas que não incorporaram a noção de ato jurídico mal percebem a utilidade desse conceito em direito internacional[210]. A decisão da Corte Internacional de Justiça, no caso dos **Testes nucleares franceses** (1974)[211] não foi apta a ensejar retomada de atenção para os atos jurídicos unilaterais estatais, e o estudo dos atos das organizações internacionais não foi situado, exceto por raros autores[212], em contexto mais amplo que o âmbito específico daquelas organizações[213].

Todo o debate a respeito do **direito internacional do desenvolvimento**, mais que as ideologias, consideram Daniel BELL (1960, ed. 1980)[214] e F. M. WATKINS e I. KRAMNICK (1979, ed. 1981)[215] e Celso D. de Albuquerque MELLO (1984, publ. 1985)[216], expunha o papel e o peso da divisão do mundo em blocos, e as consequências dos alinhamentos automáticos, no interior destes, durante as décadas da guerra fria: "a sociedade internacional, após a segunda guerra mundial, apresenta algumas constantes e outras variáveis", onde "dentro de uma visão política podemos dizer que ela apresenta dois cortes: um vertical e outro horizontal, isto é, o leste-oeste[217] e o norte-sul[218]. No direito internacional

---

209. J.-P. JACQUÉ (op. cit., 1991, "Introduction", p. 367-371, cit. p. 367): "Mais celle-ci [une réflexion plus vaste sur la théorie des actes juridique en droit international public n'a pas encore été menée à son terme, et si la plupart des manuels continentaux saluent d'un coup de chapeau la théorie des actes juridiques, c'est pour passer rapidement à l'étude des catégories distinctes d'actes sans vraiment s'attacher à une approche globale".

210. J.-P. JACQUÉ (op. cit., 1991, loc. cit.): "On peut s'interroger sur les raisons de cette attitude. Tout d'abord, le concept d'acte reste encore largement étranger à la doctrine anglo-saxonne et il est significatif que l'on trouve difficilement un terme pour désigner l'acte, les traductions comme *juridical act* ou *legal act* n'ayant de sens que pour le traducteur. En effet, la théorie des actes est largement impregnée des conceptions nationales et procède, souvent à tort, parce que la structure même de l'ordre juridique est différente, d'une transposition. Il en découle que les systèmes qui n'ont pas incorporé la notion d'acte juridique ne perçoivent guère son utilité en droit international".

211. CIJ, **Testes nucleares franceses** (Austrália e Nova Zelândia contra França, julgamento de 20 de dezembro de 1974).

212. J.-P. JACQUÉ (op. cit., 1991, loc. cit.): "La situation évolue et l'on perçoit mieux l'intérêt qu'il peut y avoir à mener une analyse de la catégorie d"acte juridique dans son ensemble. La Cour internationale de justice a, elle-même, donné l'exemple dans l'affaire des **Essais nucléaires** en empruntant au droit des traités la théorie du changement fondamental de circonstances pour tempérer ses considérations quant à la force obligatoire de la promesse unilatérale".

213. Contudo, a controvérsia sobre o valor jurídico das resoluções das organizações internacionais ou as discussões sobre as diferenças entre resoluções e convenções amplamente abriram o caminho para reflexão mais ampla.

214. Daniel BELL, **O fim da ideologia** (do original **The end of ideology**, © 1960, trad. Sérgio BATH, Brasília: Ed. UnB, 1980, Col. Pensamento Político, v. 11).

215. Frederick M. WATKINS e Isaac KRAMNICK, **A idade da ideologia** (do original **The age of ideology: political thought 1750 to the present**, 1979, trad. Rosa Maria e José VIEGAS, Brasília: Ed. UnB, 1981, Col. Pensamento Político, v. 32).

216. Celso D. de Albuquerque MELLO, *Aspectos gerais do direito internacional público contemporâneo* (XI curso de derecho internacional, Rio de Janeiro, "organizado por el Comitê jurídico interamericano, con la cooperación de la Secretaria General de la OEA, en agosto de 1984", Washington: OEA, secretaria general, 1985, p. 3-27).

217. C. D. A. MELLO (**Curso** cit., 1984, publ. Washington, 1985, p. 4-5): "O conflito leste-oeste, iniciado meses antes do final da Segunda Guerra Mundial, vai acarretar a denominada política de blocos que, por sua vez, dominará as relações internacionais no período da Guerra Fria. Os estados seguidores dos supergrandes entregam a eles suas competências

este conflito não vai ter maior repercussão. Fala-se em direito internacional capitalista e direito internacional socialista, contudo nenhuma codificação essencial é consagrada na ordem jurídica, a não ser a condenação ao colonialismo e a consequente afirmação do direito de autodeterminação, que jamais foi estendida[219] de modo pleno pelos líderes dos dois grandes blocos e seus aliados".

Para C. D. A. MELLO (1984, publ. 1985), "o norte-sul é o conflito que maior número de modificações tem trazido ao direito internacional público. Este jamais esteve em vias de sofrer uma transformação tão profunda quanto no momento atual, os doutrinadores dos países ricos que receiam o 'caos', costumam rotular o momento com que nos defrontamos de crise do direito internacional. Enquanto para os internacionalistas com uma visão do terceiro mundo, o caos era o direito internacional clássico, que sempre permitiu a dominação e a expropriação dos pobres pelos ricos"[220].

Lucidamente[221], embora ainda durante o período de vigência desse modelo, C. D. A. MELLO apontava as fissuras e as inconsistências[222]: "a luta contra o colonialismo, que todo o terceiro mundo apoiou, sempre teve para os supergrandes uma razão fundamental: afastar a Grã-Bretanha e a França da posição de grandes potências; ou ainda, continuariam grandes potências, mas não seriam supergrandes. A diferença ideológica entre os blocos capitalista e socialista não vai se manifestar no direito internacional, sendo suficiente recordar que os Estados Unidos da América aceitaram um tratado afirmando que o princípio da coexistência pacífica é um dos princípios fundamentais das relações internacionais contemporâneas[223], bem como que a mais recente obra

---

soberanas em troca de sua segurança em caso de uma Terceira Guerra Mundial, que não viria e os supergrandes sabiam disso. Enfim, a Guerra Fria é um pretexto para se estabelecer maior domínio sobre os seus aliados".

218. C. D. A. MELLO (op. cit., Washington, 1985, loc. cit.): "O conflito mais sério a nosso ver é o já tão estudado conflito norte-sul, entre ricos e pobres. Ele envolve a vida de maior número de pessoas. Fala-se em '*day after*', como possível após um conflito leste-oeste, contudo há muito tempo o hemisfério sul já vive o seu '*day after*'. É suficiente olharmos os índices estatísticos de subnutrição, de mortalidade infantil, de vítimas das secas, ou ainda o morticínio causado pelas epidemias e endemias. De qualquer modo, é extremamente curioso que o bloco soviético negue a existência desse conflito, considerando que só há o do capitalismo com o socialismo".

219. (*sic*, entendida?)

220. C. D. A. MELLO (op. cit., Washington, 1985, p. 5-6).

221. C. D. A. MELLO (op. cit., Washington, 1985, p. 4): "Não nos parece correto que um autor exponha um elenco de temas do direito internacional público sem que antes ele faça uma análise da sociedade internacional, ou seja, que ele a descreva como a vê. O seu otimismo ou pessimismo em relação ao direito internacional vai depender de sua visão da sociedade internacional".

222. C. D. A. MELLO (op. cit., Washington, 1985, loc. cit.): "Posteriormente temos a chamada "crise das alianças" em que a França denuncia o tratado sobre tropas da Organização do Tratado do Atlântico Norte e o conflito sino-soviético torna-se mais agudo. Finalmente continuamos com a existência de blocos mesmo que eles não tenham mais o aspecto monolítico que possuíam anteriormente".

223. Na linha da Resolução 2625 (XXV) AGNU, annex, **Declaration on principles of international law concerning friendly relations and cooperation among states in accordance with the U.N. Charter** (1970).

de direito internacional público, publicada na União Soviética e divulgada no Ocidente, coordenada pelo professor TUNKIN[224] afirma que o direito internacional público não tem ideologia e que ele é simplesmente formado por normas de conduta e que para ele existir não é necessário que haja comunhão ideológica"[225].

"Façamos um estudo desta matéria. É de se notar que ela é uma consequência da descolonização, ou seja, de acederem à independência países afro-asiáticos com líderes que têm uma cultura não cristã-ocidental e capitalista. O direito internacional que estes países encontraram regendo a sociedade internacional não atendia aos seus interesses". Por isso, segundo C. D. A. MELLO, "reivindicações são formuladas, especialmente nas organizações internacionais e dentro delas, na Assembleia, ou Conferência, isto é, no órgão onde há uma igualdade entre os membros e onde todos os estados estão representados. Eles são o terceiro mundo que, como já foi assinalado a respeito do 'terceiro estado' da Revolução Francesa, reivindicam o direito de participar nas decisões, que vão reger as relações internacionais".

"De qualquer modo, é necessário assinalar que nem sempre há, por parte do denominado terceiro mundo, reivindicações uniformes e homogêneas. Pelo contrário, devido à multiplicidade de ideologias, sistemas políticos e econômicos, eles não formam um bloco unido, isto é, que possa exercer uma pressão eficaz. Em consequência, há uma politização do direito internacional, devido ao afrontamento entre os dois direito internacional, o clássico e o novo. Significa isso que está morrendo o direito internacional sem que surja um novo. O terceiro mundo domina as comissões que elaboram o direito internacional, como a Comissão de Direito Internacional, a Comissão de Direito Comercial Internacional, o Comitê do Fundo dos Mares e UNCTADs. É de se observar que tais comissões não têm o poder de decidir, no sentido jurídico, isto é, de aprovar normas que serão obrigatórias. Assim, o método utilizado por tais países tem sido a aprovação de declarações, recomendações, as quais têm um valor políti-

224. Adicionalmente é interessante ver a evolução do enfoque de G. I. TUNKIN, desde seu **Coexistence and international law** (RCADI, 1958, t. 95, p. 1-82) até G. TUNKIN, **Politics, law and force in the interstate system** (RCADI, 1989, t. 219, p. 227-396); a obra mencionada por C. D. A. MELLO, coordenada por G. TUNKIN *et al.*, **Curso de derecho internacional** (trad. do russo por Federico PITA, presentación de V. JARLÁMOV, Moscou: Editorial Progreso, 1979, 2 v.).

225. C. D. A. MELLO (op. cit., Washington, 1985, loc. cit.): "Esta posição que nos parece realista é também de um certo modo uma ironia, vez que foi o marxismo quem salientou e defendeu, a meu ver acertadamente, o caráter ideológico do direito. Enfim, as atitudes dos Estados Unidos da América e da União Soviética, bem como de seus aliados, são profundamente semelhantes, vez que as suas posições e interesses, na sociedade internacional, são semelhantes. Ambos procuram conservar a posição hegemônica que têm e, através de conflitos localizados, aumentar a sua área de influência, sem que haja maior risco de ambos se confrontarem diretamente".

co e moral. Acresce, ainda, que elas dão legitimidade às reivindicações desses estados, ou, talvez, venham a se transformar, no futuro, em costume internacional. O velho problema do direito internacional, que não desenvolveu critérios precisos para distinguir o jurídico do não jurídico, é agravado no atual momento histórico"[226].

Justamente não é o dado menos interessante do direito internacional o fato de este comportar grande número de questões controvertidas. Agregue-se a isso o período de transição, vivido pelo direito internacional, também como período de experimentação, a mostrar o direito internacional em ação nas instituições e nos mecanismos de implementação: a ênfase na atuação da Corte Internacional de Justiça, da sistematização do *Instituto de direito internacional* e da reflexão da doutrina. A sistematização das práticas dos estados muitas vezes dependerá das amostragens feitas pelos seus representantes nacionais[227]. Caberá, inexoravelmente, indagar: até que ponto tais não serão seletivas?[228].

---

226. C. D. A. MELLO (op. cit., Washington, 1985, p. 6-7) enfatiza ter sido a intenção, ao expor os dois grandes cortes na sociedade internacional, "chamarmos a atenção para a relatividade do que vai ser exposto, no sentido de que o jurídico se confunde com a política; o aspecto técnico com o ideológico. Não pretendemos com isso afirmar que tenha sido possível, em algum momento histórico, existir um direito sem aspecto político e, em consequência, ideológico. O que sustentamos é que atualmente esse aspecto surge, de modo acentuado, sem qualquer máscara, que tente ocultá-lo, e talvez devido à universalização da sociedade internacional ele seja mais acirrado".

227. Shigeru ODA and Hisashi OWADA (editors, with the assistance of Kazuya HIROBE), **The practice of Japan in international law 1961-1970** (Tokyo: University of Tokyo Press, © 1982, "Preface", p. XXVII-XXIX, cit. p. XXVIII) mencionam: "Similar projects dealing with state practice in interpretation and application of international law have been launched in various parts of the world: 'Australian practice in international law' (*Australian Yearbook of International Law*), 'Canadian practice in international law' (*Canadian Yearbook of International Law*), 'Contemporary practice of the United States relating to international law' (*American Journal of International Law*), *Digest of United States practice in international law*, 'Italian practice relating to international law (*Italian Yearbook of International Law*), 'Netherlands state practice' (*Netherlands Yearbook of International Law*), 'Die österreichische diplomatische Praxis zum Völkerrecht' (*Österreichchische Zeitung fur öffentliches Recht und Völkerrecht*), 'La pratique de pouvoir exécutif à le (*sic*) contrôle des chambres législatives en matière de droit international' (*Revue Belge de Droit International*), 'Pratique française du droit international' (*Annuaire Français de Droit International*), 'Pratique suisse en matière de droit international public' (*Revue Suisse de Droit International*), 'United Kingdom materials on international law' (*British Yearbook of International Law*), 'Völkerrechtliche Praxis der Bundesrepublik Deutschland' (*Zeitschrift fur ausländisches öffentliches Recht und Völkerrecht*), and others".

228. *V.*, *supra*, 1.1.5. "perspectivas do direito internacional no século XXI"; Karl ZEMANEK, **The legal foundations of the international system: general course on public international law** (RCADI, 1997, t. 266, p. 9-335); essencialmente empírica, igualmente, a construção do direito internacional vigente, em matéria de sucessão de estados, cf. analisava Karl ZEMANEK, em curso anterior na Haia, versando **State succession after decolonization** (RCADI, 1965, t. 116, p. 181-300); *v.* também Edward McWHINNEY, **Self-determination of peoples and plural-ethnic states (secession and state succession and the alternative federal option)** (RCADI, 2002, t. 294, p. 167-264); Vladimir-Djuro DEGAN, *On state succession* (in **Dimensão internacional do direito: estudos em homenagem a G. E. do NASCIMENTO E SILVA**, org. P. B. CASELLA, São Paulo: LTr, 2000, p. 118-140); Vladimir-Djuro DEGAN, **Création et disparition de l'état (à la lumière du démembrement de trois fédérations multiethniques en Europe)** (RCADI, 1999, t. 279, p. 195-375); M. BEDJAOUI, **Problèmes récents de succession d'états dans les états nouveaux** (RCADI, 1970, t. 130, p. 455-586); H. M. BLIX, **Contemporary aspects of recognition** (RCADI, 1970, t. 130, p. 587-704); Giorgio CANSACCHI, Identité et continuité des sujets internationaux (RCADI, 1970, t. 130, p. 1-94); D. P. O'CONNELL, **Recent problems of state suc-**

3.6.6. direito de jurisdição

Todo estado tem o direito de exercer a sua jurisdição no seu território e sobre a população permanente, com as exceções estabelecidas pelo direito internacional[229]. Como analisadas pela doutrina[230].

Hans KELSEN, ao analisar o artigo 3 do projeto de declaração dos direitos e deveres dos estados, elaborado pela Comissão de Direito Internacional em 1949, salientou que a **jurisdição** só pode ser exercida sobre os indivíduos e só indiretamente sobre coisas. O citado projeto dizia que o estado tem "o direito de exercer jurisdição *sobre* o seu território e sobre todas as pessoas e coisas nele existentes" (*over its territory*). No entender de Kelsen, o correto seria falar em *jurisdição no seu território*, e não *sobre ele*, o que poderia dar a impressão equivocada de que se tratava do direito de dispor do território.

O direito do estado sobre o território e os respectivos habitantes é exclusivo, ou seja, nenhum outro estado pode exercer a sua jurisdição sobre o território, a não ser com o consentimento do primeiro. É bem verdade que a legislação do estado pode prever o exercício de sua jurisdição em país estrangeiro sobre os respectivos nacionais, o que significa que a jurisdição do estado em relação aos estrangeiros não é exclusiva.

Para alguns autores, a palavra *competência* exprime melhor o fenômeno. É o caso de Charles ROUSSEAU, para quem competência territorial significa "a competência do estado em relação aos homens que vivem em seu território, às coisas que nele se encontram e aos fatos que aí ocorrem".

Em suma, cumpre estudar o problema da jurisdição, em relação ao território do estado e a jurisdição sobre os nacionais no exterior, e, para tanto, a definição de nacional, em primeiro lugar[231].

---

cession in relation to new states (RCADI, 1970, t. 130, p. 95-206); R. ERICH, **La naissance et la reconnaissance des états** (RCADI, 1926, t. 13, p. 427-508); H. LAUTERPACHT, **Recognition in international law** (Cambridge: UP, 1947). Visando sistematizar a prática recente em matéria de sucessão de estados, o IDI adotou resolução na sessão de Vancouver (2001), tendo como relator Georg RESS, cf. se considera e se analisa no item IV, "Sujeito e objeto: estado de natureza, natureza do estado e relações entre estados".

229. *V., infra,* 3.8.3., "imunidade de jurisdição e de execução" e também 3.10.3.3.2., "imunidade diplomática".

230. Covey T. OLIVER, *La compétence des états* (in **Droit international: bilan et perspectives**, 1991, v. I, p. 323-345); J. L. BRIERLY, **Règles générales du droit de la paix** (RCADI, 1936, t. 58, p. 149); BRIERLY, **Law of Nations** (rev. e atualizado por Andrew CLAPHAM, Oxford: Univ. Press, 7. ed., 2012); Hans KELSEN, **Théorie générale du droit international public: problèmes choisis** (RCADI, 1932, t. 42, p. 192); H. KELSEN, *The draft declaration on rights and duties of States* (AJIL, 1950, v. 44, p. 267); Susanne BASTID, **Les problèmes territoriaux dans la jurisprudence de la CIJ** (RCADI, 1962, t. 107, p. 361-496, esp. 367); DIEZ DE VELASCO, **Instituciones de derecho internacional público** (Madrid: Tecnos, 16. ed., 2007).

231. *V., infra,* 5.3. "direito da nacionalidade", e 5.4. "condição jurídica estrangeiro".

3.6.7. princípio de não intervenção – entre *jus cogens* e *soft law*

Embora a ênfase da doutrina[232] seja colocada nos direitos internacionais dos estados, seria mais coerente com o fundamento do direito internacional que tal primazia fosse dos deveres[233]. Para Hans KELSEN, existe primado incontestável do dever sobre o direito, pois "as normas do direito internacional geral impõem deveres sobre os estados e ao fazê-lo conferem direitos aos demais". E acrescenta que "se os deveres forem formulados corretamente a formulação do direito correspondente é supérflua".

A exemplo do que ocorre com os direitos, a enumeração dos deveres apresenta dificuldades, sobretudo se lembrarmos que a doutrina fala em *deveres jurídicos* e *deveres morais*. A essa lista é ainda necessário acrescentar os conceitos do *jus cogens*[234] e o assim chamado *soft-law*[235]. Em se tratando de ordenamento

---

232. ACCIOLY, **Tratado** (2009, v. I, livro primeiro, cap. segundo, *"direitos e deveres dos estados"*, p. 259-443); Ricardo ALAFARO, **The rights and duties of States** (RCADI, 1959, t. 97, p. 91-202); Antônio Celso Alves PEREIRA, *O direito ao desenvolvimento no contexto dos direitos humanos* (Bol. SBDI, jan./mar. 1992, p. 27-43); C. BEVILÁQUA (1, p. 54); Raul FERNANDES, **L'égalité juridique des États**, Genebra, 1921; F. V. GARCIA AMADOR, **El derecho internacional del desarollo** (Madrid, 1987); Hague Academy of International Law, **Colloque sur Le Droit International au développement au plan international** (Dordrecht: M. Nijhoff, 1980); Robert ROSENSTOCK, *The Declaration of Principles of International Law Concerning Friendly Relations* (AJIL, 1970, t. 65, p. 713); VERDROSS, **Derecho internacional** (p. 167); David VITAL, **The unequality of States** (Oxford, 1967).

233. ACCIOLY, **Tratado** (2009, v. I, livro primeiro, *"os estados"*, p. 151 s.); B. BROMS, *States* (in **International Law**, UNESCO, 1991, p. 57); Bing Cheng, *Subjects of international law* (in **International Law**, UNESCO, 1991, p. 25); L. FOCSÉAN, *Les cinq principes de coéxistence pacifique et le droit international* (AFDI, 1956); Hans KELSEN, *The draft declaration on rights and duties of States* (AJIL, 1959, t. 44, p. 259-76); Edward Watson Mc WHINNEY, *Friendly relations among States* (AJIL, 1966, t. 60, p. 316); PASTOR RIDRUEJO, **Derecho internacional** (p. 301); Stélio SÉFÈRIADES, **Principes généraux du droit international de la paix** (RCADI, t. 34, p. 172-92).

234. Dentre extensa e relevante bibliografia: Levan ALEXIDZE, **Legal nature of "jus cogens" in contemporary international law** (RCADI, 1981, t. 172, p. 219 e s.); Eduardo C. BAPTISTA, **Ius cogens em direito internacional** (Lisboa: Lex, 1997); I. BROWNLIE, **Principles of public international law** (Oxford: Clarendon Press, 4. ed., 1990, reprinted 1995, Cap. XXII, "some incidents of illegality and the concept of *jus cogens*", p. 509-517, esp. p. 512-515); CARNEGIE Endowment for International Peace (ed.), **The concept of jus cogens in public international law** (conference of Lagonissi, 1966, papers and proceedings, Genebra, 1967); Francesco CAPOTORTI, **Cours général de droit international public** (RCADI, 1994, t. 248, p. 9-344, esp. Cap. VIII, item 4, "la violence par rapport aux traités. Les traités en conflit avec le *jus cogens*", p. 182 e s.); J. A. CARRILLO SALCEDO, **Droit international et souveraineté des états: cours général de droit international public** (RCADI, 1996, t. 257, p. 135 e s.); P. CASELLA, **Fundamentos** (2008, esp. Cap. IX, "fundamentos e norma cogente de direito internacional", p. 727-783); B. CONFORTI, **Cours général de droit international public** (RCADI, 1988, t. 212, p. 129 e s.); M. DIEZ DE VELASCO, **Instituciones de derecho internacional público** (Madrid: Tecnos, 16. ed., 2007, esp. *"ius cogens"*, p. 80, 89, 90, 91, 101, 119, 215, 219, 281, 295, 326, 410, 650, 839, 858, 861, 978, 1022, 1037-38); T. O. ELIAS, Problems concerning the validity of treaties (RCADI, 1971, t. 134, p. 388); Giorgio GAJA, **"Jus cogens" beyond the Vienna Convention** (RCADI, 1981, t. 172, p. 271 e s.); Antonio GOMEZ-ROBLEDO, **Le "jus cogens" international: sa génèse, sa structure, ses fonctions** (RCADI, 1981, t. 172, p. 9 e s.); Jean-Paul JACQUÉ, **Acte et norme en droit international public** (RCADI, 1991, t. 227, p. 357-417); Robert JENNINGS, Les traités (in **Droit international: bilan et perspectives**, org. M. BEDJAOUI, Paris: Pedone / UNESCO, 1991, v. I., p. 143-186, esp. parágrafo 6, *jus cogens*, p. 169-173); Robert KOLB, **Théorie du ius cogens international: essai de relecture du concept** (Paris: PUF / publ. IUHEI, Genebra, 2001); Manfred LACHS, **General course on public international law** (RCADI, 1980, t. 169, p. 202 e s.); H. MOSLER, **The international society as a legal community** (RCADI, 1974, t. 140, p. 1-320, esp., p. 148-150); McNAIR, **The law of treaties** (Oxford, 1961, p. 213); G. E. do NASCIMENTO E

jurídico como o internacional, em que tem a vontade papel primordial, a reflexão sobre o ato jurídico é determinante, porquanto o estudo dos atos baseia-se na análise dos instrumentos por meio dos quais o direito positivo permite à vontade dos sujeitos de direito internacional de ser criadora, e de produzir efeitos jurídicos. Assim, para J.-P. JACQUÉ, desenvolver uma teoria dos atos seria buscar os meios de isolar, em meio à massa de comportamentos imputáveis aos sujeitos de direito internacional, quais se inscrevem no direito internacional e quais podem produzir efeitos jurídico[236].

Para a determinação do conteúdo e da possibilidade de criação de norma vinculante da conduta de sujeito de direito internacional será necessário considerar a intenção de vincular-se por aquela declaração, permitindo caracterizá-la como compromisso jurídico. Esse é todo o dilema e a controvérsia em torno do conceito e do conteúdo da *soft law*. O fenômeno pode ser ilustrado pela **Ata final de Helsinki**. Constitui ou não um tratado? Sabe-se que a resposta negativa resulta, ainda nesse caso, da ausência de vontade das partes em se vincularem, ao menos no plano jurídico, tal como esta se manifestou por diversos indícios, dentre os quais a recusa em fazer registrar a ata final.

A teoria dos atos jurídicos em direito internacional permitiria determinar, com maior clareza, o que se inscreve no âmbito jurídico e o que escapa deste,

---

SILVA, **Le facteur temps et les traités** (RCADI, 1977, v. 154, p. 253-5); Rafael NIETO-NAVIA, *International peremptory norms (jus cogens) and international humanitarian law* (in **Man's Inhumanity to Man** – Essays on International Law in honour of Antonio CASSESE, ed. by Lal Chand VOHRAH et al., Haia: Kluwer Law International, 2003, p. 595-640); S. REISENFELD, *"Jus dispositivum" and "jus cogens"* (AJIL, 1966, v. 60, p. 511); J. G. RODAS, *"Jus cogens" em direito internacional* (Rev. FDUSP, 1974, v. 69, p. 125 e s.); J. G. RODAS, **Alguns problemas de direito dos tratados relacionados com o direito internacional à luz da Convenção de Viena** (tese de doutoramento em direito internacional, São Paulo: FDUSP, 1973); G. SCHWARZENBERG, **International law and order** (Londres, 1971, p. 27-56); Egon SCHWELB, *Some aspects of international "jus cogens"* (AJIL, 1957, v. 61, p. 946); Ignaz SEIDL-HOHENVELDERN, **International economic soft-law** (RCADI, 1979, t. 163, p. 165-246); Malcolm N. SHAW, *Genocide and international law* (in coletânea em honra de Shabtai ROSENNE, Dordrecht, 1988, p. 800); G. TUNKIN, International law in the international system (RCADI, 1975, v. 147, p. 98); Alfred VERDROSS, *"Jus dispositivum" and "jus cogens" in international law* (AJIL, 1966, v. 60, p. 55 e s.); Michel VIRALLY, *Réflexions sur le "jus cogens"* (AFDI, 1966, t. 12, p. 5 e s.); Ch. de VISSCHER, *Positivisme et "jus cogens"* (RGDIP, 1971, t. 75, p. 5 e s.); Ch. de VISSCHER, **Cours général de droit international public** (RCADI, 1972, t. 136, p. 102 e s.).

235. Salem H. NASSER, **Fontes e normas do direito internacional: um estudo sobre a soft law** (pref. Guido F. S. SOARES, São Paulo: Atlas, 2005); Philippe FOUCHARD, Droit et morale dans les relations economiques internationales (1997, republicado em Ph. FOUCHARD, **Écrits**, Paris: C.F. de l'arbitrage, 2007, p. 517-530).

236. Ao se retomar o caso dos **testes nucleares franceses**, e particularmente as declarações francesas a respeito da renúncia aos testes na atmosfera, somente análise *a posteriori* permitiu estabelecer que se tratava de declarações que vinculavam juridicamente a sua autora, e constituíam promessa unilateral. Poderiam ter sido consideradas declarações puramente políticas e, como tais, destituídas de qualquer conteúdo legal? Assim, para J.-P. JACQUÉ (op. cit., 1991, p. 368): "La question de l'exacte portée des déclarations dans l'esprit des autorités françaises reste ouverte. C'est par une interprétation que la Cour leur a conféré force obligatoire. Ceci montre qu'un acte juridique a avant tout pour objet un texte et que la norme est la signification donnée à ce texte"; cita D. KENNEDY, **International legal structures** (Baden-Baden: Nomos, 1987, p. 54 e s.).

bem como pode contribuir para responder às questões, frequentemente colocadas a respeito da pertinência jurídica dessas noções vagas e imprecisas, que estão em voga no direito internacional pós-moderno, tal como a de *soft law*. Podem ser necessárias, mas continuam pouco claras, quer quanto ao conteúdo, quer quanto aos efeitos: podem ser justificadas enquanto tentativas de explicações que tentam sistematizar a realidade.

Paul REUTER (1961)[237], várias vezes referido enfatizava "não ser o direito somente produto da vida social, mas igualmente o fruto de esforço de reflexão, onde se trata de ordenar os dados assim recolhidos, em conjunto coerente e tão lógico quanto possível. É o aspecto sistemático do direito internacional, simultaneamente mais importante e mais delicado que o dos direitos nacionais"[238].

Para relembrar Jean-Paul JACQUÉ (1991)[239]: Não existe teoria dos atos, sem teoria da validade"[240]. Mas adverte que se passa insensivelmente do ato à norma e é difícil evitar esse deslize, em razão do próprio vocabulário utilizado: "o termo tratado é simultaneamente utilizado para designar o documento redigido no curso de negociações e o objeto do documento, que é a norma por este criada".

Assim, em matéria de nulidades, confunde-se a nulidade do tratado, atingido por vício de consentimento, que é, essencialmente, a nulidade do acordo de vontades, que dá origem à norma, com a nulidade da própria norma, decorrente de conflito com norma de direito internacional geral. No primeiro caso, o instrumento "tratado" não pôde validamente aceder ao plano da existência, para todas

---

237. Paul REUTER, **Principes de droit international public** (RCADI, 1961, t. 103, p. 425-656).

238. P. REUTER (op. cit., 1961, p. 459): "Il est plus important parce que les sociétés nationales, du fait qu'elles sont profondément centralisées par l'autorité étatique, engendrent un droit déjà systematisé par ses conditions d'élaboration. Au contraire, la 'décentralisation du pouvoir politique', qui règne dans la société internationale rejette sur le juriste un fardeau plus lourd. Il est plus délicat parce que le désordre de la société internationale n'est pas tant désordre de la pensée que désordre du pouvoir; certes le juriste peut se laisser aller à la systématisation, mais s'agit-il de systématiser seulement ses pensées ou de systématiser aussi la réalité? Certes, de par sa nature même, le droit est avide d'ordre, mais à quoi servirait-il, par excès de rigueur dans la pensée, de poursuivre une systématisation en dehors du cadre des solutions admises?".

239. Jean-Paul JACQUÉ, **Acte et norme en droit international public** (RCADI, 1991, t. 227, p. 357-417).

240. J.-P. JACQUÉ (op. cit., 1991, p. 369-370): a teoria do ato jurídico, mesmo em se tratando de noção comum aos diferentes sistemas jurídicos, não pode ser captada *in abstracto*, mas insere-se em determinada ordem jurídica. Se uma manifestação de vontade pode acarretar consequências jurídicas, isso se dá porque a ordem jurídica lhe atribui essa faculdade: para tomar o exemplo do tratado, o encontro de vontades somente produz efeitos jurídicos porque a norma *pacta sunt servanda* lhe reconhece essa aptidão para criar tais efeitos. Isso muitas vezes é esquecido em direito internacional, na medida em que o voluntarismo reinante contribui a reverenciar a vontade estatal. A aparição da noção de norma de *jus cogens* veio mostrar, como parece evidente, que mesmo a vontade dos estados tem de encontrar limites, e que os estados não poderiam atribuir quaisquer efeitos a determinado tratado. Esse é problema de validade, pois, "para que determinado ato jurídico possa cumprir a sua função, é preciso que tire sua validade formal e material da ordem jurídica existente".

as partes, enquanto ato criador de normas, em razão da ausência de um de seus elementos constitutivos; no segundo caso, o direito positivo recusa qualquer existência à norma que este criou. Em um caso, somente o consentimento viciado é inoperante, e o instrumento pode continuar a existir validamente em relação às demais partes, cujo consentimento não foi viciado; no segundo caso, a norma não pôde ser criada, porque o direito positivo recusava à vontade das partes a possibilidade de se dotar de tal objeto[241].

Quando Hans KELSEN (1953)[242] colocava com clareza a distinção entre ato e norma, no seu curso geral, tinha o objetivo de enfatizar a diversidade entre um e outra: "quando dizemos do tratado ser este fonte de direito, temos em vista o ato criador do direito, o procedimento segundo o qual as normas convencionais são criadas. Mas quando dizemos que tratado foi celebrado, ou então que em razão de um tratado tal Estado têm tais obrigações ou tais direitos, temos em vista as normas criadas por procedimento cujo elemento essencial é o estabelecimento de acordo de vontades. É importante distinguir claramente entre o tratado designando ato criador de direito e o tratado designando a norma criada por tal ato, pois a confusão dos dois significados da palavra tratado é a fonte de numerosos erros e mal entendidos, na teoria tradicional do tratado"[243].

Desse modo, cumpre ter clareza com relação a essa visão das coisas conduz à rejeição de qualquer doutrina que desconheça o concurso de componente de ordem moral – a justiça – na constituição da norma jurídica. Ora, a noção da justiça é de ordem universal. Doutrina errônea pode negligenciá-la ou afastá-la; esta se impõe na prática, embora às vezes travestida, adverte A. FAVRE (1974), na linha de G. Van der MOLLEN (1958), Ch. ROUSSEAU (1964), Ch. De VISSCHER (1970) e O. J. LISSITZIN (1965)[244]. Certo é importar que o direito seja justo, ou seja, conforme à razão e à natureza das coisas.

---

241. J.-P. JACQUÉ (op. cit., 1991, loc. cit.): "Si la doctrine distingue souvent mal la norme de l'acte qui l'a créée, cela ne signifie pas que la théorie des normes suscite la même indifférence que celle des actes".

242. Hans KELSEN, **Théorie du droit international public** (RCADI, 1953, t. 84, p. 1-204).

243. H. KELSEN (op. cit., 1953, p. 136): "traité désignant un acte créateur de droit" et "traité désignant la norme créée par un tel acte".

244. A. FAVRE (op. cit., loc. cit., n. 8, p. 13-14) cita G. Van der MOLLEN, *The present crisis in the Law of nations* (in **Symbolae Verzijl**, 1958, p. 238 e s., esp. p. 249, 250, 254): "Law and justice are inseparable concepts. The idea of justice must lie at the root of every rule of law. The idea of justice must be the constant touchstone for positive international law"; Charles ROUSSEAU (RGDIP 1964, p. 255 e s.): "qu'entre le droit et la politique il n'y a pas le hiatus permanent et irréductible que certains se plaisent à dénoncer"; Ch. De VISSCHER a analysé avec une grande pénétration de vue, dans son ouvrage **Théories et réalités en droit international public**, la portée du fait politique sur les rapports et situations régis par le droit des gens; le juriste américain O. J. LISSITZIN a écrit qu'un accord universel sur les fins idéologiques et les valeurs éthiques n'est pas une condition préalable de l'existence et même du développement du droit international (**International law today and tomorrow**, 1965, p. 110); apõe-lhe A. FAVRE: "Nous ne partageons pas cette opinion".

Em todas as questões centrais, fundamentais ou vitais, como se prefira denominá-las, o acordo geral sobre os princípios é indispensável, na falta do que as mais belas regras jurídicas não passarão de enunciados destituídos de eficácia[245].

Ignora-se que a ação tendente à promoção do terceiro mundo seja freada não somente por interesses, mas também por questões ideológicas, em que a substituição dos conceitos da guerra fria – como ainda expunham R. H. CARPENTER Jr. e L. N. ORLOV, em 1990[246] – pelos do atual conflito de civilizações pouco ou nada alteram as consequências práticas de tal imobilismo, alimentado pelas propagandas ideológicas conflitantes? Não se vê ser a falta de acordo sobre valores éticos que refreou o avanço das tentativas de controle sobre armamentos? Em suma, para A. FAVRE, "os graves problemas do direito da guerra e da paz somente podem ser resolvidos mediante o mesmo espírito de justiça. Direito das gentes mundial somente pode ser edificado sobre lei moral universal"[247].

Os valores universais batem em retirada ante as iniciativas norteadas por políticas de poder e de dominação. Algumas lições podem ser tiradas do tempo da assim chamada "guerra fria" (1949-1989) para compreender o que se vêm em curso, a partir deste tempo presente[248]. A guerra não pode ser escolhida como

---

245. Em matéria de proteção internacional dos direitos fundamentais, quanto se pode dizer esteja efetivamente assegurada a aplicação da **Declaração Universal** de 1948 e do **Pacto Internacional de Direitos Civis e Políticos** de 1966, para a proteção desses direitos? O que significa, para alguns, a norma de não ingerência nos assuntos internos dos estados? A causa principal da ONU não está justamente no fato de que alguns estados nela verem instrumento a serviço de sua política nacional?

246. L. N. ORLOV, Soviet joint enterprises with capitalist firms and other joint ventures between east and west (RCADI, 1990, t. 221, p. 371-414) e Russell H. CARPENTER Jr., **Soviet joint enterprises with capitalist firms and other joint ventures between east and west: the western point of view** (RCADI, 1990, t. 222, p. 365-421, "Introduction", p. 371-372): "East-West joint ventures are the vehicles chosen by a succession of Socialist countries to open their previously closed economies to Western investment and capitalist enerprise. The joint venture laws adopted first in several Eastern European countries in the 1970's, then in China in 1979, and finally in the Soviet Union in 1987, were in each of these countries the first attempt to accommodate profit-seeking market-oriented firms inside a Socialist command economy".

247. A. FAVRE (op. cit. 1974, "Introduction", n. 8, p. 13-14, e a seguir, n. 9, p. 14-15): "Le droit de la coopération internationale – qu'il s'applique dans l'ONU, dans les institutions spécialisés à vocation mondiale ou dans les institutions régionales – exige impérieusement que les peuples les mieux pourvus accordent un large appui aux organismes dont la mission, dictée par la justice distributive, doit apporter soutien et concours au tiers monde. Tout le droit du développement est conçu et doit être soutenu par le même esprit. La coopération internationale dans ce domaine en est à une phase élémentaire. Elle ne correspondra jamais à l'immensité des besoins. Cet ouvrage, qui expose dans maint paragraphe un droit des gens non définitif mais bien établi, ne peut qu'esquisser l'oeuvre de coopération entreprise au cours de cette génération et le droit évolutif qui la régit. Pourtant, c'est par cela notamment que le droit des gens actuel est caractérisé".

248. W. Michael REISMAN, *International law in the twenty-first century*, no **Curso geral de direito internacional público**, na Haia, 2007; W. Michael REISMAN e Myres S. McDOUGAL (editors), **Power and policy in quest of law: essays in honor of Eugene Victor ROSTOW** (Haia: Martinus Nijhoff, 1985); W. Michael REISMAN, **The supervisory jurisdiction of the International court of justice: international arbitration and international adjudication** (RCADI, 1996, t. 258, p. 9-394); para crítica quanto aos riscos que representa essa visão politizante para o conteúdo e o futuro do direito in-

instrumento de política por uma democracia[249].

Talvez a principal novidade da **Convenção de Viena sobre o Direito dos Tratados** (1969) tenha sido o reconhecimento do princípio do *jus cogens*. No dizer desta, "norma imperativa (*jus cogens*) de direito internacional geral é uma norma aceita e reconhecida pela comunidade internacional dos estados no seu conjunto, como uma norma da qual nenhuma derrogação é permitida e que só pode ser modificada por uma norma de direito internacional geral da mesma natureza" (art. 53).

A adoção do princípio do *jus cogens* foi objeto de prolongados debates no âmbito da Comissão de Direito Internacional, e apesar de quase todos os seus membros, bem como os governos que responderam ao questionário, haverem-se manifestado a favor da ideia, constatou-se que, embora aceita em sua essência, não havia unanimidade quanto ao seu alcance. Cogitou-se em mencionar no texto alguns exemplos, mas a decisão final foi incluir nos comentários ao artigo alguns exemplos indiscutíveis, como os pautados nos princípios da própria Carta.

Alguns tratados que codificam situações características do *jus cogens* admitem que as partes contratantes não poderão denunciá-los. É o que ocorre com a **Convenção de Combate à Escravidão** (1928), a **Convenção sobre Genocídio** (1948) e a **Convenção sobre a Eliminação de todos os tipos de Discriminação Racial** (1965).

No caso do *jus cogens* a denúncia é inadmissível. No caso da Convenção sobre Genocídio, mesmo se um estado a denunciasse, continuaria vinculado às cláusulas básicas.

Em outras palavras, no caso do *jus cogens* existe obrigação que o estado em nenhuma hipótese pode desconhecer. Independentemente da expressão do consentimento ou da vontade deste. O artigo 64 da Convenção de Viena sobre direito dos tratados, de 1969, por sua vez, estipula: "se sobrevier uma nova nor-

---

ternacional pós-moderno, v. Chr. TOMUSCHAT, **International law: ensuring the survival of mankind on the eve of a new century: general course on public international law** (RCADI, 1999, t. 281, p. 9-438, esp. Cap. I, p. 54-55); Sandra VOOS, **Die Schule von New Haven: Darstellung und Kritik einer amerikanischen Völkerrechtslehre** (Berlim: Duncker & Humblot, 2000); Spyridon VRELLIS, **Conflit ou coordination de valeurs en droit international privé** – À la recherche de la justice (RCADI, 2007, t. 328, p. 175-485).

249. Ithiel Pool (1969, in Richard M. PFEFFER (org.) **No more Vietnans? The war and the future of American Foreign Policy**, New York: Harper & Row, 1969): "As reações da opinião pública não se manifestam imediatamente. Muitas iniciativas que seriam impossíveis em razão da reação da opinião pública tornam-se possíveis quando são de curto prazo. Considera que podemos dizer com justiça que, a menos que seja provocada de maneira grave ou que tenha êxito rapidamente, a guerra não pode ser escolhida como instrumento de política por uma democracia". Na verdade, coloca-se antes a análise como questão de oportunidade e viabilidade de gestão da matéria do que questão de valores e de princípios. *V.* análise em Noam CHOMSKY, *A América ressurgente* (1981, in N. CHOMSKY, **Rumo a uma nova guerra fria**, trad. C. MARQUES, Rio de Janeiro: Record, 2007, p. 359-379).

ma imperativa de direito internacional, qualquer tratado existente em conflito com essa norma torna-se nulo e extingue-se".

Diante das dificuldades surgidas em determinar exatamente as normas de *jus cogens*, a Convenção de 1969 prevê que caberá à CIJ a decisão a respeito.

Surgiu no direito internacional contemporâneo o que se convencionou chamar de *soft law*, expressão de difícil tradução para o português, mas que tem certa semelhança com os deveres morais a que se faz referência. A expressão é muito utilizada em relação a determinados deveres em matéria ambiental, bem como no campo dos direitos humanos.

Sendo a norma obrigatória, que importância pode ser atribuída à doutrina, cuja opinião é de que haveria normas mais ou menos obrigatórias, essa gradação indo da *soft law* à *hard law*? J.-P. JACQUÉ (1991) critica esse modismo de uso corrente[250].

Se normas de *soft law* têm a sua importância específica, de caráter político, e podem ter papel a desempenhar no processo de formação de costume, não devem contudo ser consideradas como fazendo parte do direito positivo, enquanto normas jurídicas. Os modelos de comportamento, que não são obrigatórios, não poderiam entrar no campo jurídico, como evidencia o exame dos atos não obrigatórios.

O direito internacional conhece certo número de atos, destituídos de caráter obrigatório[251], que estipulam, contudo, modelos de comportamento. Daí vem a pergunta a respeito da natureza desses atos e, sobretudo, acerca do valor das normas que os criam. A primeira resposta poderia ser encontrada ao estimar-se que, a partir do momento em que se presencia modelo de comportamento, presencia-se norma jurídica, quer esta seja ou não obrigatória.

---

250. J.-P. JACQUÉ (op. cit., p. 388-389): "Il est évident qu'il existe une certaine gradation dans le caractère contraignant des engagements pris par les états, ceux-ci pouvant aller de la simple obligation de prendre en considération la position des autres parties à un traité, jusqu'à des obligations de faire extrêmement précises. Mais cette gradation dans la précision des obligations contractées ne veut pas dire qu'elles soient plus ou moins obligatoires. Ce n'est pas parce qu'une norme confie un large pouvoir d'appréciation à l'autorité chargée de l'appliquer que cette norme ne revêtirait aucun caractère obligatoire. Aussi, on ne peut dire qu'il existe des normes plus ou moins obligatoires. On a évoqué le cas de normes qui contiendraient des modèles de comportement incitatifs, de cadres de référence etc. Si l'on veut par ce recours reprendre la distinction de *lege lata* et *lege ferenda*, il n'existe aucune difficulté à reconnaître que certaines normes non obligatoires peuvent concourir à la formation d'une norme obligatoire. Mais quel est l'intérêt de reconnaître le caractère de norme juridique à des normes qui ne sont pas obligatoires?".

251. J. P. JACQUÉ, op. cit., 1991, Cap. II, "les actes non obligatoires", p. 390-400, cit. p. 390-391): "Comment définir la specificité des modèles de comportement juridiques par rapport aux modèles de comportement moraux ou sociaux et quel serait d'ailleurs l'intérêt du juridique s'il se dissolvait dans un ensemble de normes de valeur diverse. Mais, objectera-t-on, dès lors que le processus de création du modèle de comportement est régi par le droit, qu'il respecte une procédure définie par la charte constitutive d'une organisation internationale, par exemple, n'est-on pas en présence d'un acte juridique? Ce serait oublier que la procédure n'est pas en elle-même suffisante, encore faut-il qu'une norme de l'ordre international accorde à celle-ci la capacité de produire des effets de droit. D'ailleurs la procédure est souvent indifferenciée".

Em matéria de atos não obrigatórios, JACQUÉ (1991)[252] aponta:

(i). Os ***acordos internacionais não obrigatórios*** seriam, antes de tudo, a consequência da ausência de regras de forma em direito internacional: qualquer acordo de vontade pode dar origem a norma, desde que esteja estabelecida a intenção de vincular-se. Daí resulta não poderem ser excluídos determinados documentos, a não ser as declarações finais, os comunicados, ou declarações conjuntas, que normalmente não produzem tais efeitos[253].

A Corte Internacional de Justiça, no caso da **Plataforma continental do mar Egeu** (1978)[254], examinou a natureza do comunicado conjunto greco-turco, de 31 de maio de 1975, de que a Grécia pretendia deduzir o título de competência da Corte. Sem querer atribuir tal efeito ao comunicado, a Corte Internacional de Justiça observou: "não existe regra de direito internacional proibindo que comunicado conjunto constitua acordo internacional destinado a submeter uma controvérsia à arbitragem ou a solução judiciária"[255].

Dessa forma, a Corte Internacional de Justiça reconhece que podem existir acordos informais e somente com seu estudo, caso a caso, será possível determinar se há ou não a presença de acordos com conteúdo jurídico. No caso específico, a Corte fundou-se no exame do texto da declaração e das circunstâncias de sua redação, para concluir que não constituía título de competência.

(ii) . ***resoluções das organizações internacionais***: a questão do valor jurídico das resoluções suscitou inúmeras controvérsias, porque muitos desejavam ver nestas a legislação internacional, que tanta falta faz, ao mesmo tempo que atribuir valor e conteúdo jurídico obrigatório às Resoluções da AGNU permitiria aos estados majoritários na Assembleia Geral fazer prevalecer

252. Jean-Paul JACQUÉ (op. cit., 1991, cap. II, p. 390-400).

253. J.-P. JACQUÉ (op. cit., 1991, Cap. cit., p. 391): "Si des engagements peuvent être crées par des actes qui ne sont pas formellement des traités, rien n'empêche qu'à l'inverse un traité ne contienne pas d'engagement juridique. Cependant, il faut tenir compte des specificités du traité par rapport aux actes informels (...) En principe, la vocation d'un communiqué conjoint n'est pas de créer des obligations réciproques entre ses auteurs. Si, en l'absence de formalisme en droit international, il peut en être ainsi, ce n'est que dans des cas exceptionnels. On ser prudent lorsque l'on se livrera à l'analyse d'un engagement pris dans un tel document, car il pourrait s'agir d'un engagement purement politique, les parties n'ayant pas voulu se lier sur le plan juridique. Par, contre, l'objet même du traité est de produire des effets de droit et il en résulte que, si l'on trouve un engagement dans un traité, ce ne peut être qu'un engagement juridique, car on doit présumer que si les parties ont choisi la forme du traité, c'est bien parce qu'elles souhaiaient placer leurs engagements sur le plan juridique".

254. CIJ, **Plateau continental de la mer Egée**, julgamento de 19 de dezembro de 1978 (CIJ, **Recueil**, 1978).

255. CIJ, **Plateau continental de la mer Egée**, julgamento de 19 de dezembro de 1978 (CIJ, **Recueil**, 1978, p. 39): "qu'il n'existait pas de règle de droit international interdisant qu'um communiqué conjoint constitue un accord international destiné à soumettre un différend à l'arbitrage ou au règlement judiciaire".

sua vontade sobre a dos minoritários, dispondo da realidade do poder econômico e militar. Segundo JACQUÉ, "o debate estaria terminado e numerosos pontos de acordo foram alcançados".

(ii.i) . Antes de tudo, não se pode negar o ***caráter vinculante e o efeito jurídico das resoluções na ordem interna de determinada organização***: não somente as resoluções relativas ao funcionamento da organização tem força obrigatória, mas também o conteúdo de resolução relativa a problema determinado, adotado por órgão principal, impõe-se aos órgãos subordinados a este[256].

(ii.ii). Por outro lado, não se poderia negar que as ***resoluções das organizações internacionais participam do processo de formação do costume*** e contribuíram para o desenvolvimento deste – mas, como observa JACQUÉ, quanto a saber se "as resoluções podem dar origem a normas, entendidas no sentido de modelos de conduta obrigatórios", "não existe resposta geral a essa questão", pois tudo depende da força que atribua a carta constitutiva aos atos desta. É, assim, no silêncio da carta que se põe a indagação quanto a saber se se revestem ou não de força obrigatória as resoluções[257].

(ii.iii). no caso de ***resolução que não seja objeto de acordo, não se lhe pode reconhecer caráter de ato jurídico***, o que, entende JACQUÉ, "seria o caso mais frequente"[258]; para M. BEDAJOUI (1979)[259], em sentido contrário desde que determinado órgão seja competente, os atos que este adota serão obrigatórios[260].

---

256. Isso foi mostrado no caso de **certas despesas das Nações Unidas**, como ato relativo ao funcionamento interno, no caso, o orçamento, poderia ser usado para fazer participar, ao menos no plano financeiro, os estados na implementação de resolução que, para estes, não tinha qualquer caráter obrigatório. Como nota J.-P. JACQUÉ (op. cit., 1991, p. 396): "C'est une tendance classique des organisations, qu'illustrent bien les conflits budgétaires au sein des Communautés européennes, que d'utiliser le pouvoir budgétaire à des fins législatives; P. B. CASELLA, Crise financeira da ONU (**Rev. FDUSP**, 1983, V. LXXVIII, p. 209-216); P. B. CASELLA, *Reforma da ONU pós-Kelsen* (in IV Conferência Nacional de Política Externa e Política Internacional, **Reforma da ONU** (Rio de Janeiro, Palácio Itamaraty, 21 de agosto de 2009, "O Brasil e o mundo que vem aí", Brasília: FUNAG, 2010, p. 143-210).

257. J.-P. JACQUÉ (op. cit., 1991, p. 397): "Pour qu'une résolution soit réellement créatrice d'une norme, il faut que la source de l'obligation réside dans la résolution elle-même et nons dans un comportement ultérieur de ses destinataires. Cela conduit à considérer comme non pertinents les cas dans lesquels les états ont par avance ou *a posteriori* accepté d'exécuter la résolution. Certes, les états sont bien liés, mais par leur propre comportement. La source de l'obligation réside dans leur volonté, mais non dans la résolution elle-même". M. VIRALLY, *Les actes unilatéraux des organisations internationales* (in **Droit international: bilan et perspectives**, M. BEDJAOUI, Paris: UNESCO/Pedone, 1991, v. I, p. 253-276.

258. J.-P. JACQUÉ (op. cit., 1991, cap. cit., p. 398-399): "l'absence de sanction spécifique, qui laisse subsister le mécanisme général organisé par le droit international, ne témoigne pas de l'absence de force obligatoire de la résolution, elle ne témoigne pas plus de la force obligatoire de celle-ci".

259. Mohammed BEDJAOUI, **Pour un nouvel ordre économique international** (Paris: UNESCO, 1979).

260. M. BEDJAOUI (op. cit., 1979, p. 183): "le problème du caractère obligatoire de la résolution est somme toute académique

Questão relevante será a de saber se e em que medida os estados podem confiar por acordo uma competência não prevista na carta constitutiva: o ato será imputável à organização? O reconhecimento do caráter vinculante (*binding*) dos pareceres consultivos da Corte Internacional de Justiça bem ilustra a situação, em alguns casos. Tal situação é perfeitamente possível desde que o acordo observe a natureza da organização.

A Corte Internacional de Justiça assim entendeu e afirmou, ao prolatar parecer a respeito dos poderes que lhe tinham sido atribuídos, com relação a decisões emanadas dos tribunais administrativos internacionais, enfatizando as exigências ligadas ao seu caráter de jurisdição, por exemplo no caso dos **julgamentos do tribunal administrativo da OIT**, no parecer prolatado em 23 de outubro de 1956[261]. Essa questão deve ser adequadamente situada[262].

Entre os membros da maioria, é verdade que a votação de resolução implica acordo quanto ao seu conteúdo. É ainda mais verdade que esse acordo seja ainda mais manifesto quando a resolução é adotada por consenso, e quando alguns estados exprimem **reservas**, o que significa estarem atribuindo valor certo ao compromisso estipulado na **resolução**, na medida em que consideraram necessário estipular nuances quanto a este. A resolução adotada por consenso terá importância particular, como prova da convicção da juridicidade (*opinio juris*), na formação do costume, e poderá dar testemunho de acordo político. Mas será somente por exame mais amplo do contexto que se poderá afirmar estarmos ou não diante de acordo jurídico e não meramente político. Para Oscar SCHACHTER (1991), "mesmo não vinculantes juridicamente, os atos concertados [de caráter não convencional] têm conteúdo normativo quanto à intenção como aos efeitos, os estados interessados os consideram compromissos de ordem política ou moral", enquanto para Jean-Paul JACQUÉ, se nada obsta o reconhecimento do fato de que o conteúdo das resoluções seja o objeto de acordo jurídico informal entre os estados, tal constatação somente poderá resultar de exame aprofundado das circunstâncias que acompanharam a sua adoção[263].

---

dans la mesure où un organe compétent ne saurait prendre régulièrement un acte qui n'aurait pas de valeur obligatoire".

261. CIJ, **Jugements du Tribunal administratif de l'OIT sur requêtes contre l'unesco**, parecer consultivo de 23 de outubro de 1956 (CIJ, **Recueil**, 1956).

262. J.-P. JACQUÉ (op. cit., 1991, p. 397-398): "Les règles rélatives aux traités *inter se* devraient trouver à s'appliquer ici *mutatis mutandis*. Mais, dans ce cas, l'organisation n'agit plus en tant que telle, elle constitue une institution spécifique dont l'existence est liée à l'accord ui lui confie des compétences particulières. Cependant, ne peut-on estimer qu'avec l'accord implicite des états membres s'opère une révision de la charte constitutive? Il se peut aussi que la résolution soit la traduction d'un accord entre les états membres. Elle deviendra obligatoire, mais sous la forme conventionnelle, et sera imputable aux états. Mais ici, comme pour les engagements informels il convient d'être prudent".

263. Oscar SCHACHTER, *Les actes concertés à caractère non-conventionnel* (in **Droit international: bilan et perspectives**,

É preciso remeter-se às fontes: se no direito internacional a soberania é a regra, as limitações à soberania, aceitas pelos estados, devem ser interpretadas restritivamente. Na medida em que estes expressamente não tiveram a intenção, salvo exceções bastante delimitadas, de atribuir às organizações internacionais o papel de legisladores universais, não é possível atribuir força obrigatória geral às resoluções emanadas das organizações internacionais, sem ir consideravelmente mais além do que pretenderam atribuir a essas organizações os estados que as constituíram. O próprio Conselho de Segurança da ONU, ao adotar decisões, não atua como legislador universal, mas dispõe do poder de aplicar a **Carta** a determinadas situações.

Com certeza as organizações internacionais são conjuntos vivos, e a interpretação da carta constitutiva é meio de adaptar a organização às necessidades do tempo presente. A teoria dos poderes inerentes ou implícitos (*implied powers*) permite alguma evolução, na medida em que os poderes da organização não sejam suficientes para que esta realize seus objetivos.

Como assinalou a Corte Internacional de Justiça no caso da **Namíbia**, tem de se presumir a existência de poder geral de decisão em favor do Conselho de Segurança. Nesse sentido, V. MAROTTA RANGEL (2005): "o Conselho de Segurança é o único órgão com poder de tomar *decisões* que os membros das Nações Unidas concordam em aceitar e executar. Os demais órgãos formulam *recomendações*, que não possuem o mesmo nível de obrigatoriedade"[264].

A interpretação extensiva dos poderes da organização precisa de suporte jurídico para ser desenvolvida e, no caso da Namíbia, o artigo 25 fundamenta: "os membros das Nações Unidas concordam em aceitar e executar as decisões do Conselho de Segurança, de acordo com a presente Carta"[265]. O resultado será, a partir do momento em que se admite tratar-se de interpretação extensiva, de

---

red. geral M. BEDJAOUI, Paris: UNESCO / Pedone, 1991, v. I, p. 277-282); Jean-Paul JACQUÉ (op. cit., 1991, loc. cit.).

264. Vicente MAROTTA RANGEL, **Direito e relações internacionais** (São Paulo: RT, 8. ed., 2005, nota 14 ao art. 25 da Carta da ONU, p. 33).

265. Por sua vez, o art. 26 da Carta: "A fim de promover o estabelecimento e a manutenção da paz e da segurança internacionais, desviando para armamentos o menos possível dos recursos humanos e econômicos do mundo, o Conselho de Segurança terá o encargo de formular, com a assistência da Comissão de Estado-Maior, a que se refere o art. 47, os planos a serem submetidos aos membros das Nações Unidas, para o estabelecimento de um sistema de regulamentação dos armamentos". À luz da condição atual do mundo e dos crescentes volumes de recursos despendidos com armamentos, parece tão destituído de impacto prático (*wishful thinking*) como foi o dispositivo equivalente no Pacto da Sociedade das Nações, art. 8º e seus parágrafos. É inegável o risco decorrente da corrida armamentista, ao mesmo tempo em que se assinale a hipocrisia inerente ao sistema, na medida em que os "cinco grandes", dispondo do poder de veto no CSNU, são os que, em última análise, decidem como serão resolvidos os conflitos internacionais, e são esses cinco os maiores produtores e vendedores mundiais de armamentos: Estados Unidos, China, Rússia, Reino Unido e França. Embora tenha havido regulação das armas nucleares, no âmbito da Agência Internacional de Energia Atômica, e não da ONU, *ratione materiae*, decorrência da condição da AIEA, como organização especializada, essa regulação tem aplicação bastante seletiva e nada isonômica.

ampliar a utilização de poder existente para circunstâncias nas quais sua aplicação não tinha sido contemplada. Trata-se, aí, antes da situação de extensão da competência de órgão que da criação de novo poder[266].

As ***resoluções das organizações internacionais*** podem ter ***significação*** jurídica, sem que, por isso, constituam ***obrigações*** jurídicas, exceto quando a carta constitutiva da organização lhes confira tal condição, ou quando estas intervenham na ordem interna da organização, observava R. MONACO (1974), mas em sentido diverso, J. ALVAREZ (2005)[267]. Em todos os demais casos, não terão força intrínseca, mas a aceitação individual ou coletiva dos estados pode lhes conferir força extrínseca. Por outro lado, ninguém negará a importância política de que se pode revestir a adoção de resolução por uma organização. Pode, inclusive, constituir elemento para a formação de costume internacional[268]. Quando uma resolução pretende recapitular uma norma de direito positivo, e o estado governa em conformidade com a resolução, deve-se, igualmente, admitir que este atua de boa-fé.

Avalia J.-P. JACQUÉ: "se todo ato jurídico produz efeitos de direito, o ato que não produza tais efeitos, e notadamente o ato que dê origem a modelos de conduta não obrigatória, não poderia ser considerado como ato jurídico, mesmo se o modelo de conduta for adotado na sequência de procedimento regido pelo direito internacional"[269].

Michel VIRALLY (1983)[270] analisa "textos internacionais de alcance jurídico e destituídos de alcance jurídico" e comenta não ser em razão dessas normas não terem caráter obrigatório que deixarão de ter significado. Podem ter alcance

---

266. J.-P. JACQUÉ (op. cit., 1991, p. 400): Faire référence à la théorie des pouvoirs implicites pour accorder un pouvoir de décision à un organe lorsque la Charte ne lui reconnaît pas, dans l'exercice de ses compétences explicites, un tel pouvoir, serait passer d'une opération d'interprétation à l'exercice d'un pouvoir de révision constitutionnelle".

267. Riccardo MONACO, *Le caractère constitutionnel des actes institutifs d'organisations internationales* (in **La communauté internationale: mélanges offerts à Ch. Rousseau**, Paris: Pedone, 1974, p. 153-172); *v.* tb. José E. ALVAREZ, **International Organizations as law-makers** (Oxford: Univ. Press, 2005, p. IX-X): "International organizations (IOs) have a pervasive impact on the promulgation and implementation of law across all the various sub-specialities of international (and sometimes national) law, and even across the divides that supposedly separate worlds of 'public' and 'private' regulation".

268. P. B. CASELLA, *Contemporary trends on opinio juris and the material evidence of international customary law (Gilberto Amado Memorial Lecture*, apresentada à International Law Commission, em Genebra, em 17 de julho de 2013, disponível no *site* da Comissão, ilc-cdi); *v.* tb. P. B. CASELLA, **Fundamentos** (2008, esp. X, "*opinio juris e corte epistemológico – entre conceitos universais e expedientes específicos – princípios, valores e regras*", p. 777-829).

269. J.-P. JACQUÉ (op. cit., loc. cit.; e, a seguir, Cap. III, "la distinction entre acte et norme et le régime juridique des actes", p. 401-410, e, finalmente, Cap. IV, "les actes complexes", p. 411-415), passa a considerar a necessidade de "distinção e de mostrar o interesse prático, mais que descrever de modo exaustivo o regime dos atos jurídicos": "la distinction entre acte et norme permet seule d'expliquer certaines particularités du droit des traités, mais aussi de conclure, provisoirement, certaines querelles rélatives aux actes unilatéraux des organisations internationales".

270. Michel VIRALLY, *Textes internationaux de portée juridique et dépourvus de portée juridique* (rapport à l'*Instituto de direito internacional*, Annuaire IDI, 1983, v. 60, 1, p. 246).

político, e a sua violação constituir ato hostil. Mas não receberão de modo algum a sanção de autoridade judiciária ou arbitral, sem ser motivo para as denominar "jurídicas", o que somente traz o risco de criar confusão[271].

Nem sempre é fácil distinguir os ***deveres*** dos ***direitos*** internacionais. A rigor, onde existe um direito, existe o dever correspondente. Nessa ótica, considerando o direito à existência como o direito por excelência dos estados, deduz-se que o dever por excelência é o de não intervenção.

Assiste-se, contudo, à passagem de contexto internacional em que a não intervenção se punha como imperativo, para dar lugar a tentativas de caracterização da intervenção como dever. Isso merece ser considerado com cautela.

Intervenção em direito internacional é a ingerência de um estado nos negócios peculiares, internos ou externos, de outro estado soberano com o fim de impor a este a sua vontade. A dúvida existente é saber se as medidas tomadas por uma organização internacional podem ser qualificadas como intervenção. Tratando-se de organização de que o estado seja membro e tenha aceito livremente o respectivo estatuto, como no caso das Nações Unidas, as medidas eventualmente tomadas pela organização não podem ser assim qualificadas.

A intervenção caracteriza-se pela existência de três condições: *a*) a imposição da vontade exclusiva do estado que a pratica; *b*) a existência de dois ou mais estados soberanos; *c*) ato abusivo, isto é, não baseado em compromisso internacional.

Para alguns autores, só ocorre intervenção no caso de ingerência nos negócios internos. É essa a orientação da Carta das Nações Unidas, para a qual nenhuma de suas disposições "autorizará às Nações Unidas a intervirem em assuntos que dependam essencialmente da jurisdição interna de qualquer Estado" (art. 2, 7).

Estados mais poderosos sempre praticaram a intervenção invocando pretextos os mais diversos, como motivos humanitários, proteção de seus nacionais e de seus direitos em caso de guerra civil para impor determinado governo, ou sanção. Os países latino-americanos sempre se esforçaram para adotar tratados de condenação à intervenção, esbarrando com a resistência do governo dos Estados Unidos, que desde 1902 invocava um direito de intervir precisamente para proteger os interesses de seus cidadãos. Ao ser assinada a Convenção de Montevidéu sobre Direitos e Deveres dos Estados (1933), Cordell Hull fez uma decla-

271. M. VIRALLY (rel. cit., 1983) conclui: "On risque (...) d'introduire la confusion dans les concepts juridiques et d'acclimater l'idée qu'il y a plusieurs catégories d'obligations juridiques et que l'on peut se permettre de ne pas honorer certaines d'entre elles, sous le prétexte qu'elles ne sont pas aussi 'dures' que d'autres. L'autorité du droit peut en souffrir gravement et l'analyse juridique sombrer dans des subtilités qui en brouilleront les conclusions".

ração no sentido de distinguir a intervenção da *interposition*. Seja como for, a Carta da OEA estipula no artigo 18 que "Nenhum estado ou grupo de estados tem o direito de intervir, direta ou indiretamente, nos assuntos internos ou externos de qualquer outro".

A **Carta** das Nações Unidas proclama, dentre os princípios da organização: "todos os Membros deverão evitar em suas relações internacionais a ameaça ou o uso da força contra a integridade territorial ou a independência política de qualquer estado ou outra ação incompatível com os propósitos das Nações Unidas" (art. 2, 4). Trata-se de dispositivo bem menos rigoroso do que o texto interamericano.

Teoricamente, não existe intervenção quando uma ação coletiva decorre de compromisso assumido formalmente em tratado multilateral, como a **Carta** das Nações Unidas, que dá ao Conselho de Segurança poderes para adotar medidas destinadas a manter ou restabelecer a paz e a segurança internacionais, nos termos do capítulo VII da **Carta**[272]. A ação humanitária do Conselho de Segurança põe em funcionamento o mecanismo de segurança coletiva previsto pela **Carta** das Nações Unidas e teve desenvolvimentos consideráveis desde quando foi acionada, por ocasião da primeira guerra do Golfo, para coibir a repressão iraquiana contras as populações curdas[273].

A intervenção pode revestir diversas formas desde as mais clamorosas até as mais discretas. Citam-se as seguintes: diplomática (oficial ou oficiosa) ou armada; direta (positiva) ou indireta (negativa); individual ou coletiva; clara (aberta) ou oculta (dissimulada); política ou não política (como no caso de medidas econômicas abusivas, tarifas alfandegárias excessivas, interrupção das comunicações etc.). Uma intervenção pode revestir duas ou mais das modalidades acima mencionadas. Assim, no caso de intervenção em virtude de guerra civil, verifica-se que a proteção de nacionais é frequentemente invocada, bem como a necessidade de proteger as populações locais contra atos de crueldade ou em defesa dos direitos humanos.

Desde o início da década de 1990, ao lado de declarações oficiais de alguns países em defesa da intervenção, visando a proteção internacional dos direitos humanos ou do meio ambiente, cumpre assinalar o desenvolvimento de nova atuação do Conselho de Segurança da ONU, no sentido de determinar operações

---

272. Evelyne LAGRANGE, **Les opérations de maintien de la paix et le chapitre VII de la Charte des Nations Unies** (avant-propos de Geneviève BURDEAU et Pierre-Michel EISENMANN, préf. de Jean COMBACAU, Paris: Montchrestien / CEDIN Paris XIII, Perspectives internationales, 1999); Yann KERBRAT, **La référence au chapitre VII de la Charte des Nations Unies dans les résolutions à caractère humanitaire du Conseil de sécurité** (préf. Mario BETTATI, Paris: LGDJ, 1995).

273. M. BETTATI (pref. cit., 1995, p. VII-X).

de uso de força armada, sob a égide da Organização, para a proteção de direitos fundamentais, bem como a posterior instauração de tribunais penais internacionais *ad hoc*, como se deu em relação a Ruanda e a ex-Iugoslávia, para a apuração e a punição de violações cometidas contra os direitos fundamentais, bem como crimes de guerra e crimes contra a humanidade.

J. DOLINGER e D. S. GUEDES (2006) ressaltam quanto foi relevante a tipificação do delito de genocídio pela **Convenção para a Prevenção e a Repressão do Crime de Genocídio** (Nova York, 1948)[274], cujo preâmbulo remete à Resolução n. 96 (I), de 11 de dezembro de 1946, da Assembleia Geral das Nações Unidas, em que se declarou: "o genocídio é um crime contra o direito internacional, contrário ao espírito e aos fins das Nações Unidas e que o mundo civilizado condena"[275]. Esta se completa com outros desenvolvimentos recentes, como a caracterização da jurisdição universal em matéria penal, para determinados crimes mais graves, tais como: genocídio; crimes contra a humanidade; e crimes de guerra.

Na sessão de Cracóvia (2005)[276] o *Instituto de direito internacional* adota Resolução sobre **competência universal em matéria penal, com relação aos crimes de genocídio, de crimes contra a humanidade e de crimes de guerra**[277]. Nesta se enfatiza a dimensão humanitária a ser preservada.

---

274. Dentre muitos outros estados, também ratificada pelo Brasil.

275. Jacob DOLINGER e Denise de Souza SOARES, **Direito internacional penal: tratados e convenções** (Rio de Janeiro: Renovar, 2006), reproduzem a **Convenção para a Prevenção e a Repressão do Crime de Genocídio**, p. 123-126, e observam, cit. p. 2: "Seguiu-se, em 1948, a Convenção sobre o genocídio – cujo artigo VI já previa uma corte penal internacional – e as quatro Convenções de Genebra, de 1949, sobre conflitos armados, bem como o longo trabalho da Comissão de Direito Internacional das Nações Unidas para a elaboração de um projeto de código de ofensas contra a paz e a segurança da humanidade, que ocupou esse órgão ao longo de várias décadas até a aprovação de um projeto, em 1996".

276. O *Instituto de direito internacional* adota, em 26 de agosto de 2005, Resolução sobre **competência universal em matéria penal, com relação aos crimes de genocídio, de crimes contra a humanidade e de crimes de guerra** (**Universal criminal jurisdiction with regard to the crime of genocide, crimes against humanity and war crimes** / Le texte anglais fait foi. Le texte français est une traduction.), 17ª Comissão, Relator Christian TOMUSCHAT.

277. Nesse âmbito se enfatiza serem valores fundamentais da comunidade internacional violados pela ocorrência de crimes internacionais graves, tais como são estes definidos pelo direito internacional. Assinala o Instituto que a competência universal tem por objeto proteger tais valores, particularmente a vida e a dignidade humanas e a integridade física, ao permitir sejam processados tais crimes internacionais, e, desejando, assim, contribuir para a prevenção e para a repressão de tais crimes, visando pôr fim à impunidade, que pode especificamente resultar da falta de vontade ou da incapacidade de autoridades estatais, em tomar as medidas repressivas necessárias, lembra terem todos os estados a responsabilidade principal de processar, de modo efetivo, os crimes internacionais no âmbito de suas respectivas jurisdições ou cometidos por pessoas sob seu controle. Ressalta o *Institut* a importância das instituições judiciárias internacionais, estas encarregadas da repressão de crimes internacionais que não sejam, ou pelo menos não de modo adequado, processados pelas autoridades judiciárias nacionais competentes. Além disso, ressalta ser a competência universal meio adicional efetivo, visando prevenir a impunidade dos crimes internacionais, e assinala que a competência dos estados para processar crimes cometidos no território de outro estado, por pessoas que não tenham a nacionalidade deste, deve ser regida por normas claras, com o intuito de assegurar a segurança jurídica e a utilização razoável dessa competência. *V.* CASELLA, **Fundamentos** (2008, item II, "Precisões terminológicas e valorativas", p. 181-296).

A ação do Conselho de Segurança, em matéria humanitária, constitui evolução dentre as mais relevantes, na atuação deste, desde o início dos anos 1990. Juridicamente tornou-esta possível mediante a ampliação da noção de ameaça contra a paz e de interpretação flexível[278], nos termos da Carta.

Com "referências ao capítulo VII da Carta das Nações Unidas nas resoluções de caráter humanitário do Conselho de Segurança", analisa Yann KERBRAT (1995)[279] não mais tratar-se de considerar a legalidade dessa prática nova – são legais e seus desenvolvimentos passam a integrar o direito internacional pós-moderno –, mas cuida-se, sobretudo, de examinar a eficácia e o funcionamento de tais operações, que se veem ameaçadas sobretudo por três ordens de riscos:

(I) A ação do CSNU vê-se, sobretudo, inquietada por sua relativa ineficácia, e desamparada diante de crises de grande complexidade, na medida em que este busca influir no comportamento das partes por meio de medidas de efeito limitado (zonas de segurança, tribunal internacional, etc.), e tais medidas, mais e mais vistas antes como advertências do que como verdadeiras ações coercitivas, correm o risco de comprometer a credibilidade do Conselho e o efeito persuasório de sua ação. Se a chave do sucesso de operação adotada pelo CSNU reside essencialmente na boa vontade dos destinatários de tais medidas, este poderia utilmente melhorar os resultados de suas ações por meio de maior coesão e vontade unânime, afirmada e mantida por seus membros, bem como por melhor coordenação da atuação dos diversos intervenientes, no campo de operações, não somente entre os órgãos e as organizações do sistemas das Nações Unidas, mas igualmente entre estes e as organizações não governamentais.

(II) A ação humanitária é vítima de certo grau de incompreensão por parcela da opinião pública, sensível pela crítica violenta das organizações humanitárias a respeito dessas ações. Por exemplo, ao denunciar a parcialidade do CSNU na escolha dos destinatários de tais ações e, sobretudo, a "politização" da ação humanitária[280].

---

278. A respeito da interpretação em direito internacional, *v.* Serge SUR, **L'interprétation en droit international public** (Paris: LGDJ, 1974). Deste tb. refs. de S. SUR, *Système juridique international et utopie* (**Le droit international**, Archives de Philosophie du Droit, t. 32, Paris: Sirey, 1987, p. 35-45); **La coutume internationale** (Paris: Litec, 1990); Vérification en matière de désarmement (RCADI, 1998, t. 273, p. 9-102); S. SUR, **Relations internationales** (Paris: Montchrestien, 1995; 3. ed., 2004).

279. Yann KERBRAT, **La référence au chapitre vii de la Charte des Nations Unies dans les résolutions à caractère humanitaire du Conseil de sécurité** (préface de Mario BETTATI, Paris: LGDJ, 1995, "Conclusion", p. 101-103): "Devant l'incapacité des organisations humanitaires à faire face à des tragédies humaines d'une telle ampleur, l'intervention du Conseil de sécurité en Somalie, en ex-Yougoslavie, au Rwanda et dans d'autres situations similaires a été un réconfort pour tous. Elle n'a pas mis fin aux combats ni à la violence, mais a évité bien des morts et apaisé bien de souffrances. Elle a empêché que le désastre ne tourne au cauchemar".

280. Yann KERBRAT (op. cit., loc. cit.): "la politisation de l'humanitaire constitue un fléau pour les organisations humanitaires.

(III) Finalmente, o CSNU vê-se ameaçado de marginalização: diante de aumento considerável de seu campo de ação, deve este se empenhar em garantir base de amplo consenso[281] para a ampliação de sua atuação; na falta desta, corre o risco de ver suas intervenções continuamente questionadas. Para que a sua atuação não seja percebida como fruto de sua exclusiva vontade, mas como a ação de todos, refletindo a opinião do conjunto da comunidade internacional, seria desejável que o CSNU buscasse, tanto quanto possível, o apoio da AGNU na tomada de decisões, bem como assegurar mais transparência em suas atividades.

Conclui Y. KERBRAT (1995)[282] que o campo de ação da ***segurança coletiva*** não teve somente ***desenvolvimentos "horizontais"***, passando a incluir domínios antes excluídos, mas conheceu, igualmente, ***progressão "vertical"***, e isso ao autorizar sanções não mais somente com relação aos estados, mas igualmente em relação a particulares que não respeitem a legalidade definida pelo Conselho de Segurança.

A tendência de caracterização e de punição da responsabilidade penal individual, regida pelo direito internacional público, manifestou-se na criação de tribunais, estes encarregados de julgar as pessoas presumidas responsáveis por violações graves do direito humanitário[283], cometidas em Ruanda e na ex-Iugoslávia.

Como analisa R. E. VINUESA (1997)[284]: "um dos aspectos mais relevantes e mais positivos da primeira sentença (caso TADIC) foi o reconhecimento de que violações graves do direito internacional pós-moderno, mesmo se cometidas durante conflito armado interno, constituem crimes internacionais"[285].

É indispensável assegurar base legal adequada para a construção desses desenvolvimentos relevantes do direito internacional pós-moderno. Algumas

---

Toute atteinte à la neutralité et au principe de non-discrimination ne peut être qu'une entrave à leur action. Pour palier à ces critiques, le Conseil devrait s'orienter dans deux directions: chercher, d'une part, les moyens d'assurer l'impartialité et la neutralité de son action et s'efforcer, d'autre part, d'asseoir la popularité de son oeuvre".

281. Nelson F. de CARVALHO, *Arqueologia do consenso* (in **Direito e comércio internacional: tendências e perspectivas – estudos em homenagem ao prof. Irineu Strenger**, org. L. O. BAPTISTA, H. M HUCK e P. B. CASELLA, São Paulo: LTr, 1994, p. 353-406).

282. Yann KERBRAT (op. cit., loc. cit.).

283. Djamchid MOMTAZ, dedica inteiro curso na Haia ao direito internacional humanitário aplicável aos conflitos armados não internacionais, **Le droit international humanitaire applicable aux conflits armés non internationaux** (RCADI, 2001, t. 292, p. 9-145).

284. Raúl Emilio VINUESA, La jurisdicción del Tribunal penal internacional para la ex-Yugoslavia según la decisión de la camara de apelaciones en el caso TADIC (sobre competencia) (in **Persona humana y derecho internacional / personne humaine et droit international / human person and international law: Héctor Gros Espiell amicorum liber**, Bruxelas: Bruylant, 1997, v. II, p. 1801-1848; *v.* esp. item V, "Jurisdicción del tribunal internacional en razón de la materia", p. 1824-1846, subitem 6, "La responsabilidad criminal individual en los conflictos armados internos", p. 1841-1844).

285. R. E. VINUESA (art. cit, 1997, "Conclusiones", p. 1846-1848).

vezes bastante específicos terão de ser tais desenvolvimentos. N. RONZITTI (1993)[286] considera o direito humanitário aplicável aos conflitos armados no mar.

A inovação da atuação do Conselho de Segurança das Nações Unidas, em matéria de proteção do direito internacional humanitário, muito embora não contasse clara base jurídica, constitui desenvolvimento relevante do direito internacional, no contexto pós-moderno. Desse modo, o Conselho de Segurança das Nações Unidas comporta-se como legislador de "direito comum", na linha de M. DELMAS MARTY (1994)[287], que, por preocupação de justiça, não se pode satisfazer com a obscuridade de sua formulação.

Como analisa D. L. TEHINDRAZANARIVELO (2005)[288], a coletivização das sanções por meio da atuação do CSNU poderia eliminar parte da subjetividade na interpretação e na aplicação das sanções, por parte dos estados, separadamente considerados. Contudo, como mostra Mohammed BENNOUNA (2002)[289], a subjetividade pode, igualmente, ocorrer no contexto do CSNU, no sentido de serem tratadas de modo desigual situações equivalentes.

Decorrência lógica e necessária de toda essa concepção põe-se a **proteção do pessoal e das instalações engajadas na ação de assistência humanitária** onde o fato de fazer, intencionalmente, ataques contra o pessoal, as instalações, os bens ou os veículos implicados em ação de assistência humanitária constitui violação grave dos princípios fundamentais do direito internacional. Caso ocorram tais violações graves, as pessoas acusadas devem ser processadas e responder perante jurisdição interna ou internacional competente, criando, assim a responsabilidade do indivíduo[290] perante o direito internacional pós-moderno.

Aqui se vê proposta pelo *Instituto de Direito Internacional* a instauração de configuração que modifica, ao menos em matéria de assistência humanitária, a relação de *coexistência*, e passa ao patamar da *cooperação* entre estados. O que não é pouco, mas encontra, todavia, considerável resistência dos estados.

---

286. N. RONZITTI, **Le droit humanitaire applicable aux conflits armés en mer** (RCADI, 1993, t. 242, p. 9-196).

287. Mireille DELMAS-MARTY, **Pour un droit commun** (Paris: Seuil, 1994, p. 204): "un "droit commun" est, d'abord un droit accessible, et, autant que possible, accessible à tous"; Mireille DELMAS-MARTY, **Vers un droit commun de l'humanité** (Paris: Textuel, 2. ed. 2005); Manuel ATIENZA, **As razões do direito** (trad. M. C. G. CUPERTINO, São Paulo: Landy, 2000).

288. Djacoba Liva TEHINDRAZANARIVELO, **Les sanctions des Nations-Unies et leurs effets secondaires: assistance aux victimes et voies juridiques de prévention** (avant-propos de Raymond RANJEVA, préface de Georges ABI-SAAB, Paris: PUF / publications de l'IUHEI, de Genebra, 2005).

289. Mohammed BENNOUNA, **Les sanctions économiques de l'ONU** (RCADI, 2002, t. 300, p. 9-78).

290. Michael C. PRYLES, **Tort and related obligations in private international law** (RCADI, 1991, t. 227, p. 9-206, Cap. I, "Introduction", p. 21-31, cit. p. 21): "Tort is one of the most fascinating areas of private international law. It brings into focus the very basis of private international law including the reasons for displacing the law of the forum and the method of selecting the governing law. Not surprisingly this area of the law is the subject of many theories and approaches".

A construção de conjunto de direitos e obrigações do estado – às vezes sem que tenha ocorrido manifestação do estado, ou mesmo contra a vontade deste, como analisa Chr. TOMUSCHAT (1993, 1999)[291] – tal como regulado pelo direito internacional[292], será acrescentada a essa dimensão primária, de fenômeno de poder, que se irradia em determinada extensão geográfica[293]. Pode variar tal extensão. Pode ser bilateral ou multilateralmente instaurada, pode ter os conteúdos os mais variados, pode ter as fortunas as mais variadas quanto à sua efetiva aplicação e duração, mas, enquanto fenômeno de poder, estará determinada a extensão da vinculação pela expressão da vontade do estado.

Como referido[294], na passagem da não intervenção como imperativo à caracterização da intervenção como dever, diante da dificuldade de examinar todos os tipos de intervenção, apenas as mais usuais serão abordadas: "intervenção em nome do direito de defesa e de conservação" (3.6.7.1.); "intervenção para a proteção dos direitos humanos" (3.6.7.2.); e "intervenção para a proteção dos interesses de nacionais" (3.6.7.3.).

3.6.7.1. intervenção em nome do direito de defesa e de conservação

Todo estado tem o direito de tomar, nos limites estabelecidos pelo direito

---

291. Christian TOMUSCHAT, **Obligations arising for states without or against their will** (RCADI, 1993, t. 241, p. 195-374); Chr. TOMUSCHAT, **International law: ensuring the survival of mankind in the eve of a new century – general course on public international law** (RCADI, 1999, t. 281, p. 9-438).

292. Com todos os corolários da configuração do estado como sujeito de direito internacional, desde a configuração de seu território, nos âmbitos terrestre, marítimo e aéreo, suas relações com os indivíduos que denomine seus nacionais e os estrangeiros residentes ou vinculados a esse estado de forma passageira, e todo o conjunto de competências e atribuições enfeixadas sob a rubrica da soberania do estado.

293. A extensão extraterritorial das leis e da atuação do estado segue a mesma lógica do fenômeno de poder: a aplicação extraterritorial da lei estatal ou adoção de medidas (legais ou ilegais), determinadas pelo estado, estarão em relação direta e necessária com o estado como fenômeno de poder: a aplicação da lei e das medidas irão até onde o estado se considerar dotado ou revestido de poderes para assegurar tal exercício. Ressalvadas as normas de direito internacional e os limites práticos, a partir dos quais qualquer outro estado poderá responder a atuação que considere abusiva, como se considera em itens seguintes.

294. G. ARANGIO-RUIZ, **Human rights and non-intervention in the Helsinki Final Act** (RCADI, 1977, t. 157, p. 195-331); Mario Bettati e Bernard Kouchner, **Le devoir d'ingérence** (Paris, 1987); BOHAN, *The dominican case: unilateral intervention* (AJIL, 1966, v. 60, p. 809); CASELLA, **Fundamentos** (2008, item XV: "contingência e uso da força no direito internacional", p. 1155-1236); Anthony D'Amato, *Nicaragua and international law* (AJIL, 1985, v. 79, p. 657); René-Jean DUPUY, *Les États Unis, l'OEA et ONU a Saint-Domingue* (AFDI, 1965, p. 71); T. J. Farer, **The regulation of foreign intervention in civil armed conflict** (RCADI, 1974, v. 142, p. 291-406); Charles FENWICK, *The Dominican Republic: intervention or self-defense?* (AJIL, 1966, v. 60, p. 64); Wolfgang FRIEDMAN, *United States foreign policy and the crisis of international law* (AJIL, 1965, v. 59, p. 867); Ilmar Penna MARINHO, *Um aspecto inédito do direito internacional* (Boletim SBDI, 1945, v. 2, p. 103); S. M. SCHWEBEL, **Agression, intervention and self-defense in modern international law** (RCADI, 1972, v. 136, p. 411-98); Linos Alexandre SICILIANOS, Entre multilatéralisme et unilatéralisme: l'autorisation par le Conseil de Sécurité de recourir à la force (RCADI, 2008, t. 339, p. 9-436); Giuseppe SPERDUTI, *La sauvegarde des droits de l'homme et le principe de non-intervention dans les affaires intérieures des États* (Annuaire de l'Institut de Droit International, 1989, p. 309-438); Antônio Augusto CANÇADO TRINDADE, **A proteção internacional dos direitos humanos** (São Paulo, 1997).

internacional e pela **Carta** das Nações Unidas, todas as medidas visando à sua defesa e conservação. Não pode, contudo, tomar medidas capazes de atingir outro estado que não o ameace militarmente, ou, em outras palavras, não se justifica a prática de atos contra estado que possa ser considerado uma ameaça futura. Num caso, não existe intervenção, mas o exercício de atividade legítima; no outro, ocorrerá uma intervenção, como tal condenada pelo direito internacional.

A **Carta** da ONU põe limites claros ao que se possa aceitar como "legítima defesa": fundamentada, em princípio, no art. 51 e nos que integram o Cap. VIII da Carta. Essas normas revelam a importância da disciplina da legítima defesa coletiva.

3.6.7.2. intervenção para a proteção dos direitos humanos

O reconhecimento internacional dos direitos humanos na **Carta** das Nações Unidas e na Declaração Universal dos Direitos Humanos deu-lhes uma importância desconhecida até então, importância esta que se vai tornando cada vez maior com o correr dos anos, a ponto de alguns governos e autores julgarem que o seu desconhecimento por um estado justificaria uma intervenção para acabar com eventuais abusos.

O sentimento não é de hoje e citam-se inúmeros exemplos de intervenção humanitária no passado. Na maioria dos casos, ocorria, indiscutivelmente, no país vítima da intervenção, a prática de crueldades, frequentemente com a morte maciça de pessoas, mas, também, em todos os casos o estado interventor era movido por outros interesses. Talvez o melhor exemplo no passado tenha sido a intervenção em 1827 da França, Grã-Bretanha e Rússia a favor dos insurgentes gregos, que se haviam levantado contra o Império Otomano. Foi considerada uma intervenção legítima, embora o *sentimento de humanidade* tenha sido citado em segundo lugar, visto que o motivo principal foram os danos materiais sofridos pelos seus nacionais.

As medidas tomadas pela marinha britânica de combate ao tráfico de escravos, principalmente o brasileiro, eram apresentadas como de cunho humanitário.

Seja como for, para a proteção internacional dos direitos humanos, qualquer intervenção deverá ser praticada por organização internacional, leia-se as Nações Unidas, de que todos os países envolvidos sejam membros e que, como tais, tenham aceito a adoção da medida. De modo equivalente nos sistemas regionais de proteção internacional dos direitos humanos[295].

295. Antonio Augusto CANÇADO TRINDADE, **Co-existence and co-ordination of mechanisms of international protection of human rights (at global and regional levels)** (RCADI, 1987, t. 202, p. 9-435, cit. p. 25): "It was clear, from the be-

O *Instituto de Direito Internacional*, em sua sessão de Santiago de Compostela de 1989, aceitou a tese da intervenção para a proteção dos direitos humanos, mas a resolução adotada veio revestida de diversas salvaguardas. Pela resolução, os estados, agindo individual ou coletivamente, têm o direito de adotar em relação a outro estado que tenha violado as suas obrigações na matéria as medidas diplomáticas, econômicas e outras admitidas pelo direito internacional, desde que não se trate de emprego de força armada em violação da **Carta** das Nações Unidas[296].

A decisão da OTAN de bombardear pontos estratégicos da Sérvia, com o objetivo de obrigar o governo daquele país a permitir o estacionamento de suas tropas na Província de Kosovo, para impedir a prática de atos de violência contra as minorias de origem étnica albanesa, é recente exemplo de intervenção para proteção dos direitos humanos.

O final da guerra fria fez voltar à tona a questão da proteção das minorias, sejam estas nacionais, étnicas, linguísticas ou religiosa[297]. Como frisa Daniel COLARD (1999)[298], durante a ocorrência, não tinham as minorias nem modo nem direito de se fazerem ouvir. Põe-se a questão de saber se devem estas receber tratamento específico, ou, em face do reconhecimento de estatuto permitirá que elas sejam reconhecidas e protegidas? A ONU adotou modesta Declaração a respeito em 1992 e o Conselho da Europa uma Convenção-quadro em 1994[299].

A legitimação ou falta desta, para a prática dos atos da OTAN na antiga Iugoslávia, decorrerá da concepção adotada, para fundamentar o direito internacional, como analisa Vladimir-Djuro DEGAN (1999)[300]: "a intervenção da aviação da OTAN em 1999, contra a República Federal da Iugoslávia é, segundo a concepção *voluntarista* do direito internacional um ato de agressão armada, contra estado soberano, visto não ter sido autorizada pelo Conselho de Segurança da

---

ginnings and early developments of the process of generalization of human rights protection, that the conceptual unity of human rights, which all inhere in the human person, transcended the distinct formulations of recognized rights in different instruments as well as the variations in the respective multiple mechanisms or procedures of implementation devised over the last four decades [in 1987] and which nowadays co-exist at both global and regional levels".

296. Evelyne LAGRANGE, **Les opérations de maintien de la paix et le chapitre VII de la Charte des Nations Unies** (avant propos de Geneviève BURDEAU et P. M. EISENMANN, pref. J. COMBACAU, Paris: Montchrestien/CEDIN, 1999).

297. *V.*, a respeito da evolução do sistema internacional de proteção das minorias, o item 5.2.7. e subitens.

298. Daniel COLARD, **Les relations internationales de 1945 à nos jours** (Paris: Armand Colin, 8. ed., 1999, "La protection des minorités", p. 406).

299. D. COLARD (op. cit., 1999, loc. cit.): "La question est délicate, car il n'y a pas d'accord sur le concept de 'minorité' et et la protection peut être accordée soit sous l'angle des droits de l'homme, soit sous l'angle collectif ou du groupe minoritaire".

300. Vladimir-Djuro DEGAN, **Création et disparition de l'état (à la lumière du démembrement de trois fédérations multiethniques en Europe)** (RCADI, 1999, t. 279, p. 195-376).

ONU, nos termos do Capítulo VII da **Carta**. Mas, em razão das limpezas étnicas em grande escala, sofridas pelas populações albanesas do Kosovo e perpetradas pelo regime de Milosevic, tratar-se-ia, segundo a concepção *solidarista* do direito internacional, justificando objetivamente a intervenção humanitária, tornando-a legítima em vista do propósito de punir a prática de crimes internacionais"[301].

Tecnicamente, o fato de a OTAN ser uma organização internacional não modifica a situação, na medida em que esta agiu como aliança militar, e sem levar em conta os princípios da Carta das Nações Unidas de condenação à guerra ou ato semelhante.

Quanto à decisão do Tribunal Penal Internacional para a antiga Iugoslávia, que mandou prender, por iniciativa de juíza canadense, o Presidente iugoslavo, Slobodan MILOSEVIC, e quatro de seus colaboradores por crimes de guerra e contra a humanidade, no conflito de Kosovo, em 1999, ao contrário do ocorrido no caso Pinochet, cuja imunidade foi reconhecida, no tocante aos atos por este praticados, no exercício da presidência, a promotora-geral considerou o tribunal competente para julgar o presidente em exercício, abrindo delicado porém relevante precedente[302].

O Instituto de Direito Internacional voltou a tratar das relações entre intervenção para proteção dos direitos humanos e assistência humanitária em sua sessão de 2003, Bruges. Nesta estabeleceu-se, referindo-se a resoluções anteriores do *Instituto*, que a ajuda humanitária não é considerada ilícita, ou seja, não pode ser considerada como intervenção salvo quando haja motivos concretos demonstrando ingerência do país que presta ou intenta prestar a ajuda. Nesse sentido, *a contrario sensu,* será ilícita a atitude do estado que se nega de forma imotivada a receber assistência humanitária e deixa, desse modo, sua população perecer injustificadamente. Se não houver motivo condizente para a recusa de assistência humanitária, pode ser caracterizada violação dos direitos humanos, o que, por sua vez, pode dar ensejo a intervenção humanitária de acordo com o direito internacional, se promovida pela ONU. Obviamente, tudo dependerá da situação fática e das respectivas valorações. Não caberia, de forma alguma, intervenção no caso de recusa, por parte de um estado, de tomar empréstimos no Fundo Monetário Internacional; entretanto, se na Guerra da Biafra (1968-70) um estado se negasse a receber ajuda na forma de alimentos, remédios etc., então a intervenção humanitária seria plenamente justificada.

301. V.-D. DEGAN (op. cit., 1999, "Introduction: état souverain dans la communauté internationale", p. 205-211, cit. p. 205-206). Mais adiante, V.-D. DEGAN (op. cit., 1999, p. 248) observa: "les réalités de la pratique internationale sont bien plus complexes".

302. Resta esperar que todos os casos equivalentes pudessem ser de igual modo tratados.

O ser humano, princípio e fim das construções intelectuais do homem, não pode ser negligenciado. Este tem de ser o rumo para o direito do futuro[303].

Resgatar o *déficit* democrático da ordem internacional em relação ao ser humano[304] não será exatamente uma novidade, mas permanece necessário. O tema central que enfeixa a cultura jurídica contemporânea é o papel primordial dos direitos humanos, e faz-se necessário dedicar atenção especial à influência destes no direito internacional, conferindo abrangência a essa visão, ressalta Erik JAYME (1995)[305].

O estado[306] continua a ser a "unidade básica" de formulação e operação do direito internacional[307], sem adentrar a questão específica do reconhecimento de estado e de governo[308], mas caberá aos tempos futuros ver em que medida se vai resgatar a dignidade humana, no plano internacional. Diante da condição do ser humano como sujeito de direito internacional[309], não somente decorrente de boa vontade

---

303. Nesse sentido, o *Instituto de direito internacional*, com a autoridade de que se revestem as suas manifestações, enfatiza que no estudo dos sujeitos de direito internacional pós-moderno se deva especificar o ser humano, cf. se refere o IDI a respeito do ensino do direito internacional: voto na sessão do centenário, Roma, 1973; resolução adotada na sessão de Atenas, 1979, e resolução adotada na sessão de Estrasburgo, 1997.

304. Hans KELSEN (op. cit., 1953, p. 85): "Les sujets du droit international sont, comme ceux du droit national, des individus".

305. Erik JAYME, **Identité culturelle et intégration: le droit international privé postmoderne** (RCADI, t. 251, 1995, p. 9-267; cit. p. 264): "Le droit privé ne peut changer les faits politiques. Cependant, il est à même d'en mitiger les effets préjudicables. La reconnaissance de l'individu et de son identité culturelle comme l'une des bases pour la solution pacifique des conflits figure bien parmi les stratégies pour maintenir la paix. En outre, l'équilibre entre la prétention à cette identité et la necessité de l'intégration de la personne dans la société peut servir comme modèle juridique dans d'autres contextes. Cela prouve l'utilité du droit international privé".

306. A. Dardeau de CARVALHO, **Nacionalidade e cidadania** (Rio de Janeiro: Freitas Bastos, 1956, Tít. I, "a nacionalidade na doutrina e no direito internacional", p. 7-40, cit. p. 8): "o estado, no qual reside o princípio da autoridade, o poder de coação, necessário para manter o equilíbrio entre as várias ordens de interesses que se agitam no ambiente nacional. / O estado, portanto, nada mais é do que a nação politicamente organizada. Estado e nação são entidades coincidentes, são dois momentos de um só fenômeno,– a vida em sociedade – como acentuamos de início. O estado é a expressão jurídico-política das nações, é a forma por que se apresentam no convívio internacional".

307. Nesse sentido, KELSEN é específico (op. cit., loc. cit.): "Les États en tant que personnes juridiques sont des sujets du droit international de la même manière que les associations sont en tant que personnes juridiques des sujets du droit national". E prossegue: "L'affirmation que les États sont les sujets du droit international ne signifie que les individus ne sont pas les sujets des obligations, responsabilités et droits subjectifs établis par le droit international. Elle signifie seulement (...) que les individus sont indirectement et collectivement, en leur qualité d'organes ou de membres de l'État, les sujets des obligations, responsabilités et de droits subjectifs établis par le droit international". Cf. tb. **Fundamentos** (2007, esp. o item IV, "sujeito e objeto: estado de natureza, natureza do estado e relações entre estados", p. 375-443).

308. Referida em item específico 3.3.

309. Nesse sentido, Th. MERON, **International law in the age of human rights: general course on public international law** (RCADI, 2003, t. 301, p. 9-490); J. DUMAS, **La sauvegarde internationale des droits de l'homme** (RCADI, 1937, t. 59, p. 1-98); A. A. Cançado TRINDADE, *Las clausulas pétreas de la protección internacional del ser humano: el acceso directo de los individuos a la justicia a nivel internacional y la intangibilidad de la jurisdicción obligatoria de los tribunales internacionales de derechos humano* (in **El sistema interamericano de protección de los derechos humanos en el umbral del siglo XXI: memoria del seminario** (nov. 1999) (San José de Costa Rica: Corte Interamericana de Derechos Humanos, 2001, p. 3-68); André de C. RAMOS, **Teoria geral dos direitos humanos na ordem internacional** (Rio de Janeiro: Renovar, 2005); b/c seu **Processo internacional de direitos humanos: análise dos sistemas de apuração de violações dos direitos humanos e a implementação das decisões no Brasil** (5. ed., São Paulo, 2016).

ou por "aceitação", "dispensa" ou favor estatal, mas intrinsecamente ligada à sua dignidade e se não à fonte, dever-se-ia lembrar o destinatário último de toda norma jurídica.

Permitir que o ser humano tenha meios e modos de fazer valer os seus direitos, também no plano internacional, sem se encontrar totalmente coarctado e controlado pelos estados, ora por um, ora por outro, sob alegações e nas circunstâncias as mais variadas[310], permanece em boa medida, aspiração cuja implementação terá de ser desenvolvida[311]. Quanto tempo e quantos esforços serão, todavia, necessários, não se pode dizer. As forças contrárias sempre mostram as suas garras para tentar manter o controle, estritamente estatal, de todos os caminhos da ordem internacional, em função de e na visão dos estados.

3.6.7.3. intervenção para a proteção de interesses de nacionais

Todo estado tem o direito e o dever de proteger os seus nacionais no exterior. Esse direito, reconhecido tradicionalmente pelo direito internacional, foi codificado na **Convenção de Viena sobre Relações Diplomáticas** de 1961. Seu exercício, geralmente realizado por meio de missão diplomática, não pode ser taxado de ingerência abusiva nos negócios do estado, desde que mantido dentro de determinados limites. Infelizmente, verifica-se com frequência que o exercício da proteção diplomática é acompanhado por outros meios de pressão, como a adoção de restrições econômico-comerciais.

Os Estados Unidos, tradicionalmente, reservam-se à faculdade de intervir em países, geralmente da América Central ou do Caribe, onde a vida e as pro-

---

310. À situação de ameaça aos direitos humanos perpetrada pelo Peru, governado por FUJIMORI, em setembro de 1999, foi repetida pelos Estados Unidos, governados por BUSH Jr., em março de 2005. Cabe enfatizar a inadequação conceitual e técnica das pretendidas "retiradas" da competência contenciosa, "com efeitos imediatos", no caso peruano em relação à Corte Interamericana de Direitos Humanos e no caso estadunidense, em relação à Corte Internacional de Justiça. Somente posso assentir integralmente com as palavras de Antonio Augusto Cançado TRINDADE, citadas por Celso D. de Albuquerque MELLO (no prefácio, de outubro de 2001, ao livro **O direito internacional em um mundo em transformação**, Rio de Janeiro: Renovar, 2002), citando, na íntegra, carta a este dirigida por Antonio Augusto Cançado TRINDADE, em 4 de outubro de 2001, da qual cito o trecho seguinte: "A Corte deixou claro que sua competência não poderia estar condicionada por atos distintos de suas próprias atuações, e que, no presente domínio de proteção, as considerações superiores de *ordre public international*, a especificidade dos tratados de direitos humanos, e o caráter essencialmente objetivo das obrigações que consagram, certamente primam sobre restrições indevidamente interpostas e adicionais às manifestações originais do consentimento estatal, e sobre a concepção tradicional voluntarista do ordenamento jurídico internacional".

311. Antonio Augusto CANÇADO TRINDADE, no *Memorial em prol de uma nova mentalidade quanto à proteção dos direitos humanos no plano internacional e nacional* (no volume **Os direitos humanos e o direito internacional**, org. Nadia de ARAUJO e C. E. de Abreu BOUCAULT, Rio de Janeiro: Renovar, 1999, p. 7-62), aponta desenvolvimentos nos sistemas regionais interamericano e europeu, no sentido de reconhecimento e implantação progressivas da capacidade postulatória dos indivíduos perante as Cortes de Direitos Humanos nesses dois sistemas regionais. Não obstante os progressos recentes no contexto interamericano, a adoção do Protocolo 11 (1994, em vigor desde 1º de novembro de 1998) no contexto europeu finalmente instaura de modo claro a ação direta dos indivíduos perante a Corte Europeia.

priedades de seus nacionais sejam ameaçadas[312]. A prática, que havia sido descontinuada, voltou em 1965, quando os Estados Unidos enviaram tropas para a República Dominicana para proteger seus nacionais, ameaçados por ocasião da revolução que eclodira. Posteriormente, a OEA concordou com o envio de força interamericana, que incluía tropas brasileiras, com o objetivo de restabelecer a paz na ilha. Mais tarde, houve novas intervenções no Panamá, Granada e Haiti, com participação do Brasil na força de paz da ONU, no Haiti[313].

Os limites para tais alegações foram colocados pela Corte Internacional de Justiça, de modo contundente, no caso **das atividades militares e paramilitares na Nicarágua e contra esta** (1986)[314]. Referido julgamento merece cuidadosa reflexão.

Outro exemplo patente de intervenção foi a demonstração naval perante portos venezuelanos em 1902 da parte da França, Grã-Bretanha e Itália, seguida de bombardeio dos portos de Maracaibo, La Guardia e Puerto Cabello com o objetivo de forçar o governo da Venezuela a pagar seus compromissos financeiros com nacionais dos três países. A *intervenção financeira* foi objeto de muita polêmica, havendo provocado o pronunciamento do ministro do exterior da Argentina, Luís Maria DRAGO, estudado a seguir, e foi objeto de decisão, por ocasião da Conferência de Haia de 1907.

3.7. Doutrinas

A partir de situações concretas vieram a ser deduzidas formulações, que se consolidaram em doutrinas, às quais se refere, *brevitatis causae*, como modo de resumir contexto, no qual surgiram, bem como apontar as consequências deste. Serão, assim, sucessivamente consideradas: a doutrina MONROE (3.7.1.); a doutrina DRAGO (3.7.2.); a doutrina ESTRADA (3.7.3.); e a doutrina BRUM (3.7.4.).

A menção, feita a seguir, não confere a estas "doutrinas" conteúdo jurídico internacional intrínseco, mas reflete orientações adotadas na condução de política externa[315]. Podem merecer reparos.

---

312. Essa posição se consolidou com o pronunciamento do Presidente Theodor ROOSEVELT, em decorrência do qual aquele país interveio mediante o envio dos *marines* a várias nações vizinhas.

313. Paulo Roberto Campos Tarrisse da FONTOURA, **O Brasil e as operações de manutenção da paz das Nações Unidas** (Brasília: FUNAG, 1999, esp. Cap. IV, "Participação do Brasil nas operações de manutenção da paz das Nações Unidas", p. 209-278); Aurélio Romanini de Abranches VIOTTI, **Ações humanitárias pelo Conselho de Segurança: entre a Cruz Vermelha e Clausewitz** (Brasília: FUNAG – Coleção Rio Branco, 2005 – p. rosto – e 2004 – na ficha de catalogação, esp. Cap. III, "A prática recente do CSNU", p. 109-129).

314. CIJ, **Case Concerning the military and paramilitary activities in and against Nicaragua** (*Nicaragua vs. United States of America*), 1984-86.

315. Roberto L. SILVA, **Direito internacional público** (Belo Horizonte: Del Rey, 4. ed., 2010, "*doutrinas*", p. 218) menciona

3.7.1. doutrina MONROE

Em sua mensagem de 2 de dezembro de 1823, dirigida ao Congresso dos Estados Unidos, o Presidente James MONROE enumerou uma série de princípios destinados a dirigir a política exterior do país. Dentre eles figuram três, sendo conhecidos como a *Doutrina MONROE*:

1º) o continente americano não pode ser sujeito no futuro à ocupação por parte de nenhuma potência europeia;

2º) é inadmissível a intervenção de potência europeia nos negócios internos ou externos de qualquer país americano;

3º) os Estados Unidos não intervirão nos negócios pertinentes a qualquer país europeu.

Os princípios enumerados não eram originais e já haviam sido proclamados anteriormente. O Presidente George WASHINGTON, em sua mensagem de despedida, de 17 de setembro de 1796, foi taxativo quanto ao eventual envolvimento em questões da Europa: "A principal regra de procedimento que devemos observar com respeito às nações estrangeiras consiste em oferecer-lhes nossas relações comerciais, e manter com elas vínculos políticos tão escassos quanto seja". E acrescentou: "Nossa verdadeira política consiste em manter-nos afastados de alianças permanentes com qualquer porção do mundo estrangeiro"[316].

Seja como for, com o passar dos anos e o fortalecimento dos Estados Unidos, os princípios foram aos poucos perdendo sua razão de ser para aquele país, que aos poucos foi ampliando o seu território. No início do século XX, o Presi-

---

a *doutrina ESTRADA*, mas, de resto, faz enumeração diversa: *doutrina JEFFERSON* – de 1792, criada para o reconhecimento de governo com apoio popular, em relação ao regime criado pela Revolução Francesa; mas foi aplicada de modo contraditório pelos EUA, que não reconheceram no século XIX o governo de SOARES, no México, apesar do apoio popular de que este dispunha; *doutrina TOBAR* – de 1907, pelo equatoriano TOBAR, somente deveria ser reconhecido o governo que tivesse legitimidade constitucional; *doutrina WILSON* – de 1913, na época da Revolução Mexicana, segundo a qual somente deveria ser reconhecido governo, com legitimidade constitucional; não poderiam ser eleitos chefe de estado ou de governo os líderes da revolução, nem tampouco seus ascendentes, descendentes ou colaterais; *doutrina BETANCOURT* – de 1959, pelo então presidente da Venezuela, previa rompimento de relações diplomáticas com governos alterados por modificações inconstitucionais; de sua aplicação resultou o rompimento de relações com o Brasil (1964), com a Argentina (1966) e com o Peru (1968), antes de cair em desuso com a queda de BETANCOURT, derrubado por golpe militar; *doutrina LARRETA* – de 1976 apregoava a necessidade de intervenção coletiva dos estados do continente contra governos ditatoriais, surgidos em decorrência de golpes de estado.

316. A autoria do primeiro princípio tem sido atribuída a George CANNING, que, preocupado com rumores de que a Santa Aliança interviria nas Américas para auxiliar a Espanha na reconquista de suas colônias, sondou confidencialmente Richard RUSH, ministro de 1817 a 1825 dos Estados Unidos, em Londres, sobre a possibilidade de ser adotada uma posição conjunta contrária à eventual criação de colônias por parte de potências europeias nas Américas. O teor dessa consulta foi recebido favoravelmente em Washington, mas MONROE julgou conveniente que a ideia fosse proclamada pelos Estados Unidos. É bem verdade que a doutrina não foi simples resultado da sugestão inglesa, visto que a ideia já estava desde muito no sentimento dos estadistas norte-americanos, movidos principalmente pelo sentimento de salvaguarda própria (*self-defence*).

dente Theodor ROOSEVELT desenvolveu o que os norte-americanos denominaram *Roosevelt corollary to the Monroe doctrine*[317], deturpando o conteúdo inicial da doutrina e transformando-a em instrumento de política imperalista estadunidense, no continente, apodada de política do *big stick*.

A doutrina MONROE, no governo de Theodore ROOSEVELT, tendia para a obtenção de aval do continente à hegemonia protetora dos Estados Unidos da América. Segundo Luís VIANA Filho (1980)[318], a política do *big stick* assegurava o direito de "intervir militarmente nas repúblicas americanas a fim de evitar que qualquer potência estrangeira o fizesse antes".

De certa forma liga-se à doutrina MONROE o princípio de não intervenção europeia nos assuntos continentais americanos, desdobrando-o em relação ao contexto específico da cobrança *manu militare* de dívidas, em que "uma dívida pública não pode motivar uma intervenção armada e, ainda menos a ocupação do solo das nações americanas por uma potência europeia". Manuel de OLIVEIRA LIMA (1907)[319] admite certa continuidade histórica entre a ideia norteadora da doutrina MONROE, ao difundir a sua "crença de que a Doutrina de DRAGO oferece muito de prático e levantado à ação dos estadistas do novo mundo"[320].

---

317. Mediante o assim chamado *Roosevelt corollary*, os Estados Unidos praticaram uma série de intervenções na América Latina sob o pretexto de evitar intervenções da parte de países europeus. Era a política do *big stick* exercida pelas *marines*. A justificativa apresentada era a de que os Estados Unidos tinham a faculdade, de acordo com o direito internacional, de intervir sempre que ocorresse um total colapso da ordem com a consequente ameaça à vida e à propriedade de cidadãos americanos. Foram inúmeras as intervenções praticadas no início do século XX. Porém, com a consolidação do sistema interamericano e a condenação da prática da intervenção na Carta das Nações Unidas e, principalmente, em pronunciamentos tomados pelo sistema interamericano, inclusive na Carta da OEA, tudo indicava que a não intervenção se consolidaria. Nada obstante, as intervenções praticadas na República Dominicana e, mais recentemente, em Granada e no Haiti marcaram a volta dessa prática, condenada internacionalmente. *V.* Noam CHOMSKY, **Rumo a uma nova guerra fria: política externa dos EUA, do Vietnã a Reagan** (© 1982 e 2003, trad. C. MARQUES, Rio de Janeiro: Record, 2007).

318. Luís VIANA Filho, apresentação ao livro **Pan-americanismo** de M. de OLIVEIRA LIMA (ed. original, 1907; ed. 1980, "Apresentação", p. 7-8): "O Brasil, durante a monarquia, dependente do imperialismo britânico, pelos laços de origem portuguesa, com a proclamação da república procurou novo e forte aliado para seu desenvolvimento, embora com alguns riscos. Entre o Barão do RIO BRANCO (...) e Joaquim NABUCO (...) levantou-se a crítica veemente de OLIVEIRA LIMA, no sentido de alertar para o risco que as repúblicas americanas, principlamente o Brasil, poderiam correr com a aceitação do princípio de eventual intervenção dos Estados Unidos. O livro de OLIVEIRA LIMA é a análise polêmica dessa conjuntura, à luz das doutrinas de MONROE, BOLÍVAR e ROOSEVELT, numa época próxima d eum conflito mundial, afinal deflagrado em 1914". *V.* tb. Marcelo RAFFAELLI, **A Monarquia e a República: aspectos das relações entre Brasil e Estados Unidos durante o Império** (Rio de Janeiro/Brasília: CHDD/FUNAGI, 2006).

319. Manuel de OLIVEIRA LIMA (1867-1928), no prefácio do seu livro **Pan-americanismo** (ed. original Rio de Janeiro: Garnier, 1907; intr. Washington Luís PEREIRA DE SOUSA Neto, apres. Luís VIANA Filho, Brasília/Rio de Janeiro: Senado / Fund. Casa de Rui Barbosa, 1980, col. Bernardo Pereira de Vasconcelos, vol. 25), vários artigos publicados de 1903 a 1907, reunidos pelo autor em livro e nesse mesmo último ano publicados. Chegou a ser aventada a possibilidade de ser levado o tema, que ensejara a nota DRAGO, para discussão e para exame pela Terceira Conferência Internacional Americana, no Rio de Janeiro, em 1906. Havia considerável expectativa, inclusive na Europa, em relação aos rumos que esta reunião tomaria, com manifestação clara do que viria a ser a política do *big stick*, ou cacetão, como o chamava OLIVEIRA LIMA, em face dos anteriores eventos da crise venezuelana e da repercussão do caso.

320. OLIVEIRA LIMA (op. cit., ed. cit., p. 107-108): "Nessa doutrina, o grande historiador e diplomata, que foi ao mesmo

Embora a doutrina MONROE tenha perdido sua reputação como orientação de política externa, teve o mérito de haver criado entre os países da América Latina a ideia da importância do princípio da não intervenção, que pode ser considerado um dos pilares do sistema interamericano[321].

3.7.2. doutrina DRAGO

O bombardeio dos portos venezuelanos por potências europeias provocou vivos protestos na América Latina e foi objeto de nota de protesto do ministro das Relações Exteriores da Argentina, Luís Maria DRAGO, ao governo dos Estados Unidos, pois condenava o uso da força para obrigar um estado a pagar as suas dívidas públicas.

A nota de DRAGO, que a rigor se inspirava em pronunciamento anterior de Carlos CALVO, teve grande repercussão e passou a ser conhecida como *doutrina DRAGO*. DRAGO não negava a obrigação da nação devedora de reconhecer as respectivas dívidas e procurar liquidá-las, mas condenava sua cobrança coercitiva, como capaz de conduzir as nações mais fracas à ruína e até a absorção dos respectivos governos pelos das nações mais poderosas.

Querendo, de certa forma, ligar sua tese à doutrina de MONROE, DRAGO pretendeu fosse reconhecido o princípio de que "a dívida pública não pode mo-

---

tempo um estudioso do direito das gentes, encontrava, consorciando-a com a de MONROE, além de um símbolo da fusão moral do mundo anglo-saxônico e latino, um movimento de impedimento não só de ocupações, mas, também de simples violações dos territórios independentes da América".

321. ACCIOLY, **Tratado** (2009, v. 1, "*a doutrina de MONROE*", p. 331-337); José Joaquín CAICEDO CASTILLA, **El panamericanismo** (Buenos Aires: Depalma, 1961, cap. VIII, "*La no intervención*", p. 127-140, cit. p. 131) reporta comentário do pres. H. HOOVER e do secretário de estado, STIMSON, na década de 1930, no sentido de que "a doutrina de MONROE foi uma declaração dos Estados Unidos contra a Europa, não dos EUA contra a América Latina"; mais incisiva a avaliação de George C. HERRING, **From Colony to Superpower** – U. S. Foreign Relations since 1776 (Oxford: Univ. Press, 2008, esp. cap. 4, "*Leave the rest to us – the assertive Republic, 1815-1837*", p. 134-175, cit. p. 158): "Implícito na doutrina MONROE estava o engajamento com a ideologia e as instituições dos Estados Unidos, questão crucial em toda a década de 1820"; *v.* tb: MONIZ BANDEIRA, **Presença dos Estados Unidos no Brasil** (Rio de Janeiro, 1973, p. 49); Camilo Barcia TRELLES, **La doctrine de Monroe dans son développement historique particulièrement en ce qui concerne les relations interaméricaines** (RCADI, 1930, t. 32, p. 391-605); Wagner Turbau BARREIRA, **As doutrinas americanas do direito internacional** (Fortaleza, 1946, p. 39); Hélio LOBO, *George CANNING a James MONROE* (*Revista Americana*, t. 1); James Bassett MOORE, **International law digest** (Washington, D.C., 1906, v. 4, p. 401-3); Hans MORGENTHAU, **Politics among nations** (4. ed., New York, 1954, p. 53); Artur NUSSBAUM, **A concise history of the law of nations** (New York, 1947, p. 200); Dexter PERKINS, **A history of the Monroe Doctrine** (Boston, 1955); Roberto L. SILVA, **Direito internacional público** (Belo Horizonte: Del Rey, 4. ed., 2010, cap. 11, "*reconhecimento de estado e de governo*", p. 213-218); Gaddis SMITH, *O legado da Doutrina Monroe* (Jornal do Brasil, 14 out. 1984); Edwin WILLIAMSON, **The Penguin History of Latin America** (London: Penguin, 1st. publ., 1992, new ed., 2009, esp. "*The Rise of US Imperialism*", p. 322-327): "The MONROE Doctrine as it became known, was to some extent a piece of bravado by a young country which was still very weak in military and economic terms. It did, however, articulate the notion of collective security and co-operation between American countries against external threats".

tivar a intervenção armada e, ainda menos, a ocupação material do solo das nações americanas por uma potência europeia".

Mais tarde, essa doutrina foi submetida à 2ª Conferência da Paz, realizada em Haia em 1907, sendo transformada na chamada Convenção PORTER, que condena o emprego da força para a cobrança das mencionadas dívidas, cujo pagamento seja reclamado ao governo de um país pelo outro país, em nome dos credores, seus nacionais, salvo se o estado devedor repelir ou deixar sem resposta um oferecimento de arbitragem sobre o caso, ou, se o aceitar, em se realizando a arbitragem, não se conformar com a sentença proferida.

Depois, na 4ª Conferência Internacional Americana, foi concluída uma convenção sobre reclamações pecuniárias, em 11 de agosto de 1910, cujas partes contratantes se comprometeram a submeter à arbitragem todas as reclamações por danos e prejuízos pecuniários apresentadas pelos respectivos nacionais e que não pudessem ser resolvidas, amistosamente, pela via diplomática, contanto que tais reclamações fossem de importância suficiente para cobrir as despesas do juízo arbitral.

Na Conferência Interamericana para a Consolidação da Paz, celebrada em Buenos Aires em dezembro de 1936, a delegação argentina pretendeu, sem êxito, dar forma convencional à Doutrina DRAGO. A delegação do Brasil impugnou o projeto, manifestando que só o aceitaria se lhe fosse acrescentada uma disposição segundo a qual declarasse que, no caso de controvérsia acerca da cobrança de dívidas ou reclamações pecuniárias, e na hipótese de ser impossível um acordo pelos meios diplomáticos usuais, as partes litigantes se obrigassem a recorrer à arbitragem ou à decisão de uma corte de justiça internacional. É curioso assinalar que o próprio DRAGO, no despacho em que formulou sua doutrina, não se opunha de modo algum ao recurso à solução arbitral, fazendo questão apenas de que, antes ou depois da arbitragem, não se lançasse mão da força para cobrança da dívida pública do estado.

Ulteriormente, o ponto de vista da delegação brasileira foi reiterado com clareza, em Lima, durante uma sessão da Comissão de Peritos Americanos para a Codificação do Direito Internacional, pelo mesmo delegado do Brasil que havia impugnado o projeto argentino, na forma por que fora apresentado em Buenos Aires. O referido delegado concluiu sua exposição dizendo: "1) condenamos francamente a cobrança coercitiva de dívidas públicas ou contratuais; 2) concordamos em que os prejuízos sofridos por estrangeiros em consequência de negócios pecuniários de interesse privado ou de contratos com o Estado só possam ser objeto de intervenção diplomática em caso de denegação de justiça; 3) admitimos que as obrigações derivadas das dívidas externas de um Estado não possam ser objeto de reclamação diplomática antes do completo malogro das negociações diretas entre os credores e o governo ou agentes do governo do Estado devedor; 4) mas, entendemos que, se, em qualquer destes casos, surgir um conflito entre o Estado devedor e o Estado a que pertençam os credores, e tal conflito não for resolvido pelo emprego das vias diplomáticas usuais, o Estado devedor não terá o direito de se subtrair ao recurso à solução arbitral ou judicial".

Há doutrina a respeito[322].

3.7.3. doutrina ESTRADA

Genaro ESTRADA era Secretário de estado das relações exteriores em 1930 quando a América Latina viu-se diante de uma série de mudanças políticas drásticas em que diversos governos revolucionários assumiram o controle do estado. Em situações como essas os outros estados são instados direta ou tacitamente a reconhecer o novo governo, ainda que seja por meio de uma simples nota ou mera continuidade das relações anteriormente estabelecidas.

ESTRADA manifestou-se exatamente em sentido contrário a esse hábito, pois, segundo sua concepção, um estado ao arrogar-se a prerrogativa de decidir se um governo deveria ou não ser reconhecido, estaria necessariamente ingerindo nos assuntos internos do outro. Ou seja, a proposta de ESTRADA liga-se à ideia de que não cabe aos outros estados emitir juízo quanto à legitimidade do novo governo, mas caber-lhes-ia somente enviar ou retirar seus representantes diplomáticos, sendo este o único direito que lhes é inerente. Para ESTRADA, qualquer outra atuação, salvo a de enviar e retirar representantes, configuraria ingerência do estado nos assuntos internos de outro estado, ou seja, ato ilícito diante do direito internacional[323].

---

322. ACCIOLY, **Tratado** (2009, v. I, livro primeiro, cap. II, "*direitos e deveres dos estados*", p. 259-443); ANTOKOLETZ - 1, p. 609; Wagner Turbau BARREIRA, **As doutrinas americanas do direito internacional** (Fortaleza, 1946); BENEDEK, **Encyclopaedia**, v. 1, p. 1102; BEVILÁQUA - 1, p. 121; Carlos CALVO, v. 1, p. 260; CASTRO CORRÊA, Rui e a Doutrina Drago (**Revista da Faculdade de Direito** da Univ. de São Paulo, ano 62, n. 1, 1967, p. 267); DÍEZ DE VELASCO, **La protection diplomatique des sociétés et des actionaires** (RCADI, 1974, t. 141, p. 87-186); Luís Maria DRAGO, **Memoria de Relaciones Exteriores y Culto (Argentina) de 1902-1903** (Buenos Aires, 1904, Anexo 1); Les emprunts d'État, **AJIL**, 1907, p. 692; Eduardo Jiménez de ARÉCHAGA, *Una alarmante tentativa de ampliación del amparo diplomático: la protección judicial del accionista* (Anuario Uruguayo de Derecho Internacional, 1964); H. A. MOULIN, *La doctrine de Drago* (**RGDIP**, 1907, v. 14, p. 417); Nicolas Socrate POLITIS, **Les emprunts d'État** (Paris, 1894); Roberto L. SILVA, Direito internacional público (Belo Horizonte: Del Rey, 4. ed., 2010, 'doutrinas', p. 218); John Fischer WILLIAMS, **Le droit international et les obligations financières qui naissent d'un contrat** (RCADI, 1923, t. 1, p. 289-362); Gustavo Sénéchal de GOFFREDO JR., **Entre poder e direito: a tradição grotiana na política externa brasileira** (Brasília: FUNAG, 2005, esp. 2.2. "A segunda conferência de paz da Haia e os limites da aliança com os EUA", 2.3. "A terceira conferência internacional americana de 1906", p. 44-50).

323. A doutrina ESTRADA teve considerável repercussão mundial, tendo sido aceita ou criticada por diversos internaciona-

Em linhas gerais, a posição mexicana externada por ESTRADA concretiza um princípio norteador do direito internacional: a liberdade soberana. Assim, não é dado a um estado imiscuir-se nos assuntos internos de outro. Desse modo, o campo de atuação que deve caber aos estados em relação àquele que passou por mudanças políticas profundas é o de apenas retirar e enviar representantes.

Embora as consequências práticas do ato de reconhecimento e as do envio de representantes possam ser muito semelhantes, ao sugerir a separação nítida entre os âmbitos em que cada sujeito de direito internacional pode agir, ESTRADA aplicava indiretamente o princípio de que os estados não podem imiscuir-se nos assuntos internos de seus pares, isto é, o âmbito de ação de um estado restringe-se a seus representantes, que são agentes deste. Quanto à legitimidade do novo governo e, por conseguinte, seu reconhecimento, são assuntos internos de estado em que não cabe intervenção de terceiros.

3.7.4. doutrina BRUM

Em 1917, Baltasar BRUM, então Ministro das Relações Exteriores do Uruguai, dirigiu ao representante brasileiro em Montevidéu uma nota em que, em linhas gerais, expunha a ideia de que, diante dos acontecimentos decorrentes da primeira guerra mundial, os países americanos deveriam ter estreita unidade de ação para fazer frente às violações do direito internacional, devendo responder de forma conjunta às ofensas perpetradas contra qualquer país do continente.

De certa forma, a concepção de BRUM[324] já havia sido expressada anteriormente nas Américas, notadamente por meio do que se convencionou chamar de Pan-americanismo, cujo expoente mais lembrado é Simon BOLÍVAR[325], que,

listas. Diante da repercussão que teve a doutrina, sintomática foi a publicação no México, em 1931, do volume chamado *La Opinión Universal sobre la Doctrina de Estrada*, em que se encontra documentada a discussão acerca da doutrina em âmbito mundial. A respeito da *doutrina ESTRADA*, observa Roberto L. SILVA, **Direito internacional público** (Belo Horizonte: Del Rey, 4. ed., 2010, "*doutrinas*", p. 218): "adotada pelo México, que se recusaria a reconhecer qualquer forma de governo mesmo que *de jure*, pois considerava o próprio ato de reconhecimento como intervenção ilícita nos assuntos internos do estado".

324. *V.* Juan Carlos WELKER, **Baltasar BRUM** – Verbo y acción (Montevideu: Imprenta Letras, 1945, esp. cap. V, p. 101-112, cit. p. 102-103), destaca a importância da atuação de BRUM, como ministro das relações exteriores, em 1914, que leva à adoção da doutrina da arbitragem ampla: "En el derecho internacional que podríamos llamar clásico, se establece el distingo entre cuestiones que pueden ser sometidas por las naciones interesadas al laudo arbitral y cuestiones que, por su índole particular, no pueden ni deben ser objeto de un arbitraje. Cuáles son estas cuestiones? Aquellas que tienen relación o afecten al honor, a la soberanía, la nacionalidad, etc., de los países en litigio. Cuando se suscitaban querellas de este carácter de hecho quedaba excluída la solución arbitral, y entonces, si la via diplomática fracasaba no subsístia sino una posibilidad de solucionar el problema, la peor de todas: el conflicto armado".

325. Simón BOLÍVAR, **Obra política y constitucional** (estúdio preliminar y notas de Eduardo ROZO Acuña, Madrid: Tecnos, 2007, esp. item 4, "*El Proyecto continental: Congreso Anfictiónico de Panamá*", p. CXCIII-CCXVII, e 5, "*BOLÍVAR y el concierto mundial*", p. CCXVII-CCXXXVI).

à época da Santa Aliança, imaginava reunir um Congresso em que todas as nações americanas tomassem parte a fim de corroborar conjuntamente a mensagem do presidente MONROE de que não deveria mais haver intervenção europeia no continente. De modo semelhante pronunciou-se o presidente mexicano Porfirio DIAZ em 1896, pois, para este, qualquer intervenção ou ameaça dirigida contra uma nação americana deveria ser vista como agressão ao conjunto do continente, na medida em que esse princípio de reação conjunta deveria ser alçado ao patamar de princípio de política internacional americana.

Embora haja sido questão recorrente nas relações internacionais americanas e tenha sido expressada por diversos chanceleres e políticos, a concretização da Doutrina BRUM só ocorreu em 1936 durante a Conferência Interamericana de Consolidação da Paz , em que se instituiu o sistema de consultas mútuas entre as chancelarias americanas, a fim de dar uma resposta conjunta às agressões sofridas por qualquer das nações do continente.

Dois anos depois, em 1938, reiterou-se o que ficou conhecido como Doutrina BRUM por meio de uma declaração conjunta normalmente chamada de *Declaração de Lima*, em que o princípio da solidariedade entre os países americanos foi reafirmado de forma ainda mais explícita, e o sistema de consultas mútuas foi eleito o meio por excelência para concretização desse sistema de respostas coordenadas contra agressões a um país americano.

Como se vê, o ideal de coordenação americana veio a lume em remoto passado, uma vez que a Doutrina BRUM pode ser analisada enquanto expressão de um ideal americano de integração que teve precedentes importantes, como a emblemática figura de Simon BOLÍVAR e seus projetos de uma América unida e cujos desdobramentos podem ser observados na política de solidariedade e cooperação vigente entre os países no que tange a intervenções externas. Nesse sentido, falava-se da extensão continental das ideias de MONROE.

3.8. Restrições aos direitos fundamentais dos estados

O artigo 11 da Carta da OEA é categórico ao dispor que: "Os direitos fundamentais dos Estados não podem ser restringidos de maneira alguma". O próprio direito internacional, contudo, admite inúmeras exceções de cunho genérico a essa regra básica. Todavia, além dessas genéricas, a doutrina enumera uma série de restrições específicas, livremente aceitas ou impostas, que representam, em última análise, um atentado à soberania do estado.

A enumeração das restrições varia de autor para autor e também no tempo. É o caso da instituição das capitulações, que no passado era importante, mas que deixou de existir. O fortalecimento do princípio da autodeterminação, ao abrir as portas das Nações Unidas a inúmeros pequenos territórios que não gozavam de autonomia, veio a diminuir os exemplos de restrições à soberania.

Em vista do atual panorama internacional[326], apenas os seguintes exemplos de restrições à soberania dos estados serão abordados: "neutralidade permanente" (3.8.1.); "arrendamento de território" (3.8.2.); "imunidade de jurisdição e de execução" (3.8.3.); "capitulações" (3.8.4.); e "servidões internacionais" (3.8.5.). O reconhecimento de *status* especial das minorias, frequentemente mencionado, constitui direito fundamental, internacionalmente tutelado, e examinado na perspectiva da evolução do sistema internacional de proteção dos direitos das minorias[327].

3.8.1. neutralidade permanente

A neutralidade permanente (ou perpétua) é a situação reconhecida a estado que se compromete, de maneira permanente, a não fazer guerra a nenhum outro, salvo para defesa própria contra a agressão sofrida. Distingue-se, pois, da neutralidade *temporária*, que existe apenas em tempo de guerra e constitui situação de fato, relativa e acidental[328].

Pode-se dizer que a neutralidade permanente constitui restrição à soberania do estado que a adota, pois a guerra ofensiva é-lhe proibida e não lhe será lícito celebrar tratados que importem na obrigação de fazer guerra que não seja estritamente defensiva.

A neutralidade permanente não pode, em princípio, ser autônoma. Ela deve ser *garantida* ou, ao menos, *reconhecida* por outros estados. A garantia acarreta, para os estados que a concedem, a obrigação de a defender e, portanto, assegurar a integridade e a inviolabilidade do estado a que se aplica. O reconhecimento implica, pelo menos, o dever de não violar tal neutralidade.

---

326. Nesse sentido, *v.* item 5.2.7. a respeito da evolução do sistema internacional de proteção das minorias.

327. *V.*, *infra*, 5.2.7. "evolução do sistema internacional de proteção dos direitos das minorias", com enfoque da proteção das minorias religiosas" (5.2.7.1.), "Proteção das minorias étnicas" (5.2.7.2.), os "Princípios de Yogyakarta (2007) e a proteção das minorias não étnicas" (5.2.7.3.).

328. A respeito de **Hong Kong** *v.* 3.8.2.2. e de **Macau** *v.* 3.8.2.3. e tb.: ACCIOLY, **Tratado** (2009, v. 1); CASELLA, **Direito internacional dos espaços** (2009); CASELLA, **Fundamentos** (2008, item VI "Direito, história e cultura", p. 489-615); CASELLA, **Direito internacional dos espaços** (2009, esp. item referente a questões recentes de sucessão de estado, no tópico relativo a Hong Kong, p. 286); C. D. A. MELLO, **Curso** (1, p. 443); PODESTÀ COSTA - 1, p. 82; sobre neutralidade permanente, C. CHAUMONT, **Nations Unies et neutralité**, RCADI, 1956, v. 89, p. 1-59; Díez - 1, p. 281; Josef KUNZ, **Austria's permanent neutrality**, AJIL, v. 50, p. 419; ROUSSEAU - 2, p. 306; Alfred VERDROSS, *Austria's permanent neutrality and the United Nations*, AJIL, 1964, v. 50, p. 68; sobre arrendamento de território, tb. ACCIOLY, **Tratado** (2009, vol. I, p. 304); L. LE FUR, **Précis**, p. 115; H. LAUTERPACHT, **Règles générales du droit de la paix** (RCADI, 1937, v. 62, p. 95-422); C. D. A. MELLO, **Curso** (1, p. 446); W. SCHOENBORN, **La nature juridique du territoire** (RCADI, 1929, t. 30, p. 81-190).

A garantia pode ser individual ou coletiva. Neste segundo caso, a ação protetora dos estados garantes não tem que ser necessariamente coletiva: cada um deles pode individualmente exercer tal ação.

A noção de neutralidade perpétua era incompatível com a qualidade de membro da Sociedade das Nações, porque o artigo 16 do Pacto da Liga estabelecia obrigações para os seus membros, que os forçavam a colaborar em certas intervenções armadas evidentemente contrárias à neutralidade estrita. A neutralidade permanente parece também incompatível com disposições da Carta das Nações Unidas, bem como da participação em organização regional, como a União Europeia[329].

Cabe considerar **casos** concretos. E apontar, a partir destes, algumas **conclusões**:

- Para que a Suíça participasse da Sociedade das Nações sem abandonar o seu estatuto de estado neutro, foi necessária a conclusão de acordos especiais, que a isentaram daquelas obrigações. Caso paradigmático de neutralidade permanente, a Suíça, data de 1815, altera a sua condição com a adesão à Organização das Nações Unidas. Em 2002, após referendo, decidiu-se que a Suíça também se tornaria estado-membro da ONU – estaria, assim, descaracterizada a sua histórica neutralidade?
- No caso da Áustria, depois de adotar a neutralidade permanente, foi esta admitida como estado-membro na Organização das Nações Unidas. Nesse caso, o estatuto de neutralidade, tal como se fixara nos termos dos entendimentos de 1955, fica totalmente superado pela adesão da Áustria à União Europeia, em 1995.
- Alega-se ser possível tal interpretação em relação ao estado da Cidade do Vaticano, cuja situação neutral encontrar-se-ia indicada no artigo 24 do Tratado de Latrão. Claramente, entendemos, não tende a ser estado "neutro" em razão de posições abertamente engajadas, inclusive no plano político.
- Na América do Sul, o Uruguai chegou a ser declarado perpetuamente neutro entre os seus vizinhos. A declaração constou do tratado de 2 de janeiro de 1859 entre o Brasil, a Argentina e o Uruguai, mas não foi mantida porque esse tratado não entrou em vigor por falta de ratificações.

Em suma, não obstante papel que possa ter desempenhado no passado, a partir do exame dos casos acima referidos, tem-se a neutralidade permanente como artigo histórico do direito internacional, de escassa ou não mais presente

329. *V.* tb., *infra*, 4.2.1, "União Europeia".

aplicação na prática vigente no contexto pós-moderno, o que merece algumas ulteriores especificações.

Convém não confundir a neutralidade perpétua ou permanente com a neutralização de simples territórios determinados, situação que representa apenas uma servidão negativa. Essa situação é, às vezes, meramente temporária quando tem em vista, por exemplo, um território litigioso, que se trata de subtrair a jurisdição de qualquer das partes litigantes até que o litígio seja decidido. Casos desse gênero tivemos nas regiões fronteiriças do Brasil. Foram eles: o do território do Amapá, estabelecido por acordo com a França; o do território do Pirara, fixado por acordo com a Grã-Bretanha; os dos territórios da bacia do Alto Juruá e da bacia do Alto Purus, estabelecidos por acordo com o Peru.

3.8.2. arrendamento de território

Arrendamento de território consisitiria na tranferência temporária da soberania e da administração deste, de um estado a outro. A figura guardaria semelhança com o instituto jurídico de direito privado, mas seria, aqui, celebrada entre sujeitos de direito internacional, e regida por norma internacional.

Alguns exemplos recentes de arrendamentos de territórios foram as cessões feitas em setembro de 1940 pela Grã-Bretanha aos EUA de bases navais e aéreas na Terra Nova e nas ilhas de Bermudas, Bahamas, Jamaica, Santa Lúcia, Trinidad e Antígua, bem como na Guiana Britânica, pelo prazo de 99 anos.

Alguns exemplos históricos ilustram a incidência concreta do tema: "Tentativa de criação do *Bolivian Syndicate* e questão do Acre (3.8.2.1.); "Hong Kong" (3.8.2.2.) e "Macau" (3.8.2.3.).

3.8.2.1. tentativa de criação do Bolivian Syndicate e questão do Acre

A criação do ***Bolivian Syndicate***, no início do século XX, teria representado exemplo de arrendamento de território na América do Sul. Surgiu em virtude da assinatura pelo governo boliviano de uma série de contratos com capitalistas ingleses e norte-americanos, por meio dos quais abria mão da sua soberania no Acre, onde o ***Syndicate*** passaria a exercer atividades semelhantes às realizadas no passado pelas *companhias de carta* na África e na Ásia, que resultaram na transformação das regiões em colônias europeias[330].

330. *V.* tb. C. D. A. MELLO, **Curso** (Rio de Janeiro: Renovar, 15. ed., 2004, Cap. XXXIX, "Formação histórica do território brasileiro", p. 1133-1149, esp. "d", "a questão do território do Acre", p. 1142-1143). CASELLA, **Direito internacional dos**

Com o objetivo de acabar com a situação criada, que representava ameaça à soberania da Bolívia, bem como à dos países que teriam que ser cruzados, o Barão do Rio Branco negociou e assinou o **Tratado de Petrópolis**, em 1903, em cujos termos a Bolívia abriu mão de seus direitos em troca de substancial indenização financeira, além de outras vantagens destinadas a facilitar o seu acesso ao Atlântico[331].

3.8.2.2. Hong Kong

Em 30 de junho de 1997, Hong Kong deixou de ser colônia britânica e a 1º de julho voltou a fazer parte da República Popular da China. Com o estatuto, nesta, de "Região Administrativa Especial"[332].

Uma das consequências da derrota da China na Guerra do Ópio (1839-1842) foi a assinatura do Tratado de Nanquim, em 1842. Em decorrência, a ilha de Hong Kong passou a fazer parte do Império Britânico. Novas divergências resultaram numa expedição militar anglo-francesa contra Pequim em 1858 e na consequente assinatura de novo tratado em 1860, pelo qual a China cedeu a Península de Kaulun à Grã-Bretanha. Esta, em 1898, aproveitando o enfraquecimento da China, obrigou-a a "arrendar" uma área maior ao norte de Kaulun, que passou a ser denominada os "Novos Territórios" (*New Territories*). O "arrendamento", feito pelo prazo de 99 anos, encerrar-se-ia em 30 de junho de 1997. Os três tratados constituíram a base da administração de Hong Kong pela Grã-Bretanha.

Ainda durante a segunda guerra mundial, o governo chinês buscou anular os tratados sob o fundamento, justificado, de que se tratava de tratados desiguais. A China comunista continuou essa política e, não obstante sua política anti-imperialista, nacionalista e revolucionária, compreendeu a importância de manter a prosperidade de Hong Kong, na medida em que grande parte de suas transações comerciais e financeiras eram efetuadas por intermédio dessa ilha. Aceitava a manutenção do *statu quo*, mas nunca admitiu a independência de Hong Kong.

---

espaços (2009, esp. cap. XXVII, "*território brasileiro e direito internacional*", *p. 699-755 e* cap. XXVIII, "*fases da formação do território brasileiro: algumas lições de direito internacional*", p. *756-776*).

331. *V.* P. B. CASELLA, **Fundamentos** (2008, item XIII, "boa tradição e a que se deve evitar", p. 973-1111) a respeito de desenvolvimentos recentes do tema, nas relações Brasil-Bolívia. *V.* tb. P. B. CASELLA, **Direito internacional dos espaços** (2009, item 27.3, "fronteiras brasileiras com a Bolívia", p. 720-731).

332. *V.* P. B. CASELLA, **Bric: Brasil, Rússia, Índia, China e África do Sul – Uma perspectiva de cooperação internacional** (São Paulo: Atlas, 2011); CASELLA, **BRIC** – à l'heure d'un nouvel ordre juridique international (Paris: Pedone, 2011); CASELLA, **Direito internacional dos espaços** (2009, esp. item referente a questões recentes de sucessão de estado, no tópico relativo a Hong Kong, p. 286).

Por ocasião da sua visita à China continental em setembro de 1982, Margaret Thatcher salientou a importância de que os vínculos de Hong Kong com a Grã-Bretanha fossem mantidos, a fim de que o território pudesse continuar a ser um importante centro comercial e financeiro, mas admitiu que se poderia buscar uma solução visando a que o Reino Unido reconhecesse a soberania da China sobre Hong Kong. Depois de longas negociações, a 9 de dezembro de 1984 foi firmada a **Declaração Conjunta sobre a Questão de Hong Kong**, segundo a qual a antiga colônia passaria a ser uma Região Administrativa Especial, com alto grau de autonomia e principal funcionário executivo nomeado pelo governo de Pequim. Ficou ainda decidido que o sistema econômico e comercial capitalista será mantido por 50 anos, contados desde 1997. A terminologia oficial fala em "um país, dois sistemas".

Posteriormente à devolução de Hong Kong, outro processo de transferência de território, envolvendo a China, ocorreria em relação a Macau.

3.8.2.3. Macau

Em 20 de dezembro de 1999, Macau deixa de ser território português e volta a fazer parte da República Popular da China. Com o estatuto, nesta, de "Região Administrativa Especial"[333].

O processo de transferência de soberania e de território envolvendo **Macau**, antiga possessão portuguesa que voltou ao controle chinês com o nome e o estatuto de "Região Administrativa Especial" de Macau, China, tem algumas especificidades em relação ao caso de Hong Kong, no sentido de que a presença portuguesa estende-se de 1557 até 1999, e o seu estatuto legal, de "Província Ultramarina de Governo Simples", na designação constitucional portuguesa, nunca teve exatamente a configuração de "arrendamento de território", como se dera no caso britânico em relação a Hong Kong.

Por meio de declaração conjunta, assinada em Pequim em 1987, os dois países acertaram em que termos se daria a transferência de Macau bem como a autonomia da região: na mesma linha do que se acordara em 1997, "um país, dois sistemas", em relação ao sistema econômico e político do conjunto da China[334].

---

333. V. P. B. CASELLA, **Bric: Brasil, Rússia, Índia, China e África do Sul – Uma perspectiva de cooperação internacional** (São Paulo: Atlas, 2011); CASELLA, **BRIC** – à l'heure d'un nouvel ordre juridique international (Paris: Pedone, 2011); CASELLA, **Direito internacional dos espaços** (2009, esp. item 7.1.1.2, "Macau", p. 287-288).

334. Luís Filipe BARRETO, **Macau: poder e saber – séculos XVI e XVII** (Lisboa: Presença, 2006); Agustina BESSA-LUÍS, **A quinta essência** (Lisboa: Guimarães Eds., 1999, 5. ed., 2004); Maria Helena S. R. do CARMO, **Uma aristocrata portuguesa no Macau do século XVII** (Lisboa: Fund. Jorge Álvares / Edtrl. Inquérito, 2006); Christina Miu Bing CHENG,

3.8.3. imunidade de jurisdição e de execução

As imunidades dos estados em direito internacional são tradicionalmente apresentadas como a reunião de dois privilégios: a ***imunidade de jurisdição*** e a ***imunidade de execução***. A primeira permite ao estado não ser julgado pelos tribunais de outro estado, e a segunda de se opor à execução de seus bens em outro estado. Desse enunciado e dessa divisão decorre tratar-se, em matéria de imunidades, não somente dos interesses dos estados, uns em relação aos outros, como de interesses de particulares que possam ser afetados pela extensão e pelo conteúdo atribuído às imunidades do estado.

A extensão atribuída à imunidade do estado se reduz a alternativa simples: ou será afirmada como ***absoluta***, o que acarreta a exclusão de qualquer intervenção de juiz ou autoridade administrativa de um estado, em qualquer controvérsia que diga respeito a estado estrangeiro, diretamente, bem como em relação às emanações deste, ou será ***relativa***, de modo a comportar exclusões, com a necessidade de determinar o conteúdo e a extensão destas. Imperativa para possibilitar a convivência organizada entre sujeitos de direito internacional, a ***imunidade relativa*** firma-se progressivamente, como aponta I. PINGEL (1998)[335]. A escolha entre uma e outra acarreta consequências consideráveis, porquanto quanto mais extenso for o reconhecimento da imunidade, maior será a proteção do estado, e menos estará assegurada a proteção dos direitos do particular em face dos alegados direitos e prerrogativas do estado.

O exercício da jurisdição figura dentre os direitos básicos do estado, cujo pressuposto é o de que todas as pessoas e bens situados em seu território acham-se submetidos às suas leis e tribunais. O direito internacional admite, contudo,

---

Macau: a cultural Janus (Hong Kong: University Press, 1999); Moisés da Silva FERNANDES, **Macau na política externa chinesa 1949-1979** (Lisboa: Imprensa de Ciências Sociais, 2006); Angela GUIMARÃES, **Uma relação especial: Macau e as relações luso–chinesas** (1780 – 1844) (Lisboa: CIES – Centro de Investigação e Estudos de Sociologia, 1996); Geoffrey C. GUNN, **Encountering Macau: a Portuguese City-state on the periphery of China, 1557-1999** (Macau: Tipografia Macau – Hong Kong / Geoffrey C. Gunn, 1st. publ. in English 1966, new edition 2005); Antonio KATCHI, **As fontes do direito em Macau** (Macau: Faculdade de Direito da Univ. de Macau – teses e estudos, 2006); Fernando LIMA e Eduardo Cintra TORRES, **Macau entre dois mundos** (Lisboa: Fund. Jorge Álvares / Edtrl. Inquérito, 2004); Boaventura de SOUSA SANTOS e Conceição GOMES, **Macau: o pequeníssimo dragão** (Porto: Afrontamento / Macau: Instituto Português do Oriente, 1998).

335. Isabelle PINGEL, **Les immunités des états en droit international** (Bruxelas: Bruylant / Ed. de l'Univ., 1998, cit. p. 17), examina minuciosamente a evolução da matéria, no sentido do acolhimento progressivo da imunidade relativa, como a norma de base, com exame minucioso das razões que levaram à adoção desta, bem como a influência das avaliações conceituais sobre a prática dos estados: "Le choix de l'une ou de l'autre solution emporte d'importantes conséquences: plus l'immunité est large, plus la protection de l'état est grande et, par voie de conséquence, moins celle de la partie privée est assurée. Ce sont les différentes raisons, pour lesquelles la seconde branche de l'alternative a été très généralement préférée à la première, par les juges ou le législateur".

que certas pessoas possam continuar, em determinadas circunstâncias, sujeitas às leis civis e penais de seus próprios estados, ou seja, gozar do direito que se denomina ***extraterritorialidade***, isto é, por ficção jurídica, seriam aqueles considerados como situados fora do território.

Trata-se evidentemente de restrição a direito fundamental do estado, mas, ao contrário do que ocorre nos outros casos, não há aqui imposição de estado mais forte sobre outro mais fraco. Capítulo do direito internacional interpretado e aplicado de modo consistente é o das imunidades jurisdicional e fiscal dos funcionários diplomáticos e consulares, reconhecido por todos os estados, e codificado pela **Convenção de Viena sobre relações diplomáticas** (1961) e pela **Convenção de Viena sobre relações consulares** (1963)[336].

Gozam de **imunidade de jurisdição**, ou ***extraterritorialidade*:** chefes de estado e governo; agentes diplomáticos; determinadas categorias de cônsules; tropas estrangeiras, autorizadas a atravessar o território de estado ou de nele se instalarem temporariamente; oficiais e tripulantes de navios de guerra de um estado, aceitos em águas territoriais de outro; oficiais e tripulantes de aeronave militar autorizados a pousar em território estrangeiro.

A imunidade absoluta jamais constituiu princípio consuetudinário do direito internacional, visto que a condição de concordância dos precedentes, necessária para o nascimento de qualquer norma de costume internacional, não pôde ser satisfeita nessa matéria, enquanto, como ressalta I. PINGEL (1998)[337], a norma da ***imunidade relativa torna-se princípio consuetudinário do direito internacional***, em que a prática dos estados tanto desenvolvidos como em vias de desenvolvimento é suficientemente constante e uniforme nesse sentido.

A norma da imunidade relativa vale, sobretudo, em matéria de imunidade de jurisdição: "os estados são os beneficiários diretos da imunidade de jurisdição, da qual gozam por princípio. Consequentemente, o ônus da prova da ausência de imunidade incumbirá à parte que a invoca"[338], e aos desmembramentos, ou emanações do estado pode ser admitida a extensão da imunidade de jurisdição, com a condição de que tenham atuado em nome e por conta do estado. Em se tratando de desmembramentos ou emanações do estados, dotados de personalidade

---

336. A respeito destas, como de outras convenções de codificação do direito internacional, *v.*, *supra*, 2.3., "Codificação do direito internacional", itens 2.3.1., 2.3.2. e esp. G. E. do NASCIMENTO E SILVA, P. B. CASELLA e O. BITTENCOURT NETO, **Direito internacional diplomático** – Convenção de Viena sobre relações diplomáticas na teoria e na prática (São Paulo: Saraiva, 4. ed. rev., atual. e ampl., 2012).

337. I. PINGEL (op. cit., 1998, "Conclusion", p. 377-378).

338. I. PINGEL (op. cit., 1998, loc. cit.).

jurídica, somente deveriam beneficiar-se da imunidade de jurisdição, como exceção, em que incumbiria a estes o ônus da prova da natureza do ato, objeto do litígio. Inversamente, os órgãos destituídos de autonomia jurídica deveriam, como o próprio estado, beneficiar-se da imunidade, por questão de princípio, e ser dispensados do ônus de produzir prova acerca da natureza do ato praticado.

Os estados, bem como os seus desmembramentos ou as suas emanações, ficam privados do benefício da imunidade de jurisdição: quando a este benefício renunciaram; ou quando o litígio diga respeito a ato decorrente de direito privado, porquanto somente os atos soberanos são abrangidos pela imunidade. Aplicável em matéria de jurisdição, a norma da imunidade relativa vale, igualmente, em matéria de execução, observados os limites distintos para esta última.

O estado beneficia-se da imunidade de execução por questão de princípio. O ônus da prova da ausência de imunidade incumbe, assim, à parte que a alega. Em relação, contudo, aos organismos dependentes do estado, mas titulares de personalidade jurídica distinta, somente podem eles se beneficiar da imunidade em caráter de exceção.

A imunidade de execução somente pode abarcar os bens destinados aos fins de exercício da soberania. Consequentemente, outros bens podem ser objeto de execução por particulares que atuem, no Judiciário, em face do estado, de desmembramentos ou de emanações deste, uma vez produzida, em justiça, a prova da afetação de seus bens.

Ressalta I. PINGEL (1998)[339] algumas categorias de bens gozam de proteção reforçada em relação a qualquer medida de execução. Aí se enquadram os bens de propriedade dos bancos centrais, das autoridades militares e das missões diplomáticas.

3.8.4. capitulações

Num sentido amplo, as capitulações eram, no entender dos príncipes muçulmanos que haviam expulsado os cristãos da Terra Santa, concessões unilaterais graciosas que regulavam a situação jurídica dos cristãos, pois, enquanto não muçulmanos, o Corão não lhes era aplicado. Mais tarde, com o enfraquecimento do islamismo e o fortalecimento das potências europeias, as capitulações passaram a ser imposições destas. De qualquer maneira, não devem ser confundidas com as convenções entre beligerantes visando à rendição de uma praça ou de forças militares ou navais.

339. I. PINGEL (op. cit., 1998, "Conclusion", p. 378) fala em "protection renforcée contre toute mesure de contrainte".

O sistema das capitulações já desapareceu ou, pelo menos, já se acha praticamente extinto. Vinha do Oriente, dos chamados países fora da Cristandade, e abrangia certas garantias e facilidades comerciais reconhecidas a estrangeiros. Desde muito, entretanto, só se referia a imunidades judiciárias e privilégios fiscais, que, muita vez, variavam de um estado a outro.

O regime das capitulações determinava a concessão ou o reconhecimento de certas imunidades, faculdades especiais de jurisdição e, às vezes, atribulações policiais aos cônsules dos países a cujos nacionais se aplicava. Alguns casos:

– Império Otomano: país onde, por mais tempo, existiu tal regime. O primeiro tratado de capitulações data de 1535, concluído pelo sultão Solimão, o Magnífico, com o embaixador da França, Jehan de La Forest, servindo de modelo a outros. A partir de 1923, as capitulações foram completamente abolidas pela Turquia, República laica, que sucedeu ao Império Otomano após a primeira guerra mundial.
– Brasil: gozou do privilégio das capitulações em território turco, por efeito do tratado celebrado em Londres a 5 de fevereiro de 1858, e denunciado pelo governo otomano a 7 de fevereiro de 1911.
– Existiu também no Egito (suprimido pela Convenção de Montreaux, de 8 de maio de 1937); na Etiópia, no Japão, na Tailândia, na Bulgária, no Marrocos, no Irã e na China: havia duas zonas de aplicação do regime. A primeira compreendia o território, propriamente dito, da China; a outra, certas partes do território chinês, chamadas *concessões*.

Gozou o Brasil de privilégio de capitulação na China, por efeito do tratado celebrado em Tien-Tsin a 3 de outubro de 1881. Desde 1929, declarou o Brasil estar disposto a colaborar com os demais países interessados a fim de chegar a acordo para a supressão do privilégio da extraterritorialidade. Em agosto de 1943, foi celebrado tratado com o governo chinês, pelo qual se pôs fim ao privilégio.

Tratado semelhante, celebrado entre Bélgica e China, em 2 de novembro de 1865, torna-se caso encerrado, sem julgamento de mérito em 1929[340], submetido à Corte Permanente de Justiça Internacional. Esse tipo de acordo desaparece da prática internacional, como excrescência de outras eras, suplantada pela evolução do direito internacional no contexto pós-moderno.

340. CPJI, **Denúncia do tratado de 2 de novembro de 1865**, entre Bélgica e China. Em 25 de maio de 1929, a Corte considera a intenção, manifestada pelo governo do reino da Bélgica, no sentido de não mais dar continuidade ao caso, e decide encerrar o procedimento, com determinação de remoção deste da lista de casos da Corte.

3.8.5. servidões internacionais

A jurisdição de estado sobre o seu território pode sofrer restrições em favor de outro ou outros estados. Por analogia com o direito civil, elas podem ser consideradas "direitos reais sobre coisa alheia". Dentre as restrições, a principal é a das servidões internacionais, que são restrições que o estado aceita expressa ou tacitamente quanto ao livre exercício da soberania sobre o seu território.

Três são as condições essenciais: 1ª) que o direito atingido pertença a estado, e a restrição seja admitida em favor de outro ou outros estados; 2ª) que o direito concedido seja permanente; 3ª) que ele seja estritamente real ou territorial.

Elas podem ser **permissivas** (***in patiendo***) – permissão de certo uso do território em causa; ou **restritivas** (***in non faciendo***) – restrição de exercer o poder territorial em toda a sua extensão. No primeiro caso, são chamadas ***positivas***; no segundo, ***negativas***. Não existem, porém, servidões *in faciendo*, isto é, que acarretam a obrigação do estado fazer alguma coisa em proveito de outro ou outros estados, pois isso não seria ***servidão*** propriamente dita, e sim, conforme observa D. ANTOKOLETZ, uma obrigação ordinária.

As servidões positivas consistem, por exemplo, no direito reconhecido por um estado a outro ou outros estados de manter guarnição militar em certa parte de seu território, de exercer a pescaria em águas da sua exclusiva jurisdição, de construir e explorar estradas de ferro no seu território, de gozar do livre trânsito em seu território.

As servidões negativas, em geral mais numerosas e quase sempre de caráter militar, consistem, por exemplo: na proibição da fortificação de uma cidade, de um porto, de uma ilha, de uma faixa territorial; na interdição do estabelecimento de bases navais em certos pontos; no impedimento à cessão ou alienação de determinado território.

Em matéria de servidões negativas, podem ser mencionados, pelo menos, dois exemplos que interessam ao Brasil: 1º) a interdição de utilização da Ilha de Martín García como meio de impedir a livre navegação do Rio Paraná, estabelecida em tratados de 10 de julho de 1853, de 7 de março de 1856 e outros atos internacionais entre os estados ribeirinhos; 2º) a interdição do estabelecimento de fortes ou baterias nas margens da Lagoa Mirim, nas do rio Jaguarão ou em qualquer das ilhas situadas nessas águas, convencionada entre o Brasil e o Uruguai no artigo 2º do tratado de 30 de outubro de 1909.

As servidões internacionais extinguem-se por acordo entre os estados interessados, pela fusão destes, pela renúncia expressa ou tácita do estado ou dos estados a que aproveitam ou por qualquer outro meio de resolução dos tratados.

Não terá esse efeito a simples transferência a outro ou outros estados dos territórios a que se apliquem o instituto.

3.9. Responsabilidade internacional do estado

A questão da responsabilidade internacional do estado é tida como uma das mais importantes do direito internacional e centro das instituições de qualquer sistema jurídico. Como frisa Paul REUTER (1955-56, ed., 1995)[341], pode-se caracterizar um sistema jurídico a partir de sua concepção da responsabilidade, em que a natureza das normas que compõem o sistema, os sujeitos de direito que este sistema reconhece, os procedimentos que institui, os meios de controle e de coerção que consagra aparecem naturalmente nos problemas de ***responsabilidade como eixo central*** a que sempre convém voltar, quando se quer ter a visão de conjunto de determinado sistema[342]. REUTER (1991, ed. 1995)[343] volta ao tema, a propósito da codificação da responsabilidade internacional dos estados, em decorrência de fato ilícito[344].

A CDI, desde a sua primeira sessão, de 1949, colocou a temática da responsabilidade internacional do estado na relação dos (então catorze) problemas prioritários. Diversos (ilustres) relatores prepararam (numerosos) relatórios, a partir de 1955, para ressaltar a complexidade e a dificuldade de qualquer tentativa de codificação, abrangente e sistemática, da matéria[345].

---

341. Paul REUTER, *La responsabilité internationale: problèmes choisis* (curso doutoral do ano acadêmico 1955-56, publicado no volume **Le développement de l'ordre juridique international: écrits de droit international**, Paris: Economica, 1995, p. 377-420).

342. P. REUTER (op. cit., 1955-56, ed. 1995, p. 380); *v.* tb. P. REUTER, *Théorie générale de la responsabilité internationale* (ed. cit., 1995, p. 421 e s.), que considera quatro aspectos: o ilícito, a imputação, o prejuízo e as causas exoneratórias; de Paul REUTER, ainda *Le dommage comme condition de la responsabilité internationale* (estudo originalmente publicado in **Estudios de derecho internacional: homenaje al profesor MIAJA DE LA MUELA**, Madri: Tecnos, 1979, reproduzido no mesmo volume, 1995, p. 561-571, cit. p. 571): "L'étude de la responsabilité se place d'emblée, en droit international comme en droit interne, au coeur des institutions juridiques. La systematisation que la responsabilité appelle n'est toutefois toujours que provisoire. L'admirable synthèse d'ANZILOTTI, pendant de celle que TRIEPEL élabora pour les traités, n'était pas close sur elle-même; des nouvelles solidarités apparaissent sur un plan tant national qu'international et toute construction théorique doit en tenir compte et rester consciente des limites d'une logique trop abstraite: les métamorphoses du rôle assigné au 'dommage' illustrent parfaitement la nécessité de garder un juste équilibre entre les analyses traditionnelles et les nouvelles tendances qui se font jour".

343. P. REUTER, *Trois observations sur la codification de la responsabilité internationale des états pour fait illicite* (originalmente publicado in **Le droit international au service de la paix, de la justice et du développement: mélanges Michel VIRALLY**, Paris: Pedone, 1991, reproduzido no volume **Le développement de l'ordre juridique international: études de droit international**, Paris: Economica, 1995, p. 573-583).

344. P. REUTER (art. cit., 1991, ed. 1995, cit. p. 573): "La responsabilité internationale de l'état pour fait illicite a toujours appelé les réflexions des théoriciens et les efforts des praticiens".

345. Em 1955, o Prof. F. V. GARCIA AMADOR (Cuba) foi nomeado relator especial e em tal capacidade teve ensejo de

Na análise desenvolvida por Georges RIPERT (1933)[346], ao afirmar que a ***responsabilidade internacional do estado nada tem a ver com a responsabilidade que o direito civil faz recair sobre os particulares***, haveria confusão entre a técnica e o princípio: "não se pode negar que a técnica da responsabilidade civil não seja, em direito público, a técnica do direito privado, embora os termos sejam os mesmos; contudo, o problema é semelhante – trata-se de saber quem deve reparação pelo dano sofrido. Ora, esse problema não é passível de muitas soluções diferentes. O direito público está bem obrigado a tomar emprestado do direito civil as normas que lentamente se consolidaram pelo progresso do direito, e progresso maior será alcançado, quando se aplicarem às relações entre estados as normas que governam a sociedade dos homens".

A responsabilidade tem relação direta com a pessoalidade internacional, com a ideia de sujeito de direito, de forma que terá responsabilidade aquele a quem se atribuem direitos e deveres na mesma ordem jurídica internacional, cf. C. D. de A. MELLO (1995)[347]. Como se passa a considerar.

3.9.1. princípios gerais e aplicação

O princípio fundamental da justiça traduz-se concretamente na obrigação de manter os compromissos assumidos e de reparar o mal injustamente causado a outrem, princípio este sobre o qual repousa a noção de responsabilidade. A CPJI teve ensejo de estabelecer o princípio de que a violação de um compromisso acarreta a obrigação de reparar por forma adequada.

---

submeter à CDI seis relatórios. Em 1962, a Comissão voltou a declarar que a questão era de natureza prioritária; mas – GARCIA AMADOR não mais fazia parte desta – foi julgada aconselhável a indicação de novo Relator, que deveria abordar a questão *ex novo*. A escolha recaiu sobre o Prof. Roberto AGO (Itália), que em seu primeiro relatório salientou que: "em virtude das dificuldades excepcionais inerentes à matéria, as incertezas encontradas e as divergências de opiniões e interesses na matéria, as tentativas anteriores de codificação não foram bem sucedidas, daí a conveniência de sua postergação até um momento mais propício". Passados 25 anos, verifica-se que a CDI continua a enfrentar dificuldades, não obstante algum progresso verificado. Roberto AGO teve ensejo de apresentar oito primorosos relatórios, mas com a sua eleição para a CIJ foi substituído pelo Prof. Willem RIPHAGEN (Países Baixos), autor de seis relatórios, e mais tarde pelo Prof. Gaetano ARANGIO-RUIZ (Itália).

346. Georges RIPERT, **Les règles du droit civil applicables aux rapports internationaux (contribution à l'étude des principes généraux du droit visés au Statut de la Cour permanente de justice internationale)** (RCADI, 1933, t. 44, p. 565-664, Cap. III, "la responsabilité civile", p. 608-627, cit. p. 609).

347. Mathias FORTEAU, **Droit de la sécurité collective et droit de la responsabilité internationale de l'état** (Paris: Pedone, 2006); e Celso D. de A. MELLO, **Responsabilidade internacional do estado** (Rio de Janeiro: Renovar, 1995, cit. p. 9): "A instituição da responsabilidade tem como pressuposto a ideia de sujeito de direito, isto é, aquele que tem direitos e deveres perante a ordem jurídica internacional. Assim sendo, a aceitação da personalidade jurídica do estado é fundamental para o desenvolvimento da noção de responsabilidade, pelo menos no sentido moderno desse instituto. O estado, por ser uma pessoa jurídica sujeito de direito internacional público, possui direitos fundamentais, o que corresponde a existência de deveres. É a violação de uma norma jurídica internacional que tem o estado como seu destinatário, que é o principal elemento da responsabilidade".

Assim, pode-se considerar como incontestável a regra de que o estado é internacionalmente responsável por todo ato ou omissão que lhe seja imputável e do qual resulte a violação de uma norma jurídica internacional ou de suas obrigações internacionais.

A ***responsabilidade*** pode ser ***delituosa*** ou ***contratual***, segundo resulte de atos delituosos ou da inexecução de compromissos contraídos.

É corrente falar também em responsabilidade ***direta*** e responsabilidade ***indireta***, dizendo-se que a primeira deriva de atos do próprio governo ou de seus agentes, e que a segunda resulta de atos praticados por simples particulares, mas de maneira que possa ser imputável ao governo. Essa distinção, porém, é antes teórica do que prática.

Na verdade, os atos de particulares não podem acarretar propriamente a responsabilidade do estado, mas este será responsável por não os haver prevenido ou punido. Em rigor, contudo, poderia dizer-se que a responsabilidade do estado será sempre ***indireta***, porque somente pode praticar atos por meio dos seus agentes, e quando responde por atos de particulares não é por tê-los praticado[348].

A responsabilidade jurídica do estado pode achar-se comprometida tanto por um dano material quanto por um dano moral. Importa: 1º) haja dano feito a direito alheio; 2º) que se trate de ato ilícito; 3º) que esse ato seja imputável ao estado.

Se não existe *direito lesado*, não se pode falar em responsabilidade, no sentido estrito, como aqui é tomada a palavra.

Ato ilícito é o que viola os deveres ou as obrigações internacionais do estado, quer se trate de fato positivo, quer de fato negativo, isto é, de omissão. Tais obrigações não resultam apenas de tratados ou convenções, um vez que podem decorrer também do costume ou dos princípios gerais do direito.

Quanto à ***imputabilidade***, esta resulta, naturalmente, de ato ou omissão que possam ser atribuídos ao estado, em decorrência de comportamento deste. Nessa categoria estão apenas os atos ou as omissões de indivíduos que o representem. Mas como a imputabilidade exige certo nexo jurídico entre o agente do dano e o estado, é preciso que o agente tenha praticado o ato na qualidade oficial de órgão do estado ou com os meios de que dispõe em virtude de tal qualidade.

---

348. Cf. a decisão da Corte Interamericana de Direitos Humanos no caso **Ximenes Lopes vs. Brasil** (2006), em que a corte impõe ao País o pagamento de indenização (parágrafos 225 e s.) pela morte de cidadão, internado em unidade psiquiátrica integrante do Sistema Único de Saúde, além de impor obrigações de prevenção contra futuras violações semelhantes e de investigar o ocorrido. O caso é exemplo paradigmático de responsabilização do estado em decorrência de violação dos direitos humanos.

Para a ocorrência da responsabilidade internacional do estado, verificar-se-ia mais uma condição, além das já indicadas: a de haver ***culpa*** do estado. Daí dizer-se que o dano resultante de caso de força maior ou de caso fortuito não acarreta a dita responsabilidade.

A visão de parte da doutrina tradicional, ainda admitida por alguns, é baseada no velho **princípio do direito romano, segundo o qual *qui in culpa non est, natura ad nihil tenetur***. Ainda se notam, contudo, muitas divergências e alguma hesitação entre os que repudiam a antiga doutrina.

Contra essa teoria, reação iniciada por C. H. TRIEPEL, no início do século XX, procura-se dar à responsabilidade base puramente objetiva. A **responsabilidade sem culpa**.

Na matéria debatida, especialmente por, muitas vezes, aqueles que divergem sobre o sentido da palavra *culpa*, talvez a solução razoável parta da ideia de ***ato ilícito***. Não basta dizer que este é o que viola deveres ou obrigações[349].

Quer se considere a culpa como condição essencial da responsabilidade, ou se funde esta em critério puramente objetivo, a oposição entre as duas noções só apresenta interesse teórico: resultados equivalentes poderão ser alcançados com qualquer dos dois sistemas.

A aplicação dos princípios gerais é múltipla porque a atividade do estado ou dos seus órgãos pode manifestar-se de diversos modos. No campo administrativo, o estado é suscetível de incorrer em responsabilidade porque os atos ou as omissões de seus órgãos, seja qual for o poder a que pertençam, devem ser considerados, em certas condições, como atos ou omissões do próprio estado.

A **expropriação** de investimentos estrangeiros por meio de atos legislativos ou outras medidas adotadas pelo estado receptor, não obstante as razões que possam ser invocadas para tanto, quer de ordem pública, quer de interesse nacional, se, de um lado, podem ter sua adoção justificada pelo estado, que alega a sua condição de soberano e sujeito de direito internacional, mesmo assim, normalmente, sujeitar-se-ão à obrigação de indenizar ou restituir, por parte desse estado

---

349. O conceito já estava contido no art. 159 do antigo Código Civil de 1916: "aquele que, por ação ou omissão voluntária, negligência ou imprudência, violar direito ou causar prejuízo a outrem fica obrigado a reparar o dano". A responsabilidade civil encontra-se disposta de forma pouco mais extensa no Código Civil de 2002, notadamente nos art. 186 e 927. Respectivamente, art. 186: "Aquele que, por ação ou omissão voluntária, negligência ou imprudência, violar direito e causar dano a outrem, ainda que exclusivamente moral, comete ato ilícito"; art. 927, "Aquele que, por ato ilícito, (arts. 186 e 187), causar dano a outrem, fica obrigado a repará-lo", e seu parágrafo único: "Haverá obrigação de reparar o dano, independentemente de culpa, nos casos especificados em lei, ou quando a atividade normalmente desenvolvida pelo autor do dano implicar, por sua natureza, risco para os direitos de outrem". Assim, temos aí reunidos os elementos subjetivo e objetivo, com a simples subordinação do dever de reparação ao nexo causal entre a acao ou omissão do agente e o dano ou ato ilícito praticado.

que adote constrições sobre patrimônio e investimentos de propriedade estrangeira. A jurisprudência, emanada da Corte Permanente de Justiça Internacional, como o **caso da fábrica de Chorzow** (1928)[350]; da Corte Internacional de Justiça, como o caso da **Companhia Anglo-iraniana de Petróleo** (1952)[351], bem como da jurisprudência arbitral, a exemplo dos casos **ARAMCO** (1958), **TEXACO-CALASIATIC** (1977) e **LIAMCO** (1977)[352], elencam dados paradigmáticos a respeito[353]. A tutela dos interesses, regida pelo direito internacional, põe-se como dado relevante para a avaliação das consequências do ato expropriatório.

---

350. Dentre julgados da Corte Permanente de Justiça Internacional em matéria de expropriação de investimentos, teve importância fundamental – porquanto determina que segundo o direito internacional caberá determinar o fato internacionalmente ilícito – o caso da **fábrica de Chorzow**, entre Polônia e Alemanha. Este teve julgamento da competência em 26 de julho de 1927, fixação de indenizações em 16 de dezembro de 1927, e o mérito em 13 de setembro de 1928. Constitui a **doutrina fundamental em matéria de reparação internacional de danos**; formula o princípio fundamental da proteção dos **direitos adquiridos**; afirma a **primazia do direito internacional sobre os atos internos**; e será precedente invocado em numerosos casos posteriores.

351. Corte Internacional de Justiça, no caso da **Anglo-iranian Oil Company**, entre o Reino Unido e o Irã, determinou medidas cautelares em 5 de julho de 1951, e decidiu a respeito da exceção preliminar em 22 de julho de 1952. O governo imperial persa tinha celebrado contrato de concessão em 29 de abril de 1933 com a sociedade petrolífera Anglo-iranian Oil Company. Em 1º de maio de 1951, lei iraniana determina a nacionalização dos ativos daquela companhia. Em 26 de maio de 1951, o governo britânico ingressa perante a Corte contra o governo imperial iraniano, em defesa dos interesses dessa sociedade. Após as medidas cautelares, concedidas em 5 de julho de 1951, o Irã consegue decisão favorável, prolatada por maioria, de 9 votos contra 5, a respeito da questão delicada da jurisdição da Corte. A Corte Internacional de Justiça assinalou que a aplicação dos tratados anteriormente celebrados, a que pretendera o governo britânico, fora excluída pelos termos da aceitação da jurisdição da Corte, por parte do governo iraniano.

352. Dentre casos emanados da jurisprudência internacional em matéria de expropriação de investimentos, *vide*: **ARAMCO contra Arábia Saudita** – a referida sentença arbitral de 23 de agosto de 1958, que reconhece a obrigação de indenizar a sociedade Arabian American Oil Company (ARAMCO), é relevante por estipular a tutela, pelo direito internacional, dos contratos de concessão e de exploração petrolífera, na medida em que estes estariam, assim, no âmbito de aplicação do direito internacional; **TEXACO-CALASIATIC contra Líbia** – na correspondente sentença arbitral de 19 de janeiro de 1977, o árbitro único René-Jean DUPUY, designado pelo presidente da Corte Internacional de Justiça, no início dos trabalhos, por meio de decisão de 27 de novembro de 1975, sustentou que a recusa da Líbia em participar do procedimento não poderia privar as sociedades americanas do direito de fazerem valer suas pretensões de indenização; decisão esta que de certo modo se aproxima da prolatada no caso ARAMCO (1958), mas deste se distingue, porquanto comporta verdadeira construção de doutrina da internacionalização da lei aplicável aos contratos de concessão, e estabelece o caráter obrigatório de tais contratos, cuja violação acarretaria, como se deu no caso, a obrigação de indenizar; **LIAMCO c. Líbia** – quanto à sentença arbitral em apreço, de 12 de abril de 1977, que teve como árbitro único M. MAHMASSANI, designado pelo presidente da Corte Internacional de Justiça, deu-se, no início do procedimento, decisão em 9 de junho de 1975, por meio da qual o árbitro reconheceu-se competente para conhecer e julgar o litígio (esta sentença inova na matéria, porquanto reconhece, sem limites, o direito do estado em proceder à nacionalização, mas traz elementos para a aplicação e parâmetros incidentes sobre a obrigação de indenização, no caso pelos prejuízos causados à sociedade Lybian American Oil Company).

353. A expropriação de investimentos brasileiros na Bolívia pelo governo de Evo MORALEZ, encetada em 2006, teve prosseguimento em 2007, a ponto de ensejar desastradas e titubeantes reações por parte do governo brasileiro, que se pautou pela omissão em proteger patrimônio e os interesses nacionais tanto em relação ao dinheiro público como de investidores brasileiros sujeitos a tal tratamento, sem qualquer ação, no sentido de: (I) coibir os abusos cometidos; (II) desencadear procedimento perante a Corte Internacional de Justiça ou outra instância internacional, judicial ou arbitral, no sentido de processar o regime boliviano, pleiteando devolução e ressarcimento pelos prejuízos causados. A ominosa condução da questão da expropriação boliviana pelo governo brasileiro somente suscitou escassos protestos em razão dos aumentos de preço de gás fornecido ao mercado interno brasileiro.

É ainda necessário examinar os casos em que a responsabilidade poderá recair sobre o estado por atos de coletividades, que em seu território exercem função pública, por estados Federados ou municípios, e ainda por atos de simples indivíduos. Em consequência, no estudo da aplicação dos princípios gerais, serão examinadas as hipóteses de: atos dos órgãos do estado" (3.9.2.); "atos de indivíduos" (3.9.3.); "responsabilidade por dano resultante de guerra civil" (3.9.4.).

3.9.2. atos de órgãos do estado

Os atos de órgãos do estado, contrários ao direito internacional, implicam responsabilidade internacional, mesmo se tais atos forem baseados no seu direito interno. A regra foi codificada pela **Convenção sobre o Direito dos Tratados** de 1969 (art. 27)[354].

3.9.2.1. atos do órgão executivo ou administrativo

Os casos mais comuns de responsabilidade do estado resultam de atos dos órgãos do poder executivo ou administrativo e podem decorrer de decisões do próprio governo ou de atos de seus funcionários. É incontestável que o poder executivo ou as autoridades superiores que o encarnam têm qualidade para comprometer a responsabilidade do estado; para isso basta que outro estado ou cidadão estrangeiro sofra dano resultante de ação ou de omissão das referidas autoridades incompatível com as suas obrigações internacionais.

A ação ou omissão poderá apresentar-se sob formas diversas. Além do mais, frequentemente é difícil determinar com precisão até onde vão as obrigações internacionais do estado, e diversas hipóteses podem ser consideradas a respeito. Entre estas figuram, por exemplo, as das questões relativas às concessões ou contratos do estado, às dívidas públicas, às prisões ilegais ou injustas e à falta da proteção devida aos estrangeiros.

No tocante a contratos ou concessões, admite-se, geralmente, que a responsabilidade do estado estará comprometida se o dano causado resulta de ação ou omissão do poder executivo, a ponto de prejudicar os direitos derivados de concessão feita pelo estado ou de contrato por este subscrito.

É distinto o caso do repúdio ou falta de pagamento das dívidas públicas do estado, contraídas sob a forma de títulos ou obrigações. BORCHARD mostra

354. *V.* no item 2.4. "relações do direito internacional com o direito interno" a evolução da jurisprudência brasileira a respeito do tema, consignando-se a expressa menção, feita pelo Min. Gilmar MENDES, do STF, ao artigo 27 da Convenção.

claramente a diferença, ao dizer que, no caso de contratos, o governo entra em relações diretas com o credor. Este é, pois, uma pessoa conhecida; ao passo que, no caso das dívidas públicas, os títulos são geralmente ao portador e livremente negociáveis, de sorte que o governo ignora quem são os seus credores, até o momento em que tais títulos lhe são apresentados para resgate. Por essa razão, o referido autor declara ser a intervenção de governo, em favor de seus nacionais, muito menos justificada quando estes são portadores de títulos de governo estrangeiro do que quando os credores privados sejam vítimas da não execução de obrigações contratuais ordinárias.

Aliás, se se verifica apenas o adiamento ou a suspensão dos pagamentos de títulos ou juros, e o fato pode derivar – e é, muitas vezes, o que sucede – de condições de insolvência do estado devedor, contra estas nada há a fazer. Por outro lado, existe a presunção de que os portadores de títulos, ao adquiri-los, conheciam os riscos do negócio. E, finalmente, pode considerar-se que a perda ou diminuição de crédito no mercado internacional já constitui sanção suficiente para o governo inadimplente.

Isso não significa que um estado goze de plena liberdade para deixar de pagar seus empréstimos externos, cada vez que o deseje e quaisquer que sejam as hipóteses.

Entre outros atos do próprio governo que podem determinar a responsabilidade internacional do estado, inclui-se a prisão injusta ou ilegal de estrangeiros. Tal responsabilidade se acha comprometida se a prisão ou detenção não foi autorizada pela lei local, ou se o tratamento sofrido na prisão foi contrário ao que o uso geral das nações considera razoável. Não se pode admitir, porém, que toda privação de liberdade seja abusiva.

A responsabilidade do estado também estará comprometida se o dano sofrido por estrangeiro resultar da falta de diligência por parte do governo do estado na medida em que, em razão das circunstâncias e da qualidade da pessoa em causa, poder-se-ia, razoavelmente, esperar algo diferente por parte de um estado[355].

---

355. Em edições anteriores, havia menção a *estados civilizados*. Não mais se inscreve tal adjetivação, por se considerar que os sistemas socioculturais se formam a partir de três elementos: valores; condutas; e produtos. No colóquio, coordenado por René-Jean DUPUY, **The future of international law in a multicultural world / L'avenir du droit international dans un monde multiculturel** (Colloque de l'Académie de Droit International, Haia, 1983, publ. 1984, p. 25), este especifica a noção de produto sociocultural da seguinte maneira: "Products: they materialize in art, science, technology, law. This is what is often called civilization". Se todas as etnias e grupamentos de pessoas, por mais simples que sejam, são capazes de criar vida material e desenvolver crenças, concepções de mundo etc., não cabe falar em *estados civilizados* em contraposição aos que não o seriam pelo simples fato de seus produtos culturais serem distintos. A manutenção da retórica do *civilizado* em contraposição ao pretensamente *primitivo* é equívoco e resquício de direito internacional altamente seletivo, de perspectiva etnocêntrica, e não mais se pode sustentar, ante o reconhecimento de mundo multicultural. Se,

Poderá alegar-se, talvez, não ser fácil nem sequer possível determinar se houve ou não a devida diligência. Em todo caso, é lícito afirmar que esta existe quando o estado usou das medidas adequadas às circunstâncias não só para prevenir o dano, mas ainda para repará-lo.

Se se trata de *atos de funcionários* do estado, é princípio geralmente aceito, e consagrado pela prática internacional, que o estado deve responder pelos ditos atos quando estes são contrários às suas obrigações internacionais e os funcionários procederam nos limites da sua competência.

Daí não se deve concluir que deixará de existir tal responsabilidade quando os funcionários procederam fora dos referidos limites: ela existe nesse caso, uma vez que o funcionário tenha agido em sua qualidade oficial, comportando-se como órgão do estado, salvo se a sua incompetência era tão flagrante que o estrangeiro lesado deveria tê-la percebido[356].

A razão da ressalva é clara: o estrangeiro não é obrigado a conhecer exatamente os limites da competência do funcionário. Mas se a incompetência é manifesta, o estado não deve responder pelo ato de seu agente, que, então, *evidentemente*, não o representava; além disso, em tal caso, o estrangeiro poderia, de alguma sorte, ter escapado ao abuso de poder do funcionário.

Dir-se-á, talvez, que ainda nos casos em que não existe semelhante evidência, o funcionário que procede sem competência não é órgão do estado quando pratica algum ato nessas condições.

Não haveria, pois, motivo para se invocar, então, a responsabilidade do estado. A razão, porém, é outra. O estado deve reparar o dano causado pelo seu funcionário incompetente, que executou o ato lesivo utilizando-se de sua qualidade oficial, porque tal qualidade, apesar da incompetência, não deixa de ligar o funcionário ao estado. Poderá invocar-se também outra razão para que se imputem tais atos ao estado: é a impossibilidade de se verificar seguramente quando um indivíduo, que é funcionário do estado e de fato comporta-se como órgão do estado, mantém-se nos limites de sua própria competência ou os excede.

Os atos de funcionários, suscetíveis de acarretar a responsabilidade internacional do estado, tanto podem ser praticados em território nacional quanto em

---

como referido *supra*, permanece a menção no art. 38, 1. c) do **Estatuto** da Corte Internacional de Justiça, segundo o qual a Corte aplicará "os princípios gerais de direito, reconhecidos pelas nações civilizadas", isto se deve interpretar de modo consentâneo com a atual concepção do direito internacional. Pode o texto permanecer inalterado, mas seria errôneo pressupor que a doutrina continue a manter a retórica ultrapassada da dicotomia entre *civilizado* e *primitivo*.

356. Cf. os casos do estatuto jurídico da **Groenlândia Oriental** na Corte Permanente de Justiça Internacional, em 1933, bem como o caso dos **testes nucleares franceses** (Austrália e Nova Zelândia contra França), na Corte Internacional de Justiça, em 1974.

território estrangeiro. Os funcionários, nesta última situação, são, geralmente, os agentes diplomáticos, os cônsules e os oficiais de marinha. Para que tais atos possam ser imputados ao estado basta que o funcionário em causa tenha procedido nos limites aparentes de suas funções.

A razão de tão escassa exigência deriva de que o indivíduo ou o estado que sofre um dano por ato de um funcionário estrangeiro não pode saber, em geral, se este procedeu, ou não, nos limites de sua competência ou no cumprimento de instruções eventualmente recebidas de seu governo. Por isso, em caso dessa natureza, deve-se considerar a responsabilidade do estado como puramente *objetiva*, oriunda diretamente do próprio ato do funcionário ou agente do estado e baseada em considerações que se prendem à segurança das relações internacionais.

3.9.2.2. atos do órgão legislativo

Os princípios aplicáveis aos atos do órgão executivo também o são aos do órgão legislativo, ainda que este tenha funcionado como órgão constitucional. Assim, se o poder legislativo do estado adota lei ou disposição interna contrária aos seus deveres internacionais ou incompatível com tais deveres, ou deixa de adotar as disposições legislativas necessárias para a execução de algum dos ditos deveres, o estado responderá por isso. Daí a regra, que se pode dizer universalmente aceita, de que um estado não pode declinar sua responsabilidade com a invocação de seu direito interno.

Cumpre ressaltar que mesmo a lei constitucional não pode isentar o estado de responsabilidade por violação de seus deveres internacionais. Nesse sentido, a Corte Permanente de Justiça Internacional, em 1935, emitiu parecer sobre o caso das **escolas de minorias na Albânia**, tendo sustentado que a obrigação, estabelecida mediante tratado, de a Albânia permitir que as minorias étnicas mantivessem escolas próprias não desapareceria diante da obrigação instituída pela então recém-promulgada Constituição. Esta, com efeito, determinava que todas as escolas privadas seriam fechadas; porém, a Corte não aceitou a tese albanesa e decidiu que a despeito de ser medida geral, que atingia a todos os cidadãos, esta não poderia ser utilizada para eximir o estado albanês do cumprimento das obrigações internacionais anteriormente assumidas.

3.9.2.3. atos do órgão judiciário ou relativos às funções judiciárias

O estado pode ser responsabilizado em consequência de atos de seus juízes ou de seus tribunais, embora esse princípio nem sempre tenha sido aceito pelos governos, ciosos da independência de seus tribunais, do respeito devido à coisa julgada e das garantias normalmente existentes no processo judiciário. Além disso, existe a preocupação de não criar para o estado ou indivíduos estrangeiros a eventual instância superior à dos tribunais nacionais.

Embora o princípio da responsabilidade por atos do judiciário seja reconhecido, de modo geral, alguns autores relutam em admiti-lo. É o caso de Clóvis BEVILÁQUA, que, baseando-se no preceito da independência dos órgãos judiciários, sustentou que o estado não pode ser responsável por danos causados por seus tribunais. Nós sustentamos, ao contrário, que para o direito internacional, a decisão ou o ato, emanado de tribunal nacional simplesmente constitui manifestação da atividade do estado; se em tal manifestação existe a violação de obrigações internacionais, o estado deve por esta responder.

Vejamos, porém, em que casos ou condições pode a responsabilidade internacional do estado ser comprometida por atos do poder judiciário ou relativos às funções judiciárias.

Obviamente, ninguém contestará que isso sucede na hipótese de *denegação de justiça*. Apenas existem ainda grandes divergências sobre a definição dessa figura jurídica.

A denegação de justiça pode ser tomada em duas acepções: uma ampla e a outra restrita. Na primeira, é a recusa de aplicar a justiça ou de conceder a alguém o que lhe é devido. Na segunda, que é a da ideia corrente em direito internacional, é a impossibilidade para determinado estrangeiro de obter justiça ou a reparação de ofensa perante os tribunais de outro estado.

Assim, existe denegação de justiça: 1º) quando um estado não fornece aos estrangeiros a devida assistência judiciária, ou porque não lhes permite o acesso a seus tribunais, ou porque não possui tribunais adequados; 2º) quando as autoridades judiciárias se negam a tomar conhecimento das causas que os estrangeiros lhes submetem por meios regulares e a cujo respeito tenham jurisdição; 3º) quando as ditas autoridades se negam a proferir sentença em tais causas, ou retardam obstinadamente as respectivas sentenças; 4º) quando os tribunais do estado não oferecem aos estrangeiros as garantias necessárias para a boa administração da justiça.

De acordo com a opinião mais corrente, a denegação de justiça refere-se apenas à matéria judicial, mas não inclui todas as possíveis violações do direito internacional ou dos compromissos internacionais do estado por atos de seus órgãos judiciários. Assim sendo, há outros casos, de natureza judiciária, em que a responsabilidade internacional do estado se achará comprometida.

Podem tais casos ser resumidos nos seguintes: 1º) decisão judiciária definitiva, incompatível com as obrigações internacionais do estado; 2º) decisão judiciária definitiva, manifestamente injusta.

Quanto ao primeiro caso, ninguém o contesta, a menos que ponha em dúvida o princípio da responsabilidade internacional do estado por atos do seu órgão judiciário. Convém, talvez, precisar que essa responsabilidade não existirá na hipótese de decisão judiciária que viole simplesmente os preceitos do direito interno do estado.

Quanto ao outro caso, este já constitui doutrina mais ou menos corrente. É preciso, porém, que a sentença apresente caráter tão flagrantemente injusto e parcial, ou de tão evidente má-fé, que nenhum tribunal honesto a teria proferido ou só o poderia ter feito sob pressão externa.

Não se deve, porém, confundir a *injustiça manifesta* com o simples erro. Evidentemente, ninguém poderá pretender que as decisões judiciárias sejam infalíveis, mas se o erro cometido não representa injustiça palpável ou não constitui, em si mesmo, a violação de obrigação internacional, a responsabilidade do estado não estará comprometida.

Assim, se um tribunal comete erro com relação a fato ou causa que julga ou à interpretação da lei interna, mas procedeu de boa-fé, nos limites de sua competência, e observou as formalidades legais, não há base, em princípio, para reclamação diplomática ou para que se declare comprometida a responsabilidade do estado.

Ainda a propósito de sentença manifestamente injusta, é de se ter em vista que, se questão dessa natureza é submetida a juízo internacional, a função deste não deverá ser a de rever ou reformar a decisão incriminada, mas a de dizer se o caso importou em violação de alguma obrigação internacional e, eventualmente, determinar a reparação devida pela falta cometida.

É regra geralmente aceita de que o estado responde pelos atos de pessoas jurídicas ou coletividades que, em seu território, exerçam funções públicas de ordem administrativa ou legislativa (estados federados, províncias, municípios, comunas etc.), quando tais atos são contrários aos deveres internacionais do estado[357].

Relativamente ao estado federal, é doutrina corrente que um estado estrangeiro não deve tratar diretamente com as unidades da Federação, e o governo desta não pode esquivar-se da responsabilidade por atos imputáveis aos governos das ditas unidades, sob a alegação de que a autonomia destas não lhe permite intervir nos seus negócios.

---

357. Constava de edições anteriores: ao estado a que competia a representação externa de outro ou dirige as relações exteriores de outra unidade política, ao órgão central comum que tem a direção dos negócios externos de uma Federação ou de outra qualquer união de estados, incumbe a responsabilidade pelo cumprimento ou falta de cumprimento das obrigações internacionais por parte do estado ou estados representados ou subordinados ou dos membros de tais uniões.

Em todas as modalidades de responsabilidade internacional do estado, até aqui examinadas, trata-se de ação ou omissão de agentes ou subdivisões do estado; portanto, das suas emanações mais ou menos diretas. Cabe, a seguir, considerar a possibilidade de caracterização da responsabilidade internacional do estado, em decorrência de atos de indivíduos.

3.9.3. atos de indivíduos

O direito internacional reconhece a existência de atos internacionais ilícitos imputáveis exclusivamente a indivíduos: tais são, por exemplo, a pirataria, o tráfico de drogas e de escravos, o genocídio (cf. Art. IV da **Convenção para a Prevenção e a Repressão do Crime de Genocídio**-1948) e os outros crimes tipificados no *Estatuto de Roma* do **Tribunal Penal Internacional** (1998). Ademais, em tempo de guerra constituem atos ilícitos dos indivíduos o transporte de contrabando e a violação do bloqueio.

Há, porém, atos de simples particulares que podem comprometer, se bem que indiretamente, a responsabilidade do estado no âmbito de sua jurisdição. Isto é, a responsabilidade não decorrerá propriamente dos atos de indivíduos que não representam o estado, mas da atitude deste, ou, melhor, da inexecução, por sua parte, de obrigações que lhe são impostas pelo direito internacional.

Os atos ilícitos de particulares, suscetíveis de comprometer a responsabilidade internacional do estado, ou são lesivos a estado ou a meros indivíduos estrangeiros. No primeiro caso, podem citar-se como exemplos: os ataques ou atentados contra o chefe ou os representantes oficiais de estado estrangeiro; o insulto à bandeira ou emblemas nacionais de um país estrangeiro; as publicações injuriosas contra ele dirigidas etc. Muito mais numerosos serão os exemplos do segundo caso.

Em nenhum dos dois casos, o autor ou autores dos atos lesivos possuem a qualidade de órgãos ou agentes do estado, nem procedem nessa qualidade. Nisso diferem tais atos dos que determinam a responsabilidade do estado por provirem dos referidos órgãos ou agentes.

Os agentes ou funcionários do estado falam e agem em seu nome; os particulares, não. Evidentemente, o estado não pode exercer sobre estes a mesma vigilância e fiscalização que sobre aqueles.

Por que, então, deverá o estado responder também por atos de tais indivíduos?

Diversas teorias têm procurado explicar e justificar semelhante responsabilidade. A mais antiga de todas, a que ANZILOTTI dá o nome de *teoria da solidariedade do grupo*, repousava numa concepção reinante na Idade Média e segundo a qual se considerava o estado como coletividade cujos membros respondiam, individual e coletivamente, pelos atos de qualquer deles.

Em contraposição a essa teoria, GRÓCIO imaginou outra, fundada essencialmente no direito romano. Segundo essa concepção, a responsabilidade do estado decorreria da cumplicidade com os seus membros. É a teoria da culpa: sem esta não existe responsabilidade. Quando, por exemplo, um estado não impede, podendo fazê-lo, que o indivíduo sob sua jurisdição pratique ato delituoso contra outro estado, ou protege o delinquente subtraindo-o à punição, a responsabilidade daquele estado resultará da aprovação tácita do fato, isto é, de espécie de cumplicidade com o delinquente, e não de qualquer relação de solidariedade entre o indivíduo e o respectivo grupo social.

A ***responsabilidade do estado não resulta diretamente dos atos do indivíduo***, como tal, que apenas *ocasionam* a responsabilidade. Esta ***decorre da atitude do estado, ou seja, da inexecução, por este, de obrigações que o direito internacional lhe impõe, relativamente a pessoas ou coisas no seu território***.

Assim, é princípio hoje corrente que, no tocante a fatos lesivos cometidos por particulares, em território sob sua jurisdição, o estado é responsável quando o dano resulta da omissão de providências que ele devia, normalmente ter adotado, para prevenir ou reprimir tais fatos. Foi, precisamente, nesse sentido que se manifestou o IDI em 1927. E também de forma similar o Instituto Americano de Direito Internacional, em 1925, ao adotar o preceito de que os governos só são responsáveis, pelos danos sofridos pelos estrangeiros, em suas pessoas ou bens, "quando não tenham assegurado a ordem interna, tenham sido negligentes na repressão dos atos que perturbam a dita ordem, ou, finalmente, não tenham concedido, na medida das suas forças, as garantias necessárias para prevenir os ditos danos ou prejuízos".

Por outras palavras, pode dizer-se que o estado será responsável por atos de particulares:

1º) se deixou de cumprir o dever de manter a ordem, isto é, de assegurar à pessoa e bens do estrangeiro a proteção que lhe é devida;

2º) se foi negligente na repressão de atos ilícitos cometidos contra o estrangeiro.

Qual, porém, a proteção devida à pessoa e bens dos estrangeiros? Ou quais os deveres dos estados para com os estrangeiros que se encontrem em território sob sua jurisdição? A doutrina e a prática internacionais, a respeito, não têm sido uniformes.

É sabido que o estado pode e deve regular a condição dos estrangeiros em seu território. Cumpre-lhe, no entanto, assegurar-lhes certa proteção, isto é, reconhecer-lhes um mínimo de direitos, dentre os quais se salientam o direito à vida, o direito à liberdade individual, o direito de propriedade. Isso significa que o estado deve responder pelo desrespeito a tais direitos, ou seja, pela violação da sua obrigação de os assegurar.

Muitos autores, todavia, especialmente latino-americanos, preferem admitir um máximo de direitos para os estrangeiros, em contraposição ao nível mínimo de tratamento que as teorias mais recentes exigem para estes. Alegam, então, que os estrangeiros não podem reclamar proteção especial do estado que os acolhe, ou uma situação privilegiada, no seu território. Acrescentam que ao estado cumpre, sem dúvida, reprimir os atos ilícitos praticados contra os estrangeiros e esforçar-se por prevenir tais atos, mas, quando muito, na mesma medida em que o faz em relação aos nacionais. Não negam que o estado deve assegurar aos estrangeiros a aquisição e gozo dos direitos civis e a proteção legal das autoridades nacionais, mas afirmam, com força, ser absurdo que os estrangeiros possam pretender direitos superiores aos dos nacionais ou diferentes dos reconhecidos a estes.

A tese do máximo dos direitos reconhecidos aos estrangeiros encontrou expressão em diversas resoluções e convenções das conferências internacionais americanas. Assim, por exemplo, em resolução aprovada a 24 de dezembro de 1933, na Conferência Internacional Americana de Montevidéu, foi reafirmada "como princípio de direito internacional, a igualdade civil do estrangeiro com o nacional, como limite máximo de proteção a que o primeiro possa aspirar"; e no artigo 9º da Convenção sobre Direitos e Deveres dos Estados, adotada na mesma reunião, foi declarado que "os estrangeiros não poderão pretender direitos diferentes dos nacionais, nem mais extensos do que os destes".

O fato de alguns países latino-americanos terem sido vítimas de práticas abusivas por parte das grandes potências em casos relativos à proteção de nacionais de algumas destas talvez tenha determinado a reação constante da tese do máximo de direitos, mas não basta para justificá-la. A verdade é que o homem, como pessoa, tem direitos fundamentais que lhe devem ser reconhecidos em toda parte. Por isso, pode afirmar-se que existe para ele um nível mínimo de tratamento, abaixo do qual nenhuma nação pode descer.

Daí o direito internacional contemporâneo reconhecer que os estrangeiros, da mesma forma que os nacionais, estão sujeitos às leis locais, mas que estas lhes devem assegurar um mínimo de direitos, em geral também assegurado aos nacionais. Esse mínimo corresponde ao chamado "padrão internacional de justiça" (*international standard of justice*), isto é, a certos direitos fundamentais do indivíduo. Assim, o direito internacional não exige que aos estrangeiros sejam reconhecidos mais direitos do que aos nacionais, salvo na hipótese em que o país onde residem não assegure aos respectivos habitantes, de maneira permanente, o mínimo de direitos que o sentimento da justiça internacional impõe a todos os povos, isto é, o direito à vida, à liberdade e à propriedade, sem distinção, e o direito ao livre exercício de crença.

Como se vê, não se trata de estabelecer a igualdade de direitos entre nacionais e estrangeiros nem tratamento privilegiado a estes. O que se pretende é apenas que o estado conceda aos últimos um mínimo de direitos. Se esse mínimo é superior ao de que gozam os nacionais, não é ao estado estrangeiro que cabe discutir o caso ou reclamar contra a desigualdade, porque esses nacionais o são do estado em cujo território residem. Em favor desses nacionais existirá sempre a presunção de que se resignam com a sua própria situação ou a de que poderão recorrer – contra o mau tratamento eventualmente sofrido – ao exercício de direitos políticos, recurso de que o estrangeiro geralmente se acha privado por não lhe serem reconhecidos tais direitos.

A tendência favorável à concessão de um estatuto especial para os estrangeiros ou, antes, de um estatuto compatível com as exigências do direito internacional já passou do campo da doutrina para o da justiça internacional. Assim, por exemplo, a Corte Permanente de Justiça Internacional, em sentença proferida a 25 de maio de 1926, decidiu que certa medida, concernente ao tratamento de estrangeiro e proibida pelo direito das gentes, não se poderia tornar legítima pelo fato de o estado em causa aplicá-la a seus próprios nacionais.

Se se encara a questão sob outro aspecto, poderá sustentar-se que o reconhecimento, por todos os estados, de um mínimo de direitos aos estrangeiros, longe de estabelecer a desigualdade, determina uma situação igual entre os estados, porque o nacional de um estado é estrangeiro noutro estado e nesse outro gozará dos mesmos direitos mínimos que o estado a que pertence é obrigado a reconhecer a todos os estrangeiros.

Em suma, não se pretende colocar os estrangeiros acima dos nacionais. O que se tem em vista é assegurar a todos os indivíduos, como tais, certos direitos e garantias elementares e indispensáveis à dignidade humana.

3.9.4. responsabilidade por dano resultante de guerra civil

A questão da responsabilidade internacional em decorrência de motins e guerras civis tem suscitado várias teorias interessantes, a ponto de os autores europeus justificarem a responsabilidade e os latino-americanos, a desconhecê-la. Como em tantas outras matérias, é a dimensão política do direito internacional que acaba por determinar o enquadramento e a compreensão da matéria.

A mais antiga de todas as teorias a respeito do tema é talvez a que sustenta não existir essa responsabilidade em tais hipóteses, porque elas se confundem com as de *força maior*. Pode ser assim enunciada: da mesma forma que o estado não é responsável por danos resultantes de inundações, terremotos, erupções vulcânicas e outros flagelos ou cataclismos telúricos, fora do seu alcance, tampouco se lhe poderá imputar responsabilidade por prejuízos resultantes de fatos inevitáveis, como motins ou guerras civis.

Em contraposição a essa teoria, têm surgido outras, dentre as quais podemos mencionar:

a) ***teoria da expropriação***, de BRUSA, segundo a qual o estado assume responsabilidade pelo pagamento de indenização, em casos de motins ou guerras civis, simplesmente como compensação pelas vantagens e benefícios que, para combater rebeldes e reprimir sediciosos, retirou das pessoas e bens dos estrangeiros;

b) ***teoria do risco***, de FAUCHILLE, que não se distancia muito da anterior e baseia-se na regra de que quem tira proveito de uma pessoa ou de uma coisa, submetida ao seu domínio, deve suportar os prejuízos ocasionados por essa pessoa ou essa coisa, ou que venham atingir esta ou aquela;

c) ***teoria de WIESSE***, para quem, no caso, a responsabilidade do estado deriva do seu dever de manter a ordem, sendo ele, portanto, responsável pelos danos resultantes de motins ou guerra civil, que não soube impedir, salvo se consegue provar ter exercido vigilância de maneira usual e com a atenção exigida pelas circunstâncias;

d) ***teoria do interesse comum***, de PODESTÀ COSTA, para quem, pelo fato de ser o estrangeiro uma unidade integrante da comunidade nacional, o dano que sofre, em consequência de motim ou guerra civil, é coberto por sua virtual nacionalização e não acarreta responsabilidade internacional.

Pondo à parte todas essas teorias, parece-nos que a questão pode assumir os dois aspectos seguintes, variando as soluções conforme as hipóteses:

1º) de danos causados por **insurretos** ou **amotinados**, ou pela **população**;

2º) de danos causados pelas **forças armadas** ou **autoridades do estado**, na repressão de insurreição ou de motins ou outros distúrbios.

No primeiro caso, são perfeitamente aplicáveis os princípios admitidos no tocante à responsabilidade por atos de particulares. Cumpre, por conseguinte, examinar apenas:

1º) se o estado procedeu sem a conveniente diligência para prevenir os fatos;

2º) se deixou de os reprimir, isto é, se não reagiu contra tais fatos com a devida diligência. Se se verifica qualquer dessas duas hipóteses, a responsabilidade do estado acha-se comprometida.

No segundo caso, a responsabilidade do estado confunde-se com a resultante de atos do seu órgão executivo ou administrativo, isto é, só existirá quando os atos praticados pelas forças armadas ou autoridades do estado na repressão de motim ou insurreição forem contrários aos seus deveres internacionais.

Nesse caso, a responsabilidade pode resultar, por exemplo: *a*) da conivência de agentes da política ou de outros funcionários autorizados, no motim em causa; *b*) da falta de reparação de danos provenientes de requisições ou da ocupação de propriedades, pelas autoridades ou forças armadas do estado; *c*) da falta de preparação de danos provenientes de atos das autoridades ou das forças armadas do estado, sem relação direta com a luta armada ou incompatíveis com as regras geralmente observadas pelos estados.

Com relação a danos resultantes de **guerra civil**, duas situações especiais devem ainda ser examinadas: *a*) a de **insurretos** reconhecidos como **beligerantes**; *b*) a de **insurretos** que se tornam **vitoriosos**. No primeiro caso, a responsabilidade do estado por atos praticados pelos insurretos cessa quando aquele reconheceu estes como beligerantes. Cessa também em relação a outros estados que os reconheceram como tais. No segundo caso, isto é, no de insurreição vitoriosa, admite-se, em geral, que o novo governo do estado é responsável pelos danos causados pelos insurretos, na medida em que a responsabilidade do estado teria sido comprometida em consequência de danos causados por atos do governo legal ou de seus agentes.

A respeito de danos resultantes de motins ou violência da **multidão**, é de observar ainda que, quando as próprias pessoas lesadas tiverem concorrido, por sua atitude provocadora, para o fato que acarretou o dano, a responsabilidade do estado pode ser declarada inexistente.

3.9.5. esgotamento dos recursos internos

O dano causado por violação de deveres internacionais, ainda que imputável ao estado, não basta para que se declare efetivamente comprometida a responsabilidade internacional deste, ou, melhor, para que se justifique reclamação internacional por via diplomática ou outra. É, ainda, necessário que se esgotem, sem êxito, as vias de recurso oferecidas pela legislação interna do estado, que cometeu ou onde se cometeu o ato lesivo.

O esgotamento prévio dos recursos internos, ou locais, constitui, pois, regra universalmente admitida e plenamente justifica-se, porquanto tais recursos podem mostrar: (I) juridicamente, não ter havido dano ou ofensa; (II) haver meios de defesa e de reparação adequados, regulados pelo direito interno do estado; ou (III) poder ser obtida reparação sem necessidade de reclamação internacional.

Assim, enquanto os tribunais do estado, até sua mais alta instância, não houverem proferido a última palavra sobre a questão que dependa da sua competência, nenhuma reclamação internacional deverá ser apresentada a tal respeito por via diplomática. E se a questão pertence à categoria das que o direito internacional ainda considera exclusivamente dependentes da jurisdição doméstica do estado, as decisões da última instância nacional serão sem apelação, a menos que se possa demonstrar ter havido denegação de justiça ou injustiça manifesta.

Evidentemente, se os recursos locais não são adequados ou acessíveis ao estrangeiro lesado, este poderá apelar para a **proteção diplomática**. Cabe precisar ser esta decorrência de escolha e critério do estado, que por este pode vir a ser exercida, em caráter soberano e discricionário, e não se trata de direito do particular interessado.

Todo estado, porém, pode alegar possuir tribunais adequados, acessíveis aos estrangeiros, e capazes de administrar eficazmente a justiça, e pretender exigir que nenhuma reclamação lhe seja apresentada por via diplomática, sobre qualquer questão dependente da competência de seus tribunais antes que estes, em sua mais alta instância, tenham-se pronunciado definitivamente sobre tal questão ou tenham, desarrazoadamente, protelado a decisão definitiva.

Desde a origem, e ao longo do seu desenvolvimento histórico, a regra do esgotamento dos recursos internos ou locais de reparação teve aplicação em litígios de origem privada, opondo estrangeiros a soberanos ou estados. Em suma, são esses casos distintos dos de dano direto interestatal.

A compreensão da natureza permite delimitar a extensão da aplicação do instituto. Como ressalta A. A. CANÇADO TRINDADE (1984)[358], teve a regra *caráter preventivo*, como condição prévia indispensável para o exercício de **represálias** (em passado distante) e da **proteção diplomática** (no contexto contemporâneo). Ao impedir intervenções, minimizou tensões nas relações internacionais, e assegurou, no *contencioso diplomático*, certa medida de respeito pela soberania dos estados. No contencioso *judicial* internacional, tem a regra enfatizado o caráter subsidiário da jurisdição internacional, ao passo que o argumento congênere do domínio reservado dos estados visa impedir, em absoluto, qualquer tipo de ação no plano internacional. Na prática, a regra do esgotamento, aparentemente menos ambiciosa, tem se mostrado bem mais eficaz na prevenção de ações internacionais[359].

358. Antonio Augusto CANÇADO TRINDADE, **O esgotamento de recursos internos no direito internacional** (Brasília: Ed. UnB, 1984).

359. A. A. CANÇADO TRINDADE (op. cit., 1984, "Conclusões finais", p. 241-245, cit. p. 241): "Historicamente, situaram-se os

A evolução da regra do esgotamento dos recursos internos, no direito internacional, combina-se com a atenção aos contextos específicos de sua incidência e aplicação: no contexto da **proteção diplomática**, a regra operou como objeção substantiva, impedindo a intervenção – enquanto os primeiros experimentos outorgando capacidade processual internacional aos indivíduos minimizaram até certo ponto o princípio da reparação interna ou local, no contexto dos experimentos contemporâneos de proteção internacional dos direitos humanos, a regra do esgotamento dos recursos internos tem operado como objeção dilatória ou temporal de natureza processual. Mas a evolução[360] da regra não termina aqui: tendo em mente a mudança corrente de ênfase voltada à função e prática dos próprios tribunais nacionais, na aplicação da regra, em conformidade com dispositivos de instrumentos internacionais de proteção dos direitos humanos, e a tendência no sentido de aperfeiçoamento dos sistemas nacionais de proteção judicial, é possível que a *natureza "processual"* da regra, no contexto da proteção internacional dos direitos humanos, possa levar a sua nova e distinta caracterização.

3.9.6. nacionalidade das reclamações

Em princípio, uma reclamação por dano causado a nacional só se justifica se se tratar de nacional do estado reclamante ou de pessoa que se encontre sob a sua proteção diplomática. Em outras palavras, o estado reclamante deve basear a sua intervenção no fato de que, se o dano não o atingiu diretamente, atingiu um dos seus nacionais ou pessoa sobre quem se exerce sua proteção diplomática.

A esse propósito, surgem, desde logo, duas questões: a do momento a partir do qual deve existir o caráter nacional e a da duração de tal caráter. Isto é, trata-se de saber: 1º) se o caráter nacional deve existir a partir da apresentação da reclamação ou desde o ato ilícito; 2º) se tal caráter deve persistir ininterruptamente, até que a reclamação tenha solução.

A prática diplomática e a jurisprudência internacional parecem ter consagrado o princípio de que, para os efeitos da reclamação, o indivíduo deve ter possuído, na época da violação do seu direito, a nacionalidade do estado reclamante (ou a qualidade de seu protegido) e encontrar-se ainda nessa situação, no momento da apresentação da reclamação.

---

nacionais fora do âmbito de aplicação da regra do esgotamento dos recursos internos, e o fato de ter sido esta última incorporada em virtualmente todos os instrumentos e procedimentos contemporâneos de proteção internacional dos direitos humanos (em que o vínculo da nacionalidade é irrelevante ao exercício da proteção, distitntamente do tratamento de estrangeiros) requer uma reavaliação cuidadosa".

360. A. A. CANÇADO TRINDADE (op. cit., 1984, p. 244-245).

Quanto à segunda questão, a doutrina mais corrente é favorável à persistência do caráter nacional, até a decisão final. Admite-se, contudo, que, se o dano é permanente (tal é, por exemplo, a manutenção de uma prisão injustificada) e o indivíduo lesado muda de nacionalidade enquanto o dano persiste, o novo estado cuja nacionalidade foi adquirida poderá sustentar a reclamação. Ainda, porém, que se não trate de dano permanente, parece injusto que, pela simples circunstância de ter mudado de nacionalidade, um indivíduo lesado não possa obter reparação do dano sofrido, tampouco que o estado, a cuja nacionalidade tal indivíduo passou a pertencer, não possa exercer o seu direito de proteção em relação a esse indivíduo, que se tornou um dos seus nacionais. A injustiça parece ainda maior quando a mudança da nacionalidade decorre de uma exigência da lei e independe da vontade do indivíduo interessado.

Em qualquer hipótese, é indiscutível que o indivíduo em favor de quem se faz a reclamação não deve possuir a nacionalidade do estado contra o qual é dirigida a reclamação.

3.9.7. circunstâncias que excluem a responsabilidade

A doutrina e a prática internacionais têm geralmente admitido que, em certos casos, devido a circunstâncias especiais, a responsabilidade internacional do estado desaparece. Tais casos são: 1º) aqueles em que o ato perde o caráter ilícito, transformando-se no exercício de um direito reconhecido; 2º) aqueles em que o ato determinante da responsabilidade, apesar de ilícito em si mesmo, não pode acarretar as consequências naturais dos fatos ilícitos; 3º) aqueles em que o decurso do tempo extingue a responsabilidade; 4º) aqueles que representam a consequência direta do comportamento inconveniente e censurável do indivíduo lesado.

O primeiro caso é o da *legítima defesa*. Esta pressupõe sempre uma agressão ou ataque ilícito e uma reação determinada pela necessidade imediata da defesa, reação adequada, proporcionada ao ataque ou ao perigo iminente.

Sua invocação tem dado lugar a abusos, provenientes talvez da falta de acordo preciso sobre as circunstâncias que a caracterizam. Em todo caso, é princípio universalmente aceito que a legítima defesa faz desaparecer o caráter possivelmente ilícito de um ato, dando-lhe o de exercício de um direito reconhecido.

O segundo caso é o das *represálias*. Estas compreendem atos em si mesmos ilícitos, mas que se justificam como único meio de combate a outros atos igualmente ilícitos. Convém precisar, no entanto, que as represálias só podem ser admitidas: 1º) em face de um ato prévio que constitua infração ao direito, contrária a quem as emprega; 2º) se proporcionais à gravidade da infração. A essas duas condições, pode acrescentar-se a de que o ofendido não tenha encontrado um meio lícito de impedir a violação do seu direito.

O terceiro caso é o da *prescrição liberatória*. Ainda que alguns autores ainda neguem esse modo de extinção de obrigações delituosas e, portanto, de exclusão da responsabilidade do estado, o IDI já o aceitou e a justiça arbitral já o tem confirmado. É exato que o direito internacional ainda não estabeleceu regras precisas a seu respeito. Considera-se, porém, como admitido que, da mesma forma que no direito interno, o elemento básico da prescrição liberatória ou extintiva, em matéria internacional, é o silêncio do credor durante um espaço de tempo mais ou menos longo. Além disso, a jurisprudência arbitral já indicou que a dita prescrição só deverá ser aplicada quando invocada.

O quarto e último caso é o de culpa do próprio indivíduo lesado. Assim é que se considera que a responsabilidade do estado pode desaparecer ou, pelo menos, ser atenuada, quando o mencionado indivíduo se comportou de tal modo que se pode dizer ter sido a própria causa do fato gerador do dano ou ter fortemente contribuído para que este ocorresse. Já nos referimos, aliás, a essa hipótese no final do parágrafo referente à responsabilidade por danos resultantes de motins ou guerras civis.

Outras circunstâncias, além dessas, têm sido apresentadas como capazes de excluir a responsabilidade internacional do estado. Tais são: a renúncia do indivíduo lesado, e o estado de necessidade.

A renúncia ocorre quando um indivíduo, em contato particular com um governo estrangeiro, compromete-se a não recorrer à proteção diplomática de seu próprio governo em qualquer questão relacionada com as disposições de tal contrato. A uma cláusula nessas condições foi dado o nome de *Cláusula Calvo*, por analogia com a *Doutrina Calvo*, que figura ou figurava frequentemente nos contratos de concessões entre governos latino-americanos e sociedades ou indivíduos estrangeiros. Qual, entretanto, o seu alcance?

Admite-se, em geral, que o indivíduo ligado por semelhante compromisso não tem o direito de reclamar para si, em caso de não cumprimento do contrato, a proteção do seu país, salvo nas hipóteses de denegação de justiça ou de injustiça manifesta. Sendo assim, a referida cláusula parece supérflua. Aliás, não é possível que ela pretenda ir além e vise impedir o exercício da proteção, nas hipóteses indicadas.

Por outro lado, é de alegar não só que o estado não pode ser considerado como obrigado a estipulações de um contrato entre um dos seus nacionais e um governo estrangeiro, mas também que a proteção diplomática constitui, antes, o exercício de um direito e um interesse do estado reclamante do que um direito ou um interesse do seu nacional.

Em suma, não nos parece que a renúncia do indivíduo lesado constitua circunstância dirimente da responsabilidade do estado.

Não a constitui tampouco o chamado *estado de necessidade*, defendido por alguns autores[361]. Em termos gerais, essa situação é a de conflito entre os interesses próprios ou vitais de um estado e os direitos de outro ou outros estados. No caso, não se trata, como sucede na legítima defesa ou nas represálias, de reação contra ato injusto e sim, apenas, da ação egoística de um estado contra direitos de outro ou outros estados.

Pretendem os defensores da teoria da necessidade baseá-la no direito de conservação do estado, mas esquecem-se de que tal direito não é nem pode ser absoluto: não pode haver direito contra direito. O direito de um estado tem por limite os direitos dos demais membros da comunidade internacional.

Uma parte da doutrina e alguns tribunais internacionais já têm sustentado o princípio de que o *abuso de direito* – ou o exercício abusivo das competências conferidas ao estado – pode acarretar a responsabilidade internacional do estado que o pratica. Tal princípio ainda é contestado por certos autores, pautados por viés ideológico, mas tem obtido reconhecimento até na jurisprudência internacional[362]. Nas relações internacionais, o que caracteriza o *abuso de direito* é, precisamente, o aludido exercício abusivo das competências possuídas pelo estado.

Assim, não se pretende negar a legitimidade dos atos do estado, praticados no âmbito de tais competências. Mesmo no exercício de competências soberanas pelo estado, a ação deste pode ensejar a obrigação de indenizar por danos causados[363].

O exercício arbitrário destas é que se considera ilícito e, assim, constitui fonte de responsabilidade para o estado. Cabe passar ao exame das suas consequências jurídicas (3.9.8.).

---

361. Oswald SPENGLER, **Der Untergang des Abendlandes**: Umrisse eine Morphologie der Weltgeschichte (edição original definitiva 1923, nova impressão Düsseldorf: Albatroz, 2007, I.VI.6, p. 502), chega a falar em uma "origem religiosa do conceito físico de necessidade" (*religiose Ursprung der physikalischen Begriff der Notwendigkeit*), o que precisa ser entendido e aplicado com extremo cuidado, enquanto exceção: a necessidade não tem lei; e a necessidade faz a sua lei. *V.* tb.: Louis CAVARÉ, **Le droit international public positif** (3e éd., mise à jour par J.-P. QUENEUDEC, Paris: Pedone, 1969, 2 tomos); G. SPERDUTI, **Le principe de souveraineté et le problème des rapports entre le droit international et le droit interne** (RCADI, 1976, t. 153, p. 319-410); SFDI, **La nécessité en droit international** ("colloque de Grenoble" de 8 a 10 de junho de 2006, Paris: Pedone, 2007, cit. "avant-propos" dos organizadores Th. CHRISTAKIS e Karine BANNELIER, p. 7-8): "a 'necessidade' impregna todos os ramos do direito internacional, sob formas muito diversas".

362. *V.*, *supra*, 3.8.1., referências a alguns dos julgados emanados da Corte Permanente de Justiça Internacional, da Corte Internacional de Justiça e da jurisprudência arbitral, em matéria de expropriação de investimentos por meio de nacionalização.

363. *V.*, *supra*, 3.8.1. a respeito da **expropriação**, em relação aos princípios gerais e aplicação da responsabilidade internacional do estado.

3.9.8. consequências jurídicas da responsabilidade

É princípio geralmente aceito pela doutrina[364] o de que a responsabilidade do estado comporta a obrigação de reparar o dano causado e, eventualmente, dar uma satisfação adequada. Ao estado responsável cabe, pois, essa obrigação, ao passo que ao estado lesado, ou de que algum nacional ou protegido tenha sido lesado, pertence o direito à reparação ou satisfação.

Considera-se, em geral, que na ideia de *reparação* está implícita a de dano material e a de restabelecimento das coisas no estado anterior ou em sua primitiva integridade (*restitutio naturalis* ou *restitutio in integrum*). Se tal restabelecimento não é possível ou só o é parcialmente, deverá intervir então uma indenização ou compensação equivalente.

Assim, conforme disse a Corte Permanente de Justiça Internacional, "**a reparação deve, tanto quanto possível, apagar todas as consequências do ato ilícito e restabelecer a situação que teria, provavelmente, existido se o dito ato não tivesse sido cometido**".

Se, no entanto, se verifica a impossibilidade de restituição na mesma espécie – impossibilidade que tanto pode ser de ordem material quanto de ordem jurídica –, deve recorrer-se à concessão de uma indenização pelo dano causado, representada ordinariamente pelo pagamento de quantia equivalente.

Na ideia de ***satisfação***, está subentendida a de dano imaterial ou moral e a de compensação também moral, proporcionada ao dano. O dano dessa natureza pode referir-se tanto à pessoa de um estado quanto à de um particular. No primeiro caso, o estado pode ser atingido direta ou indiretamente. O dano é direto quando dirigido contra o próprio estado, pessoa internacional; é indireto quando dirigido contra seus agentes ou representantes, ou contra seus nacionais.

---

364. O tópico *Responsabilidade Internacional dos Estados* consta da Agenda da CDI desde o início, mas considerações doutrinárias e políticas têm obstaculizado os seus trabalhos, não obstante os magníficos relatórios submetidos pelos relatores. Nesse sentido, é importante estudar os oito relatórios de Roberto AGO, publicados no YILC de 1969 a 1980, e subsidiariamente os de F. V. GARCIA AMADOR, Willen RIPHAGEN e de Gaetano ARANGIO-RUIZ. Dentre extensa bibliografia básica, ler: Mathias FORTEAU, **Droit de la sécurité collective et droit de la responsabilité internationale de l'état** (Paris: Pedone, 2006); A. A. CANÇADO TRINDADE, **The application of the rule of exhaustion of local remedies in international law**, Cambridge, 1983; e **O esgotamento de recursos internos no direito internacional**, Brasília, 1984; ACCIOLY, **Principes généraux de la responsabilité internationale d'après la doctrine et la jurisprudence** (RCADI, 1959, t. 96, p. 349-442); ACCIOLY, **Tratado** (2009, v. I, p. 338-443); BROWNLIE, p. 418; C. F. AMERASINGHI, **State responsability for injuries to aliens**, Oxford, 1967; DIEZ DE VELASCO, **Instituciones de derecho internacional público** (Madrid: Tecnos, 16. ed., 2007); E. JIMENEZ DE ARÉCHAGA – H. ARBUET-VIGNALI – R. PUCEIRO RIPOLL, **Derecho internacional público** – princípios, normas, estructuras (Montevidéu: Fundación de cultura universitária, t. II:2008; cap. XIV, "*Responsabilidad internacional del estado*", p. 246-307); C. D. A. MELLO, **Curso** (15. ed., 2004, v. I, cap. XXII, "responsabilidade dos estados", p. 523-554); P. M. DUPUY, **Le fait générateur de la responsabilité internationale des États** (RCADI, 1984,t. 188, p. 9-133); REZEK, **Curso elementar**, cit., p. 269; Roberto AGO, **Le délit international** (RCADI, 1939, t. 68, p. 415-554).

Alguns autores preferem classificar os danos em *patrimoniais* e *extrapatrimoniais*, correspondendo os primeiros aos que, de maneira geral, alcançam os bens materiais; e os segundos, aos que se referem aos demais bens. Estes últimos podem ser ou morais, ou corporais, ou referir-se à liberdade individual (prisão ou detenção e expulsão).

Relativamente à extensão de reparação devida, dois pontos têm suscitado discussões: um é saber se ela deve cobrir não só o dano direto, mas também o indireto; o outro é saber se o lucro cessante (*lucrum cessans*) constitui dano direto ou indireto.

A doutrina moderna e a jurisprudência dos tribunais arbitrais têm consagrado o princípio de que só devem ser concedidas reparações por prejuízos diretos. Convém, entretanto, não confundir a extensão da reparação com as suas formas. Efetivamente, sob este último aspecto, a reparação pode ser *direta*, como no caso da *restitutio in integrum*, ou indireta, como no caso da indenização ou compensação equivalente.

Quanto ao *lucro cessante*, parece que se não deve incluí-lo entre os danos indiretos, pois, em geral, quando se trata de danos de ordem material, não será difícil demonstrar a relação de causa e efeito entre a infração e o lucro cessante, isto é, o ato ilícito e aquilo que o indivíduo lesado deixou de ganhar. A regra, pois, geralmente aceita é que, no tocante aos danos materiais, deve-se conceder reparação não só pelo prejuízo propriamente dito (*damnum emergens*), mas também pelo que a parte prejudicada deixou de ganhar (*lucrum cessans*).

Na prática, contudo, nem sempre é fácil separar o dano direto do dano indireto, ou fazer clara distinção entre os dois. Assim, o que se deve ter presente, nessa matéria, é a existência de uma relação certa e verificada entre o dano e o ato ilícito.

Sem dúvida, a causa deve ser direta, no sentido de que o dano, ainda que sofrido indiretamente, esteja a ela ligado por forma clara e inequívoca, sem solução de continuidade. Vale dizer que o dano deve ser a consequência certa, necessária, inevitável, do ato gerador da responsabilidade.

No tocante à reparação de danos materiais, há um ou outro princípio que a prática internacional tem consagrado, mas surgem frequentemente certas dificuldades cuja solução, em geral, se deixa ao critério do julgador. Entre os princípios geralmente admitidos, há, por exemplo, o de que a vítima deve, quanto possível, ser colocada no estado em que se encontraria se não tivesse sofrido uma lesão, ou, por outra, "a reparação deve ser equivalente ao prejuízo". Como espécie de corolário desse princípio, pode mencionar-se o de que a reparação não deve ultrapassar o prejuízo efetivamente sofrido, pois o autor de ato ilícito não pode ser obrigado a responder por consequências que ultrapassem a extensão do dano causado. Se se tratar de prejuízo da categoria dos chamados ***extrapatrimoniais***, o princípio da equivalência da reparação só dificilmente poderá ser aplicado, porque é, por assim dizer, impossível determinar concretamente a extensão do dano.

É de considerar ainda a hipótese de resultar a responsabilidade do estado somente do fato de ***não haver procedido com a devida diligência***, isto é, de não haver adotado as medidas que devia adotar, após a execução do ato lesivo. Nesse caso, de acordo com os princípios correntes, a obrigação do estado limitar-se-á à reparação do dano resultante da omissão total ou parcial dessas medidas.

No tocante às ***satisfações***, sabe-se que estas podem apresentar-se sob formas diversas. Visando os danos não materiais, sua finalidade é, geralmente, a desaprovação de atos contrários à honra e à dignidade do estado, e, portanto, devem ser públicas. Suas formas mais comuns são: a apresentação de desculpas; a manifestação de pesar; a saudação à bandeira do estado ofendido; a destituição do autor ou autores da ofensa; ou outra maneira de punição do culpado ou culpados. A medida para as satisfações deve buscar-se na natureza e gravidade das ofensas.

3.10. Órgãos das relações entre estados

Para o direito internacional, o chefe de estado, quer se intitule imperador, rei, presidente da república ou chefe de governo, é, salvo declaração formal em contrário, o órgão encarregado das relações internacionais do estado. Cabe ao respectivo estado comunicar oficialmente aos demais o nome do indivíduo ou dos indivíduos que revestem a qualidade de chefe de estado, isto é, do órgão central de suas relações internacionais, não cabendo a estes o direito de opinar sobre a sua legitimidade, desde que exerça efetivamente os poderes e seja aceito como tal pelos habitantes do país.

No Brasil, a **Constituição da República** é clara ao dispor que compete privativamente ao presidente da república manter relações com os estados estrangeiros e acreditar os seus representantes diplomáticos, bem como celebrar tratados internacionais, sujeitos à referenda do Congresso nacional.

Mas não se pode generalizar, pois, se no passado o soberano enfeixava em suas mãos poderes absolutos, nas monarquias verifica-se hoje em dia o papel meramente protocolar, cabendo ao chefe de estado apenas representar o estado protocolarmente, em determinados atos, internos e internacionais, sendo os poderes de governo entregues, na maioria dos casos, a um primeiro-ministro. Nas repúblicas, a responsabilidade pela gestão da política exterior recai geralmente no presidente, a não ser em algumas repúblicas parlamentaristas.

Em países como o Brasil, o parlamento pode exercer importante papel de controle em matéria internacional, dados os seus poderes na elaboração do orçamento e a sua competência na aprovação dos tratados internacionais firmados em nome do chefe de estado. Por fim, não se pode ignorar o papel importante que o ministro das relações exteriores – geralmente denominado *chanceler* na América Latina – pode desempenhar, principalmente quando o chefe de estado não for versado em questões internacionais[365].

3.10.1. chefe de estado e de governo

O direito internacional considera o chefe de estado, como dito acima, seja este o monarca ou o presidente da república, como o órgão *par excellence* encarregado das relações internacionais, a não ser que haja uma declaração formal em contrário. É curioso assinalar que no regime republicano presidencial os poderes do chefe de estado costumam ser maiores do que os dos monarcas, pois, além de representar o estado, cabe-lhes, na quase totalidade dos casos, a responsabilidade pela sua política exterior.

Não cabe aos demais estados opinar sobre a legitimidade do chefe de estado, desde que este exerça efetivamente o poder e seja aceito como tal pelos habitantes do país.

Os estados são livres para conferir aos respectivos chefes de estados os títulos que julgarem mais apropriados; mas, de conformidade com o direito internacional atual, não conferem direitos ou prerrogativas especiais: apenas poderão distinguir uma monarquia de uma república.

Variam as atribuições do chefe de estado no tocante à política exterior uma vez que a Constituição ou o costume nacional poderão fixar-lhes limitações, que poderão ser consequência dos poderes de controle e de fiscalização exercidos pelo parlamento.

365. Na tradição da condução da política externa brasileira tem papel relevante, para o bem como para o mal, a personalidade e a orientação pessoal do ministro de estado das relações exteriores para a determinação do conjunto das ações e das omissões desta. Nesse sentido, foge um pouco das habituais resenhas laudatórias o exame da tradição brasileira em matéria de direito e de relações internacionais, nos **Fundamentos** (2007, item XIII, "Boa tradição e a que se deve evitar", p. 973-1111): as práticas recentes, em relação a várias questões de grande importância, deixaram muito a desejar, em razão da lamentável e desastrosa "ideologização" das relações internacionais, que tanto custaram e custam, todavia, para os interesses do Brasil, além e acima da conjuntura político-partidário reinante em Brasília, desde 2003. Agrava-se o quadro com os reiterados destemperos do sr. Marco Aurélio GARCIA, Assessor para assuntos internacionais da Presidência da República, que "atropela" a atuação ponderada do Ministério das Relações Exteriores e da equipe altamente qualificada que compõe os quadros da instituição. Se no plano interno pouca importância se dá a tais desastrosas opiniões, no plano internacional têm estas efeitos danosos duradouros sobre a credibilidade do país e a busca de inserção internacional competitiva do Brasil.

É ao direito interno, e não ao direito internacional, que compete designar, em cada estado, esse órgão supremo e determinar os limites de suas atribuições. Entretanto, perante o direito internacional, parece razoável que todos os atos praticados por um chefe de estado, nessa qualidade, nas relações com outros estados, todas as manifestações de vontade por ele expressas, nesse caráter, devem ser atribuídos aos próprios estados, ainda quando se achem em contradição com o seu direito interno.

Em território estrangeiro, os chefes de estado, enquanto ali estejam nessa qualidade, gozam de certas prerrogativas e imunidades, que os autores antigos, em geral, faziam decorrer da ficção da extraterritorialidade. Essa ficção é hoje considerada, pela maioria dos autores, como inútil e inconveniente, senão perigosa. Segundo a doutrina mais aceita, o fundamento de tais prerrogativas e imunidades reside em considerações de cortesia, de conveniência recíproca e até de necessidade[366].

Entre elas, figuram:

a) a prerrogativa da inviolabilidade, que cobre a pessoa do chefe de estado, os seus documentos, o seu meio de transporte, a casa de residência;

b) a isenção de direitos aduaneiros e de impostos diretos;

c) a isenção da jurisdição territorial, tanto em matéria penal quanto em matéria civil.

No tocante a esta última, admitem-se algumas exceções, em que a isenção deixa de existir. Essas exceções, segundo é geralmente admitido, ocorrem nos seguintes casos:

a) no de aceitação voluntária, pelo chefe de estado, da jurisdição territorial;

b) no caso de ação sobre imóvel situado no território estrangeiro;

c) no caso de ação proposta contra o chefe de estado, no país em que se encontra, se tal ação se funda na sua qualidade de herdeiro ou legatário.

A prática internacional, em geral, reconhece às pessoas da família do chefe de estado e aos principais membros de sua comitiva os mesmos privilégios e imunidades a ele concedidos.

O chefe de estado que tenha sido deposto, ou que tenha abdicado, deixa de gozar os privilégios e imunidades reconhecidos aos titulares em exercício.

A doutrina[367] e a prática sempre reconheceram a inviolabilidade pessoal de

---

366. Se o chefe de estado viaja incógnito, ele será tratado como qualquer indivíduo particular. Bastará, porém, que revele a sua qualidade para que lhe seja reconhecido o privilégio das imunidades.

367. A. CAVAGLIERI, **Règles générales du droit de la paix** (RCADI, 1929, t. 26, p. 311-586); ACCIOLY, **Tratado** (2009, v. I, livro primeiro, cap. IV, "os órgãos das relações entre os estados", p. 527-637); M. DIEZ DE VELASCO, **Instituciones**

chefes de estado quando em viagem no exterior. Tratava-se de privilégio baseado na cortesia e também no princípio da extraterritorialidade, de maneira que o chefe de estado continuava, do ponto de vista jurídico, em seu próprio país.

Dois exemplos[368] mostram evolução do princípio da inviolabilidade de chefe de estado e de governo, no exterior. Pode ser considerado como perdido o caráter de absoluto:

- em 1998, encontrava-se em Londres o ex-chefe de estado chileno, general Augusto PINOCHET, quando foi denunciado por genocídio, tortura, sequestros, assassinatos, desaparecimento de pessoas, e solicitada sua detenção e eventual extradição para julgamento, a pedido do Juiz espanhol Baltazar GARZÓN. A *Câmara dos Lordes* acabou por acolher o pedido, mas não no tocante aos atos praticados quando no exercício da presidência;
- no ano seguinte a promotora-geral do Tribunal Penal Internacional para a ex-Iugoslávia indiciou o presidente daquele país, Slobodan MILOSEVIC, por crimes contra a humanidade. O falecimento deste, durante a instrução do processo, não permitiu que fosse completado o julgamento.

O registro desses dois precedentes marca mudança da orientação da matéria, cujos novos desdobramentos podem ser sobremodo interessantes. Resta esperar sejam uniforme e consistentemente aplicados.

3.10.2. ministro das relações exteriores

O ministro das relações exteriores ou dos negócios estrangeiros é o auxiliar do chefe de estado na formulação e na execução da política exterior do país e, em tal capacidade, exerce a direção do ministério das relações exteriores, na medida em que é, *ipso facto*, o chefe hierárquico dos funcionários diplomáticos e consulares do país. Na prática, dentre os órgãos internos utilizados pelo direito internacional, deveria, em condições normais de organização e funcionamento das relações exteriores, ser o mais importante, pois lhe cabe a direção da

---

de derecho internacional público (Madrid: Tecnos, 16. ed., 2007, "*Los órganos estatales de las relaciones internacionalies*", caps. XV e XVI, p. 369-406); E. WOLGAS, **La diplomatie et ses fonctions**, RCADI, 1937, v. 60, p. 202; G. E. do NASCIMENTO E SILVA, *Os chefes de estado em direito internacional* (Boletim da SBDI, 1967, p. 65); G. E. DO NASCIMENTO E SILVA – P. B. CASELLA – O. BITTENCOURT NETO, **Direito internacional diplomático** – Convenção de Viena sobre relações diplomáticas na teoria e na prática (São Paulo: Saraiva, 4. ed. rev., atual. e ampl., 2012); L. C. GREEN, **International law through the cases** (London, 1959); Philippe CAHIER, **Le droit diplomatique contemporain** (2. ed., Genève, 1964, p. 333).

368. Igualmente abordados na parte 5.

política exterior, embora a responsabilidade final resida no chefe de estado, que pode chamar a si tal direção.

Embora o ministro das relações exteriores seja órgão interno, vai aos poucos adquirindo características de órgão externo, visto que aumentam a cada dia os seus contatos com os colegas estrangeiros, sendo obrigado a se deslocar cada vez mais para o exterior, a fim de participar de reuniões de consulta ou para representar o país em organizações internacionais.

As funções do *chanceler*[369] são de natureza interna e de caráter internacional. No caso brasileiro, cita-se dentre as primeiras referendar os atos ou decretos assinados pelo Presidente da República e comparecer ao Congresso Nacional, o que permite aos membros do Senado e da Câmara executar a contento as suas funções vinculadas com a política exterior em matéria de aprovação de tratados e do orçamento do ministério do exterior.

Suas principais funções dizem, contudo, respeito ao âmbito internacional. A doutrina[370] silenciava no tocante aos privilégios e às imunidades do ministro do exterior quando fora do seu país[371], cabendo-lhe manter contato com os governos estrangeiros, seja diretamente, seja por intermédio das missões diplomáticas que lhe são subordinadas ou com as embaixadas ou legações existentes no país. Dentre as suas funções importantes, convém mencionar a negociação e a assinatura de tratados[372].

369. Além do título *ministro das relações exteriores*, generalizado na América Latina, é praxe utilizar ainda a denominação *chanceler* e, por analogia, o local em que funciona o Ministério de *Chancelaria*. A expressão começou a ser utilizada, no Brasil, na época do Barão do RIO BRANCO e foi adotada em todo o contexto latino-americano. Na Alemanha, *chanceler* designa o primeiro-ministro, e chefe de governo, em regime parlamentarista.

370. ACCIOLY, **Tratado** (2009, v. I, livro primeiro, cap. IV, "*os órgãos das relações entre os estados*", p. 527-637); ANTOKOLETZ, **Derecho diplomático y consular** (Buenos Aires, 1948, v. 1, p. 113); Joseph M. SIRACUSA, **Diplomacy** – a very short introduction (Oxford: Univ. Press, 2010); R. P. BARSTON, **Modern Diplomacy** (3rd ed., Harlow: Pearson-Longman, 2006); Philippe Cahier, **Le droit diplomatique contemporain**, p. 348; Charles Thayer, **Diplomat** (New York, 1959, p. 59); Sir Ernest SATOW (1843-1929), **Diplomatic practice** (ed. by Sir Ivor ROBERTS, 6th. ed., Oxford: Univ. Press, 2011); G. E. do NASCIMENTO E SILVA – P. B. CASELLA - O. BITTENCOURT NETO, **Direito internacional diplomático –** Convenção de Viena sobre relações diplomáticas na teoria e na prática (São Paulo: Saraiva, 4. ed. rev., atual. e ampl., 2012); G. E. do NASCIMENTO E SILVA, *O ministro das relações exteriores e a política internacional*, Revista de Ciência Política, Fundação Getulio Vargas, set. 1970, p. 5; Henry JACKSON (Ed.), **The Secretary of State and the Ambassador**, New York, 1964; John Foster Dulles, *The more important functions of the Secretary of State* (apud DE CONDE, **The American Secretary of State**, p. 21); Raoul Genet, **Traité de diplomatie** (Paris, 1931, v. 1, p. 341); Strang, **The foreign office** (London, 1955).

371. A obrigação cada vez maior de ele se deslocar para o exterior no exercício de suas funções faz com que a questão mereça ser estudada. Pode-se afirmar que na prática nenhum estado reconhecerá ao ministro condição jurídica inferior àquela concedida a um embaixador, tal como previsto na Convenção sobre Relações Diplomáticas de 1961. Em matéria protocolar a sua situação será ainda mais favorável.

372. De conformidade com a **Convenção de Viena sobre o direito dos tratados** de 1969, nos termos do artigo 7º, parágrafo 2º, inciso "a", o chefe de estado ou de governo e o ministro das relações exteriores não são obrigados a apresentar cartas de plenos poderes, para caracterizar o exercício da representação dos interesses do estado, na "realização de todos os atos relativos à conclusão de um tratado".

3.10.3. missões diplomáticas

As primeiras missões diplomáticas, permanentes ou residentes, surgiram na Itália, na segunda metade do século XV. Após o literal exaurimento das possibilidades de expansão pelos vários centros regionais de poder, depois de cinquenta anos de guerra, o advento do **Tratado de Paz de Lodi**, em 9 de abril de 1454, celebrado inicialmente entre Francesco SFORZA, pelo Ducado de Milão, com a República de Veneza, e posteriormente aceito por todos os demais beligerantes, representa divisor de águas que permite instaurar meio século de paz na península itálica. Esse período de exatamente meio século de paz estende-se até a irrupção da ocupação francesa, em 1494. A política de equilíbrio aparece, assim, como o êxito da soma de fraquezas internas dos vários estados, mais que demonstração de suas capacidades politico-militares. A celebração da paz e a constituição da Liga Itálica, no ano seguinte, entre os estados maiores da península como garantia recíproca de estabilidade, contribuíram para determinar mutações substanciais no exercício da diplomacia e celebração de tratados entre os estados italianos antigos[373].

A experiência italiana na segunda metade do século XV consolida institutos, tais como a utilização de embaixadores residentes[374]. Por isso se faz falar da Itália do século XV como o lugar de surgimento da diplomacia moderna.

A **Convenção de Viena sobre Relações Diplomáticas** de 1961 é o documento básico no tocante às relações diplomáticas entre os estados. Trata-se de convenção mais que satisfatória em direito internacional, pois codificou de maneira suficiente o direito costumeiro[375] que regulava a matéria até entrada desta

373. A respeito, remeto a **Storia degli antichi stati italiani** a cura di Gaetano GRECO e Mario ROSA (Roma-Bari: Laterza, 1996), especialmente Daniela FRIGO, "Política estera e diplomazia: figure, problemi e apparati" *(op. cit., p.* 117-161) e referências adicionais lá apresentadas. *V.* tb. NASCIMENTO E SILVA – CASELLA – BITTENCOURT NETO, **Direito internacional diplomático** (São Paulo: Saraiva, 4. ed., 2012); CASELLA, **Direito internacional no tempo medieval e moderno até VITORIA** (2012, esp. cap. XIII, "estado como sujeito de direito internacional – a contribuição de MAQUIAVEL e BODIN", p. 525-602).

374. A instauração da convivência organizada, ante a impossibilidade de aniquilar ou submeter os oponentes, está situada no contexto itálico da segunda metade do século xv. Será modelo que virá a influenciar a política europeia, após a fragmentação da ideia de unidade religiosa da europa ocidental, com o advento das sucessivas vagas reformistas e a expansão extracontinental, acompanhando o "descobrimento" das Américas e instauração das rotas de comércio com o Oriente.

375. ACCIOLY, **Tratado** (2009, v. I, livro primeiro, cap. IV, "os órgãos das relações entre os estados", p. 527-637); Adolfo MARESCA, **La missione diplomatica** (Milano, 1959); CARRILLO SALCEDO, **Droit international et souveraineté des états** (RCADI, 1986, t. 257, p. 35-221); M. DIEZ DE VELASCO, **Instituciones de derecho internacional público** (Madrid: Tecnos, 16. ed., 2007); Cecil HURST, **Les immunités diplomatiques** (RCADI, 1926, t. 12, p. 115-246); Ernest SATOW, **A guide to diplomatic practice**, 6. ed., London, 1988; Garrett MATTINGLY, **Renaissance Diplomacy** (London, 1966); Gaspar GUIMARÃES, **O direito internacional público e diplomacia** (Manaus, 1914); Henrique C. R. LISBOA, **Les fonctions diplomatiques en temps de paix** (Santiago de Chile, 1908); José Calvet de MAGALHÃES, **A diploma-**

em vigor. Foi ratificada pela quase totalidade dos estados, e é lícito afirmar que se aplica, como expressão de norma de direito internacional geral, mesmo nas relações com os estados que não a ratificaram.

A Convenção de Viena de 1961 consagra tendência no sentido de deslocamento da principal responsabilidade diplomática da figura do embaixador para a **missão diplomática** entendida em seu conjunto. A principal função é a da missão diplomática e, em consequência, as *principais prerrogativas são aquelas que dizem respeito ao bom exercício das funções diplomáticas*. Em conformidade com essa orientação, a expressão *agente diplomático* perdeu o conceito que lhe era dado desde 1815, quando se aplicava apenas ao chefe da missão. Nos termos do artigo 2 da Convenção de 1961, a expressão *agente diplomático* passou a abranger não só o chefe da missão, mas também todos os demais funcionários da carreira diplomática.

As missões diplomáticas destinam-se a assegurar a manutenção de boas relações entre o estado representado e os estados em que se acham sediadas, bem como a proteger os direitos e interesses do respectivo país e de seus nacionais.

A expressão *locais da missão*, que encontramos na Convenção de 1961, aplica-se aos edifícios, ou a parte dos edifícios, e terrenos anexos, seja quem for o seu proprietário, utilizados para as finalidades da missão, inclusive a residência do chefe desta.

Todo estado soberano tem o direito de estabelecer relações diplomáticas com os demais estados, bem como o de enviar missões diplomáticas por consentimento mútuo. Esse direito é denominado *direito de legação ativo*, no caso de envio de missão, e *passivo*, quando se tratar de receber missões de outros países.

A missão diplomática é integrada não só pelo chefe de missão e pelos demais funcionários diplomáticos, mas também pelo pessoal administrativo e técnico e pelo pessoal de serviço.

Os funcionários diplomáticos são classificados em *permanentes* ou *temporários*, isto é, se são acreditados permanentemente junto a governo estrangeiro

---

cia pura (Lisboa, 1982); José Sebastian de ERICE, **Normas de diplomacia y de derecho diplomático** (Madrid, 1945, 2 v.); Luis Mello LECAROS, **Diplomacia contemporanea** (Santiago de Chile, 1984); Montell OGDON, **Juridical bases of diplomatic immunity**, Washington, 1936; G. E. do NASCIMENTO E SILVA – P. B. CASELLA - O. BITTENCOURT NETO, **Direito internacional diplomático** – Convenção de Viena sobre relações diplomáticas na teoria e na prática (São Paulo: Saraiva, 4. ed. revi., atual. e ampl., 2012); Raoul GENET, **Traité de diplomatie et de droit diplomatique** (Paris, 1931-1932, 3 v.); R. G. Feltham, **Diplomatic handbook** (6. ed., London, 1994); Abdallah EL-KHANI, *La diplomatie* (in **Essays in international law in honour of judge Manfred LACHS / Études de droit international en l'honneur du juge Manfred LACHS**, ed. by J. MAKARCZYK, The Hague: Martinus Nijhoff / Institute of State and Law of the Polish Academy of Sciences-Institut de l'état et de droit de l'Académie polonaise des sciences, 1984, p. 97-105); "La diplomatie est un sujet qui, si je puis dire, n'a jamais cessé d'être actuel".

ou se integram delegação governamental em conferência internacional ou tenham sido enviados a posse presidencial, coroação de monarca ou outra cerimônia protocolar.

A classificação que até hoje vigora, com pequenas variantes, resultou da regulamentação assinada durante o Congresso de Viena, em 19 de março de 1815, na medida em que os chefes de missão foram classificados em três classes: *a*) a dos embaixadores, legados ou núncios; *b*) a dos enviados, ministros ou outros agentes, acreditados, como os primeiros, junto aos soberanos; *c*) a dos encarregados de negócios, acreditados junto aos ministros das relações exteriores.

O artigo 14 da Convenção de Viena, de 1961, divide os chefes de missão em três classes, a saber: *a*) embaixadores ou núncios acreditados perante chefes de estado e outros chefes de missão de categoria equivalente; *b*) enviados, ministros ou internúncios, acreditados perante chefes de estado; *c*) encarregados de negócios, acreditados perante ministros das relações exteriores.

A *precedência* em cada classe é estabelecida pela apresentação das credenciais[376]. Entre os agentes das três primeiras categorias não existem diferenças essenciais, salvo no tocante à precedência e a outras prerrogativas honoríficas. Quanto aos encarregados de negócios, estes se distinguem um pouco mais dos agentes das outras classes pela circunstância de serem acreditados não, propriamente, junto ao governo estrangeiro, mas junto ao ministro das relações exteriores.

Os encarregados de negócios ou são *efetivos* ou são *interinos*. Estes últimos, no geral, pertencem, de antemão, à missão diplomática de seu país, cuja chefia passam a exercer, interinamente, durante a ausência temporária do chefe efetivo. O Brasil aboliu os encarregados de negócios efetivos.

O grupo dos agentes diplomáticos acreditados num mesmo estado é conhecido pela denominação de *corpo diplomático* (ou *corpo diplomático estrangeiro*, para se distinguir do *corpo diplomático nacional*, constituído pelo conjunto de representantes diplomáticos que o estado acredita nos países estrangeiros). Esse grupo é presidido pelo *decano*, que é o mais antigo agente diplomático de entre os de mais alta hierarquia no posto de que se trate.

A missão diplomática é composta do correspondente chefe, dos membros do pessoal diplomático, do pessoal administrativo e técnico e do pessoal de serviço (Convenção de Viena de 1961, artigo 1º, alínea *c*). O pessoal diplomático

376. A Convenção de Viena reconheceu que essa regra não afeta a prática que exista ou venha a existir no estado acreditado com respeito à precedência do representante da Santa Sé. No tocante àqueles países em que o seu enviado não é reconhecido automaticamente como *decano*, a Santa Sé criou a figura do *pronúncio, que corresponde aos chefes de missão da primeira classe.*

abrange o chefe da missão, o ministro conselheiro, os secretários de embaixada ou de legação e os adidos militares e civis.

A Convenção de Viena ainda se ocupa dos membros das famílias do pessoal das missões e dos criados particulares, que são pessoas do serviço doméstico de membro da missão que não seja empregado do estado acreditado.

3.10.3.1. escolha e nomeação dos agentes

Cada estado determina as qualidades e condições de idoneidade que devem possuir os seus agentes no exterior, bem como o modo de sua designação. Em muitos países, como no Brasil, o pessoal diplomático constitui corpo de funcionários de "carreira (dita) de estado".

Em geral, os agentes diplomáticos são nacionais do país que os nomeia. Nada impede, porém, que pertençam a qualquer outra nacionalidade. Em todo caso, a prática internacional desaconselha a escolha de nacional do estado junto a cujo governo o nomeado deve servir. A razão disso deriva da dificuldade de se conciliarem os deveres do agente em relação aos dois estados (o que o escolhe e aquele do qual é nacional e onde vai servir) e das complicações a que sua situação poderá dar lugar.

Antes de efetuada a nomeação, o governo que resolve acreditar um agente diplomático junto a outro governo deve solicitar deste a aceitação da pessoa escolhida, ou, antes, deve informar-se confidencialmente com esse outro governo sobre se tal pessoa será bem recebida como representante diplomático, isto é, se ela será, como se costuma dizer, *persona grata*. A essa consulta dá-se comumente a designação de pedido de ***agrément*** ou de *agréation*.

Ao partir para seu posto, além de outros documentos, leva o agente diplomático um que o identifica e outro que o acredita. O primeiro é o *passaporte diplomático* e o segundo, a *credencial*. Esta última (também designada, frequentemente, no plural: *credenciais*) tem geralmente a forma de uma carta de chancelaria, assinada pelo chefe do estado a que pertence o agente e referendada pelo ministro das relações exteriores. Termina sempre com o pedido de que seja dado crédito a tudo quanto disser o agente em nome de seu governo ou de seu soberano.

3.10.3.2. funções das missões diplomáticas

A missão diplomática tem deveres com o próprio estado e com o estado de residência. Os deveres com o estado junto ao qual se acha acreditado são os que HEFFTER qualificou de *deveres de lealdade*, e incluem o de tratar com respeito e consideração o governo e as autoridades locais, não intervir na sua política interna, não participar de política partidária, não fornecer auxílio a partidos de oposição e, sobretudo, respeitar as leis e regulamentos locais (artigo 41).

As funções da missão diplomática de hoje são precisamente as de outrora, como se pode verificar da comparação dos ensinamentos de antigos autores com o previsto na **Convenção** de 1961, no artigo 4. Assim, há o direito de *representação*: o agente diplomático fala em nome de seu governo com o estado junto ao qual se acha acreditado e promove relações amistosas como o intercâmbio econômico, cultural e científico. Em decorrência do direito de representação, cabe à missão *negociar* com o estado acreditado. O diplomata deve *proteger* os interesses de seu estado e de seus nacionais perante as autoridades do país. O dever de *observação* consiste em inteirar-se por todos os meios lícitos das condições existentes e da evolução dos acontecimentos no estado acreditado e *informar* a esse respeito o respectivo governo.

A **Convenção** de Viena ainda salienta que nada impede a missão diplomática de exercer funções consulares, prática esta adotada nas capitais onde a criação de repartição consular não se justifica.

3.10.3.3. prerrogativas das missões diplomáticas

As missões diplomáticas e os funcionários diplomáticos gozam de determinadas ***prerrogativas*** e ***imunidades***, reconhecidas estas como condições essenciais para o perfeito desempenho de suas funções. Consagradas pelo costume, foram elas codificadas nos artigos 20 a 42 da **Convenção sobre Relações Diplomáticas**.

A **Convenção de Viena**, ao dar prioridade à missão diplomática sobre a pessoa do chefe da missão e dos demais integrantes do pessoal diplomático, distingue entre os privilégios e as imunidades reconhecidas à missão diplomática e os que o agente diplomático desfruta e que dizem respeito à inviolabilidade, à imunidade de jurisdição e de execução e à isenção de impostos da missão e dos diplomatas.

Além dos ***privilégios*** e ***imunidades diplomáticas*** reconhecidos aos funcionários, a **Convenção de Viena**, no artigo 37, trata da extensão destes às famílias dos diplomatas, ao pessoal administrativo e técnico, ao pessoal de serviço e aos criados.

A ***inviolabilidade diplomática*** é reconhecida aos locais da missão – dentre os quais se inclui a residência do chefe da missão –, aos arquivos e aos diplomatas. O governo junto ao qual o diplomata esteja acreditado deve abster-se de qualquer ato ofensivo ou violento a esse respeito e de punir os responsáveis no caso de violação. A Convenção de Viena é categórica a respeito ao dispor que "os locais da missão são invioláveis" (art. 22) e "a pessoa do agente diplomático é inviolável.

Não poderá ser objeto de nenhuma forma de detenção ou prisão. O estado acreditado tratá-lo-á com o devido respeito e adotará todas as medidas adequadas para impedir qualquer ofensa à sua pessoa, liberdade ou dignidade" (art. 29). A correspondência do agente diplomático goza, naturalmente, do mesmo privilégio.

A inviolabilidade pessoal não deve ser tomada em sentido absoluto. Em outras palavras, se um agente diplomático pratica atos de tal gravidade contra a ordem pública ou a segurança do estado onde se acha acreditado, que este considere indesejável ou inconveniente a sua permanência no país, tal estado pode exigir sua retirada e até, nos casos em que a medida se imponha, fazer cercar sua residência. Não deverá, entretanto, prender o agente diplomático. Mui excepcionalmente, se, apesar do pedido de retirada, o agente diplomático não é retirado pelo seu governo, ou não se retira voluntariamente, o governo junto ao qual esteja acreditado poderá expulsá-lo, apresentando as razões de tal ato de violência.

A inviolabilidade da missão diplomática constitui regra aceita por todos os países. Na sua origem, decorria de inviolabilidade do agente diplomático, mas hoje, conforme comentário da Comissão de Direito Internacional, "a inviolabilidade dos locais da missão não é uma consequência da inviolabilidade do Chefe da missão, mas atributo do estado acreditante em virtude de os locais serem usados como sede da missão".

Em decorrência da inviolabilidade da missão, "os agentes do estado acreditado não poderão nele penetrar sem o consentimento do chefe da missão" (Convenção de Viena, artigo 22, parágrafo 1º). As autoridades locais têm a obrigação de tomar todas as medidas necessárias para proteger a embaixada ou legação contra qualquer intrusão ou dano e evitar perturbações à sua tranquilidade ou ofensas à sua dignidade. A Corte Internacional de Justiça teve de examinar essas questões no caso do **pessoal diplomático e consular dos Estados Unidos em Teerã** (1980)[377].

São sucessivamente considerados a seguir: "asilo diplomático" (3.10.3.3.1.); "imunidade diplomática" (3.10.3.3.2.); e "isenção fiscal" (3.10.3.3.3.).

3.10.3.3.1. asilo diplomático

Na América Latina é frequente a concessão de asilo nos ditos locais a pessoas que, por *motivos políticos*, fogem à ação das autoridades territoriais, mas tal asilo não pode ser admitido a criminosos de direito comum. O institu-

377. Corte Internacional de Justiça, Estados Unidos contra Irã, caso do **pessoal diplomático e consular dos Estados Unidos em Teerã** (julgamento de 24 de maio de 1980).

to do asilo[378] teve desdobramentos, tanto doutrinários quanto jurisprudenciais[379]: da América Latina, acaba por ser aceito e regulado pelo direito internacional geral.

O caso **HAYA DE LA TORRE** (1951)[380], ensejou o exame pela Corte Internacional de Justiça dos princípios de direito internacional aplicáveis ao caso, dentre os quais a qualificação e a distinção entre o ***asilo territorial*** e o ***asilo diplomático***[381].

O governo do Brasil, mais de uma vez, em instruções a seus agentes diplomáticos, sustentou não haver direito ao asilo, mas, na prática, ser tolerado como ato humanitário[382]. Entretanto, em face do costume estabelecido e nos termos das convenções a que se ligou, o Brasil passou a admitir o asilo, como direito. E este assumiu progressivamente contornos precisos.

No contexto interamericano, "codificando costumes, de modo lento e nem sempre completo"[383], celebraram-se convenções sobre o ***asilo diplomático***: em Havana (1928)[384], modificada por outra, assinada em Montevidéu (1933), de acordo com a qual cabe ao estado que presta o asilo qualificar como política a acusação levantada contra o refugiado; na 10ª Conferência Interamericana foi concluída a **Convenção sobre asilo diplomático** (Caracas, 1954)[385].

---

378. Anicet LE PORS, **Le droit d'asile** (orig. publ., 2005, Paris: PUF, 2011); SFDI, **Droit d'asile et des réfugiés** ("Colloque de Caen, 1996", Paris: Pedone, 1997); E. REALE, **Le droit d'asile** (RCADI, 1938, t. 63, p. 469-602).

379. Adherbal MEIRA MATTOS, **Direito internacional público** (Rio de Janeiro: Renovar, 2. ed., 2002, Cap. 14, "Direito de asilo", com distinção entre "asilo político" e "asilo diplomático", p. 285-295).

380. Corte Internacional de Justiça, Colômbia contra Peru, caso **Haya de La Torre** (julgamentos de 20 e 27 de novembro de 1950 e de 13 de maio de 1951). Além da qualificação e da distinção entre o asilo territorial e o asilo diplomático, esse caso ensejou esclarecimentos a respeito do procedimento em vigor perante a CIJ, bem como oportunidade de declaração da Corte a respeito da aplicação das suas decisões.

381. O "*asilo territorial*" será abordado no item 5.2.4.

382. Circular dirigida às missões diplomáticas estrangeiras no Rio de Janeiro, de 15 de julho de 1938, insistia em que asilo "não constitui um direito", embora a prática o tenha admitido em certas circunstâncias "por motivos puramente humanitários", tampouco a criminosos comuns, nem a desertores de terra e mar; considerava inadmissível o asilo a indivíduos que, embora com intuitos políticos, tivessem cometido atos que constituíssem principalmente delitos comuns, ou representassem francas manifestações de anarquismo, ou tendessem a derribar as bases da organização social comum aos estados civilizados, ou, finalmente, tivessem praticado atos de terrorismo, tais como os definidos na **Convenção para a Prevenção e a Repressão do Terrorismo,** assinada em Genebra a 16 de novembro de 1937.

383. F. REZEK, **Direito internacional público – curso elementar** (São Paulo: Saraiva, 10. ed., 2005, parágrafo 131 "Disciplina do asilo diplomático", p. 217-218).

384. A **Convenção de Havana**, de 1928, declarava ilícita a concessão do asilo em legações, navios de guerra e acampamentos comuns, mas admitia o asilo a criminosos políticos, "na medida em que, como um direito ou por tolerância humanitária, o admitirem o uso, as convenções ou as leis do país de refúgio", e mediante certas condições, entre as quais a de que o asilo se conceda apenas em casos de urgência e por tempo restrito.

385. **Convenção (interamericana) sobre asilo diplomático:** assinada em Caracas, em 28 de março de 1954; aprovada pelo Decreto Legislativo n. 34, de 12 de agosto de 1964; depósito do instrumento de ratificação, aos 14 de janeiro de 1965; promulgada pelo Decreto n. 55.929, de 14 de abril de 1965.

Além dessa, na mesma data e ocasião foi assinada a **Convenção sobre asilo territorial** (Caracas, 1954)[386]. A existência dos dois instrumentos interamericanos, especificando conteúdo e modalidades do asilo ***diplomático*** e ***territorial***, resolve certas dúvidas nessa matéria[387].

3.10.3.3.2. imunidade diplomática

A imunidade diplomática constitui derrogação da norma geral de subsunção de todos os nacionais e estrangeiros, residentes ou de passagem pelo território do estado, e somente se justifica em decorrência da condição funcional do agente, a quem se reconhece o regime de exceção. O critério de interpretação deve nortear-se pelo necessário para a atuação profissional. Não constitui privilégio atribuído ao agente, em caráter pessoal, mas decorre da função e da condição profissional, enquanto agente do serviço público de um estado, exercida no território de outro estado. Essa premissa deve bastar para situar o conjunto dos direitos e os desdobramentos destes.

Há necessidade de os agentes diplomáticos serem e manterem-se independentes da jurisdição civil e criminal do estado onde se acham acreditados, a fim de poderem tratar, com plena liberdade e a máxima franqueza, dos negócios inerentes às respectivas missões, o que lhes exige não seja aplicada a referida jurisdição[388]. Assim, tal imunidade tem sido admitida pela prática internacional. Fora consagrada pela Convenção de Havana, de 1928, sobre funcionários diplomáticos e mantém-se nos termos estipulados pela **Convenção de Viena sobre Relações Diplomáticas** de 1961, em seu artigo 31.

Na imunidade diplomática está compreendida a faculdade geralmente reconhecida aos agentes acolhidos perante o estado onde se acham acreditados – na condição de agentes diplomáticos – de não comparecer a tribunal algum daquele país, ainda que seja para prestar testemunho a respeito de fatos de seu conhecimento. Admite-se, contudo, que solicitados por via diplomática, deem o seu testemunho, na sede da missão, a magistrado do país, que atua em delegação do estado para esse fim.

A referida imunidade diplomática não exime nem pode ser invocada como excusa para o agente diplomático, em relação à obrigação deste, respeitar os

386. **Convenção (interamericana) sobre asilo territorial**: assinada em Caracas, em 28 de março de 1954; aprovada pelo Decreto Legislativo n. 34, de 12 de agosto de 1964; depósito do instrumento de ratificação, aos 14 de janeiro de 1965; promulgada pelo Decreto n. 55.929, de 14 de abril de 1965.

387. Sobre o direito de asilo, *v.* item 5.2.4, dentre os direitos fundamentais do ser humano.

388. Sobre a imunidade de jurisdição e de execução, *v.* item 3.8.3, *supra*, dentre as "restrições aos direitos fundamentais dos estados".

regulamentos locais referentes à segurança dos cidadãos, à saúde pública, às normas de trânsito etc., contanto que sejam de ordem geral e não restrinjam, de modo algum, o exercício efetivo dos seus deveres.

A imunidade diplomática em relação à jurisdição ***criminal*** é mais acentuada do que em relação à jurisdição ***civil***, pois esta última sofre algumas exceções, ao passo que, quanto à primeira, a única exceção admitida é a da renúncia à imunidade por parte do governo do agente em causa. A renúncia compete ao governo e, portanto, o agente não deve manifestá-la senão depois de devidamente autorizado. Mas parece que a declaração de renúncia, feita pelo agente, deve bastar para as autoridades locais.

Os casos em que o princípio da imunidade de jurisdição civil comporta exceções podem resumir-se nos seguintes:

1º) o agente renuncia expressamente à imunidade, submetendo-se à jurisdição local;

2º) o próprio agente diplomático recorre à jurisdição local, na qualidade de autor;

3º) em ações reais relativas a bens imóveis, possuídos no território do estado onde o agente exerce suas funções;

4º) em ações resultantes de compromissos por ele assumidos no exercício de outra profissão que porventura tenha desempenhado, simultaneamente, com as funções diplomáticas, no país onde se acha acreditado;

5º) quando o agente é nacional do estado junto a cujo governo está acreditado. Em todo caso, tem-se por assente que nenhuma execução deverá ser levada a efeito quando importe em medida contra a pessoa do agente ou contra os bens indispensáveis ao exercício de sua missão.

O artigo 31 da Convenção de Viena estipula que ***o agente diplomático não gozará de imunidade de jurisdição civil e administrativa*** se se tratar de:

a) ação real sobre imóvel privado situado no território do estado acreditado, salvo se o agente diplomático possuir por conta do estado acreditante para os fins da missão;

b) ação sucessória na qual o agente diplomático figure, a título privado e não em nome do estado, como executor testamentário, administrador, herdeiro ou legatário;

c) ação referente a qualquer profissão liberal ou atividade comercial exercida pelo agente diplomático no estado acreditado fora de suas funções oficiais.

A imunidade de jurisdição civil não impede que os credores de funcionário diplomático se dirijam aos tribunais do país do devedor. O Código Penal brasileiro reconhece a competência da justiça brasileira no tocante a crimes cometidos por nacionais no exterior.

3.10.3.3.3. isenção fiscal

A Convenção de Viena trata em seu artigo 34 da ***isenção fiscal das missões e dos agentes diplomáticos***. Esta era considerada privilégio, tendo por fundamento a cortesia (***comitas gentium***). Atualmente, diante de seu reconhecimento pela Convenção, trata-se de direito internacional positivo cuja justificação igualmente se dá em caráter funcional e baseada na reciprocidade de tratamento entre estados, para os respectivos agentes, em seus respectivos territórios e jurisdições fiscais.

Embora o artigo 34 só mencione o agente diplomático, convém salientar que algumas das isenções se aplicam à própria missão, como é o caso do material importado para fins da missão. A isenção dos impostos e taxas sobre o imóvel também lhe diz respeito.

A Convenção enumera os impostos e taxas que o agente diplomático está obrigado a pagar: impostos indiretos que normalmente incidem sobre a mercadoria ou o serviço; impostos e taxas sobre os imóveis possuídos pelo diplomata a título privado, assim como os registros de hipoteca; custas judiciais e impostos de selo relativos a tais bens imóveis. A Convenção ainda se refere a impostos e taxas que incidam sobre remuneração relativa a serviços específicos prestados no estado acreditado. Esse dispositivo é complementado, sob certo sentido, pelo artigo 42, cuja redação prevê que o agente diplomático não exercerá no país nenhuma atividade profissional ou comercial em proveito próprio.

3.10.3.4. termo da missão

As funções diplomáticas terminam geralmente em virtude de ato administrativo do governo de que depende o agente, como em decorrência de sua remoção para outro posto de chamado de volta para a secretaria do estado, ou de demissão ou aposentadoria.

A missão do diplomata também pode terminar em decorrência de o estado de residência declarar o diplomata *persona non grata*, nos termos do artigo 9, parágrafo 2, onde se lê: "o estado acreditado poderá, a qualquer momento, e sem ser obrigado a justificar a sua decisão, notificar ao estado acreditante que o chefe de missão ou qualquer membro do pessoal diplomático da missão é *persona non grata* ou que outro membro do pessoal da missão não é aceitável".

Ocorrendo ruptura de relações diplomáticas, extinção do estado acreditado, ou na hipótese de o governo decidir fechar a missão por considerá-la desnecessária, terminam obviamente as funções do agente diplomático. É igualmente óbvio que, no caso de falecimento, as funções cessam.

3.10.4. delegações junto a organizações internacionais

A prática dos estados de acreditar missões ou delegações permanentes junto às Nações Unidas e aos organismos regionais, bem como a algumas organizações internacionais de caráter universal, não é de molde a suscitar objeções. De modo geral, a criação de tais missões é aspecto do ***direito de legação***[389].

As funções de tais delegações ou missões, e as prerrogativas e imunidades de seus membros, eram bastante semelhantes às das missões diplomáticas ordinárias, mas o *status* dos membros de delegações às conferências internacionais era variado.

Com o objetivo de uniformizar a matéria, a Comissão de Direito Internacional das Nações Unidas incumbiu o Embaixador A. EL-IRIAN de preparar projeto de convenção[390], estudado na Conferência de Plenipotenciários realizada em Viena de 5 de fevereiro a 14 de março de 1975, quando foi subscrita a **Convenção de Viena sobre a Representação de Estados em suas Relações com Organizações Internacionais de Caráter Universal**.

Quanto à expressão "Organizações Internacionais de Caráter Universal", que se nos depara na Convenção, sentiu-se que a denominação "organização internacional" poderia abranger infinidade de entidades, até mesmo as não governamentais, bem como as regionais. O artigo 1º, alínea 2, define as Organizações Internacionais de Caráter Universal: "as Nações Unidas, suas agências especializadas, a Agência Internacional de Energia Atômica e outra organização similar cuja responsabilidade e a escolha dos membros seja feita em escala mundial".

---

389. Quando o Brasil criou, em 1925, a sua delegação perante a Sociedade das Nações, chefiada por um embaixador, a iniciativa causou espécie dentre alguns juristas da época. Clóvis BEVILÁQUA demonstrou cabalmente o acerto da medida do ponto de vista jurídico.

390. Abdullah EL-IRIAN, seis relatórios submetidos à CDI entre 1963 e 1971 e publicados no **Yearbook of the international Law Commission**; A. CAVAGLIERI, **Règles générales du droit de la paix**, RCADI, 1929, v. 26; J. F. LALIVE, **Immunité de Jurisdiction des États et des Organisations Internationales**; RCADI, v. 84, 1953, p. 304; J. SETTE-CAMARA, *The Vienna Convention on the Representation of States in their Relations with International Organizations*, in **UN Law Fundamental Rights. Two topics in International law**, Alphen aan den Rijn, 1979, p. 91; Leland GOODRICH and Edvard Hambro, **Charter of the United Nations**, Boston, 1949, p. 228; Leo GROSS, *Immunities and privileges of delegations to the United Nations*, International Organizations, Boston, v. 16, n. 3, p. 491, 1962; M. VIRALLY, P. GERBET e Jean SALMON, **Les missions permanentes auprès des Organizations Internationales,** Bruxelles, 1971; Philippe **CAHIER, La Convention de Vienne de 1975 sur la représentation des États dans leur relations avec les organizations internationales de caractère universel**, Zaragoza, 1973-1974; idem, **Étude des accords de siège conclus entre les organisations internationales et les États où elles résident**, Milano, 1959.

A **Convenção** de 1975 consta de três partes, além dos artigos introdutórios, cada qual versando sobre situações distintas, ou seja, as missões junto a organizações internacionais (artigos 5 a 41), delegações junto a órgãos ou conferências (arts. 42 a 70) e observadores junto a órgãos e conferências (artigos 71 e 72).

Quanto às missões acreditadas junto a organizações internacionais, constata-se, pelo confronto da Convenção sobre Relações Diplomáticas de 1961 e a nova Convenção de 1975, que elas receberão tratamento muito semelhante àquele dado às missões ordinárias, isto é, às embaixadas e delegações. É bem verdade que em Viena os chamados "países hóspedes" tentaram modificar o texto da Comissão de Direito Internacional no sentido de condicionar a criação de tais missões ou a nomeação de seus membros ao beneplácito do governo local, o que iria contra o princípio da livre escolha que vem norteando a matéria.

Nos termos da **Convenção** de 1975, a missão gozará de inviolabilidade, isenção fiscal, inviolabilidade de arquivos e documentos e liberdade de comunicação. Quanto aos seus membros, desfrutarão eles de inviolabilidade pessoal, inviolabilidade de residência e propriedade, imunidade de jurisdição penal, civil e administrativa, isenção no tocante à legislação social, isenção fiscal e aduaneira.

A terceira parte da Convenção versa sobre as **delegações enviadas a órgãos de organismos internacionais ou a conferências** efetuadas sob a égide de tais organismos. A matéria era de difícil solução e o direito existente a respeito, escasso e pouco satisfatório. De um modo geral, os textos que serviram de base aos estudos do Embaixador EL-IRIAN foram os tratados constitutivos das principais organizações internacionais, os respectivos regimentos internos e os tratados firmados com o país-sede (*Headquarter's agreements*). Para se ter ideia da complexidade da matéria, convém lembrar que nem todas as delegações em questão são enviadas a um dos principais órgãos das Nações Unidas ou a uma das grandes conferências realizadas sob a sua orientação; frequentemente, trata-se de órgãos essencialmente técnicos de agência especializada ou de conferência de objetivos e duração limitada. A adoção de regras comuns a todos os órgãos e conferências foi, portanto, fruto de longos estudos e alguns compromissos.

O artigo 43 da Convenção também estabelece que o estado de envio pode nomear livremente os membros de sua delegação, desde que não sejam nacionais do estado-sede e que o tamanho da delegação seja razoável e normal. Nesse artigo, como no artigo correspondente às missões junto aos organismos, houve tentativa de dar ao país-sede certos direitos de controle no tocante à nomeação dos integrantes da delegação, o que não logrou êxito. Quanto aos privilégios e imunidades, constata-se que os dispositivos se assemelham muito àqueles referentes às missões diplomáticas tradicionais.

A situação dos ***observadores***, ou delegações de observação, perante os órgãos ou conferências foi objeto de prolongados debates, pois ficou evidente a preocupação de inúmeros países em deixar a questão sem solução. Mas verificado que a maioria das delegações presentes considerava indispensável a regulamentação da matéria, foram aceitos dois artigos: o primeiro reconhece o direito dos estados de enviarem observadores; e o segundo estipula que "todos os dispositivos dos arts. 43 a 70 da presente Convenção se aplicam a delegações de observação". Em outras palavras, os observadores ficam equiparados aos membros de delegações junto aos órgãos ou às conferências internacionais.

3.10.5. repartições consulares

Os ***consulados*** são repartições públicas, estabelecidas pelos estados, em portos ou cidades de outros estados, com a ***missão de velar pelos seus interesses comerciais, prestar assistência e proteção a seus nacionais, legalizar documentos, exercer a polícia da navegação e fornecer informações de natureza econômica e comercial sobre o país ou o distrito onde se acham instalados***[391].

Os consulados surgiram na Idade Média, ainda que a história nos mostre que na Antiguidade podem ser apontados exemplos de instituições destinadas à proteção dos estrangeiros, como foi o caso da ***proxenia*** em Atenas. Foi grande a influência na época das Cruzadas, embora a função consular por excelência era judicial e não comercial, como ocorre atualmente. Além do mais, na maioria dos casos, os primeiros cônsules eram eleitos pelos comerciantes locais e só mais tarde é que a nomeação partiria dos soberanos.

Com a evolução do comércio, a instituição atinge o seu apogeu, mas com a criação do estado soberano na Idade Moderna, há um período de decadência, coincidente com a ascendência das embaixadas permanentes. O desenvolvimento da navegação, principalmente depois da descoberta da navegação a vapor, traz consigo o ressurgimento da instituição consular, visto que a independência dos países latino-americanos, com o fim dos monopólios de Portugal e da Espanha, também contribuiu para tanto.

391. Adolfo MARESCA, **Le relazioni consulari**, Milano, 1966; Pawel CZUBIK e Piotr SZWEDO, *Consular jurisdiction* (in **The Max Planck Encyclopedia of Public International Law**, ed. R. WOLFRUM, Oxford: Univ. Press, 2012, v. II, p. 699-701); DIEZ DE VELASCO, **Instituciones**, 16 ed., 2007, p. 381-390; J. IRIZARRY y PUENTE, **Traité sur les fonctions internationales des consuls**, Paris, 1937; Jaime ABRISQUETA, **El derecho consular internacional**, Madrid, 1974; Jaroslav ZOUREK, **Le statut et les fonctions des consuls**, RCADI, v. 106, p. 357-498, esp. p. 365; Luke LEE, **Consular law and practice**, London, 1961; Mohammed Ali AHMAD, **L'institution consulaire et le droit international**, Paris, 1973; **Annuaire de l'A. A. A., Consular law. Le Consul, ses fonctions et son statut**, Haia, v. 49/50, 1979/80; G. E. do NASCIMENTO E SILVA, P. B. CASELLA e O. BITTENCOURT NETO, **Direito internacional diplomático** – Convenção de Viena sobre relações diplomáticas na teoria e na prática, São Paulo: Saraiva, 4. ed. rev., atual. e ampl., 2012; NASCIMENTO E SILVA, *Diplomatic and consular relations*, **Coletânea da UNESCO**, p. 437.

Nem todos os cônsules são funcionários de carreira; ao contrário, a maioria é constituída pelos cônsules honorários, ou, para utilizar a expressão tradicional, são os **cônsules *electi***, ao passo que os profissionais, pagos pelo respectivo estado, são os **cônsules *missi***.

O direito internacional em matéria consular acha-se codificado[392] pela **Convenção sobre Relações Consulares**, assinada em Viena, em 24 de abril de 1963. Tem esta muitos pontos de contato com a Convenção sobre Relações Diplomáticas, assinada dois anos antes.

A Convenção de Viena estipula em seu artigo 1º que o estabelecimento de relações consulares depende do consentimento mútuo dos estados interessados. Se, de um lado, o estabelecimento de relações diplomáticas implica o estabelecimento das consulares, a não ser que haja declaração em contrário, por outro lado, contudo, a ruptura de relações diplomáticas não importa na ruptura de relações consulares, que deverá resultar de outra decisão.

A abertura de repartição consular – consulado-geral, consulado, vice-consulado ou agência consular – depende de acordo entre os estados. O estado, dito de residência, tem o direito de não concordar com a abertura de consulado, mas dificilmente isso ocorrerá, pois, além de representar ato inamistoso, pode ser prejudicial aos seus interesses comerciais. O direito internacional, contudo, reconhece o direito do estado de não aceitar a abertura de consulado em determinadas localidades, o que geralmente ocorre por motivos estratégicos.

3.10.5.1. nomeação e admissão de cônsules

Nos termos da **Convenção** de 1963, os chefes de repartições consulares dividem-se em quatro classes: cônsules-gerais; cônsules; vice-cônsules; e agentes consulares.

A exemplo do que ocorre com os chefes de missões diplomáticas, a nomeação de cônsules depende da aceitação prévia do nome do indicado, que é feita mediante *exequatur*. Mas ao passo que o embaixador ou ministro só pode dirigir-se a seu posto depois de haver recebido o *agrément*, a prática é mais flexível em matéria consular, tanto assim que o cônsul poderá ser admitido provisoriamente no exercício de suas funções.

A **Convenção** de Viena prevê em seu artigo 12 que o estado que recebe tem o direito de negar a concessão do *exequatur* sem ser obrigado a comunicar os motivos da recusa.

392. Cumpre ainda mencionar, como precursora na codificação da matéria, a **Convenção sobre Agentes Consulares**, firmada em Havana em 1928.

O estado onde serve o cônsul também pode cassar o *exequatur*. Na prática, a cassação do *exequatur* só ocorre em casos excepcionais: pode ser por culpa do cônsul (má conduta); ou no caso de ruptura de relações diplomáticas e consulares entre os dois estados.

3.10.5.2. funções consulares

As funções consulares constam da legislação interna dos respectivos estados, tendo em vista que o estado receptor tem o direito, ao admitir funcionário consular, de comunicar que o exercício de determinada função consular não é permitido. É o que ocorre, em alguns países, em relação ao casamento consular.

Quando a CDI iniciou a elaboração do projeto de relações consulares, a adoção do artigo sobre as ***funções*** foi uma das mais difíceis. Enquanto alguns de seus membros e alguns países julgaram que o ideal seria adotar artigo nos moldes da Convenção de Havana de 1928, outros opinaram pela adoção de artigo que enumerasse as principais funções.

A mesma situação ocorreu quando foi proposta, em 1963, a adoção da terminologia do **artigo 10 da Convenção de Havana**: "os cônsules exercerão as atribuições que lhes conferir a lei do seu Estado, sem detrimento da legislação do Estado onde desempenham a sua Missão". Acabou vingando o sistema advogado pela CDI, que consiste numa definição geral complementada por enumeração exemplificativa e não exaustiva das funções. O artigo 5 ainda esclarece que a repartição consular poderá ainda exercer outras funções, "as quais não sejam proibidas pelas leis e regulamentos do estado receptor, ou às quais este não se oponha, ou ainda as que lhe sejam atribuídas pelos acordos internacionais em vigor entre o estado que envia e o estado receptor".

O artigo 5 da **Convenção** de 1963 enumera inicialmente as obrigações genéricas de proteção, de informação e a de fomentar o desenvolvimento de relações com o estado receptor para em seguida enumerar as que, *inter alia*, podem ser exercidas, como: a emissão de passaportes e a concessão de vistos, funções de notário e de oficial de registro civil; velar pela sucessão de nacionais; comunicar decisões judiciais e extrajudiciais; executar comissões rogatórias, controle e inspeção sobre as embarcações de sua nacionalidade; e prestar assistência às embarcações e aeronaves e às suas tripulações.

3.10.5.3. privilégios e imunidades consulares

Uma das principais virtudes da **Convenção sobre Relações Consulares** de 1963 foi a de haver distinguido as que dizem respeito à repartição das que dizem respeito exclusivamente ao cônsul. De conformidade com esssa filosofia, a Convenção examina separadamente as seguintes prerrogativas e imunidades que dizem respeito à repartição consular: inviolabilidade da repartição, dos arquivos e da correspondência; isenção fiscal e aduaneira; e imunidade trabalhista.

O projeto da CDI repetia, no tocante à inviolabilidade da repartição consular, o artigo correspondente sobre a missão diplomática. Em outras palavras, equiparava uma a outra, sob o fundamento de que era em decorrência da própria imunidade jurisdicional do estado. Em Viena, contudo, o artigo foi modificado mediante o acréscimo de dispositivo segundo o qual, em caso de incêndio ou de outro sinistro que exija medidas imediatas, presume-se o consentimento para penetrar na repartição. No fundo, os autores da emenda visavam evitar que a repartição consular fosse colocada em pé de igualdade com uma embaixada ou legação.

Quanto aos arquivos, o artigo 33 reconhece a inviolabilidade sempre e onde quer que estejam.

Ao reconhecer a isenção, a não ser no tocante a impostos e taxas sobre bens imóveis privados situados no território do estado receptor, a Convenção admite que, no caso de imóvel de propriedade do estado estrangeiro, a isenção fiscal existe. A Convenção também dá isenção aduaneira aos "artigos destinados ao uso oficial da repartição consular".

Os cônsules gozam de inviolabilidade pessoal, a não ser no caso de cometerem crime grave e, mesmo assim, somente "em decorrência de decisão de autoridade judiciária competente". Além disso, gozam de imunidade de jurisdição civil em relação a atos realizados no exercício de suas funções. O artigo 43 ainda salienta que não desfrutarão de imunidade de jurisdição civil em ação "que seja proposta por terceiro como consequência de danos causados por acidente de veículo, navio ou aeronave, ocorrido no estado receptor". A Convenção acolheu a regra de que o cônsul poderá ser chamado a depor como testemunha no decorrer de processo judiciário ou administrativo. Os cônsules, contudo, não podem ser obrigados a depor sobre fatos relacionados com o exercício de suas funções nem a exibir documentos oficiais que a elas se refiram. Poderão, ainda, recusar-se a depor na qualidade de peritos sobre as leis do estado que envia o representante.

A isenção fiscal dos cônsules é admitida, mas o artigo 49 enumera uma série de exceções, de forma que a regra básica acaba enfraquecida.

A Convenção adotou no tocante aos cônsules uma postura mais favorável em relação à isenção aduaneira, pois esta é reconhecida, a exemplo de outros artigos, por sua aplicação quanto aos interesses pessoais do cônsul e aos dos membros de sua família, inclusive os artigos destinados à sua instalação. A bagagem pessoal também não deve sujeitar-se à inspeção alfandegária, a não ser nas hipóteses expressamente previstas, como no caso de artigos cuja importação ou exportação seja proibida.

A situação dos cônsules honorários, que nunca fora objeto de regulamentação internacional, é prevista nos artigos 58 a 68. O artigo básico é o de número 58, que menciona os dispositivos em que os cônsules honorários são equiparados aos de carreira: de um modo geral, a equiparação diz respeito não ao cônsul, mas sim à repartição consular, pois a Convenção salienta que se trata de repartição de governo estrangeiro. Assim, no caso dos arquivos, gozarão estes de inviolabilidade "desde que estejam separados de outros papéis e documentos e, especialmente, da correspondência particular do chefe da repartição consular". Quanto ao próprio cônsul honorário, goza ele de algumas pequenas regalias, como as de que "possa necessitar em razão de sua posição oficial".

3.10.5.4. termo das funções consulares

A missão do funcionário consular termina em decorrência de sua remoção para novo posto e de seu retorno ao respectivo país, em caso de demissão ou de aposentadoria e no de falecimento.

Conforme visto, o estado de residência tem o direito de exigir a sua retirada, o que ocorre pela anulação do *exequatur*, isto é, declarando-o *persona non grata*. A decisão poderá ser tomada a qualquer momento, sem que o estado seja obrigado a explicar os motivos de sua decisão. Essa norma tem por objetivo evitar que os motivos alegados possam ser contestados pelo estado que envia o cônsul. A anulação do *exequatur* pode ser ocasionada por conduta incompatível do cônsul ou então por motivo político, ou seja, como demonstração menos séria do que a ruptura de relações consulares. Ocorrendo declaração de guerra, a missão consular termina, mas mesmo em tal caso deve haver a cassação do *exequatur*.

Após o sucinto exame dos órgãos de relações entre os estados, consideradas, respectivamente, as missões diplomáticas e consulares, cabe apontar para a evolução institucional, que se tem pautado no sentido de passar do tradicional bilateralismo pontual, para o que se poderia denominar multilateralismo institucional.

3.10.6. evolução institucional: do bilateralismo pontual ao multilateralismo institucional

Conforme visto, historicamente os estados tiveram e mantêm interesse em enviar e em receber representantes diplomáticos e consulares, que se inscreve em conjunto de direitos e de obrigações sistematizados. Como em outros campos do direito internacional, as posições "ideológicas" dos autores influenciarão a abordagem que fazem das questões.

Enquanto C. G. FENWICK (1951)[393] apontava os "progressos do direito internacional durante os últimos quarenta anos", Q. WRIGHT (1959)[394] frisava a necessidade de "fortalecimento do direito internacional". A extensão histórica indispensável para a compreensão desses princípios no direito internacional era o foco de E. M. MEIJERS (1934)[395], enquanto, por sua vez, G. A. FINCH (1935)[396] apontava as "fontes modernas do direito internacional".

J. L. KUNZ (1955)[397] desenvolvia sua análise a partir da "crise e das transformações do direito das gentes", enquanto C. T. OLIVER (1955)[398], dentre os desenvolvimentos históricos do direito internacional, referia os problemas contemporâneos, em matéria de direito dos tratados. Ou como desenvolve S. NAHLIK sua análise a respeito de desenvolvimentos recentes do direito diplomático (1990)[399].

Como fonte para informar o conteúdo dos "princípios gerais do direito", G. RIPERT (1933)[400] propunha o direito civil, e U. SCHEUNER (1939)[401] ressaltava "a influência do direito interno sobre a formação do direito internacional". G. SALVIOLI (1948)[402] vai examinar a "norma jurídica internacional".

Os valores e os princípios serão semelhantes tendo em vista que estes mudam os planos de aplicação. M. BOURQUIN (1938)[403] vai estudar a busca do equilíbrio entre "estabilidade e movimento no ordenamento jurídico internacional". Não serão substancialmente diversas as bases filosóficas do direito internacional privado, como mostrava Henri BATIFFOL (1956, 1959, 1967)[404], visto que se trata de

---

393. C. G. FENWICK, **The progress of international law during the past forty years** (RCADI, 1951, t. 79, p. 1-72).

394. Q. WRIGHT, **The strenghtening of international law** (RCADI, 1959, t. 98, p. 1-296).

395. E. M. MEIJERS, **L'histoire des principes fondamentaux du droit international privé à partir du moyen âge spécialement dans l'Europe occidentale** (RCADI, 1934, t. 49, p. 543-686).

396. G. A. FINCH, **Les sources modernes du droit international** (RCADI, 1935, t. 53, p. 531-630).

397. J. L. KUNZ, **La crise et les transformations du droit des gens** (RCADI, 1955, t. 88, p. 1-104).

398. C. T. OLIVER, **Historical development of international law, contemporary problems of treaty law** (RCADI, 1955, t. 88, p. 417-508).

399. Stanislaw E. NAHLIK, **Development of dipplomatic law: selected problems** (RCADI, 1990, t. 222, p. 187-363). *V.* tb. G. E. do NASCIMENTO E SILVA – P. B. CASELLA – O. BITTENCOURT NETO, **Direito internacional diplomático** – Convenção de Viena sobre relações diplomáticas na teoria e na prática (São Paulo: Saraiva, 4. ed. rev., atual. e ampl., 2012).

400. G. RIPERT, **Les règles du droit civil applicables aux rapports internationaux (contribution à l'étude des principes généraux du droit visés au Statut de la Cour permanente de justice internationale)** (RCADI, 1933, t. 44, p. 565-664).

401. U. SCHEUNER, **L'influence du droit interne sur la formation du droit international** (RCADI, 1939, t. 68, p. 95-206).

402. G. SALVIOLI, **La règle de droit international** (RCADI, 1948, t. 73, p. 369-406).

403. M. BOURQUIN, **Stabilité et mouvement dans l'ordre juridique international** (RCADI, 1938. t. 64, p. 347-478).

404. Henri BATIFFOL, **Aspects philosophiques du droit international privé** (Paris: Dalloz, 1956); Henri BATIFFOL, **Prin-**

questão de coordenação entre sistemas. As bases têm de permitir grau mínimo de segurança e previsibilidade em relação ao comportamento dos cocontratantes, sejam estes estados ou pessoas, quer físicas ou jurídicas de direito privado interno.

O direito internacional pós-moderno não pode ser compreendido somente como expediente de técnica jurídica, sob pena de perder de vista o essencial. É conjunto de princípios e valores que lhe constituem a natureza e a complexidade intrínsecas. E, sobretudo, a sua razão de ser: permitir a convivência organizada segundo esses mesmos princípios e valores, traduzidos em normas, no plano internacional.

Síntese de longa trajetória, Ch. De VISSCHER vem falar em conferência na Haia (1973)[405] a respeito do "método e sistema em direito internacional": leva-se vida inteira para poder chegar às conclusões últimas em determinada área do conhecimento humano. A experiência do direito internacional pós-moderno pode ser ilustrada como a construção do humanamente possível.

É preciso ter clareza com relação ao conteúdo e aos efeitos das ideias. Como aponta J. J. Gomes CANOTILHO (1998)[406], em seu *opus magnum*, e se pode transpor o exame que esse mestre coimbrão desenvolve, do direito constitucional, para o direito internacional[407].

---

cipes de droit international privé (RCADI, 1959, t. 97, p. 431-574); Henri BATIFFOL, em conferência na Haia, **Réflexions sur la coordination des systèmes nationaux** (RCADI, 1967-I, t. 120, p. 165-190).

405. Ch. De VISSCHER, **Méthode et système en droit international** (RCADI, 1973, t. 138, p. 75-80); **Théories et réalités en droit international public** (Paris: Pedone, 4. ed., 1970); **Cours général de principes de droit international public** (RCADI, 1954, t. 86, p. 445-556); **Le déni de justice en droit international** (RCADI 1935, t. 52, p. 365-442); **Les avis consultatifs de la Cour permanente de justice internationale** (RCADI 1929, t. 26, p. 1-76).

406. J. J. Gomes CANOTILHO, **Direito constitucional e teoria da Constituição** (Coimbra: Almedina, 2. ed., 1998, no capítulo introdutório, "O ensino e a teoria", p. 13-39, cita especificamente "orientação geral", p. 16, mas convém lembrar, igualmente o item 1, "Orientação profissional e discurso académico", p. 13): "pretende-se, pois problematizar uma disciplina jurídica cada vez mais considerada como uma disciplina estruturalmente formativa para todos aqueles que desejam aprender os fundamentos básicos da organização da 'cidade'. Tratando-se, como se trata, de uma ciência enquadrada na ciência geral do direito, terá sentido perguntar, desde já: qual o paradigma formativo subjacente a esta mensagem científica? A resposta é esta: o autor permanece fiel ao paradigma formativo da Faculdade de Direito de Coimbra, desde há muito preocupada em formar juristas críticos e consciências pensantes e não meros oficiais de diligências jurídicas. Esclareça-se este ponto. A ciência jurídica ensinada nas 'escolas de direito' oscila entre duas orientações fundamentais: a 'orientação profissional' e a 'orientação académica'. A primeira procura fornecer um saber colocado directamente ao serviço do jurista prático e das suas necessidades. A segunda, sem perder a dimensão praxeológica (irrenunciável ao direito), visa proporcionar um discurso com um nível teórico-científico (no plano dos conceitos, da construção, da argumentação) que compense a 'cegueira' do mero utilitarismo e evite a unidimensionalização pragmaticista do saber jurídico. A preferência por uma 'orientação académica' de modo algum afasta a preocupação de se procurar fornecer aos alunos os conhecimentos indispensáveis ao posterior alicerçamento das *leges artis* da profissão. O ensino universitário não deve, porém, antecipar ou substituir quer os estágios profissionais, quer a riqueza da vida".

407. J. J. GOMES CANOTILHO (op. cit., 1998, loc. cit.): "este livro tem *ideias*, mas não transporta uma *ideologia* fechada. Da mesma forma, pressupõe *convicções* (éticas, políticas, culturais) mas, de modo algum, sugere ou insinua qualquer *fundamentalismo*. A existir um *traço* orientador, ele é basicamente este: esforço de compreensão e de alicerçamento de *uma teoria e de uma doutrina de direito constitucional constitucionalmente adequadas*, isto é, aptas a compreender e a explicar os problemas fundamentais do direito constitucional português sob o olhar vigilante das exigências do *direito justo* e amparadas num sistema de *domínio* político-democrático materialmente le-

Para o direito internacional, no contexto pós-moderno, tanto mais especificamente em razão do seu enfoque inovador, cultural e historicamente abrangente, as referências não serão meros detalhes "decorativos", ou de complacência com suposta erudição e gosto de referências metajurídicas, mas destinam-se a situar o fenômeno da criação de modelos de regulação de convivência juridicamente organizada entre sujeitos de direito internacional e, ao lado destes, os novos agentes no plano internacional.Na medida do possível, em relação ao meio e tempo em que isso se deu, poderão elas auxiliar a compreender que as ideias podem ter curso durante séculos – como o ideal de construção da paz[408] entre as potências da época na Europa, até vir a se traduzir na prática[409].

Em matéria de relações diplomáticas e consulares, em suma, esses direitos e obrigações foram criados primeiro consuetudinariamente, e a seguir vieram a ser codificados por meio das duas Convenções de Viena, regulando as relações diplomáticas (1961) e as relações consulares (1963). A qualidade do resultado, expresso no direito internacional codificado, deveu-se, quando alcançada, não somente ou não estritamente ao fato de ter sido feita a codificação, mas pela forma adequada como esta refletiu a prática aceita como válida pelo conjunto dos estados e exprimiu a convicção da juridicidade em relação ao conteúdo dessas matérias.

Existe e permanece o quadro, acima considerado, dos meios tradicionais de relações entre estados, respectivamente por meio das missões diplomáticas e consulares. Mas cabe apontar para a evolução institucional, que se tem pautado no sentido de passar do tradicional bilateralismo pontual para o que se poderia denominar multilateralismo institucional.

---

gitimado. Só assim o direito constitucional fornecerá o impulso para uma atitude crítica, relativamente aos conteúdos do direito 'posto' e 'imposto', erguendo-se como limite contra quaisquer transcendências ('fundamentos últimos', 'essências', 'naturezas') clara ou encapuçadamente conducentes a *fundamentalismos* ideológicos, filosóficos ou religiosos." Ressalvado o fato de tratar-se de contexto diverso, aqui, de direito internacional pós-moderno, fazem-se as mesmas premissas valorativas.

408. VOLTAIRE era o único ao lado do leito de morte de Charles Irénée CASTEL, Abbé de SAINT-PIERRE. Quando este expirou, em 29 de abril de 1743, o filósofo considerou eloquente a situação de solidão desse homem, que morreu falando em paz. Isso refere D'ALEMBERT, **Éloge de l'abbé de Saint-Pierre** (1775) ("lu à la reception de Mr. de MALESHERBES", "avant propos" Simone GOYARD-FABRE, Caen: Univ. de Caen / Centre de Philosophie politique et juridique, 1993, nota 4, p. 12).

409. Cfr. CASELLA, **Fundamentos** (2008), não se pode estudar nem compreender a integração sem atentar para as bases de direito internacional e para as dimensões histórico-culturais inerentes a qualquer processo de tal natureza. Passa o direito internacional clássico da *coexistência*, ao direito internacional contemporâneo da *cooperação*, para o direito internacional pós-moderno da *integração*? A percepção da fragmentação e da diversidade, que acompanham o mundo pós-moderno fazem-se repercutir na busca de modelos de coesão e ordenação integrada? Sinais da passagem do primeiro para o segundo patamar já apontava W. FRIEDMANN, **The changing structure of international law** (Londres: Stevens & Sons, 1964).

Nesse sentido, Bruno SIMMA (1994)[410] aponta como sentido geral da evolução do direito e das relações internacionais a passagem do bilateralismo para o interesse da comunidade. A mesma tendência à institucionalização e à multilateralização estão presentes e atuantes nas questões relacionadas às relações diplomáticas e consulares, como ademais, demonstram as mais recentes convenções de codificação dessa matéria[411].

A conclusão a ser tirada, após o exame dos órgãos de relações entre os estados, põe-se no sentido de que, mais e mais, ao lado dos mecanismos bilaterais tradicionais, situam-se os canais multilaterais institucionalizados. Justamente se passa a considerar as organizações internacionais.

410. Bruno SIMMA, **From bilateralism to community interest in international law** (RCADI, 1994, t. 250, p. 217-384).

411. Como referido, *supra*, no item 2.3., "codificação do direito internacional", além da "Convenção de Viena sobre Relações Diplomáticas" (2.3.1.) e da "Convenção de Viena sobre Relações Consulares" (2.3.2.), no exame da "Convenção sobre Missões Especiais" (2.3.5.), da "Convenção sobre Relações entre Estados e Organizações Internacionais" (2.3.4.), das duas "Convenções de Viena sobre sucessão de estados" (2.3.6.), da "Convenção de Viena sobre o Direito dos Tratados de Organizações Internacionais" (2.3.7.), e do inevitável destaque que merece a "Convenção das Nações Unidas sobre direito do mar" (2.3.8.),1982, não somente por seus desdobramentos, enquanto codificação de direito internacional, como pelo seu conteúdo de direito material.

4

ORGANIZAÇÕES INTERNACIONAIS

As organizações internacionais fazem parte do direito internacional atual e são o resultado do aumento das relações internacionais e da necessidade da cooperação entre os estados. Nesse sentido, a anterior remissão à **"Evolução institucional: do bilateralismo pontual ao multilateralismo institucional"** (3.10.6.). Embora a **multilateralidade** seja característica do direito internacional e da diplomacia contemporâneas, não representa integralmente novidade, visto que alguns exemplos podem ser apontados no passado[1].

A instauração da Sociedade ou Liga das Nações (SdN), após a primeira guerra mundial, faz as organizações internacionais passarem a ter maior impac-

1. ACCIOLY, **Tratado** (2009, v. 2); João Mota de CAMPOS (org.), **Organizações internacionais** (Lisboa: Fund. Gulbenkian, 1999); A. A. CANÇADO TRINDADE, **Direito das organizações internacionais** (Belo Horizonte: Del Rey, 3. ed., 2003); M. DIEZ DE VELASCO, **Las organizaciones internacionales** (Madrid: Tecnos, 14. ed., 2006, reimpr. 2007); Celso LAFER, **Da reciprocidade no direito internacional econômico: o convênio do café de 1976** ("tese apresentada ao concurso para livre-docente de direito internacional público do departamento de direito internacional da Faculdade de Direito da Universidade de São Paulo", São Paulo, 1977, esp. Cap. I, "as transformações dos estados e do direito internacional público e a regulamentação jurídica da ordem econômica mundial", p. 1-25 e Cap. II, "o consenso, a reciprocidade, a incerteza e o aleatório nos modelos jurídicos de cooperação econômica internacional", p. 27-56); Adherbal MEIRA MATTOS, **Direito internacional público** (Rio de Janeiro: Renovar, 2. ed., 2002, esp. Cap. 15, "direito das organizações internacionais", p. 297-409, e Cap. 16, "direito da integração", p. 411-445); C. D. A. MELLO, **Curso de direito internacional** (Rio de Janeiro: Renovar, 15. ed., 2004, v. I, Livro IV, "pessoas internacionais: coletividades interestatais", Cap. XXIV, "Introdução ao estudo das organizações internacionais", p. 601 e s., Cap. XXV, "Organização das Nações Unidas", p. 643 e s., Cap. XXVI, "organizações internacionais especializadas e outros organismos internacionais da ONU", p. 707 e s., Cap. XXVII, "organizações regionais e outras", p. 735 e s., Cap. XXVIII, "funcionários internacionais", p. 793 e s.); Ricardo SEITENFUS, **Manual das Organizações Internacionais** (Porto Alegre: Livr. do Advogado, 1997).

to na vida internacional. A SdN não nasceu abruptamente, mas resultou de projetos, cujo foco invariavelmente se punha em torno de mecanismos para assegurar a manutenção da paz, mediante instauração de sistemas mais ou menos utópicos de regulação da convivência organizada entre sujeitos de direito internacional, que, contudo, na época, não tiveram maior aceitação[2].

Discutiu-se se e em qual medida a SdN possuiria personalidade internacional, se esta poderia ser considerada sujeito de direitos e obrigações de direito internacional. A redação do **Pacto** não era de molde a auxiliar as interpretações daqueles que assim pensavam, ao contrário do que ocorre com a **Carta** das Nações Unidas, que reconhece a capacidade da organização de firmar tratados – a sua sede tem foros de extraterritorialidade, os seus funcionários gozam de prerrogativas e imunidades tendentes a facilitar-lhes o exercício de funções, e o artigo 104 regula que "**a Organização gozará no território de cada um de seus membros da capacidade jurídica necessária ao exercício de suas funções e à realização de seus propósitos**". Em outras palavras, hoje não existem dúvidas a respeito da personalidade internacional das Nações Unidas, tampouco das organizações especializadas internacionais, bem como das principais organizações internacionais de vocação regional, como a **União Europeia** (UE)[3] e a **Organização dos Estados Americanos** (OEA)[4].

Organização internacional, no dizer de Abdullah EL-IRIAN, é "**associação de estados (ou de outras entidades possuindo personalidade internacional), estabelecida por meio de tratado, possuindo constituição e órgãos comuns e tendo personalidade legal distinta da dos Estados-membros**".

As organizações internacionais multiplicam-se à medida que aumenta a conscientização a respeito dos problemas especificamente internacionais, ante os quais são impotentes os estados, mesmo os que se arrogam a condição de mais poderosos, evidenciando as crescentes necessidades de operação coordenada por parte dos estados. Este seria o "modelo clássico" de expressão das organizações internacionais.

Ao lado dessas respostas internacionalmente coordenadas dos estados, que se exprimem por meio das **organizações intergovernamentais**, é preciso contrapor as **organizações não governamentais** – as **ONGs** – que inovam o cenário

---

2. P. B. CASELLA, *"Pax perpetua" – a review of the concept from the perspective of economic integration* (in **Dimensão internacional do direito: estudos em homenagem a G. E. do Nascimento e Silva**, coord. P. B. CASELLA, São Paulo: LTr, 2000, p. 69-88); P. B. CASELLA, **União europeia: instituições e ordenamento jurídico** (São Paulo: LTr, 2002, esp. 1.2., Projetos e experiências de União Europeia: antecedentes históricos, p. 54-71).
3. A partir das três comunidades originais: a CECA, CEE e a EURATOM, com as alterações posteriores. *V.* tópico específico, 4.2.1. "União europeia".
4. *V.* item 4.2.2.

e de certo modo conturbam a visão estatalmente ordenada do sistema internacional. Por isso cabe falar sucintamente a respeito das "Organizações não governamentais e sociedade civil internacional" (4.3.).

As ***organizações intergovernamentais*** podem ser ***globais*** ou ***regionais***: não importa a espécie, cada uma delas pode ter objetivo *generalizado* ou *específico*. O exemplo por excelência de organização generalizada são as Nações Unidas (4.1.1.) e, com anterioridade, a SdN. Como exemplo de organização regional generalizada, temos a OEA (4.2.2.).

Variam as organizações – globais e regionais – especializadas, que podem ser ***classificadas segundo o seu objetivo*** seja preferencialmente econômico, cultural, social, judiciário, de comunicação, administrativo, de proteção ao meio ambiente ou tecnológico. Podem as organizações internacionais ser ***classificadas segundo o seu processo decisório***, quer sejam *supranacionais*, como no caso da União Europeia (4.2.1.) ou *intergovernamentais*, por atuarem por meio de representantes estatais, que exprimem a posição e votam em nome e por conta de seus respectivos governos.

Toda classificação é relativa, e todas as organizações internacionais têm finalidades administrativas, pois a maioria se ocupa da cooperação técnica e financeira. Com o surgimento da preocupação com os problemas ecológicos, verificou-se que diversas organizações passaram a tratar dos problemas com eles relacionados, conforme ocorreu com a FAO, a UNESCO, a Organização Marítima Internacional e a Organização Mundial de Meteorologia, além do Programa das Nações Unidas para o Meio Ambiente (a UNEP), que passou a ser a principal nessa área.

Visando situar as organizações internacionais, serão a seguir consideradas: as "organizações internacionais de vocação universal" (4.1.), com menção detalhada da "Organização das Nações Unidas" (4.1.1.), com rápida menção às "organizações internacionais especializadas de vocação universal" (4.1.2.), antes de passar às "organizações internacionais de vocação regional" (4.2.) e prosseguir com as organizações não governamentais e sociedade civil internacional" (4.3.).

4.1. Organizações internacionais de vocação universal

Dentre as organizações internacionais de vocação universal, lugar de destaque cabe à "Organização das Nações Unidas" (4.1.1.) e desta serão especificamente abordados: a "Assembleia Geral" (4.1.1.1.), o "Conselho de Segurança" (4.1.1.2.), a "Corte Internacional de Justiça" (4.1.1.3.); o "Secretariado" (4.1.1.4.); o "Conselho Econômico e Social (4.1.1.5.); o "Conselho de Tutela" (4.1.1.6.); e, a seguir, "funções, atribuições e ação coletiva" (4.1.1.7.).

4.1.1. a Organização das Nações Unidas

A Organização das Nações Unidas (ONU)[5] é, no dizer da própria Carta, associação de Estados reunidos com os propósitos declarados de "manter a paz e a segurança internacionais", "desenvolver relações amistosas entre as nações, baseadas no respeito ao princípio de igualdade de direitos e de autodeterminação dos povos", "conseguir uma cooperação internacional para resolver os problemas internacionais de caráter econômico, social, cultural ou humanitário e para promover e estimular o respeito aos direitos humanos e as liberdades fundamentais para todos" e "ser um centro destinado a harmonizar a ação das nações para a consecução desses objetivos".

Resultou da segunda guerra mundial e veio substituir o organismo análogo que, sob a denominação de **Sociedade das Nações**, funcionou em Genebra após a primeira guerra mundial.

Sua lei básica é a **Carta** das Nações Unidas, e foi assinada em São Francisco a 26 de junho de 1945. A **Carta** consta de preâmbulo e consiste em cento e onze artigos, e tem como anexo o **Estatuto** da Corte Internacional da Justiça, parte integrante da **Carta**.

A Organização das Nações Unidas não é superestado, embora reúna a quase totalidade dos estados existentes. Os membros são originários ou eleitos, visto que os primeiros são os cinquenta e um países que participaram da Conferência de São Francisco e assinaram a Carta, bem como aqueles que previamente firmaram, a 1º de janeiro de 1942, a Declaração das Nações Unidas. Quanto aos membros eleitos, são admitidos pela Assembleia Geral mediante recomendação do Conselho de Segurança.

Poderão ser admitidos como membros todos os estados "*amantes da paz*", que aceitaram as obrigações contidas na Carta "e que a juízo da Organização estiverem aptos e dispostos a cumprir tais obrigações". Na realidade, considerações políticas têm exercido papel importante na admissão de alguns membros.

Para coibir controvérsias políticas, relacionadas à admissão de novos estados como membros da ONU, por meio de **Resolução**, datada de 17 de novembro de 1947, a Assembleia Geral formulou à Corte Internacional de Justiça a pergunta quanto à possibilidade de membro das Nações Unidas ser chamado a se manifestar por meio de voto do estado, seja no Conselho de Segurança ou na Assembleia Geral, a respeito das *condições de admissão de estado como membro da organização, e indaga quanto a ser juridicamente fundado fazer depender o consentimento de condições não estipuladas na Carta*. A questão gira em torno

5. ONU – www.un.org.

das condições estipuladas no artigo 4º da **Carta**, em que a "admissão como membro das Nações Unidas fica aberta a todos os estados amantes da paz que aceitarem as obrigações contidas na presente Carta e que, a juízo da organização, estiverem aptos e dispostos a cumprir tais obrigações"[6].

Devem os dispositivos do artigo 4º ser interpretados como excluindo qualquer apreciação política, por parte dos estados-membros, ao apreciar a candidatura de novo estado? A Corte respondeu não terem tais condições qualquer relação com as responsabilidades políticas, quer da Assembleia Geral, quer do Conselho de Segurança: são claras e devem como tal ser aplicadas, independentemente de quaisquer outras considerações[7].

Segundo parecer foi solicitado pela AGNU um ano mais tarde, conforme **Resolução** de 22 de novembro de 1949. A resposta da CIJ é incisiva, no sentido da "**necessidade da recomendação do Conselho de Segurança**", sob pena de vício de procedimento, o que caracteriza ato essencial (*acte condition*). Na forma do artigo 4º a Corte acrescenta que tal recomendação do CS deve ser favorável, para que a admissão seja pronunciada pela AGNU[8].

Os membros da organização poderão ser suspensos do exercício dos direitos e privilégios que lhes competem como tais quando contra eles for levada a efeito qualquer ação preventiva ou coercitiva por parte do Conselho de Segurança, que poderá, depois, restabelecer o exercício desses direitos e privilégios.

O membro das Nações Unidas que houver violado persistentemente os princípios da Carta poderá ser expulso pela Assembleia Geral, mediante recomendação do Conselho de Segurança.

A organização compreende seis órgãos especiais a serem tratados: a "Assembleia Geral" (4.1.1.1.); o Conselho de Segurança (4.1.1.2.); a Corte Interna-

---

6. Carta da ONU, artigo 4º, parágrafo 2º: "A admissão de qualquer desses estados como membros das Nações Unidas será efetuada por decisão da Assembleia Geral, mediante recomendação do Conselho de Segurança".

7. Vários juízes formularão votos dissidentes, dentre os quais o do juiz BASDEVANT, em que defendeu ser a admissão de novo membro das Nações Unidas, antes de tudo, ato político e confiado a órgãos políticos (CS e AGNU) que permanecem livres para apreciar cada pedido.

8. Blaise TCHIKAYA, **Mémento de la jurisprudence du droit international public** (Paris: Hachette, 2000, p. 57-58, cit., p. 58), observa: "Ces avis ont un fonds politique: d'une part, la guerre froide et la bipolarité idéologique faisaient préférer un candidat à l'adhésion plutôt qu'un autre, d'autre part, la politique de la 'chaise vide' appliquée par l'URSS paralysa un certain temps le Conseil de sécurité". Além da situação concreta com esses dois pareceres, a Corte impõe às Nações Unidas critérios de interpretação lógica e eficaz: a CIJ completa precedentes da CPJI com os pareceres consultivos a respeito do **serviço postal polonês em Dantzig**, de 16 de maio de 1925, bem como sobre o **trabalho feminino noturno**, de 15 de novembro de 1932, buscando *o sentido do texto em seu significado corrente*. A Corte ressalta ser este o primeiro dever de tribunal (Recueil, 1950, p. 8) e conclui "não haver necessidade de recorrer aos *travaux préparatoires* quando o texto de uma convenção for suficientemente claro". *V.*, a respeito dos *travaux préparatoires* e a interpretação de tratados por H. LAUTERPACHT, **Les travaux préparatoires et l'interprétation des traités** (RCADI, 1934-II, t. 48, p. 709-818).

cional de Justiça (4.1.1.3.); o "Secretariado" (4.1.1.4.); o "Conselho Econômico e Social" (4.1.1.5.); e o "Conselho de Tutela" (4.1.1.6.), Depois, passaremos ao exame das "funções, atribuições e ação coletiva" (4.1.1.7.). Terá, além disso, os órgãos subsidiários que forem considerados necessários.

4.1.1.1. Assembleia Geral

A Assembleia Geral das Nações Unidas é composta de todos os membros da organização, cabendo a cada estado-membro apenas um voto. Cada estado pode fazer-se representar no máximo por cinco representantes.

A Assembleia Geral reúne-se em sessões ordinárias, uma vez por ano, e em sessões extraordinárias, quando as circunstâncias o exigirem. As sessões extraordinárias são convocadas pelo Secretário-Geral, a pedido do Conselho de Segurança ou da maioria dos estados-membros.

As decisões da Assembleia Geral são tomadas pela maioria simples dos membros presentes e votantes. Nas *questões importantes*, as decisões são tomadas por dois terços dos membros presentes e votantes. Em 1971, durante a votação da proposta da Albânia de admissão da República Popular da China, como a representante da China, e a consequente exclusão da China Nacionalista, a Assembleia Geral opinou que a questão não era importante e, em consequência, bastou o voto de uma simples maioria.

Nos termos da Carta, as questões importantes abrangem: recomendações acerca da manutenção da paz e da segurança internacionais; eleição dos membros não permanentes do Conselho de Segurança; eleição dos membros do Conselho Econômico e Social e do Conselho de Tutela; admissão de novos membros na organização; suspensão dos direitos e privilégios dos membros; expulsão destes; questões relativas ao funcionamento do sistema de tutela e questões orçamentárias. Suas decisões noutras questões, até mesmo a determinação de categorias adicionais de assuntos a serem resolvidos por maioria de dois terços, são tomadas por maioria dos membros presentes e que votem. Deixará de ter voto na Assembleia o membro da organização que estiver em atraso no pagamento de sua contribuição financeira, se o total de suas contribuições atrasadas igualar ou exceder a soma das respectivas contribuições correspondentes aos dois anos anteriores completos. A Assembleia poderá, no entanto, permitir que o referido membro vote, caso fique provado que a falta é devida a condições independentes de sua vontade.

A Assembleia tem certas atribuições obrigatórias e outras facultativas. Entre as primeiras, que, na maioria dos casos, são privativas, figuram as seguintes: a consideração e aprovação do orçamento da organização; a eleição dos membros não permanentes do Conselho de Segurança e dos membros do Conselho Econômico e Social e do Conselho de Tutela; a admissão de novos membros na organização; a suspensão e a expulsão destes; a nomeação do Secretário-Geral das Nações Unidas (estas quatro últimas atribuições devem ser precedidas de recomendação do Conselho de Segurança); a eleição, simultaneamente com o Conselho de Segurança, dos juízes da Corte Internacional de Justiça; a adoção de regras para as nomeações pelo Secretário-Geral, do pessoal do secretariado das Nações Unidas; o exame dos relatórios anuais do Conselho de Segurança, bem como dos relatórios dos outros órgãos das Nações Unidas; o estudo dos meios de promover a cooperação internacional, no terreno político, e a sua codificação, bem como dos meios de promover a cooperação internacional nos terrenos econômico, social, cultural, educacional e sanitário, e de favorecer o pleno gozo dos direitos humanos e das liberdades fundamentais, por parte de todos os povos, sem distinção de raça, sexo, língua ou religião. As últimas atribuições são, geralmente, exercidas sob a autoridade da Assembleia, pelo Conselho Econômico e Social.

Entre as funções ou atribuições facultativas da Assembleia, indicam-se as seguintes: discutir quaisquer questões ou assuntos que estejam no âmbito das finalidades da Carta das Nações Unidas ou se relacionem com as atribuições e funções de qualquer dos órgãos nela previstos; considerar os princípios gerais de cooperação na manutenção da paz e da segurança internacionais; discutir quaisquer questões relativas à manutenção da paz e da segurança internacionais que lhe forem submetidas por qualquer membro das Nações Unidas, ou pelo Conselho de Segurança, ou por um estado que não seja membro; solicitar a atenção do Conselho de Segurança para situações que possam constituir ameaça à paz e à segurança internacionais. Enquanto, porém, o Conselho de Segurança estiver exercendo, em relação a qualquer controvérsia ou situação, as funções que lhe competem, a Assembleia não fará recomendação alguma a respeito de tal situação ou controvérsia a menos que o próprio Conselho a solicite.

4.1.1.2. Conselho de Segurança

Criado para ser o órgão principal das Nações Unidas, compunha-se, inicialmente, de onze membros, sendo cinco permanentes (China, Estados Unidos da América, França, Reino Unido e URSS) e seis eleitos pela Assembleia Geral para um prazo de dois anos e sem faculdade de reeleição para o período imediato. Em 1963, contudo, a composição do Conselho de Segurança foi modificada e passou a ter dez membros não permanentes, além dos mesmos cinco membros permanentes.

Cada membro de Conselho tem ali apenas um representante e apenas um voto.

O Conselho reúne-se periodicamente, podendo fazê-lo fora da sede da organização.

As decisões do Conselho são tomadas pelo voto afirmativo de nove dos seus membros, quando se trata de questões processuais, e pelo voto afirmativo de nove membros, com a inclusão, entre estes, de todos os membros permanentes em todos os outros assuntos.

Essa exigência do voto afirmativo de *todos os* membros permanentes do Conselho é o reconhecimento do chamado "direito de veto", de qualquer deles contra a maioria, ou até a unanimidade dos demais. O uso abusivo do direito de veto paralisou durante longos anos o Conselho e acabou por enfraquecê-lo com o consequente fortalecimento da Assembleia Geral, que passou a opinar naqueles assuntos em que o Conselho de Segurança não conseguia alcançar uma solução.

Deve abster-se de votar o membro do Conselho que for parte numa controvérsia prevista no Capítulo VI da Carta das Nações Unidas ("controvérsia que possa vir a constituir uma ameaça à paz e à segurança internacionais") ou numa controvérsia de caráter local, a respeito da qual o Conselho deva tomar alguma resolução, nos termos da alínea 3ª do artigo 52 da dita Carta.

Qualquer membro das Nações Unidas que não for membro do Conselho poderá tomar parte, sem direito de voto, na discussão de qualquer questão submetida ao Conselho, se este considerar que os interesses do referido membro se acham, especialmente, em jogo.

Analogamente, qualquer dos ditos membros ou qualquer estado que não pertença às Nações Unidas será convidado a participar, sem direito de voto, na discussão de qualquer controvérsia submetida ao Conselho, uma vez que seja parte em tal controvérsia.

Segundo o artigo 24 da Carta das Nações Unidas, os membros desta conferiram ao Conselho de Segurança a principal responsabilidade na manutenção da paz e da segurança internacionais e concordaram em que, no cumprimento dos deveres impostos por essa responsabilidade, o Conselho proceda em nome deles.

Suas atribuições específicas são, essencialmente, as enumeradas nos Capítulos VI, VII, VIII e XII da Carta. Cumpre-lhe, além disso, submeter à consideração da Assembleia relatórios anuais e, quando necessário, especiais.

Entre aquelas atribuições figuram as seguintes: convidar as partes em uma controvérsia e resolvê-la por algum meio pacífico; recomendar procedimentos ou métodos de solução adequados para controvérsias ou situações que possam vir a constituir uma ameaça à paz e à segurança internacionais; determinar a existência de qualquer ameaça à paz, ruptura da paz ou ato de agressão e fazer recomendações ou decidir medidas tendentes a manter ou restabelecer a paz e a segurança internacionais; tomar a iniciativa para a negociação de acordos com os membros da organização sobre as forças armadas, a assistência e as facilidades que cada um deles se comprometeu a proporcionar ao Conselho para a manutenção da paz e da segurança internacionais; fazer planos, com a assistência de uma comissão de estado-maior, para a aplicação das forças armadas de que possa dispor; estimular o desenvolvimento da solução pacífica de controvérsias locais mediante acordos ou entidades regionais e, eventualmente, utilizar tais acordos e entidades para ação coercitiva, sob sua própria autoridade; aprovar os acordos de tutela referentes às zonas designadas como estratégicas; e fiscalizar a execução de tais acordos, especialmente no tocante a matérias políticas, econômicas, sociais ou educacionais[9].

Cabe, a seguir, considerar a composição e a atuação do principal órgão judiciário das Nações Unidas, a Corte Internacional de Justiça.

4.1.1.3. Corte Internacional de Justiça

A Corte Internacional de Justiça (CIJ)[10] é o resultado de décadas de sedimentação da ideia de órgão jurisdicional capaz de assegurar solução de controvérsias entre estados[11]. Criada em 1945, a CIJ constitui o principal órgão judicial da Organização das Nações Unidas (ONU). Ela compõe, juntamente com a Assembleia Geral, o Conselho de Segurança, o Conselho Econômico e Social, o Secretariado e o Conselho de Tutela, os seis principais órgãos da organização.

À semelhança da ONU, concebida com base na extinta Sociedade das Nações (SdN), a Corte Internacional de Justiça modelou-se a partir da também

---

9. L. CAFLISCH, **Cent ans de règlement pacifique des différends interétatiques** (RCADI, 2001, t. 288, p. 245-467).

10. International Court of Justice. Summaries of Orders, Advisory Opinions and Judgments. Disponível em: <http://www.icj-cij.org/icjwww/idecisions/isummaries/isummaries_es_toc.htm> *V.* tb. Edvard HAMBRO, The jurisdiction of the International Court of Justice (RCADI, 1951, t. 71, p. 121); Institut de Droit International, sessão de 1954, resolução sobre o *Study of the amendments to be made in the Statute of the International Court of Justice*, Annuaire, 1954, v. 45-11, p. 296.

11. *V.* tb., *infra*, a respeito dos tribunais internacionais, a Corte Permanente de Justiça Internacional e a Corte Permanente de Arbitragem (8.1.2.1.2.); e, a respeito da Corte Internacional de Justiça (8.1.2.1.3.), b/c referências bibliográficas adicionais: P. B. CASELLA e L. MULLER, *Corte Internacional de Justiça* (in **Direito internacional: seus tribunais e meios de solução de conflitos**, coord. J. ARANA e R. da R. CACHAPUZ, Curitiba: Juruá, 2007, p. 279-325); A. D. McNAIR, **The development of international justice** (New York, 1954); Egon SCHWELB, *The process of amending the Statute of the International Court of Justice* (AJIL, 1970, v. 64, p. 880); Arthur EYFFINGER, **The Hague: International Centre of Justice and Peace** (Haia: Jongbloed Law Booksellers, 2003); A. EYFFINGER, **The International Court of Justice: 1946-1996** (Haia: Kluwer Law International, 1996); H. KELSEN, **The law of the United Nations** (New York, 1951, esp. p. 463); M. LACHS, **The development and general trends of international law in our times** (RCADI, 1984, v. 169, p. 226); C. D. A. MELLO, **Curso** (1, p. 527); J. A. PASTOR RIDRUEJO (op. cit, p. 751); Shabtai ROSENNE, **Procedure in the International Court** (Dordrecht, 1983); S. BASTID, **La jurisprudence de la Cour Internationale de Justice** (RCADI, 1951, v. 71); Taslim O. ELIAS, **The International Court of Justice and some contemporary problems** (Dordrecht, 1983); VANDENBOSCH and HOGAN, **The United Nations** (New York, 1952, p. 190).

extinta Corte Permanente de Justiça Internacional (CPJI), que constituía órgão complementar da SdN, mas, diversamente da sensação de fracasso que marca o fim da SdN, a Corte Permanente de Justiça Internacional foi muito bem sucedida em sua atuação. Tanto que gerou a dúvida, entre os representantes dos estados em Dumbarton Oaks, local onde boa parte do "projeto ONU" foi idealizado, se a nova organização mundial que surgia deveria ou não manter a CPJI. No final, chegou-se à conclusão de que uma nova corte mundial deveria ser criada, condizente com o "novo mundo" do pós-guerra, com as novas superpotências e com as novas instituições de direito internacional.

Em reconhecimento ao monumental trabalho realizado pela CPJI, foi decidido que o projeto da nova Corte deveria ser ou a adaptação do **Estatuto** da CPJI, mantida em vigor com as modificações julgadas necessárias, ou novo **Estatuto** para cuja redação deveria servir de base o da CPJI. Esta última opção acabou por prevalecer: o Estatuto da CIJ é substancialmente idêntico ao da CPJI. No início dos trabalhos da Corte Internacional de Justiça, em 1946, as decisões e pareceres prolatados pela antiga CPIJ foram aceitos como precedentes da nova Corte. Em realidade, devem-se entender o esforço empreendido e o trabalho realizado não a partir de 1946, mas sim todo o respeitável conjunto de decisões e pareceres, desde 1922, quando tem início o trabalho da CPJI.

Não por coincidência, a Corte Internacional de Justiça encontra-se localizada no mesmo local onde outrora estava instalada a antiga CPIJ, no Palácio da Paz (*Vredespaleis*), na cidade da Haia, Países Baixos.

A base legal de funcionamento da CIJ está pautada pelo Capítulo XIV da **Carta** da ONU, pelo **Estatuto** da CIJ e pelas chamadas **Regras da Corte** – instrumento criado pela própria Corte, em 1978, para funcionar como espécie de código de processo.

O **Estatuto** da Corte é extenso, contendo 70 artigos, de tal modo que pareceu preferível não inseri-lo diretamente no corpo do texto da **Carta** da ONU. No entanto, o *Estatuto da Corte é parte integrante da Carta da ONU, vale dizer, o estado que se torna Membro das Nações Unidas aceita integralmente o* ***Estatuto*** *da CIJ*.

Estados não membros da ONU podem postular perante a CIJ, bastando, para tanto, que o estado em referência cumpra os requisitos exigidos pela Assembleia Geral, atuando esta mediante recomendação do Conselho de Segurança. Tais condições, obviamente, não poderão colocar o estado requerente em posição desfavorável ou desigual perante outros estados.

Essas condições chamam pouco a atenção nos dias hoje, quando a quase totalidade dos estados-nação encontra-se presente e integrada à organização mundial. Em resolução de 15 de outubro de 1946, o Conselho de Segurança determinou tais condições, essencialmente as seguintes:

1ª) o estado que não seja parte no **Estatuto** deverá depositar no Cartório da Corte *declaração* pela qual manifesta a aceitação da jurisdição desta, de acordo com a **Carta** das Nações Unidas e com os termos e condições do **Estatuto** e do **Regulamento** da Corte, e se compromete a cumprir de boa-fé as decisões da Corte e a aceitar as obrigações incumbentes aos membros das Nações Unidas, nos termos do artigo 94 da **Carta**;

2ª) a referida *declaração* poderá ser *particular* ou *geral*, sendo considerada *particular* a que aceita a jurisdição da Corte somente com relação a controvérsia específica, como em relação a certas disputas que já se tenham suscitado, e *geral* a que aceita a dita jurisdição a respeito de quaisquer disputas ou a respeito de uma ou várias categorias particulares de disputas já surgidas ou que possam surgir no futuro; e

3ª) à Corte caberá decidir sobre todas as questões relativas à validade e aos efeitos das declarações.

Assim, aos membros das Nações Unidas, a Corte estará aberta sem outras condições. Aos outros estados estará aberta nas condições que o Conselho de Segurança determinar, ressalvadas as disposições especiais dos tratados vigentes. Em nenhum caso tais condições colocarão as partes em posição de desigualdade perante a Corte.

Serão considerados a seguir: "competência da Corte" (4.1.1.3.1.); seu "funcionamento" (4.1.1.3.2.); e as "questões processuais" (4.1.1.3.3.).

4.1.1.3.1. competência da Corte

A Corte possui competência ampla, podendo apreciar qualquer tipo de demanda. No tocante às matérias que poderá analisar (***ratione materiae***), sua competência estende-se a todas as questões que as partes lhe submetam, bem como a todos os assuntos previstos na **Carta** das Nações Unidas ou em tratados e convenções em vigor. No tocante a quem poderá postular perante a Corte (***ratione personae***), sua competência abrange apenas os estados, sejam ou não membros das Nações Unidas. Dessa forma, o ***locus standi*** está restrito a estados, devendo quaisquer pessoas jurídicas e físicas solicitar aos seus respectivos governos que levem ao conhecimento da Corte, em seu nome, suas demandas jurídicas[12].

---

12. Por meio do instituto da ***proteção diplomática***, cfr. 5.5.

A Corte Internacional de Justiça tem "competência contenciosa" (4.1.1.3.1.1.) e "competência consultiva" (4.1.1.3.1.2.). Cada uma destas passa a ser considerada.

4.1.1.3.1.1. competência contenciosa

Para acionar a Corte Internacional de Justiça e pleitear a decisão, os estados poderão proceder de três formas distintas:

(I) por meio de uma *notificação* prévia de uma ou ambas as partes enviada à Corte, fundada em tratados que estipulem a CIJ como foro competente para julgar os litígios;
(II) mediante *acordo especial* posterior ao litígio, em que ambas as partes aceitam a jurisdição da Corte para resolver a controvérsia, estipulando-se a competência depois do fato; ou, ainda,
(III) utilizando-se um estado de petição para interpelar o outro, por acreditar o autor ter o réu violado alguma obrigação de direito internacional – de forma equivalente ao que seria o meio mais comum nos direitos internos.

Falta à Corte Internacional de Justiça, como faltou à CPJI, a competência compulsória que obrigasse os estados a submeterem suas contendas à Corte. No fundo, os estados decidem se querem ou não se submeter ao sistema jurídico internacional.

Nesse sentido de obrigatoriedade, o Estatuto da CIJ admite a possibilidade de os estados virem a declarar a CIJ compulsoriamente competente sobre disputas que versem sobre:

(I) interpretação de tratados;
(II) questões de direito internacional;
(III) disputas sobre a existência de qualquer tipo de fato que venha a significar quebra de obrigação legal; e
(IV) contestações sobre a natureza e a extensão de reparações a serem pagas devido a quebras legais.

Esse mecanismo é possível por meio da chamada "**cláusula opcional**" de competência, que constitui declaração feita a critério de cada estado signatário, com estipulação tanto dos limites de aceitação da compulsoriedade da competência da CIJ, quanto exclusões expressas de áreas em que o estado declarante não reconhece a competência da Corte. Corresponde à chamada **cláusula facultativa de jurisdição obrigatória** do **Estatuto** da extinta Corte Permanente de Justiça Internacional.

Cabe notar que os poucos Estados que fizeram declarações de aceitação da compulsoriedade de competência da CIJ fizeram-no com o intuito de estipular diversos e distintos limites, seja de competência material, de forma a excluir determinadas matérias, seja de competência temporal, a ponto de condicionar a declaração a tempo certo e findável. Portanto a questão da competência compulsória da Corte é fundamental para seu funcionamento. Infelizmente, é também um ponto duramente criticado pelos céticos do direito internacional devido às claras falhas de imposição de obrigatoriedade.

Segundo o artigo 38 do Estatuto da Corte, compete à CIJ a função de "decidir, de acordo com o direito internacional, as controvérsias que lhe forem submetidas". Nessa função, ela poderá aplicar: "*a*) as convenções internacionais, quer gerais, quer especiais, que estabeleçam regras expressamente reconhecidas pelos estados litigantes; *b*) o costume internacional, como prova de uma prática geral aceita como sendo direito; *c*) os princípios gerais de direito reconhecidos pelas nações civilizadas; e *d*) as decisões judiciárias e a doutrina dos publicistas mais qualificados, como meio subsidiário para a determinação das regras de direito". A Corte possui também a faculdade de decidir uma questão *ex aequo et bono*. Com isso, poderão ser aplicados os princípios de justiça objetiva a um dado caso, ou seja, aquilo que, ao ver dos juízes, é "certo e bom". Em outras palavras, quando as partes permitem que o julgamento seja pautado não por diretrizes positivas de direito internacional, mas por questões de justiça e equidade, permitem no fundo que a decisão seja prolatada com base nos princípios mais basilares de justiça e direito, aplicados caso a caso pelos juízes.

A Corte só julgará *ex aequo et bono* se essa faculdade lhe for concedida pelas partes. Se as partes desejam e solicitam uma decisão puramente *ex aequo et bono*, a Corte não deverá decidir segundo o direito estrito. Poderá, contudo, declarar-se incompetente ou apresentar outra razão que justifique sua eventual recusa de julgar sobre tal base.

Enquanto associação de estados, uma organização internacional, sobretudo no caso da ONU, poderá requerer parecer consultivo à Corte. A competência especial, em matéria consultiva, foi atribuída pelo artigo 96 da **Carta** da ONU, e se acha regulada no Capítulo IV do **Estatuto**.

4.1.1.3.1.2. competência consultiva

Além da competência em *matéria contenciosa*, possui a Corte uma competência especial, em *matéria consultiva*, a qual lhe foi atribuída pelo artigo 96 da Carta das Nações Unidas, e acha-se mais bem regulada no Capítulo IV do

Estatuto da Corte. Poderá a CIJ emitir *parecer consultivo* sobre qualquer questão de direito internacional, a pedido da Assembleia Geral ou do Conselho de Segurança, ou de qualquer outro órgão das Nações Unidas ou entidade especializada que, em qualquer época, tenha sido devidamente autorizada a fazer um questionamento à Corte pela Assembleia Geral.

Isso foi reconhecido pela própria Corte, em relação à Organização das Nações Unidas, mediante **parecer consultivo**, de 11 de abril de 1949, **a respeito dos danos sofridos a serviço das Nações Unidas**[13].

Por grande que seja o valor dos pareceres consultivos da Corte, existe diferença essencial entre estes e as sentenças da própria Corte: falta-lhes a força obrigatória. É verdade, contudo, que quando o parecer versa, não sobre simples *ponto de direito*, mas sobre determinado *litígio*, este apresenta, por assim dizer, o caráter de sentença não executória. De qualquer maneira, a possibilidade de a Corte emitir pareceres sobre direito internacional, independentemente de litígios que lhes sejam submetidos, faz desta eminente órgão produtor de doutrina internacional, algo inexistente nos judiciários internos – que somente se manifestam por meio de decisões contenciosas.

Para requerer à Corte um parecer jurídico, o procedimento é mais simples que o procedimento contencioso, bastando três requisitos:

(I) a pergunta feita à Corte deve versar sobre direito internacional;

(II) deve ser feita de forma clara e objetiva; e

(III) a entidade que faz a pergunta deve ser habilitada a fazê-lo.

Exemplo de tal pergunta foi submetido pela Assembleia Geral da Organização das Nações Unidas à Corte Internacional de Justiça em 15 de dezembro de 1994: "*É permitido em direito internacional recorrer à ameaça ou ao uso de*

---

13. Corte Internacional de Justiça, **Réparation des dommages subis au service des Nations Unies** (parecer consultivo prolatado em 11 de abril de 1949): o mediador sueco Folke BERNARDOTTE, a serviço da ONU, é assassinado por extremistas israelenses em Jerusalém, em 17 de setembro de 1948, no exercício de suas funções. Desde o início do conflito árabe-israelense, as Nações Unidas tentavam manter o controle da situação; nessa tentativa, dá-se o homicídio desse funcionário da Organização. A Assembleia Geral aborda o problema na sessão plenária de 3 de dezembro de 1948, e adota o texto da questão seguinte, apresentada à CIJ: **"Caso agente das Nações Unidas sofra, no exercício das suas funções, dano em condições de natureza a caracterizar a responsabilidade de um estado, teria a ONU a prerrogativa de apresentar contra esse governo *de jure* ou *de facto* responsável reclamação internacional visando obter a reparação dos danos causados?"** Em caso de resposta afirmativa, "***como a ação da Organização das Nações Unidas deve se conciliar com os direitos que poderia ter o estado do qual é nacional a vítima?***" A questão foi encaminhada à Corte pelo Secretário-geral Trygve LIE, em 4 de dezembro de 1948, como reporta B. TCHKAYA, **Mémento** (Paris: Hachette, 2000, p. 51-53). A resposta da Corte tem dois eixos: I. – o reconhecimento da personalidade internacional das organizações internacionais; e II – a competência implícita para fazer reclamação internacional. A Corte fez aplicação constante da teoria das competências implícitas, com menção expressa, nos casos: **Sudoeste africano** (11 de julho de 1950); **Certas despesas das Nações Unidas** (20 de julho de 1962); **Namíbia** (21 de junho de 1971); **Camarões setentrional** (2 de dezembro de 1963).

armas nucleares, em qualquer circunstância?"[14]. Esvaiu-se sem manifestação de fundo, por parte da Corte, a grande oportunidade de formular condenação definitiva da ameaça e do uso de armas nucleares!

4.1.1.3.2. funcionamento

A Corte pode ser dividida entre os juízes que a compõem e o Cartório da Corte (*registry*, em inglês, ou *greffe*, em francês). Os juízes cuidarão do julgamento dos casos e da prolação de opiniões e pareceres jurídicos. O chefe do cartório, o cartorário ou escrivão (*register*, em inglês, ou *greffier*, em francês), cuidará para que os aspectos administrativos sejam cumpridos; não apenas aqueles típicos de cartório judicial (como registro de documentos), mas também aqueles deveres de administração de órgão internacional (como comunicação com os outros órgãos internacionais, administração financeira e do pessoal).

A Corte é composta por quinze juízes eleitos. A eleição é feita a partir de lista de candidatos, apresentados pelos grupos nacionais de árbitros da Corte Permanente de Arbitragem (CPA), de Haia[15], ou, quando se tratar de membros das Nações Unidas não representados na CPA, por grupos nacionais designados para esse especifico fim pelos respectivos governos. A lista é submetida, simultaneamente, à Assembleia Geral e ao Conselho de Segurança. Os nomes mais votados, em ambas as casas, serão os eleitos para as vagas disponíveis. O **Estatuto** prevê procedimento específico no caso de não serem preenchidas todas as vagas disponíveis pelo procedimento normal.

A escolha dos juízes, segundo diz o artigo 1º do Estatuto da CIJ, dar-se-á "sem atenção à sua nacionalidade, de entre pessoas que gozem de alta consideração moral e possuam as condições exigidas em seus respectivos países para o desempenho das mais altas funções judiciárias ou que sejam jurisconsultos de reconhecida competência em direito internacional". Ainda por definição do **Estatuto**, não poderão figurar dois nacionais do mesmo estado na Corte, ao mesmo tempo.

---

14. Corte Internacional de Justiça, **Licéité de la menace ou de l'emploi d'armes nucléaires** (parecer consultivo, prolatado em 8 de julho de 1996). Foi a Assembleia da Organização Mundial de Saúde a primeira a perceber a dimensão do problema. Adotou a OMS a Resolução WHA46.40 em 14 de maio de 1993, por meio da qual colocava à Corte a questão seguinte: **"Considerando os efeitos das armas nucleares sobre a saúde e o meio ambiente, sua utilização por um estado, em caso de guerra ou outro conflito armado, constituiria violação de suas obrigações, à luz do direito internacional, inclusive da Constituição da OMS?"**
15. J. P. A. FRANÇOIS, **La Cour permanente d'arbitrage, son origine, sa jurisprudence, son avenir** (RCADI, 1955 t. 87, p. 457-554); L. B. SOHN, **The function of international arbitration today** (RCADI, 1963, t. 108, p. 1-114).

O mandato dos juízes é de nove anos. Há a possibilidade de recondução. A única vez que efetivamente houve quinze vagas livres foi quando a CIJ foi instaurada, pois o **Estatuto** prevê a gradual renovação parcial dos Membros da Corte a cada três anos. Os primeiros juízes eleitos tiveram tempo de mandato distinto, terminando um terço deles em três anos e outro terço, em seis anos. Desde então, todos os juízes cumprem mandato completo de nove anos ou até mesmo de dezoito anos, se reeleitos. A cada três anos, cinco vagas são novamente disputadas. A CIJ consegue, com isso, renovar-se continuamente.

Para exercerem seus cargos de forma independente e imparcial, os juízes gozam de privilégios e imunidades diplomáticas, não apenas por serem juízes de tribunal superior, mas por serem funcionários de órgão internacional. Por outro lado, devem os membros da Corte respeitar imposições e obrigações que os impeçam de se tornarem suspeitos para julgamento. Assim, nenhum deles poderá exercer qualquer função política ou administrativa, ou dedicar-se a outra ocupação de natureza profissional. Além disso, não poderão servir como agentes, consultores ou advogados, em qualquer questão, nem mesmo participar de decisão de qualquer caso em que tenham intervindo anteriormente sob qualquer maneira.

A Corte tem um presidente e um vice-presidente eleitos dentre os juízes membros da CIJ por três anos e passíveis de reeleição. Seu cartorário é nomeado pelos próprios juízes membros da Corte. A CIJ tem funcionamento permanente, exceto durante as férias judiciárias, cuja época e duração são por ela mesma fixados.

Ordinariamente a Corte funciona em sessão plenária, mas, para constituí-la, é suficiente o *quorum* de nove juízes. Poderá periodicamente formar uma ou mais câmaras, compostas de três ou mais juízes, conforme sua própria determinação, para tratar de questões de caráter especial, como, por exemplo, questões trabalhistas e assuntos referentes a trânsito e comunicações. Poderá igualmente, em qualquer tempo, formar a câmara especial, com o número de juízes que acordar com as partes, para decidir determinadas questões. Além disso, a fim de apressar a solução dos assuntos, a Corte constitui anualmente câmara, composta de cinco juízes, que, a pedido das partes, poderá considerar e resolver sumariamente as questões. Qualquer dessas câmaras poderá, com o consentimento das partes, reunir-se ou exercer suas funções fora da cidade de Haia.

Assim como a antiga CPJI, o **Estatuto** da CIJ reconhece a possibilidade de nomeação de juízes *ad hoc*, de nacionalidade das partes, para compor o banco de juízes (*bench*). Com essa fórmula, o estado que não possua, dentre os Membros da Corte, juiz de sua nacionalidade, poderá exigir que outro seja nomeado para aquele caso específico. Ambas as partes que estiverem sob julgamento poderão assim proceder, ou, se decidirem em sentido contrário, poderão abrir mão de tal direito. Os juízes *ad hoc* nomeados comporão o banco de juízes que julgará o caso específico e, pelo período certo que ali ficarão, gozarão de todos os privilégios e imunidades que gozam todos os outros juízes, assim como deverão respeitar e cumprir todas as obrigações que lhes correspondem.

4.1.1.3.3. questões processuais

As ***regras de processo*** da Corte estão indicadas no Capítulo III do seu **Estatuto** (artigos 39 a 64) e, principalmente, nas **Regras da Corte**, que são, conforme apontamos, espécie de "código de processo" feito pela própria Corte em 1978. Vamos aqui mencionar, sumariamente, as principais regras.

As línguas oficiais da Corte são o francês e o inglês. No entanto, as partes poderão pôr-se de acordo para que todo o processo se efetue em qualquer das duas línguas, e nesse caso a sentença poderá, em suas alegações, usar o francês ou o inglês. A Corte poderá autorizar, a pedido de uma das partes, o uso de qualquer outra língua, embora a sentença deva sempre ser proferida numa das línguas oficiais.

As partes são representadas por agentes, que podem se fazer assistir por consultores ou advogados. O processo tem duas fases: a primeira, escrita, composta de memoriais e contramemoriais; e a segunda, oral.

Em caso de não comparecimento (*non-appearance*, em inglês) da parte citada, em processos de jurisdição obrigatória, não será impedido o julgamento à revelia, conforme estipula o artigo 53 do **Estatuto** da Corte: 1) "Se uma das partes deixar de comparecer perante a Corte ou deixar de apresentar a sua defesa, a outra parte poderá solicitar à Corte que decida a favor de sua pretensão"; e 2) "A Corte, antes de decidir nesse sentido, deve certificar-se não só de que o assunto é de sua competência, de conformidade com os artigos 36 e 37, mas também de que a pretensão é bem fundada, de fato e de direito".

Visando limitar os efeitos danosos desse problema, o *Instituto de Direito Internacional*, na sessão de Basileia, em 1991, adotou Resolução sobre a **revelia perante a Corte Internacional de Justiça**[16].

---

16. Instituto de Direito Internacional, **Sessão de Basileia** (em 31 de agosto de 1991), em que se adotou a Resolução sobre **La non-comparution devant la Cour internationale de Justice** *(Quatrième Commission, Rapporteur: M. Gaetano Arangio-Ruiz) (Le texte anglais fait foi. Le texte français est une traduction.)* na qual o IDI considera a frequência de casos de revelia (*non-comparution*) que se produziram perante a Corte Internacional de Justiça e pondera: "*Considérant* que la Cour internationale de Justice est l'organe judiciaire principal des Nations Unies et que tous les membres des

Em todo caso, a Corte só toma conhecimento de determinado litígio quando uma das partes lhe tiver submetido, formalmente, notificação ou petição a respeito. Em caso de julgamentos à revelia, a Corte poderá julgar o caso em favor dos pedidos do estado autor. Porém, para tanto, a competência da CIJ dever ser atestada, bem como os pedidos do autor devem ser suficientemente calcados em fatos e em direitos, não bastando o mero pedido.

As audiências são públicas, a menos que a própria Corte decida em contrário mas as deliberações são sempre secretas. As decisões são adotadas por maioria simples de votos dos juízes presentes. Em caso de empate, o voto do presidente prepondera.

A sentença deve ser motivada, sob pena de perda de sua validade. Por consequência, não apenas é exigida que a sentença seja devidamente fundamentada, como também é facultado aos juízes exporem suas razões individualmente, de forma que:

- os juízes que votarem com a maioria e desejarem expor suas razões, poderão apensar à decisão suas ***declarações de votos***;
- os juízes que votarem com a maioria, mas discordarem de certos aspectos ou possuírem fundamentação diversa daquela dada pela maioria, poderão apensar à decisão seus ***votos em separado***; e
- os juízes vencidos na decisão pela maioria poderão juntar à sentença seus ***votos divergentes***.

Nations Unies sont *ipso facto* parties au Statut de la Cour (...) *Considérant* que ledit article implique qu'un Etat puisse ne pas comparaître devant la Cour; *Considérant* que l'absence d'une partie est de nature à entraver le déroulement naturel de la procédure et peut nuire à la bonne administration de la justice; *Considérant* notamment les difficultés que la non-comparution d'une partie peut présenter dans certaines circonstances pour l'autre partie ou les autres parties et pour la Cour elle-même, en particulier en ce qui concerne: a) la pleine application du principe d'égalité des parties; et b) l'acquisition par la Cour de la connaissance des faits qui peuvent être pertinents pour les prononcées relatifs aux mesures conservatoires, aux exceptions préliminaires ou au fond; *Considérant* les positions prises par des Etats défaillants dans un certain nombre d'affaires parallèlement à leur non-comparution ou par la suite; *Rappelant* en outre l'attitude prise par des Etats défaillants dans certains cas au sujet des prononcés de la Cour relatifs aux mesures conservatoires, aux exceptions préliminaires ou au fond, *Adopte* la Résolution suivante: *Article premier* Tout Etat partie qui, en vertu du Statut, a le droit d'ester devant la Cour et à l'égard duquel cette dernière est saisie d'une affaire est, *ipso facto*, en vertu du Statut, partie au procès, indépendamment de sa comparution ou de sa non-comparution. *Article 2* Lorsqu'il considère s'il va comparaître ou continuer à comparaître dans toute phase du procès devant la Cour, un Etat devrait avoir égard à son obligation de coopérer au plein exercice des fonctions juridictionnelles de la Cour. *Article 3* Lorsqu'un Etat ne se présente pas dans une instance introduite contre lui, la Cour devrait, si les circonstances le justifient: a) inviter l'Etat comparaissant à s'exprimer sur des questions spécifiques que la Cour estime ne pas avoir été examinées, ou avoir été insuffisamment approfondies, au cours de la procédure écrite ou de la procédure orale; b) prendre toute autre mesure qu'elle estime nécessaire, dans les limites des pouvoirs que lui attribuent son Statut et son Règlement, afin de préserver l'égalité des parties. *Article 4* Nonobstant la non-comparution d'un Etat devant la Cour dans une instance à laquelle il est partie, cet Etat est, en vertu du Statut, lié par toute décision prise par la Cour en l'espèce, qu'il s'agisse de la compétence, de la recevabilité ou du fond. / *Article 5* La non-comparution d'un Etat devant la Cour ne constitue pas, en soi, un obstacle à l'exercice des fonctions de cette juridiction au titre de l'article 41 du Statut".

A sentença é definitiva e inapelável, mas somente tem força obrigatória (***res judicata***) para as partes em litígio e em relação ao caso decidido, conforme estipula o artigo 59 do **Estatuto**. Se houver controvérsia quanto ao seu sentido ou ao seu alcance, caberá à Corte interpretá-la, a pedido de qualquer das partes. Como não há grau ou instância superior à CIJ, quaisquer dúvidas quanto à interpretação da sentença ou qualquer pedido de revisão desta deverá ser feito à própria Corte.

A revisão da sentença poderá, eventualmente, ser solicitada à Corte, em razão do descobrimento de algum fato suscetível de exercer influência decisiva e que, antes de proferida a sentença, era desconhecido da Corte e também da parte que solicite a revisão. Tal pedido deverá ser feito no prazo de seis meses, desde o descobrimento do fato novo e até dez anos contados da data da sentença.

Por fim, existem ainda as chamadas ***questões incidentais***, questões que são objeto próprio de julgamento, verdadeiros processos autônomos que incidem sobre o processo principal. São estas:

a) **medidas provisórias** (*interim protection*, em inglês), que podem ser obtidas pelas partes para resolver questões urgentes;
b) **objeções preliminares**, que buscam refutar a competência da Corte para aceitar ou julgar o caso principal;
c) **reconvenção**, que se dá quando o réu reconvém e faz ele próprio acusações contra o autor, que se torna réu reconvinte no processo incidental de reconvenção;
d) **intervenção**, quando terceiro estado com interesse direto sobre o processo principal nele intervém; e
e) **descontinuidade**, quando o autor retira suas acusações antes de o réu ser citado, ou, no caso de o estado réu já haver sido citado, ambas as partes resolvem, de comum acordo, descontinuar o processo principal.

A competência da Corte para julgar tais questões incidentais não depende da aceitação das partes, pois está fundamentada no próprio **Estatuto** e nas **Regras da Corte**. São questões fundamentais para o processo principal, mas cuja análise e julgamento devem ser feitos em processo próprio, separados do processo principal, mas que sobre este incidem.

4.1.1.4. Secretariado

É o órgão administrativo, por excelência, da Organização das Nações Unidas. Tem uma sede permanente, que se acha estabelecida em Nova Iorque. Compreende um Secretário-Geral, que o dirige e é auxiliado por pessoal numeroso, este escolhido segundo o mais amplo critério geográfico possível.

O Secretário-Geral é eleito pela Assembleia Geral, mediante recomendação do Conselho de Segurança. O pessoal do Secretariado é nomeado pelo Secretário-Geral, de acordo com regras estabelecidas pela Assembleia.

Como funcionários internacionais, o Secretário-Geral e os demais componentes do Secretariado são responsáveis somente perante a Organização e gozam de certas imunidades.

O Secretário-Geral atua nessa qualidade em todas as reuniões da Assembleia Geral, do Conselho de Segurança, do Conselho Econômico e Social e do Conselho de Tutela, e desempenhará outras funções que lhe foram atribuídas por esses órgãos.

Entre suas obrigações ordinárias, figura a de apresentar um relatório anual à Assembleia, sobre os trabalhos da organização. Uma de suas mais importantes faculdades é a de chamar a atenção do Conselho de Segurança para qualquer assunto que, em sua opinião, possa ameaçar a manutenção da paz e da segurança internacionais.

Dentre as funções do Secretariado, merece ser citado o artigo 102, que prevê que todo tratado firmado por estado-membro deverá ser registrado e publicado pelo Secretariado depois de sua entrada em vigor. A Convenção de Viena sobre o Direito dos Tratados (1969) ocupa-se da matéria minuciosamente nos artigos 76 a 80.

4.1.1.5. Conselho Econômico e Social

É composto atualmente de cinquenta e quatro Membros das Nações Unidas, eleitos para um período de três anos pela Assembleia Geral, sendo permitida a reeleição. Cada ano, um terço dos seus membros é renovado. Cada um destes terá nele apenas um representante. Suas decisões são tomadas por maioria dos membros presentes e votantes.

Entre as atribuições do Conselho Econômico e Social, figura, em primeiro lugar, a de realizar estudos e apresentar relatórios acerca de assuntos internacionais de caráter econômico, social, cultural, educacional, sanitário e conexos, sendo-lhe facultado fazer recomendações a respeito de tais assuntos à Assembleia Geral, aos membros das Nações Unidas e às entidades especializadas interessadas.

Esse Conselho poderá, além disso: fazer recomendações destinadas a promover o respeito e a observância dos direitos do homem e das liberdades fundamentais; preparar projetos de convenções, a serem submetidos à Assembleia Geral, sobre assuntos de sua competência; convocar conferências sobre tais assuntos; formular acordos com as entidades especializadas, vinculadas às Nações

Unidas, e coordenar as atividades dessas entidades; fornecer informações ao Conselho de Segurança e, a pedido deste, dar-lhe assistência; prestar, mediante autorização prévia da Assembleia, os serviços que lhe forem solicitados pelos membros das Nações Unidas ou pelas entidades especializadas.

4.1.1.6. Conselho de Tutela

Nos termos da Carta das Nações Unidas, o Conselho de Tutela deveria ser composto de três categorias de Membros: 1) os que se encontrem à frente da administração de territórios tutelados; 2) os membros permanentes do Conselho de Segurança que não administraram territórios tutelados; 3) outros membros eleitos para um período de três anos pela Assembleia Geral, em número suficiente para que o total dos Membros do Conselho de Tutela ficasse dividido em partes iguais, entre os membros das Nações Unidas que administravam e os que não administravam territórios tutelados. Tal composição foi possível nos primeiros anos da organização, mas atualmente não mais existem territórios sob tutela, não mais existe qualquer atuação do Conselho de Tutela. Este, embora tenha as suas atividades suspensas, formalmente continua a existir.

Embora superado pela evolução posterior, o Conselho de Tutela desempenhou seu papel quanto ao direito de autodeterminação dos povos. Este ficou superado pela evolução posterior, e torna-se incompatível com as fontes do direito internacional consuetudinário. A menção na Carta da ONU, artigo 1º, parágrafo 2º, antes utilizada de maneira a justificar e promover a instituição do Conselho de Tutela, nos termos do Capítulo XIII da Carta, tornou-se obsoleta diante do advento de textos como a mencionada **Resolução 2625 (XXV)** da Assembleia Geral, segundo a qual "todo Estado tem o dever de favorecer, conjuntamente com outros, ou separadamente, a realização do princípio da igualdade dos direitos dos povos e do direito destes de dispor de si mesmos".

4.1.1.7. funções, atribuições e ação coletiva da Organização das Nações Unidas

O principal ***objetivo*** das Nações Unidas é a manutenção da paz e da segurança internacionais, e, para alcançar esses objetivos, a Carta menciona, entre outros: os métodos amistosos de solução pacífica de controvérsias; a ação coletiva contra as ameaças à paz, ruptura da paz ou atos de agressão; e os acordos regionais[17].

17. Maurice BERTRAND, **L'ONU** (Paris: La découverte, nouvelle éd., 1995); P. B. CASELLA, *Reforma da ONU pós-Kelsen* (in IV Conferência Nacional de Política Externa e Política Internacional, **Reforma da ONU** (Rio de Janeiro, Palácio Ita-

O Capítulo VI da **Carta** das Nações Unidas (artigos 33 a 38) estabelece a série de medidas ou métodos de natureza amistosa, destinados a evitar que as controvérsias entre estados degenerem em guerra. Esse dispositivo está em harmonia com o preâmbulo da Carta, que enumera, em primeiro lugar, como um dos motivos determinantes da criação do Organismo, a resolução dos povos das Nações Unidas de "preservar as gerações vindouras do flagelo da guerra".

Os métodos previstos para esse fim são os seguintes:

1) as partes numa controvérsia que possa vir a constituir uma ameaça à paz e à segurança internacionais deverão, antes de tudo, procurar chegar a acordo, por qualquer meio pacífico;

2) o Conselho de Segurança poderá exortar as partes a recorreram a tais meios;

3) o Conselho poderá investigar sobre uma controvérsia ou uma situação suscetível de provocar atritos internacionais, a fim de determinar se a continuação da controvérsia ou da situação pode constituir ameaça à manutenção da paz e da segurança entre as nações;

4) qualquer Membro das Nações Unidas poderá solicitar a atenção do Conselho ou da Assembleia Geral para uma controvérsia ou situação dessa natureza;

5) o mesmo poderá fazer qualquer estado que não seja membro das Nações Unidas com relação a qualquer controvérsia em que figure como parte, contanto que aceite, previamente, em relação a esse caso, as obrigações de solução pacífica contidas na **Carta**;

6) a intervenção da Assembleia, em tais assuntos, limitar-se-á à possibilidade de discutir o caso e de apresentar recomendações ao estado ou estados interessados ou ao Conselho de Segurança, não lhe sendo lícito, porém, fazer qualquer recomendação a esse respeito enquanto o Conselho de Segurança estiver discutindo o assunto, salvo se isso lhe for solicitado pelo próprio Conselho;

---

maraty, 21 de agosto de 2009, "O Brasil e o mundo que vem aí", Brasília: FUNAG, 2010, p. 143-210); Jussi M. HANHIMÄKI, **The United Nations** – a very short introduction (Oxford: Univ. Press, 2008); Aziz HASBI, **ONU et ordre mondial** – réformer pour ne rien changer (Paris: L'Harmattan, 2005); Alfred von VERDROSS, **Idées directrices de l'Organisation des Nations Unies** (RCADI, 1953, t. 83, p. 1-78); Aluizio G. BITTENCOURT, **O Conselho Econômico e Social das Nações Unidas** (Rio de Janeiro, 1948); Amry VANDEN-BOSCH e Willard N. HOGAN, **The United Nations: background, organization, functions, activities** (New York, 1952); DÍEZ DE VELASCO, **Las organizaciones internacionales** (14. ed., 2007, caps. VIII até XVI, p. 149-344); Emile GIRAUD, **La révision de la Charte des Nations Unies** (RCADI, 1956, t. 90, p. 307-468); G. E. do NASCIMENTO E SILVA, *Estrutura e funcionamento das Nações Unidas* (Boletim SBDI, 1955, p. 67); G. S. KAEKENBECK, La Charte de San Francisco dans ses rapports avec le droit International, RCADI, 1947, t. 70, p. 1-108); Hans KELSEN, **The law of the United Nations: a critical analysis of its fundamental problems** (New York: Praeger, 1st publ., 1950, reprinted, 1951); Hans MORGENTHAU, **Politics among Nations** (4. ed., New York, 1956, p. 459); Leland M. GOODRICH e Edvard HAMBRO, **Charter of the United Nations: commentary and documents** (Boston, 1948); Michel VIRALLY, *Le rôle politique du Sécrétaire Général des Nations Unies* (AFDI, 1958, p. 360); Ramiro Saraiva GERREIRO, **A Organização das Nações Unidas** (Rio de Janeiro, 1953).

7) em qualquer fase da controvérsia ou da situação ameaçadora, o Conselho poderá recomendar procedimentos ou métodos de solução apropriados, mas, ao fazer tais recomendações, deverá ter em consideração que as controvérsias de caráter jurídico devem, em regra geral, ser submetidas, pelas partes, à Corte Internacional de Justiça, de acordo com as disposições do respectivo Estatuto;

8) as partes, caso não consigam chegar a acordo por qualquer outro meio pacífico, deverão submeter a controvérsia ao Conselho de Segurança, que recomendará os métodos ou as condições que lhe parecerem apropriadas para a solução.

Se se trata de assunto ou questão que dependa essencialmente da jurisdição interna de um Estado, nada autoriza as Nações Unidas a intervirem em tal assunto, e nenhum dos Membros da Organização é obrigado a submeter assuntos dessa natureza às soluções previstas na Carta das Nações Unidas: é nesse sentido que dispõe o n. 7 do artigo 2º da referida Carta, segundo o qual acrescenta, entretanto, que semelhantes preceitos não prejudicam a aplicação das medidas coercitivas constantes do capítulo referente à ação relativa a ameaças à paz, ruptura da paz e atos de agressão.

Disposição, sem dúvida, tanto vaga e elástica, porquanto dizer que uma questão depende *essencialmente* é pouco claro, podendo prestar-se a grandes ampliações. O vocábulo *exclusivamente* que se nos depara no projeto de Dumbarton Oaks era preferível. Além disso, favorece o arbítrio não atribuir a alguém a decisão nessa matéria ou não adotar critério para a respectiva qualificação. O projeto de Dumbarton Oaks falava em "situações ou controvérsias baseadas em questões que *segundo o direito internacional,* pertencem à jurisdição interna do Estado". Havia ali, ao menos, um critério mais ou menos seguro: era o do direito internacional. No artigo 15 do Pacto da Sociedade das Nações (alínea 8) havia mais do que isso, pois havia quem decidisse sobre a alegação, por uma das partes, de que a controvérsia versava sobre "uma questão que o direito internacional deixa à competência exclusiva dessa parte": era o Conselho da Liga.

Embora o direito internacional não tenha sido expressamente invocado no texto citado da Carta das Nações Unidas, convém examinar, segundo o referido direito, o que se deve entender por **questões que dependem da jurisdição interna ou da competência exclusiva de um estado**.

A Corte Permanente de Justiça Internacional, em parecer consultivo emitido a 7 de fevereiro de 1923, relativamente a **decretos de nacionalidade promulgados na Tunísia e em Marrocos**, procurou definir tal questão em termos que se tornaram *locus classicus* na matéria: "as palavras *competência exclusiva* parecem ter em vista certas matérias que, embora podendo tocar muito de perto os interesses de mais de um estado, não são, em princípio, reguladas pelo direito internacional. No que concerne a essas matérias, o estado é o único juiz para decidi-las". E acrescentou: "A questão de saber se certa matéria entra, ou não, no domínio exclusivo de um estado é questão essencialmente relativa: depende do desenvolvimento das relações internacionais. É assim que, no estado atual do direito internacional, as questões de nacionalidade estão, em princípio, na opinião da Corte, compreendidas nesse domínio reservado".

Assim, pois, parece que se deve considerar como pertencendo à competência exclusiva de um estado tudo o que está dentro das suas funções normais e ainda não foi regulamentado pelo direito internacional.

Além das questões de **nacionalidade** que a CPJI declarou pertencerem, em princípio, a esse domínio reservado, podem também ser assim considerados: as **leis de imigração**, os **regulamentos aduaneiros** e, em geral, tudo quanto concerne à **constituição interna** do estado; sua forma de **governo**, **organização administrativa** e **judiciária**; as matérias relativas ao **estado e capacidade das pessoas**, às medidas de **segurança interna e externa** e à utilização do território nacional para o bem comum.

Convém, entretanto, considerar que, embora uma questão seja, em princípio, da competência exclusiva de um estado, este pode ver-se privado de tal competência, se essa questão assume caráter internacional. Isso ocorrerá quando o estado, em virtude de compromisso internacional, obrigou-se a reconhecer a outro estado certos direitos ligados diretamente à matéria do seu domínio reservado ou se comprometeu, para com outro estado, a fazer ou não fazer alguma coisa que era da sua competência exclusiva.

Cumpre apontar a evolução da matéria desde a abordagem desenvolvida por N. POLITIS (1925)[18], que restringe o âmbito de atuação do voluntarismo unilateralista dos estados e o papel das organizações internacionais, com destaque para a ONU na matéria. A temática inscreve-se na linha da evolução institucional do direito internacional, no contexto pós-moderno.

Como já observava A. A. CANÇADO TRINDADE (1979)[19]: "não existe resposta estritamente jurídica para o problema do domínio reservado"[20]. Nesse contexto, assinala o papel das organizações internacionais, especialmente da

18. Nicolas POLITIS, **Le problème des limitations de la souveraineté et la théorie de l'abus des droits dans les rapports internationaux** (RCADI, 1925, t. 6, p. 1-122, esp. 46-93).

19. Antonio Augusto CANÇADO TRINDADE, *O domínio reservado dos estados na prática das Nações Unidas e organizações regionais* (**O estado e as relações internacionais: curso de introdução à ciência política**, Brasília: Ed. UnB, © 1979).

20. A. A. C. TRINDADE (op. cit., 1979, "Conclusão", p. 41-43, cit., p. 41).

Organização das Nações Unidas, no sentido de regulamentar práticas, em relação às quais os estados não mais possam pretender invocar a exceção do "domínio reservado", bem como o fato de que a alegação de tal natureza, por parte do estado interessado, não exime a possibilidade de exame e de regulação da matéria por parte das organizações internacionais.

Cumpre apontar a progressiva redução do âmbito do domínio reservado, na exata medida e proporção do progresso da regulação das matérias pelo direito internacional.

A existência de qualquer ***ameaça à paz internacional, ruptura da paz ou ato de agressão*** será determinada pelo Conselho de Segurança, que, a fim de manter a paz e a segurança internacionais, fará as recomendações ou adotará as medidas que considere apropriadas (artigos. 39 a 51).

Preliminarmente, a fim de evitar que a situação se agrave, o Conselho poderá, antes de tais medidas ou recomendações, convidar as partes interessadas a aceitarem certas medidas provisórias que não prejudiquem os direitos ou pretensões nem a situação das referidas partes.

Para tornar efetivas suas decisões, o Conselho poderá adotar medidas que não envolvam o emprego de forças armadas e convidar os Membros das Nações Unidas a aplicá-las, ou, se as referidas medidas forem julgadas ou tiverem demonstrado que são inadequadas, poderá levar a efeito a ação armada que julgar necessária para manter ou restabelecer a paz e a segurança internacionais. As medidas sem emprego de força armada poderão incluir a interrupção completa ou parcial das relações econômicas, dos meios de comunicações de qualquer espécie e o rompimento das relações diplomáticas. As medidas com emprego de força armada poderão compreender: demonstrações, bloqueio e outras operações por parte das forças aéreas, navais ou terrestres dos Membros das Nações Unidas.

Na **Carta** das Nações Unidas, os artigos 41 e seguintes foram considerados os mais importantes, visto que proporcionavam ao Conselho de Segurança os elementos necessários para manter ou restabelecer a paz e a segurança internacionais. Com efeito, o artigo 43 previa a assinatura de tratados especiais em cujos termos os estados-membros colocariam à disposição da organização as forças armadas necessárias; por sua vez, o artigo 47 previa a criação de Comissão de estado-maior, esta destinada a orientar e a assistir o Conselho de Segurança em todas as questões relativas às exigências militares[21].

21. A *Guerra Fria* e a confrontação sistemática entre os dois blocos ideológicos, liderados pelas então existentes duas superpotências, tornaram os referidos dispositivos "letra morta". Os efetivos militares colocados sob o comando das Nações Unidas na Guerra da Coreia, em Suez, no Congo, em Chipre e em outros locais não o foram de conformidade com o sistema idealizado em São Francisco. A década de 1990 a 2000 permitiu o desencadeamento de diversas ope-

Ao Conselho, conforme vimos, cabe a principal responsabilidade na manutenção da paz e da segurança internacionais. Mas a ação paralisante do veto pode impedir que ele exerça as atribuições que lhe correspondem nessa matéria, o que levou a Assembleia Geral, em novembro de 1950, a adotar *Resolução* destinada a obviar aquele inconveniente, com o título de "União para a Paz"[22].

A ação coercitiva do Conselho de Segurança, por mais rápida que seja, poderá sempre sofrer algum atraso. Por isso, a **Carta** das Nações Unidas não podia deixar de reconhecer o ***direito de legítima defesa***, individual ou coletiva. É o que consta do seu artigo 51, cuja redação prevê que esse direito poderá ser exercido no caso de ataque armado contra qualquer Membro das Nações Unidas, até que o Conselho haja tomado as medidas necessárias para a manutenção da paz e da segurança internacionais. As medidas de legítima defesa serão, no entanto, comunicadas imediatamente ao Conselho de Segurança e não deverão atingir a autoridade nem a responsabilidade que lhe correspondem para levar a efeito, em qualquer tempo, a ação que julgar adequada para a manutenção ou estabelecimento da paz e da segurança internacionais.

Após o exame da Organização das Nações Unidas, das suas estruturas institucionais, e das funções, atribuições e ação coletiva da organização, passa-se a rápida menção das "organizações internacionais especializadas de vocação universal" (4.1.2.), antes de prosseguir com não menos rápida menção às "organizações internacionais de vocação regional" (4.2.) e às "organizações não governamentais e sociedade civil internacional (4.3.).

O exame do conjunto das organizações internacionais faz-se de maneira conceitual, na extensão compatível com este **Manual**, voltado ao exame do vasto conjunto do direito internacional, dito *público*, no contexto pós-moderno. Existe necessidade de cursos inteiros para abranger o conjunto da disciplina das organizações internacionais[23].

---

rações importantes, promovidas pelo Conselho de Segurança da ONU, dentre as quais as criações dos Tribunais penais internacionais *ad hoc* para Ruanda e para a ex-Iugoslávia (*v.* 8.1.2.1.5.2.).

22. Essa **Resolução**, aprovada por 52 votos, teve o título de "**União para a Paz**". Nela se estabeleceram, entre outras, as seguintes disposições: a) em caso de veto no Conselho, a Assembleia poderá reunir-se em 24 horas; b) a Assembleia poderá fazer recomendações aos Estados-membros, para medidas coletivas, até mesmo, no caso de ruptura da paz ou ato de agressão, o uso de forças armadas; c) recomenda-se a cada estado-membro que mantenha, dentro das respectivas forças armadas, elementos nacionais treinados, organizados e equipados para serem prontamente utilizados em serviço como unidades das Nações Unidas, em consequência de recomendação quer do Conselho, quer da própria Assembleia. A mesma Resolução previu, além disso, o estabelecimento de uma comissão de observação, para observar e informar em qualquer área onde exista tensão internacional, e criou uma comissão destinada a estudar e sugerir métodos coletivos para fortalecimento da paz e da segurança, de conformidade com a Carta.

23. Ademais organizado o estudo das organizações internacionais como disciplina própria em cursos de graduação e pós-graduação em direito e em relações internacionais.

4.1.2. organizações internacionais especializadas de vocação universal

Dentre os princípios das Nações Unidas figura a cooperação internacional para resolver os problemas internacionais de caráter econômico, cultural ou humano (artigos. 1, 3). A **Carta** encarrega o **Conselho Econômico e Social** (**ECOSOC**) da principal tarefa nesse sentido. Com tal objetivo, o artigo 55 prevê a criação de ***entidades especializadas***, criadas por acordos intergovernamentais e com amplas responsabilidades internacionais, definidas, em seus instrumentos básicos, nos campos econômico, social, cultural, educacional, sanitários e conexos, que serão vinculadas à Organização por meio de acordos que serão submetidos à aprovação da Assembleia Geral. Estas compõem a chamada "família da ONU".

Com anterioridade, a Sociedade das Nações (SdN) tentara colocar todas as organizações especializadas sob o seu controle, desde que os respectivos membros com isso concordassem. O Pacto ainda estabelecia que as repartições internacionais que fossem constituídas no futuro seriam colocadas sob o seu controle. Com efeito, algumas das grandes entidades especializadas de hoje foram criadas antes da SdN, embora com denominações e objetivos ligeiramente distintos, como é o caso da União Telegráfica, criada em 1863 e que se fundiu com a Organização Radiotelegráfica em 1932; da Organização de Meteorologia de 1874; da Organização para a Proteção da Propriedade Intelectual de 1883; da União Postal de 1926 e da Organização Internacional do Trabalho, criada pelo Tratado de Versalhes em 1919.

As organizações especializadas adquiriram com o passar do tempo prestígio internacional, tanto assim que o seu direito de assinar tratados internacionais foi reconhecido expressamente pela **Convenção de Viena II** (1986) sobre o direito de tratados de organizações internacionais. As respectivas sedes gozam, em virtude de acordos, de inúmeros privilégios e imunidades; os estados-membros possuem representantes permanentes junto às mais importantes, que, por sua vez, possuem escritórios em diversos países.

As **organizações internacionais especializadas de vocação universal** adotam estrutura tripartite semelhante. Possuem:

- órgão colegiado pleno, integrado por todos os estados-membros (com a denominação de Assembleia, Conferência Geral ou Congresso), que se reúne geralmente uma vez por ano, incumbido de aprovar as linhas políticas gerais e o orçamento, eleger o Secretário-Geral e os membros do Conselho;
- órgão colegiado restrito (com a denominação de Conselho ou *Board of Governors*), que lhe compete executar as diretrizes recebidas e se reunir com maior frequência conforme a agenda;

- secretariado, que garante a continuidade da atuação de cada organização internacional, sob a responsabilidade de Secretário-Geral ou Diretor-Geral;
- outros órgãos subalternos, nas **organizações internacionais especializadas de vocação universal**, bem como podem criar e manter comissões ou colegiados encarregados de problemas específicos;
- regime uniforme do pessoal administrativo (os funcionários internacionais), e as classes e os salários são semelhantes; as questões administrativas são julgadas por tribunais específicos, visto que alguns desses tribunais se ocupam dos problemas de dois ou mais organismos[24].

A bibliografia a respeito é bastante extensa e não isenta de controvérsias[25]. A atualização pode e deve ser feita através dos *sites* eletrônicos, que, ademais, permitem viagem interna, ao "mundo maravilhoso", em alguns casos contando milhares de páginas de informação a respeito de cada uma destas organizações[26].

São numerosas as **organizações internacionais especializadas de vocação universal**, e podem ser lembradas:

- **Organização Internacional do Trabalho** (OIT ou ILO)[27], com sede em Genebra;
- **Organização para a Alimentação e Agricultura** (FAO), com sede em Roma;
- **Organização para a educação, ciência e cultura** (UNESCO), com sede em Paris;
- **Organização Mundial de Saúde** (OMS ou WHO)[28], com sede em Genebra;

24. *Vide* 8.1.2.1.6., **tribunais administrativos internacionais**.
25. *Bibliografia*: A. A. CANÇADO TRINDADE, **Direito das organizações internacionais** (Belo Horizonte: Del Rey, 3. ed., 2003); Antonio LINARES, **Curso de derecho internacional público (organizaciones internacionales)** (Caracas, 1972, 2 v.); C. F. AMERASINGH, **The law of the international civil service** (2 v., Oxford, 1988); Celso de A. MELLO, **Curso** (ed. cit., 2004, loc. cit.); Clive PARRY, **Constitution of International Organizations** (BYB, 1946, p. 395); D. W. BOWETT, **The law of international institutions** (London, 1965); Manuel DIEZ de Velasco, **Las organizaciones internacionales** (Madrid: Tecnos, 14. ed., 2006, reimpr. 2007); PASTOR RIDRUEJO, **Curso de derecho internacional público y organizaciones internacionales** (Madri, 1992, 4. ed.); Paul REUTER, **Institutions internationales** (Paris, 1975, 8. ed.); J. F. REZEK, **Direito internacional público: curso elementar** (São Paulo: Saraiva, 10. ed., 2005, p. 247 e s.).
26. A necessidade de atualização constante para o profissional do direito tem suporte da tecnologia para facilitar esse trabalho. Perderam o sentido, se antes tinham alguma razão de ser, as coletâneas de textos e tratados, na medida em que estes mesmos textos e tratados passam a ser acessíveis, por via eletrônica, com considerável rapidez e agilidade, pelo usuário. Tendo o intuito de facilitar essa tarefa de pesquisa, seguem os endereços eletrônicos de algumas das principais organizações internacionais, que disponibilizam volumes substanciais de materiais, com constante atualização, a cargo de cada uma das organizações internacionais.
27. OIT – www.ilo.org.
28. OMS – www.who.org.

- **Organização Meteorológica Mundial** (OMM ou WMO), com sede em Genebra;
- **União Postal Universal** (UPU ou IPU), com sede em Berna;
- **Organização Marítima Internacional** (OMI ou IMO)[29], com sede em Londres;
- **União Internacional de Telecomunicações** (UIT ou ITU), com sede em Genebra;
- **Organização Mundial para a Propriedade Intelectual** (OMPI ou WIPO)[30], com sede em Genebra;
- **Organização para o Desenvolvimento Industrial** (ONUDI ou UNIDO), com sede em Viena;
- **Banco Mundial**, com sede em Washington;
- **Fundo Monetário Internacional**, com sede em Washington, é o eixo do sistema monetário internacional – aspectos legais e institucionais desse conjunto merecem análise[31], aliás, por contar esse sistema com mecanismos de sanção específica[32];
- **Agência Internacional de Energia Atômica** (AIEA ou IAEA), com sede em Viena – esta não é subordinada ao ECOSOC, mas ao Conselho de Segurança das Nações Unidas. A regulação da energia atômica é tema crucial para a sobrevivência da vida no planeta.
- a **Organização Mundial do Comércio**, com sede em Genebra, passa a receber breve enfoque específico (4.1.2.1.).

4.1.2.1. Organização Mundial do Comércio (OMC)

O antigo *Acordo Geral de Tarifas e Comércio* (GATT, 1947) não era organização internacional, propriamente dita, mas acordo "temporário", cuja vigência se estendeu de 1948 até 1994, quando veio a ser "absorvido" pelo conjunto institucional mais amplo e mais estruturado da **Organização Mundial do Comércio**[33]. Assim, pôs-se fim à lacuna institucional remanescente desde o fracasso da pretendida instauração da Organização Internacional do Comércio, que, nunca tendo entrado em vigor, dera lugar ao "acordo" de "vigência provisória", sobre o qual se estrutura e desenvolve, em considerável extensão, o sistema mundial de livre comércio.

29. OMI – www.imo.org.
30. OMPI – www.wipo.org.
31. Joseph GOLD, **Legal and institutional aspects of the International Monetary System**; selected essays (ed. by Jane B. EVENSEN e Jai KEUN OH, Washington, 1979, 2 v.).
32. J. GOLD (op. cit., 1979, v. I, Cap. 3, "'sanctions' of the fund", p. 148-181) prefere denominá-las "remedies".
33. OMC – www.wto.org.

O término da oitava e mais longa rodada de negociações do GATT[34], a *rodada Uruguai*, estendeu-se de 1986 até o encerramento em 15 de dezembro de 1993, que foi assinalado pela *Ata final*, firmada no curso da Reunião ministerial *de Marraqueche*, de 12 a 15 de abril de 1994, mediante a ratificação de que se dá a entrada em vigor da OMC, em 1º de janeiro de 1995[35]. Desde lá, colocam-se as perspectivas em relação à evolução subsequente do comércio internacional[36].

Os países tinham a opção de aceitação ou recusa integral da *Ata Final de Marraqueche*, não sendo tal conjunto passível de aposição de reservas. O Brasil[37],

---

34. Foi esta precedida pelas Rodadas de Genebra (1947), Annecy (1949), Torquay (1951), Genebra (1956), *Rodada Dillon* (Genebra, 1960-61), *Rodada Kennedy* (Genebra, 1964-67) e *Rodada Tóquio* (1973-79).

35. Kym ANDERSON and Richard BLACKHURST (edited by), **Regional integration and the global trading system** (New York: Harvester / Wheatsheaf, 1993); Kym ANDERSON e Richard BLACKHURST (sous la direction de), **Commerce international et environnement** (1992, ed. inglesa; trad. Yves DURET, Sylvie de GUNZBURG e Jean-Michel PLESSZ, Paris: Economica, 1992); Carlo CARRARO, Didier LAUSSEL, Mark SALMON e Antoine SOUBEYRAN (edited by), **International economic policy co-ordination** (Oxford: Basil Blackwell, 1991); Bernard COLAS (editor), **Global economic co-operation** (pref. Javier PÉREZ de Cuéllar, Deventer: Kluwer Law / United Nations Univ. Press / Management Books, 2000; 1st publ. in French, 1991, rev. ed., in English, © 1994); Lígia Maura COSTA, **OMC: guia prático da rodada Uruguai** (São Paulo: Saraiva, 1996); John CROOME, **Reshaping the world trading system: a history of the Uruguay Round** (Genebra: WTO-OMC, 1995); Catherine FLAESCH-MOUGIN e Joël LEBULLENGER (sous la direction de), **Le partenariat entre l'Union européenne et les Amériques: le libre-échange en question** (Paris: Apogée / CEDRE – Centre de recherches européennes – Univ. de Rennes, 1999); Brian FYNES and Sean ENNIS (edited by), **Competing from the periphery: core issues in international business** (© 1997, Dublin: The Univ. College / Londres: Dryden Press, 1997); Walter GOODE, **Dictionary of trade policy terms** (Adelaide, Austrália: Center for International Economic Studies / Univ. of Adelaide, 1997); Bernard JADAUD e Robert PLAISANT, **Droit du commerce international** (Paris: Dalloz, 3. ed., 1987); Michel KOSTECKI and András FEHÉRVÁRY (edited by), **Services in the transition economies: business options for trade and investments** (Oxford: Pergamon, 1996); John KRAUS, **The GATT negotiations: a business guide to the results of the Uruguay Round** (Paris: CCI, 1994); Filip de LY, **International business law and *lex mercatoria*** (Amsterdam: North Holland, 1992); Claude NEHMÉ, **Le GATT, l'OMC et les grands accords commerciaux** (Paris: Les éditions d'organisation, 1994); Louis PERRET (edited by / sous la direction de) Judy KORECKY (associate editor / adjointe à la direction), **The evolution of free trade in the Americas / L'évolution du libre-échange dans les Amériques** (Montreal: Wilson & Lafleur, 1999); Alain PRUJINER, **Treaties and international documents used in international trade law / Traités et documents internationaux usuels en droit du commerce international** (Montreal: Wilson & Lafleur, 1992); Michel RAINELLI, **Le commerce international** (Paris: La découverte, 5. ed., 1996); Girogio SACERDOTI e Sergio ALESSANDRINI, **Regionalismo economico e sistema globale degli scambi** (Milão: Giuffrè, 1994); Jeffrey S. THOMAS e Michael A. MEYER, **The new rules of global trade: a guide to the World Trade Organization** (Scarborough, Ontário: Carswell, 1997); Michael J. TREBILCOCK & Robert HOWSE, **The regulation of international trade** (Londres: Routledge, 1995); **Business guide to the Uruguay Round** (Genebra: UNCTAD/WTO / International Trade Centre / Commonwealth Secretariat, 1996).

36. Jacques MARCOVITCH (coord.), **O futuro do comércio internacional: de Marrakesh a Cingapura** (São Paulo: FEA-IEA/USP, 1996); Arno dal RI Jr. e Odete M. de OLIVEIRA (orgs.), **Direito internacional econômico em expansão: desafios e dilemas** (Ijuí: Unijuí, 2003, col. direito, política e cidadania, v. 9).

37. P. B. CASELLA, The results of the Uruguay Round in Brazil: legal and constitutional aspects of implementation (in John H. JACKSON and Alan O. SYKES, **Implementing the Uruguay Round**, Oxford: Clarendon Press, 1997, p. 441-455). E no mesmo volume, também, capítulos a respeito da implementação dos resultados da Rodada Uruguai na União Europeia, na Bélgica, na Alemanha, no Japão, nos Estados Unidos, no Canadá, na Austrália, na Suiça, na Coreia e na Costa Rica, além do Brasil. *V.*, tb., John H. JACKSON, Jean-Victor LOUIS and Mitsuo MATSUSHITA, **Implementing the Tokyo Round: national constitutions and international economic rules** (Ann Arbor: the Univ. of Michigan Press, 1984); Will MARTIN and L. Alan WINTERS, **The Uruguay Round and the developing countries** (Cambridge: Univ. Press, 1996).

membro originário do GATT (1947), igualmente integra, desde o início, a OMC[38]. Se o País, em tantas instâncias internacionais, se pauta pela omissão, pelo conservadorismo e pela pouca consistência de posições, que caracterizam tanto a política interna como mais ainda a externa do atual governo[39], com certeza não pode ser considerado omisso na presença e defesa de seus interesses no âmbito da OMC.

A passagem do modelo provisório do *Acordo geral*, dedicado tão somente a regular tarifas e comércio para a nova organização[40], como referem V. MAROTTA RANGEL (1998)[41], G. SACERDOTI (1998)[42] *et al.*, *representou mutação conceitual relevante da ordenação de todo o sistema internacional de comércio*, baseado nas premissas: das restrições, e da eliminação progressiva, das barreiras comerciais e da multilateralidade da aplicação da claúsula da nação mais favorecida.

A transição do GATT para a OMC[43] representou extensão considerável não somente quanto ao número de participantes, como ao aumento da abrangência dos temas regulados pelos diferentes acordos setoriais, inseridos no conjunto da *Ata final de Marraqueche*, de 1994, cuja adoção conduz à entrada em vigor da OMC, com a implantação da rede de acordos multilaterais setoriais, até mesmo em matéria de proteção da propriedade intelectual (TRIPs), como também pela implementação de sistema institucionalmente aperfeiçoado de solução de controvérsias, com mecanismo de revisão[44]. Em vários aspectos se constitui ramo

38. **Resultados da Rodada Uruguay do GATT: Decreto n. 1.355 de 30-12-1994** – DOU 31 dez. 1994 (São Paulo: Aduaneiras, 1995); WTO, **The results of the Uruguay Round of multilateral trade negotiations** (Genebra: WTO / Centre William Rappard, 1994 by the The Gatt Secretariat, reprinted in 1995 by the WTO).

39. Cf. análise desenvolvida nos **Fundamentos** (2007, item XIII, "Boa tradição e a que se deve evitar", p. 973-1111).

40. P. B. CASELLA e A. de A. MERCADANTE (coords.), **Guerra comercial ou integração mundial pelo comércio: a OMC e o Brasil**, São Paulo: LTr, 1998); Jagdish BHAGWATI e Robert E. HUDEC (editors), **Fair trade and harmonization: prerequisites for free trade**? (v. I. **Economic analysis**; v. II. **Legal analysis**, Cambridge, Ma. Londres: MIT Press, 1996); Roberto VIRZO, *A sucessão entre organizações internacionais e a transformação do GATT em OMC* (in **Direito internacional econômico em expansão: desafios e dilemas**, orgs. Arno dal RI Jr. e Odete M. de OLIVEIRA, Ijuí: Unijuí, 2003, p. 171-193).

41. Vicente MAROTTA RANGEL, *Marraqueche 1994 e os dois GATT: breve apresentação* (in **Guerra comercial ou integração mundial pelo comércio: a OMC e o Brasil**, São Paulo: LTr, 1998, p. 126-136).

42. Giorgio SACERDOTI, *A transformação do GATT na Organização mundial do comércio* (in **Guerra comercial ou integração mundial pelo comércio: a OMC e o Brasil**, São Paulo: LTr, 1998, p. 50-69).

43. Bernard HOEKMAN and Michel KOSTEKI, **The policital economy of the world trading system: from GATT to WTO** (Oxford: UP, 1996, reprinted 1997).

44. P. B. CASELLA, *From dispute settlement to jurisdiction? Perspectives for the MERCOSUR* (in **International trade law and the GATT/WTO dispute settlement system**, edited by Ernst-Ulrich PETERSMANN, Londres: Kluwer Law Int'l., 1997, p. 553-558), contribuições de vários autores, com exame de países ou espaços regionais integrados. A respeito do MERCOSUL, *v.*, tb., Raúl Aníbal ETCHEVERRY, *Settlement of disputes in the South American Common Market (MERCOSUR)* (op. cit., 1997, p. 545-552); Ernst-Ulrich PETERSMANN, **The GATT/WTO dispute settlement system: international law, international organizations and dispute settlement** (Londres: Kluwer Law Int'l., 1997); OMC, **Les procédures de réglement des differends de l'OMC: recueil des textes juridiques** (Genebra: OMC, 1995); WTO, **The WTO dispute settlement procedures: a collection of legal texts** (Genebra: WTO, 1995).

autônomo do direito internacional do comércio, conforme apontam M. BRONCKERS (2000)[45], Peter J. KUYPER (1998)[46], e vários autores no volume, sob a coordenação de M. BRONCKERS e G. N. HORLICK (2004)[47].

É enorme a extensão dos estudos a respeito do tema[48] no curso dos anos transcorridos desde a sua implementação. Como refere Ph. FOUCHARD (2001, nova ed., 2007)[49]: "atualmente as autoridades estatais se mostram desejosas, ainda que fosse somente para lutar contra a sobrecarga da justiça pública, de encorajar o recurso a todos os meios de solução de controvérsias, sejam estes amigáveis ou jurisdicionais"[50].

O desenvolvimento dos meios institucionais de solução de controvérsias é dado crucial para qualquer sistema de convivência organizada, desde as menores células de pessoas físicas, aos mais complexos sistemas de coordenação entre estados e organizações internacionais. Mostra-se a sua importância, pela frequência da utilização, não somente para o funcionamento da OMC e do sistema multilateral de comércio, como também para o conjunto do direito internacional[51].

A evolução do livre comércio no contexto interamericano, em análise coordenada por L. PERRET e J. KORECKY (1999)[52], prepara o caminho para o exame das organizações internacionais de vocação regional[53] e na interação entre blocos regionais, na linha de C. FLAESCH-MOUGIN e J. LEBULLENGER (1999)[54]. Como se passsa a examinar, em suas grandes linhas conceituais.

---

45. Marco C. E. J. BRONCKERS, **A cross-section of WTO Law** (Londres: Cameron May, 2000).

46. Peter J. KUYPER, *O direito do GATT como um campo especial do direito internacional: ignorância, refinamentos posteriores ou um sistema autocontinente de direito internacional?* (in **Guerra comercial ou integração mundial pelo comércio: a OMC e o Brasil**, São Paulo: LTr, 1998, p. 15-49).

47. Marco C. E. J. BRONCKERS and Gary N. HORLICK (edited by), **WTO jurisprudence and policy: practitioners' perspectives** (Londres: Cameron May, 2004).

48. Celso LAFER, **A OMC e a regulamentação do comércio interrnacional: uma visão brasileira** (Porto Alegre: Livr. do Advogado Ed., 1998); Celso LAFER, **Comércio e relações internacionais** (São Paulo: Perspectiva, 1977).

49. Philippe FOUCHARD, *Arbitrage et modes alternatives de reglement des litiges du commerce international* (originalmente publicado in **Mélanges en l'honneur de Philippe KAHN**, Paris: LITEC, 2001; novamente publicado in **Écrits: droit de l'arbitrage – droit du commerce international**, préface de X. BOUCOBZA – E. GAILLARD – Ch. JARROSSON, Paris: Comité français de l'arbitrage, 2007, p. 491-505).

50. Ph. FOUCHARD (art. cit., 2001, ed. 2007, par. 15, p. 497).

51. *V.* item 7, **solução de controvérsias e guerra no direito internacional.**

52. Louis PERRET (edited by / sous la direction de) Judy KORECKY (associate editor / adjointe à la direction), **The evolution of free trade in the Americas / L'évolution du libre-échange dans les Amériques** (Montreal: Wilson & Lafleur, 1999).

53. P. B. CASELLA, *Quadrilateral perspective on integration in the Americas: a view for the Mercosur and Brasil* (in **The evolution of free trade in the Americas / L'évolution du libre-échange dans les Amériques**, Louis PERRET (edited by / sous la direction de) Judy KORECKY (associate editor / adjointe à la direction), Montreal: Wilson & Lafleur, 1999, p. 125-155).

54. Catherine FLAESCH-MOUGIN e Joël LEBULLENGER (sous la direction de), **Le partentariat entre l'Union européenne et les Amériques: le libre-échange en question** (Paris: Apogée / CEDRE – Centre de recherches européennes – Univ. de Rennes, 1999, titre II "le point de vue des Amériques", Cap. II P. B. CASELLA, "Legal features and institutional perspectives for the MERCOSUR – the common market of the south, as it stands (after the end of the transition period)", p. 79-92).

4.2. Organizações internacionais de vocação regional

Tendência verificada, desde o final da segunda guerra mundial, foi a de tomar o *regionalismo* como base da estruturação da futura organização internacional, e em tal sentido os sistemas europeu, interamericano, em escala continental ou sub-regional, como o africano, seguem o mesmo modelo. Nessa perspectiva, a *Comunidade britânica* seria considerada entidade regional. O projeto de Dumbarton Oaks, contudo, ao dar prioridade ao Conselho de Segurança, relegou a segundo plano o regionalismo, embora no Capítulo VIII, Seção C, dizia-se que "nada deverá excluir a existência de entendimentos ou entidades regionais". Diante da ameaça ao sistema interamericano, foi realizada a Conferência de Chapultepec, onde os países do Continente adotaram a política tendente a evitar possível enfraquecimento do sistema.

A Carta das Nações Unidas (artigos 52 a 54) diz que os acordos ou entidades regionais poderão ocupar-se da manutenção da paz e da segurança internacionais em assuntos suscetíveis de ser regulados por ação regional, desde que tais acordos ou entidades e atividade prevista sejam compatíveis com os propósitos e princípios das Nações Unidas.

Os Membros das Nações Unidas que forem partes em tais acordos ou constituírem tais entidades deverão procurar resolver pacificamente as controvérsias locais por meio de seu sistema regional, antes de as submeter ao Conselho de Segurança. Nada obsta, contudo, a que este exerça a autoridade, que lhe é própria, de investigar sobre qualquer controvérsia ou situação suscetível de provocar atritos entre nações, ou a que a atenção do Conselho ou da Assembleia seja solicitada por qualquer Estado para uma controvérsia ou situação dessa natureza.

O Conselho de Segurança será sempre informado de qualquer ação empreendida ou projetada, em virtude de acordos regionais ou por entidades regionais, para a manutenção da paz e da segurança internacionais.

Por sua parte, o próprio Conselho poderá utilizar tais acordos ou entidades para uma ação coletiva, sob a sua autoridade.

Segundo o artigo 53 da **Carta**, nenhuma ação coercitiva poderá ser levada a efeito por meio dos acordos ou entidades regionais, sem autorização do Conselho, salvo contra estado que, durante a segunda guerra mundial, foi inimigo de qualquer dos signatários da **Carta** das Nações Unidas e isso somente até o momento em que a organização possa, a pedido dos governos interessados, tomar o encargo de impedir toda nova agressão por parte de tal estado[55]. Isso não pode

55. O bombardeio da Sérvia pelas tropas da OTAN, durante a guerra civil iugoslava, nos anos 1990, não se coadunaria com tal princípio.

significar, contudo, impedimento às medidas de legítima defesa, individual ou coletiva, autorizadas, conforme vimos, pelo artigo 51.

As organizações internacionais de vocação regional, como dito, além de suas agendas e objetivos internos têm-se ocupado de problemas de direito internacional. Trata-se de vasto universo esse das organizações internacionais, sejam estas de vocação regional ou de vocação universal. Cumpre notar ter este experimentado considerável expansão, sobretudo nas décadas transcorridas desde o final da segunda guerra mundial.

Serão, exemplificativamente[56], mencionadas: a "**União Europeia**" (4.2.1.), ao lado de outras organizações europeias, tais como o Conselho da Europa, as organizações interamericanas, com menção expressa da "**Organização dos Estados Americanos**" (OEA)[57] (4.2.2.), e outras[58], bem como a "**Unidade Africana**" (4.2.3.), a "**Liga árabe**" (4.2.4.) e a "**Organização de Cooperação Econômica da Ásia-Pacífico**" (APEC) (4.2.5.).

4.2.1. União Europeia

No presente item, destinado ao exame da União Europeia (4.2.1.), serão sucessivamente considerados: a "evolução das comunidades europeias" (4.2.1.1.); as "estruturas institucionais comunitárias" (4.2.1.2.), com os seguintes órgãos, a "Assembleia (ou Parlamento Europeu)" (4.2.1.2.1.), o "Conselho" (4.2.1.2.2.), a "Comissão" (4.2.1.2.3.) e o "Tribunal de Justiça" (4.2.1.2.4.); a seguir, o "ordenamento jurídico comunitário: natureza e princípios fundamentais" (4.2.1.3.); as

---

56. O ramo do direito internacional denominado **direito da integração** firmou-se como disciplina autônoma, com objeto e método próprios, e desenvolvimento considerável, a ponto de constituir programas inteiros, lecionados em cursos de graduação e de pós-graduação. Nesse sentido, dentre extensa bibliografia disponível na **International Encyclopaedia of Laws**, a recente e bastante completa coletânea a respeito das **Intergovernmental Organizations** (general editor Roger BLANPAIN, editor Jan WOUTERS, Haia: Kluwer Law International, 2007, em quatro volumes, com atualizações periódicas).

57. Cf. ref. em nota no item 1.1.3., o sistema interamericano desenvolveu-se, a partir das Conferências Interamericanas do final do século XIX e primeira metade do XX. Em 1945, a *Conferência Interamericana sobre Problemas de Guerra e Paz*, reunida na Cidade do México, fixou não só as linhas a serem seguidas pelas nações do continente em relação às Nações Unidas, senão também os princípios básicos que deveriam nortear suas relações mútuas. Em 1947, terminada a *Conferência Interamericana para a Manutenção de Paz e de Segurança no Continente*, celebrada em Petrópolis, foi assinado o Tratado Interamericano de Assistência Recíproca. No ano seguinte, foi assinada em Bogotá a **Carta** da **Organização dos Estados Americanos**. Em junho de 1965, realizou-se no Rio de Janeiro a *Segunda Conferência Interamericana Extraordinária*, pouco depois da Revolução de 1964 no Brasil e da Revolução dominicana de 1965. Dois anos mais tarde, em decorrência da citada reunião, a **Carta** da Organização dos Estados Americanos foi modificada pelo **Protocolo** de Buenos Aires.

58. Cf. referido *supra*, tais como ALADI (Associação Latino-Americana de Desenvolvimento e Integração), Comunidade Andina, Caricom, Mercosul, Nafta e Alca. *V.* P. B. CASELLA, *Integração nas Américas: uma visão de conjunto* (in **Mercosul: integração regional e globalização**, coord. P. B. CASELLA *et al.*, Rio: Renovar, 2000, p. 235-278); P. B. CASELLA e R. E. SANCHEZ (orgs.), **Quem tem medo da Alca? Desafios e perspectivas para o Brasil** (pref. João Grandino RODAS, Belo Horizonte: Del Rey, 2005).

"políticas comuns" (4.2.1.4.); e as "perspectivas rumo à integração" (4.2.1.5.). Os *sites* eletrônicos da UE são muito abrangentes[59].

A ideia de se criar organização regional europeia é antiga, mas esta só se materializou depois da segunda guerra mundial. De um modo geral, todos os projetos de criação de uma organização mundial, a partir do projeto do Abade SAINT PIERRE (1713), eram a rigor de índole europeia. Em 1929, Aristide BRIAND propôs a criação de uma União Europeia; HITLER, igualmente, pretenderia uma Europa unificada, mas esta sob a hegemonia do IIIº Reich alemão e da Itália, nos moldes de *pax romana.* Com a segunda guerra mundial, o movimento intensificou-se graças principalmente aos governos exilados que se encontravam em Londres, movimento este que culminou com a *Declaração das Resistências Europeias* de 1944.

Verificou-se, após a segunda guerra mundial, entre os governos europeus a preocupação de procurar novos caminhos com vistas a reconstruir as economias devastadas e manter o ritmo de desenvolvimento. Duas soluções: de visão federalista, resulta a Comunidade Econômica Europeia, atualmente a União Europeia, e a visão de escola funcional, que se corporifica na Associação Europeia de Livre Comércio (EFTA). Esta última se esvazia progressivamente, na medida em que seus antigos integrantes aderem à primeira. E as ulteriores adesões, progressivamente, redesenham o mapa político, econômico e cultural da Europa.

4.2.1.1. evolução das comunidades europeias

A União Europeia destaca-se no contexto geopolítico emergente do mundo pós-Guerra Fria, em que a heterogeneidade e diversidade do sistema internacional resultam na multiplicação de organizações internacionais de caráter regional. Não somente por ter representado a superação de seculares dissensões e complexas manobras de equilíbrio político, mas também pelo nível de desenvolvimento médio dos países integrantes, a União Europeia representa uma das mais bem-sucedidas empreitadas de integração regional realizadas até hoje, apesar das críticas que recebeu e recebe. O progresso vem desde a sólida estruturação de mercado comum, passando pela efetivação paulatina de união de alcance significativamente mais amplo – a "União Europeia" – por meio da conjugação econômica e monetária, da política externa e de segurança únicas e da cooperação em matéria judiciária, seguindo afinal o rumo de verdadeira união política.

59. UNIÃO EUROPEIA – www.europa.eu.int. Especificamente para acesso a toda a jurisprudência europeia, Trib. de Justiça E Trib. de 1ª Instância das Comunidades Europeias – www.curia.eu.int.

A ideia da integração das nações europeias tem origens remotas. A partir do momento em que se pode falar de história europeia, surge a noção de unidade cultural da Europa, inspirando e atormentando poetas, pensadores e historiadores, como ainda, simultaneamente, acompanhando o ideal de integração política, por mais desvairados ou irrealistas que possam ter sido os contornos dos diferentes projetos que acompanharam a evolução histórica[60].

A passagem do ideal europeu distante para a realidade concreta, entretanto, somente ocorreu no contexto imediatamente subsequente à segunda guerra mundial. O momento preciso em que todo esse processo foi desencadeado poderia ser assinalado por dois discursos: o do primeiro-ministro britânico Winston CHURCHILL, proferido na Universidade de Zurique em 19 de setembro de 1946, e a declaração de SCHUMAN, ministro das Relações Exteriores francês, em 9 de maio de 1950. Este último recebeu aceitação de Konrad ADENAUER, chanceler da então República Federal Alemã, formando-se assim o consenso acerca da necessidade de se implementar iniciativas para a reconstrução dos escombros deixados pela guerra, bem como para se evitar a repetição da catástrofe, sepultando definitivamente as tensões e rivalidades entre França e Alemanha, que tantas vezes culminaram em conflitos.

À iniciativa franco-alemã juntaram-se a Itália mais os três países componentes do Benelux (Bélgica, Holanda e Luxemburgo), por ocasião de conferência realizada em Paris, no dia 20 de junho de 1950. Como produto do encontro, foi assinado um Tratado, já em 18 de abril de 1951 que, após ratificado pelos seis estados signatários, instituiu a Comunidade Europeia do Carvão e do Aço (Ceca). O preâmbulo do Tratado Ceca resume a filosofia dos iniciadores da construção europeia: "resolvidos a substituir as rivalidades seculares por fusão dos seus interesses essenciais, e a assentar, pela instituição de comunidade econômica, os primeiros alicerces de comunidade mais ampla e mais profunda entre os povos há muito divididos por conflitos sangrentos e a lançar as bases de instituições capazes de orientar destino doravante compartilhado".

A crise de Suez e a repressão soviética à revolta da Hungria levaram a Europa a unir-se ainda mais. Em Roma, 25 de março de 1957, assinaram-se os Tratados que criaram a Comunidade Econômica Europeia (CEE) e a Comunidade Europeia de Energia Atômica (Euratom). Originalmente assinados pelos seis estados-membros originais, Bélgica, França, Itália, Luxemburgo, Países Baixos e República Federal da Alemanha, posteriormente se integraram outros seis Es-

---

60. Para retrospectiva histórica das teorias, tentativas e manifestações de integração europeia, *v.* P. B. CASELLA, **União Europeia: instituições e ordenamento jurídico** (São Paulo: LTr, 2002).

tados, em três ampliações sucessivas: em primeiro momento, Dinamarca, Reino Unido e Irlanda (1972)[61], seguindo-se a Grécia (1981), Espanha e Portugal (1986). Dez novos estados[62] ingressaram na quarta ampliação (2004), mais dois, Romênia e Bulgária (2007), e a Croácia (2013), a ponto de perfazer até o momento vinte e oito estados.

Os fundamentos da associação econômica foram aprofundados, dando espaço a metas mais ambiciosas. Em 17 de fevereiro de 1986 sobreveio o Ato Único Europeu, inaugurando a terceira fase do processo de integração continental. O AUE modificou as três estruturas comunitárias existentes (Ceca, CEE e Euratom), de forma a reorientar suas instituições para novas competências e políticas comuns.

Aquilo que se convencionou denominar "União Europeia", é produto das bases estabelecidas pelo AUE e, principalmente, pelos Tratados de Maastricht, vigente desde 1º de novembro de 1993, de Amsterdã, vigente desde 1º de maio de 1999, e de Nice, vigente desde 1º de fevereiro de 2003. Estes tecem claramente os contornos de progressiva união econômica e monetária, com elementos federativos e de alcance político, ao agregar às estruturas preexistentes programas de uniformização das políticas externa e de defesa, além da criação de diretrizes econômicas comuns e da moeda única, o Euro, uma das mais espetaculares realizações da integração regional europeia, desde a concepção de Sistema monetário europeu, nos anos 1970, até sua implementação como meio circulante, no início desta década[63]. Nesse sentido, ressalta E. ALPHANDÉRY (2000) a interação entre a regulação do mercado e a organização da sociedade civil[64].

---

61. Estes países até então compunham um bloco econômico autônomo, a *EFTA*, por relutarem a aceitar os padrões do Tratado de Roma. A respeito da EFTA e do **Espaço Econômico Europeu** EEA, *v.* Niels FENGER, Michael SÁNCHEZ RYDELSKI e Titus VAN STIPHOUT, *European Free Trade Association (EFTA) and European Economic Area (EEA)* (in **International Encyclopaedia of Laws / Intergovernmental Organizations**, general editor Roger BLANPAIN, editor Jan WOUTERS, Haia: Kluwer Law International, 2007, v. 1, p. EFTA and EEA 1-180, com atualizações periódicas).

62. P. B. CASELLA, *Ampliação da União Europeia: a Europa central se integra* (in **O novo direito internacional: estudos em homenagem a Erik JAYME**, org. C. L. MARQUES e N. de ARAUJO, Rio de Janeiro: Renovar, 2005, p. 723-743).

63. A adoção, em 1999, da moeda única para os países da Comunidade Europeia, o euro, já prevista desde a criação da organização, marcou passo importante no sentido de sua consolidação. A moeda passa a circular, progressivamente, a partir do ano 2000, não obstante a resistência de alguns países, como a Grã-Bretanha, em abandonar suas moedas tradicionais, no caso a libra esterlina. Dentre extensa bibliografia disponível, *v.*: Edmond ALPHANDÉRY, **La reforme obligée – sous le soleil de l'euro** (Paris: Grasset, 2000); Jacques BERTHELOT *et al.*, **La monnaie unique en débat** (Paris: Syros, 1997); François DESCHEEMAEKERE, **L'euro** (Paris: EO – les éditions d'organisation, 2. tir, 1996); Pascal KAUFMANN, **L'euro** (Paris: Dunod, 1997); Jacques de LAROSIÈRE (coord.), **L'euro: facteur d'avancée de l'Europe** ("actes du colloque du 18 juin 1999", Paris: Econômica, 1999); Daniel LEPELTIER, **L'euro et le droit** (préface de Jean--Jacques DAIGRE, Paris: Litec, 2000); Dominique PERRUT, **L'Europe financière et monétaire** (Paris: Nathan, 1993).

64. E. ALPHANDÉRY (op. cit., 2000, p. 109): "mais n'est-on pas en train de découvrir le fonctionnement d'une économie libérale dans laquelle la régulation du marché s'opère grâce à l'organisation de la société civile?"

O êxito econômico nem sempre se reflete automaticamente no plano político. Como ilustra a proposta de tratado de Constituição Europeia sofrer percalços em 2005, e deverá ser retomada e implementada mediante reformulação.

Além do aprofundamento das matérias abrangidas, ademais, nos anos 1990 e início deste século XXI, a Comunidade alargou-se sobremaneira, com a admissão da Áustria, Finlândia e Suécia (1995), de oito países da "Europa Central" – República Checa, Eslováquia, Polônia, Hungria, Eslovênia, Lituânia, Letônia, Estônia –, além de Chipre e Malta, todos em 2004, enquanto Romênia e Bulgária passam a integrar o bloco a partir de 2007, e a Croácia, em 2013. Outro estado candidato, a Turquia, tecnicamente se encontra em processo de negociação para possível futura adesão à UE. A adesão da Turquia à UE parece cada vez mais remotamente possível que venha a ser alcançada.

4.2.1.2. estruturas institucionais comunitárias

Para a realização dos objetivos propostos, tornou-se indispensável a criação de estruturas institucionais supranacionais, às quais competiria zelar pela efetivação dos princípios acordados nos diversos pactos juridicos e políticos. No Tratado de Roma, a linha mestra dessa organização foi colocada na Parte V, Título I, Capítulo I, subdividido em quatro seções, em que se previram os seguintes órgãos: a "Assembleia (ou Parlamento Europeu)" (4.2.1.2.1.); o "Conselho" (4.2.1.2.2.); a "Comissão" (4.2.1.2.3.); e o "Tribunal de Justiça" (4.2.1.2.4.)[65].

4.2.1.2.1. Assembleia (ou Parlamento Europeu)

No Parlamento Europeu são representados os povos dos estados-membros, de acordo com o respectivo peso demográfico, atribuindo-se cotas ou contingentes de nacionalidade para cada um. Destarte, não se trata de órgão representativo dos governos. A eleição dos deputados é feita, desde 1979, pelo sufrágio universal direto, em escrutínios realizados simultaneamente em todos os países comunitários.

O órgão exerce os poderes de decisão e controle que lhe são atribuídos pelo Tratado, intervindo no processo de revisão dos tratados, na celebração de acordos internacionais, na elaboração do direito comunitário derivado[66] e na elaboração e fiscalização orçamentária.

---

65. Juntamente com os quatro órgãos, de caráter institucional, outros desempenham funções supletivas, destinando-se a complementar as atividades dos principais, como, por exemplo, o Conselho Econômico e Social, o Tribunal de Contas e o Juízo de Primeira Instância.

66. Entende-se como *derivado* todo ordenamento jurídico comunitário edificado a partir dos tratados constitutivos, que formam o direito comunitário *originário*.

4.2.1.2.2. o Conselho

O Conselho da Comunidade Europeia é integrado por um representante de cada estado-membro, sendo a presidência exercida rotativamente por seus integrantes, por períodos de seis meses. Incumbe-lhe definir as principais políticas da Comunidade.

O Conselho trata de questões de interesse geral e cooperação política; dispõe de poder de decisão; e pode delegar à Comissão a competência para execução das normas que estabelece.

4.2.1.2.3. a Comissão

A Comissão é integrada por nacionais dos estados-membros, nomeados de comum acordo pelos governos. Somente se reporta ao Parlamento, não podendo, em tese, receber instruções governamentais.

A missão da Comissão, "gestora e motor das Comunidades", pode ser sucintamente esquematizada como se segue:

- garantir o respeito das regras comunitárias e dos princípios do mercado comum;
- propor ao Conselho todas as medidas consideradas úteis para o desenvolvimento das políticas comunitárias;
- executar as políticas comunitárias, com base nas decisões do Conselho, ou diretamente, a partir dos dispositivos dos Tratados.

A Comissão pode receber do Conselho atribuições de execução de regras por este expedidas, ou decorrentes dos Tratados. Dispõe ainda de poderes próprios, bastante amplos, em matérias tais como carvão e aço (da coordenação de investimentos a controle de preços), energia nuclear (do aprovisionamento de matérias físseis ao controle de instalações nucleares), e, principalmente, em matéria de concorrência (da repressão às concentrações com efeitos distorsivos sobre o mercado ao controle dos subsídios nacionais).

4.2.1.2.4. o Tribunal de Justiça

O Tribunal de Justiça da Comunidade Europeia é composto por 28 juízes, cada um indicado por um estado-membro com mandato renovável de seis anos[67]. Tem como missão, precipuamente:

---

67. Na composição do órgão, ressaltam-se ainda oito *advogados-gerais*, cuja função é apresentar pareceres nos processos submetidos à Corte.

- anular, a pedido de instituição comunitária, estado-membro ou particular diretamente visado, atos da Comissão, do Conselho ou emanados dos governos nacionais, que sejam incompatíveis com os Tratados;
- pronunciar-se, a pedido de tribunal ou juiz nacional, a respeito da interpretação ou validade das disposições do direito comunitário.

Há ainda a competência para emitir pareceres que se revestem de caráter vinculante, a respeito de acordos que a Comunidade pretenda celebrar com terceiros estados.

O TJCE desempenha papel fundamental não somente enquanto garantidor da uniformidade de interpretação da ordem jurídica comunitária, mas também como criador desse mesmo direito. Vale lembrar que os precedentes jurisprudenciais fixados pela Corte declararam uma série de direitos aos cidadãos europeus e obrigações aos estados-membros. A responsabilidade destes últimos pelo descumprimento do direito comunitário já foi reconhecida[68], com a prolação de condenações em indenizações. O Tribunal, ao aplicar os princípios deduzidos dos Tratados constitutivos, trouxe a possibilidade de os indivíduos invocarem sua jurisdição, por meio de demandas apresentadas diante dos juízes nacionais que, por sua vez, solicitam o pronunciamento da Corte supraestatal[69]. Trata-se de um dos pilares do reconhecimento da pessoa humana como sujeito de direitos na ordem internacional.

4.2.1.3. ordenamento jurídico comunitário: natureza e princípios

Embora a União Europeia assuma a forma de organização internacional, o que já lhe imprime a presença de instituições e mecanismos próprios de elaboração de normas com base em poderes estipulados na carta constitutiva, sua criação e a implementação de seus objetivos exigiram a criação de ordenamento interno com extensão e alcance sensivelmente maiores do que as regulamentações internas de outras organizações internacionais, constituídas segundo parâmetros clássicos.

---

68. Precedente firmado no célebre caso *Francovich*, julgado em 1991. Dois cidadãos italianos, a quem os respectivos empregadores em situação de falência deviam remunerações, ingressaram em juízo na Itália alegando omissão do Estado italiano em implementar as regras comunitárias de proteção aos trabalhadores em caso de insolvência da entidade patronal. Instado a se pronunciar, o TJCE declarou que "o direito comunitário impõe o princípio segundo o qual os Estados-membros são obrigados a reparar os prejuízos causados aos particulares pela violação de direito comunitário que lhes sejam imputáveis".

69. As pessoas naturais e jurídicas de direito interno podem protocolar demandas contra as instituições comunitárias perante o "Tribunal de Primeira Instância", integrante da estrutura jurisdicional do TJCE.

O ordenamento jurídico comunitário não se encaixa nos moldes tradicionais, distintos entre o direito internacional público e direito público interno. Vincula tanto as Instituições comunitárias como os estados-membros, além das pessoas físicas e jurídicas, devendo ser diretamente aplicado pelos juízes nacionais e podendo ser invocado pelos cidadãos europeus, de modo que existe de forma autônoma, como consectário da limitação voluntária da soberania jurídica estatal.

O ordenamento comunitário, portanto, tem natureza *sui generis*, cuja característica preponderante é a *supranacionalidade*. A identificação de interesses econômicos coincidentes entre os estados-membros e a combinação de objetivos políticos exigiram a integração jurídica de vocação supraestatal, afirmada no *primado do direito comunitário sobre os ordenamentos internos*[70], o que se manifesta sob dois aspectos: normativo e decisional.

O aspecto *normativo* diz respeito à hierarquia existente entre as normas jurídicas e políticas comunitárias e as normas jurídicas e políticas emanadas dos estados-membros, de maneira que as primeiras possuem efetiva precedência sobre as segundas. Quanto ao aspecto *decisional*, as diretrizes e decisões adotadas no âmbito da Comunidade são tomadas de cima para baixo, partindo dos órgãos supraestatais, onde são iniciadas, debatidas e promulgadas, para em seguida penetrar no interior dos estados-membros, onde deverão ser aplicadas pelos órgãos nacionais.

Já em sua redação original, o artigo 210 do Tratado de Roma era expresso em atribuir personalidade jurídica à Comunidade Europeia, dado que foi devidamente recepcionado pelos instrumentos posteriores[71]. A existência da organização como centro de imputação de direitos e deveres é consequência indelével de seu caráter permanente, vontade distinta daquela de seus membros, bem como autonomia funcional decorrente dos órgãos, patrimônio e recursos próprios.

A personalidade jurídica da UE expressa-se em duas vertentes, que são facetas de uma mesma moeda. A qualidade de sujeito de direitos dá-se tanto na ordem internacional quanto no plano interno dos ordenamentos estatais. Fala-se assim em personalidade de direito externo e interno.

---

70. *Vide* os Acórdãos do TJCE. Costa/Enel (15 de julho de 1964): "o juiz nacional encarregado de aplicar, no âmbito da sua competência, a disposição de direito comunitário, tem a obrigação de garantir a plena eficácia de tais normas, deixando de aplicar por iniciativa própria qualquer disposição contrastante da legislação nacional, ainda que posterior". E Van Geende en Loos (5 de fevereiro de 1962): "A Comunidade constitui um novo ordenamento jurídico de caráter internacional em favor do qual os Estados limitaram, ainda que em matérias específicas, seus direitos soberanos".

71. O Tratado da União Europeia não confere explicitamente a personalidade jurídica, mas, em seu artigo 24, traz a possibilidade de celebração de acordos entre a União Europeia e Estados terceiros, o que pode ser considerado uma atribuição implícita da capacidade jurídica internacional.

As projeções internacionais da personalidade da União Europeia comportam:

- o direito de celebrar acordos internacionais, ou *treaty-making power*;
- o direito de legação ativo e passivo;
- o direito de participar de outras organizações internacionais.

No tocante à vertente interna, é a UE pessoa jurídica de direito público, capaz de realizar negócios jurídicos. Particularmente em relação aos estados-membros, sua capacidade jurídica ganha especial relevo, não se restringindo apenas àquela conferida a outras pessoas jurídicas, como alcançando algumas atribuições especificamente determinadas, consistentes em privilégios e imunidades necessários ao desempenho de sua missão.

Dos vários Tratados que compõem o diagrama jurídico-institucional da União Europeia, alguns princípios emergem expressa ou implicitamente como fundantes de toda a ordem comunitaria. São eles:

- o princípio democrático, por abranger o reconhecimento dos direitos fundamentais, o princípio da legalidade e o princípio do equilíbrio institucional;
- a liberdade econômica, que compreende liberdades fundamentais de circulação, compreendendo mercadorias, pessoas, serviços e capitais, a que se somam outras liberdades corolárias, como a de estabelecimento e o indispensável grau mínimo de uniformização dos regimes de previdência social;
- a primazia do direito comunitário, reconhecida pela jurisprudência do TJCE;
- a subsidiariedade, pois, como princípio de natureza geral e constitucional da integração europeia, representaria o "regresso à pureza das intenções que nortearam os precursores da integração e os redatores dos tratados que instituíram as três comunidades"[72], no sentido de: (I) a União europeia deve ser preferencialmente obra dos estados-membros e dos seus cidadãos; (II) a integração deve respeitar a identidade histórica, política e cultural dos estados; e (III) o poder político comunitário deve exercer-se no nível mais próximo dos cidadãos[73].

4.2.1.4. políticas comuns

O Tratado da União Europeia, como ficou conhecido o pacto de Maastricht,

---

72. Fausto de QUADROS, **O princípio da subsidiariedade no direito comunitário após o tratado da União europeia** (Coimbra: Almedina, 1995).

73. F. de QUADROS (op. cit., 1995, "Conclusões", p. 71-79).

assinado em 7 de fevereiro de 1992 na cidade holandesa de mesmo nome, conferiu às estruturas comunitárias de então dois novos pilares: a Política Externa e de Segurança Comum (PESC) e a cooperação judiciária entre os estados-membros (JAI – Justiça e Assuntos Internos)[74]. Constituiu-se ainda o Banco Central Europeu (BCE)[75].

Em 2004 foi criado o Tribunal da Função Pública. Sua regulamentação deu-se por meio de sucessivos atos em 2005.

Dentre as políticas comuns, cumpre relevar a Política Agrícola Comum (PAC), que engloba os programas de subsídio e tarifas de importação de gêneros alimentícios, a fim de assegurar a competitividade interna dos produtores rurais europeus.

4.2.1.5. perspectivas rumo à integração

A União Europeia é a síntese de processo histórico, traduzido em linguagem jurídica e exteriorizado política e economicamente. A ideia contida no nome ainda está longe de se materializar, reclamando a superação de uma série de dificuldades e desafios.

As recentes mudanças por que passou a União, com alargamentos sem precedentes do número de estados-membros, trouxe reflexões sobre a viabilização concreta da integração de novos povos, culturas e idiomas, sem falar na adequação de suas instituições jurídicas e econômicas aos parâmetros europeus.

Os membros da UE representam contingente total de mais de 500 milhões de habitantes. A extensão dos benefícios da cidadania europeia a todos esses indivíduos já é fato consumado. Não obstante, a plena inserção desses 28 estados no conjunto da união econômica, monetária e demais políticas comuns depende de profundas reformas institucionais, que naturalmente não serão feitas sem atritos, pois significam a ruptura com tradições históricas e todas as mazelas e deficiências dos regimes políticos. Basta aventar para a vigência, durante meio século, de sistemas totalitários de governo em todo o Leste Europeu, durante a era do socialismo real e da influência da URSS, que deu prosseguimento à influência do Império russo sobre a região dos Balcãs. A "Europa do Leste" é

---

74. Marie-Françoise LABOUZ (sous la direction de), **Les accords de Maastricht et la constitution de l'Union européenne** ("Actes du colloque du 27 juin 1992", Paris: Montchrestien / Centre de droit international de Nanterre, Cahiers internationaux n. 7, 1992).

75. Este estabeleceu ainda metas para a política econômica e monetária, cujas bases foram traçadas em 1979. Um programa para uniformização da inflação, câmbio e o déficit fiscal foi desenhado, para ser concretizado entre 1994 e 1999. A partir daí, adotar-se-ia a moeda única europeia – o *Euro* – conforme previsto, o que ocorreu com considerável sucesso, não obstante a resistência inicial que a medida encontrou no Reino Unido, onde a tradicional *libra esterlina* era um dos bastiões da histórica autonomia britânica em face do continente.

construção política e modelo teórico que levará tempo a se dissipar, muito embora as economias nacionais tenham passado por significativas adaptações desde o início dos anos 1990, com a abertura dos mercados e a retração dos estados no domínio econômico.

O direito comunitário teve de ser introduzido nos ordenamentos daqueles países, o que denotou um esforço de interpretação e aplicação que reinvindicou a reeducação de administradores e juízes, para aceitarem e se balizarem conforme o primado das instituições supranacionais, as liberdades fundamentais econômicas e individuais, as regras de concorrência e os mecanismos de cooperação judiciária em matéria criminal.

Todavia, os desafios não se esgotam na efetiva integração dos países formalmente recém-albergados pela União Europeia. Outros estados, como a Turquia, demandam pertencer ao bloco, provocando a mobilização dos órgaõs comunitários no sentido de apresentar as condições para tal aceitação, uma vez que não podem ficar indiferentes. Trata-se de exercício diplomático de negociação, em que os estados-membros têm de preparar suas consciências para a vinda de novos adeptos, enquanto estes sofrem o peso de medidas necessárias ao atendimento das exigências impostas.

Em suma, algumas questões permanecem em aberto, ungindo seu enfrentamento para os anos que se seguem:

- a inserção de Chipre traz a chaga aberta do conflito para dentro da Europa integrada: a necessidade de resolver os problemas com a Turquia, que, aliás, é pretendente ativa ao posto de membro da Comunidade;
- o possível acordo bilateral da União Europeia com a Rússia, além do interesse direto para ambos os lados, pela dimensão das fronteiras comuns, pelos volumes de comércio bilateral, pode também ser alternativa estratégica da maior magnitude internacional, não somente pela colocação da fronteira da Europa integrada frente à Rússia, o que acaba de vez com a noção política e não geográfica da "Europa do Leste", ou ao menos muda-lhe os limites;
- o tamanho e o perfil da Europa integrada e seu papel futuro, no contexto mundial, como força considerável a ser contraposta aos Estados Unidos da América, que terão de mostrar se estão ou não capacitados para exercer liderança mundial, que não seja mero reflexo e projeção da política interna.

Necessariamente esquemático e propedêutico, para situar as linhas principais do fenômeno da formação e desenvolvimento da integração regional na

Europa, não somente como mercado interno, mas sobretudo pelas mutações qualitativas que insere no conjunto do direito internacional, no contexto pós-moderno. Desta se pode passar (4.2.2.) ao exame da Organização dos Estados Americanos (OEA).

4.2.2. Organização dos Estados Americanos (OEA)

Em 1948 as delegações dos estados interamericanos adotaram em Bogotá a *Carta da Organização dos Estados Americanos*, por meio da qual foi criada a **Organização dos Estados Americanos** (OEA, em inglês OAS)[76]. Foi esta o efeito de longa e pacífica evolução que se vinha consolidando desde a *primeira Conferência Internacional dos Países Americanos*, realizada em Washington, de 1889 a 1890, seguidas de outras, no México, em 1902, no Rio de Janeiro, em 1906, em Buenos Aires, em 1910[77], Santiago do Chile, em 1923, Havana, em 1928[78].

---

76. O site da OEA – www.oas.org – conta milhares de páginas de informação sobre sua organização propriamente dita e suas ações especializadas. Para visão de conjunto, *v.* Enrique LAGOS, *Organization of American States* (in **International Encyclopaedia of Laws / Intergovernmental Organizations**, general editor Roger BLANPAIN, editor Jan WOUTERS, Haia: Kluwer Law International, 2007, v. 4, pages OAS 1-136, com atualizações periódicas).

77. Nada mais fizeram do que coordenar os diversos órgãos e os princípios escritos e consuetudinários que nortearam as relações continentais desde 1889. Assim, vê-se, a OEA não surgiu de improviso nem no anseio de pôr fim a uma época de guerras: é a mais antiga organização de cunho genérico existente. É bem verdade que como verdadeira associação de estados, no entanto, ela só começou a aparecer, se bem que ainda em forma rudimentar, com a primeira Conferência Internacional dos Países Americanos, realizada em Washington, de 1889 a 1890. Formou se, ali, a associação intitulada "União Internacional das Repúblicas Americanas", criando-se, ao mesmo tempo, o que se tornou mais tarde a origem da atual União Pan-americana, isto é, escritório ou secretaria, a que se deu o nome de "Escritório Comercial das Repúblicas Americanas", que se destinava a compilar, coordenar e publicar dados e informações concernentes à produção, comércio e regulamentos aduaneiros dos países desse continente.

    Em 1902, na cidade do México, por ocasião da 2ª Conferência Internacional das Repúblicas Americanas, foi resolvido que esse escritório (já então denominado Secretaria Internacional das Repúblicas Americanas) ficasse sob a direção de Conselho Diretor, em que estariam representados todos os Estados membros.

    A 3ª Conferência, reunida no Rio de Janeiro em 1906, limitou se, a esse respeito, a ampliar os fins e as atribuições da referida Secretaria. Esta, porém, em 1910, na 4ª Conferência, em Buenos Aires, teve o nome mudado para União Pan americana e tomou maior desenvolvimento. Ao mesmo tempo, foi dada a denominação de União Internacional das Repúblicas Americanas ao conjunto dos países mantenedores da instituição, que eram, como ainda são, todos os Estados independentes americanos, exceto o Canadá, na condição de integrante da *Comunidade Britânica de Nações*, reconhecendo a rainha da Inglaterra como o chefe de estado.

78. A Conferência de Havana, em 1928, anotou convenção que se destinava a ser o estatuto básico do sistema em formação. Essa convenção não chegou a receber as vinte e uma ratificações exigidas para sua vigência.

    Até então, o organismo pan-americano conserva apenas o caráter especial de associação de estados para fins de cooperação econômica, social e cultural e de solidariedade moral, e sem função alguma de natureza política. A Convenção de Havana e a resolução votada pela 6ª Conferência declararam expressamente que o Conselho Diretor e a própria União Pan americana não exerceriam funções de caráter político. Aos poucos, porém, as atividades do organismo foram assumindo feições francamente políticas, por isso que seu próprio objetivo primordial, ou seja, a obra de aproximação entre os povos americanos, apresenta necessariamente aspectos políticos.

Desde a primeira conferência menciona-se a questão de codificação do direito internacional privado, conforme examina J. SAMTLEBEN (1979)[79]. Esse propósito se desenvolverá na atuação da OEA[80] e do Comitê Jurídico Interamericano[81].

A evolução[82], no sentido de uma organização política, foi apressada pela segunda guerra mundial e assume características definidas com o advento da OEA, na Conferência Interamericana do México, em 1945[83], e o *Ato de Chapultepec*[84].

A 9ª Conferência Internacional Americana, reunida em Bogotá, deu afinal *estatuto institucional* à organização interamericana por meio da **Carta** ali assinada a 30 de abril de 1948. A antiga associação de nações americanas passou a ter o nome de **Organização dos Estados Americanos** e declarou-se "organismo regional das Nações Unidas". Nesse documento foram definidos os objetivos da Organização, e estabelecidas as bases jurídicas desse conjunto de órgãos, atividades e relações do assim chamado *sistema interamericano*[85].

---

79. Jurgen SAMTLEBEN, **Internationales Privatrecht in Lateinamerika** (Band 1: Allgemeiner Teil, Tubingen: J. C. B. Mohr, 1979, esp. 1. III, Panamerikanische Konferenzen, p. 23-31)

80. J. SAMTLEBEN (op. cit., 1979, I. IV, Die Arbeiten der Organisation der Amerikanischen Staaten, p. 31-39).

81. Cf. se examina a seguir.

82. *Bibliografia*: ACCIOLY, **Tratado** (1, p. 268); A evolução do pan-americanismo e o Tratado Interamericano de Assistência Recíproca, **Boletim**, n. 6, p. 18, 1947, ano 3; Charles G. FENWICK, *The Inter-American Regional System: fifty years of progress*, **AJIL**, 1956, v. 50, p. 20; *The Ninth International Conference of American States*, Anuário Jurídico Interamericano, 1948, p. 73; G. E. do NASCIMENTO e SILVA, Estrutura e funcionamento da Organização dos Estados Americanos, **Boletim**, 1956, p. 38; Isidoro ZANOTTI, A primeira Assembleia Geral da Organização dos Estados Americanos, **Boletim**, 1970, p. 49; J. J. Caicedo CASTILLA, **La Conferencia de Petrópolis y el Tratado Interamericano de Assistencia Recíproca**, *Universidad Nacional de Colombia*, n. 11, p. 185, abr. 1948; J. M. YEPES, **Del Congreso de Panamá a la Conferencia de Caracas**, Caracas, 1955, v. 1; Luiz de FARO JUNIOR, **Relatório de Conferência Interamericana para a Manutenção da Paz e da Segurança no Continente**, Rio de Janeiro, 1947; Rubens de MELLO, **Textos de direito internacional**, Rio de Janeiro, 1950, p. 583.

83. Definem-se grandes linhas do que viria a ser a Organização das Nações Unidas na Conferência Interamericana do México, de 21 de fevereiro a 8 de março de 1945, quando já se cuidava de integrar a União Pan-americana no sistema mundial projetado em Dumbarton Oaks. Foi adotada a Resolução n. 9, sob o título de "Reorganização, Consolidação e Fortalecimento do Sistema Interamericano", que, além de estabelecer novas regras para o funcionamento da União Pan-americana, reconhecia a existência do referido "sistema", conferindo-lhe funções de natureza nitidamente políticas.

84. Nessa mesma corrente de ideias, o chamado *Ato de Chapultepec*, também adotado, na mesma reunião, foi talvez mais longe, ao afirmar que a declaração e a recomendação nele incluídas constituiriam "*acordo regional*, para tratar de assuntos concernentes à consolidação da paz e da segurança internacionais suscetíveis de ação regional neste hemisfério". Entretanto, o *Ato de Chapultepec*, para sua perfeita validade jurídica, deveria ser transformado num tratado, conforme neste se previu. Foi o que se fez na *Conferência para a Manutenção da Paz e da Segurança no Continente*, inaugurada em Petrópolis a 15 de agosto de 1947, e de que resultou o **Tratado Interamericano de Assistência Recíproca**, assinado na cidade do Rio de Janeiro a 2 de setembro seguinte.

85. Constava de edições anteriores: "Foi aquilo o resultado de pertinazes esforços e de uma evolução constante, durante a qual, gradual e pacientemente, se foram estreitando, mais e mais, os laços de solidariedade entre as repúblicas americanas".

Os propósitos e princípios da Organização estão indicados nos Capítulos I e II da Carta[86]. Sua principal finalidade é garantir a paz e a segurança do continente. Mas para isso ser possível entre os estados-membros, cabe assegurar a solução pacífica de suas controvérsias, e ainda organizar a ação solidária das repúblicas americanas em caso de agressão, bem como promover seu desenvolvimento econômico, social e cultural.

Nos termos do artigo 4º, "são Membros da Organização todos os Estados Americanos que ratificarem a presente"[87]. Qualquer destes, porém, poderá denunciá-la, e, dois anos depois da denúncia, ficará o membro desligado da Organização, contanto que até então haja cumprido as obrigações emanadas da própria Carta.

A Carta não prevê a expulsão de nenhum dos estados-membros. Cuba, porém, encontra-se suspensa desde 1962. Seja como for, a Revolução Cubana, a Revolução Dominicana e outros sinais de descontentamento mostraram a necessidade de revisão do sistema interamericano. Em 1965, por ocasião da *Segunda Conferência Interamericana Extraordinária* do Rio de Janeiro, foram votadas as reformas. Estas seriam adotadas dois anos mais tarde em Buenos Aires[88].

Nos termos do artigo 51 da Carta da OEA, com modificações de 1967, a Organização realiza os seus fins por intermédio dos seguintes órgãos: "Assembleia Geral" (4.2.2.1.); "Conselhos e conferências especializadas" (4.2.2.2.), "Comissão jurídica interamericana" (4.2.2.3); "Comissão e Corte Interamericana de Direitos Humanos" (4.2.2.4); "Secretaria-Geral" (4.2.2.5).

4.2.2.1. Assembleia Geral

É o órgão supremo da Organização e nela todos os estados-membros têm direito a fazerem-se representar com direito a um voto. A Assembleia Geral re-

---

86. Em 13 de novembro de 1951, quando foi depositada a 14ª ratificação, a Carta de Bogotá entrou em vigor. Desde cedo, contudo, verificou-se que a Organização nascera ultrapassada, pois os seus dispositivos relativos aos problemas socioeconômicos deixavam a desejar. A Operação Pan-americana, proposta pelo Brasil em 1958 e acolhida pelos demais países latino-americanos, representou importante e objetivo esforço visando a encontrar uma solução para os problemas do Continente. A *Aliança para o Progresso*, embora pautada na Operação Pan americana, sempre se ressentiu de seu enfoque unilateral, a ponto de o próprio governo dos Estados Unidos haver reconhecido em 1970 a necessidade de sua revisão.

87. Em consequência, o ingresso na OEA ficou facultado a qualquer estado independente americano e não limitado às vinte e uma repúblicas americanas tradicionais. Em decorrência de tal dispositivo, alguns novos estados, pertencentes à *Comunidade Britânica* (Jamaica, Trinidad e Tobago), puderam ingressar.

88. Por ocasião da V Assembleia Geral da OEA, realizada em Washington em 1975, o Conselho Permanente da Organização foi incumbido de prosseguir nos estudos relativos às emendas, à Carta, à Segurança Econômica Coletiva, à cooperação para o desenvolvimento e ao Pacto de Bogotá.

úne-se anualmente, ao contrário do que sucedia com a antiga Conferência Interamericana (por ela substituída), cujas reuniões deveriam ser a cada cinco anos. Cabe-lhe decidir a ação e a política gerais da Organização; determinar a estrutura e as funções de seus órgãos; estabelecer normas para a coordenação das atividades dos órgãos; fortalecer e harmonizar a cooperação com as Nações Unidas; promover a colaboração, especialmente nos setores econômico, social e cultural com outras organizações internacionais; adotar o orçamento, e aprovar os relatórios anuais.

A 1ª Assembleia Geral realizou-se em Washington em 1971, para adoção do regimento interno e de outras medidas administrativas, mas em virtude dos movimentos terroristas verificados no Continente adotou-se, igualmente, uma Convenção destinada ao seu combate.

4.2.2.2. Conselhos e conferências especializadas

De conformidade com o Protocolo de Buenos Aires, três são os Conselhos da Organização: o Conselho Permanente; o Conselho Interamericano Econômico e Social; e o Conselho Interamericano de Educação, Ciência e Cultura, todos eles dependendo diretamente da Assembleia Geral. Na antiga organização, havia o Conselho da OEA, que era auxiliado pelos Conselhos Econômico e Social, o Cultural e o Jurídico.

O Conselho Permanente compõe-se de representantes de cada estado-membro, nomeados especialmente com a categoria de Embaixadores. O Presidente do Conselho não é eleito; cabe a Presidência sucessivamente a dado representante na ordem alfabética, de forma que será exercida por um período não superior a seis meses.

O Conselho Permanente pode agir, provisoriamente, como órgão de Consulta nos termos do artigo 63, que trata de ataque armado.

Com a nova estruturação, deu-se ao Conselho Interamericano e Social e ao Conselho de Educação, Ciência e Cultura uma independência e importância não previstas na Carta de Bogotá: ambos devem ser compostos de titulares da mais alta hierarquia de cada estado-membro e têm os seus fins devidamente enumerados na Carta, nos artigos 95 e 101.

Na enumeração dos órgãos, devemos ainda mencionar as *conferências especializadas* e os *organismos especializados*. Estes organismos são os seguintes: Comissão Interamericana de Mulheres (Washington, D. C.), Instituto Indigenista Interamericano (México); Instituto Interamericano de Ciências Agrícolas (São José); Instituto Interamericano da Criança (Montevidéu); Instituto Pan-americano de Geografia e História (México) e Organização Pan-americana de Saúde (Washington, D. C.).

A *Reunião de Consulta* tem, como vimos, duas funções, na medida em que uma delas é servir como *Órgão de Consulta*[89], finalidade esta definida nas mencionadas cláusulas do Tratado do Rio de Janeiro, de 1947[90].

4.2.2.3. Comissão Jurídica Interamericana

Dentre os órgãos básicos da OEA, a **Comissão Jurídica Interamericana**, com sede no Rio de Janeiro, anteriormente era apenas o órgão permanente do Conselho Interamericano de Jurisconsultos, atualmente extinto. Tem por finalidades principais: servir de corpo consultivo da OEA em assuntos jurídicos; e promover o desenvolvimento progressivo e a codificação do Direito Internacional.

A construção desse conjunto de ***integração jurídica interamericana*** representa legado relevante. Nesse sentido, P. CASELLA e N. de ARAUJO *et al.* (1998)[91].

4.2.2.4. Comissão Interamericana de Direitos Humanos

Prevista pelo artigo 112 da **Carta** da OEA, tem por função principal promover o respeito e a defesa dos direitos humanos e servir como órgão consultivo da OEA na matéria[92]. A **Carta** ocupava-se da Comissão em apenas um artigo (art. 112), mas em 22 de novembro de 1969 foi aprovada em Costa Rica a Convenção Americana sobre Proteção dos Direitos Humanos, que veio complementar o citado dispositivo.

---

89. A *Reunião de Consulta* tem, como visto, duas funções, uma das quais é a de servir como *Órgão de Consulta.* A função assim chamada constitui originalidade do *sistema interamericano*, sendo prevista nos artigos 3º, alínea 2, e 6º do Tratado de Assistência Recíproca, assinado no Rio de Janeiro a 2 de setembro de 1947, ou seja, a coordenação de medidas de defesa quer contra o ataque armado de qualquer estado dirigido contra um estado americano, quer contra o efeito ou as repercussões que possa ter sobre "a inviolabilidade ou integridade do território, ou a soberania ou independência de qualquer estado americano", ou uma agressão direta, não armada, ou um conflito extracontinental, ou qualquer outro fato ou situação que, eventualmente, ponha em perigo a paz na América. Em qualquer dessas hipóteses, e enquanto os ministros das relações exteriores não se reúnam, o Conselho da OEA pode atuar provisoriamente como Órgão de Consulta, e assim já atuou mais de uma vez. A assistência recíproca contra a agressão é uma das principais finalidades das Reuniões de Consulta, quando servem como *Órgão de Consulta.* Essa finalidade está definida nas mencionadas cláusulas do Tratado do Rio de Janeiro, de 1947.

90. Esse tratado, aliás, condena formalmente a guerra e estabelece para as partes contratantes a obrigação de não recorrerem, em suas relações recíprocas, ao uso da força nem sequer da ameaça, em qualquer forma incompatível com as disposições da Carta das Nações Unidas. Determina, além disso, que um ataque armado de qualquer Estado contra um Estado americano será reconhecido como um ataque contra os demais e determinará a aplicação do direito de legítima defesa individual ou coletiva.

91. P. B. CASELLA e N. de ARAUJO (coords.), **Integração jurídica interamericana: as Convenções interamericanas de direito internacional privado (CIDIPs) e o direito brasileiro** (Apres. G. E. do NASCIMENTO E SILVA, São Paulo: LTr, 1998).

92. Corte Interamericana de Direitos Humanos – www.oas.org.

4.2.2.5. Secretaria-Geral

A Secretaria-Geral da OEA veio substituir no sistema interamericano a antiga União Pan-americana e, como ocorria no caso da União, é o órgão central e permanente da OEA. A Secretaria-Geral é dirigida por um Secretário-Geral, eleito por período de cinco anos, e que só poderá ser eleito uma vez. O Secretário-Geral não poderá ser sucedido por pessoa da mesma nacionalidade.

A Secretaria-Geral exerce funções enumeradas pela **Carta** da OEA e cumprirá os encargos de que for incumbida pela Assembleia Geral, pela Reunião de Consulta dos Ministros das Relações Exteriores e pelos Conselhos. Em tal sentido, deverá promover relações econômicas, sociais, jurídicas, educacionais, científicas e culturais entre todos os estados-membros.

4.2.3. Unidade Africana

A Unidade Africana (UA) foi criada em 11 de julho de 2000, em Lomé, Togo, por ato firmado entre os países da antiga Organização da Unidade Africana (OUA), criada em 25 de maio de 1963, em Adis-Abeba, cuja **Carta** fora baseada na Carta da OEA[93].

A estrutura da UA assemelha-se à da maioria das organizações internacionais. É composta da Assembleia de chefes de estado ou de governo, do Conselho de ministros, da Secretaria-geral e da Comissão de mediação, conciliação e arbitragem. Existem ainda alguns órgãos secundários. A língua oficial seria "if possible an African language", mas na prática as duas línguas oficiais são o inglês e o francês.

A integração regional na África não somente responde à mesma lógica que norteou o conjunto das organizações internacionais voltadas a projetos regionais de integração econômica, mas teria o papel de base comum para reagir ao colonialismo europeu que somou à exploração econômica em escala continental a imposição de geografia política que negligenciou aspectos étnicos, culturais e linguísticos na formação dos atuais estados. A explosão da violência que culminou nos massacres em Ruanda – para cuja apuração e punição o Conselho de

---

93. *V.* http://www.au2002.govza/docs/key_oau/au_act.htm. A respeito, *v.* Konstantinos D. MALIVERAS e Gino J. NALDI, *The African Union and the predecessor Organization of African Unity* (in **International Encyclopaedia of Laws / Intergovernmental Organizations**, general editor Roger BLANPAIN, editor Jan WOUTERS, Haia: Kluwer Law International, 2007, v. 1, pages African Union 1-218, com atualizações periódicas); M. DÍEZ DE VELASCO, **Las organizaciones internacionales** (Madrid: Tecnos, 14. ed., 2006, reimpr. 2007, cap. XXXIV, "*Las organizaciones internacionales en el mundo árabe y islámico y las organizaciones internacionales en África*", p. 792-830).

Segurança da ONU determinou a criação do Tribunal Penal Internacional *ad hoc*[94] – não reflete somente a oposição entre *tutsis* e *hutus*, mas o dilema do continente, muito além dos problemas genericamente suscitados pela sucessão de estados, suas modalidades e teorias, com impacto direto sobre a emergência dos estados africanos pós-segunda guerra mundial.

Y. MAKONNEN (1986)[95] ressalta o impacto da emergência dos estados africanos no desenvolvimento progressivo e na codificação do direito internacional em matéria de sucessão de estados, com especial ênfase sobre o assunto na *doutrina NYERERE*, na elaboração das duas **Convenções de Viena sobre sucessão de estados** (1978 e 1983)[96].

Com o fim dos confrontos colonialistas, que marcaram a vida internacional africana, e o fim do regime do confronto com o regime do *apartheid* principalmente na África do Sul[97], existe a esperança de que a UA possa dedicar-se a questões institucionais e aos sérios problemas do continente1[98]. Ressalta F. A.

94. *V.* item 8.1.2.1.5.2. sobre os **Tribunais internacionais *ad hoc*, criados pelo Conselho de Segurança das Nações Unidas, para a ex-Iugoslávia e para Ruanda**. TPI para a Ex-Iugoslávia: www.un.org/icty. TPI para Ruanda: www.ictr.org.

95. Yilma MAKONNEN, **State succession in Africa: selected problems** (RCADI, 1986, t. 200, p. 93-234).

96. Y. MAKONNEN (op. cit., 1986, p. 101).

97. Desde o início, a partir de 1963, a OUA se caracterizara pelos confrontos políticos entre os blocos de Monróvia e o de Casablanca. Não obstante os confrontos iniciais, sempre houve como denominador comum o combate ao colonialismo e ao *apartheid*. Os principais alvos da Organização foram em consequência a política do *apartheid* na África do Sul e a independência de Namíbia. Com anterioridade, os países africanos moveram violentos combates nas Nações Unidas contra Portugal e a existência das *Províncias Ultramarinas*, ou seja, Angola, Moçambique, Guiné-Bissau e Cabo Verde. A posição africana no tocante ao colonialismo foi decisiva no reconhecimento da independência de todos os países sob mandato e dos territórios sem governo próprio, contando nesse particular com o apoio do bloco dos 77, onde possuem a maior representação.

98. *Bibliografia*: vários autores, Dimensão atlântica da África (**II Reunião Internacional de História da África**, Rio, 30 de outubro – 1º de novembro de 1996, São Paulo: Centro de Estudos Africanos-USP / SDG-Marinha / CAPES, 1997); François BORELLA, *Le régionalisme africain et l'Organization de l'Union Africaine* (AFDI, 1963, p. 838); Boutros BOUTROS GHALI, **L'Organization de l'Unité Africaine** (Paris, 1965); Catherine COQUERY-VIDROVITCH, **La découverte de l'Afrique** (Paris: Julliard, 1965); M. FORTES e E. E. EVANS-PRITCHARD (editors), **African political systems** (Oxford: Univ. Press / International African Institute, © 1940, reprinted 1978); Philippe FOUCHARD, *L'arbitrage dans l'Ohada* (in **Écrits: droit de l'arbitrage – droit du commerce international**, Préf. de X. BOUCOBZA – E. GAILLARD – Ch. JARROSSON, Paris: Comité Français de l'Arbitrage, 2007, p. 485-489); Maurice GODELIER, **La production des grands hommes** (Paris: Fayard, 1982; nova ed., rev. e corr., Flammarion, 1996, reimpr. 2003); Maurice GODELIER, **L'enigme du don** (Paris: Fayard, 1996, reed. Champs-Flammarion, 2002); Anatoli GROMIKO, **África: progresso, dificuldades, perspectivas** (© 1981, trad. K. ASRYANTS, Moscou: Progresso, 1983); Walter LIMP, **Anatomie de l'apartheid** (Paris: Casterman, 1972); Yilma MAKONNEN, **State succession in Africa: selected problems** (RCADI, 1986, t. 200, p. 93-234); Fernando Augusto de Albuquerque MOURÃO, **Continuidades e descontinuidades de um processo colonial através de uma leitura de Luanda: uma interpretação do desenho urbano** (São Paulo: Terceira Margem, 2006); F. A. A. MOURÃO, *Múltiplas faces da identidade africana* (**África – Revista do Centro de Estudos Africanos** – USP, 1995-96, t. 18-19 (I), p. 5-21); OHADA – Organisation pour l'Harmonisation en Afrique du Droit des Affaires, **Traités et actes uniformes commentés et annotés** (sous la coord. de Joseph ISSA-SAYEGH, Paul-Gérard POUGOUÉ, Filiga Michel SAWADOGO et al., Préf. Kéba MBAYE, Poitiers-Futuroscope: Juriscope, 1999); J. A. PASTOR RIDRUEJO (p. 825); Mary del PRIORE e Renato Pinto VENÂNCIO, **Ancestrais: uma introdução à história da África atlântica** (Rio de Janeiro: Elsevier, 2004); A. RITA-FERREIRA, **Povos de Moçambique: história e cultura** (Porto: Afrontamento, 1975); José Honório RODRIGUES,

MOURÃO (1996)[99]: "o continente africano aparece, pois, como uma identidade histórica, em que os africanos são sujeitos da História"[100].

4.2.4. Liga Árabe

A Liga Árabe surgiu em 1945, quando, no Cairo, foi assinado o Pacto constitutivo pelo Egito, Iraque, Yemen, Emirado da Transjordânia, Líbano e Síria.

Na época, a Liga Árabe teve pouco peso nas Nações Unidas devido ao pequeno número de países a ela vinculados, mas, aos poucos, à medida que os países árabes foram adquirindo a sua independência, passou a adquirir muita importância, além de ser o símbolo da unidade árabe.

Embora seja considerada pelas Nações Unidas, uma organização regional, a classificação não corresponde à realidade, visto que os seus Membros se acham espalhados pelos continentes africano e asiático. O principal fator de união, que era a vinculação com o mundo árabe, passou a ser o *Islamismo*. Sob alguns aspectos, a Liga dos Estados Árabes assemelha-se à *Comunidade Britânica*[101].

4.2.5. Cooperação Econômica da Ásia-Pacífico (APEC)

A Cooperação Econômica da Ásia-Pacífico (*Asian Pacific Economic Co-*

Brasil e África: outro horizonte (Rio de Janeiro: Nova Fronteira, 3. ed., rev. e com novo cap., atualizada até 1980, 1982); Louis SOHN (Ed.), **Basic Documents of African Regional Organizations** (New York, 1971); UNESCO, **História geral da África** (Paris: UNESCO, 1980 / São Paulo: Ática, 1982, 8 v.: I. **Metodologia e pré-história da África**, coord. J. KI-ZERBO; II. **A África antiga**, coord. G. MOKHTAR; III. **A África do século VII ao século XI**, coord. M. EL FASI; IV. **A África do século XII ao século XVI**, coord. D. T. NIANE; V. **A África do século XVI ao século XVIII**, coord. B. A. OGOT; VI. **A África do século XIX até 1880**, coord. J. F. ADE AJAYI; VII. **A África sob dominação estrangeira**, 1880-1935, coord. A. Adu BOAHEN, VIII. **A África a partir de 1935**, coord. A. A. MAZRUI); Jon WORONOFF, Organizing African Unity (New Jersey, 1970).

99. F. A. A. MOURÃO, *Múltiplas faces da identidade africana* (**África – Revista do Centro de Estudos Africanos** – USP, 1995-96, t. 18-19 (I), p. 5-21)

100. F. A. A. MOURÃO (art. cit., 1996, p. 21): "Em **História geral da África**, obra central de um conjunto de resgates necessários acerca do continente, tem-se através de métodos de abordagem renovados, a revelação profunda na qual **o povo africano aparece como criador de culturas originais que florescem e se perpetuam através dos séculos por caminhos próprios**".

101. Ahmed MAHIOU, *La ligue des états arabes entre inertie et changement: pratiques d'une théorie?* (in **Droit, liberté, paix et développement** – Mélanges M. BENCHIKH, Études réunies par Stéphane DOUMBE-BILLE, Habib GHERARI et Rahim KHERAD, Paris: Pedone, 2011, p. 289-309); B. BOUTROS-GHALI, **La Ligue des États Arabes** (RCADI, 1972, t. 137, p. 1-81); BOUTROS-GHALI **The Arab League** 1945-1955 – ten years of struggle (New York: Carnegie Endowment for International Peace – International Conciliation, 1954); B. PEYSSADE, **La Ligue Arabe** (Paris, 1968); DÍEZ DE VELASCO, **Las organizaciones internacionales** (Madrid: Tecnos, 14. ed., 2006, reimpr. 2007, cap. XXXIV, "*Las organizaciones internacionales en el mundo árabe y islámico [...]*", p. 792-830, esp. p. 794-799); Harvey HALL, The Arab League States (in **Current History**, ago. 1955, p. 97); Mohammed BEDJAOUI, **Function publique internationale et influences nationales** (New York: Carnegie Endowment for International Peace, 1958); Robert MCDONALD, **The League of Arab States** (Princeton: Univ. Press, 1965).

operation, APEC)[102] põe-se como contraponto interessante a outros modelos institucionalmente coesos, como o europeu, adotado na União Europeia, porquanto se apresenta como o oposto deste, visto que se pauta pela ausência de mecanismos institucionais comuns, de ordenamento comum ou de qualquer estrutura institucional de caráter supranacional. Contudo, tem produzido resultados para os países do conjunto da região[103]. Cabe considerar a APEC em relação ao contexto regional[104], no qual se inscrevam outros mecanismos regionais, tais como o Banco de Desenvolvimento da Ásia (**Asian Development Bank**) e a Associação das Nações do Sudeste Asiático (**Association of Southeast Asian Nations**) ou ASEAN[105].

Encetada em 1989 por iniciativa do então primeiro ministro australiano, em reunião de ministros das relações exteriores da bacia do Pacífico, consistia em proposta de estabelecimento de esquema de cooperação regional, baseado em vínculos intergovernamentais. Inicialmente contava com doze estados, dentre os quais também os Estados Unidos e o Canadá. Na terceira reunião ministerial, realizada em Seul, em 1991, ingressaram como membros plenos, após intensos debates, a República Popular da China, Hong-Kong e Taiwan. Nesse mesmo ano, apresentaram as suas candidaturas e passaram a integrar a APEC também o Chile, o México, o Peru e a Rússia.

Seria a APEC o extremo oposto ao modelo da UE em termos de diversidade conceitual e estrutural, no tocante à construção e à gestão da integração regional. Entre estes dois, as tentativas interamericanas de construção da integração inscrevem-se, tendentes quer a um, quer ao outro modelo, cf. CASELLA (1996, 2000, 2007)[106], tais como o Mercado Comum Andino[107] ou

---

102. APEC: www.apecsec.org.sg.

103. Nessa dinâmica bilateral de construção de acordos comerciais, pode mudar o equilíbrio das trocas comerciais em escala planetária um abrangente e relevante **Acordo comercial** bilateral entre Estados Unidos e União Europeia.

104. *V.* **APEC y sus países miembros**, publicado pelo Centro de Estúdios y Documentación (Santiago: Universidad Gabriela Mistral, 1996); Miguel Marques VIEIRA, *APEC* (in **Direito da integração**, coord. P. B. CASELLA e V. L. V. LIQUIDATO, Pref. A. MEIRA MATTOS, São Paulo: Quartier Latin, 2006, p. 227-248).

105. DÍEZ DE VELASCO, **Las organizaciones internacionales** (Madrid: Tecnos, 14. ed., 2006, reimpr. 2007, cap. XXXV, "*Las organizaciones internacionales en Asia y Oceania*", p. 831-849); John W. HEAD, **Asian Development Bank** (in **International Encyclopaedia of Laws / Intergovernmental Organizations**, general editor Roger BLANPAIN, editor Jan WOUTERS, Haia: Kluwer Law International, 2007, v. 1, pages ADB (Asian) 1-140) e Adijaya YUSUF, Association of Southeast Asian Nations (ASEAN) (in **International Encyclopaedia of Laws / Intergovernmental Organizations**, general editor Roger BLANPAIN, editor Jan WOUTERS, Haia: Kluwer Law International, 2007, v. 1, pages ASEAN 1-138), com atualizações periódicas.

106. P. B. CASELLA, *Integration in the Americas: an overview* (**Yearbook of European Law**, 1996, v. 16, p. 405-422); P. B. CASELLA, Integração nas Américas: uma visão de conjunto (in **Mercosul: integração regional e globalização**, coord. P. B. CASELLA *et al.*, pref. F. A. de A. MOURÃO, Rio de Janeiro: Renovar, 2000, p. 235-278); P. B. CASELLA, *Mercosur* (in **International Encyclopaedia of Laws / Intergovernmental Organizations**, general editor Roger BLANPAIN, editor Jan WOUTERS, Haia: Kluwer Law International, 2007, v. 3, pages Mercosur 1-150, com atualizações periódicas).

107. Héctor MALDONADO LIRA, Luís Aparício VALDEZ e Anna VILELA ESPINOSA, *Andean Common Market* (in **Interna-**

a Associação de Livre Comércio da América do Norte (**North American Free Trade Agreement**)[108].

Todos os exemplos até aqui referidos de organizações internacionais constituem expressões do mesmo modelo intergovernamental, mesmo quando adote e opere segundo mecanismos supranacionais de tomada de decisão. A seguir são mencionadas as organizações não governamentais (ONGs) como canais de expressão da sociedade civil no contexto internacional. O ideal kantiano de sociedade civil universal estaria prestes a encontrar seus canais e caminhos de expressão?

4.3. Organizações não governamentais e sociedade civil internacional

As ***organizações não governamentais*** (ONGs), diversamente das organizações internacionais, estas criadas mediante tratado celebrado entre estados, ou – como se pode conceber – igualmente, entre estados e outras organizações internacionais, caracterizam-se por não serem compostas por estados nem regidas em sua constituição pelo direito internacional, mas normalmente o serão pelo direito interno do país, ou países, em que está constituída, registrada e tenha a sua sede legal. Podem ter extensa e relevante atuação internacional, mas diferem das organizações internacionais quanto à sua constituição, sua composição e sua lei de regência. Essa distinção fundamental não deve ser esquecida.

As ONGs seriam a expressão da sociedade civil internacional, mas essa expressão precisa, todavia, encontrar canais e caminhos adequados para a veiculação dos seus reclamos e a melhor ordenação de sua atuação. Transformam os modelos tradicionais de gestão do mundo. Exprimem facetas de sociedade internacional em mutação, em que ainda será preciso determinar quais serão os protagonistas para esses novos modelos de governabilidade internacionalmente focalizada[109]. Pode-se falar em processo de "privatização" do direito internacional, no contexto pós-moderno.

---

tional Encyclopaedia of Laws / Intergovernmental Organizations, general editor Roger BLANPAIN, editor Jan WOUTERS, Haia: Kluwer Law International, 2007, v. 1, pages Andean 1-128, com atualizações periódicas).

108. Kevin C. KENNEDY, *North American Free Trade Agreement* (in **International Encyclopaedia of Laws / Intergovernmental Organizations**, general editor Roger BLANPAIN, editor Jan WOUTERS, Haia: Kluwer Law International, 2007, v. 3, pages NAFTA 1-92, com atualizações periódicas); James R. HOLBEIN and Donald J. MUSCH, **Nafta: final text, summary, legislative history & implementation directory** (New York: Oceana, 1994 e eds. posteriores).

109. Laurence BOISSON DE CHAZOURNES e Rostand MEHDI (sous la direction de), **Une société internationale en mutation: quels acteurs pour une nouvelle gouvernance?** (Bruxelas: Bruylant, 2005).

São forças inovadoras que têm transformado e conturbado o antes sisudo e cinzento cenário das reuniões das organizações internacionais, estritamente intergovernamentais, com a expressão das forças as mais variadas, as ONGs contam-se aos milhares[110]. Com mudanças e reorganizações que tornam temerária qualquer tentativa de tratamento sistemático.

Basta mencionar as ONGs destinadas à defesa do meio ambiente[111] para se ter ideia de seu número e relevância. Inclusive, no caso da IUCN, com a atribuição de implementação de normas e procedimentos ambientais internacionais[112].

As ONGs têm transformado e transtornado a atuação das organizações internacionais tradicionais, desde a expressão de protestos populares, criando ruído surdo e bloqueando acessos às reuniões interministeriais, mas de modos muito mais eficientes e organizados, como canais e caminhos possíveis para veicular anseios da sociedade civil internacional, com demonstrada capacidade inovadora e crescente poder de pressão sobre governos dos estados e sobre os modelos de gestão das organizações internacionais intergovernamentais.

Já em seu curso geral de direito internacional na Haia, ao abordar os **Fundamentos legais do sistema internacional**, K. ZEMANEK (1997)[113] convive com a inovação representada por essas forças, nos planos internos, exercendo pressão sobre os governos, como no plano internacional, nas reuniões das organizações internacionais e de representantes dos estados, nas ocasiões as mais variadas.

Como dito[114], o mundo mudou consideravelmente e suas ferramentas de regulação e de ordenação têm de ser feitas de modo consentâneo à realidade em que se inscrevem. Mas não serão os estados a empreender tais mutações no direito internacional pós-moderno, pois o dinamismo na renovação do direito internacional, no contexto pós-moderno, tem vindo dos agentes não estatais no plano internacional, como aponta K. ZEMANEK (1997)[115]: "ao menos não vem

110. A *Anistia Internacional* e os *Médicos sem Fronteiras*, dentre numerosas ONGs, têm despertado interesse. Anistia Internacional: www.amnesty.org. Médicos sem Fronteiras: www.msf.org.

111. Sandrine MALJEAN-DUBOIS, *La "gouvernance internationale des questions ambientales" – les ONGs dans le fonctionnement institutionnel des conventions internationales de protection de l'environnement* (in **Une société internationale en mutation: quels acteurs pour une nouvelle gouvernance?**, sous la dir. de L. B. de CHAZOURNES e R. MEHDI, Bruxelas: Bruylant, 2005, p. 85-103); *v.* tb. Marc ROSSARD DE BELLET, *Les acteurs non-étatiques et le processus préparatoire du sommet mondial sur la société de* l'information (mesmo v., Bruxelas: Bruylant, 2005, p. 105-119).

112. *V.* Parte 6, **Proteção internacional do meio ambiente**.

113. Karl ZEMANEK, **The legal foundations of the international system: general course on public international law** (RCADI, 1997, t. 266, p. 9-336).

114. *V.* item 2.2.2.

115. Karl ZEMANEK (op. cit., RCADI, 1997, t. 266, p. 9-336).

a ocorrer por iniciativa dos estados, mas se fazem aceitar por estes, na medida em que pressionados pela sociedade civil, nos planos interno e internacional"[116].

Enquanto expressão da sociedade civil internacional, as ONGs ilustram a extensão e a irreversibilidade das mudanças ocorridas no sistema internacional[117], nas últimas décadas, e preparam o caminho para a análise do ser humano como sujeito de direito internacional. Como se passa a considerar.

---

116. K. ZEMANEK (op. cit., "Valediction", p. 335): "The prevalence of individual state interests over the common interest was apparent in every aspect of the system examined in the course and is responsible for the widening gap between social necessities and the system's responses. Can this be changed and it will ever change? One thing is clear: the initiative will not come from traditional governmental machineries. Dynamism and development, if they are to come, must be generated through the activity of citizens, who form groups to put pressure on their own governments and organize in international NGOs for acting on the global stage, as the relative progress in the field of human rights or environmental protection demonstrates".

117. *V.*, a respeito, esp. 1.1.4. e 1.1.5. **perspectivas do direito internacional no século XXI**.

5

SER HUMANO NO DIREITO INTERNACIONAL

A **Declaração Universal dos Direitos do Homem**, de 10 de dezembro de 1948[1], é marco importante no estudo dos direitos do homem, embora se possam citar algumas relevantes manifestações precursoras, como a **Magna Carta** (1215)[2] e as posições tomadas por LAS CASAS, VITÓRIA e SUAREZ, em defesa das populações ameríndias[3] nos séculos XVI e XVII. Desde o início, as formulações se fazem acompanhar do descompasso entre a teoria e a prática: em considerável extensão, uma vez formulados e aceitos em sua formulação, a questão central será, como em outros campos do direito, a de assegurar que sejam efetivamente implementados.

Dentre os documentos anteriores à Segunda Guerra Mundial, três se destacam: a **Declaração inglesa** (***Bill of Rights***) (1689)[4], a **Declaração da Independência dos Estados Unidos** (1776)[5] e a **Declaração dos Direitos do Homem e do Cidadão** (1789 e 1793)[6], cuja influência nos movimentos de independência

1. Adelino BRANDÃO, **Os direitos humanos: antologia de textos históricos** (São Paulo: Landy, 2001, Parte IV – Fontes das Nações Unidas, p.95-198, **Declaração universal dos direitos do homem adotada e proclamada pela Assembleia Geral das Nações Unidas em 10 de dezembro de 1048**, p. 97-105) e outras.
2. A. BRANDÃO (op. cit., 2001, reproduz extratos da **Magna Carta outorgada pelo rei João Sem Terra no ano de 1215**, p. 65-69).
3. *V.* Parte 1 – desenvolvimento histórico, esp. 1.1.1.1. Francisco de VITÓRIA e 1.1.1.2. Francisco SUAREZ.
4. A. BRANDÃO (op. cit., 2001, **Bill of rights 13 de fevereiro de 1689** (extratos), p. 79-83).
5. A. BRANDÃO (op. cit., 2001, **Declaração da independência dos Estados Unidos 4 de julho de 1776** (extratos), p. 85-86, e **Constituição dos Estados Unidos 17 de setembro de 1787**, p. 87-89).
6. A. BRANDÃO (op. cit., 2001, parte II – "fontes francesas", p. 43-62) reproduz: a **Declaração dos Direitos do Homem e do Cidadão**, de 1789, a **Declaração dos Direitos do Homem e do Cidadão**, de 1793, e textos ancilares.

dos países da América Latina não pode ser ignorada. Os princípios consagrados pelas citadas declarações tiveram acolhida nas principais constituições liberais.

A proteção dos direitos era, contudo, estipulada e regulada em instrumentos legais de ***natureza interna.*** A mutação substancial, no século XX, será a passagem para o ***regime internacional de proteção dos direitos fundamentais e a progressiva consolidação deste***. Para a aceitação da premissa da internacionalidade inerente ao regime de proteção dos direitos fundamentais foi preciso, também no caso do Brasil[7], antes fazer-se a passagem de regimes autoritários para estados democráticos de direito.

5.1. Direitos humanos e a consolidação da proteção internacional

No plano internacional, o **Pacto** da Sociedade das Nações se referia, no art. 23, a alguns direitos do homem, da mulher e das crianças. Na mesma altura se encetam, a partir da **Carta** da Organização Internacional do Trabalho (OIT), Parte XIII do Tratado de Versalhes[8], o regime internacional de ***proteção dos direitos dos trabalhadores***, e a partir dos acordos internacionais para a ***proteção de minorias*** étnicas[9], posteriormente, resultaria a ***consolidação de sistema de proteção internacional dos direitos humanos.*** Aos trabalhadores e às minorias étnicas se atribuem inovadores canais de comunicação e o direito de protestar, internacionalmente, em caso de supostas violações, praticadas pelos estados[10]. O problema das minorias étnicas continua a ser problema relevante na ordem internacional, como analisam, i.a., M. van der STOEL (2002)[11], V. D. DEGAN (2000 e 1999)[12] ou E. McWHINNEY (2002)[13].

---

7. Celso LAFER, **A internacionalização dos direitos humanos** (Barueri: Manole, 2005, p. 2): "na análise do art. 4º é o alcance do seu inc. II, que dispõe sobre o princípio da prevalência dos direitos humanos na condução das relações internacionais do Brasil. Essa diretriz assinala, politicamente, a passagem do regime autoritário para o estado democrático de direito, institucionalizado pela **Constituição de 1988**, que consagra a perspectiva ***ex parte populi*** dos direitos humanos, como princípio de convivência coletiva, tanto no plano interno quanto no internacional".

8. P. B. CASELLA, **Tratado de Versalhes na história do direito internacional** (São Paulo: Quartier Latin, 2007, texto e comentários).

9. A respeito da evolução do sistema internacional de proteção das minorias, *v.* 5.2.7. e subitens.

10. Ao mesmo tempo são os estados os violadores dos direitos fundamentais, e os mecanismos legais, tanto internos quanto internacionais, necessitam da atuação e da cooperação dos mesmos estados, para a sua aplicação. Esse dilema permeia todo o direito internacional, mas se faz particularmente presente em matéria de direito internacional dos direitos humanos.

11. Max van der STOEL, **The role of the OSCE High Commissioner on national minorities in the field of conflict prevention** (RCADI, 2002, t. 296, p. 9-23).

12. Vladimir-Djuro DEGAN, *On state succession* (in **Dimensão internacional do direito: estudos em homenagem a G. E. do Nascimento e Silva**, org. P. B. CASELLA, São Paulo: LTr, 2000, p. 118-140); deste, *v.* tb.: **Création et disparition de l'état (à la lumière du démembrement de trois fédérations multiethniques en Europe)** (RCADI, 1999, t. 279, p. 195-375).

Após a Segunda Guerra Mundial, além dos estados e dos insurgente e beligerantes, "outros centros de interesse e de atividade adquiriram estatuto internacional: trata-se das organizações internacionais, dos povos, reunindo certas condições e dotados de estrutura representativa (movimentos de liberação nacional) e dos indivíduos", apontava A. CASSESE (1991)[14], para resumir: "***a emergência desses novos sujeitos é traço característico do direito internacional contemporâneo***"[15].

A **Declaração Universal** de 1948, bem como os instrumentos subsequentemente adotados, no contexto da ONU, inscrevem-se no movimento de busca de recuperação da dignidade humana, após os horrores cometidos pelo nazifascismo, mas sobretudo se dá a mudança no enfoque, quanto a ser o estabelecimento de sistema de proteção dos direitos fundamentais ***intrinsecamente internacional***. Todo o sistema se constrói a partir de tal premissa.

Em 1993, outro marco na proteção internacional dos direitos humanos, a **Declaração e Programa de Ação de Direitos Humanos da Conferência Mundial de Direitos Humanos** da Organização das Nações Unidas, realizada em Viena, realça a ***universalidade, indivisibilidade e interdependência dos direitos humanos***.

A relevância da proteção internacional dos direitos fundamentais vai ao ponto de caracterizar o direito internacional, no contexto pós-moderno, como a "idade dos direitos humanos"[16]. Embora date de algumas décadas a preocupação com a proteção internacional dos direitos do homem, já analisavam A. N. MANDELSTAM (1931)[17], J. DUMAS (1937)[18], J. A. PASTOR RIDRUEJO (1991 e 1998)[19], C. LAFER (1988, 1998, 2005)[20] e J. F. FLAUSS (1992)[21], em relação a

---

13. Edward McWHINNEY, **Self-determination of peoples and plural-ethnic states (secession and state succession and the alternative federal option)** (RCADI, 2002, t. 294, p. 167-264).
14. Antonio CASSESE, Les individus (in **Droit international: bilan et perspectives**, Paris: UNESCO / Pedone, 1991, v. I, p. 119-127).
15. A. CASSESE (cap. cit., 1991, p. 119).
16. Theodor MERON, **International law in the age of human rights: general course on public international law** (RCADI, 2003, t. 301, p. 9-490).
17. A. N. MANDELSTAM, **La protection internationale des droits de l'homme** (RCADI, 1931, t.. 38, p. 125-232); seu anterior curso na Haia, versa **La protection des minorités** (RCADI, 1923, t. 1, p. 363-520).
18. J. DUMAS, **La sauvegarde internationale des droits de l'homme** (RCADI, 1937, t. 59, p. 1-98).
19. J.-A. PASTOR RIDRUEJO, **Les procédures publiques spéciales de la Commission des Droits de l'Homme des Nations Unies** (RCADI, 1991, t. 228, p. 183-272); J. A. PASTOR RIDRUEJO, **Le droit international à la veille du vingt et unième siècle: normes, faits et valeurs: cours général de droit international public** (RCADI, 1998, t. 274, p. 9-308).
20. Celso LAFER, **A reconstrução dos direitos humanos: um diálogo com o pensamento de Hannah Arendt** (São Paulo: Cia. das Letras, 1988); Celso LAFER, *Os direitos humanos no plano internacional – reflexões em torno da 52ª sessão (1996) da CDH da ONU* (in **O direito internacional no terceiro milênio: estudos em homenagem ao professor Vicen-**

contexto específico. Ao se propor considerar o "impacto de mundo em transformação sobre o direito internacional" (1998)[22], cumpre caracterizar o sentido e alcance do termo[23]. Nesse sentido, aponta A. de CARVALHO RAMOS (2016) que os direitos humanos, no plano internacional, podem ser definidos como sendo o conjunto mínimo de direitos considerado essencial para uma vida humana pautada na liberdade, igualdade e dignidade, e que ainda se beneficiam de garantias internacionais institucionalizadas.

5.1.1. na Organização das Nações Unidas

A segunda guerra mundial, com a série de atrocidades cometidas, veio demonstrar que os direitos do homem deveriam ser protegidos pelo direito internacional. A Carta das Nações Unidas espelha esta preocupação desde o seu Preâmbulo, cujos preceitos devem pesar na interpretação de todos os dispositivos da **Carta**:

"Nós, os Povos das Nações Unidas, resolvidos a preservar as gerações futuras do flagelo da guerra, que por duas vezes, no espaço de nossa vida, trouxe sofrimentos indizíveis à humanidade, e a reafirmar a fé nos direitos fundamen-

---

te Marotta Rangel, coord. L. O. Baptista e J. R. Franco da Fonseca, São Paulo: LTr, 1998, p. 635-642): Celso LAFER, **A internacionalização dos direitos humanos: constituição, racismo e relações internacionais** (Barueri: Manole, 2005).

21. Jean-François FLAUSS, *Les droits de l'homme comme élément d'une constitution et de l'ordre européen* ("Vortrag vor dem Europa-Institut der Universität des Saarlandes, Saarbrucken, den 22. Januar 1992", Vorträge, Reden u. Berichte aus dem Europa-Institut – Sektion Rechtswissenschaft, vol. 264, p. 1-21).

22. Celso LAFER, *O impacto de um mundo em transformação no direito internacional* (Política externa, 1998, v. 7, n., 1, p. 4), refere a passagem de "velho" direito internacional, cujas normas interestatais se punham como "normas de mútua abstenção", para salvaguardar a plenitude das "múltiplas soberanias", por meio do reconhecimento recíproco, no então vigente sistema internacional, para "novo" direito internacional, onde as normas ganham configuração distinta, para atender a exigência de cooperação entre estados, denominadas "normas de mútua colaboração".

23. Claudia Lima MARQUES, *Laudatio para Erik JAYME – memórias e utopia* (in **O novo direito internacional: estudos em homenagem a Erik Jayme**, org. Claudia Lima MARQUES e Nadia de ARAUJO, Rio de Janeiro: Renovar, 2005, p. XV-XXV); *v.* tb. Erik JAYME, *Visões para uma teoria pós-moderna do direito comparado* ("conferência apresentada em Osnabruck, em 5 de junho de 1997, publicada no Brasil in **Revista dos Tribunais** (São Paulo), n. 759, ano 88, janeiro 1999 (p. 24-40). A forma da apresentação foi mantida pelo Autor, que agradece as contribuições de seu Assistente Sr. Florian WAGNER. Tradução livre e autorizada da Profa. Dra. Claudia Lima MARQUES, UFRGS. A tradução pode ser considerada "livre", pois tentou manter a forma original narrativa e quase literária do texto, sem deixar de mencionar as várias ideias sugeridas através da precisão alemã dos conceitos jurídicos e filosóficos usados e de bem-humorados jogos de palavras, que se perderiam em uma tradução literal – in **Seleção de textos da obra de Erik Jayme**, "edição em homenagem à entrega do título de doutor *honoris causa* / UFRGS ao jurista Erik JAYME", Cadernos do programa de pós-graduação em direito PPGDir./UFRGS, v. I, n. I, março 2003, p. 69-84); Erik JAYME, *Direito internacional privado e cultura pós-moderna* (versão da aula apresentada na Fac. de Direito da UFRGS, em 2 de setembro de 1996; trad. livre, autorizada e não revista pelo autor, de Lisiane Freiten WINGERT; rev. e notas de Claudia Lima MARQUES; a forma oral foi preservada e acrescentadas notas, com base no texto publicado no ano seguinte, por Erik JAYME, *Internationales Privatrecht und Post-moderne Kultur*, in **Zeitschrift fur Rechtsvergleichung**, Viena, 1997, p. 230-236, in **Seleção de textos da obra de Erik Jayme**, edição em homenagem à entrega do título de doutor *honoris causa* / UFRGS ao jurista Erik JAYME, Cadernos do programa de pós-graduação em direito PPGDir./UFRGS, v. I, n. I, março 2003, p. 59-68).

tais do homem, na dignidade e no valor do ser humano, na igualdade dos direitos dos homens e das mulheres, assim como das nações grandes e pequenas."

Na enumeração dos propósitos da Organização figura "conseguir uma cooperação internacional... para promover e estimular o respeito aos direitos humanos e às liberdades fundamentais para todos sem distinção de raça, sexo, língua ou religião". A Carta ainda se refere aos direitos humanos nos artigos 13 (b), 55 (c), 56, 62 e 76 (c).

Não obstante a ênfase dada aos direitos humanos na **Carta**, dúvidas foram levantadas quanto ao valor e quanto ao fato destes não contarem definição precisa, nem serem garantidos compulsoriamente. Essa concepção tradicional não mais pode ser sustentada, porquanto, cumpre acrescentar, não constituem os direitos fundamentais mera declaração de princípios, e os estados têm o dever de observá-los e assegurar-lhes a aplicação, também nos respectivos planos internos. Esta interpretação continua correta, mas com o evoluir da instituição a questão perdeu peso diante da afirmação cada vez mais acentuada dos direitos do homem[24].

Com o objetivo de desenvolver os princípios da Carta, foi constituída, sob a presidência de Eleonor ROOSEVELT, a **Comissão dos Direitos Humanos**, e esta tinha três encargos: 1) preparar Declaração universal relativa aos direitos civis, políticos, econômicos e sociais do homem; 2) elaborar pacto ou convenção, em termos legais, relativo aos direitos civis e políticos, de cumprimento obriga-

24. André de CARVALHO RAMOS, **Teoria geral dos direitos humanos** (6. ed., São Paulo: Saraiva, 2016); Fabio Konder COMPARATO, **A afirmação histórica dos direitos humanos** (São Paulo, 2005); F. K. COMPARATO, *O reconhecimento de direitos coletivos na esfera internacional* (in **O direito internacional no terceiro milênio: estudos em homenagem ao professor Vicente Marotta Rangel**, org. L. O. BAPTISTA e J. R. FRANCO DA FONSECA, São Paulo: LTr, 1998, p. 643-652); A. A. CANÇADO TRINDADE (editor), **A incorporação das normas internacionais de proteção dos direitos humanos no direito brasileiro** (San José da Costa Rica: Instituto Interamericano de Derechos Humanos, *et al.*, 1996); A. A. CANÇADO TRINDADE, **A proteção internacional dos direitos humanos** (São Paulo: Saraiva, 1991); ACCIOLY, **Tratado** (2009); Celso LAFER, **A internacionalização dos direitos humanos** (Barueri: Manole, 2005); C. LAFER, **A reconstrução dos direitos humanos** (São Paulo: Cia. das Letras, 1988); Theodor MERON, **International law in the age of human rights: general course on public international law** (RCADI, 2003, t. 301, p. 9-489); Emmanuel ROUCOUNNAS, **Facteurs privés et droit international public** (RCADI, 2002, t. 299, p. 9-419) – enfatiza o papel dos direitos humanos no reconhecimento progressivo do ser humano como sujeito de direito internacional; Eduardo THEILER, *Os direitos e deveres internacionais do homem* (Boletim SBDI, n. 7, p. 52, ano 4); H. LAUTERPACHT, **The international protection of human rights** (RCADI, 1947, t. 70, p. 1-108); J. SETTE-CÂMARA, *A ONU e os direitos humanos* (**Revista Brasileira de Política Internacional**, mar.jun. 1970, p. 132); Jacob ROBINSON, **Human rights and fundamental freedoms in the Charter of the United Nations** (New York, 1946, esp. p. 71 e s.); Karel VASAK, **Le droit international des droits de l'homme** (RCADI, 1974, t. 140, p. 333-416); Manfred LACHS, **The development and general trends of international law in our time** – General course in public international law (RCADI, 1980, t. 169, p. 9-377); Nicolas VALTICOS, *International mechanisms for the protection of human rights* (in **Droit international**, Paris: UNESCO/Pedone, p. 1149); N. VALTICOS, *Expansion du droit international et constitutions nationales, un cas significatif: le transfert de pouvoirs à des organisations internationales et la Constitution belge* (in **Évolution constitutionnelle en Belgique et relations internationales** – Hommage à Paul de VISSCHER, Paris: Pedone, 1984, p. 9-22); René CASSIN, **Les droits de l'homme** (RCADI, 1974, t. 140, p. 321-332).

tório para todos os estados que o assinassem e ratificassem; 3) propor medidas para implementar os princípios da Declaração e os dispositivos da Convenção e para examinar as petições e reclamações de indivíduos ou grupos.

Além disso, ressalte-se a existência, no âmbito do **Conselho de Direitos Humanos da Organização das Nações Unidas** (que sucedeu, em 2006, a extinta Comissão de Direitos Humanos), de dezenas de comissões, relatorias e grupos de trabalho que analisam a situação de direitos humanos em diversos países do mundo, bem como a situação de direitos específicos. Os relatórios produzidos fixam recomendações de condutas aos estados para a melhoria da situação de direitos humanos em seu território.

Depois da criação do Conselho de Direitos Humanos, foi instituído outro mecanismo de monitoramento da situação de direitos humanos da ONU denominado Revisão Periódica Universal (RPU). Todos os 193 estados-membros da ONU devem ser submetidos a essa revisão em "ciclos" de quatro anos e meio, feita pelos demais estados. A análise dos relatórios e documentos encaminhados (conjugando relatório governamental, relatório alternativo de organizações da sociedade civil e documentos diversos sintetizados pelo Alto Comissariado das Nações Unidas para os Direitos Humanos) é feita pelos demais estados do próprio Conselho de Direitos Humanos e da Assembleia Geral da ONU, sob a liderança de três países escolhidos para cada estado sob avaliação, chamados de *troika*.

A tônica da RPU é "diálogo construtivo" entre o estado avaliado e seus pares membros da ONU, sendo procedimento internacional de direitos humanos cujo resultado é composto por "compromissos voluntários" assumidos pelo estado sob exame. O Brasil, como um dos idealizadores desse mecanismo, esteve entre os primeiros países a se submeter ao primeiro ciclo da RPU, isso já em 2008. Na oportunidade, recebeu 15 recomendações, aceitando dois compromissos voluntários. Em 2012 o estado brasileiro passou pelo segundo ciclo da RPU, tendo recebido 170 recomendações, rejeitando totalmente uma (sobre a unificação da polícia militar com a polícia civil, feita pela Dinamarca). A *troika* do primeiro ciclo brasileiro foi composta por Gabão, Arábia Saudita e Suíça e a do segundo ciclo foi composta por China, Equador e Polônia[25]. O terceiro ciclo da RPU inicia-se em 2017 e terminará em 2021.

5.1.1.1. Declaração Universal dos Direitos do Homem e tratados sobre direitos humanos sob os auspícios da ONU

Desde São Francisco, quando da elaboração da Carta das Nações Unidas, a Grã-Bretanha se bateu pela adoção de tratado que tornasse compulsório o

---

25. A respeito, *v.* A. de CARVALHO RAMOS, **Teoria geral dos direitos humanos** (6. ed., 2016).

combate às violações dos direitos humanos; enquanto, para os Estados Unidos, seria o máximo admissível declaração vazada em termos vagos. Novamente, no âmbito da Comissão de Direitos Humanos, a questão ressurgiu: ao passo que a Grã-Bretanha queria convenção de cumprimento obrigatório, os Estados Unidos conseguiram que a sua posição prevalecesse mediante a adoção de simples recomendação que não obrigaria os estados, sob a alegação de não afetar o respeito à soberania. Na elaboração dos três encargos, acima mencionados, verifica-se ter a tese norte-americana prevalecido. Note-se, ademais, que a **Declaração** se inspirou no ***Bill of Rights*** da **Constituição dos Estados Unidos**[26].

A **Declaração Universal dos Direitos Humanos** foi assinada solenemente em Paris em 10 de dezembro de 1948. Não obstante a ênfase dada ao reconhecimento dos direitos humanos, a senhora ROOSEVELT reiterou a posição de seu país, no sentido de que a **Declaração** não era tratado ou acordo que criava obrigações legais. Aliás, a afirmativa era desnecessária[27]. Conforme foi visto, não obstante a importância que algumas resoluções tenham tido, é unânime o reconhecimento e a afirmação quanto a não se revestirem de obrigatoriedade de implementação.

Os princípios acolhidos em algumas resoluções, dentre elas a Declaração Universal dos Direitos do Homem, passaram a ter o *status* de direito internacional costumeiro. Mas, apesar dessa evolução, a adoção de tratados sobre os direitos humanos foi considerada necessária pela antiga Comissão, hoje Conselho de Direitos Humanos das Nações Unidas, só que entre o início dos trabalhos e a sua conclusão decorreram doze anos, durante os quais o ingresso nas Nações Unidas de dezenas de novos estados modificou radicalmente a composição da organização e a filosofia vigente, em matéria de direitos humanos. Os direitos humanos clássicos, os políticos e os civis cederam aos econômicos e sociais e à ênfase no direito de desenvolvimento e no da autodeterminação. Em outras

---

26. André de CARVALHO RAMOS. **Teoria geral dos direitos humanos** (6. ed., São Paulo: Saraiva, 2016); André de CARVALHO RAMOS. **Processo internacional de direitos humanos** (5. ed., São Paulo: Saraiva, 2016); Barbosa LIMA SOBRINHO, Declaração dos Direitos do Homem (*Jornal do Brasil*, 14 dez. 1969); A. A. CANÇADO TRINDADE, **Coexistence and coordination of mechanisms of international protection of human rights – at global and regional levels** (RCADI, 1987, t. 202, p. 9-435); Egon SCHWELB, *Civil and political rights* (AJIL, 1968, v. 62, p. 827); Josef L. KUNZ, *The United Nations Declaration on Human Rights* (AJIL, 1949, v. 43, p. 317); Manfred LACHS, **The development and general trends of international law in our time** (RCADI, 1980, v. 169, p. 9-377); Oscar SCHACHTER, *Les aspects juridiques de la politique américaine en matière de droits de l'homme* (AFDI, 1977, p. 5); Tunguru HUARAKA, *Civil and political rights* (in **Droit international**, Paris: UNESCO/ Pedone, 1991, p. 1061).

27. Aliás, durante muitos anos, o Governo dos Estados Unidos evitou reconhecer o sentido obrigatório dos dispositivos da Carta em relação aos estados, preferindo considerá-los declarações genéricas e, consequentemente, que os estados continuariam a ter o direito de regular os seus negócios domésticos de acordo com a sua conveniência e as suas instituições políticas e econômicas. Este sentimento era particularmente forte no seio do Congresso na década de 50 e contava com o apoio de juristas como Hans KELSEN e Manley HUDSON. Mas, como observa Oscar SCHACHTER, "o Governo americano admite hoje em dia o caráter obrigatório dos artigos da Carta relativos aos direitos humanos".

palavras, os textos adotados não foram encarados favoravelmente pelos países industrializados.

O **Pacto Internacional de Direitos Econômicos, Sociais e Culturais**, o **Pacto Internacional de Direitos Civis e Políticos** e o **Protocolo** Facultativo relativo ao Pacto Internacional de Direitos Civis e Políticos foram adotados e abertos à assinatura, ratificação e adesão por meio de resoluções da Assembleia Geral das Nações Unidas, em 19 de dezembro de 1966. Os dois **Pactos**, espelhando a influência dos países em desenvolvimento, salientam logo no artigo primeiro que "***todos os povos têm o direito à autodeterminação. Em virtude desse direito, determinam livremente o seu estatuto político e asseguram livremente o seu desenvolvimento econômico, social e cultural***".

Como era de esperar, foram recebidos com desconfiança pelas nações desenvolvidas, que não ratificaram ou aderiram aos dois Pactos de 1966. O Brasil, que havia participado ativamente na elaboração de ambos, só os ratificou em janeiro de 1992, entrando em vigor para o país em julho do mesmo ano.

Embora os dois **Pactos** sejam em certo sentido mais importantes do que a **Declaração** de 1948, por serem de cumprimento obrigatório para os países que os ratificaram, pode-se afirmar que a **Declaração Universal** tem mais peso, pois a maioria dos princípios que consagra são tidos como de direito internacional costumeiro. Passo adiante será dado ao serem reconhecidas como ***normas cogentes de direito internacional geral***[28].

A Corte Internacional de Justiça, no caso do **pessoal diplomático e consular norte-americano em Teerã**, decidiu expressamente pelo caráter de norma costumeira de determinados direitos da Declaração Universal de Direitos do Homem, considerada como vetor de interpretação do termo "direitos humanos" inserido em diversos dispositivos da Carta da Organização das Nações Unidas. Neste julgamento, a Corte condenou o Irã, uma vez que a detenção dos reféns americanos, além de incompatível com a **Convenção de Viena sobre relações diplomáticas**, violava os "princípios fundamentais estabelecidos na declaração universal de direitos do homem", então considerada norma internacional vinculante.

Justamente a evolução mais recente se põe no sentido do ***reconhecimento das normas de proteção dos direitos fundamentais dentre os melhores exemplos***

28. Para André de CARVALHO RAMOS, **Direitos humanos na integração econômica** (2008, p. 29-30), "há uma incessante atividade de reconhecimento da qualidade de *jus cogens* de diversos direitos fundamentais pelos tribunais internacionais criados pelos próprios Estados. Assim, pode-se vislumbrar que, no futuro, a natureza de norma imperativa será reconhecida a todos os direitos humanos, sem qualquer distinção. Conclui-se que os direitos humanos constituem o núcleo essencial de normas que compõem o ordenamento jurídico internacional contemporâneo e, então, a norma de direitos humanos é norma hierarquicamente superior no ordenamento, quer seja pelo critério material (conteúdo) ou pelo critério formal (norma de *jus cogens*)".

de "jus cogens". M. McDOUGAL, apesar de seu alinhamento ***voluntarista***, por exemplo, não hesita em afirmar dever a Declaração de Paris ser saudada como direito costumeiro, com as características de *jus cogens*.

A Corte Interamericana de Direitos Humanos, em voto do Juiz A. A. CANÇADO TRINDADE, reconheceu que os casos de desaparecimento forçado de pessoas violam direitos humanos inderrogáveis (liberdade, integridade física e psíquica e direito à vida) e pertencentes ao rol do *jus cogens* (cf., caso dos meninos de rua da Guatemala – VILLAGRÁN MORALES).

No desenvolvimento da proteção de direitos humanos no sistema da ONU, houve, nas últimas décadas, intensa produção normativa, de natureza convencional, estimulada pela Organização, além dos Pactos já citados. Destacam-se tratados sobre ***temas específicos***, tais como:

- a **Convenção sobre a Prevenção e Repressão do Crime de Genocídio** (1948);
- a **Convenção sobre a Proteção de todas as Pessoas contra a Tortura e outras Penas e Tratamentos Cruéis, Desumanos ou Degradantes** (1984);

Ademais, há os tratados que protegem *categorias de pessoas,* como, por exemplo:

- a **Convenção** e o **Protocolo sobre o Estatuto dos Refugiados**[29] (1951);
- as duas **Convenções sobre a Apatridia**;
- a **Convenção sobre os Direitos da Mulher Casada**;
- a **Convenção relativa aos Direitos da Criança**, (1990), entre outras.

Por fim, cabe mencionar os tratados *contra a discriminação*, tais como:

- a **Convenção para a Eliminação de todas as Formas de Discriminação Racial** (1965);
- a **Convenção para a Eliminação de todas as Formas de Discriminação contra a Mulher** (1980);
- a **Convenção sobre a Repressão ao Crime de *Apartheid*** (1973), entre outras.

Vários destes tratados estabelecem sistemas de monitoramento do cumprimento dos deveres de promoção e proteção de direitos pelo estado. Esse é dado crucial, a ser observado.

29. *V.* tb. José Henrique FISCHEL DE ANDRADE, *Regionalização e harmonização da definição de refugiados e dos procedimentos para a determinação da condição de refugiado no âmbito do MERCOSUL* (in **MERCOSUL: integração regional e globalização**, coord. P. B. CASELLA *et al.*, pref. F. A. de A. MOURÃO, Rio de Janeiro: Renovar, 2000, p. 63-98).

Assim, pode-se apontar como tendência, tanto necessária quanto positiva, que o direito internacional, em matéria de proteção dos direitos humanos, caminhe para ***fase de implementação dos direitos***, oferecendo às vítimas de violações de direitos humanos mecanismos como o da petição a Comitês internacionais (os *treaty bodies*, como o previsto na Convenção para a eliminação de todas as formas de discriminação racial, Convenção para a eliminação de todas as formas de discriminação contra a mulher e a Convenção contra a tortura), ou ainda obrigando os estados a apresentar relatórios sobre a observância de tais direitos (sistema dos informes periódicos).

O Brasil, signatário dos tratados acima mencionados, reconhece a possibilidade de apresentação de petições das vítimas de violações de direitos previstos no Pacto Internacional de Direitos Civis e Políticos, na Convenção contra a tortura e toda forma de tratamento cruel, desumano ou degradante e nas Convenções para a eliminação da discriminação racial e eliminação da discriminação contra a mulher aos Comitês criados por cada um destes quatro tratados.

Em 2009, o Brasil incorporou internamente, pelo Decreto n. 6.949, a **Convenção das Nações Unidas sobre os direitos das pessoas com deficiência e seu Protocolo Facultativo**, assinados em Nova Iorque, em 30 de março de 2007. Importante salientar que o Brasil reconheceu a competência do *Comitê sobre os Direitos das Pessoas com Deficiência*, órgão criado pela Convenção, para receber petições submetidas por vítimas de violação, imputada ao Estado brasileiro, a esses direitos.

5.1.2. direitos humanos nos sistemas regionais

A possibilidade e a utilidade da coexistência do **sistema *mundial*** e de **sistemas *regionais*** em matéria de proteção e promoção dos direitos humanos são aceitas e defendidas. O sistema universal coexiste com importantes sistemas regionais: o ***europeu*** (5.1.2.1), o ***interamericano*** (5.1.2.2), o ***africano*** (5.1.2.3) e esboça-se o que pode vir a ser sistema regional ***árabe***.

5.1.2.1. direitos humanos no sistema europeu

O ***sistema europeu*** funciona dentro da estrutura do Conselho da Europa e tem por fundamento a **Convenção Europeia para a Proteção dos Direitos Humanos e das Liberdades Fundamentais**, adotada em Roma em 1950, com os acréscimos da **Carta Social Europeia** de 1961, bem como de diversos **Protocolos adicionais** à Convenção de 1950. O sistema europeu de direitos humanos conta com corte especializada, a **Corte Europeia de Direitos Humanos**, com sede em Estrasburgo, para a qual toda vítima de violação de direitos humanos pode propor ações contra os estados-membros do Conselho da Europa responsáveis pela violação.

Tal acesso direto do indivíduo à Corte Europeia de Direitos Humanos é fruto de reforma do sistema efetuada pelo **Protocolo n. 11**, de 1998, que, ademais, extinguiu a antiga Comissão Europeia de Direitos Humanos.

Em 2010, entrou em vigor o Protocolo n. 14, possibilitando que a União Europeia possa aderir à Convenção Europeia de Direitos Humanos. Finalmente, em 2013, entrou em vigor o Protocolo n. 15, que visa dar mais agilidade ao processo internacional de direitos humanos no contexto do sistema regional europeu. Também foi aprovado o Protocolo n. 16, ainda não em vigor (out./2016), prevendo que os tribunais superiores de um Estado possam solicitar opinião consultiva à Corte Europeia de Direitos Humanos sobre a interpretação e aplicação dos direitos previstos na Convenção.

A seguir se pode passar ao exame dos direitos humanos no sistema interamericano (5.1.2.2).

5.1.2.2. direitos humanos no sistema interamericano

O movimento esboçado no final da segunda guerra mundial, visando à proteção dos direitos do homem, teve imediato acolhimento nos países da América Latina, em cujas independências as declarações dos Estados Unidos de 1776 e da Revolução Francesa de 1789 haviam exercido importante papel. Não deixa de ser sintomático que, sete meses antes da aprovação da Declaração Universal dos Direitos Humanos, a **Carta** da OEA tenha sido assinada em Bogotá e juntamente com a **Declaração Americana dos Direitos e Deveres do Homem**. É bem verdade que a Declaração interamericana inspirou-se nos trabalhos preparatórios que resultariam na Declaração Universal, com importante modificação: ocupou-se não só dos ***direitos*** mas também dos ***deveres* internacionais** do homem[30].

30. André de CARVALHO RAMOS, **Processo internacional de direitos humanos** (5. ed., São Paulo: Saraiva, 2016); André de CARVALHO RAMOS, **Responsabilidade internacional por violação de direitos humanos** (Rio de Janeiro: Renovar, 2004); Luiz Flávio GOMES e Flávia PIOVESAN (coords.), **O sistema interamericano de proteção dos direitos humanos e o direito brasileiro** (São Paulo: RT, 2000); Nadia de ARAUJO e C. E. de A. BOUCAULT (orgs.), **Os direitos humanos e o direito internacional** (Rio de Janeiro: Renovar, 1999); Héctor GROS Espiell, *La Corte interamericana y la Corte europea de derechos humanos* (in **O direito internacional no terceiro milênio: estudos em homenagem ao professor Vicente Marotta RANGEL**, org. L. O. Baptista e J. R. Franco da Fonseca, São Paulo: LTr, 1998, p. 593-603); Héctor GROS Espiell, **La Convención Americana y la Convención Europea de Derechos Humanos. Análisis comparativo** (Santiago de Chile, 1991); A . P. SCHREIBER, **The Inter-American Commission on Human Rights**, Leyden, 1970; C. Garcia BAUER, **La observancia de los derechos humanos y la estrutura del sistema internacional de protección en el ámbito americano**, Secretaría General de la OEA, 1980; Carlos A. Dunshee de ABRANCHES, *A Convenção Americana de Direitos Humanos*, Boletim, 1970, p. 65; D. Uribe VARGAS, **Los derechos humanos y el sistema interamericano**, Madrid, 1972; e **Le système interaméricain comme régime régional de protection internationale des droits de l'homme**, RCADI, 1975, v. 145, p. 7; Karel VASAK, **La Commission Interaméricaine des Droits de l'Homme**, Paris, 1968; P. P. CAMARGO, **La protección jurídica de los derechos humanos y de la democracia en América**, México, 1960.

Ao aprovar na Costa Rica, em 22 de novembro de 1969, a **Convenção Americana sobre a Proteção de Direitos Humanos**, o sistema interamericano demonstrou, nas palavras de Carlos A. Dunshee de Abranches, haver superado "a fase de elaboração de princípios teóricos e das meras declarações de intenção". Os trabalhos que resultaram na Convenção de 1969 se arrastaram desde a elaboração de projeto em 1959 até a Conferência do Rio de Janeiro de 1965, quando se decidiu fosse este projeto revisto pela Comissão Interamericana dos Direitos Humanos, e convocada conferência especializada. Não obstante os inúmeros obstáculos enfrentados, como a guerra no Vietnã, os regimes de exceção na Argentina, no Brasil e no Peru e a decretação do estado de emergência no Chile, a Conferência reuniu-se na Costa Rica.

Diversas delegações, dentre elas a brasileira, tiveram ensejo de ressalvar a possibilidade de conflitos entre artigos da Convenção e disposições constitucionais. A Delegação dos Estados Unidos salientou as dificuldades de harmonizar as normas do *common law* com princípios baseados no direito romano. Apesar das dificuldades citadas, a Convenção foi assinada, e aceita a ideia da criação da Corte Interamericana de Direitos Humanos, sediada em São José da Costa Rica. Contudo, o Estado-parte da Convenção não é obrigado a reconhecer a jurisdição da Corte. Caso queira, deve declarar expressamente tal reconhecimento.

As semelhanças entre a Convenção americana e a europeia não devem fazer esquecer a necessidade de salientar a diferença de enfoque de uma em relação à outra. A grande preocupação dos países da América Latina é a melhoria das condições de vida de seus habitantes. Em outras palavras, sem querer ignorar a importância dos direitos civis e políticos, para eles os problemas econômicos, sociais e culturais são prioritários.

Na Conferência de Estocolmo de 1972 sobre o meio ambiente, o Brasil teve ensejo de salientar a importância do desenvolvimento dentro do contexto ambiental, tanto assim que a Declaração de Estocolmo, em seu preâmbulo, reconhece que "nos países em desenvolvimento a maioria dos problemas ambientais é causada pelo subdesenvolvimento. Milhões continuam a viver abaixo dos níveis mínimos necessários para uma existência humana, privados de comida, vestimenta, abrigo, educação e saúde".

O ***sistema interamericano de proteção aos direitos humanos*** é composto por quatro diplomas normativos principais:

- a **Declaração Americana dos Direitos e Deveres do Homem**;
- a **Carta da Organização dos Estados Americanos**;
- a **Convenção Americana de Direitos Humanos**; e também
- o **Protocolo relativo aos direitos sociais e econômicos (San Salvador, 1988)**.

Desse composto de normas internacionais, ressalta a obrigação genérica de respeito dos direitos humanos de todos sob a jurisdição dos estados americanos. No que tange ao Brasil, houve a plena incorporação do Pacto de San José ao ordenamento brasileiro em 1992, com a edição do Decreto n. 678. Em 10 de dezembro de 1998, o Brasil, por meio de nota ao Secretário-Geral da OEA, reconheceu a jurisdição obrigatória da Corte Interamericana de Direitos Humanos.

O mecanismo de proteção previsto na Convenção Americana de Direitos Humanos pode ser resumido da seguinte maneira. A vítima (ou seus representantes) possui o direito de petição à *Comissão Interamericana de Direitos Humanos*. A Comissão apreciará a admissibilidade da demanda (há requisitos de admissibilidade, entre eles, o esgotamento prévio dos recursos internos) e seu mérito. Caso a Comissão considere a demanda inadmissível ou infundada, não cabe recurso à vítima. Porém, o caso será apreciado pela Corte se algum estado-parte, que também houver reconhecido a jurisdição da Corte, ingressar com a ação contra o estado violador. Até o momento, os estados *nunca* exerceram tal prerrogativa (todas as ações foram propostas pela Comissão). Pode existir também solução amistosa do litígio, por meio da qual a vítima e o estado acordam compromisso, respeitados os direitos reconhecidos na Convenção. No caso de ter sido constatada violação de direitos humanos sem que o estado infrator tenha reparado o dano, a Comissão pode encaminhar o caso contra o estado à Corte Interamericana de Direitos Humanos, no caso de este ter reconhecido a jurisdição da Corte. Proposta a ação perante a Corte Interamericana de Direitos Humanos, há regular processo de *responsabilidade internacional* por violação de tais direitos, no qual é possibilitada a ampla defesa e o contraditório. Ao final, a Corte prolatará sentença internacional vinculante e determinará, caso reconheça violações de direitos protegidos, as reparações necessárias.

Em 2011, foi criado um *Grupo de Trabalho* responsável por analisar e propor mudanças ao funcionamento do Sistema Interamericano de Direitos Humanos. As discussões resultaram, em 2013, na alteração de alguns dispositivos do Regulamento da Comissão, com destaque à previsão de consulta prévia ao Estado antes da edição de medida cautelar pela Comissão (atendendo a reclamos dos Estados). Além disso, alguns pontos procedimentais na análise das demandas também foram alterados, modificando prazos, critérios de análises, dentre outros, totalizando a modificação de 13 artigos do Regulamento.

Em 2006, houve a primeira ***condenação do Brasil perante a Corte Interamericana de Direitos Humanos***, no caso do homicídio do Sr. Damião **XIMENES LOPES**[31]. Neste caso, a Corte reprovou a omissão do estado brasileiro em pre-

31. Corte Interamericana de Direitos Humanos, caso **XIMENES LOPES vs. Brasil**, sentença de 4 de julho de 2006. A de-

venir a morte do Sr. XIMENES LOPES em Casa de Repouso financiada com verbas públicas, do Sistema Único de Saúde (SUS), bem como em pagar indenizações e punir, em tempo razoável, os responsáveis por sua morte. Ou seja, a delonga do Poder Judiciário local (no caso, do estado do Ceará) ocasionou a responsabilização internacional do Brasil. Além de ser o estado brasileiro condenado a pagar indenizações aos familiares das vítimas, foi estabelecido o dever de investigar e punir os responsáveis pela morte do Sr. XIMENES LOPES.

Em voto separado, o juiz A. A. CANÇADO TRINDADE, no caso **XIMENES LOPES** (2006), enfatiza questões como: a da centralidade do sofrimento das vítimas no direito internacional dos direitos humanos, o reconhecimento de responsabilidade internacional pelo estado demandado, o direito de acesso à justiça *lato sensu* na indissociabilidade entre os artigos 25 e 8 da Convenção interamericana, o direito de acesso à justiça como direito à pronta prestação jurisdicional, a aplicabilidade direta da Convenção interamericana no direito interno e as garantias de não repetição dos fatos lesivos, e, sobretudo, a necessidade de ampliação do conteúdo material do ***jus cogens***[32].

Até o ano de 2016, a Corte já julgou aproximadamente 300 casos contra Estados (incluindo as medidas provisórias), tendo sido o Brasil condenado em quatro ações principais (sem contar as medidas provisórias da Corte contra o Brasil), a saber: XIMENES LOPES, ESCHER e outros, GARIBALDI e GOMES LUND ("Guerrilha do Araguaia"); e sido vitorioso em uma ação (sentença de improcedência, caso NOGUEIRA CARVALHO)[33]. Em 2015, a Comissão propôs à Corte mais duas ações contra o Brasil: Caso TRABALHADORES DA FAZENDA BRASIL VERDE e Caso COSME ROSA GENOVEVA, EVANDRO DE OLIVEIRA e outros ("Favela Nova Brasília"), ambos em trâmite. Em 2016, houve o encaminhamento de mais dois casos contra o Brasil: o Caso do POVO INDÍGENA XUCURU E SEUS MEMBROS e o CASO VLADIMIR HERZOG.

Com o aumento das ações contra o Brasil, é importante que se evite o conflito entre as decisões da Corte Interamericana de Direitos Humanos (Corte

---

núncia n. 12.237 fora recebida na Secretaria da Comissão em 22 de novembro de 1999, quando Irne Ximenes Lopes MIRANDA ("peticionária") apresentara petição à Comissão Interamericana, contra o Brasil, em que denunciou os fatos ocorridos em detrimento de seu irmão sr. Damião XIMENES LOPES. Em 17 de outubro de 2003, a Comissão recebeu comunicação da peticionária em que solicitava se considerasse o Centro de Justiça Global como copeticionário no caso (doravante denominados "peticionários"). Em 30 de setembro de 2004, a Comissão decidiu submeter o caso à Corte.

32. CIDH, **caso XIMENES LOPES vs. Brasil**, sentença de 4 de julho de 2006, voto separado do juiz A. A. CANÇADO TRINDADE (item VI, par. 38): "a Corte Interamericana advertiu que o direito à integridade pessoal, consagrado na Convenção Americana, tem por 'finalidade principal' a 'proibição imperativa da tortura e penas ou tratamentos cruéis, desumanos ou degradantes', não admitindo, pois, suspensão em 'circunstância alguma' (par. 126). A Corte já o havia advertido em sua sentença (de 18.8.2000) no caso **CANTORAL BENAVIDES vs. PERU** (pars. 95-96). Em outras palavras, a referida proibição recai no domínio do ***jus cogens***". Sobre a implementação das sentenças dos casos Ximenes Lopes e Gomes Lund no Brasil, conferir André de CARVALHO RAMOS, **Processo internacional de direitos humanos**, 5. ed., São Paulo: Saraiva, 2016.

33. A respeito, A. de CARVALHO RAMOS, **Teoria geral dos direitos humanos** (6. ed., 2016).

IDH) e os julgados do Supremo Tribunal Federal. CARVALHO RAMOS (2016) propõe a *teoria do duplo controle*, pela qual cabe ao Supremo Tribunal Federal o *controle de constitucionalidade* e à Corte IDH o *controle de convencionalidade de matriz internacional*. Preserva-se, assim, a esfera de competência de cada uma das Cortes, superando-se o risco de danosa "guerra judicial"[34].

5.1.2.3. direitos humanos no sistema africano

O ***sistema africano*** funciona dentro[35] da estrutura da **União Africana** (antiga Organização de Unidade Africana) e é baseado na **Carta Africana dos Direitos do Homem e dos Povos** de 1981 (também conhecida como Carta de Banjul)[36] e em seu **Protocolo Adicional** de 1998, que estabeleceu a criação da primeira Corte especializada em direitos humanos da África. Em 2004, o Protocolo Adicional entrou em vigor e a **Corte Africana de Direitos do Homem e dos Povos** passou a funcionar[37].

Merece ainda ser mencionada a **Carta dos Direitos Humanos e dos Povos do Mundo Árabe** de 1993, adotada em 15 de setembro de 1994[38].

5.2. Direitos fundamentais do ser humano

Os direitos enumerados na **Declaração Universal** de 1948 são de duas espécies[39], ou seja, os ***direitos civis e políticos*** e os ***direitos econômicos, sociais e culturais***. A estes direitos vieram somar-se outros tidos como de ***solidariedade***, como é o caso do direito do homem a ***ambiente sadio***[40]. Em todos esses casos,

---

34. A. de CARVALHO RAMOS, **Processo Internacional de Direitos Humanos** (5. ed., 2016).

35. Existem tradições de tolerância e de convivência a serem observadas, pouco conhecidas fora da África, como examina, por exemplo, Sié Mathias KAM, **Tradition africaine de l'hospitalité et dialogue interreligieux** (Paris: Karthala, 2011).

36. F. OUGUERGOUZ, **La Charte africaine des droits des hommes et des peuples** (Paris: PUF, 1993).

37. www.african-court.org. **Protocol establishing the African Court on Human and Peoples' Rights**, celebrado em 9 de junho de 1998, entrou em vigor em 25 de janeiro de 2004, depois de ter sido ratificado por mais de 15 estados.

38. A respeito da importância do instrumento, cumpre observar ser esta acrescida pelo fato de que muitos estados da Liga árabe não subscreveram os Pactos da ONU de 1966. O texto em francês foi publicado pela *Revue universelle des droits de l'homme* (1995, p. 212 s.). *V.* tb. Ahmed MAHIOU, *La Charte arabe des droits de l'homme* (in **L'évolution du droit international** – Mélanges offerts à H. T. (Paris: Pedone, 1998, p. 305-320).

39. André de CARVALHO RAMOS. **Teoria geral dos direitos humanos** (6. ed., São Paulo: Saraiva, 2016); P. B. CASELLA, **BRIC – Brasil, Rússia, Índia, China e África do Sul** – uma perspectiva de cooperação internacional (São Paulo: Atlas, 2011, esp. cap. 7, "*mudança da percepção internacional na África do Sul e desta pelo mundo*", p. 91-102); Diego Uribe VARGAS, **La troisième génération des droits de l'homme** (RCADI, 1984, v. 184, p. 355); Jan GLAZEWSKI, The environment, human rights and a new South African Constitution (in **The South African Journal on Human Rights**, 1991, p. 371); Karel VASAK, **La Commission Interaméricaine des Droits de l'Homme** (p. 343); Kéba MBAYE, *Human rights and rights of people* (in **International law**, UNESCO, 1991, p. 1055).

40. Na apreciação dessas três categorias, parte da doutrina tende a abordar as categorias de direitos através da sua

à enumeração dos direitos há que corresponder a atribuição da obrigação. Pouco significa a afirmação do *direito* sem a clara imputação da *obrigação* a quem caiba assegurá-los.

Deve-se a René CASSIN (1974)[41] a tese de que a proteção dos direitos humanos deveria ser ampliada, a fim de incluir o direito a ***meio ambiente sadio***, isto é, livre de poluição, com o correspondente direito a água e ar puros[42]. Os direitos fundamentais podem ser agrupados em:

- *direitos civis e políticos*: são a reafirmação do direito à liberdade, em oposição à ação do estado, que tem a obrigação de se abster de atos que possam representar a violação de tais direitos; são os direitos civis e políticos que abrangem o direito à vida e à nacionalidade, a liberdade de movimento e o direito de asilo, a proibição de tortura ou tratamento cruel, desumano ou degradante, a proibição da escravidão, a liberdade de opinião e as atividades políticas e trabalhistas etc.;
- *direitos econômico-sociais*: põem a ênfase nos direitos econômicos, sociais e culturais, nos quais existe como que dívida da sociedade para com o indivíduo; estes direitos, que só podem ser desfrutados com o auxílio do estado, são o direito ao trabalho em condições justas e favoráveis, o direito de pertencer a sindicatos, o direito à educação e cultura, o direito a um nível adequado de vida, o direito à seguridade e seguro social;
- direitos *coletivos*: na medida em que se sustentam, seriam o direito a ambiente sadio, o direito à *paz*, o direito ao *desenvolvimento* e o direito aos bens que constituem o *patrimônio comum da humanidade*; característica desses direitos ditos "de terceira geração", também denominados *direitos sociais*, é o fato de serem desfrutados de maneira coletiva, ou seja, pelo indivíduo, pelo estado, por outras entidades públicas e privadas; inicialmente mencionados com certa hesitação, verifica-se, com o passar

---

evolução histórica, falando, em consequência, em direitos de *primeira*, *segunda* e *terceira* geração, o que, apesar de seu uso corrente, não nos parece adequado, e se condene a expressão, que teria, ademais, conotação negativa de sucessão temporal e decadência, além de sujeita a mais de uma interpretação. Quanto às duas primeiras, a sua existência não é contestada, o que não ocorre com os direitos de terceira geração.

41. René CASSIN, **Les droits de l'homme** (RCADI, 1974, t. 140, p. 321-332).

42. Esta noção dita de *terceira geração* dos direitos é baseada no princípio de ordem jurídica flexível, da qual emergem as normas, que às vezes são o prolongamento de conceitos antigos ou então de interpretações dos aspectos novos da ordem social. Diego URIBE endossa a tese de que esses direitos pertencentes à nova geração têm em comum duas características: *a*) não decorrem da tradição individualista da *primeira geração* nem da tradição socialista da *segunda*; *b*) situam-se no início de processo legislativo, o que lhes permitirá serem reconhecidos no futuro como direitos humanos. D. URIBE, como muitos autores que abordaram a questão nas décadas de 1970 e 1980, previa o reconhecimento dos direitos de terceira geração no futuro, mas pode-se afirmar que atualmente os direitos ligados a um meio ambiente sadio já não podem ser discutidos.

dos anos, a noção ter-se consolidado, dando a alguns dos direitos já aludidos no passado, como o direito à paz, novo enfoque.

Ante o recrudescimento das agressões humanas ao ambiente no planeta, a afirmação de tais direitos passa a ser condição para a sobrevivência da humanidade. Por sua natureza e extensão terão, necessariamente, de ser tipificados e ser protegidos no plano internacional.

Atualmente, a indivisibilidade dos direitos humanos orienta a interpretação atual, que deve ser vista apenas como vetor de explicação da evolução do rol de direitos protegidos, não podendo a divisão em grupos, ou "gerações", ser utilizada para enfraquecer a proteção de determinada espécie de direito. De fato, após as duas **Conferências Mundiais** da Organização das Nações Unidas sobre Direitos Humanos (Teerã, 1968; Viena, 1993), observa-se a aceitação pelos estados da chamada ***indivisibilidade*** e ***interdependência*** do conjunto, o que nos leva à compreensão integral dos direitos humanos.

A afirmação da indivisibilidade dos direitos humanos retoma o ***ideal da Declaração Universal dos Direitos Humanos, que englobou os chamados direitos civis, políticos, econômicos, sociais e culturais, sem que houvesse distinção significativa*** entre eles. Por seu turno, cabe recordar que não há diferença ontológica entre os direitos ditos de *primeira* e de *segunda* geração, por exemplo. Hodiernamente, reconhece-se que mesmo os direitos fundamentais, consistentes em abstenção por parte do estado, como o direito à vida e à liberdade individual, exigem prestações positivas do estado. Não é admitido, nesse caso, que o estado seja omisso no seu dever de prevenção e repressão de eventuais violações à liberdade e à vida dos indivíduos[43]. Com isso, hoje há inegável unidade dos mais diversos direitos da pessoa humana, que devem ser respeitados e garantidos em sua totalidade para que seja assegurada, a todos, uma vida digna.

Sem pretender apresentar a classificação dos direitos humanos, como fim em si mesma, merecem destacados alguns, como os relativos à liberdade individual (5.2.1) e a proibição do tráfico de pessoas (5.2.2), a garantia de condições de trabalho equitativo e humano (5.2.3), o direito de asilo (5.2.4), a proteção do trabalho intelectual e industrial (5.2.5), a proteção da saúde e da vida (5.2.6) e a evolução do sistema internacional de proteção dos direitos das minorias (5.2.7),

43. Em tese, a distinção dos direitos humanos em três grupos é relativamente fácil; na prática nem sempre será possível dizer se o direito humano em questão deve figurar dentre aqueles que o estado tem o dever de respeitar, ou se se trata de direito a ser cobrado do próprio estado. O direito à propriedade, por exemplo, tem sido objeto de discussão. Reconhecido pela Declaração Universal no artigo XVII, só acabou sendo acolhido na Convenção Europeia depois de prolongado debate. Admitido que deva figurar entre os direitos políticos e civis, conclui-se que os direitos econômicos quase não merecem figurar com destaque.

inicialmente em relação às minorias religiosas (5.2.7.1), a seguir em relação às minorias étnicas (5.2.7.2) e, finalmente, os Princípios de Yogyakarta (2007) e a proteção das minorias por orientação sexual e identidade de gênero (5.2.7.3).

Embora estudado em tópico independente, a seguir o direito à nacionalidade (5.3), com a consequente obrigação para o estado de limitar ou evitar a apatridia, bem como a condição jurídica do estrangeiro (5.4), tem igualmente a dimensão de direitos fundamentais.

5.2.1. liberdade individual

O artigo III da Declaração Universal é categórico: "***todo homem tem direito à vida, à liberdade e à segurança pessoal***". O artigo seguinte trata da escravidão nos seguintes termos: "***ninguém será mantido em escravidão ou servidão; a escravidão e o tráfico de escravos serão proibidos em todas as suas formas***".

Ao contrário do que se admitia na antiguidade e foi praticado até época recente[44], é princípio aceito universalmente que o homem não pode constituir propriedade de outro homem, nem do estado, nem da igreja. Negar foi mais fácil do que pôr fim a tais práticas[45].

Não obstante os termos categóricos das declarações internacionais, bem como das constituições nacionais, verifica-se que a escravidão, sob formas diversas, continua em todos os continentes, principalmente na África e na Ásia. E sob a forma de exploração de trabalho, em condições equiparáveis à escravidão, continua a ocorrer, e pode ser encontrada no Brasil, não somente em grotões remotos, como em bolsões de pobreza de imigrantes bolivianos e peruanos, mesmo na própria cidade de São Paulo.

O ***tráfico de escravos*** (especialmente da África para os países americanos), que foi meio muito empregado para alimentar a escravidão, já se acha condena-

44. A abolição legal da escravidão por meio da **Lei Áurea**, de 13 de maio de 1888, põe o Brasil dentre os últimos países do mundo a eliminarem tal mancha do passado nacional. Se considerarmos, na prática, ter se prolongado o odioso fenômeno, até cerca de 1910 em algumas regiões, para sequer mencionar até hoje ser objeto de descoberta de focos remanescentes de trabalho escravo ou em regime equiparável à escravidão, e isso não somente em "grotões" e fazendas remotamente situadas como em bolsões de pobreza em certos bairros da própria cidade de São Paulo, vê-se não ter somente dimensão histórica o problema!

45. *V.* Marie Jean Antoine Nicolas de Caritat, marquês de CONDORCET (1743-1794), **Réflexions sur l'esclavage des nègres** (1781, présentation et notes par Jean-Paul DOGUET, Paris: Garnier-Flammarion, 2009); Édouard GLISSANT, **Mémoires des esclavages** (avant-propos de Dominique de VILLEPIN, Paris: Gallimard – La documentation française, 2007); Sébastien JAHAN e Alain RUSCIO (sous la direction de), **Histoire de la colonisation** – Réhabilitations, Falsifications et Instrumentalisations (Paris: Les Indes Savantes, 2007); Jean MEYER, **Sklavenhandel** (originalmente publicado como **Esclaves et négriers** (c) 1988, deutsche Textfassung Bettina WIENGARTEN, Ravensburg: Maier, 1990); Claire SIBILLE (sous la direction de), **Guide des sources de la traite négrière, de l'esclavage et de leurs abolitions** (Paris: La documentation française, 2007).

do internacionalmente, desde o século XIX. Nesse sentido, o **Ato geral** de Bruxelas, de 2 de julho de 1890, e os esforços de implementação deste[46].

A condenação internacional do tráfico foi feita, primeiramente, no Congresso de Viena, por declaração de princípios, datada de 8 de fevereiro de 1815. Constou, depois, de um *artigo adicional* ao Tratado de Paris de 20 de novembro do mesmo ano, e de declarações aprovadas nos Congressos de Aix-la-Chapelle, de 1818, e de Verona, de 1822.

Até 1885, os estados tinham preocupação voltada para o tráfico por mar. Mas a extensão das possessões europeias na África levou muitos países a encarar também a questão do tráfico por terra. Disto se ocupou o **Ato Geral** da Conferência Africana, de Berlim, assinado a 26 de fevereiro de 1885, o qual visava apenas o comércio de escravos nas regiões terrestres e na costa oeste da África.

Como o tráfico se desenvolvesse em outras zonas, cogitou-se de ampliar as medidas adotadas naquela Conferência, e dessa ideia resultou a *Conferência Antiescravista* de Bruxelas, cujo **Ato Geral**, de 1890, visava a costa oriental da África, o Mar Vermelho e o Golfo Pérsico, estabelecendo medidas para combater o tráfico no lugar de origem, no de destino e no transporte.

Em setembro de 1919, Estados Unidos, Bélgica, Reino-Unido, França, Itália, Japão e Portugal concluíram a **Convenção de Saint-Germain-en-Laye**, pela qual revogaram, nas relações recíprocas, o Ato Geral de Berlim (com a exceção do artigo 1º) e o **Ato Geral** de Bruxelas, substituindo-os por outras disposições, entre as quais figurou o compromisso das partes contratantes de empregarem esforços no sentido de "*assegurar a supressão completa da escravidão, sob todas as suas formas, e do tráfico dos negros, no mar e em terra*".

O **Pacto** da Sociedade das Nações também condenou o tráfico dos escravos. Mais tarde, a própria Liga elaborou **Convenção**, assinada em 25 de setembro de 1926, em que a escravidão e o tráfico foram, novamente, condenados. Em 1953, foi aprovado **Protocolo**, por meio do qual se alterou a Convenção de 1926, para

46. INSTITUTO DE DIREITO INTERNACIONAL, na **sessão de Paris**, adota, em 30 de março de 1894, o **Projeto de regulamento sobre policiamento de navios negreiros**, com relatoria de Edouard ENGELHARDT e Frederico De MARTENS. Reportam-se ao "*procès-verbal*" da seção do *Institut*, na data de 7 de setembro de 1888, sobre a criação de Comissão especial, encarregada de examinar as questões do *tráfico marítimo;* bem como a "l'Acte général de la Conférence de Bruxelles du 2 juillet 1890"; aos relatórios e às conclusões, apresentadas em 1890 e 1893 por E. ENGELHARDT; bem como, ainda, à *Resolução* de 12 de setembro de 1891. O *Institut*, reunido em Paris, em 30 de março de 1894, apontava a necessidade de adoção de *sistema único* de supervisão e de repressão do tráfico. Todas essas referências históricas servem para evidenciar não se tratar de questão teórica, nem na época, até hoje, nem totalmente coibida. A **Convenção das Nações Unidas sobre o Direito do Mar**, de 1982, no art. 110, ao regular o direito de visita, ressalva dentre as hipóteses legitimadoras, a verificação de dedicar-se o navio sujeito a tal procedimento: a) à pirataria; b) ao tráfico de escravos; c) a transmissões não autorizadas etc.

adaptá-la à nova realidade internacional, pós-criação da Organização das Nações Unidas, tendo sido ambos, Convenção e Protocolo, já ratificados pelo Brasil.

O ***trabalho forçado não remunerado*** é hoje a espécie assemelhada de escravidão que subsiste[47] em diversos países subdesenvolvidos, dentre eles o Brasil[48]. Cabe lembrar ser o Brasil parte da **Convenção Suplementar sobre a abolição das instituições e práticas análogas à escravatura** de 1956, na qual consta o dever dos contratantes de eliminar a ***servidão***, entendida como trabalho forçado não remunerado.

Diversos outros diplomas internacionais têm por objeto a proibição do trabalho forçado, como a **Convenção n. 29 (1930)** e a **Convenção n. 105 (1957)**, adotadas, respectivamente, na 14ª e 40ª Conferência Internacional do Trabalho. A própria **Convenção Americana de Direitos Humanos** veda o trabalho forçado (artigo 6º, 2), excepcionando, contudo, os trabalhos cívicos e aqueles oriundos de pena criminal, nos países que o adotam (a Constituição brasileira proíbe o trabalho forçado como pena criminal).

5.2.2. tráfico de pessoas

A expressão ***tráfico de pessoas***, ou "tráfico humano", é fenômeno complexo, relacionado com questões econômicas – de migrações à exploração econômica, com questões de discriminação racial e de gênero, com questões de direito internacional penal – de escravidão ao crime organizado internacional, e se aplica não só a mulheres, como a crianças (pedofilia) e também a homens, para exploração do ser vivo[49] ou para o tráfico de órgãos. Na medida em que se revelou a complexidade do fenômeno, desenvolveu-se o discurso jurídico para tratamento de tais temas.

Esforços para coibir e regular esses crimes contam mais de um século. Nesse sentido, em 4 de maio de 1910, a **Convenção Internacional Relativa à**

---

47. Emmanuel DECAUX, **Les formes contemporaines de l'esclavage** (RCADI, 2008, t. 336; tb. publicado Leiden: M. Nijhoff – Les livres de poche de l'Académie de droit international de La Haye, 2009).

48. Diversas denúncias noticiadas na grande imprensa tem levado, entretanto, a reação do Ministério Público do Trabalho e do Ministério Público Federal, que, com o auxílio da Polícia Federal, têm desenvolvido ações de repressão a tal prática, algumas vezes verificada em propriedades de integrantes do Congresso!

49. John CERONE, *Human Trafficking* (in **The Max Planck Encyclopedia of Public International Law**, ed. R. WOLFRUM, Oxford: Univ. Press, 2012, v. V, p. 25-31); K. BARRY, **Female sexual slavery**, 1981; J. GRUMBACH, **La répression de la traité des femmes**, Lyon, 1941; G. E. NASCIMENTO e SILVA, *Os trabalhos do Comitê Legal da Assembleia Geral das Nações Unidas*, Boletim, 1946, v. 4, p. 83-84; Louis RENAULT, La traite des blanches et la Conférence de Paris au point de vue du droit international, RGDIP, 1902, p. 497; Cino VITTA, **La défense internationale de la liberté et de la moralité individuelle**, in RCADI, 1933, v. 45, p. 818-843.

Repressão do Tráfico de Mulheres Brancas foi assinada.

Dentre as funções atribuídas à Sociedade das Nações constava o ***combate ao tráfico*** (artigo 23, *c*), e em consequência foi assinada em Genebra, em 30 de setembro de 1921, a **Convenção** Internacional para a Repressão do Tráfico de Mulheres e Crianças, que foi complementada pela **Convenção** de 11 de outubro de 1933, relativa ao tráfico de mulheres maiores.

Com o advento das Nações Unidas, em 1946, a Assembleia Geral, endossando sugestão do Comitê Legal, transferiu para a Organização a série de encargos até então da alçada da Sociedade das Nações, dentre eles o combate ao tráfico de mulheres e crianças. A **Convenção** de 2 de dezembro de 1949 refundiu os documentos assinados sob os auspícios da Sociedade das Nações e representou o documento mais importante a respeito. Mas este encontrou pouca acolhida.

O tráfico de pessoas, no século XXI, mostra-se negócio bilionário de alcance global, conjugado com outras formas de crime organizado, para múltiplas formas de trabalho forçado, para exploração de prostituição, para a extração de órgãos vitais em transplantes, ao lado de amplo rol de atividades de exploração de indivíduos, inclusive para trabalho doméstico, em outros países[50].

A antiga Comissão, hoje Conselho de Direitos Humanos, da Organização das Nações Unidas, atenta para tal problemática, introduziu o ***tráfico humano*** em pauta de temas para análise e recomendação de ações de prevenção e repressão aos estados.

Em dezembro de 1990, a Assembleia Geral da Organização das Nações Unidas adotou a **Convenção Internacional sobre a Proteção dos Direitos de todos os Trabalhadores Migrantes e Membros de sua Família**, que, em seu artigo 68, estabelece o dever dos estados de cooperar para prevenir e eliminar as práticas clandestinas de aliciamento mediante fraude, violência e intimidação em face dos trabalhadores migrantes, punindo, assim, os praticantes do tráfico humano.

Em dezembro de 2000, foram elaborados o **Protocolo pela Supressão e Punição do Tráfico de Pessoas, especialmente mulheres e crianças** e também o **Protocolo contra o Tráfico de Migrantes**. O Protocolo pela supressão e punição do tráfico de pessoas define tal prática como sendo qualquer ato de recrutamento, transporte ou recebimento de pessoas, utilizando-se da ameaça, uso da

50. Esses novos tipos de tráfico de pessoas estão relacionados com o atual contexto econômico-social internacional. De fato, as desigualdades ainda existentes entre diversas regiões do mundo, ocasionando a existência de contigentes de migrantes em países pobres e demanda crescente por mão de obra barata em países desenvolvidos, estimula o crescimento desse tráfico, que se aproveita do desespero e da pobreza de contingentes de indivíduos.

força, abuso de poder ou qualquer outra forma de coerção ou fraude, com proveito de sua vulnerabilidade, para fins de exploração. Esses dois Protocolos demonstram, juntamente com a **Convenção das Nações Unidas sobre o Crime Organizado Transnacional**, também elaborada no final de 2000, o esforço da comunidade internacional de combater o crime organizado e suas práticas abjetas. Em 2004, o Brasil incorporou internamente a Convenção e seus Protocolos. Em 2016, foi aprovada a **Lei n. 13.344**, que tratou da punição do tráfico de pessoas ("Lei do Tráfico de Pessoas"), atualizando a legislação interna na linha do disposto nos tratados celebrados pelo Brasil.

5.2.3. condições de trabalho equitativas e humanas

A **Declaração Universal** estipula, no parágrafo 1º do artigo XXIII, que "**todo homem tem direito ao trabalho, à livre escolha do emprego, a condições justas e favoráveis de trabalho e à proteção contra o desemprego**". No fundo, esse dispositivo é o **desdobramento** do artigo 55 da **Carta** das Nações Unidas, que prevê "**níveis mais altos de vida, trabalho efetivo e condições de progresso e desenvolvimento econômico e social**".

Além disso, cabe lembrar que, de acordo com a **Declaração Universal**, todos devem ser livres do temor da opressão e também da miséria. O **Pacto Internacional sobre Direitos Econômicos, Sociais e Culturais** em 1966, ratificado pelo Brasil em 1992, também se ocupou da melhoria da situação econômica e social de todos os indivíduos. O artigo 7º desse **Pacto** reconhece a toda pessoa o direito de gozar de condições de trabalho justas e favoráveis, que assegurem remuneração adequada e vida digna, bem como condições de segurança, saúde e descanso razoável[51].

A importância da garantia de ***condições econômico-sociais*** da pessoa humana, inclusive como fator importante na manutenção da paz, foi prevista pela Sociedade das Nações, e coube à Organização Internacional do Trabalho, mediante conferências internacionais, elaborar série de tratados destinados a regulamentar o trabalho do homem, da mulher e da criança sob os mais variados aspectos.

O citado artigo XXIII, no parágrafo 3º, ainda prevê "o direito a remuneração justa e satisfatória, que lhe assegure, assim como à sua família, existência compa-

51. André de CARVALHO RAMOS, **Teoria geral dos direitos humanos na ordem internacional**, 6. ed., São Paulo: Saraiva, 2016; René CASSIN, La Déclaration Universelle et la mise en oeuvre des droits de l'homme, RCADI, 1951, v. 79; Carlos Alberto Dunshee de ABRANCHES, **Proteção internacional dos direitos humanos**, Rio de Janeiro, 1964; ROUSSEAU - 2, p. 700; Nicolas VALTICOS, **Droit international du travail**, Paris, 1970; International mechanisms for the protection of human rights, in **International law**, Paris: UNESCO, 1991, p. 1149.

tível com a dignidade humana". O previsto nesse dispositivo, como em tantos outros, ainda está longe de ser atingido, e, nesse particular, os direitos humanos, tão ardentemente defendidos, nos anos 60 e 70, pelos Estados Unidos e países da Europa Ocidental[52], sofreram retrocessos, nestes últimos anos[53]. Ocorre discriminação pautada em motivos raciais, religiosos e de nacionalidade, condenada taxativamente pela Declaração de 1948.

Nesse ponto, em face da miséria e da ausência de condições mínimas de vida e trabalho existente em diversas regiões do mundo, inclusive no Brasil, cabe indagar sobre a existência de mecanismos de aferição do cumprimento pelos estados de suas obrigações de respeito aos direitos sociais vistos acima. Nesse sentido, *v*. Georgenor de Souza FRANCO (1998)[54].

O artigo 2º, item 1, do **Pacto Internacional sobre Direitos Econômicos, Culturais e Sociais** estabelece para cada estado-parte o compromisso de adotar medidas, seja por esforço próprio, seja mediante a prestação de assistência e cooperação internacionais, principalmente nos planos econômicos e técnicos, até o máximo de seus recursos disponíveis, que visem assegurar o pleno exercício dos direitos reconhecidos, de modo progressivo, por todos os meios apropriados. Por sua vez, o artigo 16 estabelece serem os estados obrigados a elaborar relatórios contendo especificações a respeito de suas principais realizações nesse domínio, de modo a assinalar progressos realizados, com o objetivo de assegurar a observância dos direitos reconhecidos no **Pacto**. Os mecanismos de implementação são fundamentais para que não se reduzam tais instrumentos internacionais a declarações de boa vontade, destituídas de efeito vinculante e de executoriedade.

No contexto interamericano, a situação é similar à do plano universal. De fato, aceitando a dualidade de instrumentos existentes no sistema da ONU,

---

52. O tratamento dado aos trabalhadores estrangeiros para o reerguimento da Europa ocidental evidencia o retrocesso alegado. Atraídos pelos salários oferecidos, trabalhadores dos países europeus mais pobres, principalmente da antiga "cortina de ferro", como não europeus, dentre os quais da Turquia, desempenharam importante papel econômico, no reerguimento dessas economias nacionais, destruídas pela guerra, onde, contudo, o direito de permanência não lhes era reconhecido, ou somente em hipóteses muito restritas.

53. Atualmente, os que permanecem na Alemanha devem contentar-se com empregos desprezados pelos nacionais. Fenômeno semelhante verifica-se na França com relação aos nacionais dos países que outrora faziam parte dos territórios coloniais franceses, especialmente argelinos, marroquinos e tunisinos. A Inglaterra, que reconhece a qualidade de cidadão britânico (distinto dos súditos ingleses) aos nacionais dos países que integram a Comunidade Britânica, a *British Commonwealth of Nations*, deixou de reconhecer as regalias que lhes eram asseguradas, tanto que a imigração de jamaicanos, indianos e paquistaneses é severamente controlada.

54. Georgenor de Souza FRANCO, *Considerações acerca da Convenção internacional sobre a proteção do trabalhador migrante* (in **O direito internacional no terceiro milênio: estudos em homenagem ao professor Vicente Marotta Rangel**, org. L. O. BAPTISTA e J. R. FRANCO DA FONSECA, São Paulo: LTr, 1998, p. 653-665).

foi elaborado o **Protocolo Adicional à Convenção Americana de Direitos Humanos em matéria de Direitos Econômicos, Sociais e Culturais** (o chamado Protocolo de San Salvador) em 1988. No artigo 1º do **Protocolo** encontra-se a obrigação geral dos estados em face dos direitos sociais, econômicos e culturais, ou seja, o compromisso de adotar as medidas adequadas para efetivá-los, levando em consideração os recursos disponíveis e a progressividade, no mesmo diapasão do Pacto Internacional de Direitos Sociais, Econômicos e Culturais.

Além disso, foi fixado o dever de ***apresentação de relatórios*** periódicos, a serem apreciados pelo Conselho Interamericano para o Desenvolvimento Integral. Sem prejuízo dessa análise, pode a Comissão Interamericana de Direitos Humanos elaborar relatório sobre a situação dos chamados direitos sociais e econômicos, com posterior encaminhamento à Assembleia Geral da OEA, para decisão política.

Outro importante diploma normativo internacional sobre o tema é a **Carta Social Europeia**, que entrou em vigor em 1965 e foi revisada em 1996, no âmbito do Conselho da Europa.

Nessa linha, observe-se que a *Conferência Mundial de Viena de Direitos Humanos* de 1993 apontou a necessidade da edição de **Protocolo Facultativo ao Pacto Internacional de Direitos Econômicos, Sociais e Culturais**, que introduziria sistema de petição de vítimas de violações de tais direitos similar ao já estabelecido no **Protocolo Facultativo ao Pacto Internacional de Direitos Civis e Políticos** (Parte II, parágrafos 75 e 77 da Declaração e Programa de Ação de Viena), o que foi feito em 2009 (ainda não ratificado pelo Brasil). Desse modo, o desenvolvimento progressivo dos chamados direitos sociais não pode mais escusar os estados de serem responsabilizados pela não implementação de condições materiais mínimas para as suas populações.

5.2.4. direito de asilo

O ***asilo territorial***, que não deve ser confundido com o ***diplomático***[55], pode ser definido como a proteção dada pelo estado, em seu território, a pessoa cuja vida ou liberdade se acha ameaçada pelas autoridades de seu país, acusada de haver violado a sua lei penal, ou, o que é mais frequente, tendo deixado esse seu país para se livrar de perseguição política[56].

---

55. O ***asilo diplomático*** foi abordado no item 2.9.3.3.1.

56. André de CARVALHO RAMOS, *Asilo e refúgio: semelhanças, diferenças e perspectivas* (in **60 anos de ACNUR:**

A instituição do ***asilo*** tem as suas origens na antiguidade, dentre os institutos internacionais legados da Grécia antiga, mas foram as guerras religiosas e a Revolução Francesa que levaram à consolidação do instituto. As mudanças históricas e políticas, em regiões como a América latina[57], sempre acarretaram problemas humanos dessa natureza[58].

A **Declaração Universal dos Direitos do Homem**, de 1948, reza em seu artigo XIV que "todo homem, vítima de perseguição, tem o direito de procurar e de gozar asilo em outros países". O parágrafo 2º do artigo acrescenta que o direito de asilo "não pode ser invocado em caso de perseguição motivada legitimamente por crimes de direito comum ou por atos contrários aos objetivos e princípios das Nações Unidas". A rigor, o artigo, principalmente o parágrafo 1º, pouco diz: reconhece o direito do indivíduo de procurar asilo, mas não a obrigação dos estados em concedê-lo.

---

perspectivas de futuro, coord. André de CARVALHO RAMOS *et al.*, São Paulo: CLA cultural, 2011, p. 13-44); P. B. CASELLA, *Refugiados: conceito e extensão* (in **Direito internacional dos refugiados: uma perspectiva brasileira**, coord. Nadia de Araujo e Guilherme A. de Almeida, Rio de Janeiro: Renovar, 2001, p. 17-26); Adherbal MEIRA MATTOS, **Direito internacional público** (Rio de Janeiro: Renovar, 2. ed., 2002, Cap. 14, "direito de asilo", com distinção entre "asilo político" e "asilo diplomático", p. 285-295); José Henrique FISCHEL DE ANDRADE, *Regionalização e harmonização da definição de refugiados e dos procedimentos para a determinação da condição de refugiado no âmbito do MERCOSUL* (in **MERCOSUL: integração regional e globalização**, coord. P. B. CASELLA *et al.*, Rio de Janeiro: Renovar, 2000, p. 63-98); A. A. CANÇADO TRINDADE, *Aproximações ou convergência entre os direitos humanos e o direito dos refugiados* (in **O direito internacional no terceiro milênio: estudos em homenagem ao professor Vicente Marotta Rangel**, org. L. O. BAPTISTA e J. R. FRANCO DA FONSECA, São Paulo: LTr, 1998, p. 680-705); Guilherme L. da CUNHA, *Migrações, direitos humanos e direito de asilo* (no mesmo volume, 1998, p. 666-679); A. GRAHL-MADSEN, **An international convention on territorial asylum** (Bergen, 1975); Anicet LE PORS, **Le droit d'asile** (Paris: PUF, 2011); SFDI, **Droit d'asile et des réfugiés** ('Colloque de Caen, 1996', Paris: Pedone, 1997); Arnold McNAIR, *Extradition and territorial asylum* (BYB, 1951, p. 179-203); DIEZ DE VELASCO, **Instituciones de derecho internacional público** (Madrid: Tecnos, 16. ed., 2007); Egidio REALE, **Le droit d'asile** (RCADI, 1939, t. 63, p. 469-601); G. E. do NASCIMENTO E SILVA, *Os refugiados políticos e o asilo territorial* (in **Direito internacional dos refugiados: uma perspectiva brasileira**, coords. Nadia de Araujo e Guilerme A. de Almeida, Rio de Janeiro: Renovar, 2001, p. 11-15); Haroldo VALLADÃO, **Direito internacional privado** (Rio de Janeiro: Freitas Bastos, v. 3, 1978, Cap. LXXVI, "Asilo territorial e diplomático", p. 277-285); L. C. GREEN, **Legal aspects of the problem of asylum** (Relatório da Conferência de Tóquio de 1964 da ILA, p. 215); Manlio UDINA, *Asilo politico territoriale* (Relazioni Internazionali, 6 abr. 1968); PRAKASH SINGH, **Asylum and international law** (Haia, 1971); P. WEISS, *The United Nations Declaration on territorial asylum* (Canadian Yearbook of International Law, 1969).

57. Os países da América Latina, coerentes com a sua tradição nesse particular, têm firmado convenções regulamentando o asilo diplomático, cujos princípios básicos se aplicam ao asilo territorial. Em 1928, em Havana, foi assinada a **Convenção sobre Asilo**, que trata do asilo em legações, navios de guerra, acampamentos militares e aeronaves. Foi substituída pela **Convenção sobre Asilo Político** de Montevidéu, de 1933, que, por sua vez, foi modificada pela **Convenção sobre Asilo Diplomático** de Caracas, de 1954.

58. O fim da Segunda Guerra Mundial e as convulsões verificadas no mundo, a Guerra Fria e os movimentos de libertação nacional provocaram o deslocamento de milhares de pessoas em busca de um país onde o regime político-econômico fosse-lhes favorável. Uma das consequências da confrontação entre a Europa Ocidental e a Europa Oriental foi precisamente a adoção pelos países do Ocidente de legislações destinadas a proteger os cidadãos do Leste que conseguissem emigrar. Essa política liberal acabou por provocar ondas de imigrantes, muitos vindos das antigas "*colônias*" africanas ou asiáticas, criando inúmeros problemas sociais.

A questão do asilo chegou a constar da agenda da CDI, que chega a iniciar estudos a respeito, mas constata considerações políticas que não poderiam ser ignoradas, e arquiva o assunto.

Buscando traçar as diretrizes básicas a respeito, a Assembleia Geral das Nações Unidas aprovou a **Resolução n. 3.212 (XXII), de 1967**, nos termos da qual o ***asilo*** é direito do estado baseado em sua soberania; deve ser concedido a pessoas que sofrem perseguição; a concessão do asilo deve ser respeitada pelos demais estados, e não deve ser motivo de reclamação; a qualificação incumbe ao estado asilante, que pode negar o asilo por motivos de segurança nacional; as pessoas que fazem jus ao asilo não devem ter a sua entrada proibida pelo país asilante nem devem ser expulsas para estado onde podem estar sujeitas à perseguição ou repatriamento forçado ao país de origem[59].

O Alto Comissário das Nações Unidas para Refugiados, argumentando ser necessária a existência de convenção de cumprimento obrigatório, chamou a si a responsabilidade e, como etapa preliminar, convocou grupo de peritos com a incumbência de elaborar anteprojeto de convenção, a ser apreciado em conferência internacional. A própria definição da condição pode suscitar controvérsias[60].

A *Conferência sobre Asilo Diplomático* realizou-se em Genebra em 1977 com a presença de 92 delegações, mas desde o início constatou-se que, diante das divergências entre os blocos ocidental e oriental, não seria possível chegar a acordo final. Todavia, não obstante as divergências, os principais problemas foram estudados a fundo, principalmente o problema básico, ou seja, se o indivíduo tem o direito ao asilo territorial, isto é, se o estado de refúgio é obrigado a concedê-lo. A posição adotada pela Assembleia Geral em 1967 foi consolidada, pois ficou claro que não existe um direito ao asilo, ou seja, o estado, no exercício de seu direito de soberania, tem o direito de recusá-lo.

Reconhecido o direito de recusar a concessão do asilo, foi votado artigo em que se convencionou que o estado pode concedê-lo às pessoas que sofrem perseguição por motivos de raça, origem étnica ou nacional, por convicção política ou por lutar contra o colonialismo ou o *apartheid*. No caso dessas pessoas que nor-

---

59. A existência ou não de convenção em matéria de cooperação judiciária, seja civil ou penal, ou abrangendo ambas, ou especificamente em matéria de extradição, ou outras questões, não deve, em princípio, interferir com a concessão ou não de asilo territorial (cf. P. B. CASELLA e R. E. SANCHEZ (orgs.), **Cooperação judiciária internacional**, Rio de Janeiro: Renovar, 2002).

60. José Henrique FISCHEL DE ANDRADE, *Regionalização e harmonização da definição de refugiados e dos procedimentos para a determinação da condição de refugiado no âmbito do MERCOSUL* (in **MERCOSUL: integração regional e globalização**, coord. P. B. CASELLA *et al.*, pref. F. A. de A MOURÃO, Rio de Janeiro: Renovar, 2000, p. 63-98).

malmente poderão pleitear asilo, os estados não devem barrar o seu ingresso na fronteira ou expulsá-las sob o risco de serem obrigadas a voltar ao país onde poderão ser vítimas de perseguição. É o chamado direito de não ser submetido a retorno forçado (*non-refoulement*), considerado um dos mais importantes, mas cujo desconhecimento vem sendo verificado mais frequentemente nos dias que correm.

O movimento favorável à concessão do asilo a refugiados políticos, verificado no pós-guerra e sobretudo durante a Guerra Fria, vem sofrendo retrocessos, principalmente da parte dos países da Europa Ocidental, que vêm evitando a imigração de pessoas em busca de asilo por motivos econômicos e não políticos.

Na América Latina, principalmente em razão das condições da tradicional instabilidade política da região, o asilo diplomático teve maior aceitação. Como referido, na 10ª Conferência Interamericana foram concluídos dois instrumentos internacionais, que especificam o conteúdo e as modalidades dos asilos ***diplomático*** e ***territorial***: a **Convenção sobre Asilo Diplomático** (Caracas, 1954)[61] e a **Convenção sobre Asilo Territorial** (Caracas, 1954)[62]. A existência dos dois instrumentos interamericanos se completa com as normas internas a respeito.

Na perspectiva de proteção dos direitos fundamentais, no Brasil[63], admite-se a concessão do *asilo diplomático*, do *asilo territorial*, como do *refúgio*:

- o ***asilo diplomático*** ou político é concedido na representação diplomática no exterior, junto à qual foi buscar proteção o estrangeiro – este não

---

61. **Convenção (interamericana) sobre Asilo Diplomático**, assinada em Caracas, em 28 de março de 1954; aprovada pelo Decreto legislativo n. 34, de 12 de agosto de 1964; depósito do instrumento de ratificação, aos 14 de janeiro de 1965; promulgada pelo Decreto n. 55.929, de 14 de abril de 1965.

61. **Convenção (interamericana) sobre Asilo Territorial**, assinada em Caracas, em 28 de março de 1954; aprovada pelo Decreto legislativo n. 34, de 12 de agosto de 1964; depósito do instrumento de ratificação, aos 14 de janeiro de 1965; promulgada pelo Decreto n. 55.929, de 14 de abril de 1965.

63. No Brasil, a **Constituição** de 1988, art. 4º, i X, dispõe ser um dos princípios que regem nossas relações internacionais a concessão de asilo político. Esse princípio consagra a solidariedade do Brasil para com estrangeiros perseguidos, por suas convicções políticas, religiosas ou mesmo por motivo racial, excluídos, é claro, a perseguição criminal baseada na legislação penal comum.

Além disso, a Convenção Americana de Direitos Humanos, vigente no Brasil, considera que toda pessoa tem o direito de buscar e receber asilo em território estrangeiro, em caso de perseguição por delitos políticos ou comuns conexos com delitos políticos, de acordo com a legislação de cada estado e com as Convenções internacionais. Além disso, em nenhum caso o estrangeiro pode ser expulso ou entregue a outro país, seja ou não de origem, onde seu direito à vida ou à liberdade pessoal esteja em risco de violação em virtude de sua raça, nacionalidade, religião, condição social ou de suas opiniões políticas. Assim, o ***instituto do asilo hoje pertence ao rol dos direitos fundamentais da pessoa humana***, com amparo também no art. 5º, § 2º, da **Constituição**, que dispõe serem os direitos nela elencados não excludentes de outros decorrentes de tratado internacional, como é o caso da Convenção Americana de Direitos Humanos.

assegura automática concessão do asilo territorial, que será apreciado pelo trâmite próprio, a ser visto a seguir;

- o ***asilo territorial*** é concedido pelo estado no próprio território nacional – este é concedido pelo chefe de estado. No Brasil este delega tal função ao ministro da Justiça. A solicitação de asilo pode ser feita pelo estrangeiro na Polícia Federal do local onde se encontre, sendo suas declarações encaminhadas ao Ministério das Relações Exteriores para parecer técnico. Cabe a decisão final ao ministro da Justiça. Concedido o asilo, o asilado é registrado junto à Polícia Federal, recebe identificação e presta compromisso de cumprir as leis do Brasil e as normas de direito internacional. Cabe salientar que o asilo político é regido no Brasil pela **Lei n. 6.815/80** (Estatuto do Estrangeiro), que dispõe ficar sujeito o estrangeiro, admitido no território nacional na condição de asilado político, além dos deveres impostos pelo direito internacional, tais como o dever de respeito às leis locais e não participação em atos de agressão ao seu estado de origem, ressalvado o direito à liberdade de expressão, também a cumprir as disposições da legislação vigente. Além desse diploma legal, rege o asilo no Brasil os seguintes tratados internacionais: a Convenção sobre Asilo (assinada na VI Conferência Pan-americana de Havana, em 1928), a Convenção sobre Asilo Político (elaborada na VII Conferência Internacional Americana de Montevidéu, em 1933) e finalmente a Convenção Interamericana sobre Asilo Territorial (1954), todas já ratificadas pelo Brasil e que estabelecem, em face dos estrangeiros oriundos dos estados contratantes, normas de concessão de asilo e os direitos e deveres do asilado;
- registre-se a existência do instituto do ***refúgio***, regrado no Brasil pela **Convenção de Genebra sobre o Estatuto dos Refugiados** (1951) e pela **Lei brasileira n. 9.474/97**. De acordo com o art. 1º da Lei é considerado refugiado todo indivíduo que, devido a fundados temores de perseguição por motivos de raça, religião, nacionalidade, grupo social ou opiniões políticas, encontre-se fora de seu país de nacionalidade e não possa ou não queira acolher-se à proteção de tal país, ou aquele que, não tendo nacionalidade e estando fora do país onde antes teve sua residência habitual, não possa ou não queira regressar a ele, em função da perseguição odiosa já mencionada. Além disso, dispõe a lei que será considerado refugiado todo aquele que, devido a grave e generalizada violação de direitos humanos, é obrigado a deixar seu país para buscar

refúgio em outro. Desde então, o Brasil já recebeu refugiados de Angola e do Afeganistão sob o abrigo desse dispositivo legal[64].

Percebe-se ser o refúgio instituto similar, porém distinto do asilo, podendo abarcar inclusive situações de violações generalizadas de direitos humanos, dispensando-se a perseguição específica ao indivíduo solicitante de refúgio[65]. As limitações do enfoque e da formulação adotados na **Convenção** de 1951, a respeito da definição da condição e da uniformização de procedimentos, mostraram-se já no curso da década de 1960, com as mudanças ocorridas no fluxo internacional de refugiados[66]. Para a tentativa de uniformização de conceitos e de procedimentos, no âmbito do MERCOSUL, *v*. J. H. F. de ANDRADE[67].

5.2.5. proteção do trabalho intelectual e industrial

A proteção dos frutos do trabalho intelectual ou industrial não é somente direito do indivíduo, mas também da coletividade onde vive[68]. Para desenvolver sua capacidade intelectual, quer se manifeste no plano artístico, literário, científico, quer na produção industrial, o homem tem necessidade de garantias, que lhe assegurem, de modo uniforme e estável, em toda parte, o livre gozo de seus direitos de autor ou de inventor e permitam, ao mesmo tempo, a repressão da concorrência desleal.

Além de convenções bilaterais, os estados têm concluído várias convenções de caráter coletivo, a esse respeito. Queremos aqui indicar apenas estas últimas.

No tocante à ***propriedade intelectual***, o primeiro ato internacional de caráter geral foi a **Convenção para a Proteção das Obras Literárias e Artísticas**,

64. Nadia de ARAUJO e Guilherme Assis de ALMEIDA (coords.), **O direito internacional dos refugiados: uma perspectiva brasileira** (Rio de Janeiro: Renovar, 2001).

65. G. E. do NASCIMENTO E SILVA, *Os refugiados políticos e o asilo territorial* (in **O direito internacional dos refugiados**, 2001, p. 11-15).

66. P. B. CASELLA, *Refugiados: conceito e extensão* (in **O direito internacional dos refugiados**, coord. N. de ARAUJO e G. A. de ALMEIDA,2001, 17-26).

67. José Henrique FISCHEL DE ANDRADE, *Regionalização e harmonização da definição de refugiados e dos procedimentos para a determinação da condição de refugiado no âmbito do MERCOSUL* (in **MERCOSUL: integração regional e globalização**, coord. P. B. CASELLA *et al.*, pref. F. A. de A. MOURÃO, Rio de Janeiro: Renovar, 2000, p. 63-98, cit., p. 69-70): "Os redatores da Convenção de 1951 – orientados tão somente a redigir um instrumento voltado para resolver um problema específico e bem definido no tempo e no espaço – nem consideraram, nem tampouco anteciparam, os problemas que viriam a ter lugar nos países não industrializados. Como consequência, esse instrumento internacional não pôde adequadamente responder à variedade de situações que emergiu a partir da década de 1960".

68. Bibliografia: ACCIOLY, **Tratado** (2, p. 122); Clóvis BEVILÁQUA, **Direito internacional privado**, 4. ed., Rio de Janeiro, 1944, v. 2, p. 351; Eduardo ESPÍNOLA, **Direito internacional privado**, Rio de Janeiro, 1925, p. 640; HACKWORTH, v. 2, p. 19; Oscar TENÓRIO, **Direito internacional privado** (11. ed., Rio de Janeiro: Freitas Bastos, 1976, v. 2, p. 300); SIBERT - 1, p. 486; WHITEMAN, v. 7, p. 947.

assinada em Berna a 9 de setembro de 1886, da qual resultou a criação da **União para a Proteção dos Direitos de Autor**, tendo por sede uma Repartição instalada em Berna.

Essa convenção foi modificada ligeiramente pelo **Ato Adicional** firmado em Paris, a 4 de maio de 1896, e substituída, mais tarde, pela **Convenção** assinada em Berlim a 13 de novembro de 1908, e esta, por sua vez, teve como complemento o **Protocolo** adicional, assinado em Berna a 20 de março de 1914, substituída pela **Convenção** assinada em Roma a 2 de junho de 1928, com as revisões decorrentes dos **Protocolos** posteriores.

Entre os países americanos, foram concluídos diversos atos gerais da mesma natureza, em várias das conferências internacionais americanas, com destaque para a **Convenção sobre Propriedade Literária, Científica e Artística**, firmada em Washington, a 22 de junho de 1946[69].

No que concerne aos atos internacionais de caráter coletivo, relativos à proteção da ***propriedade industrial***, têm eles versado sobre patentes de invenção, marcas de fábrica ou de comércio, nome comercial, desenhos e modelos industriais, concorrência desleal e falsas indicações de procedência[70].

Entre os atos de feição mundial, citam-se os seguintes: a **Convenção** de Paris, de 20 de março de 1883, que fundou a **União** para a Proteção da Propriedade Industrial e criou, em Berna, a Repartição Internacional de tal União; o **Ato Adicional** de Bruxelas, de 14 de dezembro de 1900; as **Convenções** substitutivas de Paris, assinadas, respectivamente, em Washington (junho de 1911), na Haia (novembro de 1925) e em Londres (maio de 1934); o **Acordo sobre a Conservação ou Restauração dos Direitos de Propriedade Industrial** atingidos pela segunda guerra mundial, assinado em Neuchâtel a 8 de fevereiro de 1947; além de vários **Acordos** sobre matérias restritas, derivadas da ideia geral da proteção da propriedade industrial.

No seio da Organização das Nações Unidas, é importante mencionar a **Organização Mundial da Propriedade Industrial** (OMPI), criada pela Convenção de Estocolmo de 1967, hoje agência especializada das Nações Unidas. O Secretariado da OMPI substituiu o tradicional BIRPI ("Bureaux Internacionaux

---

69. Nos últimos anos, antes da segunda guerra mundial, foram feitos esforços, inclusive por parte da Sociedade das Nações, no sentido da unificação mundial dos direitos de autor, mediante acordo entre os princípios das Convenções de Berna e Roma e os da Convenção de Havana. Não se chegou, então, a nenhum resultado prático. Mas depois a UNESCO tomou a si esse encargo, ouvindo sugestões dos governos interessados, em vista da elaboração de anteprojeto de convenção universal sobre direitos autorais.

70. No continente americano, a proteção da propriedade industrial constitui, igualmente, objeto de vários atos internacionais, desde o primeiro tratado, subscrito em Montevidéu, a 16 de janeiro de 1889, bem como a convenção assinada na conferência especial, de Washington, em fevereiro de 1929.

Réunis pour la Protection de la Proprieté Intellectuelle"), que, por sua vez, aglutinava o Escritório da União da Convenção de Paris para a Proteção da Propriedade Industrial e também o Escritório da União da Convenção de Berna para a proteção das obras literárias e artísticas.

Para a Convenção de Estocolmo, a **propriedade intelectual** é o conjunto dos direitos relativos às obras literárias, artísticas e científicas, às interpretações dos artistas, aos fonogramas, às emissões de radiodifusão, às invenções em todos os domínios da atividade humana, às descobertas científicas, aos desenhos e modelos industriais, às marcas industriais, comerciais e de serviço, bem como às firmas e denominações comerciais e todos os direitos inerentes à atividade intelectual nos domínios industrial, científico, literário e artístico.

Na década de 1980, o tema da proteção da propriedade intelectual ganha aguda importância no cenário internacional, graças, em boa parte, à ação dos Estados Unidos da era Reagan, que sustentava que a ausência de maior proteção da propriedade intelectual fora um dos motivos para o desenvolvimento de concorrentes estrangeiros aos produtos americanos (a balança comercial americana era marcada por enormes déficits), bem como ambicionava ainda o aumento das receitas geradas no exterior, mediante o pagamento de *royalties* e pela exportação de produtos de alto valor agregado protegidos pelos direitos de propriedade intelectual.

Assim, não foi surpresa a inclusão, no seio da criação da **Organização Mundial do Comércio**, de tratamento normativo específico à propriedade intelectual[71]. De fato, a *Ata final de Marraqueche*, ratificada pelo Brasil, cria a Organização Mundial do Comércio (OMC), e possui, como um de seus anexos, o **Acordo sobre Aspectos dos Direitos de Propriedade Intelectual Relacionados ao Comércio**, também conhecido pelo acrograma em inglês TRIPS ("Trade Related Aspects of Intellectual Property Rights"). O TRIPS define propriedade intelectual como sendo as normas relativas ao direito do autor e direitos conexos, marcas, indicações geográficas, desenhos industriais, patentes, topografias de circuitos integrados e proteção de informação confidencial. Considera-se que a grande inovação do Acordo TRIPS seja a possibilidade de utilização do mecanismo genérico de solução de controvérsia da OMC para solucionar disputas que envolvem propriedade intelectual, sendo vinculante a decisão final do mecanismo.

Em 2013, foi celebrado o Tratado de Marraqueche para facilitar o acesso a obras publicadas às pessoas cegas, com deficiência visual ou com outras dificuldades para ter acesso ao texto impresso, concluído no âmbito da Organização Mundial de Propriedade Intelectual. Trata-se de tratado que objetiva impor aos

71. Sobre a OMC, *v.* item 4.1.2.1.

Estados o dever de criar instrumentos normativos e administrativos internos voltados a assegurar o acesso facilitado à reprodução e distribuição de obras em formato acessível aos cegos e deficientes visuais. Busca evitar que os direitos imateriais sejam barreiras ao acesso a obras em formatos acessíveis a pessoas com deficiência visual. A aprovação congressual do Tratado ocorreu nos termos do § 3º, do artigo 5º, da CF/88, por intermédio do Decreto Legislativo n. 261, de 10 de setembro de 2015. Consequentemente, o Tratado de Marraqueche possui estatuto normativo interno equivalente à emenda constitucional. O Tratado entrou em vigor internacionalmente em 30 de setembro de 2016.

5.2.6. melhoria das condições de vida

O artigo XXV da **Declaração Universal** proclama "Toda pessoa tem direito a um nível de vida suficiente para garantir sua saúde, seu bem-estar e o de sua família, no tocante a alimentação, vestuário, habitação, cuidados médicos e serviços sociais indispensáveis, tem direito ao seguro em caso de desemprego, doença, invalidez, viuvez, velhice ou noutros casos de perda dos meios de subsistência em circunstâncias fora de seu controle"[72].

Dentre os grandes desafios abordados na *Conferência do Rio sobre Meio Ambiente e Desenvolvimento (UNCED)*, a erradicação da pobreza e a melhoria das condições de vida da grande maioria da população do mundo serão tarefa cujo prosseguimento se há de estender às próximas gerações. Nessa ênfase à dimensão social e humana se trilhou caminho distinto da Conferência de Estocolmo de 1972, quando os países empenhados em sua realização pensavam sobretudo no combate à poluição da atmosfera, rios, lagos e mares.

Os dois principais documentos, aprovados em junho de 1992, espelham essa preocupação. O *Princípio 5* da **Declaração do Rio** salienta a tarefa essencial da Conferência como "***erradicar a pobreza de forma a reduzir as disparidades nos padrões de vida e melhor atender às necessidades da maioria da população do mundo***"[73].

---

72. *Bibliografia*: **Nosso futuro comum** (o Relatório Brundtland), Rio de Janeiro, 1988, p. 266; Dom Eugênio SALLES, A defesa ecológica e a luta pelo bem-estar do homem, **Jornal do Brasil**, 8 jun. 1991; GOVERNO BRASILEIRO, **The challenge of sustainable development**, Brasília, 1992, p. 21; Environment and development — The Founex report, **International Conciliation**, v. 586, jan. 1972; MELLO - 1, p. 552; Lester R. BROWN, **L'état de la planète — 1990**, Paris, 1990; G. E. do NASCIMENTO e SILVA, Pobreza, o grande desafio, **Jornal do Brasil**, 11 maio 1992; A erradicação da pobreza no mundo, **Jornal do Brasil**, 14 dez. 1992; UNFRA (United Nations Population Foundation) **Population issues**, New York, 1992; Subsídios técnicos para a elaboração do Relatório Nacional do Brasil para a Conferência das Nações Unidas sobre Meio Ambiente; INSTITUTO SMITHSONIANO, **A humanização do meio ambiente**, São Paulo, 1972, p. 157; Ricardo SEITENFUS, **Organizações internacionais?**, Porto Alegre, 1997, p. 167.

73. Embora em 1992, por ocasião da Conferência do Rio de Janeiro, os participantes tenham reconhecido a necessidade

A **Agenda 21**, logo no seu primeiro parágrafo, lembra encontrar-se a humanidade em momento decisivo, "***confrontados com a perpetuação das disparidades entre nações, bem como, dentro delas, aumento da pobreza, da fome, da insalubridade e do analfabetismo, e a continuação da deterioração do ecossistema do qual dependemos para o nosso bem-estar***"[74].

A ênfase na dimensão humana e social dos direitos fundamentais leva à ampliação exponencial da extensão e da complexidade do tratamento dos temas relacionados com o desenvolvimento e a melhoria das condições de vida da humanidade. Dessa vasta gama, serão considerados dois temas clássicos: a proteção internacional contra as enfermidades (5.2.6.1) e o controle internacional de drogas nocivas (5.2.6.2). Desnecessário frisar o caráter não exaustivo de tal exame.

5.2.6.1. proteção internacional contra as enfermidades

Dentre as questões intrinsecamente internacionais, que, como tais, exigem tratamento internacional, cedo destaca-se o conteúdo e a importância do **direito internacional sanitário**[75]. A luta contra as epidemias, principalmente nas comunidades do Mediterrâneo, remonta ao século XIV.

Coube ao governo francês a iniciativa, em 1851, da primeira conferência sanitária internacional, realizada em Paris. Surgiu a obrigação para os estados de comunicar o surgimento de epidemias e a generalização de quarentenas. Em 3 de dezembro de 1903, foi assinada em Paris a **Convenção Sanitária Internacional**, que seria modificada em 1912, 1926 e 1938.

Em 1907, foi criado em Roma o **Escritório Internacional de Higiene Pública**, a primeira instituição mundial dedicada à saúde. No artigo 23 do Pacto da Sociedade das Nações, os estados-membros foram convidados a "tomar medidas de ordem internacional para prevenir e combater as doenças". No exercício dessas funções foi criado, dentre outros órgãos, o **Centro Internacional de Estudos sobre a Lepra**, ou Hanseníase, com sede no Rio.

---

de dar ênfase aos problemas ligados ao desenvolvimento, como o combate à pobreza e à insalubridade, verifica-se que muitos dos países mais ricos evitam tocar na questão da assistência financeira. Todavia, nas reuniões internacionais realizadas verifica-se divisão entre os países mais ricos, no sentido de diminuir a importância do parágrafo 24 da Agenda 21 e não reconhecer a responsabilidade por aproximadamente 80% da poluição do meio ambiente. A respeito *v.* Parte 6, "Proteção internacional do meio ambiente", *infra.*

74. A relutância dos países mais ricos em se comprometer a arcar com recursos financeiros novos e adicionais foi sentida não só na Conferência de 1992, mas também em todas as reuniões internacionais posteriores. Não se pode ignorar que os países que no passado mais contribuíram em matéria de assistência técnica e financeira estão cansados, estão *aid weary:* em alguns casos, enfrentam dificuldades financeiras internas; em outros, frustração, ao verificar que os recursos foram malbaratados.

75. C. VITTA, **Le droit sanitaire international** (RCADI, 1930, t. 33, p. 545-670).

O trabalho da Sociedade das Nações passou a ser exercido pelas Nações Unidas, e com tal finalidade foi criada a **Organização Mundial de Saúde** (OMS ou WHO), com sede em Genebra, competindo-lhe:

a) erradicar as epidemias e as endemias;

b) estabelecer padrões internacionais para produtos biológicos e farmacêuticos;

c) auxiliar os governos;

d) coordenar atividades internacionais em matéria de saúde;

e) contribuir para o aperfeiçoamento do ensino médico.

A essas funções clássicas, a OMS acrescentou a defesa do meio ambiente na área de saúde, como, por exemplo, em matéria de poluição atmosférica.

Paralelamente à Organização Mundial, existem as organizações regionais, como é o caso do **Instituto Interamericano de Saúde**, sediado em Washington, D. C., vinculado à OEA.

5.2.6.2. controle internacional de drogas nocivas

Na apreciação dos problemas ligados à saúde, é de rigor abordar o problema das drogas e examinar os meios de combate adotados pela comunidade internacional[76]. Em 1909 realizou-se em Xangai a reunião de treze países mais interessados no assunto, sendo adotadas nove resoluções. Três anos depois, em 23 de janeiro, seria assinada na Haia a **Convenção Internacional do Ópio**. Ao tempo da Sociedade das Nações, foram assinadas três **Convenções**, dentre as quais a de 13 de julho de 1931, que ampliou o campo de ação e passou a visar a todos os tipos de **narcóticos**, adotando inclusive medidas severas contra as pessoas envolvidas no seu **tráfico**.

Em 30 de março de 1961, a **Comissão sobre Narcóticos das Nações Unidas** adotou a **Convenção Unificada sobre Drogas Narcóticas** (*Single Convention on*

---

76. M. BETTATI, **Le contrôle international des stupéfiants** (RGDIP, 1974, v. 78, p. 170-225); DIEZ DE VELASCO, **Instituciones** (16. ed., 2007, cap. XXII, "*Los espacios de interés internacional: el alta mar, la zona internacional de los fondos marinos y los espacios polares*", p. 538-564, especificamente sobre "tráfico ilícito de estupefacientes y sustancias sicotrópicas", p. 542-543); Daniel HEILMAN, *Narcotic Drugs and Psychotropic Substances* (in **The Max Planck Encyclopedia of Public International Law**, ed. R. WOLFRUM, Oxford: University Press, 2012, v. VII, p. 473-482); A. LANDE, **La codification du droit international des stupéfiants** (AFDI, 1966); B. RENBORG, **Principles of international control of narcotic drugs** (AJIL, 1943, v. 37, p. 436); J. G. STARKE, **The Convention of 1936 for the Suppression of Illicit Traffic in Dangerous Drugs** (AJIL, 1937, p. 31); Amry VANDENBOSCH e Willard HOGRAN, **The United Nations** (New York, 1952, p. 278); C. H. VIGNES, **Les modifications apportées à l'Organ International de la Convention Unique sur les Stupéfiants** (AFDI, 1972, v. 18, p. 629-648); G. M. LEVITT, *Intervention to combat terrorism and drug trafficking* (in **Law and force in the new international order**, ed. by L. F. DAMROSCH & D. J. SCHEFFER, Boulder/San Francisco: Westview Press/American Society of International Law, 1991, p. 224-232); J. MURPHY, *Commentary on intervention to combat terrorism and drug trafficking* (in **Law and force in the new international order**, op. cit., 1991, p. 241-243).

Narcotic Drugs), de 1961. Esta permanece importante documento para o combate ao tráfico de entorpecentes, com a atualização decorrente do Protocolo de 1972.

Em 1971, o campo de ação foi ampliado para incluir também as **substâncias psicotrópicas**, por meio da **Convenção** (*Convention on Psychotropic Substances*) assinada em Viena em 1971, que segue em linhas gerais as normas adotadas quanto aos narcóticos.

Em 1988, foi adotada a **Convenção das Nações Unidas contra o tráfico ilícito de drogas narcóticas e substâncias psicotrópicas** (*Convention against illicit traddic in narcotic drugs and psychotropic substances*), já ratificada pelo Brasil, que estabelece as normas de prevenção, repressão e cooperação entre os estados para o combate ao tráfico internacional de entorpecentes[77].

Estas três Convenções, sob a égide da ONU, regulam sistema internacional visando ao controle das drogas, que se tornou praticamente universal, tendo todos os estados como partes de ao menos um desses instrumentos. Ao ratificar qualquer dessas três Convenções, o Estado-parte se obriga a alinhar o seu direito interno com as normas internacionais vigentes sobre a matéria.

5.2.7. evolução do sistema internacional de proteção dos direitos das minorias

A evolução do sistema de tratamento da proteção internacional dos direitos das minorias vai do mais restrito ao mais abrangente. Como, ademais, se deu em relação ao conjunto da proteção internacional dos direitos humanos.

No passado, ***minorias***, principalmente ***religiosas***, estiveram sujeitas a regimes opressivos. A situação melhorou consideravelmente, mas é ilusório pensar que a discriminação desapareceu, e os países que depois da segunda guerra mundial mais defenderam os direitos humanos têm dado demonstrações de seu desconhecimento ao negarem alguns direitos básicos, como o da nacionalidade para as crianças nascidas no país ou o direito de residência, não obstante anos neles vividos. Acresce a isto a proibição de imigração, ou mesmo de simples entrada, baseada em considerações raciais ou até de nacionalidade[78].

---

77. O fundamento jurídico da cooperação internacional contra o tráfico ilícito de estupefacientes e substâncias psicotrópicas, cf. *V.* MAROTTA RANGEL, **A problemática contemporânea do direito do mar** (in BRANT, 2004, p. 323-339), deve levar em conta: o artigo 17 da Convenção (1988), como o artigo 108 da Convenção das Nações Unidas sobre o Direito do Mar (1982).

78. Liliana L. JUBILUT, A. G. M. F. BAHIA e J. L. Q. de MAGALHÃES (coords.), **Direito à diferença** – v. I – Aspectos teóricos e conceituais da proteção às minorias e aos grupos vulneráveis; v. 2 – Aspectos de proteção específica às minorias e aos grupos vulneráveis; v. 3 – Aspectos institucionais e instrumentais de proteção às minorias e aos grupos vulneráveis

Serão, assim, na presente rubrica sucintamente consideradas: a proteção de minorias religiosas (5.2.7.1), a proteção de minorias étnicas (5.2.7.2), e, em desenvolvimento recente, na temática de proteção das minorias, os Princípios de Yogyakarta (2007) serão, ainda, referidos (5.2.7.3). A mesma dignidade e a mesma necessidade de uniformidade de interpretação e de aplicação do parâmetro de proteção dos direitos humanos, de maneira abrangente e indivisível, se coloca também em relação às minorias por orientação sexual e identidade de gênero.

5.2.7.1. proteção das minorias religiosas

Já o **Tratado de Osnabruque**, concluído por ocasião da paz de Vestfália (1648), consignava cláusulas que, talvez pela primeira vez, asseguraram, nas relações internacionais, o respeito à liberdade de cultos de minoria religiosa (no caso, a minoria protestante). Neste, como em tratados posteriores, cuidava-se de garantir apenas a igualdade entre **confissões *cristãs***.

A filosofia resultante da **Declaração dos Direitos do Homem e do Cidadão** e da Revolução Francesa exerceu influência no sentido da melhoria das condições das minorias. Foi só no começo do século XIX que esse conceito se alargou, e a liberdade de consciência foi reconhecida em toda a sua amplitude.

Esse reconhecimento consta do **Tratado de Viena**, de 31 de maio de 1815, entre a Áustria, a Grã-Bretanha, a Prússia, a Rússia e os Países-Baixos, a propósito da reunião da Bélgica à Holanda, e no qual se afirmou a necessidade "de assegurar a todos os cultos proteção e favor iguais e de garantir a admissão de todos os cidadãos, qualquer que seja a sua crença religiosa, nos empregos e ofícios públicos".

Garantias mais ou menos idênticas figuraram nos protocolos da Conferência de Londres de 1830, por ocasião da Constituição do reino da Grécia.

Importante, a esse respeito, foi o **Tratado de Paris**, de 30 de março de 1856, pelo qual se pôs fim à *guerra da Crimeia*. Já então, não se tratava apenas da liberdade de cultos. Com efeito, o artigo 9º desse Tratado declarava que se

---

(São Paulo: Saraiva, 2013); Fabienne ROUSSO-LENOIR, **Minorités et droits de l'homme: l'Europe et son double** (Bruxelles, 1994); Yoram DINSTEIN, **The protection of minorities and human rights** (Leiden, 1992); Felix ERMACORA, **The protection of minorities before the United Nations** (RCADI, 1983, t. 182, p. 247-370); Kristin HENRARD, *Minorities, international protection* (in **The Max Planck Encyclopedia of Public International Law**, ed. R. WOLFRUM, Oxford University Press, 2012, v. VII, p. 253-270); Rainer HOFMANN, *Minorities, European protection* (in **Encyclopedia**, 2012, v. VII, p. 240-253); Anna MEIJKNECHT, *Minority protection system between World War I and World War II* (in **Encyclopedia**, 2012, v. VII, p. 270-277).

não devia reconhecer, num país, classe de súditos inferiores aos outros em razão de seu culto e de sua raça.

Em atos internacionais ulteriores, como, por exemplo, os que resultaram do *Congresso de Berlim*, de 1878, e da *Conferência*, também *de Berlim*, de 1885, os princípios da liberdade de consciência e da tolerância religiosa foram novamente proclamados.

Em todo caso, até a primeira guerra mundial, eram antes a essas liberdades de ordem religiosa que se limitavam as garantias fornecidas pelos tratados internacionais.

5.2.7.2. proteção das minorias étnicas

Com os tratados que põem termo à primeira guerra mundial, surge novo sistema internacional de proteção das minorias, cujas ***principais características*** são as seguintes:

a) a proteção do estado não se deve limitar às minorias de religião: deve cobrir também as minorias de raça e de língua;

b) essa proteção não é concedida apenas aos indivíduos, tomados isoladamente, mas também ao conjunto de cada minoria, considerada como entidade coletiva;

c) a garantia dos compromissos internacionais assumidos nessa matéria é confiada à Sociedade das Nações.

Esses novos princípios foram consignados nos aludidos tratados de paz e em vários outros atos internacionais, especialmente dedicados à ***proteção de minorias***, bem como nalgumas declarações feitas perante o Conselho da Sociedade das Nações.

Os direitos reconhecidos às minorias, pelos mencionados tratados e declarações, foram postos sob a garantia da Sociedade das Nações. As controvérsias que pudessem surgir a respeito deles deveriam ser submetidas à Corte Permanente de Justiça Internacional.

Muito se discutiu, ao tempo da Sociedade das Nações, sobre o alcance ou o sentido da palavra *minorias,* no sistema estabelecido sob a garantia daquela organização. Em fins de 1925, o representante do Brasil no Conselho da Liga, Afrânio de MELO FRANCO, em declaração escrita que se tornou bastante conhecida, sustentou a ideia de que o termo, tal como o entendiam os acordos ou tratados vigentes, sobre a matéria, não se aplicava a mero agrupamento étnico incrustado no corpo de estado cuja maioria fosse constituída por população de raça diferente. A seu ver, a característica essencial das ***minorias*** era atributo resultante de fatores psicológicos, sociais e históricos. No sentido dos referidos acordos — acentuou o representante brasileiro —, a minoria era o produto de lutas mais ou menos remotas, entre certas nacionalidades, e da transferência de determinados territórios, de certa soberania a outra, através de fases ou períodos históricos sucessivos.

Esse ponto de vista foi aceito por uns e combatido por outros, no seio da própria Liga. Entretanto, parece que se pode considerar como certo que, em face daquele sistema, a palavra ***minoria*** não se deveria aplicar a simples imigrantes. Esses são meros estrangeiros, até o momento em que forem incorporados à nacionalidade do estado, e, depois, não terão qualidade para reivindicar os direitos das minorias. Charles de VISSCHER acentuou de certa forma esta ideia, dizendo que "minoria, no sentido próprio do termo, é constituída por grupo, fixado historicamente num território determinado, que se opõe tradicional e conscientemente, por certos traços distintivos, à massa dos cidadãos do estado ao qual está incorporado". E, na verdade, o que se teve em vista, em tais tratados, foram realmente grupos fixados historicamente nos países em causa, grupos que, através dos séculos, conseguiram manter, entre gente estranha, características próprias das respectivas nacionalidades de origem.

Durante a primeira guerra mundial deu-se especial importância à questão das minorias com o objetivo de enfraquecer os Impérios Alemão, Austro-Húngaro e Otomano, e, em consequência, o **Pacto** da Sociedade das Nações deu-lhe a correspondente importância. A **Carta** das Nações Unidas, ao contrário, silenciou a respeito, mas a Organização passou a dar enfoque distinto à questão das minorias. Este passa a ser integrado à questão da proteção dos direitos fundamentais, como direito humano, não como direito (político) de determinada minoria (étnica), em relação à respectiva maioria.

Mencionado no artigo 1 da **Carta** da ONU a proteção dos direitos humanos, o problema das minorias deixou de ser encarado sob aspecto político e passou a ser visto de prisma humanitário, mais amplo, isto é, sem a conotação territorial. Em segundo lugar, o princípio da não discriminação, formulado claramente no artigo 1 (3) da **Carta**, e posteriormente confirmado pela **Declaração Universal** de 1948, veio dar solução positiva ao problema básico das minorias, ou seja, a *garantia da igualdade de tratamento a todas as pessoas independentemente do grupo étnico, religioso ou linguístico*.

Embora suscitado à época da elaboração da **Declaração Universal**, considerou-se aconselhável silenciar a respeito, dados os aspectos distintos que o problema tem nos diversos países. Nos anos 1990 a questão volta a ser tópico central do cenário internacional[79].

Em dezembro de 1938, por iniciativa da delegação brasileira, na 8ª Conferência Internacional Americana, reunida em Lima, adotou-se **Resolução**, na qual se declarou que o sistema da proteção das minorias não podia ter a aplicação na América, ***"onde não existem as condições que caracterizam os agrupamentos humanos aos quais tal denominação é conferida"***, e acrescentou: ***"os residentes considerados como estrangeiros pela lei local não podem invocar coletivamente a condição de minorias"***. Declaração análoga foi feita na *Reunião de Consulta* do Rio de Janeiro (1942) e na *Conferência Interamericana* de 1945, na Cidade do México.

A matéria da proteção das minorias étnicas, no contexto interamericano, não mais se pode pautar por tal enfoque simplista, porquanto violações e discriminações ocorreram e continuam a ocorrer. Em relação aos direitos dos ameríndios e dos afrodescendentes parece hoje menos cristalinamente clara do que antes se pretenderia.

5.2.7.3. Princípios de Yogyakarta (2007) e a proteção das minorias por orientação sexual e identidade de gênero

Foi preciso esperar quase noventa anos, desde o momento em que se enceta a instauração de proteção internacional das minorias por orientação sexual e identidade de gênero, para começar, finalmente, a estruturar-se, no âmbito do direito internacional, parâmetro de proteção das minorias não étnicas. Essa matéria, todavia, é tida como conjunto de princípios, cuja implementação, mesmo deixando de lado as pretensões de questionamentos de ordem pretensamente científica, como "moral" ou "confessional", inexoravelmente suscitarão questionamentos de ordem política.

A ideia basilar é muito simples: os direitos fundamentais não admitem exceções. E se aplicam a todos os seres humanos, em decorrência de sua condição básica da humanidade, inclusive em relação às minorias, segregadas, discriminadas e atacadas, em razão de orientação sexual e identidade de gênero.

79. O contexto dos anos 1990 foi marcado por vários eventos: queda do muro de Berlim e consequente reunificação da Alemanha, com garantias quanto à linha Oder-Neisse ser mantida como fronteira desta com a Polônia; o desmembramento da URSS veio demonstrar quantas "minorias", na verdade grupos inteiros nacionais, com características étnicas, culturais e linguísticas próprias, fizeram sentir o seu peso no ressurgimento de antigos países; o mesmo fenômeno ocorre na Tchecoslováquia, com divisão pacífica entre a maioria theca (cerca de 2/3) da população e a "minoria" eslovaca; igualmente na Iugoslávia, país criado artificialmente e cuja unidade fora mantida graças ao regime imposto pelo Marechal J. B. TITO; depois da morte deste, em 1980, os vínculos de união se esvaíram e acabaram por desaparecer, trazendo em seu rastro sucessivas e sangrentas guerras civis entre minorias religiosas e étnicas da antiga Iugoslávia.

A proteção de minorias por orientação sexual e identidade de gênero, embora incipiente na ordem internacional, teve marco representativo por meio da adoção, em 26 de março de 2007, dos **Princípios de Yogyakarta**, cidade da Indonésia, na qual se reuniu, de 6 a 9 de novembro de 2006, o "grupo internacional de especialistas em direito internacional dos direitos humanos, orientação sexual e identidade de gênero", que preparou e apresentou um texto, adotado pelo Conselho de Direitos do Homem da Organização das Nações Unidas, propondo normas para aperfeiçoar a proteção de todos em matéria de orientação sexual e de identidade de gênero[80]. Tais **Princípios** (2007) constituem série de normas, destinadas a melhorar a proteção dos direitos de todos, e lembram "nascerem todos os seres humanos livres e iguais em dignidade e em direitos, e que a todos está assegurado o direito de pleno gozo dos direitos humanos, sem distinção de qualquer natureza, tais como raça, cor, sexo, língua, religião, convicção política ou outra, origem nacional ou social, patrimônio, nascimento, ou outro *status*", e constitui "motivo de apreensão que a violência, o assédio, a discriminação, a exclusão, a estigmatização e o preconceito sejam dirigidos contra pessoas de todas as regiões do mundo, em razão de sua orientação sexual e identidade de gênero, que tais experiências se conjugam com a discriminação por razões que incluem gênero, raça, idade, religião, deficiência física, condições econômicas e de higidez, e que tal violência, assédio, discriminação, exclusão, estigmatização e preconceito comprometem a integridade e a dignidade daqueles sujeitos a tais abusos, de modo a enfraquecer seu sentido de autoestima e de inserção social, e podem levar muitos a esconder ou suprimir sua identidade e a viver vidas de medo e de invisibilidade".

Formulam os **Princípios** (2007) o reconhecimento de haver "valor significativo na articulação, de maneira sistemática, do direito internacional dos direitos humanos, como aplicável às vidas e às experiências das pessoas de diversa orientação sexual e identidade de gênero" e que "tal articulação deve basear-se no estado atual da proteção internacional dos direitos humanos, e exigirá revisão, em bases regulares, de modo a levar em conta os desenvolvimentos desse direito, e a sua aplicação às vidas particulares e experiências de pessoas de diversa orientação sexual e identidade de gênero, ao longo do tempo, em diversas regiões e países".

---

80. **Princípios de Yogyakarta**, "preâmbulo", parágrafos 4 e 5: "***orientação sexual*** refere-se à capacidade de cada pessoa, para profunda atração emocional, afetiva e sexual, manter relações íntimas e sexuais com indivíduos de gênero diverso, do mesmo, ou de vários gêneros" e "***identidade de gênero*** refere-se à experiência de gênero de cada pessoa, profundamente sentida, interna e individualmente, de modo que pode ou não corresponder ao sexo atribuído, por ocasião do nascimento, inclusive o sentido pessoal do corpo (que pode envolver, se livremente escolhido, modificação da aparência ou função corporal, por meios médicos, cirúrgicos ou outros) e outras expressões de gênero, inclusive vestuário, fala e expressão corporal (*mannerisms*)".

Cabe, doravante, assegurar sejam tais princípios adotados e aplicados. Os **Princípios** (2007) afirmam "ser o direito internacional dos direitos humanos aplicável a todas as pessoas, independentemente de orientação sexual e de identidade de gênero, como titulares do pleno gozo de todos os direitos humanos, que a aplicação das prerrogativas existentes dos direitos humanos deve levar em consideração situações específicas e experiências de gente de diversas orientações sexuais e identidade de gênero".

Permanece a proteção dos direitos fundamentais das minorias não étnicas, em boa medida, restrita ao âmbito, muitas vezes pouco eficaz e sujeito às flutuações políticas dos sistemas internos, tanto em relação à existência de legislação como à efetividade da implementação desta, no sentido de ser assegurada a proteção e não discriminação de importantes minorias, ominosamente perseguidas e discriminadas por fundamentalistas de diferentes confissões[81]. E estas se afirmam legitimadas para o fazer – embora seja puramente formal tal pretensão de legitimação!

Violam-se direitos fundamentais do ser humano, por meio de tais práticas discriminatórias. Os **Princípios** (2007) igualmente estipulam: "O direito internacional dos direitos humanos obriga a proibição absoluta de toda discriminação com relação ao pleno gozo, por todos os seres, dos direitos humanos, civis, culturais, econômicos, políticos e sociais, e o respeito de direitos sexuais, orientação sexual e identidade de gênero são parte integral da realização da igualdade entre homens e mulheres, onde todos os estados têm de tomar medidas para tentar eliminar preconceitos e costumes baseados na presunção de inferioridade ou de superioridade de um sexo em relação ao outro, ou com base em papéis estereotipados, atribuídos a homens e mulheres, onde cumpre, ainda, notar ter a comunidade internacional reconhecido o direito das pessoas de decidir livremente e de maneira responsável, a respeito de questões relacionadas com a sua sexualidade, incluindo a saúde sexual e a reprodução, livre de coerção, discriminação e violência".

5.3. Direito da nacionalidade

No exercício do direito de legislação, cabe ao estado determinar quais os seus nacionais, as condições de sua aquisição e perda[82]. Em outras palavras,

---

81. Dentre *standards* mínimos de proteção dessa minoria que representa cerca de 10% da população mundial, estão os que reconhecem os efeitos de união estável, em relação aos direitos civis e aspectos tributários, a capacidade de adotar e de educar crianças. *V.* Stéphane NADAUD, **Homoparentalité: une nouvelle chance pour la famille?** (Paris: Fayard, 2002).

82. ACCIOLY, **Tratado** (2009, v. 1); FERRER CORREIA, **Lições de direito internacional privado** (Coimbra, 1963, p. 84);

trata-se de direito que o estado exerce soberanamente, em geral de conformidade com a sua Constituição. Mas a tendência, ainda por se concretizar, é de que se trata de direito humano, conforme a **Declaração Universal** proclama em seu artigo XV: "*todo homem tem direito a uma nacionalidade*".

Nacionais são as pessoas submetidas à autoridade direta de estado, que lhes reconhece direitos e deveres e lhes deve proteção além das suas fronteiras. Nacionalidade é a qualidade inerente a essas pessoas e que lhes dá a situação capaz de localizá-las e identificá-las na coletividade.

Serão, a seguir, considerados: a aquisição da nacionalidade (5.3.1), a nacionalidade adquirida (5.3.2), a naturalização (5.3.3) e a perda da nacionalidade (5.3.4).

Jacob DOLINGER, **Direito internacional privado** (parte geral, 6. ed., 2001, Cap. VII, "nacionalidade", p. 149-200); Jacob DOLINGER (coord.), **A nova Constituição e o direito internacional** (Rio de Janeiro: Freitas Bastos, 1987); João Grandino RODAS, **A nacionalidade da pessoa física** (São Paulo: RT, 1990); e *Nacionalidade da pessoa física no Brasil após 1988* (in **Direito e comércio internacional: estudos em homenagem ao professor Irineu Strenger**, org. L. O. Baptista, H. M. Huck e P. B. Casella, São Paulo: LTr, 1994, p. 221-241); J. R. FRANCO DA FONSECA, *Reflexos internacionais da nacionalidade* (in **Direito e comércio internacional: estudos em homenagem ao professor Irineu Strenger**, org. L. O. Baptista, H. M. Huck e P. B. Casella, São Paulo: LTr, 1994, p. 130-138); P. B. CASELLA, *Dupla nacionalidade: direito constitucional brasileiro e relações Brasil-Itália* (in **Direito internacional: vertente jurídica da globalização**, Porto Alegre: Síntese, 2000, p. 399-410); C. D. A. MELLO, **Direito internacional público** (15. ed., Rio de Janeiro: Renovar, 2004, v. II, Cap. XXXI, "nacionalidade", p. 961-1008); Nadia de ARAUJO, *Perda e reaquisição da nacionalidade brasileira* (in **A nova Constituição e o direito internacional**, coord. J. Dolinger, Rio de Janeiro: Freitas Bastos, 1987); L. R. BARROSO, *Duas questões controvertidas sobre o direito brasileiro da nacionalidade* (in **A nova Constituição e o direito internacional**, coord. J. Dolinger, Rio de Janeiro: Freitas Bastos, 1987); Carmem TIBÚRCIO, *Nationality and the status of aliens in the 1988 Brazilian Constitution* (in **Panorama of Brazilian Law**, ed. by J. Dolinger & K. Rosenn, Miami: Univ. of Miami – North-South Center, 1992, p. 267-286); M. J. FERRANTE, **Nacionalidade** (2. ed., São Paulo: Saraiva, 1984); A. DARDEAU de CARVALHO, **Nacionalidade e cidadania** (Rio de Janeiro: Freitas Bastos, 1956); António MARQUES DOS SANTOS, **Estudos de direito da nacionalidade** (Coimbra: Almedina, 1998); Rui M. MOURA RAMOS, *Nationalité, plurinationalité et supranationalité en droit portugais* (**Archiv des Völkerrechts**, 34. Band 1, p. 96-119); *Développements récents du droit de la nationalité au Portugal* (in **Le droit international privé: esprit et méthodes – Mélanges en l'honneur de Paul Lagarde**, Paris: Dalloz, p. 589-613); Arno DAL RI Jr. e Odete M. de OLIVEIRA (orgs.), **Nacionalidade e cidadania: efeitos e perspectivas: nacionais – regionais – globais** (Ijuí: Ed. Unijuí, 2002); Raul PEDERNEIRAS, **Direito internacional compendiado** (11. ed., Rio de Janeiro 1956); Ilmar PENNA MARINHO, **Tratado sobre a nacionalidade** (Rio de Janeiro: Imprensa Nacional, 1956-1961, 4v.); F. C. PONTES de MIRANDA, **Nacionalidade de origem e naturalização no direito brasileiro** (Rio de Janeiro: Coelho Branco Filho Ed., 1936); J. Francisco REZEK, **Le droit international de la nationalité** (RCADI, 1986, t. 198, p. 333-400); e **Curso elementar** (10. ed., São Paulo: Saraiva, 2005, p. 180 e s.); Rui M. G. de MOURA RAMOS, *Nacionalidade, plurinacionalidade e supranacionalidade na União Europeia e na Comunidade dos países de língua portuguesa* (in **Nacionalidade e cidadania: efeitos e perspectivas: nacionais – regionais – globais**, org. Arno DAL RI JR. e Odete M. de Oliveira, Ijuí: Ed. Unijuí, 2002, p. 279-298); HACKWORTH (v. 3, p. 1); J. L. KUNZ, **L'option de nationalité** (RCADI, 1930, t. 31, p. 107-176); W. RIPHAGEN, **National and international regulations of international movement and the legal position of private individuals** (RCADI, 1970, t. 131, p. 489-620); Oscar TENÓRIO, **Direito internacional privado** (11. ed., Rio de Janeiro: Freitas Bastos, 1976, p. 200); Haroldo VALLADÃO, **Direito internacional privado** (v. I: introdução e parte geral, 5. ed., Rio de Janeiro: Freitas Bastos, 1980, p. 285-337); e **Conséquences de la différence de la nationalité ou de domicile des époux sur les effets et la dissolution du mariage** (RCADI, 1962, t. 105, p. 69-171); H. VALLADÃO, **Conflito das leis nacionais dos cônjuges nas suas relações de ordem pessoal e econômica e no desquite** (São Paulo: RT, 1936); F. TERRÉ, *Réflexions sur la notion de nationalité* (**Révue Critique de Droit International Privé**, 1975, p. 197 e s.); L. I. de WINTER, **Nationality or domicile: the present state of affairs** (RCADI, 1969, t. 128, p. 347-503).

5.3.1. aquisição da nacionalidade

A ***nacionalidade*** pode ser ***originária*** ou ***adquirida***, sendo a primeira a que resulta do nascimento e a segunda a que provém de mudança da nacionalidade anterior.

Em geral, todo indivíduo, ao nascer, adquire uma nacionalidade, que poderá ser a de seus pais (***jus sanguinis***) ou do estado de nascimento (***jus soli***).

No passado, a nacionalidade era sempre a dos pais (***jus sanguinis***), mas, com o surgimento dos Estados Unidos e dos países da América Latina, os dirigentes dos novos países compreenderam que novo critério deveria ser adotado, daí surgindo o critério do ***jus soli***.

A **Constituição do Império** consagrava essa tese ao estipular no art. 6º que: "São cidadãos brasileiros os que no Brasil tiverem nascido, quer sejam ingênuos ou libertos, ainda que o pai seja estrangeiro, uma vez que este não resida por serviço de sua nação".

Estabelecia-se, assim, o princípio do ***jus soli***. Dizia a Constituição também que seriam brasileiros "*os filhos de pai brasileiro, e os ilegítimos de mãe brasileira, nascidos em país estrangeiro, que vierem estabelecer domicílio no Império*". Fez-se, dessa forma, concessão parcial ao *jus sanguinis*, dando-lhe força desde que acoplado ao ***jus domicilii***.

A **Constituição do Império** estendia a nacionalidade brasileira aos filhos de diplomatas nascidos no exterior. Na época o reconhecimento aos filhos de diplomatas da nacionalidade de seus pais era em decorrência do princípio da *extraterritorialidade*, ficção segundo a qual o diplomata continuava a residir em seu país, pois a missão diplomática era considerada parte do território nacional e os funcionários eram tidos como continuando a residir em seu respectivo país.

O princípio do ***jus soli*** passou a figurar em todas as **Constituições brasileiras**, sendo que a exceção atribuída apenas aos funcionários diplomáticos passou a sê-lo aos filhos de todos os funcionários que se encontrassem no exterior a serviço do País. A Constituição de 1988 vai mais longe, pois diz, no art. 12, I, *c*, com a redação dada pela Emenda Constitucional n. 54, de 2007, que são brasileiros natos: "os nascidos no estrangeiro de pai brasileiro ou de mãe brasileira, desde que sejam registrados em repartição brasileira competente ou venham a residir na República Federativa do Brasil e optem, em qualquer tempo, depois de atingida a maioridade, pela nacionalidade brasileira".

Em decorrência de conflito positivo entre os princípios do ***jus soli*** e do ***jus sanguinis***, a criança pode nascer com dupla nacionalidade. Ao contrário, no caso de conflito negativo, a criança não adquire a nacionalidade quer do ***jus soli*** quer do ***jus sanguinis***, ocorre a ausência de nacionalidade, ou seja, a criança será **apátrida**.

Nesse ponto, cabe ressaltar que a **Convenção Americana de Direitos Humanos** reconhece, tal qual a **Declaração Universal de Direitos do Homem**, o direito à nacionalidade (artigo 20). Além disso, de modo original, a **Convenção** combate a apatridia, ao determinar que o indivíduo tem direito à nacionalidade do estado, em cujo território houver nascido, se não tiver direito a outra. Assim, neste último caso, o estado brasileiro seria obrigado a conceder a nacionalidade brasileira.

5.3.2. nacionalidade adquirida

A **Declaração Universal** de 1948 reconhece ao indivíduo o direito de mudar de nacionalidade, em virtude da ***naturalização***. Além da aquisição da nacionalidade pela naturalização, citam-se ainda como modo de aquisição o ***casamento*** e a ***nacionalização*** em virtude de formação de novo estado ou do desmembramento de território de outro estado.

A **Constituição** brasileira regula a matéria. "*São brasileiros naturalizados*:

a) os que, na forma da lei, adquiram a nacionalidade brasileira, exigidas aos originários de países de língua portuguesa apenas residência por um ano ininterrupto e idoneidade moral;

b) os estrangeiros de qualquer nacionalidade residentes na República Federativa do Brasil há mais de quinze anos ininterruptos e sem condenação penal, desde que requeiram a nacionalidade brasileira".

A respeito do estatuto específico de regulação para nacionais da Comunidade de países de língua portuguesa, *v*. R. MOURA RAMOS e A. de VASCONCELOS[83].

5.3.3. naturalização

Todos os países reconhecem o direito de estrangeiros adquirirem por naturalização sua nacionalidade, preenchidas determinadas condições, que podem ser mais ou menos severas de conformidade com a política demográfica do país. No Brasil, a naturalização é prevista no art. 12, II, que estabelece as condições, conforme dispositivo reproduzido acima.

---

83. Rui M. G. de MOURA RAMOS, *Nacionalidade, plurinacionalidade e supranacionalidade na União Europeia e na Comunidade dos países de língua portuguesa* (in **Nacionalidade e cidadania: efeitos e perspectivas: nacionais – regionais – globais**, org. Arno DAL RI JR. e Odete M. de OLIVEIRA, Ijuí: Ed. Unijuí, 2002, p. 279-298); Álvaro de VASCONCELOS, *Integração aberta e cidadania* (in **CPLP: oportunidades e perspectivas**, org. Carlos Henrique CARDIM e João Batista CRUZ, Brasília: IPRI / Dep. de África e Oriente próximo, 2002, p. 67-83).

5.3.4. perda da nacionalidade

O indivíduo está sujeito a perder sua nacionalidade, o que se dá geralmente pela aquisição de outra por meio da naturalização.

A Declaração Universal dos Direitos do Homem, em seu artigo XV, § 2º, estipula que "ninguém será arbitrariamente privado de sua nacionalidade, nem do direito de mudar de nacionalidade".

A **Constituição brasileira** de 1988 previa a perda da nacionalidade no seu art. 12, § 4º.

"Será declarada a perda da nacionalidade do brasileiro que:

I — tiver cancelada sua naturalização por sentença judicial, em virtude de atividade nociva ao interesse nacional;

II — adquirir outra nacionalidade por naturalização voluntária".

Embora mais liberal do que as Constituições anteriores, que não se limitavam aos dois casos de perdas mencionados, a Constituição não espelhava a realidade brasileira quanto à questão demográfica do Brasil, que deixou de ser país de ***imigração*** e passou a ser país de ***emigração***, situação que se vem agravando desde 1988.

Sentiu-se a necessidade de continuar a manter vinculados ao País aqueles brasileiros que por motivos vários se veem obrigados a aceitar a naturalização em outros países, e foi tendo em vista essa situação que a **Emenda Constitucional de Revisão** n. 3, de 7 de junho de 1994, alterou o citado § 4º do art. 12. Segundo o novo dispositivo constitucional, *haverá perda da nacionalidade no caso de aquisição de outra nacionalidade, salvo nos casos:*

a) de reconhecimento de nacionalidade originária pela lei estrangeira;

b) de imposição de naturalização, pela norma estrangeira, ao brasileiro residente em estado estrangeiro, como condição para permanência em seu território ou para o exercício de direitos civis.

5.4. Condição jurídica do estrangeiro

A **determinação da condição jurídica do estrangeiro** faz surgir inicialmente o problema da ***distinção*** entre nacionais e estrangeiros, mediante a perfeita caracterização dessas duas categorias de indivíduos[84]. Ao determinar quais

84. Gérard NOIRIEL, **État, nation et immigration** (Paris: Gallimard Folio Histoire, 2005); Jacob DOLINGER, **Direito internacional privado** (parte geral, 6. ed., 2001, Cap. VIII, "condição jurídica do estrangeiro", p. 201-267); J. DOLIN-

são os seus nacionais, o estado automaticamente classifica como estrangeiros os demais indivíduos que se encontram em seu território, quer a título permanente, quer a título temporário, os quais poderão possuir nacionalidade estrangeira ou ser apátridas, isto é, não possuir qualquer nacionalidade.

A legislação relativa à condição jurídica do estrangeiro tem sua justificativa no direito de conservação e no de segurança do estado, mas deve, sempre, ter como base o respeito aos seus direitos humanos.

5.4.1. condição individual e relação entre estados

O estrangeiro goza, no estado que o recebe, os mesmos direitos reconhecidos aos nacionais, excluídos apenas aqueles mencionados expressamente pela legislação daquele país, cabendo-lhe cumprir as mesmas obrigações dos nacionais. Embora isento do serviço militar, podem ser obrigados, como os demais habitantes daquele país, a prestar serviços de bombeiros, em caso de incêndios ou outros semelhantes em casos de calamidades públicas, como em terremotos, inundações e outros.

Os *direitos que devem ser reconhecidos aos estrangeiros* são:

1º) os direitos do homem, ou individuais, isto é, a liberdade individual e a inviolabilidade da pessoa humana, com todas as consequências daí decorrentes, tais como a liberdade de consciência, a de culto, a inviolabilidade do domicílio, o direito de comerciar, o direito de propriedade etc.;

2º) os direitos civis e de família.

Estes direitos não são absolutos, tanto assim que o estrangeiro pode ser preso, mas não abusivamente ou sem razão suficiente, nem condenado sem

---

GER, *Das limitações ao poder de expulsar estrangeiros: análise histórica e comparativa* (in **Estudos jurídicos em homenagem ao professor Haroldo Valladão**, Rio de Janeiro: Freitas Bastos, 1983, p. 119-146); Y. S. CAHALI, **Estatuto do estrangeiro** (São Paulo: Saraiva, 1983); J. F. REZEK, **Curso elementar** (10. ed., São Paulo: Saraiva, "condição jurídica do estrangeiro", p. 193-218); Alfred von VERDROSS, **Règles internationales concernant le traitement des étrangers** (RCADI, 1931, t. 37, p. 323-412); Horacio ZORRAQUIN-BECU, **El problema del extranjero en la reciente legislación latinoamericana** (Buenos Aires: Ed. G. Kraft, 1943); Bento de FARIA, *A condição dos estrangeiros nas repúblicas americanas* (Archivo Judiciario, Rio de Janeiro, jan./mar. 1930); Eduardo ESPÍNOLA e Eduardo ESPÍNOLA FILHO, *Da condição jurídica dos estrangeiros no Brasil* (in **Tratado de direito civil brasileiro**, Rio de Janeiro, 1941, v. 6); C. D. A. MELLO, **Curso de direito internacional** (15. ed., Rio de Janeiro: Renovar, 2004, v. 2, Cap. XXXV, "condição jurídica dos estrangeiros", p. 1057-1081); Richard LILLICH, **Duties of States regarding the civil rights of aliens** (RCADI, 1978, t. 161, p. 329-442); H. VALLADÃO, **Direito internacional privado** (5. ed., Rio de Janeiro: Freitas Bastos, 1980, v. 1, p. 401); Willard BOYD, *Treaties governing the succession to real property by alien* (**Michigan Law Review**, maio 1953, p. 1001); T. H. HEALY, **La condition juridique de l'étranger, spécialement aux États-Unis** (RCADI, 1929, t. 27, p. 397-496); Emmanuel TODD, **Le destin des immigrés** – Assimilation et ségregation dans les démocraties occidentales (Paris: Seuil, 1994, reimpr. 1997); Patrick WEIL, **Liberté, égalité, discriminations** (Paris: Gallimard Folio Histoire, 2009).

obediência das formalidades legais de processo etc. Assim também o direito de propriedade pode ser suscetível de restrições, determinadas pelo interesse público.

A **Constituição** brasileira dispõe, no seu art. 5º, *caput*, que todos são iguais perante a lei, garantindo-se ao brasileiro e estrangeiro residente no Brasil os direitos fundamentais da pessoa humana. Apesar da restrição aos estrangeiros *residentes*, é certo que os direitos fundamentais também se aplicam aos *não residentes*, quer em face da universalidade dos direitos humanos, quer em virtude de tratados de direitos humanos, ratificados pelo Brasil, aos quais a própria Constituição, no art. 5º, § 2º, faz remissão. Em relação a possíveis restrições aos direitos dos estrangeiros, observe-se que o estrangeiro não exerce os chamados *direitos políticos*, ou seja, direitos de participação na formação do poder do estado.

Por outro lado, a tendência das *reformas constitucionais* à **Constituição** de 1988 nos últimos anos tem sido eliminar algumas restrições aos estrangeiros e seus investimentos, igualando o tratamento jurídico destes com o dos brasileiros. De fato, cite-se a modificação do art. 178, que reservava aos brasileiros vários privilégios relacionados com navios e navegação, simplesmente derrogado pela **Emenda Constitucional n. 7**. Após a edição da **Emenda Constitucional n. 19**, em 1998, por seu turno, pode o estrangeiro aceder aos cargos públicos, na forma da lei: antes somente brasileiros tinham acesso aos cargos públicos, não podendo aceder tão somente aos cargos privativos de brasileiros natos (art. 12, § 3º). Restou ainda, em face dos direitos constitucionais, a restrição aos estrangeiros ao controle de empresa jornalística e de radiodifusão sonora, de sons e imagens (reservada aos brasileiros natos e naturalizados há mais de dez anos), à aquisição de propriedade rural (nos termos da lei, de acordo com o art. 190 da Constituição) e também à ocupação e utilização da faixa de 150 quilômetros de largura, ao longo das fronteiras terrestres (também dependem da lei regulamentadora, de acordo com o artigo 20, § 2º).

A **Declaração Universal** prevê, em seu artigo XIII, que "todo homem tem direito à liberdade de locomoção e residência dentro das fronteiras de cada estado", e acrescenta, no § 2º: "todo homem tem o direito de deixar qualquer país, inclusive o próprio, e a este regressar". Pouco diz além de mencionar o direito de locomoção e o direito de sair de seu país. Em outras palavras, não reconhece ao estrangeiro o direito de ingressar em outro país.

O estado tem o direito de negar o ingresso de estrangeiro em seu território, mas não pode fazer discriminação baseada em motivos raciais ou religiosos, como ocorria no passado, por exemplo, nos Estados Unidos, onde vigorava um sistema de cotas, cujo objetivo era manter relativa unidade populacional.

O principal instrumento utilizado para controlar o ingresso de estrangeiros é o ***passaporte***, que objetiva identificar o estrangeiro; nele é colocado o visto de entrada. A legislação varia de país para país, mas de modo geral se verifica que os vistos são de três categorias: permanente, temporária e de turista.

- o *visto permanente* é o de mais difícil obtenção, mas nos dias que correm verifica-se que a questão demográfica exerce forte influência, tanto assim que a quase totalidade dos países cria dificuldades para a entrada de estrangeiros a fim de evitar o desemprego de seus nacionais;
- o *visto temporário* é geralmente concedido a estrangeiros cuja presença é tida como desejável pelo país, como no caso da obtenção de mão de obra qualificada;
- o *visto de turista* é a modalidade mais simples, normalmente de menor duração – em geral 90 dias. Nos termos da Lei n. 12.134, de 18-12-2009, passou a vigorar o parágrafo único do art. 20 do **Estatuto do Estrangeiro** (Lei n. 6.815, de 19-8-1980) com a seguinte redação: "A validade para a utilização de qualquer dos vistos é de 90 (noventa) dias, contados da data de sua concessão, podendo ser prorrogada pela autoridade consular uma só vez, por igual prazo, cobrando-se os emolumentos devidos, aplicando-se esta exigência somente a cidadãos de países onde seja verificada a limitação recíproca". A concessão de *visto de turista* deve ser avaliada não somente em relação aos interesses de segurança do estado, mas também como parte de indústria milionária, a do turismo, cujos vultosos recursos interessam a todos os países.

As facilidades de locomoção e de deslocamento de um país a outro provocaram o fluxo internacional de turistas, que representa para muitos países importante fonte de renda e veio criar para as autoridades locais a necessidade de dar-lhes tratamento diferenciado. Ao mesmo tempo, porém, essa facilidade de deslocamentos trouxe inúmeros malefícios, como o deslocamento de pessoas indesejáveis, o contrabando de entorpecentes, de espécies animais em extinção e de obras de arte cuja exportação é proibida.

O enfoque negativo dado no passado à matéria modificou-se totalmente, em grande parte em decorrência do reconhecimento dos direitos humanos. Nesse sentido é interessante lembrar que nos países da América Latina, no século XIX e no início do século XX, o máximo que o estrangeiro poderia pretender era a equiparação aos nacionais. O argumento apresentado pelas missões diplomáticas estrangeiras em favor de seus nacionais era de que todo ser humano goza de mínimo de direitos que não lhe podem ser negados. Esse argumento era inadmissível, sob o fundamento que não se podia atribuir aos estrangeiros direitos superiores aos dos nacionais, porém é válido em face da **Declaração Universal**.

Embora o estrangeiro seja obrigado a acatar a legislação do país de residência, pode em alguns casos excepcionais recorrer à missão diplomática ou à repartição consular de seu país caso seus direitos não sejam respeitados. Tal direito é expressamente previsto na **Convenção de Viena sobre Relações Diplomáticas** de 1961, que dá à missão diplomática a faculdade de proteger os seus nacionais "dentro dos limites permitidos pelo direito internacional"[85]. Convém lembrar, ainda, o Protocolo facultativo sobre a aquisição de nacionalidade também adotado pela Conferência das Nações Unidas, realizada em Viena, de 2 de março a 14 de abril de 1961, por meio do qual os estados-partes manifestaram o seu desejo de estabelecer regras recíprocas relativas à aquisição de nacionalidade por membros de suas missões diplomáticas e familiares que com estes vivam.

5.4.2. relação do estado com seus nacionais no exterior

Cabe ao direito público interno determinar os direitos e os deveres dos respectivos nacionais dentro dos limites de seu território; no caso de nacionais domiciliados ou residentes no exterior, o estado tem a faculdade de determinar os seus direitos e deveres, mas dentro dos limites fixados pelo direito internacional[86].

Os nacionais de qualquer estado devem obediência às suas leis onde quer que se encontrem, mas o estado, em princípio, não tem força coercitiva além do território nacional, nem exerce, nem deve pretender exercer jurisdição em território estrangeiro. Mas nem por isso ele fica inteiramente desprovido de meios contra os nacionais que violem as suas leis ou que se recusem a acatá-las.

Antes de deixar seu país, o nacional está inteiramente subordinado ao direito público do respectivo estado. E este, em certas condições, em virtude do direito de conservação, pode proibir-lhe a saída, temporariamente. É igualmente sobre a base desse direito que algumas legislações admitem a pena de banimento contra os próprios nacionais, embora nenhum outro estado seja obrigado a dar asilo aos banidos.

---

85. Embora considerado supérfluo, visto que todos os direitos mencionados na Convenção devem ser exercidos dentro do direito internacional, acabou por ser incluído, diante do empenho de inúmeras delegações, que lembraram casos de proteção abusiva exercida no passado. Neste particular, contudo, é necessário repetir que alguns dos exemplos mencionados não mais se justificariam diante do reconhecimento do mínimo de direitos que o direito internacional reconhece ao homem.

86. *Bibliografia*: ACCIOLY - 1, p. 395; Arrigo CAVAGLIERI, **Règles générales du droit de la paix**, RCADI, 1929, v. 26, p. 461; C. PARRY, *International law and conscription of non-nationals*, BYB, 1954, p. 437; DÍEZ - 1, p. 468; Francisco REZEK, **Le droit international de la nationalité**, RCADI, 1986, v. 198, p. 333; G. E. do NASCIMENTO E SILVA, **Convenção sobre relações diplomáticas** (3. ed., Rio de Janeiro: Forense Universitária/FUNAG, 1989).

Quando o nacional já se encontra em território estrangeiro, o estado do qual é nacional pode exercer seus direitos sobre ele:

1º) se se trata de exercício do *jus avocandi*, isto é, se o estado, por motivos de ordem pública e principalmente pelas exigências do serviço militar ou da defesa da pátria, se considera autorizado a chamar o dito nacional;

2º) se o nacional cometeu crime ou delito, que o estado julga dever punir, quando o autor do ato delituoso regresse ao território pátrio.

Relativamente ao *jus avocandi*, não se deve exagerar o seu alcance. Assim, posto se reconheça ao estado o direito de obrigar seus nacionais ao serviço militar ou a outros serviços públicos, é de se observar que o ato coercitivo pelo qual se manifeste semelhante autoridade deverá limitar-se ao território do próprio estado. Se seus nacionais se encontram em país estrangeiro, o estado poderá, sem dúvida, convocá-los para o cumprimento de tais deveres, mas o estado de residência não terá a obrigação de facilitar a partida dos indivíduos convocados, embora se possa admitir que faltaria a obrigação internacional se se opusesse a essa partida. A razão disto é que ***a um estado não é lícito executar, no território de outro estado, atos coercitivos, nem tampouco atos que, se bem não tenham em si mesmos este caráter, são os atos preparatórios de atos coercitivos***[87].

Por outro lado, o *jus avocandi* ou, antes, os direitos que o estado pode exercer sobre seus nacionais no exterior são necessariamente restritos, no que concerne aos indivíduos que possuem igualmente a nacionalidade do respectivo país de residência. Assim, o estado não tem o direito de convocar, em país estrangeiro, para o serviço militar ou qualquer outro serviço público, seus nacionais aí residentes, quando estes possuam, ao mesmo tempo, a nacionalidade do estado de residência, especialmente se se trata da nacionalidade resultante do *jus soli*. Da mesma forma, o estado não pode reclamar contra a prestação obrigatória do serviço militar em outro estado, por seus nacionais, caso sejam também nacionais desse outro estado, pelo nascimento.

O segundo caso, isto é, o da faculdade de punição de atos cometidos no exterior, tem sido muito discutido, especialmente no tocante à sua extensão, e os autores divergem na maneira de encará-lo. As legislações não são uniformes a este respeito. A base do princípio, entretanto, é simples: se o cidadão goza, em país estrangeiro, da proteção dos agentes diplomáticos e consulares de seu país, se, além disso, no tocante a seu estado e capacidade, lhe são aplicáveis as suas leis nacionais, é natural e justo que responda por seus crimes ou delitos, perante os tribunais de seu país.

87. A subtração forçada de pessoas do território de outro estado constitui ilícito internacional.

O poder repressivo do estado tem por limites as próprias fronteiras do território, como é sustentada, em geral, pelos anglo-saxões. Sua justificação normal reside no fato de convir que os crimes sejam julgados e punidos pelo estado cuja ordem social foi mais diretamente ofendida. Mas é justamente este argumento que muitos autores apresentam para sustentar que, em certos casos, em certas categorias de delitos, a teoria territorial deveria admitir exceções, e tais são os casos, por exemplo, de delitos contra a segurança ou crédito de estado, nos quais, evidentemente, o estado mais interessado é aquele contra cuja segurança ou contra cujo crédito se praticou o delito. Nestas condições, a própria razão apresentada como fundamento para a jurisdição territorial justificaria a exceção.

Podem, contudo, opor-se algumas objeções a esta argumentação. A primeira é que existiria alguma anomalia em submeter à jurisdição não territorial crimes que, em geral, os estados concordam em excluir da extradição. A segunda é que a razão para que um estado puna o seu nacional no exterior, pelos crimes contra a sua segurança ou o seu crédito, subsiste quando se trata de estrangeiro; mas, nesse caso, se se trata de nacional do estado em cujo território foi o crime praticado, esse estado dificilmente consentiria em que o seu próprio nacional fosse julgado por tribunal estrangeiro.

Em todo caso, pode dizer-se que, na prática, o princípio, geralmente adotado, é o da competência territorial (*lex loci delicti commissi*), ainda nos casos de infrações ou delitos *cometidos por estrangeiro*.

Entretanto, muitas legislações apresentam não somente a referida exceção, fundada na natureza dos interesses lesados e concernente aos delitos ou infrações cometidos, em país estrangeiro contra a segurança ou o crédito do estado, mas também outras[88].

Entre as mencionadas exceções, bastante discutível e discutida é a baseada na nacionalidade da vítima. Consiste em considerar o estado autorizado a exercer seu poder repressivo contra o autor, ainda que seja estrangeiro, de crime ou delito cometido em país estrangeiro contra nacional de tal estado. É o sistema da *personalidade passiva* ou da *proteção dos nacionais*.

88. O Instituto de Direito Internacional, em 1931, adotou os seguintes princípios: "Cada Estado tem o direito de estender sua lei penal a toda infração ou a todo ato de participação delituosa cometido por seus nacionais, no exterior. Todo Estado tem o direito de punir atos cometidos fora do seu território, ainda que por estrangeiros, quando esses atos constituam: *a*) um atentado contra a sua segurança; *b*) uma falsificação da sua moeda, de seus selos, sinetes ou marcas oficiais. Esta regra é aplicável, ainda que os fatos considerados não sejam previstos pela lei penal do país em cujo território foram cometidos. Todo Estado tem o direito de punir atos cometidos no exterior, por um estrangeiro, descoberto no seu território, quando esses atos constituem uma infração contra interesses gerais protegidos pelo direito internacional..., contanto que a extradição do inculpado não seja requerida ou que a oferta da mesma seja recusada pelo Estado em cujo território o delito foi cometido ou do qual o inculpado é nacional".

O *princípio da personalidade ativa*, também denominado da *competência pessoal*, reconhece a jurisdição do estado com base na nacionalidade do autor do ato delituoso. No fundo, é o caso já citado sobre a faculdade de punir ato cometido por nacional em país estrangeiro. O princípio foi acolhido pelo Código Penal e, no caso brasileiro, é a consequência lógica da regra constitucional da não extradição de nacionais, pois a falta do preceito implicaria a impunidade de brasileiros que perpetrem crimes no exterior e busquem refúgio no Brasil.

O direito internacional também admite, em alguns casos específicos, o princípio da *universalidade da jurisdição*, segundo o qual a jurisdição de todos os estados é competente para julgar e punir o autor de crime, qualquer que seja a sua nacionalidade e onde quer que se encontre. Alguns exemplos:

- o caso clássico é o da pirataria: a Convenção sobre o Direito do Mar de 1982, que se ocupa minuciosamente do crime de pirataria nos artigos 100 a 107, estipula que "todos os Estados devem cooperar para a repressão do tráfico ilícito de estupefacientes e substâncias psicotrópicas praticadas por navios no alto-mar com violação das convenções internacionais";
- a tendência é a de aumentar a relação desses crimes, sobretudo em relação ao terrorismo[89] – o uso político da tipificação do delito tem de ser coibido tanto quanto as práticas em si[90];
- outro exemplo pode ser encontrado nas medidas tomadas na luta contra o tráfico de drogas nocivas: o Tratado de Montevidéu de 1940 acolheu

89. Adherbal MEIRA MATTOS, **Direito internacional público** (2. ed. Rio de Janeiro: Renovar, 2002, "pirataria aérea", p. 216-218); G. E. do NASCIMENTO E SILVA, *A regulamentação internacional da pirataria aérea* (in **Estudos jurídicos em homenagem ao professor Oscar Tenório**, Rio de Janeiro: UERJ, 1977, p. 267-279); Heleno Cláudio FRAGOSO, *Apoderamento ilícito de aeronaves* (in **Estudos jurídicos em homenagem ao professor Oscar Tenório**, Rio de Janeiro: UERJ, 1977, p. 297-311); P. B. CASELLA, **Direito internacional, terrorismo e aviação civil** (São Paulo: Quartier Latin, 2006) tb. para refs. bibliográficas a respeito da matéria; *v.* tb., infra, 8.8. **Terror e direito internacional**. Nesse sentido, é relevante se faça regulação internacional, para permitir adequada tipificação do delito. Pode ser canal e caminho para tanto o **Comitê de combate ao terrorismo (CCT)**, criado pela **Resolução n. 1.373**, de 28 de setembro de 2001, e a seguir, nos termos da **Resolução n. 1.535**, de 26 de março de 2004, conferiu-se-lhe direção executiva, para atuar na luta contra o terrorismo.

90. P. B. CASELLA (op. cit., 2006, "posfácio"): "O debate a respeito do terrorismo, no curso dos últimos cinco anos, está em considerável medida desfocado, no sentido de que não existem, de um lado, algozes, e, de outro, vítimas, mas as culpas e responsabilidades, em considerável medida, têm de ser partilhadas. Como tantas coisas humanas, a questão do terrorismo somente pode ser compreendida se situada em contexto cultural e histórico, no qual se inscreve, como parte de todo mais amplo (e complexo). Dos contornos que já se apontava, pode ter mudado o contexto, mas a conclusão continua válida: a existência de mecanismos legais, internos e internacionais, não garante a ocorrência da vontade política de aplicá-los. Não somente em relação à segurança da aviação civil internacional, como em relação a outras facetas do fenômeno. (...) São os cidadãos comuns os alvos e as vítimas do terrorismo. Seja este terrorismo de estado ou de grupos que se dizem voltados contra o estado ou mais de um estado. São estes os principais interessados e os destinatários últimos das normas. Para a construção das bases da sociedade civil e formação da opinião pública mundial é preciso dispor de fontes independentes de informação: poder chegar a ser isento é dificilmente viável para qualquer ser humano, mas ao menos se pode jogar limpamente, apresentando as opiniões e os fatos, enquanto tais e em separado".

o princípio da universalidade de jurisdição, citando, além da pirataria e do tráfico de estupefacientes, o tráfico de (mulheres) brancas e a destruição ou deterioração de cabos submarinos.

Quando se trata de ***crimes constituídos por série de atos ou omissões e estas ou aqueles não são simultâneos, nem limitado a um só estado***, considera-se que a jurisdição do estado é aplicável a tais crimes, se começados no território nacional e terminados e consumados em país estrangeiro. E muitas legislações, bem como a jurisprudência de vários tribunais, reconhecem também a jurisdição do estado relativamente aos crimes começados em país estrangeiro e acabados ou consumados em território nacional. A decisão proferida pela **Corte Permanente da Justiça Internacional** no caso do ***navio Lotus*** não se afastou muito desta segunda hipótese, declarando que nenhum princípio de direito internacional proíbe a localização de delito não internacional, que tenha causado dano por negligência, no lugar onde esta produziu seu efeito.

Admite-se, igualmente, que a jurisdição do estado se estende a toda *participação, fora de seu território*, num crime cometido, *no todo ou em parte, no seu território*, assim como em toda tentativa, *fora de seu território*, de cometer um crime, *no todo ou em parte, no seu território*[91].

Nesta matéria, convém examinar ainda a seguinte questão: deve cair, ou não, sob a jurisdição territorial todo ato de *participação* ou de *cumplicidade*, efetuado *no território* de um estado, com relação a *crime cometido no exterior*?

As opiniões variam sobre a noção de participação ou cumplicidade, isto é, sobre se o respectivo ato deve ou pode ser considerado como crime separado, ou parte de crime, ou como simples acessório de crime. Nos dois primeiros casos, teremos hipóteses equivalentes à de que já nos ocupamos, da jurisdição do estado, em virtude de sua competência territorial sobre crimes constituídos por série de atos começados no território nacional e terminados em território estrangeiro, e este ponto de vista é seguido por diversas legislações internas. Alguns autores admitem que os atos de participação ou cumplicidade são, de alguma forma, meros acessórios do ato ou atos principais, constitutivos do crime, e, por isso, devem cair normalmente sob a jurisdição do estado em cujo território se cometeram esses atos principais.

---

91. Quanto ao primeiro caso, isto é, o da participação ou cumplicidade, o respectivo princípio foi admitido, pelo menos, desde o Congresso Penitenciário Internacional de Bruxelas, reunido em 1901. Relativamente ao segundo caso, isto é, o da tentativa, pode dizer-se, conforme foi observado por uma comissão de juristas americanos, reunida sob os auspícios da *Harvard Law School*, que: 1º) se a tentativa, praticada fora do território do Estado, se consuma dentro dele, a jurisdição existe, baseada no fato de que um crime foi cometido, pelo menos em parte, no território nacional; 2º) se a tentativa falha, a jurisdição do estado onde o crime devia ser consumado exige reconhecimento explícito.

5.4.3. extradição

Extradição é o ato mediante o qual um estado entrega a outro estado indivíduo acusado de haver cometido crime de certa gravidade ou que já se ache condenado por aquele, após haver-se certificado de que os direitos humanos do extraditando serão garantidos[92].

A instituição da extradição tem por objetivo principal evitar, mediante a cooperação internacional, que um indivíduo deixe de pagar pelas consequências de crime cometido.

Atualmente, a extradição procura garantir ao acusado um julgamento justo, de conformidade com o artigo XI da Declaração Universal dos Direitos do Homem, segundo o qual "Todo homem acusado de um ato delituoso tem o direito de ser presumido inocente até que a sua culpabilidade tenha sido provada de acordo com a lei, em julgamento público no qual lhe tenham sido asseguradas todas as garantias necessárias a sua defesa".

A concessão da extradição é geralmente praticada de conformidade com um tratado bi ou multilateral que vincule as partes. Na América Latina, a matéria se acha regulamentada em diversos tratados, inclusive pela Convenção de Direito Internacional Privado de 1928 (o Código Bustamante), que foi posteriormente modificada pela Convenção sobre Extradição (Montevidéu, 1932), e pelo Tratado de Direito Penal Internacional (Montevidéu, 1940). Além dessas convenções multilaterais específicas, outras podem ser mencionadas, como as assinadas na Haia e em Tóquio visando ao combate à pirataria.

No Brasil, o texto básico a respeito é o art. 5º, LI e LII, da Constituição de 1988, regulamentados pela Lei n. 6.815/80 (alterada recentemente pela Lei n. 12.878/2013), e o Decreto n. 86.715, de 1981.

Na **ausência de tratado**, o Brasil e alguns outros países concedem a extradição mediante ***declaração de reciprocidade***, segundo a qual, ocorrendo crime análogo no país requerido, o país requerente se compromete a conceder a extradição solicitada.

92. ACCIOLY, **Tratado** (2009, v. 1, p. 428); Carmen TIBÚRCIO, *Algumas questões sobre a extradição no direito brasileiro* (in **Temas de direito internacional**, Rio de Janeiro: Renovar, 2006, p. 211-259) e *A dupla nacionalidade e a extradição* (op. cit., 2006, p. 261-276); C. D. A. MELLO, **Curso de direito internacional** (15. ed., Rio de Janeiro: Renovar, 2004, v. II, Cap. XXXIII, "extradição", p. 1019-1045); A. MERCIER, **L'extradition** (RCADI, 1930, t. 33, p. 167-240); Cherif BASSIOUNI, **Internacional extradition and world public order** (Leiden, 1975); G. E. do NASCIMENTO E SILVA, **A extradição de terroristas** (na coletânea Haroldo Valladão); e *O Código Penal em face do direito das gentes* (Boletim SBDI, 1946, n. 3, p. 22); Gilda Maciel Corrêa Meyer RUSSOMANO, **A extradição no direito internacional e no direito brasileiro**, 3. ed., São Paulo: RT, 1981); HACKWORTH (v. 4, p. 45); L. C. GREEN, *Political offenses, war crimes and extradition* (ICLQ, abr. 1962); Manuel A. VIEIRA, **Derecho penal internacional** (Montevideo, 1967); Manuel Coelho RODRIGUES, **A extradição no direito brasileiro** (Rio de Janeiro, 1930); Paul O'HIGGINS, *The Irish extradiction act* (ICLQ, abr. 1966, p. 369); J. F. REZEK, **Curso elementar** (10. ed., São Paulo: Saraiva, 2005, "A extradição", p. 197-214); Richard B. LILLICH, *The Soering Case* (AJIL, 1991, v. 83, p. 128); WHITEMAN (8, p. 278).

Alguns tratados contêm a enumeração dos crimes que justificam a extradição, mas deve ser subentendido que semelhante numeração é puramente exemplificativa, não excluindo outros crimes. A extradição só se justifica por crime de ***certa gravidade*** e não se aplica a simples contravenções. Com tal objetivo, alguns, tratados especificam que a extradição só será concedida se se tratar de crime punido com pena superior a um ou a dois anos de prisão.

Em alguns casos justifica-se que a extradição não seja concedida, ou seja: nos crimes políticos, nos crimes de impr ensa, nos crimes religiosos e nos crimes militares. No caso de indivíduo condenado à morte, a extradição só deve ser concedida desde que a pena seja comutada em pena de prisão.

Eventual pedido de extradição de chefe de estado, na opinião de autores antigos, deveria ser negado. Atualmente a situação é outra: assim ilustram os já referidos casos PINOCHET e MILOSEVIC[93]. Diante desses dois exemplos é fora de dúvida que o ***princípio da inviolabilidade absoluta de chefes de estado não pode ser invocado no caso de crimes de maior gravidade.***

Dentre as hipóteses de não extradição, a mais delicada e controvertida é a de ***crime político***. A Constituição brasileira declara peremptoriamente "**não será concedida extradição de estrangeiro por crime político ou de opinião**". A questão é bastante controvertida doutrinariamente. Enquanto os defensores da não extradição por crimes políticos alegam que a criminalidade é relativa, a tese oposta é defendida pelos autores que salientam que crime político pode ter as mais graves consequências. Nesse sentido, na Corte Internacional de Justiça, os julgamentos no caso **HAYA DE LA TORRE** (1950 e 1951)[94].

Exemplo do conteúdo e da dificuldade de determinação da natureza política ou comum dos crimes cometidos, embora nos atos de ***terrorismo*** o objetivo

---

93. Pedido de extradição do General Augusto Pinochet, antigo Presidente do Chile, a pedido do Juiz espanhol Baltazar Garzón, veio modificar o enfoque que a ela vinha sendo dado. Em decisão tomada na Câmara dos Lordes, o pedido de prisão formulado pelo magistrado espanhol foi acolhido. Embora essa decisão se referisse exclusivamente à Grã-Bretanha e mesmo sem sua implementação (em virtude do direito interno britânico, que permite a não efetivação da extradição, mesmo que autorizada pelo Poder Judiciário, por decisão do Poder Executivo – no caso Pinochet, alegaram-se razões humanitárias em face do estado de saúde do ex-ditador chileno), teve grande repercussão, uma vez que a decisão de autorização de extradição fundara-se na existência de crimes contra a humanidade, mesmo (o que é o caso em geral) quando tais autores forem agentes públicos e até chefes de estado.

    Pouco depois, em 1999, o Ministério Público do Tribunal Penal Internacional da Haia para o julgamento por crimes praticados na ex-Iugoslávia, processou o Presidente Slobodan Milosevic por crimes contra a humanidade, mas o processo encerrou-se antes do veredito em virtude da morte do acusado.

94. No já referido (*v.* seção a respeito do direitos de asilo) **caso HAYA DE LA TORRE** (julgamentos em 27 de novembro de 1950 e 13 de maio de 1951) entre Colômbia e Peru, havia a questão de se tratar de *crimes políticos* ou *crime comuns* cometidos pelo asilante. A Corte Internacional de Justiça teve de examinar não somente a questão da oponibilidade de costume, enquanto evidência de direito internacional, mas também a questão da interpretação e da implementação de decisão da Corte.

político seja sempre invocado, a gravidade dos crimes perpetrados não é de molde a justificar a não extradição.

A legislação de muitos países *proíbe a extradição de nacionais*. É o caso do art. 5º, LI, da Constituição brasileira, nos seguintes termos: "nenhum brasileiro será extraditado, salvo o naturalizado, em caso de crime comum, praticado antes da naturalização, ou de comprovado envolvimento em tráfico ilícito de entorpecentes e drogas afins, na forma da lei".

Os argumentos apresentados pela tese da não extradição não merecem maiores apreciações. Entre eles figuram a expressão da soberania e a preservação do exercício da jurisdição nacional; pode, ainda, ser alegada a eventual parcialidade dos tribunais estrangeiros e as condições das instituições penais de inúmeros países.

Embora se possam compreender essas motivações relacionadas à desconfiança entre os Estados, parece-nos inadmissível que indivíduos acusados de crimes hediondos, como sequestro, tráfico de entorpecentes, estupro, limpeza étnica, genocídio e crimes contra a humanidade, possam merecer a proteção de seu país. Eventuais violações de direitos humanos do extraditando poderiam ser determinadas caso a caso.

A extradição só é concedida em face de pedido formal de país a outro. Como se trata de questão que diz respeito às relações internacionais, o pedido é formulado por via diplomática e respondido de igual maneira. No Brasil todo pedido de extradição é encaminhado pelo Ministério das Relações Exteriores ao Supremo Tribunal Federal, a quem cabe a decisão a respeito. No Caso Battisti, o STF decidiu três pontos essenciais para o tratamento atual da matéria no Brasil: 1) cabe ao Supremo autorizar ou não a extradição pretendida; 2) se for autorizada pelo STF, compete ao Presidente da República decidir se implementa ou não a extradição; caso haja tratado de extradição vigente, deve o Presidente justificar sua decisão com base no tratado; 3) não cabe ao STF analisar se a interpretação dada pelo Presidente ao teor do Tratado é adequada ou não; para o STF, a decisão do Presidente que denega extradição já autorizada pelo STF é ato de soberania, insuscetível de ser apreciado pelo Judiciário (Extradição 1.085-petição avulsa, Extraditando Cesare Battisti, Rel. p/ o ac. Min. Luiz Fux, julgamento em 8-6-2011).

O conceito de "***entrega***" é utilizado pelo **Estatuto de Roma**, adotado em 17 de julho de 1998, juntamente com Ata final da conferência e seus anexos, sobre o estabelecimento de **Tribunal Penal Internacional**[95]. O Brasil não so-

95. André de Carvalho RAMOS, *O Estatuto do Tribunal Penal Internacional e a Constituição brasileira* (in **Tribunal Penal Internacional**, org. Fauzi H. Choukr e Kai Ambos, São Paulo: RT, 2000, p. 245-289, cit. p. 289), concluía apontando a "importância da assinatura e posterior ratificação do Estatuto de Roma, pelo Brasil, para que se concretize um novo

mente aderiu ao Estatuto, como ***expressamente inscreveu a aceitação da jurisdição do TPI, por meio da EC n. 45/2004, no § 4º do art. 5º da Constituição***[96]. Na Parte IX do **Estatuto de Roma**, o art. 86 estipula "*obrigação geral de cooperar*", e o art. 89 regula a "*entrega de indivíduos ao tribunal*". Entenda-se que tal caso não estaria incluído na garantia de não extradição de brasileiro a outro estado, porquanto não se trataria de ***extradição***, mas de ***entrega***, e não se trataria de ***estado estrangeiro***, mas de ***tribunal internacional*** ao qual o Brasil aderiu. Isso se deu por meio da ratificação do Estatuto e, adicionalmente, adotou a República federativa disposição de emenda constitucional, para expressamente aceitar a jurisdição deste TPI: será inoperante tal aceitação manifesta, se não se traduzir em "obrigação de cooperar", para a qual pode, inclusive, ser requerida a "entrega de indivíduos ao tribunal". Inclusive brasileiro.

5.4.4. deportação e expulsão

O direito do estado de expulsar os estrangeiros que atentarem contra a segurança nacional ou contra a tranquilidade pública é admitido pacificamente pelo direito internacional, embora no passado a questão da legitimidade da expulsão tenha sido contestada pelos defensores da liberdade absoluta do homem. Reconhecido que o estado tem a faculdade de controlar a entrada, no seu território, de estrangeiros, por ele tidos como indesejáveis, o corolário lógico é o reconhecimento do direito correspondente da ***expulsão***[97].

A **Constituição de 1946** dispunha, em seu art. 143, sobre a possibilidade de expulsar do território nacional o estrangeiro nocivo à ordem pública, "salvo

---

estágio da persecução criminal internacional, no qual é assegurado ao acusado um *devido processo legal*, e também assegura-se, por seu turno, o fim da impunidade obtida por criminosos, muitas vezes pela força das armas, no âmbito de seus países".

96. P. B. CASELLA, *Constituição e direito internacional* (in **Direito da integração**, coord. P. B. Casella e V. L. V. Liquidato, São Paulo: Quartier Latin, 2006, p. 29-55, cit. p. 51-52): "Nota positiva (...) terá sido a menção expressa à aceitação da jurisdição do Tribunal Penal Internacional e submissão constitucionalmente estipulada à jurisdição deste. Este dispositivo inovador poderia fazer escola em relação a outros ordenamentos e dar exemplo a outros países, que vêm se empenhando antes em solapar que consolidar a relevância e funcionamento do TPI. O advento deste representou avanço para o direito internacional pós-moderno".

97. A. DARDEAU de CARVALHO, **Situação jurídica do estrangeiro no Brasil** (Rio de Janeiro: Freitas Bastos, 1976); ACCIOLY, **Tratado** (2009, v. 1, p. 419); BENTO DE FARIA, **Sobre o direito de expulsão**, Rio de Janeiro, 1929; C. J.-B. BOECK, **L'expulsion et les difficultés internationales qu'en soulève la pratique**, RCADI, 1927, v. 18, p. 443; G. S. GOODWIN-GILL, *The limits of the power of expulsion in public international law*, BYB, *47*:65, 1974; J. IRRIZARRY Y PUENTE, *Exclusion and expulsion of aliens in Latin America*, AJIL, 1942, v. 36, p. 252; Jacob DOLINGER, *Das limitações ao poder de expulsar estrangeiros*, in **Estudos jurídicos em homenagem ao Professor Haroldo Valladão**, Rio de Janeiro, 1983, p. 19; Karl DOEHRING, *Expulsion and deportation of aliens*, in **Encyclopedia**, v. 1 (A-D), p. 109; MELLO - 2, p. 734; Rezek - 2, p. 198; WHITEMAN, v. 8, p. 620.

se o seu cônjuge for brasileiro, e se tiver filho brasileiro (art. 129, n. I e II), dependente da economia paterna", visando à proteção da unidade familiar. O texto não era claro, pois havia dúvidas sobre se exigiria os dois requisitos, mulher e filho brasileiros, ou se bastaria um. O Supremo Federal passou a exigir apenas um. A fim de eliminar a controvérsia, o Decreto-lei n. 417, de 1969, proíbe a expulsão de "estrangeiro que tenha cônjuge ou filho brasileiro, dependente de economia paterna". A **Constituição de 1988** evitou adotar norma a respeito.

O direito de ***expulsão*** não pode ser exercido arbitrariamente, isto é, deve restringir-se às estritas necessidades da defesa e conservação do estado. Por isso, segundo a opinião corrente, só deve ser aplicado aos estrangeiros que perturbem efetivamente a tranquilidade ou a ordem pública e constituam perigo ou ameaça para esta, ou se tornem seriamente inconvenientes aos interesses oficialmente declarados do estado.

Praticamente, os ***atos*** que, em geral, ***podem determinar a expulsão*** são os seguintes: *a*) a ofensa à dignidade nacional; *b*) a mendicidade e a vagabundagem; *c*) os atos de devassidão; *d*) o atos de propaganda subversiva; *e*) a provocação de desordens; *f*) as conspirações; *g*) a espionagem; *h*) as intrigas contra países amigos; *i*) a entrada ilícita no território nacional.

Em geral, a expulsão de estrangeiro não é considerada como pena, mas apenas como medida preventiva de polícia, ainda que se trate de autor criminalmente condenado.

Outro princípio geralmente admitido é o de que qualquer governo só deve decretar a expulsão por motivos graves, que ponham em perigo os interesses ou a segurança do estado, mas, antes de ordená-la, não tem obrigação de se entender com o governo do estado do qual este estrangeiro seja nacional, embora, depois, se interpelado por esse governo, deva explicar-lhe as razões do ato. Se o decreto de expulsão foi ilegal ou arbitrário, o estado a que, pela nacionalidade, pertence o indivíduo tem o direito de protestar, por via diplomática, contra ilegalidade ou arbitrariedade, junto ao estado que praticou a expulsão.

A autoridade consular do país a cuja nacionalidade pertence o indivíduo que vai ser expulso deve visar-lhe o passaporte, para que ele possa voltar à pátria.

Admite-se, como princípio, que a expulsão não deva degenerar em extradição. Assim, o indivíduo que, em virtude da expulsão, é conduzido ao território do seu país, não deve ser aí perseguido pela justiça, por crime anterior, tampouco — e ainda com mais razão — deve ser entregue a terceiro estado, onde seja procurado por motivo de algum crime do qual seja acusado.

O estrangeiro que, tendo recebido notificação de que foi expulso, não se retirar do país, ou que, depois de se retirar, a ele voltar, sem que a expulsão tenha sido revogada, é passível de pena, consistente geralmente em prisão, expirado o prazo da qual será conduzido à fronteira.

Em geral, o indivíduo expulso é encaminhado ao país a que pertence, como nacional, porque o estado não pode recusar seus próprios nacionais, ainda que os considere indesejáveis. Mas, se se trata de refugiado político, ou de indivíduo que abandonou o país de origem para escapar à ação da justiça, a obrigação de recebê-lo deixa de existir para esse país. Por outro lado, a expulsão assim efetuada assumiria o caráter de extradição, feita fora de termos e em condições condenáveis, sendo admissível apenas se o referido país assume o compromisso de não punir o expulso antes de alguma nova infração.

A ***deportação*** é a determinação de saída compulsória de estrangeiro que ingressou de modo irregular no território nacional ou que, apesar da entrada regular, sua estadia encontra-se irregular (v. g., expiração do prazo de permanência, desempenho de atividade vedada, como o trabalho etc.). O estrangeiro é notificado e lhe é dado prazo para a saída do Brasil, caso contrário poderá ser preso, para fim de deportação. Tal prisão se dá por ordem de juiz federal, não se admitindo mais a antiga prisão administrativa, no regime anterior à **Constituição de 1988**. Não é possível, de acordo com o art. 63 da **Lei n. 6.815/80 (Estatuto do Estrangeiro)**, a deportação como substituto de extradição não admitida. Assim, criminoso estrangeiro procurado pelo estado de sua nacionalidade, que ingressa de modo irregular em nosso território, deve ser submetido a processo de **extradição**, que prevalece sobre a ***deportação***. Caso contrário, haveria o risco de violação da regra da vedação da deportação como sucedâneo da extradição proibida. Foi o que ocorreu, aparentemente, no caso noticiado em 2005 do criminoso norte-americano Jesse James Hollywood, que, do Rio de Janeiro, foi deportado pelo Brasil, com destino aos Estados Unidos, para ser submetido a eventual pena de morte. A extradição, no caso, só ocorreria se os Estados Unidos aceitassem o compromisso de comutar a pena capital em pena privativa de liberdade. Consequentemente, a deportação, como foi feita, violou o art. 63 da Lei n. 6.815/80.

As diferenças entre a ***deportação*** e a ***expulsão*** existem quanto à **causa**, quanto ao **processo** e ainda quanto aos **efeitos**. Neste último caso, vê-se que, na deportação, o estrangeiro pode reingressar no país, bastando que cumpra os requisitos legais ou previstos em tratado específico. Quando ocorrer expulsão, para que seja possível a volta do indivíduo em questão ao território do estado, o decreto de expulsão deve ser revogado, sob pena de o estrangeiro cometer o crime do art. 338 do Código Penal (reingresso de estrangeiro expulso).

5.5. Proteção diplomática

A **Convenção de Viena sobre Relações Diplomáticas** de 1961 estipula em seu artigo 3º que dentre as funções da missão diplomática figura a de "*proteger no estado acreditante os interesses do estado acreditado e de seus nacionais, dentro dos limites permitidos pelo direito internacional*". Dispositivo semelhante é encontrado na **Convenção sobre Relações Consulares** de 1963. Ambas consagram regra tradicional do direito internacional.

A ***proteção dos nacionais*** tem dois aspectos: a ***proteção*** propriamente dita, quando o nacional sofre dano ocasionado ou não pelas autoridades locais; e a ***simples assistência*** geral, que consiste em facilitar a estada dos concidadãos que se encontram no país da missão diplomática ou da repartição consular[98]. O estrangeiro depende, do ponto de vista jurídico, de dois poderes: do país de residência e daquele do qual é nacional. Não deve haver conflito de poderes, mas harmonia. Assim, a proteção diplomática é, simultaneamente, direito e dever: *direito a ser exercido com relação a estado estrangeiro; dever, pelo menos moral, de proteger o nacional que tenha sofrido dano*.

O direito de proteção diplomática é geralmente considerado como limitação ao direito de jurisdição territorial do estado. Assim, num mesmo estado, coexistem dois poderes distintos, relativamente a um estrangeiro: este depende, juridicamente, do estado do qual é cidadão e daquele em cujo território habita. Ao primeiro, acha-se ligado por vínculo orgânico; com relação, porém, ao outro, isto é, ao estado onde se encontra, o fundamento de sua sujeição jurídica reside no fato material de sua permanência no território de tal estado.

Se este último observa, a seu respeito, os deveres internacionais que lhe incumbem, não se justifica a proteção diplomática do estado a cuja nacionalidade o indivíduo pertence. Mas, se o estado de residência recusa ou deixa de conceder ao cidadão estrangeiro o mínimo de direito a que o direito internacional o obriga — mínimo no qual se incluem certos direitos fundamentais de segurança pessoal, de liberdade individual e de propriedade privada —, o outro estado tem, indubitavelmente, a faculdade de exercer o seu direito e velar para que o tratamento dado ao seu nacional seja modificado, de intervir neste sentido, de exercer, em suma, o seu direito de proteção diplomática. Entretanto, essa proteção deve ser exercida com grande medida de prudência.

---

98. ACCIOLY, **Tratado** (2009, v. 1, p. 298); DÍEZ DE VELASCO, **Instituciones** (16. ed., 2007, cap. XXXVI, "*Procedimientos de aplicación de las normas internacionales (i): la protección diplomática*", p. 896-915); E. JIMÉNEZ DE ARÉCHAGA – H. ARBUET VIGNALI – R. PUCEIRO RIPOLL, **Derecho internacional público** (Montevideo: Fond. de cultura univ., tomo 2, 2008, cap. XV, "*Imunidad de jurisdicción de los estados y las organizaciones internacionales*", p. 309-325); JIMÉNEZ DE ARÉCHAGA, *La protección judicial del accionista* (**Revista Uruguaya de Derecho Internacional**, maio 1964); JIMÉNEZ DE ARÉCHAGA, International State responsability (in **International law,** Paris: UNESCO, 1991, p. 370); Richard LILLICH, *The diplomatic protection of nationals abroad: an elementary principle of international law under attack* (AJIL, 1975, v. 69, p. 359); L. GARCIA ARIAS, Sobre el derecho de protección diplomática (**Anuário IHLADI**, 1959, p. 129); NASCIMENTO E SILVA – CASELLA – BITTENCOURT NETO, **Direito internacional diplomático** (São Paulo: Saraiva, 4. ed., 2012).

Resulta, pois, que a proteção diplomática representa *solução transacional entre o respeito devido à soberania territorial do estado junto ao qual se exerce e o direito ou o dever que tem o outro estado de proteger seus nacionais em país estrangeiro*. Assim, quanto mais eficaz e mais regular é o exercício da dita soberania, isto é, quanto maior é a ordem reinante num estado e mais assegurados aí se encontram os direitos que o direito internacional garante aos cidadãos estrangeiros, menos esse estado se achará exposto às reclamações diplomáticas dos outros estados.

Convém observar que o direito de proteção só é admissível em favor dos nacionais do estado que pretende exercê-lo, e não em favor de outros nacionais, especialmente se o são do estado perante o qual esse direito é invocado. Por isso, não pode ser admitido, como já vimos, quando se trate de indivíduo de dupla nacionalidade, que seja nacional do estado reclamante ao mesmo tempo que do outro estado, isto é, do estado no território do qual o indivíduo se encontre.

Trata-se da assim chamada **proteção diplomática**, e esta se estendeu além do sentido literal, de modo a abranger a representação perante instância jurisdicional internacional. Nesse sentido, Manuel DIEZ DE VELASCO Vallejo (1974)[99] considera o exercício da proteção diplomática, em relação a pessoas jurídicas e seus acionistas.

Ignaz SEIDL-HOHENVELDERN no "desenvolvimento da proteção diplomática para pessoas jurídicas"[100] afirma: "A teoria clássica do direito internacional fundava o direito de estado, a proteger o seu súdito contra violação de direito, que lhe tivesse inflingido estado estrangeiro, como se o estado autor da violação de direito tivesse ferido a honra do estado da vítima de tal violação" e aponta, ter o juiz GROS, no seu voto em separado, no caso **Barcelona traction** (1970), consignado tal concepção como *assez simpliste*[101]. Tal concepção, contudo, pouco teria mudado, exceto quanto à admissão da proteção de interesses

99. Manuel DIEZ DE VELASCO Vallejo, **La protection diplomatique des sociétés et des actionnaires** (RCADI, 1974, t. 141, p. 87-186).

100. Ignaz SEIDL-HOHENVELDERN, *Die Entwicklung der diplomatischen Protektion fur juristische Personen* ("Vortrag vor dem Europa-Institut der Universität des Saarlandes, Saarbrucken, den 27. Juni 1991", Vorträge, Reden Berichte aus dem Europa-Institut – Sektion Rechtswissenschat – v. 249, p. 1-21).

101. I. SEIDL-HOHENVELDERN (conf. cit., 1991, p. 1 e nota 2) comenta: "Ein solches Vorgehen stelle eine Misachtungs dieses Staates selbst dar. Wenn dieser die Beseitigung der Unrechtsfolgen verlange, nehme er damit zwar praktisch die Interessen seines Untertans wahr, er wehre sich aber dennoch gegen ein ihm, d.h. dem Heimatstaat, selbst zugefugtes Unrecht. Diese Auffassung entspricht der auch sonst im klassischen Völkerrecht vorherrschenden, Mediatisierung des Einzelnen. Praktisch blieb es Sache des Heimatstaates, ob und inwieweit er die völkerrechtswidrige Behandlung eines seiner Staatsangehörigen zum Gegenstand völkerrechtlichen Wiedergutmachunganspruche machen, also zu diesen Gunsten diplomatischen Schutz ausuben wollte"; cita A. VERDROSS e B. SIMMA, **Universelles Völkerrecht** (3. Aufl., 1984, S. 39, Z. 47).

econômicos, como base para o exercício da proteção diplomática. No tocante à proteção dos demais direitos humanos, considerou a Corte Internacional de Justiça, na decisão do caso **Barcelona traction**, caber a qualquer estado tutelar tal interesse, e não somente ao estado da nacionalidade da vítima[102].

Assim se colocará também a questão do fundamento da proteção diplomática, como já exemplificavam casos da CPJI (**concessões MAVROMMATIS**, 30 de agosto de 1924 e 26 de março de 1925; caso da **ferrovia Panevezys-Saldutiskis**, de 28 de fevereiro de 1939; **empréstimos sérvios** e **empréstimos brasileiros**, de 12 de julho de 1929)[103], e também da CIJ (caso **NOTTEBOHM**, 6 de abril de 1955[104]; caso **Barcelona Traction Light and Power Company**, 5 de fevereiro de 1970).

A decisão da CPJI no caso **MAVROMMATIS** (1924 e 1925)[105] traz a definição clássica do que seja "controvérsia internacional"[106], bem como faz menção à obrigação de prévia negociação entre as partes. Ao fazer constar que o estado que decide *prendre fait et cause* por um de seus nacionais, perante tribunal internacional, não atua como representante ou defensor do protegido, contrariamente à tese inglesa, mas defende o seu próprio direito de ver respeitado, na pessoa de seus nacionais, o direito internacional, no território de outros estados: "É princípio elementar do direito internacional aquele que autoriza o estado a proteger seus nacionais, lesados por atos contrários ao direito internacional, cometidos por outro estado, do qual o particular não pôde obter satisfação pelas vias ordinárias. Assumindo o patrocínio da causa por um dos seus, colocando em ação, em favor deste, a ação diplomática ou a ação judiciária internacional,

---

102. I. SEIDL-HOHENVELDERN (conf. cit., 1991, p. 2) aponta a relação dos direitos, dentre os quais não se contaria a proteção de direitos de propriedade; *v.* tb. I. SEIDL-HOHENVELDERN, **International economic law: general course on public international law** (RCADI, 1986, t. 198, p. 9-264, esp. p. 132), contrariamente a tal posição.

103. CPJI, **pagamento de vários empréstimos sérvios emitidos na França e pagamento em ouro dos empréstimos federais brasileiros emitidos na França** (série A, n. 20 – "Payment of various Serbian loans issued in France"; série A, n. 21 – "Payment in gold of the Brazilian federal loans issued in France"; série C, n. 16.3 – "Payment of various Serbian loans issued in France"; série C, n. 16.4 – "Payment in gold of the Brazilian federal loans issued in France"); v. tb. A. NUSSBAUM, **La clause or dans les contrats internationaux** (RCADI, 1933, t. 43, p. 555-658).

104. CIJ, caso **NOTTEBOHM**, Liechtenstein contra Guatemala, julgado em 6 de abril de 1955. *V.* tb. item XV, "contingência e uso da força no direito internacional".

105. CPJI, Grécia c. Reino-Unido, **Concessions MAVROMMATIS**, na Palestina e em Jerusalém, 30 de agosto de 1924 e 26 de março de 1925 (série A, n. 2 – quanto à preliminar de jurisdição, somente para Jerusalém; série A, n. 5 – mérito; série C, n. 5/1 – concessões da Palestina; série A, n. 11 "Réadaptation" (jurisdição); série C, n. 07.2 – concessões de Jerusalém; série C, n. 13.3 – "the readaptation of the Mavrommatis Jerusalém concessions"). *V.* tb. E.-M. BORCHARD (AJIL, 1925, p. 728); A. KUHN (AJIL, 1928, p. 383); M. TRAVERS (JDI, 1925, p. 29).

106. CPJI, **Concessions MAVROMMATIS**: "Un différend international est un désaccord sur un point de fait ou de droit, une opposition de thèses juridiques ou d'intérêts entre deux personnes".

esse estado faz, em sentido estrito, valer o seu próprio direito, o direito que tem de fazer respeitar o direito internacional, na pessoa de seus nacionais"[107].

No julgamento do caso da **ferrovia Panevezys-Saldutiskis** (1939)[108], a CPJI enfatizou que o direito de proteção diplomática, ressalvadas as exceções convencionalmente estipuladas, somente pode ser exercido pelo estado em relação aos seus nacionais.

No julgamento do caso **Barcelona Traction Light and Power Company** (1970)[109], a CIJ coloca a questão de saber se "um direito da Bélgica teria sido violado pelo fato de direitos de nacionais belgas, acionistas de sociedade não tendo a nacionalidade belga, terem sido infringidos?" e esta indica que, "nos limites fixados pelo direito internacional vigente, um estado pode exercer a sua proteção diplomática pelos meios e na medida que julgar apropriados, pois é seu próprio direito que este estará fazendo valer"[110] e enfatiza que o estado "possui a respeito o poder discricionário"[111].

I. SEIDL-HOHENVELDERN[112] ressalta a necessidade de ajustar o conceito tradicional da proteção diplomática à realidade do mundo pós-moderno, porquanto a maior parte dos investimentos estrangeiros, hoje em dia, se faz por meio de pessoas jurídicas, e indaga: "a qual estado se vai, assim, reconhecer o direito a proteger o patrimônio destas pessoas jurídicas, contra violações do direito internacional cometidas pelo estado de estabelecimento?"

A. MIAJA DE LA MUELA[113] analisa a "ocorrência de novas realidades, na vida internacional, consistente na ampliação do âmbito das relações entre estados, e das normas reguladoras de tais relações, quanto aos aspectos econô-

107. CPJI, **Recueil** 1924 (p. 12).

108. CPJI, julgamento de 28 de fevereiro de 1939, caso da **ferrovia Panevezys-Saldutiskis** (série A/B, n. 76).

109. CIJ, Bélgica c. Espanha, caso **Barcelona Traction Light and Power Company**, exceções preliminares, 24 de julho de 1964; julgamento de mérito, em 5 de fevereiro de 1970.

110. A. MIAJA DE LA MUELA, **Aportación de la sentencia del Tribunal de La Haya en el caso Barcelona Traction (5 de febrero de 1970) a la jurisprudencia internacional** (Valladolid: Cuadernos de la cátedra J. B. Scott, Univ. de Valladolid, 1970, esp. Cap. IV, "Protección diplomática de los accionistas", p. 87-114).

111. G. DISTEFANO e G. BUZZINI, **Bréviaire de jurisprudence internationale** (Bruxelas: Bruylant, 2005, II.23, "Barcelona Traction", p. 442-455); B. TCHIKAYA, **Mémento de la jurisprudence du droit international public** (Paris: Hachette, 2000, p. 87-89, cit. p. 88): "Or, c'est la société qui est en cause, répond la Cour. Celle-ci, même sous contrôle financier belge, demeure de nationalité canadienne par son origine. La Cour part donc d'une conception formelle de la nationalité plutôt que de rechercher la nationalité réelle de la société par la théorie du contrôle. En l'espèce, la nationalité de la société est canadienne: il suit que la Belgique n'a pas qualité à agir".

112. (conf. cit., 1991, p. 3) SEIDL descarta a solução de simples remissão à nacionalidade da pessoa jurídica: "Das Problem kann nicht einfach mit dem Hinweis gelöst werden, dass jede juristische Person já schon aus einem anderen Grunde eine Staatszugehörigkeit haben und dieser Staat daher auch berufen sein musse, diesen Schutz auszuuben".

113. A. MIAJA DE LA MUELA (op. cit., 1970, Cap. VI, "Relevancia de la sentencia del caso Barcelona Traction para la cuestión de la regulación internacional de las inversiones extranjeras", p. 125-144).

micos, dentre os quais a questão dos investimentos de capital procedentes de uns países, para fomento da riqueza de outros". E enfatiza que este caso **Barcelona Traction** (1970) põe diretamente um dos maiores problemas internacionais do nosso tempo: o da tensão entre a propriedade privada estrangeira e o direito de cada povo a suas riquezas e recursos naturais[114]. E, leva a questão, ainda mais relevante: a da vigência atual, da possibilidade de revisão ou substituição da regulação desta matéria, entre o direito internacional clássico e o direito internacional pós-moderno.

A ***proteção consular*** foi objeto de casos examinados pela Corte Internacional de Justiça: no **caso AVENA e outros nacionais mexicanos** (2004)[115] teve ensejo de levar adiante a linha de precedentes, na linha do **caso BREARD**, entre Paraguai e Estados Unidos, encerrado sem julgamento de mérito (1998)[116], e o **caso LA GRAND** entre República Federal da Alemanha e Estados Unidos (2001)[117], precedentes diretos do caso AVENA.

O **caso AVENA** suscita a relevante questão da inserção da pessoa humana no direito internacional: historicamente consolidada e todavia verdadeira, a capacidade postulatória, perante os tribunais internacionais condicionada à intervenção de agente que lhe assegure a representação. A presença e atuação do ser humano somente amparada pelo estado. Este caso remete a duas ordens de direitos: de um lado, o direito de o estado proteger diplomática e consularmente o seu nacional, em território estrangeiro; de outro lado, o direito do indivíduo, enquanto estrangeiro, valer-se de assistência consular apropriada. Direito esse expressa e adequadamente regulado pela Convenção de Viena sobre relações consulares, de 24 de abril de 1963, e confirmado pela Corte Internacional de Justiça, tanto no caso dos irmãos LA GRAND entre a República Federal da Alemanha e Estados Unidos, como neste caso.

---

114. A. MIAJA DE LA MUELA (op. cit., cap. cit., p. 133): "Nació este en cuanto orden regulador de unas cuantas unidades políticas de la Europa central y occidental en momento difícil de precisar de la edad media, se extendió a otros estados europeus y de otros continentes a medida que alcanzaron su independencia y mantuvieron unas relaciones reguladoras con los que podemos considerar como estados, fundadores del derecho internacional, no sin protestas, la más intensa la encarnada en las Repúblicas hispanoamericanas, contra determinadas instituciones, tales como la responsabilidad del estado y la protección diplomática, que sempre actuaban en perjuicio de sus intereses y no pocas veces con lesión de su misma soberania"; *v.* tb. G. ELIAN, **Le principe de la souveraineté sur les ressources nationales et ses incidences juridiques sur le commerce international** (RCADI, 1976, t. 149, p. 1-85); Manuel DIEZ DE VELASCO Vallejo, **La protection diplomatique des sociétés et des actionnaires** (RCADI, 1974, t. 141, p. 87-186).

115. CIJ, **Case concerning AVENA and other Mexican nationals** entre México e Estados Unidos da América, julgamento de 31 de março de 2004.

116. CIJ, **Vienna Convention on Consular Relations,** Paraguai contra Estados Unidos da América (1998).

117. CIJ, **LA GRAND,** República Federal da Alemanha contra Estados Unidos da América (1999-2001).

A decisão da Corte nesses casos deve ser avaliada na sua justa proporção. Pode-se falar em direitos fundamentais assegurados não somente por constituições e sistemas nacionais, mas preferencialmente por meio de tratados, onde tais direitos, tal como estipulados em instrumentos de direito internacional, tornam-se parte integrante do conjunto de garantias de direitos fundamentais e podem ter a sua implementação feita, também pela Corte Internacional de Justiça, mediante atuação internacional.

A efetivação da proteção pode ser feita, todavia, mediante a interposição de estado, que entre estados suscite e faça instaurar perante a Corte Internacional de Justiça instância de controle e implementação dos direitos fundamentais, em relação a países que, de outro modo, estariam cometendo violações de direitos garantidos por tratados, e que constituíam obrigação para tal estado, tanto em âmbito interno, no sentido de assegurar que seus tribunais e administração nacional observassem e aplicassem o neles estipulado, quanto no âmbito externo, caracterizando a responsabilidade internacional do estado.

Mantém a Corte Internacional de Justiça a sua condição de tribunal internacional, para julgar controvérsias entre estados, mas se apresenta em decisões, como LA GRAND e AVENA, como instância de controle e averiguação de aplicação do direito internacional pelos estados. A matéria regulada em âmbito internacional cria para o estado a obrigação de observar e aplicar os dispositivos contidos em tratado internacional, assinado e ratificado pelo estado, no caso a Convenção de Viena sobre relações consulares de 1963, não obstante a competência do estado para regular internamente o funcionamento dos tribunais e da organização do judiciário nacional.

A matéria tem, ainda, dimensão internacional na proteção internacional dos direitos humanos, como dimensão caracterizadora do direito internacional pós-moderno, como apontava Theodor MERON, em curso geral na Haia (2003)[118]. A violação de norma internacional, pela atuação dos Estados Unidos, também fere e solapa as bases de direitos fundamentais, em relação aos estrangeiros, em território americano, sujeitos ao direito interno e à interpretação deste pelos tribunais nacionais, ignorando garantias estipuladas em convenções internacionais!

O **caso AVENA** e outros nacionais mexicanos veio levar mais adiante as consequências decorrentes destes outros dois, anteriormente examinados também na CIJ: os **casos BREARD**, entre Paraguai e Estados Unidos, encerrado sem

118. Theodor MERON, **International law in the age of human rights: general course on public international law** (RCADI, 2003, t. 301, p. 9-490).

julgamento de mérito (1998), e **LA GRAND**, entre República Federal da Alemanha e Estados Unidos (2001).

No caso entre Paraguai e Estados Unidos, encerrado sem julgamento de mérito (1998)[119], esgotados os recursos perante os tribunais internos estadunidenses, o Paraguai ingressa com pedido perante a Corte Internacional de Justiça. Baseia a jurisdição da Corte no fato deste e os EUA serem signatários sem reservas tanto da Convenção de Viena sobre Relações Consulares (CVRC) como de seu Protocolo facultativo, o qual fixa a jurisdição compulsória da CIJ, nos casos de litígio sobre interpretação e aplicação da Convenção. Alega violação do artigo 36, parágrafo 1º, letra (b), e artigo 5º da CVRC.

Os Estados Unidos negam a competência da Corte, uma vez que não haveria controvérsia a respeito da interpretação e aplicação da CVRC, visto admitirem ter deixado de cumprir o disposto na nessa Convenção, alegam não haver qualquer dispositivo que permita a restituição ao *status quo ante* neste caso e entendem não haver interesse de agir nesta causa, uma vez que a violação à CVRC em nada teria alterado o julgamento do caso. Os Estados Unidos não acatam a medida cautelar determinada pela Corte.

A Corte não chega a proferir decisão sobre o mérito, pois BREARD já teria sido executado em 14 de abril de 1998. O Paraguai desiste de continuar e pede a retirada do caso[120].

O **caso LA GRAND** entre República Federal da Alemanha e Estados Unidos (2001)[121] foi levado a termo e julgado pela Corte Internacional de Justiça,

---

119. CIJ, **Vienna Convention on Consular Relations**, Paraguai contra Estados Unidos da América (1998). Neste tratava-se do argentino naturalizado paraguaio, Angel Francisco BREARD, que se muda em 1987 para os Estados Unidos. Preso, em 1992, no estado de Virgínia, sob alegação de tentativa de estupro, seguida de homicídio. Em 1993 e 1994, vai a júri, confessa o crime e é condenado à morte. Em 1996, o Paraguai, ao tomar conhecimento da prisão de um seu nacional, ingressa com pedido de *habeas corpus* perante o tribunal federal de primeira instância da Virgínia. Recusado o pedido do Paraguai, com base em *procedural default*, sob alegação de que tais direitos não haviam sido invocados nos julgamentos anteriores. Pedido ao tribunal federal de apelação foi recusado, pelo mesmo motivo. Em 14 de abril de 1998 a Suprema Corte Americana rejeita o pedido de revisão das decisões proferidas pelos tribunais federais inferiores, com base na Lei antiterrorismo e pena de morte eficaz de 1996. Nesse mesmo dia, conforme data marcada, BREARD é executado com injeção letal.

120. O motivo para o pedido de retirada do caso pelo Paraguai teria sido acordo feito com os Estados Unidos, por meio do qual o Paraguai se compromete a retirar o caso da CIJ e os EUA retirariam o Paraguai da lista de países omissos no combate à pirataria.

121. CIJ, **LA GRAND**, República Federal da Alemanha contra Estados Unidos da América (1999-2001). Dois irmãos, Walter e Karl LA GRAND, de nacionalidade alemã, foram morar nos EUA ainda crianças, somente teriam voltado uma vez, por período de seis meses, à Alemanha, mas nunca deixaram de ser cidadãos alemães. Em 7 de janeiro de 1982 foram detidos, em Mariana, no Arizona, sob acusação de roubo a banco, do qual teria resultado morte do gerente e lesões graves a outro funcionário. Foram levados a julgamento e condenados à morte em 1984, pelos crimes de homicídio, tentativa de homicídio e tentativa de roubo à mão armada. Em 1992, os irmãos LA GRAND tomam conhecimento que deveriam ter sido informados do direito destes a ter contatado o serviço consular alemão e ter contado com a proteção

em 27 de junho de 2001. Caberia assinalar, inicialmente, a notoriedade alcançada pelo caso, em razão do descumprimento, pelos Estados Unidos da América, de medida cautelar determinada pela Corte Internacional de Justiça; em segundo lugar, o fato de ter sido a medida cautelar concedida pela Corte. Em terceiro lugar, anote-se ter a República Federal da Alemanha não somente pleiteado reparação como pedido de garantia, no sentido de que a situação não viesse a ocorrer em casos futuros.

A Alemanha levou a questão adiante, mesmo depois da execução dos dois alemães, por ordem de tribunais americanos e conseguiu a decisão de mérito, condenando a violação da CVRC pelos Estados Unidos. Neste caso, valor maior teve a sua importância reconhecida e afirmada pela Corte Internacional de Justiça: a vida humana.

O **caso LA GRAND** (2001), foi precedente direto do caso AVENA (2004). As consequências, do caso AVENA, foram de tal ordem que, um ano após o julgamento de 31 de março de 2004, retiraram os Estados Unidos a aceitação da jurisdição da Corte Internacional de Justiça.

As consequências da retirada da aceitação pelos Estados Unidos da América da jurisdição da Corte Internacional de Justiça são graves e devem ser analisadas sob distintos ângulos: de um lado, a opinião interna americana parece ter confundido a atuação da CIJ como principal tribunal internacional, para solução de controvérsias entre estados, aplicando o direito internacional, com o que foi visto como interferência indevida, e acarretaria a instalação da CIJ como instância adicional de apelação, em relação a estrangeiros, que viessem a ser julgados e condenados por tribunais americanos após o esgotamento dos recursos internos – o que não se nos afigura verdadeiro[122]; de outro lado, cumpre ressaltar que a

consular do estado do qual eram nacionais. As autoridades americanas alegaram desconhecer que os irmãos LA GRAND tinham nacionalidade alemã. De 1992 a 1999 os irmãos LA GRAND fazem sucessivos pedidos de revisão de suas sentenças, inclusive à Suprema Corte, uma vez que a obrigação estipulada no art. 36 da CVRC teria sido violada. Os pedidos são negados, com fundamento na alegação de trânsito das sentenças em julgado, e vícios processuais não permitiriam a reabertura dos casos. Em 24 de fevereiro de 1999 Karl LA GRAND é executado com injeção letal. Em 3 de março de 1999 a República Federal da Alemanha ingressa com pedido na CIJ e solicita medida cautelar (*injunction*) para que a execução de Walter LA GRAND ficasse suspensa até julgamento do caso. Em 3 de março de 1999 a CIJ se reúne e aceita o pedido de medida cautelar, formulado pela Alemanha. A Suprema Corte Americana não suspende a execução, marcada para aquela mesma data de 3 de março, alegando: a) não foi dado direito de defesa aos EUA, no tocante ao pedido de medida cautelar; b) a CVRC seria aplicável somente em relação a funcionários consulares e diplomáticos, e, portanto, inaplicável ao caso; e c) o pedido tardio e as barreiras decorrentes de divisões internas jurisdicionais impediam a suspensão do ato. Walter LA GRAND é executado no mesmo dia, na câmara de gás. A República Federal da Alemanha prossegue com o caso na CIJ. Este é julgado em 27 de junho de 2001. *V.* tb. SFDI – Société Française pour le Droit International. **La protection consulaire** ("cet ouvrage contient les Actes de la journée d'études de la SFDI org. par l'Univ. Jean Moulin Lyon 3, tenue dans la salle Caillemer de la Fac. de droit le 2 décembre 2005", Paris: Pedone, 2006).

122. Bastaria ter ocorrido a observância e aplicação dos dispositivos do artigo 36 da Convenção de Viena sobre relações consulares de 1963, permitindo o exercício da assistência consular, pelas autoridades do estado do qual era nacional

CIJ cumpriu a sua "função de decidir, de acordo com o direito internacional, as controvérsias que lhe forem submetidas", conforme estipula o artigo 38 do Estatuto da Corte Internacional de Justiça, e, para tanto, aplicou "convenções internacionais, quer gerais, quer especiais, que estabeleçam regras expressamente reconhecidas pelos estados litigantes"[123].

A atuação da Corte Internacional de Justiça demonstrou maturidade e discernimento na sua fundamentação, mostrou o fortalecimento das suas bases, ante as habituais objeções, questionando sua jurisdição e competência. O principal tribunal internacional tem papel relevante a cumprir, enquanto instituição e enquanto responsável pela efetividade da aplicação e controle da consistência de interpretação do direito internacional, ao menos entre estados e ao menos em relação às questões que à Corte sejam submetidas. São estes dados positivos a serem levados em conta.

Situação diversa e nova dimensão da ação do ser humano no plano internacional ocorre quando se trate de alegar dever de ingerência humanitário, pois se trata de campo todavia incipientemente regulado, onde claramente seres humanos e organizações não governamentais vêm se mostrando mais ágeis, no processo de tomada de decisões, e mais rápidos em tomar providências, em casos de catástrofes naturais ou humanas, se comparados ao tempo necessário, para a ação ou reação dos estados e organizações intergovernamentais, em relação aos mesmos acontecimentos. Nesse campo, é todavia incipiente a regulação jurídica internacional[124] de caráter mais abrangente, sendo muitas vezes eficaz somente em âmbito regional.

---

o estrangeiro em julgamento, para que não houvesse violação pelos EUA de obrigação internacional, estipulada por tratado vigente. Assim, não procede a alegação de se querer criar "instância adicional de apelação", beneficiando estrangeiros em julgamentos nos Estados Unidos. Trata-se, principalmente, de responsabilidade internacional do estado, e da obrigação do estado, depois de assinar e ratificar tratado de o fazer cumprir, não somente em âmbito internacional, mas igualmente em relação a seu ordenamento interno, seus tribunais e sua administração nacional e subdivisões administrativas. Em relação a estas somente o estado, enquanto sujeito de direito internacional, pode assegurar o cumprimento. Em lugar disso, veio o gesto muito significativo de retirar a aceitação da jurisdição da Corte Internacional de Justiça. *V.*, por exemplo: David KENNEDY, **Les clichés revisités, le droit international et la politique** (Paris: Pedone, 2000, "cours et travaux" de l'Univ. Panthéon-Assas – Institut des Hautes Études Internationales de Paris – Droit international, v. 4, p. 7-178).

123. Como examina Pierre COT, "*Conclusions générales*" (in SFDI – Société Française pour le Droit International. **La protection consulaire** – "Actes de la journée d'études de la SFDI ... 2005", Paris: Pedone, 2006, p. 183-185), mesmo se a proteção consular tem suas raízes na mais remota Antiguidade, seu desenvolvimento prossegue nos tempos e acompanha o crescimento das relações econômicas e comerciais internacionais, no que hoje se chama a livre circulação de pessoas, de bens e de capitais. Não somente foi objeto de grande número de convenções, bilaterais ou regionais, mas também foi codificada pela Convenção de Viena sobre relações consulares de 24 de abril de 1963.

124. Como referido, *v.* o exame da matéria no colóquio da SFDI, sobre a proteção consular: Société Française pour le Droit International. **La protection consulaire** ("cet ouvrage contient les Actes de la journée d'études de la SFDI org. par l'Univ. Jean Moulin Lyon 3, tenue dans la salle Caillemer de la Fac. de droit le 2 décembre 2005", Paris: Pedone, 2006).

Excepcionalmente, a *proteção diplomática podia ser exercida com relação a nacionais de terceiro estado*, quando este, por tratado ou temporariamente, tivesse confiado sua representação diplomática ao estado que reclama proteção. Essas hipóteses podem ainda ocorrer em contexto de guerra ou mesmo de simples ruptura de relações diplomáticas entre dois ou mais estados[125]. Amplia-se o escopo do conceito tradicional da proteção consular na evolução do processo de integração, no âmbito da União Europeia, sobretudo a partir do Tratado de União Europeia, assinado em Maastricht, em 7 de fevereiro de 1992, em vigor desde 1º de novembro de 1993, se instaura o conceito de *cidadania da união*. Mais adiante, no Tratado de Amsterdam, de 2 de outubro de 1997, em vigor desde 1º de maio de 1999[126], exprime-se o anseio quanto a ser esta condição de cidadania uniformemente tratada, não somente no contexto interno, como internacionalmente, o que poderia incluir o exercício da proteção diplomática, em relação a terceiros estados, caso não haja representação diplomática e consular do estado de nacionalidade do "cidadão europeu" no estado onde este resida ou se encontre temporariamente. Referida pretensão tem de ser aceita pelo estado territorial.

No exercício da proteção diplomática, cabe ao estado procurar, como regra geral, evitar prejuízo, que ameace um de seus nacionais, ou obter que o estado, ao qual se dirige, repare prejuízo já causado, ou faça cessar denegação de justiça.

A proteção manifesta-se, ordinariamente, por meio de comunicações do representante diplomático do estado reclamante, feitas verbalmente ou por escrito, ao ministério das relações exteriores do outro estado.

A boa-fé e a cortesia exigem que o estado não exerça a proteção diplomática sem exame prévio do assunto e a convicção de que seu ato se justifica. É ainda menos admissível que um estado apresente reclamação dessa natureza sabendo que a mesma carece de fundamento ou se baseia sobre dados falsos ou errôneos. Além disso, se o estado ao qual é dirigida a reclamação a aceita e concede reparação pecuniária, e mais tarde se prova que a pretensão não tinha fundamento, o estado reclamante deverá restituir a quantia recebida.

---

125. *V.* a respeito, item 8.2.6, sobre a "*ruptura de relações diplomáticas*". A ocorrência dessa ruptura não acarreta necessária e simultaneamente o rompimento das relações consulares, entre os mesmos estados.

126. P. B. CASELLA, **União europeia: instituições e ordenamento jurídico** (São Paulo: LTr, 2002, esp. 3.4. A implementação da União e suas perspectivas, p. 183-191). *V.* tb. Eric WYLER e Alain PAPAUX (eds.). **L'extranéité ou le dépassement de l'ordre juridique étatique** ("Actes du colloque des 27 et 28 novembre 1997 org. par l'Institut d'études en droit international de la Fac. de droit de l'Univ. de Lausanne", Paris: Pedone, 1999) onde se enfatiza a conjugação entre a extraneidade de valores e a extraneidade de sistemas, ambas entendidas como parte do fenômeno da extraneidade na superação das ordens jurídicas estatais, como notoriamente ocorre no âmbito da União Europeia. *V.*, ainda, Augusto JAEGER Jr., **Europeização do direito internacional privado** – Caráter universal da lei aplicável e outros contrastes com o ordenamento jurídico brasileiro (Curitiba: Juruá, 2012).

Ao menos por considerações de cortesia internacional, um estado não deve exercer sua proteção diplomática em favor de um seu nacional que tenha cometido algum crime grave durante sua permanência no país estrangeiro junto a cujo governo quer ser protegido, ou que tenha dado provas de extrema deslealdade para com esse governo.

6

TERRITÓRIO

O território é elemento constitutivo do estado, representado pela porção da superfície do globo terrestre sobre a qual este exerce, habitualmente, sua dominação exclusiva, ou conjunto de direitos, inerentes à soberania[1], como exprime a dimensão espacial, na qual se encontra instalada e vive a humanidade.

Da concepção, antes vigente, de ênfase na ***territorialidade*** estatalmente delimitada e exercitada se passa, mais e mais, à cognição da ***interdependência*** do gênero humano, sobre o planeta (geograficamente limitado) e os recursos deste (passíveis de esgotamento, em razão da utilização predatória e inconsciente)[2]. O que o território ganha em extensão conceitual, perde em determinação estrita.

O território está entre as questões centrais das relações interestatais e do direito internacional. Seu tratamento jurídico, segundo D. ALLAND (1987), mostra a sua ***heterogeneidade: quantitativa e qualitativamente diversificado, reveste-se de valores e significações variadas***. Do ponto de vista da espacialidade da política dos estados, ou do ponto de vista da análise teórica das normas, revela-se a dissociação do espaço sensível e do espaço jurídico. Mais do que essa dissociação, são as modalidades nas quais esta opera reveladoras de tensões que marcam o conjunto do direito internacional pós-moderno[3].

---

1. Como se considerou, na parte relativa ao "estado no direito internacional", e especificamente dentre os "elementos constitutivos" do estado. Veja-se, tb., P. B. CASELLA **Direito internacional dos espaços** (São Paulo: Atlas, 2009; Jean-Paul PANCRACIO, **Droit international des espaces**: air/mer/fleuves/terre/cosmos (Paris: Armand Colin/Masson, 1997).

2. Como se passa a considerar na "proteção internacional do meio ambiente", Parte 7, *infra*.

3. G. ABI-SAAB, *La souveraineté permamente sur les ressources naturelles et les activités économiques* (in **Droit international**, Paris: Pedone/UNESCO, 1991, p. 639-661); Aziz N. AB'SÁBER, **Litoral do Brasil** (São Paulo: Metalivros,

2005); W. ADALBERTO, Príncipe da Prússia, **Brasil: Amazonas-Xingu** (1848, trad. de Eduardo de Lima e CASTRO, Brasília: Senado Federal – Conselho Editorial, 2002); D. ALLAND, Denis, *Les représentations de l'espace en droit international public* (in **Le droit international**, Paris: Archives de philosophie du droit, 1987, v. 32, p. 163-178); J. Ribeiro do AMARAL, **Fundação de Belém do Pará**: jornada de Francisco Caldeira de CASTELO BRANCO em 1616 (original de 1915, Brasília: Senado Federal, 2004); João A. A. AMORIM, **Direito das águas**: o regime jurídico da água doce no direito internacional e no direito brasileiro (pref. Pedro DALLARI, São Paulo: Lex, 2009); J. ANCEL, **Les frontières, étude de géographie politique** (RCADI, 1936, v. 55, p. 203-298); J. ANDRASSY, **Les relations internationales de voisinage** (RCADI, 1951, t. 79, p. 73-182); Fernando AREA e Elke Nieschulz de STOCKHAUSEN, **El golfo de Venezuela**: documentación y cronologia (Caracas: Instituto de Estudios Políticos/Facultad de Ciencias Jurídicas y Políticas/ Univ. Central de Venezuela, 1984); Fulvio ATTINA, *Secessão* (no **Dicionário de política**, Norberto BOBBIO, Nicola MATTEUCCI e Gianfranco PASQUINO, © 1983, trad. L.G. PINTO CACAIS, J. FERREIRA, G. LO MÔNACO, R. DINI e C. C. VARRIALLE, rev. geral J. FERREIRA e L. G. PINTO CACAIS, Brasília: Ed. UnB, 1986, p. 1141-1142); J.-L. de AZCARRAGA, *La sentencia del Tribunal Internacional de Justicia sobre los casos de la plataforma continental del mar del norte* (Rev. española. der. int'l., 1969, v. 22, p. 569); Maurice BALLET, **L'air et le droit** (Lyon: Imprimerie Bosc frères et Rion, 1927); Julio A. BARBERIS, *"La concepción brasileña del uti possidetis"* (in **Dimensão internacional do direito**: estudos em homenagem a G. E. do NASCIMENTO E SILVA, São Paulo: LTr, 2000, p. 33-48); J. BARBERIS, *Le régime juridique international des eaux souterraines* (AFDI, 1987, p. 129-162); J. BARBERIS, **Los recursos naturales compartidos entre estados y el derecho internacional** (Madrid: Tecnos, 1979); Daniel BARDONNET, **Les frontières terrestres et la relativité de leur tracé**: problèmes juridiques choisis (RCADI, 1976, v. 153, p. 9-166); S. BASTID, **Les problèmes territoriaux dans la jurisprudence de la Cour internationale de Justice** (RCADI, 1962, t. 107, p. 361-495); R. R. BAXTER, **The law of international waterways. Interoceanic Canals** (Harvard: Univ. Press, 1964); M. BEDJAOUI, *L'espace extra-atmosphérique: un univers en partage* (in **L'adaptation du droit de l'espace à ses nouveaux défis: mélanges en l'honneur de Simone COURTEIX**, sous la dir. de A. KERREST, Paris: Pedone, 2007, p. 7-12); C. BEREZOWSKI, **Le développement progressif du droit aérien** (RCADI, 1969, t. 128, p. 1-94); R. BERMEJO, **L'Antarctique et ses ressources minérales**: le nouveau cadre juridique (Paris: PUF/publications de l'Institut Universitaire de Hautes Études Internationales de Genève, 1990); R. BERNHARDT, **Custom and treaty in the law of the sea** (RCADI, 1987, t. 205, p. 247-330) C. G. BIENER, **De natura et indole dominii in territoriis Germaniae** (Halle, 1780); M. D. BLECHER, *Equitable delimitation of continental shelf* (AJIL, 1979, v. 73, p. 60); S. K. N. BLAY, *New trends in the protection of the Antarctic environment: the 1991 Madrid Protocol* (AJIL, 1993, p. 377); J. BLOCISZWESKI, **Le régime international du Danube** (RCADI, 1926, t. 11, p. 253-340); B. A. BOCZEK, *The Artic Ocean and the new law of the sea* (GYIL, 1986, p. 154); P. BONASSIES, **Problèmes rélatifs à la loi du pavillon** (RCADI, 1969, t. 128, p. 505-630); M. BOURQUIN, **L'organisation internationale des voies de communication** (RCADI, 1924, t. 5, p. 159-210); Charles R. BOXER, **Salvador de Sá e a luta pelo Brasil e Angola, 1602-1686** (do original inglês **Salvador de Sá and the struggle for Brazil and Angola, 1602-1686**, © 1952 trad. Olivério M. de Oliveira PINTO, São Paulo: Nacional/EDUSP, 1973); Ian BROWNLIE, **Legal status of natural resources in international law: some aspects** (RCADI, 1979, t. 162, p. 245-308); S. BUARQUE DE HOLANDA, **Visão do paraíso: os motivos edênicos no descobrimento e colonização do Brasil** (São Paulo: Nacional/Secretaria da cultura, ciência e tecnologia, 3. ed., 1977); L. CAFLISCH, *L'Antarctique, nouvelle frontière sans frontières?* (in **Le droit international au service de la paix, de la justice et du développement: Mélanges M. VIRALLY**, Paris: Pedone, 1991, p. 157-173); L. CAFLISCH, **Règles générales du droit des cours d'eau internationaux** (RCADI, 1989, t. 219, p. 9-226); H. CAMINOS, **The legal regime of straits in the 1982 United Nations Convention on the Law of the Sea** (RCADI, 1987, t. 205, p. 9-246); J. J. Gomes CANOTILHO (org.), **O regime jurídico internacional dos rios transfronteiriços** (Coimbra: Coimbra Ed., 2006); Ulisses CAPOZOLI, **Antártida: a última terra** (São Paulo: EDUSP, 3. ed., 2001); J. A. CARRILLO SALCEDO, *Le concept de patrimoine commun de l'humanité* (in **Ouvertures en droit international: hommage à René-Jean DUPUY**, Paris: Pedone, 1998, p. 55-66); Xavier de CASTRO (édition établie, en collab. avec Jocelyn HAMON et Luís Felipe THOMAZ), **Le Voyage de Magellan (1519-1522)**: la relation d'Antonio Pigafetta & autres témoignages (Paris: Chandeigne, 2007, 2 vols.); C. G. CAUBET, **As grandes manobras de Itaipu: energia, diplomacia e direito na bacia do Prata** (São Paulo: Acadêmica, 1991); L. B. de CHAZOURNES, *Le droit international de l'eau: tendances récentes* (Anuário Bras. de Direito Internacional, III, 2008, v. 2, p. 137-150); Bin CHENG, **Studies on International Space Law** (Oxford: Clarendon Press, 1998); Anne CHOQUET, *Contribution française à la mise en œuvre du Protocole de Madrid relatif à la protection de l'environnement en Antarctique* (RGDIP, 2003, p. 907 s.); M. COHEN, **The regime of boundary waters: the Canadian-United States experience** (RCADI, 1975, t. 146, p. 219-339); Claude-Albert COLLIARD, *Le droit de l'espace ou le ciel et la terre* (in **La communauté internationale: Mélanges Charles ROUSSEAU**, Paris: Pedone, 1974, p. 63-74); C.-A. COLLIARD, **Évolution et aspects actuels du régime juridique des fleuves internationaux** (RCADI, 1968, t. 125, p. 337-442); Jaime CORTESÃO, **Tratado de Madri** (originalmente publicada **Alexandre de Gusmão e o tratado de Madri** em 1953, apres. Álvaro da Costa FRANCO, ed. fac-similar, Brasília: Senado Federal, 2001, 2 vols.); João Frank da COSTA, *A teoria dos setores polares* (Boletim SBDI,

1951, p. 87); COSTA, *Antártica: o problema político* (Revista Brasileira de Política Internacional, set. 1958, p. 41); Pedro COSTA e José SARNEY, **Amapá: a terra onde o Brasil começa** (Brasil: Senado Federal, 2. ed., 1999); J. COURATIER, **Le système antarctique** (Bruxelas: Bruylant, 1991); G. CRUSEN, **Les servitudes internationales** (RCADI, 1928, t. 22, p. 1-80); A. DECENCIERE-FERRANDIERE, *Essai historique et critique sur l'occupation comme mode d'acquérir les territoires en droit international* (RDILC, 1937, p. 72); Y. DELAYE, **La frontière et le texte** (Paris: Payot, 1977); Augusto A. DERGINT, **Nutzung von Binnengewässern und völkerrechtliche Haftung für grenzüberschreitende Umweltschäden** (Baden-Baden: Nomos, "Saarbrücker Studien zum Internationalen Recht", v. 32, 2006); I. H. DIEDERIKS-VERSCHOOR, **An Introduction to Space Law** (Dordrecht: Kluwer, 2nd ed., 1999); DIEDERIKS-VERSCHOOR, **Similarities with and differences between Air and Space Law primarily in the field of private international law** (RCADI, 1981, t. 172, p. 317-423); G. DISTEFANO, **L'ordre international entre légalité et effectivité: le titre juridique dans le contentieux territorial** (préface de Georges ABI-SAAB, Paris: Pedone/Genève: Institut univ. des hautes études internationales, 2002); René DOLLOT, **Le droit international des espaces polaires** (RCADI, 1949, t. 75, p. 115-200); Donato DONATI, **Stato e territorio** (Roma: Athenaeum, 1934); Alcide D'ORBIGNY, **Voyage dans l'Amérique méridionale**: Pampas – Patagonie (La Rochelle: Découvrance Éd., 2007); R. J. DUPUY e Daniel VIGNES, **Traité du nouveau droit de la mer** (Paris: Economica/Bruxelas: Bruylant, 1985); R. J. DUPUY, *Le traité sur l'Antartique* (AFDI, 1960, p. 111); G. ELIAN, **Le principe de la souveraineté sur les resources nationales et ses incidences juridiques sur le commerce international** (RCADI, 1976, t. 149, p. 1-85); R. ERICH, **La question des zones démilitarisées** (RCADI, 1929, t. 26, p. 587-668); R. ERICH, **La naissance et la reconnaissance des états** (RCADI, 1926, t. 13, p. 427-508); J. ESCARRA, **Le régime des concessions étrangères en Chine** (RCADI, 1929, t. 27, p. 1-140); A. van der ESSEN, *Les régions arctiques et antarctiques* (in **Traité du nouveau droit de la mer**, op. cit. 1985, p. 463 s.); F. EUSTACHE, *L'affaire du plateau continental de la mer du nord devant la Cour Internationale de Justice* (RGDIP, 1970, v. 74, p. 590); Paul FAUCHILLE, **Le domaine aérien et le régime juridique des aérostats** (Paris: Pedone, 1901); P. FEDOZZI, **La condition juridique des navires de commerce** (RCADI, 1925, t. 10, p. 1-222); Marc FERRO, **História das colonizações**: das conquistas às independências – séculos XIII a XX (do original **Histoire des colonisations: des conquêtes aux indépendances XIIIe. au XXe. siècles** © 1994, trad. Rosa Freire D'AGUIAR, São Paulo: Cia. das Letras, 1996); A. R. FERREIRA, **Viagem ao Brasil**: "expedição philosophica pelas capitanias do Pará, Rio Negro, Mato Grosso e Cuyabá" (documentos do Museu BOCAGE de Lisboa, intr. Carlos ALMAÇA, notícia sobre A. R. FERREIRA e sua obra por José Pereira da SILVA, transcr. e comentários Dante Martins TEIXEIRA e Nelson PAPAVERO, São Paulo: Kapa Edtrl./Fund. VITAE, 2002, 2 vols.); Jete J. FIORATTI, **A disciplina jurídica dos espaços marítimos na Convenção das Nações Unidas sobre o direito do mar de 1982 e na jurisprudência internacional** (Rio de Janeiro: Renovar, 1999); C. A. FLEISCHER, **The new regime of maritime fisheries** (RCADI, 1988, t. 209, p. 95-222); Hernani G. FORTUNA, *O poder marítimo como projeção do poder nacional* (no volume **Questões importantes referentes ao mar**, coord. Georgette N. NAZO, São Paulo: SOAMAR – Sociedade Amigos da Marinha, 1996, p. 135-152); F. FRANCIONI, **La conservation et la gestion des ressources de l'Antarctique** (RCADI, 1996, t. 260, p. 239-404); J. P. A. FRANÇOIS, *Réflexions sur l'occupation* (in **Recueil d'études de droit international en hommage à P. Guggenheim**, Genebra: IUHEI, 1968, p. 793); Gilberto FREYRE, *Uma visão quase apologética do comportamento hispânico ou ibérico nos trópicos* (trad. Roberto H. GALVÃO, in **Palavras repatriadas**: "textos reunidos, anotados e prefaciados" por E. N. da FONSECA, Brasília: Ed. UnB/São Paulo: Imprensa Oficial do Estado, 2003, p. 427-462); A. GANDOLFI, **Le système antarctique** (Paris: PUF – Que sais-je? v. 2511, 1989); Domingos S. C. GARCIA, **Os belgas na fronteira oeste do Brasil** (Brasília: FUNAG, 2009); Márcio P. GARCIA, *Aviação civil e terrorismo* (in **Terrorismo e direito**, coord. L. BRANT, Rio de Janeiro: Forense, 2003, p. 299-318); G. GIDEL, **La mer territoriale et la zone contiguë** (RCADI, 1934, t. 48, p. 133-278); D. GOEDHUIS, **Conflicts of law and divergencies in the legal regimes of air space and outer space** (RCADI, 1963, t. 109, p. 257-346); D. GOEDHUIS, **Questions of public international air law** (RCADI, 1952, t. 81, p. 201-308); E. GONZÁLEZ LAPEYRE, **Transport maritime et régime portuaire** (RCADI, 2004, t. 308, p. 253-378); S. GOROVE, **International space law in perspective**: some major issues, trends and alternatives (RCADI, 1983, t. 181, p. 349-409); A. GROS, **La convention sur la pêche et la conservation des ressources biologiques de la haute mer** (RCADI, 1959, t. 97, p. 1-90); G. GUILLAUME, *Le statut de l'Antarctique, réflexions sur quelquer problèmes récents* (in **Mélanges DUPUY**, Paris: Pedone, 1991, p. 171); W. GULDMANN, *Air carriers' liability in respect of passengers from Warsaw 1929 via The Hague 1955 to Guatemala City 1971* (RCADI, 1972, t. 135, p. 435-478); R. E. GUYER, **The Antarctic System** (RCADI, 1973, t. 139, p. 149-226); R. HAAS, **Régime international des zones franches dans les ports maritimes** (RCADI, 1928, t. 21, p. 371-428); A. P. HIGGINS, **Le régime juridique des navires de commerce** en haute mer en temps de paix (RCADI, 1929, t. 30, p. 1-80); C. E. HILL, **Le régime international des détroits maritimes** (RCADI, 1933, t. 45, p. 475-556); J. F. HOSTIE, **Examen de quelques règles du droit international dans le domaine des communications et du transit** (RCADI, 1932, t. 40, p. 397-524); HOSTIE, **Le statut international du Rhin** (RCADI, 1929, t. 28, p. 105-230); L. IMBERT, *Le régime juridique actuel du Danube* (RGDIP, 1951, p. 73); S. P. JAGOTA, **Maritime boundary** (RCADI, 1981, t. 171, p. 81-223); C. Wilfred JENKS, **Space law** (London: Stevens/Washington: Praeger, 1965); P. C. JESSUP, **L'exploitation des**

richesses de la mer (RCADI, 1929, t. 29, p. 401-514); E. JIMENEZ DE ARECHAGA – H. ARBUET VIGNALI – R. PUCEIRO RIPOLL, **Derecho internacional público** (Montevideo: Fond. de cultura univ., t. 3, 2012, caps. XXI a XXV, p. 233-556); M. KAMTO, *Le matériau cartographique dans les contentieux frontaliers et territoriaux* (in **Liber amicorum Mohammed BEDJAOUI**, Haia: Kluwer, 1999, p. 371-398); C. A. KISS, **La notion de patrimoine commun de l'humanité** (RCADI, 1982, t. 175, p. 99-256); A. KERREST (dir.), **L'adaptation du droit de l'espace à ses nouveaux défis**: Mélanges COURTEIX (Paris: Pedone, 2007); V. KOUTIKOV, **Les problèmes du droit international privé fluvial** (RCADI, 1969, t. 127, p. 247-354); J. L. KUNZ, *The Danube regime and the Belgrade Conference* (AJIL, 1949, p. 104); M.-F. LABOUZ, *Les aspects stratégiques de la question de l'Antarctique* (RGDIP, 1986, p. 579-595); A. J. LANDI, **Amazônia felsínea**: itinerário artístico e científico de um arquiteto bolonhês na Amazônia do século XVIII (Lisboa: Comissão nacional para as comemorações dos descobrimentos portugueses, 1999); P. G. de LA PRADELLE, **Notions de territoire et d'espace dans l'aménagement des rapports internationaux contemporains** (RCADI, 1977, t. 157, p. 415-484); P. de LA PRADELLE, **Les frontières de l'air** (RCADI, 1954, t. 86, p. 117-202); R. LAUN, **Le régime international des ports** (RCADI, 1926, t. 15, p. 1-144); U. LEANZA, **Le régime juridique international de la mer méditérranée** (RCADI, 1992, t. 236, p. 127-460); V. LEISTER, *O Comitê para o Uso Pacífico do Espaço Exterior (Copuos) da Organização das Nações Unidas* (in **Reflexões sobre os 60 Anos da ONU**, coord. A. MERCADANTE e J. C. de MAGALHÃES, Ijuí: Unijuí, 2005, p. 398-412); C. LÉVI-STRAUSS, **Tristes trópicos** (do original **Tristes tropiques** © 1955, trad. Rosa Freire D'AGUIAR, São Paulo: Cia. das Letras, 1996, reimpr. 2000); O. LISSITZYN, **Territorial entities other than independent states in the law of treaties** (RCADI, 1968, t. 125, p. 1-92); H. LYRA, *A soberania brasileira nas ilhas do Atlântico* (Boletim SBDI, v. 1, 1945, p. 37); J. MALENOVSKY, *Problèmes juridiques liés à la partition de la Tchécoslovaquie* (A.F.D.I., 1993, v. XXXIX, p. 305-336); A. MANDELSTAM, **La politique russe d'accès à la Méditérranée au XXe siècle** (RCADI, 1934, t. 47, p. 597-802); M. G. MARCOFF, **Sources du droit international de l'espace** (RCADI, 1980, t. 168, p. 9-122); F. MAREK, *Le problème des sources du droit international d'après l'arrêt de la Cour Internationale de Justice du 20 février 1969, concernant la mer du nord* (Rev. belge de droit int'l., 1970, v. 6, p. 44); N. MATEESCO MATTE, **Space Activities and Emerging International Law** (Montreal: McGill University, 1984); MATEESCO MATTE, **Aerospace law: telecommunications satellites** (RCADI, 1980, t. 166, p. 119-249); R. MEHDI, *L'application par le juge du principe de l'uti possidetis* (in **Le juge international et l'aménagement de l'espace**, dir. Ph. WECKEL, Paris: Pedone, 1998, p. 57-89); R. MEHDI e J. M. SOREL, *L'uti possidetis entre la consécration juridique et la pratique: essai de réactualisation* (A.F.D.I., 1994, v. XL, p. 10-40); A. MEYER-HEINE, *L'application par le juge du principe de l'effectivité* (in **Le juge international et l'aménagement de l'espace: la spécificité du contentieux territorial**, dir. Ph. WECKEL, Paris: Pedone, 1998, p. 35-56); L. A. MONIZ BANDEIRA, **La formación de los Estados en la cuenca del Plata: Argentina, Brasil, Uruguay, Paraguay** (trad. M. GRINBERG, Buenos Aires: Norma, 2006); M. W. MOUTON, **The international regime of the polar regions** (RCADI, 1962, t. 107, p. 169-286); M. MOUTON, **The continental shelf** (RCADI, 1954, t. 85, p. 343-466); A. MOVCHAM, **Problems of boundaries in the Helsinki Declaration** (RCADI, 1977, t. 154, p. 1-43); F. MÜNCH, *Das Urteil des Internationales Gerichtshofes vom 20. Februar 1969 über den deutschen Anteil am Festlandsockel in den Nordsee* (ZaöRV, 1969, v. 29, p. 455); A. MYRDAL, *Preserving the oceans for peaceful purposes* (RCADI, 1970, t. 133, p. 1-14); G. E. do NASCIMENTO E SILVA, *Pollution of the sea from land-based activities* (in **Hector Gros Espiell Amicorum Liber**, Bruxelles: Bruylant, 1997, v. I, p. 269-278); G. E. do NASCIMENTO E SILVA, *A utilização dos rios internacionais e o MERCOSUL* (in **Contratos internacionais e direito econômico no MERCOSUL: após o término do período de transição**, coord. P. B. CASELLA et al., São Paulo: LTr, 1996, p. 506-517); G. NAZO (coord.), **Questões importantes referentes ao mar** (São Paulo: Soc. Amigos da Marinha, 1996); D. O'CONNELL, *Adumbrations of the continental shelf doctrine* (in **La communauté internationale: Mélanges C. ROUSSEAU**, Paris: Pedone, 1974, p. 173-185); S. ODA, **International law of the resources of the sea** (RCADI, 1969, t. 127, p. 355-484); F. ORREGO-VICUÑA, *Development of international cooperation in Antarctica and the Southern Ocean* (in **Dimensão internacional do direito: estudos em homenagem a G. E. do NASCIMENTO E SILVA**, org. P. B. CASELLA, São Paulo: LTr, 2000, p. 311-318); F. ORREGO VICUÑA e Maria Teresa INFANTE, *Le droit de la mer dans l'Antartique* (RGDIP, 1980, p. 340-350); F. PAOLILLO, **The institutional arrangements for the international sea-bed and their impact on the evolution of international organizations** (RCADI, 1984, t. 188, p. 135-337); Arvid PARDO, **The common heritage: selected papers on oceans and world order 1967-1974** (Malta: Malta Univ. Press, 1975); E. PEPIN, **Le droit aérien** (RCADI, 1947, t. 71, p. 477-548); D. PHARAND, **The legal status of the Arctic regions** (RCADI, 1979, t. 163, p. 49-115); J. F. PREVOST, *Observations sur l'Avis consultatif de la Cour internationale de justice rélatif au Sahara occidental* (Journal du droit international, 1976, p. 834-849); R. PUCEIRO RIPOLL, *En busqueda de un nuevo equilibrio: el protocolo al tratado antartico sobre protección del medio ambiente antartico* (in **Hector Gros Espiell Amicorum Liber**, Bruxelles: Bruylant, 1997, v. II, p. 1227-1260); J.-P. PUISSOCHET, *Le protocole au traité sur l'Antarctique relatif à la protection de l'environnement (Madrid, 4 octobre 1991)* (AFDI, 1991, p. 755); K. R. PUSTA, **Le statut juridique de la mer Baltique à partir du XIXe siècle** (RCADI, 1935, t. 52, p. 105-190); R. QUADRI, **Droit international cosmique** (RCADI, 1959, t. 98, p. 505-600); E. RADNITZKY, *Meeresfreiheit und Meeresgemeinschaft* (Archiv für öffentliches Recht, v. 22, n. 3/4, 1907); E. RADNITZKY, *Die rechtliche Natur*

A evolução do tratamento do território, no direito internacional, é indispensável para a compreensão dessa dimensão. Após breve menção à evolução do território no direito internacional se passa a considerar a demarcação, distinguindo o regime aplicável a montanhas, rios, lagos ou mares internos e ilhas.

---

des Staatsgebiets (Archiv für öffentliches Recht, v. 20, n. 3, 1906; tb. publ. *Oesterreichische Zeitschrift für öffentliches Recht*, III, 1917, p. 452 s.); V. Marotta RANGEL, **Le plateau continental dans la Convention de 1982 sur le droit de la mer** (RCADI, 1985, t. 194, p. 269-428); H. D. REID, **Les servitudes internationales** (RCADI, 1933, t. 45, p. 1-74); E. REY CARO, *Antartique* (in **Droit international**, Paris: Pedone/UNESCO, 1991, v. II, p. 1043-1054); N. F. RIBEIRO, **A questão geopolítica da Amazônia: da soberania difusa à soberania restrita** (Brasília: Senado Federal, 2005); J. M. Paranhos do RIO BRANCO, **Obras, vol. III Questões de limites: Guiana francesa, 1ª Memória** (Rio de Janeiro: Ministério das Relações Exteriores, 1945); RIO BRANCO, **Obras, vol. IV Questões de limites: Guiana francesa, 2ª Memória** (Rio de Janeiro: Ministério das Relações Exteriores, 1945); A. Amaral de SAMPAIO, *A evolução histórica da ocupação em direito internacional* (Boletim SBDI, 1958, p. 70); L. I. SANCHEZ RODRIGUEZ, **L'uti possidetis et les effectivités dans les contentieux territoriaux et frontaliers** (RCADI, 1997, t. 263, p. 149-382); A. SANTOS DUMONT, **Dans l'air** (Paris: Eugène Fasquelle, 1904); G. SAUSER-HALL, **L'utilisation industrielle des fleuves internationaux** (RCADI, 1953, t. 83, p. 465-586); M. SCERNI, **Les espaces maritimes et le pouvoir des états** (RCADI, 1967, t. 102, p. 107-172); W. SCHOENBORN, **La nature juridique du territoire** (RCADI, 1929, t. 30, p. 81-189); J. SETTE-CÂMARA, José, **Pollution of international rivers** (RCADI, 1984, t. 186, p. 117-217); A. SIEGFRIED, **Les canaux internationaux et les grandes routes maritimes mondiales** (RCADI, 1949, t. 74, p. 1-72); M. SIOTTO PINTOR, **Le régime international de l'Escaut** (RCADI, 1928, t. 21, p. 279-370); R. C. SPECIALI, **Fundamentals of Aviation Law** (New York: McGraw-Hill, 2006); R. STENUIT, **La radiophonie et le droit international public** (Paris: Sirey, 1932); L. STRISOWER, **L'exterritorialité et ses principales applications** (RCADI, 1923, t. 1, p. 229-288); J. SYMONIDES, *Le plateau continental* (in **Droit international**, Paris: Pedone/UNESCO, 1991, v. II, p. 931-945); J. SYMONIDES, **Geographically disadvantaged states under the 1982 Convention on the law of the sea** (RCADI, 1988, t. 208, p. 283-406); M. de TAUBE, **Le statut juridique de la mer Baltique jusqu'au XIXᵉ siècle** (RCADI, 1935, t. 53, p. 437-530); TRAN Van Minh, *Remarques sur le principe de l'intangibilité des frontières* (in **Peuples et états du tiers monde face à l'ordre international**, Paris: PUF, 1978, p. 51 s.); T. TREVES, **Codification du droit international et pratique des états dans le droit de la mer** (RCADI, 1990, t. 223, p. 9-302); J.-C. VENEZIA, *Logique nucléaire et paradoxes diplomatiques* (in **Mélanges Louis TROTABAS**, Paris: L.G.D.J., 1970, p. 459-478); D. VIGNES, *La mort de la loi du pavillon, avec l'arraisonnement en haute mer des bateaux de pêche par tout navire étranger* (in **Dimensão internacional do direito: estudos G. E. do NASCIMENTO E SILVA**, coord. P. B. CASELLA, São Paulo: LTr, 2000, p. 513-518); D. VIGNES, *René-Jean Dupuy et le nouveau droit de la mer* (in **Ouvertures en droit international: hommage à René-Jean DUPUY**, Paris: Pedone, 1998, p. 83-95); D. VIGNES, *La Convention sur la conservation de la faune et de la flore marines de l'Antarctique* (AFDI, 1980, p. 741); C. VISSCHER, **Problèmes de confins en droit international public** (Paris: Pedone, 1969); C. VISSCHER, **Le droit international des communications** (Paris: A. Rousseau, 1924); F. VISSCHER, **Les conflits de lois en matière de droit aérien** (RCADI 1934, t. 48, p. 279-386); R. WAULTRIN, *La question de la souveraineté des terres arctiques: la question du Spitsberg; la question de l'île des Ours; la question du passage du Nord-Est* (RGDIP, 1908, p.78 s.); Ph. WECKEL (dir.), **Le juge international et l'aménagement de l'espace: la spécificité du contentieux territorial** (Paris: Pedone, 1998); P. WEIL, **Perspectives du droit de la délimitation maritime** (Paris: Pedone, 1988); G. WILSON, **Les eaux adjacentes au territoire des états** (RCADI, 1923, t. 1, p. 123-176); B. WINIARSKI, **Principes généraux du droit fluvial international** (RCADI, 1933, t. 45, p. 75-218); R. WOLFRUM (ed.), **Law of the sea at the crossroads: the continuing search for a universally accepted regime** (Berlin: Duncker & Humblot, 1991); E. WYLER e A. PAPAUX (eds.), **L'extranéité ou le dépassement de l'ordre juridique étatique** (Paris: Pedone, 1999); J. YANGUAS Messia, *L'utilisation hydroélectrique d'un fleuve international* (in **La communauté internationale: mélanges ROUSSEAU**, Paris: Pedone, 1974, p. 341-344); J. A. de YTURRIAGA, **Regional conventions on the protection of marine environment** (RCADI, 1979, t. 172, p. 319-450); R. ZACKLIN, **The problem of Namibia in international law** (RCADI, 1981, t. 171, p. 225-339); M. ZAGO (dir. edtrl.) y J. O. GAZANEO (dir. cient.), **Las misiones jesuíticas del Guayrá** (fotografías Carlos MORDO, textos de Salvador CABRAL, Aníbal G. AMAT, Liliana ROJAS, Graciela CAMBAS, Martín M. MORALES S. J., Jorge O. GAZANEO, Alberto De PAULA, Bozidar D. SUSTERSIC, Roberto Di STEFANO, Buenos Aires/Verona, Italia: UNESCO/ICOMOS, 2. ed., 1995); G. P. ZHUKOV, **Tendances contemporaines du développement du droit spatial international** (RCADI, 1978, t. 161, p. 229-328).

6.1. Evolução do território no direito internacional

A evolução do território, no direito internacional, traz, ao mesmo tempo, a *multiplicação das facetas deste, e a crescente "porosidade" ou fluidez dessa dimensão, antes mais restrita e mais precisamente delimitada*. A base territorial estritamente considerada permanece a referência para a caracterização do feixe de competências estatais (ditas "soberanas"), mas se conjuga com os imperativos da convivência institucional, entre os estados e os interesses e as necessidades do ser humano, também no plano internacional[4].

O território do estado, segundo BARBERIS (1999), constitui capítulo importante do direito internacional e da teoria geral do estado: "os países conferem importância toda especial a tudo o que diz respeito a seu território e os numerosos tratados internacionais que assinam, a fim de o delimitar de maneira precisa e detalhada é prova eloquente dessa afirmação. Existe, igualmente, número considerável de sentenças judiciais e arbitrais que determinam limite entre os territórios de estados vizinhos", de tal modo que "para precisar no que consiste o 'território do estado', é preciso efetuar análise da prática internacional e buscar saber qual o sentido atribuído a tal expressão. O conceito de território do estado está em relação direta com o de 'soberania territorial' e o fato de enunciar definição do 'território do estado' implica, em certa medida, dar, igualmente, definição desta".

Até o fim do século XIX, o território era composto de dois elementos, isto é, o domínio terrestre e o domínio marítimo. No início do século XX, graças a SANTOS DUMONT, agrega-se novo dado, o domínio aéreo. A estes três é necessário acrescentar as projeções da soberania estatal em relação ao domínio marítimo (incluir a plataforma submarina e o subsolo do mar), bem como ao domínio aéreo (a coluna de ar, acima do domínio terrestre e marítimo), e considerar o regime específico, atribuído pelo direito internacional, ao espaço exterior.

A **soberania** do estado em relação ao seu **território** compreende o ***imperium*** e o ***dominium***: o primeiro, constituído por espécie de soberania abstrata, sobre

---

4. *V.* ACCIOLY, **Tratado** (2009, t. 2, segunda parte, "*esferas de validade da ordem jurídica internacional*", p. 156-487); E. GAVIRIA LIÉVANO, **Derecho internacional público** (Santa Fé de Bogotá: Temis, 5. ed., 1998, dedica considerável extensão ao "território", caps. VI a XIV, esp. cap. XII, "*el dominio territorial y los limites de Colombia*", p. 173-192); Albert GUANI, **La solidarité internationale dans l'Amérique Latine** (RCADI, 1925, v. 8, p. 203-340); C. BEVILÁQUA, **Direito público internacional** (2. ed., Rio de Janeiro, 1939, v. 1, p. 295); G. E. do NASCIMENTO E SILVA, A *jurisdição dos estados* (Bol. SBDI, 1960, p. 40); G. E. do NASCIMENTO e SILVA, A utilização dos rios internacionais e o MERCOSUL (in **Contratos internacionais e direito econômico no MERCOSUL**, coord. P. B. CASELLA *et. al.*, São Paulo: LTr, 1996, p. 506-517); C. D. A MELLO, **Curso** (15. ed., Rio de Janeiro: Renovar, 2004, Livro VI, "O território e o direito internacional público", p. 113-1365); Robert JENNINGS, **The acquisition of territory in international law** (New York, 1963); Julio A. BARBERIS, *Les liens juridiques entre l'état et son territoire: perspectives théoriques et évolution du droit international* (AFDI, 1999, p. 132-147); Jeremy BLACK, **Maps and politics** (Londres: Reaktion Books, 1997).

as pessoas que nele se encontram; o segundo, constituído pelo direito exclusivo de reger o território e nele dispor segundo a sua própria vontade, para as necessidades legítimas da coletividade nacional.

O ***dominium*** do estado sobre o território não se confunde, absolutamente, com o direito de propriedade privada, que o estado, da mesma forma que os indivíduos ou qualquer outra pessoa jurídica, também pode possuir. É, antes, espécie de ***domínio eminente***, perfeitamente compatível com a propriedade particular das terras, à qual como que se superpõe, ao mesmo tempo que lhe assegura a proteção do estado.

A alguns internacionalistas repugna a ideia de ***domínio eminente*** do estado, porquanto este pareceria a sobrevivência de certo direito de propriedade do soberano, sobre todas as terras do país. Nesse sentido, E. de VATTEL[5]. Na verdade, o que se deve ter em vista, ao falar em domínio eminente, é apenas a faculdade, ou atributo essencial da soberania, acima referido.

Em princípio, toda a pessoa ou coisa que se encontre no território está sujeita à suprema autoridade do estado e nenhuma autoridade estrangeira tem o direito de aí exercer qualquer jurisdição, salvo, excepcionalmente, em casos admitidos e regulados pelo direito internacional[6]. Mesmo ante a inocorrência de limite legalmente delimitado, o exercício extraterritorial da jurisdição, por qualquer estado, no território de outro, deve subordinar-se aos imperativos da *comitas gentium*, da boa convivência entre os estados.

Do ponto de vista da configuração, ou maneira como se acha disposta a superfície, o território do estado pode ser: ***íntegro*** ou ***compacto***, quando constituído por porção compacta da superfície da terra; ***desmembrado*** ou ***dividido***, quando formado de partes, isto é, quando a superfície apresenta soluções de continuidade; ***encravado***, quando inteiramente cercado pelo território de outro estado. Pode também apresentar-se sob vários aspectos físicos; e, neste sentido, podemos considerar o **território *terrestre*, o *fluvial*, o *marítimo*, o *lacustre* e o *aéreo***. Em tal acepção, parece preferível o uso do termo *domínio*, em vez de *território*.

6.1.1. demarcação

A demarcação de fronteira, de ordinário confiada a comissões mistas, com-

---

5. Emer de VATTEL, **Direito das gentes** (trad. V. M. RANGEL, 2004, esp. Livro I, Cap. XX, "Bens públicos, comuns e privados", p. 156-166 e s.).
6. Conforme visto a respeito dos direitos e deveres dos estados, 3.6, *supra*. Mattew CRAVEN, *Statehood, self-determination and recognition* (in **International law**, ed. by M. EVANS, Oxford: Univ. Press, 3rd ed., 2010, p. 203-251) insiste na contradição implícita da ideia de estado: de um lado, o antecede, mas, por outro, é produto do direito internacional.

postas de técnicos dos dois países limítrofes, é sempre, ou quase sempre, precedida de algum ajuste especial (a "**delimitação**"), no qual se determina o modo de organização ou de constituição de tais comissões e se lhes traçam as instruções por que se deverão guiar. À determinação de critérios segue a operação física da "**demarcação**".

Os trabalhos dessas comissões são consignados em ***atas*** e indicados em ***mapas***, umas e outros firmados pelos comissários de ambas as partes. Ao trabalho conceitual (**delimitação**), deve seguir-se a operação física (**demarcação**), pela ação de comissão demarcadora.

Para assinalar a linha divisória, as comissões demarcadoras empregam, geralmente, marcos, postes ou pilares, e balizas ou boias. Esses sinais – em geral numerados, às vezes, indicam as respectivas coordenadas geográficas – são usualmente descritos em *termos* ou *atos* especiais, lavrados e assinados por ocasião de sua inauguração.

Às vezes, os marcos não são colocados na própria linha divisória. É o que acontece, frequentemente, em lugares alagadiços ou quando se trata de assinalar a foz de um rio ou a linha divisória num curso d'água. Neste caso, os **marcos** são chamados de ***referência***; e poderemos defini-los como sendo os que indicam, por simples referência, ponto que deles se acha afastado.

A distância em que devem ser colocados os marcos depende, em geral, da natureza do terreno e da existência ou inexistência de população na zona fronteiriça de que se trate. No caso de fronteira muito habitada, há toda a conveniência em que os marcos sejam perfeitamente visíveis dos que lhes ficam contíguos. Esta a razão por que, por exemplo, entre o Brasil e, respectivamente, o Uruguai e o Paraguai, as linhas divisórias, já demarcadas há muitos anos, foram objeto de novos ajustes para a sua melhor caracterização, isto é, para a colocação ou intercalação de novos sinais nas referidas linhas.

Considera-se **definitiva** a ***fronteira demarcada*** cuja demarcação foi aprovada pelos governos interessados. Daí resulta que os marcos colocados em tal fronteira devem sempre ser respeitados, ainda quando se prove a sua má colocação, a menos que, por acordo mútuo, os ditos governos resolvam o contrário.

Na demarcação de fronteiras naturais, surgem frequentemente certas dificuldades, derivadas da natureza da base física da linha divisória. Por isso, alguns critérios devem ser estabelecidos previamente. Conforme se trate de limites em montanhas ou em rios, ou em lagos, as soluções mais geralmente adotadas são as seguintes:

6.1.1.1. montanhas

Duas hipóteses podem ser encontradas, quando a fronteira é constituída por montanha: ou o traçado segue a **linha de cumeadas** ou das máximas alturas, ou segue o divisor de águas, também chamado **linha de partilha das águas** (***divortium aquarum***). Efetivamente, nem sempre existe coincidência entre as duas linhas.

Em geral, as preferências vão para a linha do divisor de águas, porque a outra oferece maiores dificuldades à demarcação.

6.1.1.2. rios

Se a linha divisória corre por rio que separa territórios de dois estados, pode ocorrer uma destas hipóteses: ou o **rio pertence integralmente a um destes** – e, neste caso, o limite passa por uma das margens; ou o **rio é comum a ambos os países ribeirinhos** – e, portanto, é **indiviso**; ou o limite divide o rio em duas partes.

Da primeira hipótese, existem atualmente raros exemplos. Houve um destes, entre o Brasil e o Uruguai: o caso do rio Jaguarão, que até o **Tratado** de 30 de outubro de **1909** pertenceu integralmente ao Brasil.

Na segunda hipótese, o rio, em toda a sua largura, forma a fronteira, e suas águas permanecem em condomínio. Há poucos casos desta espécie, nos tempos atuais.

Na terceira hipótese – sem dúvida a mais comum, nos dias de hoje –, o **limite segue por linha que divide o rio** em duas partes. Isto é, ou se confunde com a linha média fluvial, ou linha equidistante das margens; ou corresponde ao eixo do canal principal ou mais profundo, isto é, ao talvegue.

Em rios não navegáveis, adota-se ordinariamente como limite a linha da meia distância ou linha mediana; e, nos rios navegáveis, a linha do talvegue.

Quando o rio tem dois canais navegáveis, o talvegue é o que, na média, apresenta maior profundidade ou maiores facilidades à navegação dos navios de maior calado. Se a profundidade dos dois é a mesma, então, deve-se escolher como divisa a linha mediana do rio. A solução só deverá ser esta quando a dita linha passa entre os dois canais. Se estes, porém, se acham ambos na mesma metade do rio, parece mais razoável que se adote como fronteira aquele que estiver mais próximo da linha mediana.

Quando, por causas naturais, um rio apresenta graduais ou insensíveis desvios no seu curso, o limite acompanha tais desvios, isto é, a linha divisória continua a seguir o talvegue ou a linha mediana da superfície das águas. Os terrenos abandonados por estas juntam-se à margem adjacente.

Se, todavia, a mudança é súbita e perceptível, ou, antes, quando, em virtude de qualquer fenômeno natural, o rio abandona repentinamente o leito por onde corria e abre caminho através do território de um dos dois estados ribeirinhos, a doutrina corrente manda ou admite que a fronteira continue onde estava, isto é, seja procurada sempre no antigo leito, tornado seco, devendo ser marcada quer pela linha mediana deste, quer por uma linha correspondente ao antigo talvegue. Contudo, é mais razoável a solução inversa, isto é, a adoção do princípio de que, em casos dessa natureza, a linha divisória acompanhe a alteração do curso do rio. Assim pensamos, não só porque é sempre de se presumir que o rio tenha sido escolhido como fronteira principalmente devido ao obstáculo natural formado por suas águas, mas também porque estas constituem sinal muito mais visível do que um leito seco, e, finalmente, porque a conservação da fronteira no antigo leito pode determinar sério prejuízo a um dos estados ribeirinhos, no tocante à navegação fluvial. Evidentemente, a solução que preferimos pode acarretar algum prejuízo territorial a um dos ditos estados, mas tal lesão será facilmente compensada por uma indenização razoável, sem falar que poderá ser, eventualmente, concedida ao estado assim lesado a faculdade de, em certo prazo, fazer voltar o rio ao leito abandonado.

Foi este, exatamente, o critério que prevaleceu na **conclusão do ajuste entre o Brasil e a Grã-Bretanha, sobre a nossa fronteira com a Guiana Britânica**, levado a efeito por notas trocadas em Londres com as datas, respectivamente, de 27 de outubro e 1º de novembro de 1932. De acordo com a proposta brasileira, o governo britânico concordou em que, nos rios limítrofes, "***a água, e não o leito do rio, será o limite***", e que, se qualquer dos ditos rios sofrer completa deslocação, em consequência de fenômeno natural repentino, a linha de fronteira continuará a ser o talvegue do curso d'água.

Não foi esse, entretanto, o primeiro caso internacional em que se adotou o ponto de vista acima sustentado, isto é, da continuação da linha divisória no curso do rio, e não no leito abandonado.

Apesar do número elevado de rios internacionais e da importância crescente destes, não somente para os estados ribeirinhos, como para numerosos outros estados, não existe regime geral indistintamente aplicável a todos, mas se constrói a cada caso, por meio de acordo entre os estados interessados, sobretudo os ribeirinhos e, eventualmente, mediante participação de outros estados.

6.1.1.3. lagos ou mares internos

Salvo acordo em contrário, o limite em lagos ou mares internos segue, ordinariamente, a linha de meia distância entre as margens. Isto, porém, depende muito da forma e da área da superfície líquida. De fato, se se trata de superfície estreita e longa, entre dois estados, é esse o critério seguido. Se, no entanto, porções de ambas as margens pertencem a um só estado, podem ocorrer situações que encontrarão soluções diferentes. Se a largura do lago ou mar interno é superior a vinte e quatro milhas, pode admitir-se que cada estado marginal estenda a sua soberania até a distância de doze milhas, ficando comum aos estados marginais a faixa central da superfície líquida.

6.1.1.4. ilhas

As ilhas situadas em rios limítrofes pertencem, naturalmente, ao estado dentro de cujos limites se encontram. Se a linha divisória, no rio, não se acha marcada, o talvegue ou a linha mediana, conforme o critério previamente estabelecido, determinará a qual dos ribeirinhos deverão pertencer as ilhas.

Quando o limite adotado é a linha de meia distância, e a ilha ou ilhas se encontram sobre a própria linha, elas serão partilhadas de acordo com esta – a menos que os dois estados ribeirinhos tenham preferido determinar a sua distribuição de acordo com o critério da maior proximidade das margens do rio.

Se o limite acompanha o talvegue e este muda de direção, é de perguntar se tal mudança terá influência sobre a distribuição das ilhas. Alguns tratados determinam que tais mudanças não alterarão a partilha já feita, mas aí surge dificuldade: pois, em geral, esses mesmos tratados não especificam se a conservação das ilhas sob o antigo domínio, apesar da mudança de direção do talvegue, acarreta o abandono deste como linha divisória, no trecho em que se acham as ilhas, ou se o limite continuará a ser determinado pelo talvegue, ficando as ilhas, nesta hipótese, além do limite do estado a que pertencem. Parece-nos mais razoável a primeira hipótese, isto é, a de que, mantido o princípio da inalterabilidade da partilha, a mudança do talvegue não exercerá nenhuma influência em relação ao limite, no trecho considerado, o qual continuará a cobrir as ilhas que nele estavam incluídas, deixando aí de seguir o talvegue desviado.

Se, no entanto, as ilhas se unem à terra firme ao lado do outro estado, a solução deverá ser outra: elas passarão a pertencer ao estado a cuja margem tenham aderido.

Quando, por ação gradual e natural de um rio, cujo limite é traçado pelo talvegue, duas ilhas de domínios diferentes, nele situadas, se unem e formam uma só ilha, o domínio da ilha resultante da fusão deve ser atribuído ao estado em cujo lado se achar, de acordo com a linha do talvegue. Se ocorre o mesmo fenômeno em rio cujo limite é traçado pela linha equidistante das margens, a ilha resultante da fusão será naturalmente cortada pela dita linha e esta a dividirá em duas partes, cabendo uma parte a cada estado ribeirinho.

Quando surgem novas ilhas num rio já delimitado, sua distribuição será feita segundo o critério adotado para a linha divisória, indicando esta a que estado deverão elas pertencer.

Se existe ou é construída alguma ***ponte sobre um rio limítrofe***, a linha divisória, na ponte, nem sempre corresponde ao limite, no rio. Em geral, por conveniências de natureza prática ou de ordem administrativa, esta é estabelecida na seção média transversal entre os dois encontros da ponte. Essa seção média quase sempre coincide com a linha mediana no rio. Mas a sua não coincidência com o limite estabelecido no rio pouco importa, porque a posição da linha de jurisdição na ponte não prejudica de modo algum a linha divisória no rio.

6.1.2. modos de aquisição e de perda do domínio do estado sobre o território

No estudo dos modos de aquisição e de perda do domínio do estado sobre o território, o direito internacional busca, no direito romano, as diretrizes básicas, também quanto à dos citados modos, em originais e derivados. A adaptação de conceitos a partir do direito privado, especialmente do direito civil, também deu lugar a algumas adaptações conceituais.

Nos modos ***originais***, a aquisição do domínio se verificaria em relação a bens que não pertenciam a outro estado. Em tal sentido, teríamos a ***ocupação*** e a ***acessão*** no caso de aluvião ou formação de ilhas, fluviais ou oceânicas.

Nos modos ***derivados*** de aquisição, ocorreria a transmissão de estado a outro, como no caso de ***acessão*** (avulsão ou deslocamento de rio), ***cessão*** ou ***prescrição***.

Quanto aos modos de ***perda do domínio***, correspondem aos modos de aquisição e mais a secessão, ou seja, no caso de um território que passa a adquirir a sua independência.

Os modos de aquisição e de perda do domínio estatal referem-se quase exclusivamente ao domínio terrestre. Serão, assim, mencionados: ***ocupação*** (6.1.2.1) ***acessão*** (6.1.2.2), ***cessão*** (6.1.2.3), ***prescrição*** (6.1.2.4) e ***anexação*** (6.1.2.5).

6.1.2.1. ocupação

A ***ocupação*** foi considerada o modo mais frequente de aquisição de domínio. Para GRÓCIO se tratava do único modo natural e originário. Consistia na apropriação, por determinado estado, de território não pertencente a nenhum outro estado, ainda que tal território seja habitado, contanto que, neste caso, a respectiva população não tivesse organização política ou a sua organização não lhe permitisse reclamar direito de ocupação anterior.

O conceito jurídico da ocupação nem sempre foi o mesmo. Se, presentemente, exige-se a reunião de certos elementos para a sua validade, houve épocas em que as regras seguidas eram muito mais simples. Se durante a idade média o título aquisitivo era atributivo, mais que simplesmente fático[7], com a era das grandes navegações, o espírito de aventura e o gosto pela conquista de novas terras fazem passar a considerar o simples ***descobrimento*** como título suficiente para aquisição de qualquer território.

Mais tarde, a contar de meados do século XVI, além da prioridade do ***descobrimento***, passou a ser julgada necessária a tomada de ***posse***, indicada por algum sinal externo: uma cruz, uma bandeira, um marco. Esse sistema de simples ocupação nominal foi, ulteriormente, substituído pelo da **ocupação efetiva**, à qual se considerou necessário unir a manifestação da vontade de possuir o território.

A teoria da ***efetividade*** da posse foi consagrada pelo *Ato Geral da Conferência de Berlim*, de 1885, em relação à conquista "colonial"[8]. Pode alegar-se que o Ato Geral de Berlim só se referia ao continente africano e vigorava apenas nas relações entre as potências contratantes. Mas parece incontestável que suas regras eram a expressão do direito internacional da época.

Os princípios vigentes são distintos. Apesar de algumas opiniões divergentes, eram consideradas como ***condições essenciais para que a ocupação fosse tida como legítima*** as seguintes:

1ª) que a ocupação se tivesse aplicado a território considerado como *res nullius,* isto é, que, no momento, não pertencesse a nenhum estado;

2ª) que houvesse tomada de posse desse território, em nome de estado;

3ª) que a posse fosse real e efetiva.

Alguns autores pretendiam que se acrescentasse a essas condições a da notificação oficial aos demais estados. Muitos outros, porém, consideram dispensável tal notificação. E Joaquim NABUCO, advogado do Brasil na questão da fronteira com a Guiana Britânica, sustentou que "a notoriedade equivale à notificação".

---

7. Nos últimos séculos da Idade Média e até o fim do século XV, as aquisições de novos territórios, mercê da preponderância atribuída ao Papado, dependeriam, quase exclusivamente, de bulas pontifícias, dentre as quais, em tal sentido, a famosa *Inter coetera*, de ALEXANDRE VI, de 4 de maio de 1493, pela qual foram atribuídas aos reis de Espanha as terras, descobertas ou por descobrir, situadas a cem léguas a oeste dos arquipélagos dos Açores e do Cabo Verde, ressalvados os direitos de posse existentes até o dia de Natal do ano anterior, por parte de qualquer outro rei ou príncipe cristão.

8. Dele constavam as seguintes regras: *a*) toda futura ocupação, nas costas do continente africano, por parte de qualquer das potências contratantes, deverá ser notificada às demais; *b*) a potência ocupante deverá manter, no território ocupado, uma autoridade capaz de assegurar o respeito aos direitos adquiridos e, eventualmente, a liberdade do comércio e do trânsito. Poucos anos depois, em 1888, o IDI recomendava a generalização desses mesmos princípios.

Quanto ao **abandono** ou ***derelictio***, convém precisar que o simples fato material da retirada momentânea do território, sem a intenção de renunciar à soberania sobre ele, isto é, enquanto se pode presumir razoavelmente que o dono do território tem a vontade e a capacidade de o retomar, não constitui propriamente a dita figura jurídica, e, portanto, não faz cessar a posse.

No tocante à ***área alcançada pela ocupação***, uma das primeiras fontes de divergências, no tocante à ocupação, foi a determinação da área por esta alcançada. No passado, foi a determinação da área, a que se deve estender a ocupação, de ponto ou de certa parte de território[9].

Para tal determinação, algumas regras foram, no passado, sugeridas. Todas se increvem no contexto histórico e cultural da época. Assim, por exemplo, a ideia da ***unidade geográfica***[10]. Outras teorias sobre o mesmo assunto: a da ***contiguidade***[11], a da ***Hinterland***[12], a da ***meia distância***[13], a da ***zona hidrográfica***[14].

Os mecanismos de "legitimação" da conquista colonial representam páginas das mais odiosas da história, em que, com o pensamento e o sistema vigente na

---

9. De acordo com o princípio da *efetividade* da ocupação, esta só deverá alcançar o território efetivamente ocupado. Na prática, entretanto, não se tem julgado indispensável que o poder do estado ocupante se exerça, desde logo, sobre todo o território. É evidente, contudo, que tal ocupação não poderá ser considerada efetiva sobre pontos do território já ocupados por outro ou outros estados.

10. Por *unidade geográfica* entendia-se a zona que, pelos seus acidentes naturais ou geográficos, pode ser considerada como todo. Pode admitir se que a tomada de posse efetiva de ponto ou de parte de território é eficaz para estender a soberania a todas as terras que sejam a dependência natural dos lugares ocupados e sobre os quais a autoridade do estado ocupante se possa fazer sentir materialmente. Está claro que essa eficácia deixará de existir ante a ocupação anterior ou simultânea, por parte de outro estado, dos lugares da mesma região englobados na zona em causa.

11. Na da *contiguidade*, a ocupação efetiva de parte de um território justifica a soberania do estado ocupante sobre todas as terras sem dono, que se encontram na circunvizinhança. Essa teoria poderia conduzir aos maiores abusos e foi condenada por Max HUBER, no laudo arbitral de 4 de abril de 1928, sobre a **ilha de Palma**.

12. A teoria da *Hinterland* faz legítimo o prolongamento, para o interior, de ocupação efetuada na costa. Foi posta em prática mais de uma vez como excelente pretexto, de que se serviam estados europeus para se apropriarem de vastas extensões do continente africano.

13. A teoria da *meia distância* sustenta que, quando dois estados se acham estabelecidos sobre uma costa e é incerta a extensão lateral dos respectivos territórios, a linha divisória entre estes deve ser traçada entre os últimos postos ocupados de cada lado. É evidentemente arbitrária.

14. A teoria da zona *hidrográfica* apresenta duas modalidades: numa, a ocupação efetiva da embocadura de um rio basta para submeter à soberania do estado ocupante toda a região banhada por esse rio e seus afluentes; na outra, a ocupação efetiva de uma costa marítima determina a soberania do estado ocupante sobre todo o território situado entre a dita costa e a linha de partilha das águas de todos os rios que nela se lançam. Ambas as modalidades (*meia distância* e *bacia hidrográfica*) eram invocadas muitas vezes e podiam alegar em seu favor precedentes numerosos.

Essa teoria, especialmente em sua primeira modalidade, não é destituída de fundamento. Primeiro que tudo, é inegável que um rio, com seus afluentes e subafluentes, forma o que se poderá denominar uma unidade geográfica. Depois, é natural que o possuidor de um rio possua as águas que alimentam a corrente deste: sem os tributários, a posse do rio poderá tornar-se precária e sua plena utilização encontrará dificuldades. Finalmente, aquele que primeiro penetra num rio, e no mesmo se estabelece, como que adquire um *inchoate title* sobre todo ele.

Convém, entretanto, restringir a teoria a termos razoáveis. Assim, por exemplo, a simples posse da foz de um rio cuja extensão seja considerável não deve dar direito à soberania sobre toda a região alcançada pelas suas águas. Da época, foi conivente o direito internacional: há que se repensar essas denominações e as suas modalidades de funcionamento, de modo mais consentâneo com as exigências de convivência organizada, no contexto pós-moderno. Como ressalta M. VARGAS LLOSA (2007): "A prática do colonialismo é perversa, pois contamina tanto colonizadores como colonizados com ódio, violência, racismo e preconceitos"[15].

Na atuação da Corte Internacional de Justiça se pode ver quão incisiva foi a manifestação da Corte, no parecer consultivo **consequências jurídicas para os estados, decorrentes da presença continuada da África do Sul na Namíbia (Sudoeste africano), apesar da Resolução do Conselho de Segurança 276 (1970)**, prolatado em 21 de junho de 1971[16], em comparação à manifestação da Corte, apenas cinco anos antes, no parecer consultivo a respeito do **Sudoeste africano** (Etiópia e Libéria c. África do Sul), prolatado em 18 de julho de 1966[17].

Passo adicional relevante foi dado pela CIJ no parecer consultivo a respeito do **Saara ocidental**, prolatado em 16 de outubro de 1975[18]. Neste se passa da alegação de se tratar de *terra nullius* ao reconhecimento da existência de titularidade sobre o território pelo povo sarauí[19].

Andréa KOULAIMAH-GABRIEL[20], a respeito da "descolonização mal conduzida", no caso do Saara ocidental, expõe a responsabilidade da União Europeia, em relação a este caso – como também aponta responsabilidade europeia em relação ao caso palestino: "A questão do Saara ocidental pode, hoje, ser qualificada como conflito internacional opondo o Reino do Marrocos à Frente POLISÁRIO, representante reconhecido do povo sarauí. Isso nem sempre foi assim. Na verdade, as raízes desse conflito, que as Nações Unidas tentam, em

---

mesma forma, o estado ocupante da foz de um rio ou da costa em que o mesmo desemboca não tem o direito de estender sua soberania a pontos do tal rio nos quais outro ou outros estados já se tenham estabelecido.

15. Mario VARGAS LLOSA, *A vitória de uma aldeia da Cisjordânia* (OESP, 16 set. 2007, p. A-19).

16. CIJ, parecer consultivo, 21 de junho de 1971, **Recueil**, 1971, p. 16.

17. CIJ, parecer consultivo, exceções preliminares e segunda fase, 11 de julho de 1950, 21 de dezembro de 1962 e 18 de julho de 1966.

18. CIJ, ordonnance, 22 de maio de 1975; parecer consultivo, 16 de outubro de 1975, **Recueil**, 1975 (p. 6).

19. Exame do caso in P. B. CASELLA, *Special rules for areas not under national jurisdiction and the Achille Lauro affair* (colóquio na Academia de direito internacional, Haia, agosto/setembro de 1988, com versão resumida publicada in **The legal aspects of international terrorism / Les aspects juridiques du terrorisme international**, edited by Jochen Abr. Frowein e J. A. Carrillo Salcedo, Haia: Kluwer – Monographs of the Centre for Studies and Research in International Law and International Relations / Monographies du Centre d'étude et de Recherche de Droit International et de Relations Internationales, 1988).

20. Andrea KOULAIMAH-GABRIEL, **Raison d'état ou droit des peuples? – le dilemme de l'Union européenne dans ses rapports avec le Maroc et Israël** (Bruxelas: Presses Interuniversitaires Européennes, 1995, Chap. I, "le poids du passé", item "c", "Le sahara occidental: histoire d'une décolonisation mal menée', p. 33-39).

vão, solucionar, decorrem de processo de descolonização mal conduzido"[21].

Depois de manifestar interesse histórico pelas costas africanas, como testemunham expedições conduzidas a partir das Ilhas Canárias, desde 1405, a Espanha, somente a partir de 1934, estabelece sua autoridade sobre o território sarauí, e somente em 1946 se ocupa em conferir estatuto integrando o Saara ocidental à nova África Ocidental Espanhola (AOE), mas a presença espanhola permanece fraca até que Madri sinta o risco de perder o território, risco esse proveniente da pressão dos países limítrofes, da crescente onda independentista e da pressão da comunidade internacional[22]. A degradação progressiva do quadro colonialista[23] leva a Espanha a criar, em 1967, a Assembleia do Saara, pretensamente associada à administração do território, a *Djemaa*. O governo espanhol parece ter acreditado poder utilizar tal expediente contra a atuação da Frente POLISÁRIO, criada em 1973, e esta se pronunciava pela independência e contrariamente à ligação a qualquer outro estado, alcançando sucessivos avanços militares e políticos. Marrocos e Mauritânia mudam de atitude, e pedem seja convocada a Corte Internacional de Justiça para se pronunciar sobre os laços de soberania que pleiteam existir entre o território sarauí e estes, relativamente aos dois terços ao norte, em relação ao Marrocos e ao terço sul, em relação à Mauritânia.

A Corte prolata seu **parecer** em 18 de outubro de 1975, contrariamente à existência dos alegados laços de soberania, e se pronuncia em favor da **descolonização** do Saara ocidental e pela **aplicação do princípio da autodeterminação dos povos**, "***graças à expressão livre e autêntica da vontade das populações do território***"[24].

O modo como o Saara ocidental foi abandonado pelo governo da Espanha

---

21. A. KOULAIMAH-GABRIEL (op. cit., p. 33): "Son auteur était l'Espagne, son objet le peuple sahraoui, ses principales parties intervenantes furent le Marroc et la Mauritanie d'une part, l'Algérie d'autre part. D'autres acteurs s'en mêlèrent parfois: ce fut notamment le cas de la Libye et dans une moindre mesure de la France. A travers cet enchevêtrement de responsabilités et de jeux d'influence, il importe de dégager le rôle joué par les différentes puissances européennes, directement ou indirectement liées au conflit".

22. A. KOULAIMAH-GABRIEL (op. cit., p. 35-36): "Afin d'éviter ce droit de regard onusien, ainsi que toute perspective de décolonisation, l'Espagne conféra par décret-loi du 10 janvier 1958 le statut de 'province' au Sahara. L'exploitation économique commença également, par la créationen 1962 de l'ENMISA (Entreprise Nationale des Mines du Sahara) puis de FOSBUCRAA (chargée de l'exploitation des phosphates). La découverte des dimensions des ressources minéralières du territoire ainsi que les prospections pétrolières ne pouvaient manquer d'aiguiser les appétits des pays voisins. / La position de l'Espagne à l'ONU devenait de plus en plus inconfortable du fait de l'entrée dans l'organisation d'un nombre de plus en plus important de pays nouvellement décolonisés. En septembre 1963, l'Espagne reconnut expressément le droit à l'autodétermination du peuple sahraoui, mais s'obstina à maintenir, parfois par la force, une politique d'assimilation".

23. A. KOULAIMAH-GABRIEL (op. et. loc. cit.): "Cependant, peu à peu, l'empire s'érodait: en octobre 1968, l'Espagne perdit les territoires de Fernando Poe et Rio Muni qui proclamèrent l'indépendance de la Guinée equatoriale. En janvier 1969 eut lieu la restitution d'Ifni au Maroc. Dès 1965, les résolutions se succédèrent réclamant l'autodétermination du Sahara".

24. CIJ, **Recueil**, 1975 (p. 68): "Grâce à l'expression libre et authentique de la volonté des populations du territoire".

constituiria ilícito internacional[25], nos termos do art. 73 da Carta da ONU, na "declaração relativa a territórios sem governo próprio", em relação aos quais os estados que "assumiram ou assumam responsabilidades pela administração de territórios cujos povos não tenham atingido a plena capacidade de se governarem a si mesmos": "reconhecem o princípio de que os interesses dos habitantes desses territórios são da mais alta importância, e aceitam, como missão sagrada, a obrigação de promover, no mais alto grau, dentro do sistema de paz e segurança internacionais estabelecido na presente Carta, o bem-estar dos habitantes desses territórios"[26].Tal dispositivo se põe em paralelo com o art. 74 da Carta[27]. O gesto de abandonar o Saara ocidental, em troca da composição com o Marrocos, para conservar Ceuta e Mellila, as duas últimas possessões espanholas no norte da África, deixou responsabilidades para o novo governo espanhol, após 1975[28].

O parecer sobre o **Saara ocidental** (1975), além do interesse específico do caso concreto, ensejou manifestação relevante da CIJ a respeito das regras da

---

25. A. KOULAIMAH-GABRIEL (op. cit., p. 38): "Sur le plan du droit international, l'abandon par l'Espagne du Sahara est un acte illégal dans la mesure où, en vertu de l'article 73 de la Charte des Nations, un TNA (territoire non autonome) a une nature juridique distincte de l'état qui l'administre. L'Espagne ne pouvait donc pas, au regard du droit international, céder un territoire qu'elle ne possédait pas. Ce départ en catastrophe s'explique, en partie, par le vide laissé par l'agonie de FRANCO, et par le repli de l'Espagne sur elle-même au début de la transition démocratique".

26. Daí decorrendo, para tais estados, nos termos do art. 73 da Carta da ONU, a obrigação de: (a) assegurar, com o devido respeito à cultura dos povos interessados, o seu progresso político, econômico, social e educacional, o seu tratamento equitativo e a sua proteção contra todo abuso; (b) desenvolver sua capacidade de governo próprio, tomar devida nota das aspirações políticas dos povos e auxiliá-los no desenvolvimento progressivo de suas instituições políticas livres, de acordo com as circunstâncias peculiares a cada território e seus habitantes, e os diferentes graus de seu adiantamento; (c) consolidar a paz e a segurança internacionais; (d) promover medidas construtivas de desenvolvimento, estimular pesquisas, cooperar uns com os outros, e, quando for o caso, com entidades internacionais especializadas, com vistas à realização prática dos propósitos de ordem social, econômica ou científica, enumerados neste artigo; e (e) transmitir regularmente ao Secretário-geral, para fins de informação, sujeitas às reservas impostas por considerações de segurança e de ordem constitucional, informações estatísticas ou de outro caráter técnico, relativas às condições econômicas, sociais e educacionais dos territórios pelos quais são respectivamente responsáveis e que não estejam compreendidos entre aqueles a que se referem os capítulos XII e XIII da Carta.

27. Carta da ONU, art. 74: "Os membros das Nações Unidas concordam também em que a sua política com relação aos territórios a que se aplica o presente capítulo deve ser baseada, do mesmo modo que a política seguida nos respectivos territórios metropolitanos, no princípio geral de boa-vizinhança, tendo na devida conta os interesses e o bem-estar do resto do mundo no que se refere às questões sociais, econômicas e comerciais".

28. A. KOULAIMAH-GABRIEL (op. cit., p. 38-39): "L'abandon par l'Espagne de ses responsabilités vis-à-vis du Shara laisse encore un goût amer dans la politique extérieure du nouveau régime. Dès lors tout en déclarant ne plus être partie au conflit, le gouvernement espagnol pousse à sa résolution. C'est le cas également des autres pays européens, notamment de la France qui s'est trouvée impliquée à un moment donné dans le conflit, lors de la fameuse opération LAMANTIN en décembre 1977, lorsqu'elle intervint contre le Front POLISARIO aux côtés du gouvernement mauritanien au bord de l'effondrement. En effet, la France assista le Maroc et la Mauritanie contre le Front POLISARIO, jusqu'en 1979 (date à laquelle la politique de rapprochement franco-algérien amena la reconnaissance du droit des sahraouis à l'autodétermination). L'Europe occidentale a depuis lors unanimement favorisé une solution à un conflit qui déstabilise cette région stratégiquement proche, et qui complique les relations avec l'Algérie et le Maroc. L'implication de la Grande-Bretagne, de l'Espagne et dans une moindre mesure de la France dans l'émergence de ces deux revendications, les rend sensibles à l'égard de toute politique vis-à-vis de ces régions, ce dont l'Union et ses autres états membres ne peuvent faire abstraction".

Convenção de Viena sobre direito dos tratados, que podem ser consideradas "***codificação do direito costumeiro existente nesse domínio***". Nesse sentido A. P. CACHAPUZ DE MEDEIROS (1995)[29] e Araminta MERCADANTE (1996)[30].

A aplicação do conceito de autodeterminação dos povos se fez sem grande planejamento nem definição exata de seu conteúdo e consequências para o conjunto do direito internacional pós-moderno. Como exemplifica o caso de Timor Leste, cf. A. A. CANÇADO TRINDADE (1999, 2002)[31] e G. C. GUNN (2006)[32].

Pode o conceito de autodeterminação ser relacionado às questões de sucessão de estado[33], como de secessão e de estados pluriétnicos, como o fazem Edward McWHINNEY (2002)[34] e Yilma MAKONNEN (1986)[35]. Julio BARBERIS (2000) aborda o papel do *uti possidetis*, e menciona a diferença de tratamento e interpretação desse instituto entre os países de língua hispânica e o Brasil nesse assunto[36].

A matéria foi a base para a controvérsia entre a Albânia e o Reino dos sérvios, croatas e eslovenos, a respeito do **mosteiro de São Naum**, conforme

---

29. A. P. CACHAPUZ DE MEDEIROS, **O poder de celebrar tratados** (Porto Alegre: Sérgio A. Fabris, 1995, Cap. 3, "Novas formas para a celebração de acordos internacionais e codificação do direito dos tratados", p. 187-242, cit. p. 242): "Vigente desde 27 de janeiro de 1980, a Convenção de Viena sobre direito dos tratados obriga, *stricto sensu*, apenas os estados que a tenham ratificado ou comunicado a sua adesão à mesma. Porém, devido à importância que possui, a Convenção ultrapassa o limite de obrigatoriedade restrita aplicável aos estados-partes, para influir, *lato sensu*, sobre todos os tratados celebrados após a sua entrada em vigor. As disposições da Convenção, aprovadas por maiorias representativas, superiores a dois terços, deram certeza a normas preexistentes, em certos casos; facilitaram a cristalização de determinadas regras, em outros; e, no tocante às demais situações, configurando uma *opinio juris* coletiva e orientando no sentido de que a prática posterior se desenvolva de acordo com ela, aceleraram a formação de novos preceitos".

30. Araminta de A. MERCADANTE, *A processualística dos atos internacionais: Constituição de 1988 e o MERCOSUL* (in **Contratos internacionais e direito econômico no MERCOSUL: após o término do período de transição**, coord. P. B. CASELLA *et al.*, São Paulo: LTr, 1996, p. 458-505, cit. p. 462): "A criação do direito internacional público consuetudinário pode verificar-se quer como aplicação pela prática internacional de princípio geral de direito não incorporado ao direito positivo, quer por juntar-se a um uso preexistente a consciência de sua obrigatoriedade".

31. A. A. Cançado TRINDADE, *O caso Timor Leste (1999): o direito de autodeterminação do povo timorense* (in **O direito internacional em um mundo em transformação: ensaios 1976-2001**, prefácio de Celso D. de Albuquerque Mello, Rio de Janeiro: Renovar, 2002, p. 723-745).

32. Geoffrey C. GUNN, **Complicity in genocide: report to the East Timor "Truth Commission" on International Actors** (Macau: Tipografia Macau-Hong Kong / Geoffrey C. Gunn, 2006).

33. M. BEDJAOUI, **Problèmes récents de succession d'états dans les états nouveaux** (RCADI, 1970, t. 130, p. 455-586); H. M. BLIX, **Contemporary aspects of recognition** (RCADI, 1970, t. 130, p. 587-704); Giorgio CANSACCHI, **Identité et continuité des sujets internationaux** (RCADI, 1970, t. 130, p. 1-94); D. P. O'CONNELL, **Recent problems of state succession in relation to new states** (RCADI, 1970, t. 130, p. 95-206); R. ERICH, La naissance et la reconnaissance des états (RCADI, 1926, t. 13, p. 427-508); H. LAUTERPACHT, **Recognition in international law** (Cambridge: UP, 1947).

34. Edward McWHINNEY, **Self-determination of peoples and plural-ethnic states (secession and state succession and the alternative federal option)** (RCADI, 2002, t. 294, p. 167-264, esp. Chap. IV, "the United Nations Charter principle of territorial integrity of states. The *uti possidetis* doctrine as element in state succession", p. 229-235).

35. Yilma MAKONNEN, **State succession in Africa: selected problems** (RCADI, 1986, t. 200, p. 93-234).

36. Julio BARBERIS, *La concepción brasileña del uti possidetis* (in **Dimensão internacional do direito: estudos em homenagem a G. E. do Nascimento e Silva**, org. P. B. CASELLA, São Paulo: LTr, 2000, p. 33-48); *V.*, tb., a respeito, **Fundamentos** (2008, item XIII, "Boa tradição e a que se deve evitar", p. 973-1111).

parecer, prolatado pela Corte Permanente de Justiça Internacional, em 4 de setembro de 1924[37]. A Corte entende que as principais potências aliadas e associadas, por meio da decisão da conferência de Embaixadores, de 6 de dezembro de 1922, haviam esgotado o assunto, ao atribuir à Albânia o mosteiro de São Naum.

6.1.2.2. acessão

A ***acessão*** consiste no acréscimo de território determinado por fato natural: geralmente, por ação dos rios ou do mar. As regras que a regem derivam do direito civil, sendo-lhe aplicável o princípio de que a coisa acrescida segue a sorte da coisa principal.

Em regra, é obra da natureza. Por extensão, porém, admite-se a existência de ***acessão artificial***, produzida por mãos humanas. Exemplos desta espécie são os diques, os quebra-mares etc., construídos ao longo da costa marítima de determinado estado. Notória e historicamente seriam exemplo os Países Baixos.

A ***acessão natural*** pode ocorrer por qualquer das quatro formas seguintes: aluvião, avulsão, formação de ilhas e abandono do leito por um rio.

A ***aluvião*** é o acréscimo insensível ou quase imperceptível, formado por depósitos e aterros naturais, à margem de um rio ou à beira-mar.

Ao contrário da aluvião, produzida por processo lento e gradual, a ***avulsão*** consiste em fato súbito e violento, provocado por força natural impetuosa e que tem como consequência o desprendimento de porção de terra, que desaparece nas águas ou se reúne, por agregação ou superposição, a outras terras.

Forças naturais produzem, às vezes, a ***formação de ilhas***, em rios ou nos mares. No primeiro caso, em geral, a nova formação não determina, propriamente, aquisição de território, mas, apenas, modificação. Se, entretanto, a ilha surge num mar territorial, o território do estado a que este pertence é acrescido, porque tal mar deverá, então, ser medido a partir da praia da nova ilha, na face voltada para o oceano.

Relativamente ao ***abandono do leito por rio contíguo***, em consequência de fenômeno natural, vimos que esse fato pode determinar aquisição de território para um estado e perda para outro.

6.1.2.3. cessão

A ***cessão*** de território é a transferência formal da soberania sobre esse território, de um estado a outro.

---

37. CPJI, **mosteiro de São Naum** (**monastery of Saint-Naoum**, Reino dos sérvios, croatas e eslovenos c. Albânia, série B, n. 9 e série C, n. 5/2, parecer consultivo n. 9, de 4 de setembro de 1924).

Em princípio, todo estado pode ceder parte de seu território, ou até a totalidade, a outro estado[38]. O mar territorial, porém, não pode ser cedido sem o litoral, porque constitui dependência inseparável deste último.

A ***cessão*** pode apresentar-se sob as formas de troca, venda, doação ou cessão gratuita. Esta última pode ser voluntária ou involuntária.

A história diplomática do Brasil oferece alguns exemplos de ***cessões***:

1) por **troca**:

- acordo de 11 de fevereiro de 1874, entre o Brasil e o Peru, pelo qual foi sancionada a permuta de territórios à direita e à esquerda de linha geodésica, na antiga fronteira comum;
- tratado de limites entre o Brasil e a Bolívia, de 17 de novembro de 1903, pelo qual se estipulou a permuta de território entre os dois países;

2) por **doação**:

- incorporação da Província Cisplatina ao Brasil, votada unanimemente pela assembleia de representantes do povo uruguaio, reunida em Montevidéu, em julho de 1821;
- ao Uruguai, de parte da lagoa Mirim e outra do rio Jaguarão (com algumas ilhas e ilhotas).

O desenvolvimento do espírito democrático no mundo criou certo movimento de opinião, especialmente a partir de meados do século XIX, em favor da ideia de que nenhuma cessão de território deve ser válida sem que a respectiva população tenha, mediante *plebiscito*, dado sua aquiescência. Essa ideia teve várias aplicações, desde a aludida época, e foi tomada em consideração nos tratados de paz de Versalhes[39] e de St. Germain-en-Laye, ambos de 1919.

Pelo sistema **plebiscitário**, a prática internacional tem substituído, muitas vezes, em caso de cessão territorial, o sistema de **opção**, que permite aos habitantes do território cedido escolher, individualmente, entre a nacionalidade do estado cedente e a do estado cessionário, aquela a que prefiram pertencer. Esse chamado *direito de opção* é bastante antigo, pois dizem remontar, na Europa, ao século XVI, e dele encontramos exemplos em épocas recentes, inclusive no tratado de paz de Versalhes[40].

No tocante aos bens dos habitantes dos territórios cedidos, é princípio

---

38. Constava de edições anteriores: É doutrina corrente que estado sob a suserania ou protetorado de outro não tem o direito de alienar parte alguma do seu território sem o consentimento do estado suserano ou protetor.
39. *V.* tb. P. B. CASELLA, **Tratado de Versalhes na história do direito internacional** (São Paulo: Quartier Latin, 2007).
40. Cf. já referido, **Tratado de Versalhes** (op. cit., 2007).

corrente que eles nada devem sofrer com a mudança de soberania[41]. Em todo caso, alguns tratados consignam estipulações expressas nesse sentido.

6.1.2.4. prescrição

De forma equivalente ao que ocorre em direito interno, a ***prescrição aquisitiva*** é admissível em direito internacional público, já reconhecida pela jurisprudência internacional[42]. Pode-se defini-la como a ***aquisição do domínio de território mediante o exercício efetivo, ininterrupto e pacífico da soberania territorial sobre esse território, por um prazo suficientemente longo***[43].

Quatro são as condições exigidas para que ela se opere:

1ª) a posse deve ser pública e notória[44];

2ª) deve apresentar-se como exercício efetivo de soberania própria[45];

3ª) deve ser pacífica e ininterrupta[46];

4ª) deve durar por prazo suficiente[47], para que se possa presumir o consentimento[48].

---

41. *V.* tb. tópico relativo à sucessão de estados.
42. Embora não se ache precisamente regulada no direito das gentes, ao contrário do que ocorre no direito privado, seu fundamento, no primeiro, é análogo ao que se lhe reconhece no segundo, ou seja, a necessidade da criação de ordem estável. Pode, pois, dizer-se que, da mesma forma, em direito internacional, a prescrição se funda na necessidade da existência da ordem e da estabilidade nas relações internacionais.
43. Constava de edições anteriores a especificação: "Para que se possa presumir a renúncia tácita do antigo soberano".
44. A primeira condição indicada é naturalíssima, pois, se a posse não é pública e notória, o verdadeiro soberano poderá ignorá-la e, portanto, não se poderá alegar que tenha havido consentimento tácito, de sua parte. Por outro lado, não será justo que uma ocupação não efetiva forneça título contra o dito soberano.
45. A condição segundo a qual a posse deve apresentar-se como exercício de soberania própria significa que o possuidor atual deve proceder como se fosse o verdadeiro soberano. Efetivamente, se um estado ocupa e administra um território, não a título soberano efetivo, mas como simples particular ou como mandatário de outro ou outros estados, ou ali exerce direitos de soberania em virtude de um título que reconhece continuar a pertencer a soberania ao antigo soberano, tal posse não justifica a aplicação do princípio da prescrição.
46. A condição de que a posse deve ser pacífica e ininterrupta significa que ela não deve ser turbada, nem intermitente. A razão é simples: na posse mantida pela força, os atos de violência para conservá-la não podem dar origem a um direito. Mas não é indispensável que tenha começado pacificamente, sem violência: o que se exige é que esta haja desaparecido e a posse tenha continuado, pacatamente; e, também, que não seja interrompida, pois as interrupções mostram a vontade do estado, contra o qual se exerce a prescrição, de evitar que esta se consume.
47. Finalmente, a condição de que a posse tenha durado bastante tempo é essencial, pois do contrário não se poderá presumir a concordância tácita do antigo soberano com a nova ordem de coisas.
    O direito privado fixa, por exemplo, entre nós, o prazo de trinta anos para que se dê a prescrição aquisitiva. Em direito internacional, porém, é natural que o prazo deva ser mais longo, não só porque os interesses dos estados são mais importantes do que os dos particulares, mas também porque a sua vida é, em geral, muito mais longa do que a destes últimos.
    Em todo caso, o direito internacional público ainda não fixou prazo algum para a prescrição. O que ele exige é que tal prazo seja suficiente, conforme escreveu Audinet, "para fazer presumir o consentimento tácito do Estado despojado de uma parte do seu território e do povo submetido a uma nova dominação".
48. Constava de edições anteriores a especificação: "para que se possa presumir o consentimento tácito do antigo soberano".

6.1.2.5. anexação

Além dos meios, já indicados, de aquisição e alienação de territórios[49], alguns internacionalistas pretendem que existam mais dois: a *conquista* ou *sujeição*, e a ***anexação***. Parece-nos, porém, errônea, semelhante opinião.

Relativamente à conquista, sabe-se que a aquisição, pela força das armas, da soberania sobre qualquer território tem sido condenada[50]. A própria **Carta** das Nações Unidas, elaborada após a segunda guerra mundial, condenou "*o uso da força contra a integridade territorial ou a independência política de qualquer estado*".

Na prática, a conquista consiste na tomada de posse de território inimigo, mediante força militar, em tempo de guerra. Tal posse não justifica a aplicação do princípio da prescrição.

A condição de que a posse deve ser pacífica e ininterrupta significa que a ela não deve ser turbada, nem intermitente. A razão é simples: na posse mantida pela força, os atos de violência para conservá-la não podem dar origem a direito. Mas não é indispensável que tenha começado pacificamente, sem violência: o que se exige é que esta haja desaparecido e a posse tenha continuado, pacatamente; e, também, que não seja interrompida, pois as interrupções mostram a vontade do estado, contra o qual se exerce a prescrição, no sentido de evitar que esta se consume.

Finalmente, a condição de que a posse tenha durado bastante tempo é essencial, pois do contrário não se poderá presumir a concordância tácita do antigo soberano com a nova ordem de coisas.

A evolução da matéria pode ser ilustrada por dois pareceres: o parecer sobre **o regime aduaneiro entre Áustria e Alemanha**, solicitado, em 19 de maio de 1931, pelo Conselho da Sociedade das Nações, à Corte Permanente de Justiça Internacional, por esta prolatado em 5 de setembro de 1931; e o parecer consultivo prolatado pela Corte Internacional de Justiça, em 9 de julho de 2004, sobre as **consequências *legais* da construção do muro, por Israel, nos terri-**

49. *Bibliografia*: ACCIOLY, **Tratado** (2009, v. 2, p. 284); Antônio Amaral de SAMPAIO, *A evolução histórica da ocupação em direito internacional*, Boletim, 1958, p. 70; C. BEVILÁQUA – 1, p. 295; BROWNLIE, p. 130; Carlos de CARVALHO, nota à **Legação da Grã-Bretanha no Rio de Janeiro, de 22 de julho de 1895, sobre a Ilha da Trindade** (texto em correspondência diplomática sobre a ocupação da Ilha de Trindade), p. 14; Heitor LYRA, *A soberania brasileira nas ilhas do Atlântico*, Boletim, n. 1, p. 37, 1945; MELLO – 2, p. 821; OPPENHEIM, p. 495; Quency WRIGHT, The goa incident, **AJIL**, 1962, v. 56, p. 617; NGUYEN Quoc Dinh, p. 452; REZEK - 2, p. 164; Robert JENNINGS, **The acquisiton of territory in international law**, New York, 1963; ROUSSEAU - 3, p. 432; WHITEMAN, *Digest of international law* (Washington, 1963-1973, 15, v. 2, p. 1028.

50. Constava de edições anteriores: "em princípio, várias vezes, por conferências internacionais, tratados e outros documentos diplomáticos, juristas eminentes e homens de estado".

tórios palestinos ocupados.

Nesse sentido, o parecer sobre **o regime aduaneiro entre Áustria e Alemanha**, solicitado, em 19 de maio de 1931, pelo Conselho da Sociedade das Nações, à Corte Permanente de Justiça Internacional, por esta prolatado em 5 de setembro de 1931[51], quanto a saber se o pretendido regime de união aduaneira entre os dois estados seria, ou não, compatível com dispositivos anteriormente estipulados. Cuidava-se, especificamente: do Tratado de Versalhes, art. 80[52]; do Tratado de Saint-Germain, assinado em 10 de setembro de 1919, entre as potências vencedoras da primeira guerra e a Áustria, cujo art. 88 previa ser inalienável a independência da Áustria, salvo consentimento do Conselho da Sociedade das Nações; bem como do Protocolo I, assinado em Genebra, em 4 de outubro de 1922, entre a Áustria, de um lado, e Grã-Bretanha, França, Itália e Tchecoslováquia, de outro, onde estes estados declaravam seu respeito pela independência política, integridade territorial e soberania da Áustria, e o comprometimento desses estados em se abster de qualquer ato contrário ao espírito das futuras convenções, responsáveis pela regulação da reconstrução econômica e financeira da Áustria, enquanto esta declarava seu engajamento com as obrigações do Tratado de Saint-Germain.

Em 19 de março de 1931, em Viena, representantes dos governos austríaco e alemão assinaram *Protocolo*, por meio do qual encetavam negociação, cujo objetivo seria o estabelecimento de união aduaneira entre os dois estados. Em razão deste e da manifestada intenção de estabelecimento de regime alfandegário comum, o Conselho da Sociedade das Nações indaga à Corte Permanente de Justiça Internacional: se o regime estabelecido entre Áustria e Alemanha, nos limites do Protocolo de Viena, de 1931, seria compatível com as obrigações internacionalmente assumidas pela Áustria por meio do Tratado de Saint-Germain, de 1919, e do Protocolo de Genebra, de 1922.

Considerado como um todo, o regime pretendido pelo Protocolo de Viena de 1931, entende a Corte Permanente de Justiça Internacional, poderia ameaçar a independência econômica da Áustria. Por oito votos a sete a Corte declara ser este incompatível com as obrigações assumidas pela Áustria, em decorrência do Protocolo de Genebra de 1922.

---

51. CPJI, **Regime aduaneiro entre Áustria e Alemanha** (parecer consultivo, série A/B 41 e C 53).

52. **Tratado de paz entre as potências aliadas e associadas e a Alemanha, e Protocolo anexo, assinados em Versailles, aos 28 de junho de 1919**, Parte III, "cláusulas políticas europeias", Seção VI, "Áustria", art. 80: "A Alemanha reconhece e respeitará estritamente a independência da Áustria, dentro das fronteiras que serão fixadas por tratado celebrado entre este estado e as principais potências aliadas e associadas; reconhece, igualmente, que esta independência será inalienável, a não ser com o consentimento do Conselho da Sociedade das Nações".

Seis outros juízes, integrantes da Corte Permanente de Justiça Internacional, ao expressarem opinião dissidente, não concordam com esta questão e, ademais, concluem não estaria ameaçada a independência da Áustria, na esfera econômica, não somente nos termos dos dois Protocolos, mas, igualmente, em decorrência do estipulado no artigo 88 do Tratado de Saint-Germain[53]. Nessa opinião, diversa da maioria, entenderam haveria compatibilidade do Protocolo de Viena, de 1931, tanto em relação ao artigo 88 do Tratado de Saint-Germain, de 1919, como em relação ao Protocolo de Genebra, de 1922. Concordam com a opinião majoritária, no que diz respeito à natureza e à extensão da obrigação assumida pela Áustria, concernente à abstenção de atos que pudessem comprometer a independência desta, mas argumentam no sentido de inexistir explicação quanto ao modo como a celebração dessa união aduaneira poderia pôr em risco ou ferir a independência da Áustria.

Sustentam ter sido requisitada à Corte opinião em questão puramente legal, não havendo espaço nem fundamento para considerações políticas: estado pode concordar com a existência de restrição na sua liberdade de ação, sem acarretar alienação de sua independência, como ocorre, de modo geral, para qualquer estado que celebre tratado. A alienação da independência de estado significaria transferir para estado ou grupo de estados o exercício de poderes soberanos do primeiro. Afirmam, no voto dissidente, que o Protocolo de Genebra de 1922 somente teria acarretado a reafirmação das obrigações contidas no Tratado de 1919, e desse modo, entendem, não poderia o regime estabelecido pelo Protocolo de Viena de 1931 ser, simultaneamente, compatível com o regime do artigo 88 do Tratado de Saint-Germain e incompatível com o do Protocolo de Genebra de 1922. A tese do estabelecimento de perigo para independência de estado, em razão da participação em união aduaneira, não tendo sido comprovada perante a Corte, não permitiria que esta adotasse a conclusão, no sentido de que a celebração de regime de união aduaneira, equitativamente estipulado, entre dois países, seria realizado com o fim de pôr em risco a existência independente do estado engajado em semelhante regime alfandegário.

Em seu voto em separado, o juiz D. ANZILOTTI aceita as conclusões da maioria, mas adota fundamentação distinta[54]: o caráter *inalienável* da *indepen-*

53. CPJI, **Regime aduaneiro entre Áustria e Alemanha** (parecer consultivo), cfr. votos vencidos dos Juízes ADATCI, KELLOGG, Barão ROLIN-JACQUEMYNS, Sir Cecil HURST, W. SCHUCKING, Jonkheer Van EYSINGA e WANG.

54. CPJI, **Regime aduaneiro entre Áustria e Alemanha** (parecer consultivo). Voto D. ANZILOTTI: o regime aduaneiro a ser adotado entre a Áustria e a Alemanha somente seria incompatível com o artigo 88 do Tratado de Saint-Germain e com o Protocolo de Genebra de 1922, caso o consentimento do Conselho da Sociedade das Nações fosse necessário e a Áustria não o obtivesse, onde caberia à Corte decidir se a união aduaneira estaria entre os atos para os quais a Áustria necessitaria autorização do Conselho da Liga, o que França, Itália e Tchecoslováquia entendiam que sim, enquanto a

dência da Áustria teria sido inscrito, nos **Tratados de Saint-Germain** e de **Versalhes**, não somente no interesse desta, mas da Europa como um todo, o que determinou a adoção das restrições, aplicáveis em relação aos dois países.

Prossegue ANZILOTTI, em seu voto, examinando a definição e as implicações da interpretação de alguns termos cruciais para o caso: *independência* significaria a existência da Áustria, como estado, nas fronteiras estabelecidas pelo Tratado de Saint-Germain, onde o termo poderia ser igualmente definido como *suprema potestas*, ou soberania, a condição normal de estados, segundo o direito internacional: o estado não tem sobre si qualquer outra autoridade, exceto a do direito internacional, enquanto estados dependentes estariam submetidos à autoridade de um ou mais estados. A independência em nada é afetada pela subordinação do estado ao direito internacional e as restrições, deste decorrentes, sobre a liberdade de estado, não afetam a sua condição de soberano[55].

Com relação à *inalienabilidade*, ANZILOTTI enfatiza que a Áustria não deveria perder a sua existência como estado independente, exceto mediante consentimento do Conselho da Sociedade das Nações, nos termos do artigo 88 do Tratado de Saint-Germain, nem, tampouco, os demais signatários do Tratado poderiam concordar com a renúncia voluntária da independência da Áustria: esse dispositivo contemplaria dois tipos de atos que a Áustria não poderia praticar, sem o consentimento do Conselho, nem renunciar à sua independência, em favor de outro estado, nem tampouco praticar atos que pusessem em risco a sua independência. Desse modo, a celebração do regime aduaneiro austro-germânico, para ser compatível com o artigo 88 do Tratado, nem poderia ser ato de alienação da independência da Áustria, nem tampouco ato que, embora mantivesse formalmente essa independência, fosse suscetível de colocá-la em risco[56].

Áustria e a Alemanha se manifestavam em sentido oposto. A CPJI, segundo ANZILOTTI, deveria determinar serem aplicáveis ou não ao caso o artigo 88 do Tratado de Saint-Germain e o Protocolo de Genebra de 1922, onde, segundo a teoria da compatibilidade, se não aplicáveis estes, estaria a Áustria livre para celebrar o regime de união aduaneira com a Alemanha, mas se aplicáveis, pela mesma teoria da compatibilidade, a Áustria não deveria concluir a união, e somente o poderia fazer se obtivesse o prévio consentimento do Conselho da Liga. A independência da Áustria, como enfatiza ANZILOTTI, estaria, perante a Alemanha, garantida pelo Tratado de Versalhes, por meio do qual esta se obrigara a respeitar a independência daquela, bem como quanto à aceitação do caráter inalienável da independência da Áustria, a menos que houvesse consentimento do Conselho.

55. Desse modo, não obstante tivesse imposto o **Tratado de Saint-Germain** restrições sérias ao exercício da liberdade pela Áustria, nas áreas econômica e militar, ao proclamar a independência da Áustria, segundo o direito internacional, esta independência teria, ademais, caráter inalienável, justamente nos termos do artigo 88 do mesmo Tratado.

56. CPJI, **Regime aduaneiro entre Áustria e Alemanha** (parecer consultivo), cf. voto D. ANZILOTTI: o Tratado de Saint-Germain teve como objetivo evitar não somente atos de alienação da independência da Áustria, mas igualmente atos que pusessem tal independência em perigo, e, de tal modo, colocar o Conselho da Sociedade das Nações em condição de prevenir atos desse tipo e atuar antes da consumação de tal perigo. Assim, a interpretação mais razoável seria a de

A obrigação austríaca estaria claramente formulada no sentido de não violar sua independência econômica, mediante a concessão a qualquer estado de regime especial ou exclusivo de vantagens, que pudesse ameaçar a independência desta, e, consequentemente, não praticar qualquer ato que pudesse pôr em risco essa independência. Para ANZILOTTI, a celebração do regime de união aduaneira austro-germânico, embora mantivesse formalmente a independência austríaca, representaria comprometimento dessa independência na esfera econômica, o que estava igualmente proibido pelo art. 88 do Tratado de Saint-Germain[57]. O único resultado do parecer da Corte seria o de determinar a interpretação a ser conferida ao artigo 88 do **Tratado de Saint-Germain**; esta em nada poderia limitar a discricionariedade dos poderes do Conselho da Liga, para julgar se o regime aduaneiro proposto feriria a independência da Áustria, nem tampouco, uma vez dado o parecer consultivo pela Corte, continuar livre para usar quaisquer meios que julgasse necessários para preservar o caráter inalienável da independência austríaca.

A análise da questão, segundo ANZILOTTI, não poderia excluir a atenção para a movimentação existente entre a Alemanha e a Áustria, naquele momento, no sentido de fazer avançar união política entre os dois estados e a Corte, embora não tivesse tal contexto sido especificamente suscitado pelas partes. Em se tratando de matéria de conhecimento geral, não poderia deixar de levar em conta essa questão, que havia justificado a inserção de dispositivos específicos nos Tratados de Versalhes e de Saint-Germain[58].

---

que o artigo 88 do Tratado de Saint-Germain determina que a Áustria não pratique atos de alienação de sua independência, nem tampouco atos que ponham tal independência em perigo: a existência do risco simplesmente acarretaria a obrigação da abstenção do ato por aquele país.

57. CPJI, **Regime aduaneiro entre Áustria e Alemanha** (parecer consultivo), cf. voto D. ANZILOTTI: o regime estabelecido, pelo Protocolo de Viena de 19 de março de 1931, contemplando a igualdade e a reciprocidade de obrigações, não afetaria diretamente a independência da Áustria, exceto se concedesse à Alemanha regime de superioridade legal, o que *formalmente* não ocorria no caso. Mas, por criar situação de risco e de expectativa de dependência futura, estaria o objetivo da preservação da inalienabilidade da independência da Áustria *materialmente* comprometido pela celebração da união aduaneira com a Alemanha.

58. CPJI, **Regime aduaneiro entre Áustria e Alemanha** (parecer consultivo), cfr. voto D. ANZILOTTI: não há de julgar pertinente que outras uniões aduaneiras se tenham mostrado compatíveis com a independência dos estados nelas engajados, e não tenham causado impacto significativo sobre a soberania de tais estados, porquanto dependeria da situação dos estados que contraem essas uniões e da situação e do contexto específicos de cada um destes. A movimentação em questão estaria no fato da comunidade de língua, de cultura e de "raça" – como então se alegava, entre os dois países, somados ao sentimento de nacionalidade comum e a conjuntura crítica na qual fora a Áustria colocada pelos tratados de paz. Diante da clara desproporção entre as forças econômicas da Alemanha e da Áustria, dever-se-ia ter como provável que a vida econômica da Áustria logo se tornaria dependente da Alemanha. Igualmente provável que a união aduaneira impulsionasse o movimento tendente à incorporação austríaca em único estado alemão, tendência essa já claramente perceptível nos dois estados, na época, o que levaria ao perfazimento dessa união, não obstante as cautelas alegadamente presentes no Protocolo de Viena de 1931.

NGUYEN Quoc Dinh *et al.* (1994)[59] observam que no parecer **sobre o regime aduaneiro austro-alemão** (1931), como na decisão do caso **Oscar CHINN** (1934)[60], em votos, os juízes W. SCHUKING e D. ANZILOTTI afirmaram que "a Corte se recusaria a aplicar convenção contrária aos bons costumes"[61], mas, acrescentam, "eles não forneceram provas decisivas para sustentar tais assertivas"[62].

Faz-se uso do critério da independência, tanto por órgãos políticos como por instâncias judiciais ou arbitrais, cada vez que se coloca a pergunta, em relação a determinado estado ou coletividade. A conclusão dos autores é clara: "A independência do estado em nada é comprometida, nem a sua soberania atingida, pela existência de obrigações internacionais do estado"[63].

Reportando-se ao parecer de 1931, M. SHAW (2003)[64] ressalta ser a **essência da condição do estado a independência**: "Isso é crucial para caracterizar a condição de estado"[65]. A discussão a respeito do significado e do conteúdo da independência foi ensejada pela proposta de criação de união aduaneira entre os dois países de língua alemã e se esta seria ou não compatível com as obrigações decorrentes dos Tratados de paz de 1919, combinados com subsequente Protocolo de 1922, por meio dos quais se obrigara a Áustria a não assumir quaisquer compromissos atentatórios contra a sua independência: "No caso, a Corte entendeu que a

---

59. NGUYEN Quoc Dinh, P. DALLIER e A. PELLET, **Droit international public** (5. ed., Paris: LGDJ, 1994, par. 128, p. 199-200).

60. CPJI, caso **Oscar CHINN**, julgamento de 12 de dezembro de 1934 (série A/B 63).

61. NGUYEN Quoc Dinh, P. DALLIER e A. PELLET (op. cit., ed. cit., par. 176, p. 265-268) referem a questão, fazendo simplificação de alguns dados relevantes: "Dans l'affaire du *régime douanier entre l'Allemagne et l'Autriche*, la C.P.J.I. a consideré que le Protocole d'union douanière austro-allemand du 19 mars 1931 était incompatible avec un accord antérieur, le Protocole de Génève du 4 octobre 1922, par lequel l'Autriche s'était engagée à ne pas porter atteinte à son indépendance économique par l'octroi d'avantages spéciaux et exclusifs à un état quelconque (avis du 5 septembre 1931)".

62. NGUYEN Quoc Dinh, P. DALLIER e A. PELLET (op. cit., ed. cit., par. 552, p. 842-843) mencionam o parecer de 5 de setembro de 1931, da CPJI sobre o *régime douanier entre l'Allemagne et l'Autriche*, como exemplo de alguns casos consultivos, nos quais a CPJI e a CIJ admitiram a nomeação de juízes *ad hoc*, mas sempre com certa reticência: "Dans la pratique, le droit pour une partie de nommer un juge *ad hoc* lui est notifié par le greffe de la Cour. Mais il ressort de l'art. 31, par. 2, du **Statut** de la Cour et de l'art. 3, par. 1, du **Règlement** qu'une partie peut constater elle-même ce droit et procéder à la nomination de ce juge avant la notification".

63. NGUYEN Quoc Dinh, P. DALLIER e A. PELLET (op. cit., ed. cit., par. 279, p. 409-410): "L'indépendance de l'état n'est en rien compromise, ni sa souveraineté atteinte, par l'existence d'obligations internationales de l'état. La doctrine volontariste l'admettait déjà: "Les limitations de la liberté d'un état qu'elles dérivent du droit international commun ou d'engagements contractés n'affectent aucunement, en tant que telles, son indépendance" (*opinion dissidente* d'ANZILOTTI, dans l'affaire du *régime douanier austro-allemand*, CPJI, série A/B 41, p. 57)".

64. Malcolm SHAW, **International law** (Cambridge: UP, 5. ed., 2003).

65. M. SHAW (op. cit., ed. cit., p. 181 e remete à nota 27, desta mesma p. 181): "The essence of such capacity is independence. This is crucial to statehood and amounts to a conclusion of law in the light of particular circumstances. It is a formal statement that the state is subject to no other sovereignty and is unaffected either by factual dependence upon other states or by submission to the rules of international law. (...) See *Austro-German customs union case*, (1931) PCIJ, series A/B nr. 41, p. 41 (Court's opinion) and 57-58 (separate opinion of judge ANZILOTTI); 6 AD, p. 26-28".

pretendida união afetaria adversamente a soberania da Áustria. O juiz ANZILOTTI observou que as restrições à liberdade de estado, sejam estas decorrentes do direito consuetudinário ou de obrigações estipuladas em tratado, enquanto tais, *não* afetam a independência deste. Na medida em que tais restrições não coloquem o estado sob a autoridade legal de outro, o primeiro conserva a sua condição de país independente"[66].

Fazendo paralelo, entre o parecer de 1931 e o de 2004, oportuna e relevante a advertência: "A existência do risco simplesmente acarretaria a obrigação da abstenção do ato por aquele país". Tanto mais em se tratando de notória violação do direito internacional vigente – a **ocupação militar não cria título sobre o território**, nem pode legitimar a aplicação de regime estipulado no ordenamento interno a tal extensão territorial –, não poderia qualquer estado pretender alegar a natureza *política* da questão, para excluir a análise *jurídica*, nem tampouco adiantar as razões de ordem interna, que porventura possa alegar – tais como a defesa interna –, para excluir a aplicação da norma internacional.

A Corte Internacional de Justiça bem caracterizou[67], no parecer consultivo de 2004, as **consequências *legais* da construção do muro**, por Israel, nos territórios palestinos ocupados:

a) ser contrária ao direito internacional a construção do muro nos territórios palestinos ocupados, inclusive em e em torno de Jerusalém oriental[68];

b) ter Israel obrigação de interromper as violações do direito internacional – e fazer cessar imediatamente os trabalhos de construção do muro, em curso nos territórios palestinos ocupados, inclusive em e em torno de Jerusalém oriental; demolir imediatamente as estruturas já levantadas e

---

66. M. SHAW (op. cit., ed. cit., p. 189-190).

67. CIJ, **Consequências jurídicas da construção do muro nos territórios palestinos ocupados** (parecer consultivo de 9 de julho de 2004, parágrafo 163): unanimemente entende a Corte ter jurisdição para prolatar o parecer, nos termos solicitados pela AGNU; por quatorze votos a um, decide atender ao pedido de parecer consultivo; e decide, igualmente por quatorze votos a um em relação aos itens a), b) e c) e por treze votos a um, em relação ao item d), e igualmente por quatorze votos a um em relação ao item e).

68. V. Marotta RANGEL, *L'avis consultatif du 9 juillet 2004 et l'antinomie entre volontarisme et solidarisme* (in **International law and the use of force at the turn of centuries: essays in honour of V-Djuro DEGAN**, Rijeka: Faculty of Law, Univ of Rijeka, 2005, Cap. 10, p. 199-205): "il [l'avis consultatif du 9 juillet 2004] concourt non seulement à l'éclaircissement des questions posées mais aussi à servir d'orientation dans le cadre complexe des problèmes actuels connexes à ces questions. Ayant admis sa compétence et décidé de donner suite à la demande, la Cour a fini pour juger que l'édification du mur en cause, et le régime à lui associé, sont contraires au droit international; qu'Israël est tenu de cesser immédiatement les travaux de l'édification de ce mur et dans l'obligation de réparer les dommages causés par cette édification; que tous les états parties à la quatrième convention de Genève relative à la protection des personnes civiles en temps de guerre, du 12 août 1949, 'ont en outre l'obligation, dans le respect de la Charte des Nations Unies et du droit international, de faire respecter par Israël le droit international humanitaire incorporé dans cette convention'".

revogar ou tornar inaplicável as medidas de caráter legislativo e administrativo que com tal assunto estejam relacionadas[69];

c) ter Israel obrigação de reparar todos os danos causados pela construção do muro nos territórios palestinos ocupados, inclusive em e em torno de Jerusalém oriental[70];

d) todos os estados ficam obrigados a não reconhecer a situação ilegal, resultante da construção do muro e de não conceder ajuda ou assistência na manutenção da situação criada por tal construção; todos os estados-partes, aplicando o disposto na quarta Convenção de Genebra relativa à proteção de civis em tempo de guerra, de 12 de agosto de 1949, tem ainda a obrigação de, observado o disposto na Carta da ONU e no direito internacional, assegurar o cumprimento por Israel do direito internacional humanitário, tal como estipulado naquela Convenção[71]; e

e) as Nações Unidas, especialmente a Assembleia Geral e o Conselho de Segurança, devem considerar quais as ações adicionais necessárias para pôr fim à situação ilegal resultante da construção do muro e regime associado, levando em conta o Parecer consultivo da Corte Internacional de Justiça[72].

Relevante lembrar ter a Corte expressamente consignado o **princípio da impossibilidade de aquisição de território mediante uso da força**[73]: representa mudança de paradigma, em relação ao direito internacional clássico, excluindo a legalidade de conquista militar para adquirir territórios.

---

69. CIJ, **Consequências jurídicas da construção do muro nos territórios palestinos ocupados** (parecer consultivo de 9 de julho de 2004, parágrafo 151).

70. M. VARGAS LLOSA (art. cit., 2007): "A Corte Suprema de Israel, por unanimidade, deu razão no início do mês aos habitantes de Bilin, na Cisjordânia, ordenando que o muro que estrangula essa aldeia palestina tenha o seu traçado modificado em 1700 metros, para os camponeses da localidade terem acesso aos 200 hectares de plantações que lhes foram confiscados para a construção do 'muro de Sharon' – o governo de Ehud OLMERT disse que cumprirá a sentença em seus termos exatos!" Mais adiante, este ressalta: "apesar da terrível radicalização extremista vivida por seu país, desde o fracasso das negociações de Camp David e de Taba (2000 e 2001), existe um outro Israel, com pessoas dignas e idealistas, que não perderam nem a cabeça nem a decência e não se tornaram racistas por causa da violência que as envolve".

71. Cf. trecho ref. do *Parecer*, nas notas precedentes.

72. CIJ, **Consequências jurídicas da construção do muro nos territórios palestinos ocupados** (parecer consultivo de 9 de julho de 2004) como consigna, em seu voto, o Juiz EL-ARABY, o pedido desse parecer assume importância considerável: "represents the first time ever that the International Court of Justice has been consulted by a United Nations organ with respect to any aspect regarding Palestine".

73. Válido e oportuno ver afirmado o princípio da ilegalidade de aquisição de território, mediante uso de força armada: resta assegurar seja este consistemente aplicado!; CIJ, **Consequências jurídicas da construção do muro nos territórios palestinos ocupados** (parecer consultivo de 9-7-2004), *v.* "separate opinion" do Juiz KOROMA.

Observa Juliana JOHANN (2005)[74]: "O muro torna irreversível a situação das (ilegais) colônias e assentamentos, até agora sujeitos à possibilidade de desmantelamento, a ser negociado em acordos de paz. O muro não é só uma estrutura física, é um regime inteiro de sistema de 'permissões' (em geral, negadas), para acesso a áreas 'enclavadas' declaradas 'zonas fechadas'." E avalia: "O resultado mais perigoso do muro é que ele destrói o potencial de uma coexistência pacífica, ao destruir o potencial de um estado palestino independente e da 'solução de dois estados'"[75].

Segundo Jean-Marc SOREL (2010)[76], "se a construção de um muro aparece como fracasso político, os elementos jurídicos estão presentes, apesar de tudo. Qualquer que seja o questionamento do estatuto do território sobre o qual se encontra o muro e/ou sobre o estatuto do próprio muro, ou seja, quanto às consequências desse muro em matéria humanitária ou de direitos do homem, em termos de responsabilidade ou de livre circulação de pessoas e de bens. Nesse sentido, a rica análise da Corte Internacional de Justiça a respeito do muro na Palestina nos parece dever ser considerada também em relação a outros muros, mesmo se esses não foram objeto de tal tratamento jurisdicional. Existem, assim, muros que interpelam diretamente o direito internacional a partir do momento em que respondem a determinada situação internacional"[77].

---

74. Juliana JOHANN, *Percepções e prioridades externas no mundo árabe: visões a partir do terceiro setor* (in **Diálogo América do Sul – Países árabes**, org. Heloísa Vilhena de Araujo, prefácio Celso AMORIM, Brasília: Fundação Alexandre de Gusmão / IPRI, 2005, p. 385-468, cit. p. 414), a respeito da ocasião em que a questão foi levada à apreciação pela Corte: "Israel resolveu boicotar essa etapa dos procedimentos [orais públicos]. Israel não tinha maneira de defender o muro dentro dos parâmetros da legalidade internacional. Escapou da Corte porque não tinha condições de defender o caso. Quando decidiu manter-se fora da Corte, decidiu manter-se fora da legitimidade internacional. Aqueles que opuseram-se a que a Corte analisasse o assunto foram precisamente os que tentaram politizar a lei internacional. A sentença (*sic*, na verdade, trata-se de parecer consultivo) do Tribunal Internacional declarou que a sua competência para julgar o caso estava fundamentada e declarou o muro incompatível com a legalidade internacional, pediu que se ponha fim à 'situação ilegal' provocada pela construção do muro, exigiu o desmantelamento das partes do muro que se desviam da linha de armistício, bem como a compensação e reparação dos danos causados (terras agrícolas devastadas, redes de estradas destruídas, campos de oliveiras milenares arrancados, etc.). A Corte deu caráter *erga omnes* à sentença (*sic*, parecer), obrigando a comunidade internacional a garantir seu cumprimento".

75. J. JOHANN (art. cit., p. 417): "Israel anunciou que não reconhecerá a sentença. Os desdobramentos do assunto deverão incluir a provável solicitação de sanções da ONU contra Israel. O episódio da Corte aconteceu num momento esperado há muito por palestinos. Por muito tempo se tem proposto/reivindicado o caráter político do conflito palestino-israelense, o que faz com que a solução deva ser uma solução política. Entretanto, o que os palestinos têm testemunhado, desde 1967, é a expropriação territorial e a expansão dos assentamentos, feitas por meios "legais'. A opinião (*sic*, parecer) da Corte reverte tal processo". [...]"O fato de o muro ser debatido no Tribunal produz exatamente o que tem sido o mais necessário e ausente: a substituição da política pela lei. A sentença (*sic*, parecer) do Tribunal é uma declaração autorizada sobre questões jurídicas básicas que desde há muito têm sido disputadas por Israel e que auxiliam no apoio ao papel da legalidade internacional em um conflito onde esta tem estado ausente ou submersa por reivindicações políticas".

76. Jean-Marc SOREL (sous la direction de), **Les murs et le droit international** (Paris: Pedone, 2010, Université de Paris I Panthéon Sorbonne – Centre d'étude et de recherche en droit international – Cahiers Internationaux n. 24).

77. Jean-Marc SOREL, *Les murs murent*... (in **Les murs et le droit international**, sous la direction de Jean-Marc SOREL, Paris: Pedone, 2010, p. 7-23, cit. p. 9).

Na avaliação de Salem H. NASSER[78]: "Nestas circunstâncias o direito não se faz dispensável, mas, pelo contrário, faz-se absolutamente necessário. Neste caso particular, o direito não é lacunoso, mas pelo contrário, tem o que dizer e é quase cristalino. Neste caso, a justiça está melhor servida pelo direito que pelos jogos da política, e o direito inequívoco que expressa a Corte no essencial de seu parecer consultivo deveria ser usado por políticos e juristas como instrumento e como guia para uma solução definitiva, mais justa, para um conflito que traz tanto sofrimento e risco ao mundo. Dizer que ao direito que aplica a Corte não cabe um papel neste conflito fortalece aquele que viola o direito, deslegitima o principal órgão judicial das Nações Unidas e subordina o direito a aplicação casuística, ditada pelos interesses. Nenhuma dessas coisas convém ao jurista"[79].

Immanuel WALLERSTEIN mostra que "os muros não isolam o problema" (2006)[80] e conclui: "Os muros são eficazes no curto prazo para manter muitas (não todas) pessoas fora, e manter muitas (não todas) pessoas dentro. Mas, no médio prazo, os muros são politicamente desgastantes e aumentam a injustiça, e, portanto, tendem a forçar novas negociações. A única coisa que podemos dizer sobre os muros é que eles claramente não são amistosos, nem caridosos, nem sinal de liberdade".

V. MAROTTA RANGEL (2005)[81], ensaiando avaliação da contribuição da

---

78. Salem H. NASSER, "Consequências jurídicas da edificação de um muro no território palestino ocupado" (parecer consultivo da Corte Internacional de Justiça de 9-7-2004) no volume organizado por Araminta MERCADANTE e José Carlos de MAGALHÃES, **Reflexões sobre os 60 anos da ONU** (Ijuí: Ed. Unijuí, 2005, p. 164-192, cit. p. 190-191): "Não se pode imaginar que o direito internacional regula sozinho as relações internacionais e nelas ocupa todos os espaços, assim como não é possível pensar que o direito regula todos os campos da vida. Há situações em que faltam respostas ao direito e há aquelas outras em que a aplicação estrita do direito é afastada para dar lugar a um acordo entre as partes. No direito internacional, a possibilidade de que dois estados soberanos ou que dois atores que se opõem num conflito cheguem a uma solução negociada e satisfatória é não somente preservada, como encorajada. Entre palestinos e israelenses há processos negociadores contínuos ou sucessivos, envolvendo em medidas diferentes outros atores e outros interessados no conflito e em sua solução. Qualquer negociação, processo político por excelência, não pode perder de vista demandas básicas do direito, internacional neste caso. É verdade que as partes podem abrir mãos de direitos que o direito lhe assegura, ou assumir obrigações que antes não tinha, mas permanece a exigência de que tanto o processo negociador quanto o seu resultado preservem o equilíbrio entre as partes. Ora, parece evidente que no conflito que opõe Palestina e Israel há um desequilíbrio gritante entre as forças em oposição e que um acordo que resultasse apenas do saldo do jogo de poder seria desbalanceado e injusto para a parte mais fraca, os palestinos. O mundo, mais ansioso por uma solução que por uma solução justa, e também confrontado aos jogos de poder em escala mundial, não parece disposto ou capaz de remediar esse desequilíbrio e pesar em favor de uma solução negociada, mas justa".

79. Salem H. NASSER (est. cit., loc. cit.).

80. Immanuel WALLERSTEIN, Os muros não resolvem o problema (**OESP**, 16 de maio de 2006, p. A-10); do mesmo autor, **The decline of American power: the United States in a chaotic world**.

81. *V.* Marotta RANGEL, L'avis consultatif du 9 juillet 2004 et l'antinomie entre volontarisme et solidarisme (in **International law and the use of force at the turn of centuries: essays in honour of Vladimir Djuro Degan**, Rijeka: Faculty of Law, Univ. of Rijeka, 2005, Cap. 10, p. 199-205, cit. p. 200): "À la fin de l'étude sur la Révolution française et en particulier sur le *Projet de la déclaration de droit des gens* de l'abbé Grégoire, le professeur Degan établit un parallélisme entre le droit naturel et le droit positif, pour en dégager la supériorité du premier à l'égard du deuxième. En nous prévenant du danger du rationalisme, il nous signale ensuite: 'en ce qui concerne les principes du droit naturel pur, bien qu'ils ne soient protégés comme tels par une sanction, les conséquences néfastes de leur infraction sont inévitables dans quelques conditions qu'elles sont atteintes ou voulues'".

Corte Internacional de Justiça, no Parecer (2004), situa-o no contexto regional específico: "Em razão do regime jurídico relativamente recente desse território, sobre o qual o Conselho de Segurança e a Assembleia Geral ainda desempenham papel primordial, compreende-se a atenção consagrada pela Corte às decisões tomadas a respeito por esses dois órgãos, a partir da Resolução 181 (II) da Assembleia Geral, de 29 de novembro de 1947, e da Resolução 62 do Conselho de Segurança, de 16 de novembro de 1948, que dizem respeito ao estabelecimento desse regime".

Tendo as forças israelenses ocupado, no conflito armado de 1967, o conjunto dos territórios que tinham constituído a **Palestina sob mandato britânico**[82] (compreendendo os territórios designados sob nome de Cisjordânia, situados a leste da denominada "linha verde"), a **Resolução 242 (1967)** do Conselho de Segurança já tinha assinalado a **inadmissibilidade da aquisição de território pela guerra** e chamado à "cessação de todas as assertivas de beligerância e de todos os estados de beligerância". Segundo o Parecer consultivo de 9 de julho de 2004, "*o conjunto de tais territórios (inclusive Jerusalém oriental) permanecem territórios ocupados e Israel conservou a condição de potência ocupante*"[83].

Foi reconhecida a aplicabilidade *de jure* da IV Convenção de Genebra relativa à proteção de civis em tempo de guerra, de 12 de agosto de 1949, aos territórios ocupados, desde 1967, como afirmou a Corte Internacional de Justiça[84]. Cabe considerar os tratados aplicáveis, onde o **Parecer** faz frequentemente menção: ao art. 2º, par. 4º da Carta da ONU, no tocante à obrigação para todos os estados-membros da organização se absterem "nas suas relações internacionais, de recorrer à ameaça ou ao uso da força, seja contra a integridade territorial, seja contra a independência política de qualquer estado, ou qualquer outra ação incompatível com os propósitos das Nações Unidas"[85]; em relação ao art. 51 da Carta, a Corte decidiu que Israel não poderia invocar tal dispositivo como fundamento jurídico, porquanto "a ameaça que invoca para justificar a construção do muro tem origem no interior desse território (ocupado) e não fora dele"[86]; às convenções gerais de armistício, concluídas em 1949, sob a égide e graças à mediação da ONU, entre Israel e os países vizinhos, dentre as quais se conta a

82. Frederik M. van ASBECK, **Le statut actuel des pays non-autonomes d'outremer** (RCADI, 1947, t. 71, p. 345-476).

83. CIJ, **Consequências jurídicas da construção do muro nos territórios palestinos ocupados** (parecer consultivo de 9 de julho de 2004, parágrafos 74-78, mais adiante, parágrafo 88). Invoca a Corte a Resolução n. 2.625 (XXV) da AGNU lembrando "tout état a le devoir de s'abstenir de toute mesure de coercion qui priverait de leur droit à l'autodétermination (...) les peuples mentionnés (dans la dite résolution)".

84. V. MAROTTA RANGEL (cap. cit., 2005, p. 202); CIJ, **Construção do muro nos territórios palestinos ocupados** (parecer de 9 de julho de 2004, parágrafos. 98 a 101).

85. CIJ, **Construção do muro nos territórios palestinos ocupados** (parecer de 9 de julho de 2004, parágrafo 87).

86. CIJ, **Construção do muro nos territórios palestinos ocupados** (parecer de 9 de julho de 2004, parágrafo 139).

Convenção de Rodes, entre Israel e a Jordânia, nos seus artigos V e VI, fixava a linha verde de demarcação, entre as forças israelenses e árabes, e o art. III, parágrafo 2º da mesma, por sua vez, precisava: "Nenhum elemento das forças militares ou paramilitares de uma ou de outra parte" poderia ultrapassar, "por qualquer ordem de motivo, a linha de demarcação"; a Corte igualmente lembra que "a IV Convenção de Genebra foi ratificada por Israel, em julho de 1951, e Israel é parte desta, da mesma forma que a Jordânia e a Palestina"[87], e nos termos do art. 2º das quatro Convenções de Genebra estas se aplicam "igualmente em todos os casos de ocupação do todo ou de parte de território de uma Alta parte contratante, mesmo quando tal ocupação não encontre qualquer resistência militar"[88].

A Corte Internacional de Justiça ainda constatou ter Israel ratificado, em 3 de outubro de 1991, os pactos internacionais relativos aos direitos econômicos, sociais e culturais e os relativos aos direitos civis e políticos de 19 de dezembro de 1966, bem como a Convenção sobre os direitos da criança, de 20 de novembro de 1989[89].

Em relação às normas de direito internacional consuetudinário, a Corte identificou as relativas ao **direito de autodeterminação dos povos** e a **inadmissibilidade de aquisição de território, por meio da guerra**[90]. A Resolução n. 242 (1967) do Conselho de Segurança, adotada por unanimidade, já declarara a inadmissibilidade de aquisição de território, por meio da guerra.

No tocante ao direito de **autodeterminação dos povos**, este, além das fontes do direito internacional consuetudinário, conta, igualmente, com menção na **Carta** da ONU, artigo 1º, parágrafo 2º, de maneira a justificar e promover a instituição do Conselho de tutela, nos termos do Cap. XIII da **Carta**, bem como a já mencionada Resolução n. 2.625 (XXV) da Assembleia Geral, segundo a qual "todo estado tem o dever de favorecer, conjuntamente com outros, ou separadamente, a realização do princípio da igualdade dos direitos dos povos e do direito destes de dispor de si mesmos".

---

87. CIJ, **Construção do muro nos territórios palestinos ocupados** (parecer de 9 de julho de 2004, parágrafo 91).

88. CIJ, **Construção do muro nos territórios palestinos ocupados** (parecer de 9 de julho de 2004, parágrafo 92).

89. CIJ, **Construção do muro nos territórios palestinos ocupados** (parecer de 9 de julho de 2004, parágrafos 123 e s. e conclusão parágrafo 137). Rejeitando a tese que instauraria a distinção de tratamento entre o direito internacional dos direitos do homem e o direito internacional humanitário, a Corte reconheceu a aplicabilidade dessas três convenções aos territórios palestinos ocupados. Os problemas suscitados pela construção do muro, com relação aos dispositivos pertinentes desses tratados, são analisados pela Corte, que chega à seguinte conclusão: "A construção desse muro constitui violação, por parte de Israel, de diversas obrigações a este imputáveis, decorrentes dos instrumentos aplicáveis de direito internacional humanitário e dos direitos do homem".

90. CIJ, **Construção do muro nos territórios palestinos ocupados** (parecer de 9 de julho de 2004, respectivamente parágrafos 115, 117 e quanto à menção à Res. 242 (1967) do CSNU, parágrafo 74).

Enfatiza V. MAROTTA RANGEL (2005)[91], no tocante às relações entre o costume e as demais fontes do direito internacional: "convém lembrar o reconhecimento pela Corte quanto ao fato de 'Israel não ser parte da IV Convenção da Haia, de 1907', à qual foi anexado o **Regulamento** que tinha por objeto 'revisar as leis e os costumes de guerra'. Mencionando a decisão do Tribunal militar internacional de Nurembergue, de 30 de setembro e de 1º de outubro de 1946, bem como o Parecer consultivo de 8 de julho de 1996, sobre a **licitude da ameaça ou do uso de armas nucleares**, a Corte estimou integrarem os dispositivos do **Regulamento** da Haia de 1907 o caráter de direito internacional consuetudinário". Constata, ainda a Corte, aplicando o direito internacional consuetudinário, tal como este se reflete no artigo 42 do **Regulamento** sobre as leis e os costumes da guerra terrestre, que "território é considerado ocupado quando se encontra, de fato, colocado sob a autoridade de exército inimigo, e a ocupação se estende somente aos territórios nos quais essa autoridade está estabelecida e em condições de exercer seu controle", dessa forma observando a Corte estar o conjunto dos territórios situados entre a linha verde e "a antiga fronteira oriental da Palestina, sob mandato britânico, ocupado por Israel desde 1967". Esse estado conservou a condição de "potência ocupante" e, nessas condições, a sua responsabilidade não pode ser eximida.

Os princípios enunciados na Carta da ONU, artigo 2º, parágrafo 4º, com relação ao **uso da força**, bem como na **Resolução 2.625 (XXV)** da AGNU, são lembrados pela Corte, reportando-se ao caso das **atividades militares e paramilitares na Nicarágua e contra esta** (1986), para concluir que os princípios enunciados, com relação ao uso da força, lá são afirmados como integrantes e refletem o direito internacional consuetudinário[92]. E acrescenta valer isso, igualmente, em relação ao corolário consistente na ilicitude de qualquer aquisição territorial resultante de ameaça ou de uso da força.

A aproximação entre diversas fontes do direito internacional[93] parece levar ao reconhecimento de diversas obrigações *erga omnes*, que, no caso, segundo a Corte, foram violadas: são estas obrigações, como precisara a Corte Internacio-

91. V. MAROTTA RANGEL (cap. cit., 2005, p. 203); (CIJ, **licitude da ameaça ou do uso de armas nucleares**, parecer consultivo de 8 de julho de 1996, **Recueil**, 1996, t. I, p. 256, parágrafo 75).

92. V. MAROTTA RANGEL (cap. cit., 2005, p. 204); CIJ, **Atividades militares e paramilitares na Nicarágua e contra esta**, Nicarágua c. Estados Unidos (ordonnance en mesures conservatoires, 10 mai 1984; déclaration d'intervention de la République de El Salvador, ordonnance, 4 octobre 1984; compétence et recevabilité, ordonnance, 26 novembre 1984; fond, arrêt, 27 juin 1986; cit. **Recueil**, 1986, p. 98-101, parágrafos 187-190).

93. V. MAROTTA RANGEL (cap. cit., loc. cit.); CIJ, **Barcelona traction light and power company**, Bélgica c. Espanha (exceptions préliminaires, 24 juillet 1964; fond, 5 février 1970; cit. **Recueil**, 1970, p. 32, parágrafo 33).

nal de Justiça no caso **Barcelona traction** (1970), que "dizem respeito a todos os estados" e, dada "a importância dos direitos em questão, todos os estados podem se considerar como tendo interesse jurídico em que tais direitos sejam assegurados". Identifica a Corte, no caso do Parecer (2004), duas ordens de obrigações *erga omnes* que teriam sido violadas: "a de respeitar o direito à autodeterminação do povo palestino" e a de determinadas obrigações específicas, tais como estipuladas pelo direito internacional humanitário[94].

Em matéria de direito internacional humanitário desempenhou a Corte Internacional de Justiça papel primordial, como ilustra o julgamento no caso do **Estreito de Corfu** (1949)[95]: "Cumpre lembrar que, dentre as obrigações incumbentes às autoridades albanesas, existiam aquelas consistentes 'em fazer conhecer, no interesse da navegação em geral, a existência de campo minado nas águas territoriais albanesas, bem como advertir os navios de guerra britânicos no momento em que estes se aproximavam, do perigo iminente ao qual os expunha esse campo de minas'. Tais obrigações foram fundadas, esclareceu então a Corte, não sobre a Convenção VIII da Haia, de 1907, que é aplicável em tempo de guerra, mas sobre certos princípios gerais, bem reconhecidos, tais como considerações elementares de humanidade, mais absolutas ainda em tempo de paz que de guerra, o princípio da liberdade das comunicações marítimas e a obrigação, para todos os estados, de não utilizar seu território para fins de atos contrários aos direitos de outros estados"[96]. A tais princípios gerais reportou-se novamente a Corte Internacional de Justiça em pelo menos duas outras ocasiões, também referidas: a propósito das **atividades militares e paramilitares na Nicarágua e contra esta** (1986), bem como no Parecer consultivo de 8 de julho de 1996, sobre a **licitude da ameaça ou do uso de armas nucleares** (1996).

Como referido, paradigmático este caso, na antinomia entre duas concepções do direito internacional: *voluntarista* e *solidarista*, na linha de análise, à qual se reporta MAROTTA RANGEL (2005) e tal como desenvolvida por V. D. DEGAN (i.a., esp. 1996 e 1989)[97].

---

94. CIJ, **Construção do muro nos territórios palestinos ocupados** (parecer de 9 de julho de 2004, parágrafo 155); V. MAROTTA RANGEL (cap. cit., 2005, p. 204-205): "La mention au droit international humanitaire nous fait rejoindre un domaine du gens où la Cour joue encore un rôle primordial".

95. CIJ, **Estreito de Corfu**, Reino Unido c. Albânia (exceções preliminares, 25 de março de 1948; julgamento do mérito, 9 de abril de 1949; fixação do montante das reparações, 15 de dezembro de 1949).

96. V. MAROTTA RANGEL (cap. cit., 2005, p. 205).

97. Vladimir-Djuro DEGAN: *Some objective features in international law* (in **Essays in honour of Krystof SKUBISZEWSKI**, edited by Gerzy MAKARCZYK, Haia: Kluwer Law International, 1996, p. 123-146); *v.* tb. V.-D. DEGAN, *On state succession* (in **Dimensão internacional do direito: estudos em homenagem a G. E. do NASCIMENTO E SILVA**, org. P. B. Casella, São Paulo: LTr, 2000, p. 118-140); V.-D. DEGAN, **Création et disparition de l'État (à la lumière du démem-**

Para a concepção *voluntarista*, as normas de direito internacional somente podem ser decorrência da vontade dos estados[98]. Para a concepção *solidarista*, a existência da comunidade internacional é um fato: as normas de direito internacional são decorrência das exigências dessa comunidade e visam alcançar objetivos reconhecidos pela humanidade. Enfatiza DEGAN a existência e o conteúdo de "princípios relacionados à responsabilidade dos estados que limitam a liberdade dos estados soberanos. Estes proscrevem a conduta irresponsável dos governos, nas suas relações recíprocas"[99]. E aduz MAROTTA RANGEL (2005): "O mesmo efeito resulta dos artigos 53 e 64 da Convenção de Viena sobre direito dos tratados, artigos que decorrem da aceitação das normas sobre o *jus cogens*"[100].

A vontade soberana dos estados permanece, todavia, o principal fator da criação ou do término das normas de direito positivo. Ocorre que essa vontade é às vezes dependente de determinadas normas de caráter objetivo (*dependent on some objective norms*), enquanto normas de direito internacional cogente: "As normas objetivas de direito internacional determinam ou ao menos restringem a capacidade de criação de normas pelos Estados", e a tendência seria no sentido de que estas se expandam no século XXI, em função da consecução dos objetivos comuns da humanidade[101].

Voltando à contraposição entre as teses *voluntarista* e *solidarista*[102], sabe-se quão claramente foi a primeira majoritária, na origem da Corte permanente de justiça internacional. Como paradigmaticamente ilustra o julgamento desta, no caso do **navio Lótus** (1927)[103]: "As normas de direito internacional, vinculando as relações entre estados independentes, procedem da vontade destes", e tal

---

brement de trois fédérations multiethniques en Europe) (RCADI, 1999, t. 279, p. 195-375); V.-D. DEGAN, *Traité et coutume dans le droit de la mer* (in **O direito internacional no terceiro milênio: estudos em homenagem ao prof. V. Marotta RANGEL**, org. L. O. BAPTISTA e J. R. FRANCO DA FONSECA, São Paulo: LTr, 1998, p. 407-434); V.-D. DEGAN, *La succession d'États en matière de traités et les états nouveaux* (AFDI, 1996); V.-D. DEGAN, *L'affirmation des principes du droit naturel par la Révolution française* (AFDI, 1989, v. XXV, p. 99-116).

98. V.-D. DEGAN (cap. cit., 1996, p. 123): "The voluntarist concept strictly takes all legal rules as a product of the will of sovereign states".

99. V.-D. DEGAN (cap. cit., p. 129): "Some legal principles relating to state responsibility which really affect the freedom of sovereign states. They in fact out-law irresponsible conduct of governments in their mutual relations".

100. V. MAROTTA RANGEL (cap. cit., 2005, loc. cit.).

101. V.-D. DEGAN (cap. cit., 1996, p. 145-146): "In some situations of the operations of *jus cogens*, these objective norms even determine or at least restrain the law-creating power of sovereign states. (...) What can be expected in the 21st century is a continued expansion of rules of this kind, deduced from the goals of mankind".

102. V. MAROTTA RANGEL (cap. cit., 2005, parágrafo 8, p. 205, b/c notas 10 e 11).

103. CPJI, **Lótus**, França c. Turquia, julgamento de 7 de setembro de 1927: "Les règles de droit international liant les rapports entre états indépendants procèdent de la volonté de ceux-ci" (...) e tal vontade "se manifeste dans les conventions ou dans les usages acceptés généralement comme consacrant des principes de droit".

vontade "se manifesta nas convenções ou nos usos geralmente aceitos como consagradores dos princípios de direito", onde "referido posicionamento em sentido claramente voluntarista não representava surpresa, porquanto fora este precedido por decisões arbitrais, não obstante oposições doutrinais", tal como Marcel SIBERT (1951)[104]. Contudo, o positivismo, ao qual se filiava também a então existente doutrina soviética, ainda hoje "merece o apoio de parcela altamente representativa da doutrina, mas enfrenta a firme oposição de corrente composta por juristas igualmente ilustres", como Christian TOMUSCHAT (1993, 1999)[105], e "também, cumpre assinalar, pela jurisprudência contemporânea da Corte Internacional de Justiça, tal como no Parecer de 9 de julho de 2004".

Nesse sentido, dada a importância dos direitos em questão e as diferentes fontes em jogo, de modo a ultrapassar quadro de dimensão simplesmente consuetudinária ou regional, poderia ser compreendida a qualificação *erga omnes*, conferida a tais obrigações[106]: "Dado o grande alcance dessa qualificação, seríamos tentados a estabelecer assimilação entre a noção de *erga omnes*, e outra, mais conhecida, de *jus cogens*, tal como a menciona o art. 53 da Convenção de Viena sobre direito dos tratados. Tal assimilação poderia, eventualmente, se destinar a suplementar as obscuridades que, todavia, circundam a primeira dessas noções, e que encontraria, apesar de tudo, a sua razão de ser no fato de que, dentre outros motivos, ambos os conceitos destinam-se a proteger interesses comuns dos estados e valores morais fundamentais"[107].

O direito internacional pós-moderno reflete a complexidade e a diversidade do mundo sobre o qual tem de validamente atuar e assegurar a ordenção teleologicamente humana do mundo. Isso se manifesta de um lado com a afirmação

---

104. Marcel SIBERT, **Traité de droit international public** (Paris: Dalloz, 1951, t. I, p. 15): "Comment pourrait-on nier, devant ces citations, que le point de vue positiviste l'emporte, dans la jurisprudence, sur celui du droit naturel? Doit-on s'en féliciter, sans réserves? On en peut douter".

105. Christian TOMUSCHAT, **Obligations arising for states without or against their will** (RCADI, 1993, t. 241, p. 195-374), e novamente Chirstian TOMUSCHAT, consideravelmente mais enfático em seu posterior curso geral, **International law: ensuring the survival of mankind in the eve of a new century: general course on public international law** (RCADI, 1999, t. 281, p. 9-438).

106. CIJ, **Consequências jurídicas da construção do muro nos territórios palestinos ocupados** (parecer consultivo de 9 de julho de 2004, em sentido contrário, o voto da Juíza R. HIGGINS, parágrafos 37-39).

107. V. MAROTTA RANGEL (cap. cit., 2005, p. 204, b/c notas 7 e 8); Antonio CASSESE, trad. francesa, **Le droit international dans un monde divisé** (Paris: Berger-Levrault, 1986, p. 176); Maurizio RAGAZZI, **The concept of international obligations *erga omnes*** (Oxford: Clarendon Press, 1997, p. 72); Lisa YARWOOD, **State accountability under international law** – Holding states accountable for a breach of *jus cogens* rules (London: Routledge, 2011); A. ORAKHELASHVILI, **Peremptory norms in international law** (Oxford: Univ. Press – Oxford Monographs in International Law, 1st. publ. 2006, reprinted 2008); do INSTITUTO DE DIREITO INTERNACIONAL, **La compétence universelle en matière pénale à l'égard du crime de génocide, des crimes contre l'humanité et des crimes de guerre** / *Universal criminal jurisdiction with regard to the crime of genocide, crimes against humanity and war crimes* (adotada na sessão de Cracóvia, em 25 de agosto de 2005, relator Christian TOMUSCHAT).

das obrigações *erga omnes*, tal como exposto, em relação à Corte Internacional de Justiça, no referido Parecer (2004), ou como deliberou o *Instituto de direito internacional*, em Resolução adotada (Sessão de Cracóvia, 2005)[108]. No extremo oposto a estas, encontram-se as normas da assim chamada "*soft law*".

6.2. Domínio terrestre

O domínio terrestre do estado compreende o solo e o subsolo da parte da superfície do globo circunscrita pelas suas fronteiras e, também, as ilhas que lhe pertencem[109]. O subsolo depende diretamente do território que lhe constitui a superfície, seja qual for a sua profundidade.

A ***extensão*** do domínio terrestre do estado é determinada por **limites**, ou linhas imaginárias, que indicam até onde vai o território sobre o qual se exerce a sua soberania.

O estado tem o direito e até o dever de marcar materialmente, ou indicar concretamente, os seus limites, isto é, a linha ou linhas que o separam dos seus vizinhos. Pode haver estado, entretanto, cujos limites não se achem perfeitamente ou legalmente definidos.

É muito comum a **confusão** entre as palavras ***limite*** e ***fronteira***, e, na verdade, na linguagem usual elas não se distinguem. Rigorosamente falando, porém, não devem significar a mesma coisa: o ***limite*** é uma **linha**, ao passo que a ***fronteira*** é uma **zona**.

Admite-se comumente a **divisão dos limites** em ***naturais*** e ***artificiais***. Aqueles (também designados como **limites *arcifínios***) são os que acompanham certos traços físicos do solo ou os chamados acidentes geográficos. Os outros (também chamados ***intelectuais*** ou ***matemáticos***) são os que não correspondem a nenhuma linha física ou acidente natural. Estes últimos seguem, habitualmen-

---

108. INSTITUTO DE DIREITO INTERNACIONAL, **Les obligations et les droits erga omnes en droit international / *Obligations and rights* erga omnes *in international law*** ("Le texte anglais fait foi. Le texte français est une traduction"/ Adotada em 27 de agosto de 2005. / 5a. Comissão / teve como Relator Giorgio GAJA), segundo o qual a "obrigação *erga omnes* é: (a) obrigação decorrente do direito internacional geral, em relação à qual o estado, em qualquer circunstância, tem a obrigação de observar, em relação à comunidade internacional, com base em valores comuns e no próprio interesse do estado, que tal obrigação seja respeitada, de tal modo que a sua violação autoriza todos os estados a reagir contra tal violação; ou (b) obrigação decorrente de tratado multilateral, em relação à qual o estado-parte nesse tratado tem a obrigação de observar, em qualquer circunstância, em relação a todos os estados-partes no tratado, em razão de valores comuns, e do interesse de todos que tal obrigação seja respeitada, de tal modo que a sua violação autoriza todos os estados a reagir".

109. O regime colonial, ainda na primeira metade do século XX, pelo direito internacional então vigente, admitia três quartos das terras e mais da metade da população do planeta como colônias e territórios não autônomos, sujeitos à soberania de outro estado; mas com o advento da descolonização, no seio das Nações Unidas, já não se admite a existência de colônias ou de territórios não autônomos, submetidos a outro estado.

te, linhas astronômicas, como paralelo ou meridiano, ou retas, que liguem pontos previamente conhecidos, ou estradas etc.

A bem dizer, nos nossos dias, não existem limites puramente naturais, ou, antes, em geral, não se procede efetivamente à determinação de fronteira sem indicar no terreno, por meio de marcos ou sinais artificiais, a linha exata de tal fronteira, muito embora, às vezes, esta seja acidente natural.

O termo ***delimitação*** é mais usado como significando apenas a descrição do limite ou fronteira, feita, em geral, num tratado ou convenção, ou resultante de acordo tácito ou de alguma sentença arbitral. A execução, no terreno, do que foi assim descrito ou determinado, toma, geralmente, o nome de ***demarcação***. Esta é, pois, a operação pela qual se assinala, no terreno, a linha divisória entre estados limítrofes.

Não há princípio jurídico a que se subordinem todos os estados e pelo qual se determine que cada um destes tem direito absoluto a esta ou àquela extensão territorial, a este ou àquele limite. O traçado das fronteiras é geralmente o resultado de acontecimentos históricos ou de acordos mútuos, sem atenção a princípios absolutos.

Quando, por acordo ou por decisão arbitral, se procura traçar a fronteira entre dois estados que já possuíam limite antigo, quando se tem em vista apenas restaurar limite anterior, o problema só oferecerá dificuldades se a situação primitiva não se acha bem definida, isto é, não se funda na existência de delimitação precisa, apoiada em documentos indiscutíveis.

Quando, porém, se cuida de criar limite novo, ou quando, tendo desaparecido a delimitação anterior, quer pela sua impraticabilidade, quer pela caducidade do ato ou atos que a estabeleceram, se procura adotar outro traçado, a questão, em geral, é de mais difícil solução, porque depende inteiramente do arbítrio das partes interessadas.

Neste caso, entretanto, pode ser invocado um princípio, que apresenta critério muito razoável para a solução e, na falta de outro, como que se impõe: é o ***uti possidetis***. Na apreciação desse princípio, tirado do direito romano e muito alegado nas questões de limites entre as nações latino-americanas, as divergências têm sido frequentes. Assim, enquanto, no Brasil, se dava ao ***uti possidetis*** o único sentido que ele poderia razoavelmente ter, isto é, o de posse real e efetiva, herdada pelos países americanos ao tempo de sua independência[110], vários autores e

110. Na verdade, a significação jurídica do princípio não pode ser diferente da que sempre lhe foi dada no Brasil. Com efeito, segundo observou Paul DE LA PRADELLE, o *uti possidetis juris* repousa sobre uma afirmação contraditória: funda se no *título* e não no *fato* da posse. Ora, em seu verdadeiro sentido, o *uti possidetis* significa a posse contínua e

governos hispano-americanos sustentaram conceito diferente, adotando o chamado ***uti possidetis juris***, ou o direito à posse, independentemente da ocupação efetiva[111].

É extensa a jurisprudência internacional, em matéria territorial. Dentre numerosos precedentes, emanados da Corte Internacional de Justiça e da jurisprudência arbitral, refiram-se os casos de **fronteira terrestre, marítima e das ilhas** entre El Salvador e Honduras, com intervenção da Nicarágua (1986/1992)[112].

Importância considerável em matéria de contenciosos internacionais versando questões de território terá o comportamento das partes, destacado como elemento crucial pela Corte Internacional de Justiça, no caso do **templo de Preah Vihear** (1962)[113] bem como no caso da **controvérsia de fronteiras terrestre, insular e marítima** (1992)[114]. A questão do comportamento das partes,

---

prolongada, tranquila e pacífica, independentemente de qualquer outro título; é, para um estado, conforme se deduz do que Andrés BELLO escrevia em 1857, o que tal estado tem possuído real e efetivamente com qualquer título ou sem título algum, e não o que ele tinha direito de possuir e não possuía.

111. Como quer que seja, o chamado *uti possidetis juris* poderia, quando muito, ser invocado nos litígios de limites entre os países americanos de origem espanhola, porque teria em vista a restauração das antigas divisões administrativas criadas ou estabelecidas por uma autoridade comum, que era a monarquia espanhola. Não existia, porém, a mesma situação, no tocante aos limites entre tais países e o Brasil. E, além disto, não havia entre eles e o Brasil, na época das respectivas emancipações políticas, nenhum tratado válido, pois o tratado preliminar assinado em Santo Ildefonso em 1777 havia caducado. Nessas condições, na ausência de qualquer documento escrito que pudesse ser legitimamente invocado, o único recurso era o *uti possidetis* de fato, era a posse real e efetiva. Foi isto, aliás, reconhecido, explícita ou implicitamente, em vários tratados de limites celebrados entre o Brasil e seus vizinhos.

112. CIJ, **Land, island and maritime frontier dispute**, El Salvador and Honduras, Nicaragua intervening (1986/1992); *v.* CIJ, **Recueil**, separate opinion TORRES BERNÁRDEZ (p. 730-731): "I agree with the finding of the judgment that 'in the circumstances of the present case, this judgment is not *res judicata* for Nicaragua' [paragraph 424 of the reasoning]. There remains, however, the question of the effects of the judgment other than that of *res judicata* (art. 59 of the **Statute**) on a non-party state intervening under Article 62 of the **Statute**. (...) My position is based upon the fact that I cannot, as a general proposition, conceive of rights without obligations as well as upon the general economy of the institution of intervention, as embodied in Articles 62 and 63 of the **Statute** of the Court. Interventions under article 63, for example, are non-party interventions and nevertheless the intervening state is under the obligation set forth in that article. *Mutatis mutandis*, an obligation of that kind also exists, in my opinion, for a non-party state intervening under article 62, notwithstanding the fact that that article does not say so in plain words. My reading of the *travaux préparatoires* of the 1920 **Statute** of the Permanent Court of International Justice as well as the observations of the British government, signed by the British agent, Cecil J. B. HURST, concerning the original application of the government of Poland for permission to intervene in the 'S.S. Winbledon' case, under article 62, confirms rather than negates the above conclusion".

113. Cambodja contra Tailândia, julgado pela CIJ em 15 de junho de 1962.

114. El Salvador e Honduras, com intervenção da Nicarágua, teve o mérito julgado pela CIJ em 1992, depois de ser deferida a intervenção da Nicarágua por possuir interesse na questão da soberania das ilhas do Golfo de Fonseca. A decisão da CIJ abrangeu: controvérsias terrestres, em relação às quais a Corte dividiu seis setores, e prolatou decisões para cada setor; as ilhas do Golfo de Fonseca, em relação às quais a Corte determina quais são as ilhas objeto de controvérsias, daí resultando ser atribuída à soberania de Honduras a ilha de El Tigre e à de El Salvador as ilhas de Meanguera e Meanguerita; finalmente, com relação às controvérsias acerca do espaço marítimo, depois de aceita a intervenção da Nicarágua, a Corte mantém a situação anteriormente vigente entre os três estados, enfatizando a condição histórica das águas no Golfo de Fonseca, no sentido de prevalecer o condomínio dos três estados, na utilização das águas, a partir do limite de três milhas marítimas. Qualquer modificação no regime das águas internas ou externas deveria ser acordada entre os três estados. Em 2002, El Salvador postulou revisão da decisão da CIJ. Para ser aceita revisão, esta deve configurar os requisitos estipulados no *caput* e parágrafos do artigo 61 do Estatuto CIJ, "em razão do descobrimento de algum fato suscetível de exercer influência decisiva, o qual, na ocasião de ser proferida a senten-

na medida em que traduz a existência de aquiecescência implícita, pode ser o argumento central de decisão, esclarece L. I. SÁNCHEZ RODRÍGUEZ (1997)[115], visando precisar o alcance e o sentido dos títulos, que provem o *uti possidetis juris*, e, igualmente – no caso da ocupação efetiva –, de completar títulos insuficientes ou mesmo deslocar outros títulos contraditórios, como no caso da **Ilha de Palmas**, conforme laudo arbitral, prolatado por Max HUBER (1928)[116].

Para ilustrar a relação entre soberania e território, pode ser apontado o exemplo da Santa Sé e do estado do Vaticano.

6.2.1. soberania e território: a Santa Sé e o estado do Vaticano

Durante séculos, até 1870, como soberano dos estados pontifícios, ao lado do poder espiritual, como chefe visível da Igreja católica, deteve o papa poder temporal, cuja autoridade, comparável à de qualquer outro chefe de estado, se exercia plenamente sobre as terras da coroa pontifícia. Sua personalidade internacional era reconhecida, nessa qualidade, pelos demais membros da comunidade internacional.

Em 1870, após a unificação do reino da Itália, cai o poder temporal do papa, e a personalidade internacional deste e da Santa Sé começa a ser negada, como derivada do poder temporal. Essa soberania foi apenas de natureza espiritual, entre 1870 e 1929, até os acordos de Latrão, quando se estipula a criação do estado do Vaticano, no qual se baseia territorial e funcionalmente essa autoridade soberana[117].

ça, era desconhecido da Corte e também da parte que solicita a revisão, contanto que tal desconhecimento não tenha sido devido a negligência". Pedido de revisão, cf. o artigo 61, parágrafo 4º, deverá ser feito "no prazo máximo de seis meses a partir do descobrimento do fato novo", e o artigo 61, parágrafo 5º, estipula que nenhum pedido de revisão poderá ser feito após o limite temporal de dez anos da data da sentença. Para justificar o pedido de revisão El Salvador argumentou como fatos novos a transposição do Rio Goascorán e novas cópias da carta esférica e do relatório de 1794 da expedição El Activo. A Corte rejeitou os argumentos salvadorenhos, afirmando que tais "descobrimentos" não seriam relevantes nem levariam a mudar a decisão proferida anteriormente.

115. L. I. SÁNCHEZ RODRÍGUEZ, ***L'uti possidetis* et les effectivités dans les contentieux territoriaux et frontaliers** (RCADI, 1997, t. 263, p. 149-381, cit. p. 372): "Le comportement manifestant l'existence de l'acquiescement, par rapport au principe de la bonne foi, peut rester la clef de voûte dans le processus de décision d'un tribunal, qu'il s'agisse de contentieux qualifiés a priori de délimitation ou d'acquisition de la souveraineté territoriale".

116. Corte Permanente de Arbitragem. Estados Unidos da América c. Reino dos Países Baixos. Árbitro Max HUBER. **Ilha de Palma**. Sentença arbitral de 4 de abril de 1928. Declara o árbitro: "Il semble en outre évident que les traités conclus par l'Espagne avec les tierces puissances et qui reconnaissaient sa souveraineté sur les Philippines ne pourraient lier les Pays-Bas". Deste caso destacam-se três princípios aplicáveis em diversas outras decisões em matéria territorial: a plenitude e a exclusividade da competência estatal, a regra da ocupação efetiva e a inoponibilidade de disposição contida em tratado em relação a terceiros. O princípio do efeito relativo dos tratados figura, atualmente, no art. 38 da Convenção de Viena sobre direito dos tratados: nada impede que regra prevista em tratado se torne obrigatória para terceiros estados, como regra consuetudinária de direito internacional, reconhecida como tal.

117. A ausência do poder temporal não implicava a inexistência de soberania. A moderna concepção sobre a natureza jurídica desta prova-o perfeitamente. Com efeito, a soberania é um direito de decisão em última alçada, um direito de

A conclusão dos **acordos de Latrão**, aos 11 de fevereiro de 1929, constantes de concordata e de tratado político, este trazendo como apêndice uma convenção financeira, estabelecem base territorial, embora ínfima, e série de prerrogativas, reconhecidas pela Itália, em favor da *cidade estado do Vaticano*[118]. Ao mesmo tempo que se coloca como estado soberano, quando se trata de responder às críticas que se lhe formulam com respeito às ondas de rádio, transmitidas pela *rádio Vaticana*, interfere abertamente na política interna italiana, como, ademais de outros estados, em matérias que vão muito além de questões de doutrina e de fé[119]. Cla-

---

mando, que se exerce sobre pessoas e não sobre territórios. O território poderá ser, apenas, em relação à soberania, elemento material, sobre o qual esta, de algum modo, se apóie. Servirá para fixar os limites até onde se poderá exercer a soberania, por isso que a soberania temporal, divisível no espaço, é repartida entre os diferentes estados do mundo. O território indica, assim, os indivíduos que dependem de cada soberania. Mas o fato é que, ainda para o estado, potência temporal, a soberania é, antes de tudo, um poder sobre as pessoas, antes que sobre as coisas ou o território. Destarte, a soberania do estado, na essência, pode ser considerada da mesma natureza da que é atribuída à Santa Sé ou ao papa. A diferença é, por assim dizer, de proporção, decorrente da diferença de fins. Uma e outra, aliás, se exercem em planos distintos, mas como que se estabelece entre elas uma espécie de condomínio, no qual o poder de cada uma se aplica, muita vez, sobre os mesmos indivíduos, mas para objetos diferentes. A competência de uma, nos pontos que lhe são próprios, é perfeitamente compatível com a da outra no que pertence à alçada dessa outra. A distinção entre as duas explica por que a soberania internacional do papa pôde sobreviver à supressão do seu poder temporal, de 1870 até 1929.

118. Por meio do **tratado de Latrão**, de 11 de fevereiro de 1929, a Itália, àquele tempo governada pelo regime fascista de B. MUSSOLINI, reconhece "a soberania da Santa Sé, no domínio internacional, com os atributos inerentes à sua natureza, de conformidade com a sua tradição e as exigências da sua missão no mundo" (art. 2º), bem como "a plena propriedade, o poder exclusivo e absoluto e a jurisdição soberana sobre o Vaticano... com todas as suas dependências e dotações", e, assim, criava-se a *Cidade do Vaticano,* para os fins especiais e com as modalidades previstas no tratado (artigo 3º). Ainda cf. o tratado de Latrão, a pessoa do pontífice é "sagrada e inviolável" (artigo 8º). Segundo o artigo 9º, são submetidas à soberania da Santa Sé as pessoas que têm residência fixa na Cidade do Vaticano, as que ali residem permanentemente, em razão de dignidade, cargo, serviço ou emprego, quando tal residência seja prescrita por lei ou regulamento, ou autorizada pelo pontífice. No artigo 12, a "Itália reconhece à Santa Sé o direito de representação diplomática, ativo e passivo, segundo as regras gerais do direito internacional", e os diplomatas estrangeiros, acreditados junto à Santa Sé, continuarão a gozar, na Itália, de todas as prerrogativas e imunidades concedidas aos agentes diplomáticos, "ainda quando os respectivos estados não mantenham relações diplomáticas com a Itália". A Itália também se comprometeu "a respeitar sempre e em qualquer caso a liberdade de correspondência entre todos os estados, inclusive os beligerantes, e a Santa Sé, e vice versa" – compromisso mais de uma vez burlado pelo governo fascista italiano. O mesmo tratado reconheceu à Santa Sé a propriedade sobre diversos imóveis situados em Roma ou nos arredores, atribuindo lhes imunidade de jurisdição; garantiu o livre acesso à cidade do Vaticano, através do território italiano, dos enviados de governos estrangeiros e dos dignitários da igreja; permitiu o livre trânsito, através do território italiano e com isenção de direito, de mercadorias procedentes de países estrangeiros e destinados à cidade do Vaticano; estipulou honras especiais para os cardeais; prometeu liberdade de reunião para os conclaves, bem como para os concílios presididos pelo papa; estipulou que "a cidade do Vaticano será sempre, e em qualquer caso, considerada como território neutro e inviolável"; declarou "resolvida, de maneira definitiva e irrevogável, a *questão romana,* surgida em 1870 com a anexação de Roma ao reino da Itália sob a dinastia da casa de Saboia" etc. A soberania territorial da Santa Sé foi determinada pela necessidade de se dar base material à soberania espiritual do papa, e de se lhe conceder garantia de direito público, capaz de lhe assegurar a completa independência. Pode dizer se, contudo, que a personalidade internacional da Santa Sé não é precisamente a mesma do estado da cidade do Vaticano, onde o bispado de Roma tem a sua sede. Restrições motivadas pela exiguidade territorial, ou seja, mais ou menos 43 hectares, deixaram de existir diante da prática das Nações Unidas de aceitar como membros os microestados. A Santa Sé participa de todas as grandes conferências internacionais em que assuntos de seu interesse são abordados. Em suma, o papa é ao mesmo tempo chefe de estado e chefe da Igreja católica.

119. Frank ATTAR, *Le nouveau catéchisme de l'Église catholique et le droit international* (AFDI, 1993, v. XXXIX, p. 480-493).

ramente não se trata somente da base territorial, para o exercício de tal soberania.

Após este parêntese, cabe passar ao exame do domínio fluvial do território.

6.3. Domínio fluvial

O domínio fluvial é constituído pelos rios e demais cursos d'água que, dentro dos limites do estado, cortam o seu território. Os rios são ***nacionais***, quando correm inteiramente dentro dos limites do estado, ou ***internacionais***, quando atravessam ou separam os territórios de dois ou mais estados.

Além dessa classificação clássica, que conta com a aceitação da grande maioria dos estados e dos autores[120], a tese da ***bacia de drenagem internacional*** (ou *international drainage basin*) tem merecido aceitação. Trata-se de tese defendida pela *International Law Association*, cujos estudos foram aprovados em

---

120. ACCIOLY, **Tratado** (2009, v. 2, *"rios"*, p. 189-229); Academia de direito internacional da Haia, **Droits et obligations des pays riverains des fleuves internationaux** (colóquio, Centre d'Études et de Recherche de Droit International, Dordrecht: M. Nijhoff, 1991); J. A. Alves AMORIM, **Direito das águas** – o regime jurídico da água doce no direito internacional e no direito brasileiro (São Paulo: Lex, 2009); J. ANDRASSY, **L'utilisation des eaux internationales non maritimes em dehors de la navigation** (IDI, sessão de Neuchâtel, 1959); Bogdan AURESCU e A. PELLET (coords.), **Actualité du droit des fleuves internationaux** ("Actes des Journées d'études des 24 et 25 octobre 2008", Paris: Pedone – Cahiers CEDIN – ADIRI, 2010); Julio A. BARBERIS, *Le régime juridique international des eaux souterraines* (AFDI, 1987, p. 129-162); A. A. BAXTER, **The law of international waterways** (Cambridge, Ma.: Harvard UP, 1964); P. BUIRETTE, *Gênese d'un droit fluvial international général* (RGDIP, 1991, v. 95-1, p. 5-70); Lucius CAFLISCH, **Règles générales du droit des cours d'eaux internationaux** (RCADI, 1989, t. 219, p. 9-226); Paulo Canelas de CASTRO, **Recent developments in water law** (Lisboa: Luso American Foundation, 2005); Themístocles Brandão CAVALCANTI, *Dos rios públicos nacionais e internacionais* (Bol. SBDI, 1972-1974, p. 25); C. A. COLLIARD, **Évolution et aspects actuels du régime juridique des fleuves internationaux** (RCADI, 1968, v. 125, p. 337-442); M. DIEZ DE VELASCO, **Instituciones de derecho internacional público** (Madrid: Tecnos, 16. ed., 2007); H. DIPLA, *Les règles de droit international en matière de délimitation fluviale: une remise en question?* (RGDIP, 1985, p. 586-624); Amílcar de Araújo FALCÃO, *Aproveitamento industrial do Salto de Sete Quedas* (Bol. SBDI, 1967, p. 5); Friedrich A. von der HEYDTE, *Le principe du bon voisinnage en droit international* (Rev. Fac. Direito da Univ. de Lisboa, 1961-1962, v. XV, p. 279-292); G. LAMMERS, **Pollution of international watercourses** (Dordrecht, 1984); Magdalena LONDERO, *O direito fluvial internacional* (Bol. SBDI, 1966, p. 61); C. D. A MELLO, **Curso** (15. ed., 2004, t. II, Cap. XLVIII, "Rios, p. 1295-1306); G. E. do NASCIMENTO E SILVA, *A utilização dos rios internacionais e o MERCOSUL* (in **Contratos internacionais e direito econômico no MERCOSUL: após o término do período de transição**, coord. P. B. CASELLA *et al.*, São Paulo: LTr, 1996, p. 506-517); Paulo Roberto PALM, **A abertura do rio Amazonas à navegação internacional e o Parlamento brasileiro** (Brasília: FUNAG, 2009); J. G. POLAKIEWICZ, *La responsabilité de l'état en matière de pollution des eaux fluviales ou souterraines internationales* (JDI, 1991/2, p. 283-347); Iftene POP, **Voisinage et bon voisinage en droit international** (Paris: Pedone, 1980); Hélène RUIZ FABRI, *Règles coutumières générales et droit international fluvial* (**AFDI**, 1990, t. XXXVI, p. 818-842); José SETTE-CÂMARA, **Pollution of international rivers** (RCADI, 1984, v. 186, p. 117-217) ou a ed. bras., J. SETTE-CÂMARA, **Poluição de rios internacionais** (pref. P. B. CASELLA, trad. e posfácio Arthur R. Capella GIANNATTASIO, São Paulo: Quartier Latin, 2011); Béla VITÁNYI, **The international regime of river navigation** (Alphen na den Rijn: A. W. Sijthoff, 1979); Philippe WECKEL (dir.), **Le juge international et l'aménagement de l'espace: la specificité du contentieux territorial** (Paris: Pedone, 1998); B. WINIARSKI, Principes généraux de droit fluvial international (RCADI, 1933, v. 45, p. 75-218); M. WOLFROM, **L'utilisation à des fins autres que la navigation des eaux des fleuves, lacs et canaux internationaux** (Paris: Pedone, 1964); R. ZACKLIN e L. CAFLISCH, **Le regime juridique des fleuves et lacs internationaux** (La Haye: M. Nijhoff, 1981); Isidoro ZANOTTI, *Aproveitamento dos rios e lagos internacionais para fins industriais e agrícolas* (Bol. SBDI, 1964, p. 5).

1966 e passaram a ser conhecidos como as *Helsinki Rules*, segundo as quais "bacia de drenagem internacional é área geográfica que cobre dois ou mais estados, determinada pelos limites fixados pelos divisores de água, inclusive as águas de superfície e as subterrâneas, que desembocam num ponto final comum". A tese teve aceitação inicial por parte da Comissão de Direito Internacional.

As posições conflitantes entre o Brasil e a Argentina em relação ao uso equitativo e a gestão concertada de recursos naturais compartilhados, no tocante à **barragem de Itaipu**, se fizeram sentir, também internacionalmente. A respeito, P.-M. DUPUY (1978)[121] e J. BARBERIS (1979)[122]: *"O direito internacional distingue, dentre os recursos naturais, aqueles que são próprios de cada estado, os que pertencem à comunidade internacional e os compartilhados entre dois ou mais países"*[123]. A **Resolução 2.995 (XXVII)** foi invocada pela Argentina, quando o Brasil procedeu ao enchimento da barragem de Ilha Solteira, no rio Paraná. Também evocada foi a **Resolução 3.129 (XXVIII)** intitulada "*Cooperação no campo do meio ambiente, em matéria de recursos naturais compartilhados por dois ou mais estados*"[124].

Para a Argentina, "o afluente principal e os secundários de um rio devem ser considerados *internacionais*, mesmo quando se encontrem inteiramente dentro do território nacional, visto que constituem parte do sistema fluvial de uma bacia de drenagem internacional". O Brasil, ao contrário, argumentou que o estudo a ser feito deveria basear-se na definição clássica de rio internacional, tal como adotada em Viena, em 1815. Consultados os estados-membros a respeito, a maioria esmagadora optou pela doutrina clássica. Seja como for, a Assembleia Geral das Nações Unidas acolheu o projeto da CDI em dezembro de 1997.

No mesmo ano de 1997, no julgamento pela Corte Internacional de Justiça, do caso **Gabcíkovo-Nagymaros**, foi por esta declarado que o desenvolvimento sustentável compreende ainda o uso equitativo dos recursos naturais comuns. Tal aspecto foi enunciado de forma bastante clara, ao afirmar a Corte que a Eslováquia teria violado o direito internacional ao assumir controle unilateral de recurso natural comum[125].

---

121. Pierre-Marie DUPUY, *La gestion concertée des ressources naturelles partagées: à propos du différend entre le Brésil et l'Argentine relatif au barrage d'Itaipu* (AFDI, 1978, p. 866-889).

122. Julio A. BARBERIS, **Los recursos naturales compartidos entre estados y el derecho internacional** (Madri: Tecnos, 1979).

123. J. BARBERIS (op. cit., 1979, "Preliminar', p. 11): "Esta obra constitui exposição do direito internacional positivo, não se acham em suas páginas concepções de *lege ferenda*. Tratou-se de sistematizar as normas jurídicas vigentes, de modo que o leitor possa comparar, entre si, o regime jurídico aplicável a cada recurso compartilhado, e a todos estes, em geral. Desse modo, oferecem-se, em cada caso, antecedentes da prática diplomática e jurisprudencial, os tratados, a doutrina e os demais precedentes em que fundamenta a sua validade cada uma das normas jurídicas expostas".

124. *V.* comentários in J. BARBERIS (op. cit., 1979, p. 143-166).

125. P. SANDS, **Principles of international environmental law** (p. 263).

6.3.1. rios nacionais

Localizados inteiramente dentro do território de um estado, os rios nacionais se acham submetidos à sua soberania, a exemplo do que ocorre com o próprio território. Em consequência, a regulamentação dos rios nacionais deveria escapar às normas estabelecidas pelo direito internacional. Esta tem sido a posição da maioria dos autores, mas aos poucos sente-se que, mesmo no tocante aos rios nacionais, os estados têm obrigações e podem ser internacionalmente responsabilizados, em matéria de navegação, uso de suas águas, pesca e defesa do meio ambiente, por danos transfronteiriços. Nesse sentido A. DERGINT (2006)[126]: "*Muitos problemas ambientais têm hoje natureza que vai além das fronteiras nacionais. A utilização do meio ambiente dentro do espaço de soberania e de controle de determinado estado tem, frequentemente, efeitos danosos sobre o meio ambiente em outros estados, ou mesmo espaços fora das jurisdições nacionais*"[127].

No caso dos principais rios nacionais, a tendência dos estados é a de abri-los até determinado ponto, tendo em vista os interesses nacionais. Por **Decreto** de 1866, o Brasil abriu à navegação estrangeira os rios Tocantins e São Francisco, que correm inteiramente dentro do País.

A pesca, embora reservada aos nacionais, sofre algumas limitações, como as constantes dos artigos 66 e 67 da **Convenção sobre o Direito do Mar**, que trata de espécies que ora vivem no mar, ora nos rios, como é o caso do ***salmão***, que sobe os rios para a desova.

Mas é principalmente no tocante à poluição que o direito internacional se tem manifestado, visto que entre 70 e 80% da poluição dos mares origina-se nos rios e nas águas interiores. No caso dos rios, a citada **Convenção sobre o Direito do Mar** se ocupa da poluição de origem terrestre no artigo 207. No caso de aproveitamento das águas de rio nacional, cabe ao estado adotar medidas tendentes a evitar a poluição industrial, bem como a descarga de esgotos, que acabarão por poluir o mar.

6.3.2. rios internacionais

Os rios internacionais ou são ***contíguos***, quando correm entre os territórios de dois estados; ou são ***sucessivos***, quando atravessam os territórios de dois ou mais estados. No primeiro caso, a soberania de cada estado estende-se, no rio,

126. Augusto do Amaral DERGINT, **Nutzung von Binnengewässern und völkerrechtliche Haftung fur grenzuberschreitende Umweltschäden** (Baden-Baden: Nomos, "Saarbrucker Studien zum Internationalen Recht", v. 32, 2006).

127. A. DERGINT (op. cit., 2006, "*Einleitung*", p. 23-29, cit. p. 23, "1.1.1. Grenzuberschreitende Natur der Umweltfrage").

até a linha divisória. No segundo caso, cada estado atravessado pelo rio exerce soberania sobre a parte do curso compreendida dentro do seu território.

A matéria, contudo, ainda está para ser consolidada no direito internacional positivo, como mostra a evolução da regulação do tema, em relação a rios internacionais, tais como:

- a antiga Convenção, de 7 de novembro de 1857, sobre o Danúbio, e a posterior **Convenção do Danúbio**, assinada em Belgrado, em 18 de agosto de 1948, conforme modificações introduzidas pelo **Protocolo** adicional (1998), ou
- a evolução da regulamentação do Reno, com a criação de comissões internacionais de navegação e regulação da livre navegação, como, por exemplo, teve de examinar a Corte Permanente de Justiça Internacional em parecer prolatado em relação à competência da comissão internacional do **Danúbio entre Galatz e Braïla**[128] ou em relação à **liberdade de navegação e competência da Comissão Internacional do Rio Oder**[129].

A posição oficial do Brasil em relação à livre navegação dos rios internacionais mostra certa contradição. "O Brasil não consagrava atitude coerente e uniforme a propósito dos rios internacionais", apontava Oscar TENÓRIO (1975)[130],

128. CPJI, **competência da Comissão Internacional do Danúbio, entre Galatz e Braïla (Jurisdiction of the European commission of the Danube between Galatz and Braila**, série B, n. 14, série C, n. 13/1 e 13/4); *v.* item II, "Precisões terminológicas e valorativas".

129. CPJI, **competência da Comissão Internacional do Rio Oder (Territorial jurisdiction of the international commission of the river Oder**, série A, n. 23, série C, n. 17/2); em 30 de outubro de 1928 foram submetidas à Corte Permanente de Justiça Internacional duas questões relativas à extensão territorial da Comissão Internacional do Rio Oder, para determinar se a jurisdição desta Comissão, no entendimento da Corte, deveria abranger ou não os afluentes do Oder, os rios Wartha e Netze, situados em território polonês; em caso afirmativo, qual deveria ser o princípio adotado para a determinação dos limites da jurisdição da Comissão; segundo estipulara o Tratado de Versalhes, a Corte Permanente de Justiça Internacional entende que a jurisdição da Comissão Internacional do Rio Oder se estenderia a seus afluentes, porquanto no território polonês há trechos "navegáveis e de interesse internacional", considerando como princípio a ser adotado, nos termos do art. 338 do Tratado de Versalhes, que na determinação dos limites da jurisdição da Comissão deveriam estar incluídos todos os trechos dos rios Wartha e Netze que seguem os critérios do art. 331 do Tratado de Versalhes; os artigos 332 a 337 dispõem sobre o regime de internacionalização e os arts. 340 a 345 sobre o regime de administração do rio Oder; a Corte Permanente de Justiça Internacional entendeu que as referências do Tratado de Versalhes ao rio Oder deveriam ser interpretadas como abrangendo igualmente os afluentes navegáveis deste; a lógica adotada no Tratado de Versalhes era favorável à internacionalização e liberdade de navegação dos rios internacionais na Europa.

130. Oscar TENÓRIO, *TAVARES BASTOS: profeta da Amazônia* ("Prefácio" a **O vale do Amazonas: a livre navegação do Amazonas, estatística, produção, comércio, questões fiscais do vale do Amazonas** de Aureliano Cândido TAVARES BASTOS, São Paulo / Brasiília: Ed. Nacional / INL, 3. ed., 1975, p. 7-18); v. tb. A. C. TAVARES BASTOS, **Os males do presente e as esperanças do futuro (estudos brasileiros)** (prefácio de Cassiano TAVARES BASTOS, nota introdutória de José Honório RODRIGUES, 2. ed., São Paulo / Brasiília: Ed. Nacional/INL, 2. ed., 1976); A. C. TAVARES BASTOS, **Cartas do solitário** (nota introdutória de Manuel Diegues Jr., 4. ed., feita sobre a 2. ed. de 1863, São Paulo / Brasília: Ed. Nacional / INL, 1975); Carlos PONTES, **Tavares Bastos (Aureliano Cândido) 1839-1875** (2. ed., São Paulo / Brasília: Ed. Nacional / INL, 1975). *V.* tb. P. Roberto PALM, **A abertura do rio Amazonas à navegação internacional**

porquanto "tinha orientação colidente em relação ao Amazonas e ao rio da Prata": "nem o direito internacional positivo, no século XIX, chegara a formulações convencionais uniformes. Havia tendências doutrinárias e interesses nacionais em jogo"[131].

Prosseguia O. TENÓRIO (1975) enfatizando que, por seu espírito universal, o direito de comunidade das nações geralmente não perde sua característica internacional. Entretanto, diversidades de condições geográficas e econômicas explicam que o princípio da liberdade da navegação dos rios não tenha tido a mesma regulação. Foi o que ocorreu com a evolução seguida pela América[132]. A referência ao problema por internacionalistas estrangeiros é expressiva quando estudamos o pensamento e a ação de Aureliano Cândido TAVARES BASTOS (1839-1875), e bastante proveitosa ao julgamento da posteridade. Este se propunha a inverter as cláusulas do problema e das correspondentes soluções. Mediante a livre navegação do Amazonas, almejava encher os vazios, povoar os desertos verdes, explorar as riquezas. Seus adversários preocupavam-se com a segurança do país, com a sua integridade. Mas não propunham equações para a integração efetiva da vastíssima região amazônica[133].

Na história do Brasil, o Decreto n. 3.749, de 1866, que declarou aberta aos navios mercantes de todas as nações a navegação do Amazonas, até a fronteira do Brasil com o Peru, e de outros rios que cortam o território nacional, coroou a missão de TAVARES BASTOS, avalia TENÓRIO: missão difícil e áspera pela natureza das questões que suscitou. A liberdade da navegação era, nas suas raízes, uma questão jurídica. As questões econômica e política entrosavam-se. E ainda hoje se entrosam no plano da integração territorial da região amazônica. O pro-

---

e o Parlamento brasileiro (Brasília: FUNAG, 2009).

131. O. TENÓRIO (pref. cit., 1975, p. 15-16): "O dominicano espanhol Francisco de VITÓRIA defendera, na sua cátedra da Universidade de Salamanca, no século XVI, o direito de comércio como direito absoluto. Mas ele não era jurista. Sua tese, ademais, contrastava com a dominante na Idade média. Coube à Revolução Francesa, impregnada pelas ideias liberais, baixar o decreto de 16 de novembro de 1792 sobre a liberdade dos ribeirinhos. Era um ato unilateral, mas cuja execução ia ser feita com instrumentos políticos e militares. Estava-se no começo da batalha. Tornou-se o princípio regra expressa de direito internacional no Congresso de Viena de 1815. Não foi ainda a proclamação ampla do princípio, embora constituísse uma evolução satisfatória, porque o acordo entre os ribeirinhos seria necessário para regular a navegação. Graças a ele um direito fluvial internacional novo permitia que se dispusesse a respeito de grandes rios da Europa"; cita Charles ROUSSEAU, **Droit international public** (Paris, 1953, n. 494).

132. Quando o internacionalista explica por que a evolução não foi a mesma, mostra que a Europa, em virtude da densidade da população, da área limitada de seu território, do número de estados percorridos ou separados, da concentração industrial, apresentava um interesse geral e sua livre navegação se impõe como um direito do qual se beneficiam todos os estados, ribeirinhos ou não; ao passo que a situação dos rios americanos, sobretudo os sul-americanos, é muito diferente, porque atravessam frequentemente vastas regiões porque (*sic*) povoadas e que têm pouco interesse para a navegação.

133. O. TENÓRIO (pref. cit., 1975, p. 16-17): "TAVARES BASTOS no livro específico sobre a Amazônia, sustentava que, com o progresso na conduta do governo em correspondência com o progresso científico, se chegaria ao progresso material".

blema diplomático e jurídico do rio Amazonas e de seus afluentes teve difícil solução, por suas implicações políticas, sensibilizadas pela opinião pública da época, em que foi discutido por TAVARES BASTOS. As divergências persistem, sob outros aspectos; mas o direito fluvial internacional tem estabelecido regras que as nações, em maioria, aceitam.

Conclui TENÓRIO: "Para o Brasil a questão não é apenas de acatamento ou não aos princípios do direito das gentes. Apresenta-se no seu aspecto primordial, o da integração nacional a coexistir com os interesses da comunidade internacional"[134].

TAVARES BASTOS deplorava "os males do presente e as esperanças do futuro"[135] – exclamação de tal atualidade, que, guardadas certas configurações de estilo, poderia estar nos jornais diários[136] – porquanto, no "vale do Amazonas" (1866)[137], a ênfase se punha em relação à importância e à necessidade do livre comércio, para trazer desenvolvimento para a Amazônia: a abertura dos rios da região ao livre comércio haveria de ser pensada como estratégia de desenvolvimento e de integração nacional[138].

---

134. O. TENÓRIO (pref. cit., 1975, p. 18): "**O vale do Amazonas** contém sugestões e projetos a respeito da livre navegação (entrepostos, rendas, favores especiais aos navios ribeirinhos e tantos outros) e de seus efeitos. Na distância do tempo, a obra perdeu seu interesse quanto às estatísticas, aos dados, às apreciações críticas. Tem importância, ainda, para o historiador da economia brasileira e mesmo da própria política. Obra atual no sentido de um exemplo de apreciação e solução de problemas nacionais, sem o vozerio dos demagogos e com uma objetividade modelar. No rio da história, por um desvio explicável em sua corrente, o apostolado de TAVARES BASTOS apresenta-se, agora, como expressão do desenvolvimento nacional. As condições materiais de seu tempo não permitiam outra indicação. Ele lutava pela integração nacional, por meios inspirados no liberalismo econômico. Sua ideia central não feneceu – a de integrar a Amazônia no desenvolvimento nacional. Os métodos são outros. A leitura de **O vale do Amazonas** é a confirmação".

135. Aureliano Cândido TAVARES BASTOS (**Os males do presente e as esperanças do futuro (estudos brasileiros),** prefácio de Cassiano TAVARES BASTOS, nota introdutória de José Honório RODRIGUES, 2. ed., São Paulo / Brasília: Ed. Nacional / INL, 1976, no ensaio *Os males do presente e as esperanças do futuro*, p. 27-48) dividia-o em: introdução; I. realidade; II. ilusão; III. solução; no item I, sob a epígrafe: *mala autem arbor malos fructus facit*, desenvolvia: "Ninguém há neste país que desconheça a profunda aflição de muitos, o desespero de alguns, e o incômodo geral de todos os homens de bem, desde o humilde lavrador até o estadista, desde o eleitor até o deputado, desde o menor funcionário até o ministro da coroa. Estudando-se com imparcialidade o meio social em que vivemos, encontram-se tanta vez a corrupção e o crime sem pudor, a rotina e o fanatismo, a imbecilidade e a ignorância, o ceticismo no coração e a desordem nas ideias, que involuntariamente cada qual se interroga acerca do resultado de uma situação tão ameaçadora e tão sombria, e sobre as causas que acumularam essas nuvens negras no horizonte, que há pouco ostentava as rosadas cores de uma aurora de venturas"; *v.* tb. A. C. TAVARES BASTOS, **Cartas do solitário** (nota introdutória de Manuel DIEGUES Jr., 4. ed., "feita sobre a 2. ed. de 1863", São Paulo / Brasília: Ed. Nacional / INL, 1975).

136. Desastrada e contraproducente corre risco de ser a dispendiosa obra de transposição do curso do rio São Francisco, cuja motivação predominantemente política vem sobrepor-se mesmo às razões de proteção ambiental, que parecem permanecer ignoradas. Por que não se desencadeia exame de possível crime de responsabilidade dos gestores públicos, responsáveis por tais desmandos? As consequências poderão estender-se desta para as gerações futuras.

137. Aureliano Cândido TAVARES BASTOS, **O vale do Amazonas: a livre navegação do Amazonas, estatística, produção, comércio, questões fiscais do vale do Amazonas** (prefácio de Oscar TENÓRIO, 3. ed., São Paulo / Brasília: Ed. Nacional / INL, 1975).

138. A. C. TAVARES BASTOS (op. cit., 1866, ed. 1975, Cap. I, "considerações sobre a livre navegação do Amazonas", p. 33-67, cit. p. 37): "O belo ideal nestes assuntos já foi o do célebre tratado de Santo Ildefonso (1777), onde a Espanha

Ainda A. C. TAVARES BASTOS, ao abordar "as leis de navegação; o comércio costeiro; a franquia dos grandes rios; questão do Amazonas; comunicações diretas entre as duas Américas", apontava na Carta XV, das **Cartas do solitário** (1862)[139]: "A livre e fraternal comunicação dos homens de todas as regiões, de todos os climas e de todas as raças, legenda brilhante de uma grande escola, é o fim último da humanidade, a condição de nosso desenvolvimento no espaço e no tempo, um princípio da filosofia e a essência do cristianismo"[140].

Para G. E. do NASCIMENTO E SILVA (1996)[141], "nos acordos sobre o aproveitamento industrial e agrícola dos rios da região, dentro do contexto do MERCOSUL, o direito internacional pode indicar o caminho a ser trilhado"[142]. Também se manifesta Pierre-Marie DUPUY (1978)[143] a respeito da controvérsia entre a Argentina e o Brasil sobre a construção da barragem de Itaipu: o interesse estratégico e o aproveitamento dos recursos naturais não podem ser negligenciados; isso pode, validamente, ser compatibilizado com a consistência na interpretação e aplicação do direito internacional pós-moderno.

Por sua vez, J. SETTE-CÂMARA em curso na Haia (1984)[144], a respeito da questão da "poluição de rios internacionais", examinara quanto a adoção das regras de Helsinki seria desvantajosa para o Brasil, na medida em que a inteira bacia do Paraná ficaria submetida a regime internacional[145]: "se fôssemos admi-

---

e Portugal estipularam o seguinte: "A navegação dos rios por onde passa a fronteira ou o limite das duas nações será comum às duas nações em todo o espaço que o rio percorre por entre duas margens pertencentes às duas nações; mas a navegação e o uso dos ditos rios serão a propriedade exclusiva da nação proprietária das duas margens, a partir do ponto em que começar esse domínio".

139. Aureliano Cândido TAVARES BASTOS, **Cartas do solitário** (nota introdutória de Manuel DIÉGUES Jr., 4. ed., "feita sobre a 2. ed. de 1863", São Paulo / Brasília: Ed. Nacional / INL, 1975), publicadas no **Correio Mercantil**, a partir de 19 de setembro de 1861, somente a 3 de abril de 1862 foi-lhes identificada a autoria; ainda em 1862, aparecem as cartas em volume; em 1863, o volume é reeditado, e nesta segunda edição as **Cartas** se apresentam refundidas e completas, separadas por assuntos, não mais na ordem em que se dera a publicação; as **Cartas do solitário** ainda mereceram terceira edição, em 1938, um ano antes do centenário de nascimento do autor; na Carta II (p. 13-18, cit. p. 13) exclamava TAVARES BASTOS e poderia estar discorrendo a respeito do Brasil de hoje: "Dentre os vícios que afligem o povo e embaraçam o progresso, são os administrativos aqueles que primeiro avultam e se tornam carecedores de um estudo aprofundado. Eles constituem, porém, uma tão longa série de fatos, que não poderíamos jamais contê-los todos no quadro estreito de um artigo".

140. A. C. TAVARES BASTOS (op. cit., Carta XV, p. 125-134, cit. p. 125).

141. G. E. do NASCIMENTO E SILVA, *A utilização dos rios internacionais e o MERCOSUL* (in **Contratos internacionais e direito econômico no MERCOSUL: após o término do período de transição**, coord. P. B. CASELLA *et al.*, São Paulo: LTr, 1996, p. 506-517).

142. G. E. do NASCIMENTO E SILVA (art. cit., 1996, p. 516): "As negociações poderão ser difíceis, mas o exemplo do Acordo tripartite, de 19 de outubro de 1979, entre a Argentina, o Brasil e o Paraguai veio demonstrar que mesmo em se tratando de situações complexas é possível chegar a bom termo".

143. Pierre-Marie DUPUY, *La gestion des ressources naturelles: à propos du différend entre le Brésil et l'Argentine relatif au barrage d'Itaipu* (AFDI, 1978, t. XXIV, p. 866 e s.).

144. José SETTE-CÂMARA, **Pollution of international rivers** (RCADI, 1984, t. 186, p. 117-217).

145. G. E. do NASCIMENTO E SILVA (art. cit., 1996, p. 511): "J. SETTE-CÂMARA, em curso dado na Haia, teve oportunidade de mostrar as consequências indesejáveis que a adoção das **Helsinki Rules** teriam no caso brasileiro. Salientou que a

tir a teoria da integridade ou unidade de bacias, acolhida pelas regras de Helsinki, significaria que todo aquele vasto território, maior do que a maioria dos países do mundo, estaria submetido a um regime de soberania múltipla no tocante aos usos ou ao regime do rio e de seus afluentes".

Como em outros campos do direito internacional, a matéria não pode ser contemplada somente em relação aos seus aspectos "técnicos", mas tem de ser vista como um todo integrado, no qual convergem também os interesses de ordem "política" e "estratégica".

6.3.2.1. navegação

A livre navegação nos rios internacionais, defendida por numerosos autores, ainda não constitui princípio geral do direito internacional positivo. Entretanto, não só na doutrina, mas também na prática internacional, a tendência é cada vez mais favorável à concessão desta liberdade, embora subordinada sempre a certas precauções em favor dos estados ribeirinhos. Essa tendência não significa de modo algum o abandono da teoria da soberania dos estados sobre os trechos de tais rios que correm dentro dos respectivos limites, mas é provocada pelas conveniências da solidariedade internacional ou dos interesses da reciprocidade.

Ainda quando reconhecida expressamente a estados estrangeiros, em acordo internacional, a liberdade de navegação pode ser restringida ou negada, em tempo de guerra, salvo se, excepcionalmente, por cláusula expressa, foi estipulado que a dita navegação será livre em semelhante eventualidade.

A doutrina brasileira, nessa matéria, exceto quanto aos reparos acima apontados, pouco variou. Sempre se sustentou, em documentos oficiais, que *a liberdade de navegação nas partes de rios que atravessam o território nacional pertence exclusivamente ao Brasil e que só a este competiria, quando lhe parecesse oportuno, abri-las ao comércio e à navegação de outros ou de todos os estados, o que seria feito por ato próprio, espontâneo, ou por acordo prévio*. Foi assim, por exemplo, que, pelo já citado **Decreto de 7 de dezembro de 1866**, o Brasil declarou aberta aos navios mercantes de todas as nações a navegação do rio Amazonas, até a fronteira com o Peru, e de outros rios que cortam o território brasileiro. Foi assim também que, por tratados, abriu à navegação dos estados limítrofes, mediante reciprocidade, os rios comuns ao Brasil e a esses estados.

---

bacia do Prata inclui todo o território do Paraguai, dois terços do território do Uruguai, quase toda a zona norte-oriental da Argentina, grande parte da Bolívia e quase todo o território do Brasil, ao sul da bacia amazônica, ou seja, quase todo o estado de São Paulo, inclusive a sua capital, bem como Belo Horizonte e Cuiabá e até Brasília, onde se localiza uma das nascentes do sistema. Em suma, aproximadamente 1.300.000 quilômetros quadrados do território nacional".

A concessão da liberdade de navegação não implica, para o estado que a dá, o abandono dos seus direitos de jurisdição e de polícia sobre os rios ou partes de rios assim abertos às bandeiras de outros estados. Não deve, porém, ser restringida por meios indiretos, tal como, por exemplo, a imposição de taxas ou direitos que se não destinem a cobrir as despesas exigidas pelas necessidades da navegação, conservação do rio ou execução de melhoramentos. Por outro lado, na ausência de acordos especiais, não deve haver distinções quanto ao tratamento dos diferentes pavilhões.

A segurança do estado pode, às vezes, determinar certas medidas, de caráter temporário, restritivas da liberdade de navegação. Tais medidas devem, porém, ser justificadas e não aparecer como espécie de revogação disfarçada da referida liberdade.

Como regra de ordem geral, **duas restrições à liberdade de navegação são ordinariamente admitidas** e figuram quase sempre nos acordos sobre a concessão de tal liberdade. A primeira é a da **cabotagem**, reservada aos navios mercantes nacionais. A segunda é a que **exclui os navios de guerra estrangeiros** da faculdade de entrar ou navegar nos rios abertos à navegação estrangeira, salvo consentimento prévio do soberano territorial.

A navegação nos principais rios internacionais acha-se regulada por tratados. Entre os rios que se encontram neste caso, contam-se alguns que nos interessam de perto, ou seja, o rio Amazonas e o rio da Prata com os seus afluentes (Paraná, Paraguai e Uruguai).

A Constituição federal de 1988 estabelece em seu art. 178: "A lei disporá sobre a ordenação dos transportes aéreo, aquático e terrestre, devendo, quanto à ordenação do transporte internacional, observar os acordos firmados pela União, atendido o princípio da reciprocidade"[146]. E seu parágrafo único: "Na ordenação do transporte aquático, a lei estabelecerá as condições em que o transporte de mercadorias na cabotagem e a navegação interior poderão ser feitos por embarcações estrangeiras"[147]. Trata-se de dispositivo programático[148] com base no qual foram editadas, dentre outros diplomas legais, a Lei n. 9.611, de 19 de fevereiro de 1998, sobre o transporte multimodal de mercadorias, e a Lei n. 10.233, de 5

146. A Constituição Federal de 1988 estabelecia na redação original do art. 178, § 2º, que: "Serão brasileiros os armadores, os proprietários, os comandantes e dois terços, pelo menos, dos tripulantes de embarcações nacionais". Trata-se de dispositivo, baseado nas Constituições nacionalistas anteriores, que precisava ser reconsiderado, a fim de tornar o frete brasileiro competitivo com o dos demais países, principalmente dos navios que arvoram as bandeiras de conveniência.

147. *Caput* do art. 178, e seu parágrafo único, da CF, com a redação dada pela EC n. 7, de 15-8-1995.

148. Dadas a frequência e a rapidez com que se produzem modificações legislativas em nosso ordenamento, consulte atualizações periódicas, para verificar alterações eventualmente ocorridas, desde então.

de junho de 2001, sobre transporte aquaviário[149].

6.3.2.2. *aproveitamento industrial e agrícola das águas*

Baseada em relatório de Clóvis BEVILÁQUA, a 7ª *Conferência Internacional Americana* aprovou, em 24 de dezembro de 1933, declaração contendo os seguintes princípios: *a*) os estados têm o direito exclusivo de aproveitamento para fins industriais e agrícolas das águas dos rios internacionais que se encontrem dentro de sua jurisdição, mas esse direito está subordinado à condição de não prejudicar direito igual do estado vizinho, na margem ou na parte que lhe pertença; *b*) em caso nenhum, quer se trate de rios sucessivos ou de rios contíguos, as obras de aproveitamento deverão causar prejuízos à livre navegação de tais rios; *c*) as obras que um estado pense realizar em águas fluviais internacionais deverão ser previamente comunicadas aos demais ribeirinhos ou condôminos.

Estes princípios podem ter sido admissíveis, mas a situação tem evoluído e, embora continuem válidos, não levam na devida consideração os problemas suscitados pela construção de barragens ou de usinas hidrelétricas de porte, tampouco a grande importância que a água potável começa a assumir em determinadas regiões do globo, inclusive onde o consumo de água começa a ser superior à existência das reservas de água potável[150].

No tocante à construção de barragens e de usinas hidrelétricas, consolida-se a tendência de que os estados ribeirinhos têm a obrigação de notificar com a devida antecedência aos estados que possam ser afetados por qualquer projeto ou obra capaz de provocar dano significativo, fornecendo-lhes todos os dados técnicos disponíveis[151]. Esta norma foi consagrada pelo Princípio 15 da **Declaração do Rio sobre Meio Ambiente e Desenvolvimento de 1992**. A falta de resposta à notificação, contudo, não poderá servir de pretexto para obstruir o início da obra, devendo o estado ou estados consultados responder dentro de prazo razoável. Outra regra acolhida no Rio de Janeiro em 1992 é que o estado onde ocorrer catástrofe capaz de afetar outros estados deve comunicar o fato imediatamente a estes[152].

---

149. Nos termos do art. 246 da CF, acrescentado ao texto constitucional, por meio da EC n. 6, de 15-8-1995, e com a redação dada pela EC n. 32, de 11-9-2001, é vedada a adoção de medida provisória sobre matéria que tenha sido objeto de regulação por meio de EC, promulgada entre 1º de janeiro de 1995 até a promulgação desta emenda, inclusive.

150. Como já referido, no início do item 6, a respeito da controvérsia da Argentina com o Brasil em razão da construção da **hidrelétrica de Itaipu** entre Brasil e Paraguai.

151. Cf. referido, *supra*, 2.3.6., Convenções de Viena sobre sucessão de estados, em relação ao caso do **projeto Gabcikovo--Nagymaros**, entre a Eslováquia e a Hungria, julgado pela Corte Internacional de Justiça em 25 de setembro de 1997.

152. Cf. referido, *infra*, "Proteção internacional do meio ambiente" em relação à catástrofe nuclear ocorrida em **Chernobyl**,

6.3.2.3. pesca

O direito de pesca nos rios internacionais pertence, em tese, exclusivamente ao estado dentro de cujos limites ela se realize. Esse direito, porém, está subordinado a certas normas, acolhidas na prática, figurando dentre elas a obrigação de evitar a pesca capaz de prejudicar os demais ("*sobrepesca*").

Na prática anterior às supervenientes normas internacionais multilaterais, tais como a **Convenção sobre os Usos Não Navegacionais dos Cursos d'Água Internacionais** (1997) e a **Convenção sobre a Proteção e Uso de Cursos d'Água Transfronteiriços e Lagos Internacionais** (1992)[153], era comum a assinatura de acordos bilaterais, em matéria de pesca, tal como ainda praticado, nos moldes do acordo bilateral firmado pelo Brasil, em agosto de 1994, com o Paraguai, no qual se buscava enumerar os métodos de pesca permitidos e os proibidos. A multilateralização das normas e a institucionalização dos procedimentos podem contribuir não somente para a uniformidade das primeiras, mas também para a maior eficiência dos últimos.

6.3.2.4. proteção do meio ambiente

A proteção das águas dos rios internacionais[154], principalmente contra a poluição, é um dos grandes desafios enfrentados pela comunidade internacional[155]. Os estados banhados pelo Reno já adotaram série de acordos em tal sentido. Por sua vez, o *Instituto de Direito Internacional* votou em 1979, em Atenas, resolução, enumerando as medidas principais no sentido de que as atividades realizadas dentro de seu território não fossem motivo de poluição nos demais[156].

6.4. Domínio marítimo

O domínio marítimo do estado abrange diversas áreas: as águas interiores, o mar territorial, a zona contígua, a zona econômica exclusiva e a plataforma

na Ucrânia, a divulgação de dados precisos nunca foi feita.

153. V. tb. Parte 7, "Proteção internacional do meio ambiente", esp. 7.4.1., ref. à **Convenção sobre os Usos Não Navegacionais dos Cursos d'Água Internacionais** (1997) e 7.4.2. ref. à **Convenção sobre a Proteção e Uso de Cursos d'Água Transfronteiriços e Lagos Internacionais** (1992).

154. *V.* tb. item 7.4., Águas comuns internas.

155. Neste particular, o texto mais citado pela doutrina é o laudo no *Trail Smelter Case*, entre os Estados Unidos e o Canadá, no qual o Tribunal arbitral decidiu, em 1941, de acordo com o direito internacional, nenhum estado ter o direito de permitir o uso de seu território, de modo a causar consequências danosas sérias, no território de outro estado. Cf. Parte 7, "Proteção internacional do meio ambiente".

156. *V.*, a seguir, Parte 7, "Proteção internacional do meio ambiente".

continental. O direito internacional se ocupa de cada uma destas áreas do domínio marítimo, principalmente na **Convenção das Nações Unidas sobre o Direito do Mar**, assinada em Montego Bay, em 10 de dezembro de 1982, que entrou em vigor, internacionalmente, aos 16 de novembro de 1994[157], doze meses após o depósito do 60º instrumento de ratificação[158].

Longo caminho foi percorrido até o entendimento e consolidação pela comunidade internacional do conceito e regramento de cada uma dessas áreas do domínio marítimo, acima mencionadas, especialmente no correr do século XXI, marcando batalha entre os interesses da livre navegação dos mares contra a necessidade do exercício de soberania dos estados costeiros, que proporcionou o desenvolvimento do tema[159].

---

157. Promulgada no Brasil, pelo Decreto n. 1.530, de 22 de junho de 1995.

158. Antes da entrada em vigor, em 1994, a Convenção já fora aplicada pela CIJ e outras instâncias internacionais, como a expressão de norma consuetudinária, aceita como válida pelo conjunto dos estados, em relação às matérias nela reguladas. Tão forte foi a capacidade da Convenção em refletir o conteúdo do costume e adequar-se aos interesses dos diferentes estados que, ao final de 2006, a **Convenção do Direito do Mar** contava com 152 ratificações, mais que o dobro do mínimo necessário para sua entrada em vigor. Esta se consolida como norma consuetudinária, de direito internacional geral, mesmo em relação a estados que não a tenham quer assinado, quer ratificado.

159. P. B. CASELLA, *30 anos da Convenção das Nações Unidas sobre o direito do mar* (***Revista da Escola de guerra naval***, v. 18, n. 2, dezembro de 2012, p. 91-102); A. MEIRA MATTOS, *Reflexões sobre a Convenção de Montengo Bay, em seu 25º aniversário* (no volume deste, **Reflexões sobre direito internacional e relações internacionais**, São Paulo: Quartier Latin, 2007, p. 11-39); Vicente MAROTTA RANGEL, *A problemática contemporânea do direito do mar* (in **O Brasil e os novos desafios do direito internacional**, coord. L. N. C. BRANT, Rio de Janeiro: Forense, 2004, p. 323-399); J.-A. CARRILLO SALCEDO, *Le concept de patrimoine commun de l'humanité* (in **Ouvertures en droit international** – Hommage à R.-J. DUPUY, "Journée d'étude de la SFDI du lundi 23 mars 1998", Paris: Pedone/SFDI, 2000, p. 55-66); Christiano S. B. FIGUEROA *et al.*, *Direito dos fundos marinhos internacionais: o patrimônio comum da humanidade vinte anos após a Convenção de Montego Bay* (in **A nova dimensão do direito internacional público**, org. A. A. CANÇADO TRINDADE, Brasília: Instituto Rio Branco, 2003, p. 29-170); J. J. FIORATI, **A disciplina jurídica dos espaços marítimos na Convenção das Nações Unidas sobre o direito do mar de 1982 e na jurisprudência internacional** (Rio de Janeiro: Renovar, 1999); A. MEIRA MATTOS, **O novo direito do mar** (Rio de Janeiro: Renovar, 1996); V. MAROTTA RANGEL, *Direito do mar: os níveis da política e os fatores em causa* (in **Temas de política externa brasileira**, orgs. Gelson FONSECA Jr. e Valdermar Carneiro LEÃO, São Paulo: Ática/Brasília: Fundação Alexandre de Gusmão, 1989; p. 195-216); Georgete Nacarato NAZO (coord.), **Questões importantes referentes ao mar** (São Paulo: Sociedade Amigos da Marinha, 1996); Celso D. de A. MELLO, **Curso** (15. ed., Rio de Janeiro: Renovar, 2004, v. II, caps. XLIII, "Águas inferiores, mar territorial, zona econômica", XLIV "Plataforma continental, as grandes profundidades", XLV "Zona contígua, alto mar, pesquisa científica marinha", XLVI "Pescarias, conservação dos recursos vivos do alto 'mar", XLVII "Navios", p. 1179-1293); Paul REUTER, *Une ligne unique de délimitation des espaces maritimes?* (no volume deste, **Le développement de l'ordre juridique international: écrits de droit international** (Paris: Economica, 1995, p. 619-636, antes publicado nos **Mélanges Georges PERRIN,** Lausanne: Payot Diffusion, 1984); Prosper WEIL, **Perspectives du droit de la délimitation maritime** (Paris: Pedone, 1988).

A jurisprudência internacional sobre a delimitação dos espaços marítimos é abundante e teve papel essencial: corte permanente de arbitragem, sentença arbitral de 23 de outubro de 1909, no **caso Grisbadarna** foi precursor; seguida de vários julgamentos, emanados da Corte Internacional de Justiça, com destaque para o do **caso da plataforma continental do Mar do Norte**, entre Dinamarca, Países Baixos e Alemanha, em 20 de fevereiro de 1969; seguido da sentença arbitral de 30 de junho de 1977, no **caso da plataforma continental do Mar do Iroise**, entre a França e o Reino Unido; sentença arbitral de 18 de maio de 1977, no **caso do canal de Beagle**, entre o Chile e a Argentina – por esta rejeitada e posteriormente submetida a mediação da Santa Sé; a sentença arbitral de 31 de julho de 1989, entre Guiné-Bissau e o Senegal, relativa à **fronteira marítima** entre estes dois estados, foi objeto de impugnação junto à CIJ

6.4.1. águas e mares internos

As ***águas*** *e mares internos* ou ***interiores*** são as águas que, traçada linha de base a partir da qual o mar territorial é determinado, situam-se no lado oposto (interno) ao do mar territorial[160]. São interiores porque ***situadas aquém da linha de base, a partir da qual o mar territorial é determinado,*** de acordo com o direito internacional.

A **Convenção sobre o Direito do Mar** se ocupa especificamente das baías (artigo 10), portos (artigo 11) e dos ancoradouros (artigo 12). A **Convenção para a Proteção do Meio Marinho do Atlântico Ocidental** de 1990 ainda acrescenta à definição a frase *extending in the case of watercourses up to the freshwater limit*[161].

As águas internas dos golfos ou baías devem ser consideradas, nessa categoria, como integrando águas nacionais: estão sob a soberania do estado cujas terras circundam o golfo ou baía, e formam parte do território desse estado. Isso significa que as águas situadas para o lado de dentro da linha imaginária traçada à entrada do golfo ou baía têm caráter diferente do mar territorial. Os direitos do estado ribeirinho sobre essas águas são maiores do que os que lhe são reconhecidos sobre o seu mar territorial.

O que distingue, essencialmente, as águas *nacionais* ou *internas* das do mar territorial é que neste existe o direito de passagem inocente, em favor dos navios mercantes estrangeiros, e que não se admite esse direito nas águas nacionais.

6.4.1.1. golfos e baías

Na classificação geográfica, é comum a confusão entre ***golfos*** e ***baías***, por mais que, teoricamente, se distingam. Do ponto de vista de sua situação jurídica,

---

e confirmada pelo julgamento desta, prolatado em 12 de novembro de 1991; vale lembrar, ainda, da CIJ, o julgamento de 24 de fevereiro de 1982, no **caso da plataforma continental entre a Tunísia e a Líbia**; o **caso da plataforma continental do Mar Egeu**, Grécia contra Turquia, com julgamento da questão da competência da Corte, em 19 de dezembro de 1978; o **caso da delimitação da fronteira marítima na região do Golfo do Maine**, entre Estados Unidos e Canadá, com julgamento de mérito, em 12 de outubro de 1984; o **caso da plataforma continental entre Líbia e Malta**, com julgamento de mérito em 3 de junho de 1985; o **caso das fronteiras terrestre, insular e marítima**, entre El Salvador e Honduras, com a intervenção da Nicarágua, com julgamento de mérito em 11 de setembro de 1992; o **caso da delimitação marítima e questões territoriais entre Qatar e Bahrein** com decisão relativa à competência, em 15 de fevereiro de 1995, e o julgamento do mérito em 16 de março de 2001; o **caso da fronteira terrestre e marítima entre Nigéria e Camarões**, com intervenção da Guiné equatorial, com julgamento de mérito em 10 de outubro de 2002. *V.* tb. S. P. JAGOTA, **Maritime boundary** (RCADI, 1981, t. 171, p. 81-223); S. P. JAGOTA, *Les fonds marins au-delà des limites des juridictions nationales* (in **Droit international**, Paris: UNESCO / Pedone, 1991, v. 2, cap. XLI, p. 977-1011).

160. *V.* tb. item 6.4.1, "Águas e mares internos".

161. O *freshwater limit* é, no tocante à desembocadura de rio, o ponto em que na maré baixa e em período de pouca água a salinidade aumenta consideravelmente em decorrência da água de mar. Semelhante conceito só é aplicável na própria Europa, onde o fluxo de água dos rios é pequeno em comparação, por exemplo, com o Amazonas.

pouco importa a designação pela qual cada uma dessas sinuosidades ou reentrâncias naturais, formadas pelo mar, seja habitualmente conhecida. As regras ordinariamente adotadas nessa matéria visam, em geral, apenas à largura da entrada ou abertura do golfo ou baía, para qualificar o caráter de suas águas, qualificação cujas consequências jurídicas indicaremos em seguida. Se tal largura é demasiada, as águas do golfo ou baía são parte do mar aberto, salvo, naturalmente, a faixa de mar territorial que acompanha as sinuosidades da costa[162].

Havia dúvida na doutrina e na prática quanto ao limite máximo da largura da entrada de um golfo ou de uma baía para que as suas águas fossem consideradas nacionais, sendo que algumas convenções e legislações nacionais adotavam o limite de 10 milhas. A Convenção sobre o Direito do Mar terminou com as dúvidas ao estipular que o limite não excederá 24 milhas. A Convenção ainda diz em seu artigo 15 que, quando as costas de dois estados são adjacentes ou se encontrem situadas frente a frente, nenhum desses estados tem o direito, salvo acordo de ambos em contrário, de estender o seu mar territorial além da linha mediana cujos pontos são equidistantes dos pontos mais próximos das linhas de base, a partir das quais se mede a largura do mar territorial de cada um desses estados.

6.4.1.2. portos e ancoradouros

Portos são lugares do litoral adaptados artificialmente para abrigo de navios e operações de carga ou descarga, embarques e desembarques. ***Ancoradouros*** são bacias naturais ou artificiais, com saída livre para o mar e onde os navios podem ancorar.

As águas dos portos são consideradas *nacionais* ou *internas* do estado costeiro. Quanto às dos ancoradouros, se esses são apenas um prolongamento ou dependência de algum porto, é natural que acompanhem a condição atribuída às águas do porto. Em caso contrário, isto é, caso se trate dos chamados *ancoradouros externos,* as opiniões divergem, parecendo, contudo, que suas águas não devem ser consideradas como *internas*.

O limite externo das águas dos portos, para a medida do mar territorial, deve ser traçado ou na linha de baixa-mar ou entre as instalações permanentes que avancem mais para o mar, caso tais instalações ultrapassem a referida linha.

---

162. A Convenção sobre o Direito do Mar de 1982, adota a mesma terminologia que utilizara antes a Convenção sobre o Mar Territorial de 1958, para definir uma baía "reentrância bem marcada, cuja penetração em terras, em relação à largura da sua entrada, é tal que contém águas cercadas pela costa e constitui mais do que uma simples inflexão da costa. Contudo, uma reentrância não será considerada como uma baía se sua superfície não for igual ou superior à de um semicírculo que tenha por diâmetro a linha traçada através da entrada da referida reentrância".

No tocante aos ancoradouros, o mencionado limite depende da maneira por que são considerados.

6.4.1.3. estuários

Quando um rio, pouco antes de chegar ao oceano, perde o aspecto que tinha e toma o de uma baía, diz-se que se forma então um estuário. Observa-se, em geral, que suas águas se misturam, nesse lugar, com as do mar, especialmente na preamar.

Ordinariamente, considera-se que se devem aplicar aos estuários as regras estabelecidas para as baías. Entretanto, se o estuário tem um só ribeirinho, julgamos que deve ser tratado como simples prolongamento do rio, isto é, que deve ser confundido com este, para se lhe aplicar o mesmo regime, seja qual for sua largura ao desembocar no oceano.

6.4.2. mar territorial

O mar territorial é a faixa de mar que se estende desde a linha de base até distância que não deve exceder 12 milhas marítimas da costa e sobre a qual o estado exerce a sua soberania, com algumas limitações determinadas pelo direito internacional[163], inclusive em razão de questões de proteção ambiental[164]. É na **Convenção sobre o Direito do Mar**, a partir do artigo 2, que

---

163. A. A. CANÇADO TRINDADE, *Direito do mar. Indicações para a fixação dos limites laterais marinhos*, **Revista Brasileira de Estudos Políticos**, n. 55, p. 89, 1982; Calixto Armas BAREA, *Competencia del Estado riberiño sobre los ámbitos geográficos comprendidos en el mar territorial*, **Anuário del IHLADI**, 1973, p. 491; Carlos Calero RODRIGUES, *O problema do mar territorial* (**Revista Brasileira de Política Exterior**, mar./jun. 1970, p. 118); Celso de A. MELLO, **Mar territorial** (Rio de Janeiro, 1965); COLOMBOS, **International law of the sea**, p. 87; D. P. O'CONNELL, **The influence of law on sea power**, Manchester, 1975; D. W. BOWETT, **The law of the seas**, New York, 1967; Ernesto Rey CARO, *Argentina y los aspectos actuales del derecho del mar* (in **Asociación Argentina de Derecho Internacional**, 1981, p. 13); F. BRUEL, **International straits**, London, 1947; G. SCELLE, *La nationalisation du Canal de Suez et le droit international* (AFDI, 1956, p. 3); H. GROS ESPIELL, *La mer territoriale dans l'Atlantique Sud-Américain* (AFDI, 1970, p. 743); H. VALLADÃO, *Mar territorial e direito de pesca* (Boletim SBDI, 1966, p. 151); H. VALLADÃO, *Limites do mar territorial* (Boletim SBDI, 1966, p. 169); H. Z. ZHANG, The adjacent seas (in **International law**, UNESCO, 1991, p. 850); Luke T. LEE, *The law of the Sea Convention and Third States* (AJIL, 1983, v. 77, p. 541); Marcello RAFFAELI, *Mar territorial e problemas correlatos* (**Revista Brasileira de Política Exterior**, set. 1973, p. 51); R. R. BAXTER, **The law of international waterways** (Cambridge, Mass., 1964); Shigeru ODA, *Fisheries under the United Nations Convention on the Law of the Sea* (AJIL, 1987, v. 77, p. 739); Stephen ROSENFELD, Um canal cheio de problemas (**Jornal do Brasil**, 23 nov. 1975); T. HUANG, *The Suez Canal question* (AJIL, 1952, v. 51, p. 277); Vicente MAROTTA RANGEL, *Regulamentação do mar territorial brasileiro* (in **Problemas Brasileiros**, abr. 1971, p. 5); René-Jean DUPUY e Daniel VIGNES, **A Handbook on the New Law of the Sea** (Academie de Droit International de La Haye, 1991); Laurent LUCHINNI, **Droit de la mer** (Paris: A. Pedone, 1990); NGUYEN Quoc Dinh, Patrick DAILLIER e Alain PELLET, **Droit International Public** (Paris: LGDJ, 1999); <http://www.un.org/Depts/los/index.htm>.

164. *V.* tb. *infra*, na Parte 7, "Proteção internacional do meio ambiente", esp. o item 7.3, mar e seus recursos.

vamos encontrar as regras principais sobre o regime jurídico vigente no mar territorial[165].

Data do século XIV a noção de que as águas costeiras deveriam achar-se sujeitas a um regime especial. O direito romano dela não se ocupava, mas havia a convicção de que o estado costeiro tinha a obrigação de proteger a navegação contra os piratas. Tratava-se, na sua **concepção original**, de **dever**, não de direito.

Dada a natureza especial do domínio marítimo, convém assinalar aqui os principais ***direitos geralmente reconhecidos ao estado costeiro sobre o mar territorial***, decorrentes do direito de soberania. O primeiro, e mais amplo, é o de **polícia**, do que derivam o de **regulamentação aduaneira e sanitária** e o de **regulamentação da navegação**. Acham-se incluídas neste último a faculdade de estabelecer regulamentos sobre sinais e manobras, a instalação de boias, balizas e faróis, a organização de serviços de pilotagem etc. O estado pode também reservar aos seus nacionais a cabotagem e a pesca no mar territorial. Pode, igualmente, fixar regras de cerimonial marítimo. Relativamente aos direitos de jurisdição em matéria civil e penal, veremos adiante quais as regras mais aceitas a esse respeito.

A soberania do estado costeiro estende-se ao espaço atmosférico situado sobre o seu mar territorial, bem como ao solo recoberto por essas águas e respectivo subsolo. Em todo caso, é doutrina corrente que a soberania do estado sobre seu espaço atmosférico acima do mar territorial é completa, não se achando atenuada pela regra internacional relativa à passagem inofensiva.

6.4.2.1. extensão ou largura

Durante séculos, ou as nações não se preocuparam com a extensão ou largura do mar territorial, ou reinou o arbítrio a esse respeito. No início do século XVII, Hugo GRÓCIO havia aceito, no *Mare liberum,* o limite do raio visual, declarando, no *De jure belli ac pacis*[166], que a jurisdição do estado costeiro se exerce no mar que banha as suas costas até onde, do continente, é possível a tal estado fazer-se obedecer por aqueles que passam no dito mar. Essa mesma ideia

---

165. Não mais se justificam as dúvidas terminológicas, pois desde a assinatura da Convenção de Genebra sobre o Mar Territorial de 1958 a expressão *mar territorial* se acha consolidada. Anteriormente, outras expressões eram utilizadas, o que criava confusão, como *águas jurisdicionais, mar marginal, águas territoriais* etc.

166. *V. supra* item 1.1.1.5., sobre Hugo GRÓCIO.

foi retomada por C. van BYNKERSHOEK, em 1702[167], e formulada no conhecido aforismo: o domínio terrestre termina onde termina a força das armas (***terrae dominium finitur ubi finitur armorum vis***). Desde então, passou a ser geralmente admitido que o alcance de tiro de canhão indicaria o limite do mar territorial, critério, aliás, anteriormente sugerido por embaixadores da Holanda, numa conferência sobre pesca, realizada em Londres em 1610.

A regra do alcance do tiro de canhão, logo convencionada como distância de três milhas[168], prevaleceu, de certo modo, até princípios do século atual, quando os estados costeiros, munidos de novas tecnologias que lhes viabilizaram a prática da pesca além da distância costumeira das três milhas, principiaram por reclamar largura maior para seus mares territoriais, como forma de assegurar para si a exclusividade sobre a exploração e preservação dos recursos encontrados nessas áreas mais distantes de sua costa.

Dessa forma, deu-se início a um dos primeiros de muitos confrontos de interesses entre os defensores da livre navegação, personificados nas grandes potências marítimas, e os de controle e proteção do mar adjacente à costa dos estados. Nesse intuito, a Conferência de Codificação de Haia de 1930, bem como a *Conferência de Genebra sobre o Direito do Mar* de 1958, que tinha por principal objetivo a determinação de largura do mar territorial, foi frustrada quanto à delimitação de limite claro para o mar territorial[169]. Em 1960, novamente em Genebra, por ocasião da *Segunda Conferência sobre o Direito do Mar*, houve nova tentativa de chegar-se a solução sobre os limites do mar territorial. Numerosas fórmulas foram examinadas, mas por apenas um voto não foi possível alcançar os dois terços que permitiriam a adoção de limite[170].

Pela insistente rejeição observada, cedo se constatou o erro das grandes potências marítimas ao impor solução que atendia exclusivamente aos seus interesses, e com o ingresso nas Nações Unidas de dezenas de novos estados da África e da Ásia foi considerável o aumento do número de estados favoráveis à

---

167. *V. supra* item 1.1.2.2., sobre Cornelius van BYNKERSHOEK.

168. Os Estados Unidos da América, em 1793, adotaram oficialmente a identificação da distância de um tiro de canhão como equivalente a três milhas, sendo seguido pela grande maioria dos estados costeiros em sua substituição ao conceito do tiro de canhão.

169. A Convenção sobre o Mar Territorial e a Zona Contígua de 1958 limitava-se a declarar que a soberania do estado se estendia, além de seu território e de suas águas internas, a uma zona de mar adjacente a suas costas, designada pelo nome de "mar territorial".

170. A proposta, trazida por Canadá e EUA, previa a fórmula "6+6" para o mar territorial: 6 milhas marítimas estariam sujeitas à soberania do estado costeiro, enquanto outras 6 milhas além desse limite consistiriam uma zona exclusiva de pesca, sobre a qual o estado costeiro teria exclusividade apenas no que tange à pesca. Tal proposta é de interessante análise, sobretudo se observarmos os desdobramentos no último quarto do século XXI que levaram à adoção da Zona Econômica Exclusiva.

ampliação dos direitos de soberania dos estados costeiros sobre as águas externas adjacentes a seus territórios. Em meio às discussões sobre o tema, iniciativas unilaterais por parte de alguns estados costeiros delimitaram mares territoriais que variavam de 6 milhas a então surpreendentes 200 milhas, sendo este último reclamado por alguns países latino-americanos.

Tais mudanças no cenário global permitiram que a *Terceira Conferência das Nações Unidas sobre o Direito do Mar* finalmente chegasse à composição de interesses entre as potências marítimas e os estados costeiros defensores de expansão de seus direitos sobre seus mares adjacentes, principalmente depois da aceitação de ***Zona Econômica Exclusiva***[171] de 200 milhas marítimas. Assim, a Convenção sobre o Direito do Mar determina em seu artigo 3 que os estados têm o ***direito de fixar a largura do seu mar territorial até limite que não ultrapasse 12 milhas marítimas, a partir da linha de base***.

A **linha de base *normal*** é determinada pela linha de baixa-mar ao longo da costa. Nos locais em que a costa apresenta recortes profundos e reentrâncias ou em que exista franja de ilhas ao longo da costa, a Convenção admite a utilização do *método de linhas retas* unindo os pontos mais avançados do território. Esse sistema de determinação da linha de base surgiu em decorrência de julgamento da Corte Internacional de Justiça[172].

6.4.2.2. direito de passagem inocente

A principal restrição à soberania do estado sobre o seu mar territorial consiste no ***direito de passagem inocente*** nesse mar por navio de qualquer estado, costeiro ou sem litoral, conforme o artigo 17 da **Convenção sobre o Direito do Mar**. A **Convenção** ainda esclarece que a passagem é **inocente** desde que não seja prejudicial à paz, à boa ordem ou à segurança do estado costeiro, delimitando assim direito que consiste em resquício da antiga regra costumeira de livre navegação.

---

171. *V., infra*, item 6.4.4 sobre a ***Zona Econômica Exclusiva.***

172. Em 1935, o Governo da Noruega definiu as suas águas territoriais numa extensa parte de sua costa, de conformidade com um critério de linhas de base retas ligando as partes mais extremas de seu território. Em consequência, as águas do alto-mar atingidas pela nova legislação passaram a ser águas territoriais ou interiores, cessando a liberdade de pesca e atingindo o direito das embarcações estrangeiras, dentre elas as inglesas. A questão foi levada à CIJ, que foi convidada a decidir se "o método empregado para a delimitação das zonas de pesca pelo Decreto Real Norueguês de 12 de julho de 1935 e das linhas de base estabelecidas pelo referido Decreto em sua aplicação eram contrários ou não ao direito internacional". A Corte se viu obrigada a decidir se a linha de baixa-mar era a da costa ou o *skjaergaard* (termo norueguês para designar rocas e abrangendo ilhas, ilhotas, elevações e recifes) e concluiu que, como *skjaergaard* se confundia com a costa, a sua linha externa é que deveria ser levada em conta na delimitação das águas territoriais norueguesas. Em outras palavras, a **Corte decidiu que o método utilizado não era contrário ao direito internacional.**

O direito de passagem inocente deve também ser reconhecido aos navios de guerra, enquanto esse não inicie nenhuma prática considerada ameaçadora à segurança do estado costeiro, nos termos do artigo 19 da **Convenção**[173]. Há limitações aos submarinos, que devem navegar no mar territorial ao nível da superfície e com sua bandeira hasteada. O artigo 18 da **Convenção** esclarece que a passagem inocente ocorre quando o navio adentra o mar territorial com o propósito de atravessar esse mar sem penetrar as águas interiores do estado costeiro nem fazer escala em ancoradouros e instalações portuárias (passagem lateral) ou ainda quando adentra ou sai de águas internas do estado costeiro, ou faz escala em seu litoral (passagem vertical). Em qualquer dessas modalidades, a passagem deverá ***ocorrer de forma "contínua e rápida"***, sob pena de, em interrompendo seu curso sem clara necessidade, o navio deixar de gozar da presunção de inocência e passar a ser considerado pelo estado costeiro como suspeito e consequentemente sujeito a investigações.

O direito de passagem inocente não significa que o estado costeiro se acha impedido de adotar medidas impostas pela defesa de sua segurança, de sua ordem pública ou de seus interesses fiscais, nem a exclusão de competência do dito estado para verificar se foram preenchidas as condições que tenha estipulado para a admissão de navios estrangeiros em suas águas territoriais. Por outro lado, o estado costeiro não deve cobrar taxas ou direitos pela simples passagem em seu mar territorial, salvo se se tratar da retribuição de serviços particulares eventualmente prestados, tais como pilotagem, rebocamento etc.

Se navio estrangeiro viola as leis ou regulamentos do estado costeiro, qualquer navio de guerra desse estado pode persegui-lo, isto é, exercer contra ele o chamado direito de **perseguição** (***hot pursuit***), realizado obrigatoriamente por navio de guerra ou aeronave militar. Tal direito só poderá ter início de execução quando o navio culpado se encontre nas águas internas, no mar territorial ou na zona contígua[174] – embora possa continuar e inclusive culminar na captura do navio no alto-mar, contanto que a perseguição não se tenha interrompido. Mas cessará, desde que o navio perseguido entre no mar territorial do próprio país ou no de terceiro estado.

Ainda no tocante ao direito de perseguição admite-se que a perseguição iniciada por navio do estado costeiro seja continuada por outro, do mesmo esta-

173. Cabe aqui o reparo de que a lista de práticas consideradas prejudiciais "à paz, à boa ordem ou à segurança do estado costeiro" encontrada no artigo 19 da Convenção não se aplica apenas aos navios de guerra, sendo regras gerais a todos os tipos de embarcação.

174. E pode aplicar-se, caso a caso, também a infrações ocorridas na Zona Econômica Exclusiva ou na plataforma continental, conforme previsto no parágrafo 2º do artigo 111 da Convenção.

do, contanto que não haja interrupção. Entretanto, o direito de perseguição não vai além da autorização para apresamento e investigações do navio sob suspeita, devendo a hipótese de seu afundamento ser considerada abuso do direito de perseguição, a não ser que tal afundamento ocorra de forma acidental, mediante uso razoável da força para deter a embarcação perseguida.

6.4.2.3. jurisdição do estado costeiro, em matéria civil e penal

O direito de jurisdição do estado costeiro em seu mar territorial deriva, sem dúvida, da soberania que ele exerce sobre o dito mar. Tal direito é limitado, essencialmente, conforme vimos, pelo de passagem inocente. Por isso mesmo, o exercício da competência jurisdicional do estado costeiro está sujeito a certas restrições.

Isso não impede que, em certos casos, os próprios navios que gozam do direito de passagem inocente sejam submetidos à plena jurisdição civil e penal do estado costeiro.

Quando se trata de navios nacionais, é indiscutível que todos os atos neles ocorridos dependem da jurisdição do dito estado.

Se os navios são estrangeiros, a situação é a seguinte: tratando-se de navios de guerra, estarão isentos da jurisdição local, embora devam conformar-se com as leis e regulamentos estabelecidos pelo estado costeiro, no interesse da sua ordem e segurança; tratando-se de navios mercantes, as soluções não são precisas, porque as legislações internas dos estados divergem frequentemente na apreciação desse caso, e a doutrina internacional não é uniforme[175].

A Convenção sobre o Direito do Mar de 1982 estipula em seu artigo 27 que "***a jurisdição penal do estado costeiro não será exercida a bordo de navio estrangeiro que passe pelo mar territorial com o fim de deter qualquer pessoa ou de realizar qualquer investigação, com relação a infração penal cometida a bordo desse navio durante a sua passagem***, salvo nos seguintes casos:

a) se a infração criminal tiver consequências para o estado costeiro;

b) se a infração for de tal natureza que possa perturbar a paz pública do país ou a boa ordem no mar territorial;

175. Nas relações entre países latino-americanos, existem em vigor dois atos internacionais que oferecem soluções divergentes nessa matéria. Um deles é o Código Bustamante, cujo artigo 301 dispõe que as leis penais do estado costeiro não são aplicáveis aos delitos cometidos em navios mercantes estrangeiros, nas águas territoriais, se tais delitos "não têm relação alguma com o país e seus habitantes, nem perturbam a sua tranquilidade". O outro é o Tratado de Direito Penal Internacional, assinado em Montevidéu a 19 de março de 1940, cujo artigo 10 estipula que "os delitos cometidos a bordo de navios que não sejam de guerra serão julgados e punidos pelos juízes ou tribunais e de acordo com as leis do Estado em cujas águas territoriais se achava o navio, quando cometidos".

c) se a assistência das autoridades locais tiver sido solicitada pelo Capitão do navio ou pelo representante diplomático ou funcionário consular do Estado cuja bandeira é arvorada pelo navio; ou

d) se essas medidas forem necessárias para a repressão do tráfico ilícito de entorpecentes".

O referido artigo ainda estipula que tais disposições não comprometem o direito do estado de tomar todas as medidas autorizadas por sua legislação para proceder a prisões ou a atos de instrução a bordo de um navio estrangeiro que passe pelo mar territorial, provindo de águas internas.

6.4.3. zona contígua

A grande preocupação dos estados costeiros em matéria de pesca sempre foi a extensão de sua jurisdição além das três milhas, mas até a assinatura da Convenção de 1982 todas as tentativas foram frustradas, principalmente pelo argumento de que qualquer exceção ao princípio da liberdade dos mares poderia acabar por anulá-lo.

Ideia suscitada, em 1928, pelo *Instituto de Direito Internacional* teve influência na *Conferência* realizada em 1930 sob os auspícios da Sociedade das Nações quando o Comitê Preparatório sugeriu a criação de *zona adjacente* ao mar territorial cuja extensão máxima seria de 12 milhas. Aceito o limite das 3 milhas, a *zona adjacente* ou contígua não seria superior a 9 milhas. A tese não logrou ser aceita, principalmente diante da posição britânica.

A tendência no sentido de aumentar a jurisdição do mar territorial foi levada em conta pela Comissão de Direito Internacional na elaboração do projeto sobre o mar territorial, que resultou na redação do artigo 28 da **Convenção sobre o Mar Territorial** de 1958, que reconhecia a existência da zona contígua sobre a qual o estado costeiro teria jurisdição em matéria aduaneira, fiscal, de imigração e sanitária. Apesar dos esforços[176] no sentido de inclusão da pesca entre as matérias reguladas na zona contígua, esta só viria a ocorrer com o advento da

176. O Secretariado das Nações Unidas foi favorável à criação de uma zona contígua na qual o estado costeiro teria controle em matéria de pesca. No memorando de 14 de julho de 1950 lê-se que há argumentos, que se tornam cada vez mais fortes, a favor do reconhecimento pelo direito internacional de uma zona contígua em matéria de pesca. O memorando acrescenta que, se os limites do mar territorial forem determinados sem levar em consideração as condições de vida e de reprodução das espécies, todo espaço que se encontra além dos limites do mar territorial não gozará de uma proteção desejável. O relator da Comissão, Prof. J. P. A. François, contudo, foi contrário à inclusão da pesca entre os controles a serem exercidos no mar territorial, e essa posição foi endossada pela Comissão e, mais tarde, pela própria Conferência de 1958.

Zona Econômica Exclusiva, vinte e quatro anos depois[177].

O texto de 1958 tinha por objetivo enumerar taxativamente os controles que poderiam ser exercidos, ou seja, o controle dos regulamentos aduaneiros, fiscais, de imigração e sanitários, mas não a pesca. A única justificativa da adoção do artigo 33 é que, ao mencionar os controles exercíveis na zona contígua[178], exclui o seu exercício na ZEE. Em outras palavras, o estado costeiro não tem a faculdade de aplicar as suas leis e regulamentos aduaneiros, fiscais, de imigração e sanitários na ZEE.

6.4.4. Zona Econômica Exclusiva (ZEE)

Uma das principais inovações da Convenção sobre o Direito do Mar de 1982 foi a adoção da figura da *Zona Econômica Exclusiva* (ZEE)[179], definida no artigo 55 como "***zona situada além do mar territorial e a este adjacente, sujeita ao regime jurídico estabelecido na presente Parte, segundo o qual os direitos e a jurisdição do estado costeiro e os direitos e as liberdades dos demais estados são regidos pelas disposições pertinentes da presente Convenção***".

A largura da ZEE é de 200 milhas marítimas, medidas a partir das linhas de base a partir das quais se mede a largura do mar territorial. A figura da ZEE

177. A aceitação pela Terceira Conferência do Direito do Mar da Zona Econômica Exclusiva (ZEE) tornou toda a argumentação, em torno do direito de pesca numa zona contígua ao mar territorial, sem razão de ser, visto que ficou reconhecido que na ZEE os estados têm o direito soberano de explorar e aproveitar os recursos naturais vivos numa zona marítima que se estende a até 200 milhas das linhas de base. A Conferência, contudo, optou por adotar o artigo 33, que repete quase *ipsis verbis* o artigo 28 da Convenção sobre o Mar Territorial de 1958. Um raciocínio precipitado pode levar à conclusão de que se trata precisamente da mesma regra e que na sua interpretação pode-se recorrer aos *travaux préparatoires* da Convenção de 1958. A realidade é bem outra: o artigo 33 da Convenção de 1982 traz entendimento oposto. Primeiramente, a adoção da expressão "*zona contígua*" perdeu sua razão de ser, pois a frase aceita em 1958 foi "zona do alto-mar contígua ao mar territorial". Em outras palavras, a ênfase era no fato de essa ser parte do alto-mar, em que o princípio da liberdade dos mares continuaria a vigorar. A expressão só se justifica se interpretada como sendo contígua ao mar territorial.

178. Hoje correspondente ao espaço marítimo de largura de 24 milhas a partir das linhas de base que definem o mar territorial (ou seja, a zona contígua estende-se por 12 milhas a partir do fim da faixa do mar territorial).

179. Francisco ORREGO VICUÑA, **La Zone Économique Exclusive: régime et nature juridique dans le droit international** (RCADI, 1986, t. 199, p. 9-170); F. ORREGO-VICUÑA, **The Exclusive Economic Zone: a Latin American perspective** (Boulder, Colorado, 1984); Jonathan I. CHARNEY, Law of the sea, breaking the deadlock (**Foreign Affairs**, v. 55, p. 610, abr. 1977); L. A. de ARAÚJO CASTRO, **O Brasil e o novo direito do mar – mar territorial e Zona Econômica Exclusiva** (Brasília, 1989); L. F. E. GOLDIE, **The Exclusive Economic Zone**, Relatório submetido à International Law Association. Relatório da sessão de Montreal de 1982, p. 303; Robert SMITH, **Exclusive Economic Zone claims**, Dordrecht, 1986; Shabtal ROSENE, *Settlement of fisheries disputes in the Exclusive Economic Zone*, AJ, 1979, v. 73, p. 89; Shigeru ODA, *The contribution of Equidistance to Geographical Equite in the Interrelated Domain of the Continental Shelf and the Exclusive Economic Zone*, in **Le droit international à l'heure de sa codification (études en l'honneur de Roberto Ago)**, Milano, 1987, v. 2, p. 349; Tullio TREVES, **Droit de la mer**, RCADI, 1990, v. 223, p. 230; René-Jean DUPUY e Daniel VIGNES, **A handbook on the new law of the sea,** Academie de Droit International de La Haye, 1991; Laurent LUCHINNI, **Droit de la mer**, Paris: Pedone, 1990; NGUYEN Quoc Dinh, Patrick DAILLIER e Alain PELLET, **Droit International Public**, Paris: LGDJ, 1994, p. 1043-1149.

deve sua origem a uma das duas proclamações feitas em 28 de setembro de 1945 pelo Presidente dos Estados Unidos, que estendia unilateralmente a jurisdição de seu país além do mar territorial, visando à proteção da pesca.

Criado o antecedente, a iniciativa norte-americana foi imediatamente seguida por aqueles cujas indústrias pesqueiras sofriam as mesmas dificuldades, a começar com a Argentina, que, em 24 de janeiro de 1946, declarou que pertencia à soberania da Nação o mar epicontinental e a plataforma continental. A decisão argentina tinha ainda importância política, visto que o mar epicontinental abrangeria as *Ilhas Falkland-Malvinas*.

As decisões que tiveram a maior repercussão foram as do Peru, Chile e Equador, que reivindicaram direitos de total soberania até a distância de 200 milhas. A situação dos três países era peculiar, pois, além do fato de não contarem com plataforma continental em sua geografia, a sua pesca era realizada principalmente na rica *corrente marítima de Humboldt*, distante cerca de 180 milhas de suas costas. Os três países assinaram em 1952 quatro acordos, dentre os quais a *Declaração de Santiago* sobre a zona marítima, nos termos da qual reivindicaram soberania exclusiva e jurisdição sobre o mar adjacente às suas costas, até a distância de 200 milhas. A decisão dos três países do Pacífico e o apresamento de navios pesqueiros estrangeiros que invadiram a zona deram origem a inúmeras reclamações e protestos internacionais.

Em 1958, durante a Conferência sobre o Direito do Mar, realizada em Genebra, a tese das 200 milhas foi apresentada como solução para a questão da delimitação do mar territorial, mas não teve a menor aceitação.

O Brasil hesitou seguir o exemplo dos demais países latino-americanos, mas em 28 de março de 1970 foi baixado o **Decreto-lei n. 1.098**, segundo o qual "o mar territorial do Brasil abrange uma faixa de 200 (duzentas) milhas marítimas em largura". O Decreto-lei ainda estipulava que "a soberania do Brasil se estende ao leito e ao subsolo deste mar". A ***extensão do mar territorial a 200 milhas foi motivo de dificuldade nas negociações*** que resultaram na Convenção de 1982, como o foi a declaração quanto ao solo e subsolo do leito do mar, diante da adoção do conceito, com o apoio incondicional do Brasil, de que tais recursos representavam o *Patrimônio Comum da Humanidade*[180].

Iniciadas as negociações que resultariam na **Convenção** de 1982, previa-se que a questão das 200 milhas seria, juntamente com a exploração dos fundos

180. Posteriormente, ficou decidido que, na zona de 200 milhas, as 100 milhas junto à costa seriam reservadas às embarcações nacionais, podendo o governo autorizar a pesca por embarcações estrangeiras nas outras 100 milhas.

marinhos, o problema de mais difícil solução. Uma das primeiras preocupações das delegações latino-americanas foi a de uniformizar as suas posições, pois os direitos pleiteados variavam, a começar com as mais ambiciosas, como a brasileira, favorável ao reconhecimento da soberania do estado costeiro. O Embaixador L. A. de ARAÚJO CASTRO lembra que "importante passo foi dado com a ***aprovação, em maio de 1970, da Declaração de Montevidéu*** sobre o Direito do Mar, em que pela primeira vez se procurou definir denominador comum das posições dos diferentes países latino-americanos que até então haviam ampliado unilateralmente seus direitos no mar. A Declaração proclama, como princípio básico do direito do mar, o direito do estado costeiro de dispor dos recursos naturais do mar adjacente às suas costas e o de estabelecer os limites de sua *soberania e jurisdição marítimas*, de acordo com critérios geográficos e geológicos". Na ocasião, o Brasil registrou o seu entendimento de que "a liberdade de navegação que aí se menciona é aquela que se admite no mar territorial, isto é, a passagem inocente, tal como define a legislação brasileira".

Foi ainda necessário conseguir o apoio de outros grupos, e, em tal sentido, os chamados países mediterrâneos, isto é, sem acesso ao mar, os países arquipélagos e os países de estreitos negociaram o seu apoio à tese das 200 milhas. Ainda reticentes, mas potencialmente interessados, eram alguns países desenvolvidos cujos interesses marítimos se concentravam naturalmente nas áreas marítimas mais próximas a seus litorais, tais como: Islândia, Noruega, Canadá, Austrália e Nova Zelândia.

O apoio dos países africanos foi importante nesse sentido. Em julho de 1972 foi realizado *Seminário sobre o Direito do Mar*, em Yaoundê, na República dos Camarões, com a colaboração da Fundação Carnegie, que convidou especialistas de diversos países, com o objetivo de orientar os representantes africanos sobre a evolução da matéria em outros continentes. O perito brasileiro teve ensejo de explicar a posição adotada na América Latina, que contou com a aceitação imediata dos participantes. Em consequência, ficou decidido que "os Estados africanos têm o direito de constituir, além do mar territorial, uma zona econômica, onde gozarão de jurisdição exclusiva para fins de controle e de regulamentação, visando a uma exploração racional dos recursos naturais do mar, à preservação desses recursos em benefício primordial de seus povos e à de suas respectivas economias tendo em vista a preservação e a luta contra a poluição". Esse posicionamento foi endossado pela então Organização da Unidade Africana e, em agosto de 1972, Francis X. NJENGA, delegado do Quênia, que havia participado desse encontro, tomou a iniciativa de apresentar formalmente ao Comitê Preparatório da Conferência documento intitulado *draft articles on exclusive economic zone concept*.

Graças a todos esses trabalhos preparatórios foi possível, com a apresentação de proposta forte numericamente e de alta uniformidade em seus conceitos essenciais, impedir que os países que dispunham dos meios financeiros e tecnológicos conseguissem regulamentação capaz de permitir a concentração dos recursos renováveis e não renováveis do mar nas mãos de poucos. Os países ditos *tradicionalistas* cedo compreenderam a inutilidade de lutar e se contentaram em obter uma série de concessões na ZEE, como o reconhecimento do direito de livre navegação nessa área.

O artigo 56 da **Convenção** sobre o Direito do Mar reconhece os ***direitos de soberania do estado costeiro*** para fins de exploração dos recursos naturais, vivos ou não vivos, do mar, a exploração e o aproveitamento da zona para fins econômicos, como a produção de energia a partir da água, das correntes e dos ventos, bem como a jurisdição no tocante à colocação e utilização de ilhas artificiais, instalações e estruturas, investigação científica marinha e proteção e preservação do meio marinho.

Não há efetivamente **soberania** inicialmente clamada pelos estados latino-americanos. Essa foi a forma encontrada de balancear os interesses das potências marítimas, que viram a livre navegação internacional preservada na ZEE, e os dos estados costeiros, que passaram a ter assegurada pelo DI a titularidade e o privilégio sobre os recursos situados à sua costa. É importante ressaltar que a ***jurisdição exercida pelo estado costeiro na ZEE em muito difere da soberania exercida em seu mar territorial***. Enquanto no mar territorial temos como **única exceção** à sua soberania o **direito de passagem inocente**, na **ZEE o estado conta apenas com os direitos acima, restritivamente**.

6.4.4.1. preservação dos recursos vivos na ZEE

A importância dada pela Convenção sobre o Direito do Mar à pesca na ZEE pode ser aquilatada pela extensão dos artigos que dela tratam. O objetivo da Convenção é o de garantir não só a conservação das espécies, mas sobretudo que seja obtido "o máximo rendimento constante" (art. 61, 3); "de promover o objetivo da utilização ótima de tais espécies" (art. 64). Para tanto, a Convenção prevê uma série de medidas, a começar com a obrigação do estado costeiro de fixar as capturas permissíveis e, por meio de medidas apropriadas, evitar o excesso de captura; restabelecer as populações das espécies capturadas aos níveis tidos como ótimos, com base em considerações ecológicas e econômicas; e a comunicar as informações científicas disponíveis, estatísticas de captura etc. por intermédio de organizações internacionais competentes, sejam elas sub-regionais, regionais ou mundiais. Na aplicação das medidas citadas, o estado deve ter em conta as necessidades das comunidades costeiras que vivem da pesca e as necessidades especiais dos países em desenvolvimento.

No fundo, a preocupação dos autores da **Convenção** era a eliminação da pobreza e a busca de soluções visando a diminuir a escassez de alimentos produzidos quer em terra, quer no mar.

É nessa parte que a **Convenção** se ocupa dos ***anádromos*** e ***catádromos***, a que já nos referimos, bem como das espécies sedentárias e das espécies altamente migratórias. Atualmente, existe muita preocupação com a pesca excessiva das espécies altamente migratórias, principalmente as *transzonais* (chamadas em inglês *straddling fish stocks*), que ora frequentam a ZEE, onde contam com proteção, ora o alto-mar. Foi tendo em vista a ameaça a essas espécies *transzonais* que a Conferência do Rio em 1992 incluiu na Agenda 21 (*parágrafo 1752, e*) recomendação no sentido de ser convocada *Conferência visando à implementação da Convenção sobre o Direito do Mar sobre as populações transzonais e as espécies altamente migratórias*[181].

Embora a Conferência tivesse por objetivo a pesca no Mar do Norte, com ênfase no ***bacalhau*** e no ***haddock***, para o Brasil há interesse especial, ou seja, com o esgotamento da pesca naquela zona, os pesqueiros estão deslocando-se para o Atlântico Sul, em busca do ***atum***[182] que frequenta a ZEE brasileira e o alto-mar adiante desta[183].

6.4.5. plataforma continental

A existência de plataforma continental era conhecida de há muito geograficamente, mas o direito internacional desta não se ocupava, visto que a tecno-

181. *V.*, *infra*, 7.3.2.4. **Acordo das Nações Unidas sobre espécies de peixes altamente migratórias** (1995). A Assembleia Geral das Nações, em consequência, decidiu realizar duas Conferências em Nova York, cabendo à primeira a sua organização e à segunda (19 a 30 de julho de 1993) o estudo das questões substantivas e a programação futura. Na parte preambular da resolução, a Assembleia manifesta a sua grande preocupação com a pesca excessiva no alto-mar das duas espécies e os efeitos negativos nos recursos da ZEE, e lembra a responsabilidade dos estados de cooperarem, de conformidade com os artigos pertinentes da Conferência.

    Na Conferência sobre espécies transzonais e das espécies altamente migratórias, realizada em Nova York de 14 a 31 de março, foi elaborado texto que busca dar solução aos principais problemas, mas que ficou na dependência de aceitação pelo Japão e pela Coreia do Sul.

182. A utilização da membrana do olho do atum para a fabricação de válvulas cardíacas é recente e expressivo exemplo da multiplicidade de usos e do interesse estratégico da preservação dos recursos naturais, visando a melhoria das condições da vida humana no planeta.

183. O caso do pesqueiro *Chyvo Maru*, apresado em novembro de 1992 por uma corveta da Marinha brasileira, é exemplificativo. Localizado a 180 milhas do litoral do Rio Grande do Norte, quando lançava espinhéis ao longo de 50 milhas, os técnicos identificaram uma carga de 75 toneladas de peixes, bem como grande quantidade de barbatana e indícios de que muitos cações de qualidade inferior foram jogados ao mar depois de retiradas as barbatanas. Levado à base naval, toda a carga foi confiscada e o navio teve que pagar pesada multa.

logia não havia ainda alcançado o necessário grau de desenvolvimento para que sua exploração econômica pudesse ser cogitada[184].

Pesquisas e estudos mostraram que, muitas vezes, os continentes não baixam abruptamente até as profundezas oceânicas e que, ao contrário, em muitos casos, existe espécie de planície submarina, ao longo da costa, que se inclina, natural e gradualmente, até grande distância do litoral, formando aquilo que se denominou a ***plataforma continental*** ou plataforma submarina; sobre esta e em seu subsolo existem importantes riquezas naturais, suscetíveis de aproveitamento pelo homem.

Essa plataforma é, pois, conforme definiu o J. BRIERLY, "**formação particular do leito do mar em certas costas, em que a água pouco profunda se estende até distância considerável a partir da terra, e depois da qual o leito do mar se precipita a grandes profundidades**".

A denominação provém especialmente de que, segundo dizem os geólogos, os continentes, em muitas regiões, parecem assentar sobre espécie de base ou plataforma submersa, que se prolonga em declive suave até chegar à profundidade perto de 200 metros ou, aproximadamente, 100 braças ou 600 pés, daí caindo, subitamente, para as profundezas abismais.

Com os avanços tecnológicos, torna-se, progressivamente, viável a exploração pelos estados costeiros da plataforma continental. Surgia, entretanto, a dificuldade de ordem jurídica a esse respeito, consistente no princípio, universalmente reconhecido, da liberdade dos mares. Procurou-se, pois, conciliar tanto quanto possível a manutenção dessa liberdade com a do aproveitamento dos mencionados recursos naturais, tanto os do leito do mar quanto os de seu subsolo.

A primeira manifestação prática internacional nessa direção remonta a tratado celebrado em 26 de fevereiro de 1942, entre a Grã-Bretanha e a Venezue-

---

184. Vicente Marotta RANGEL, Settlement of disputes relating to the delimitation of the outer continental shelf: the role of international courts and arbitral awards (in **The International Journal of Marine and Coastal Law**, ©. K. Brill NV, 2006, v. 21, n. 3, p. 347-362); Celso de A. MELLO, **A plataforma continental** (Rio de Janeiro, 1965); Christian G. CAUBET, *A competição pelos recursos do fundo do mar* (**Revista Brasileira de Política Internacional**, 1978, p. 8); Christos L. ROZAKIS, *Continental shelf*, (in **Enciclopedia**, v. A-D, p. 783); Gilbert GIDEL, **La plataforma continental ante el derecho** (Valladolid, 1951); H. LAUTERPACHT, *Sovereignty over submarine areas* (BYB, v. 27, 1950); Janusz SYMONIDES, The continental shelf (in **International law**, Paris: UNESCO, 1991, p. 791); L. D. M. NELSON, *The role of equity in the delimitation of maritime boundaries* (AJIL, 1990, v. 84, p. 837); M. W. MOUTON, **The continental shelf** (Haia, 1952); V. MAROTTA RANGEL, **Le plateau continental dans la Convention de 1982** (RCADI, 1985, v. 194, p. 269-428); A. MEIRA MATTOS, **O novo direito do mar** (Rio de Janeiro: Renovar, 1996); C. D. A. MELLO, **Curso** (2004, p. 1179-1293); Rafael VALENTINO SOBRINHO, *A plataforma continental*, **Revista Brasileira de Política Internacional**, set. 1963; Ramiro Saraiva Guerreiro, O aproveitamento dos recursos do mar além da jurisdição nacional, **Boletim**, 1969, p. 5; Raymundo Nonato Loyola de CASTRO, Doutrina brasileira sobre a plataforma continental, **Boletim**, 1968, p. 18; Santiago BENADAVA, **Derecho internacional público** (4. ed., Santiago de Chile, p. 286); T. TRÈVES, *La limite extérieure du plateau continental* (AFDI, 1989, p. 724); René-Jean DUPUY *et* Daniel VIGNES, **A Handbook on the New Law of the Sea** (Académie de Droit International de La Haye, 1991).

la, sobre a partilha da área submarina do Golfo de Pária, situado entre a ilha de Trinidad e a costa venezuelana. Nesse ato, porém, não se falava em *plataforma continental,* expressão que apareceu pela primeira vez em documento público oficial nas duas famosas proclamações assinadas pelo Presidente TRUMAN, em 28 de setembro de 1945: uma sobre zonas de conservação de pescarias e a outra sobre recursos naturais da plataforma submarina. Então surgiu a terminologia da doutrina da plataforma continental, e a tentativa de lhe fornecer uma filosofia.

Às proclamações do Presidente dos Estados Unidos seguiram-se várias outras declarações análogas, de diversos países, entre os quais figurou o Brasil. A proclamação norte-americana havia justificado, em termos de interesse nacional e interesse internacional, a necessidade de utilização dos recursos naturais das áreas submarinas adjacentes, mostrando, ao mesmo tempo, a medida na qual o progresso científico e a proximidade geográfica tornavam claramente possível sua utilização. Para o fim visado, o governo dos Estados Unidos considerava "**os recursos naturais do subsolo e do fundo do mar da plataforma continental abaixo do alto-mar próximo às costas dos Estados Unidos, como pertencentes a estes e submetidos à sua jurisdição e controle**". Do ponto de vista puramente jurídico, a pretensão americana baseava-se no raciocínio de que "a plataforma continental pode ser considerada como extensão da massa terrestre do país costeiro e como formando parte dela, naturalmente". Como argumento complementar, alegava a ideia do cuidado da própria proteção, "que obriga o país costeiro a praticar estreita vigilância sobre as atividades exercidas diante de suas costas", relativamente à utilização dos referidos recursos.

A estes argumentos pode-se, talvez, aplicar a observação de Gilbert GIDEL, com relação a outro ponto da proclamação norte-americana, no sentido de dizer que era "**o mesmo ponto de vista, adotado desde os tempos mais longínquos para apoiar todas as reivindicações sobre as águas adjacentes**". Não se deve, contudo, esquecer, como o mesmo reconhece, que a plataforma continental, no próprio interesse do mundo inteiro, vai ser campo de atividades exploratórias intensas, em área na qual, por circunstâncias naturais, o estado costeiro se achará mais diretamente interessado do que qualquer outro.

Em todo caso, a proclamação TRUMAN reconheceu expressamente que "o caráter de alto-mar das águas em cima da plataforma continental e o direito à sua navegação, livre e sem impedimento", não ficavam de modo algum atingidos pelas medidas adotadas.

Muitas das subsequentes proclamações ou declarações oficiais de outros governos, no entanto, incluíram reivindicações pouco justificáveis em face dos princípios do direito das gentes de então. Os países que manifestaram pretensões à plataforma continental, ou submarina, foram, além de outros, os seguintes (mais ou menos, por ordem cronológica): Estados Unidos da América, México, Argentina, Panamá, Chile, Peru, Costa Rica, Islândia, Bahamas e Jamaica, Arábia Saudita, Bahrein e outros principados do Golfo Pérsico, Filipinas, Guatemala, Honduras, Paquistão, Salvador, Honduras Britânicas, Nicarágua, Brasil, ilhas Falkland e Equador. Desses, os cinco seguintes reclamaram uma faixa de 200 milhas de mar territorial: Chile, Peru, Equador, Honduras e Salvador.

Em 1950 o Brasil fixou as suas normas a respeito em decreto, que foi posteriormente complementado por Decreto de 26 de agosto de 1969, que dispõe sobre a exploração e pesquisa da plataforma submarina do Brasil nas águas do mar territorial e nas águas interiores, e dá outras providências. No Decreto de 1950 se declarou "integrada ao território nacional a plataforma submarina, na parte correspondente a esse território"[185]. Cumpre ainda salientar o Decreto-lei n. 1.098, de 1970, que fixava o mar territorial do Brasil em duzentas milhas, acrescentava, no artigo 2º, que "a soberania do Brasil se estende no espaço aéreo acima do mar territorial, bem como ao leito e subsolo deste mar".

Na opinião de diversos internacionalistas de renome, a doutrina da plataforma submarina se justifica pelo princípio da contiguidade. LAUTERPACHT, por exemplo, opina que esse princípio representa, no caso, "a única solução concordante com a conveniência, as necessidades econômicas e as exigências da paz internacional". Ele acrescentou, no entanto, que ao referido princípio se poderia juntar o da identidade física e, talvez, razão de ordem prática, que seria a aquiescência geral. Em todo caso, a contiguidade, por si só, não bastaria para justificar a tese da incorporação da plataforma submarina. Além do fato natural, a aquisição ou incorporação da plataforma necessita de outro fundamento: será, então, a existência de interesse superior, da comunidade internacional, na exploração e aproveitamento dos recursos nela contidos, que preencherá esse vácuo.

185. Como razões em apoio do ato, este apresentou as seguintes, nos respectivos considerandos: 1ª) "que a plataforma submarina é um verdadeiro território submerso e constitui, com as terras a que é adjacente, uma só unidade geográfica"; 2ª) que o interesse das declarações dessa natureza "tem avultado, em consequência da possibilidade, cada vez maior, da exploração ou do aproveitamento das riquezas naturais aí encontradas"; 3ª) que, tendo vários estados da América declarado direitos de soberania ou de domínio e jurisdição sobre as respectivas plataformas submarinas, "cabe ao governo brasileiro, para salvaguarda do direito do Brasil sobre a plataforma submarina, que lhe corresponde, formular idêntica declaração"; 4ª) o zelo "pela integridade nacional e pela segurança interna do país". Na parte dispositiva, o decreto limitou-se a esses três pontos: 1º) o reconhecimento expresso de que "a plataforma submarina, na parte correspondente ao território continental e insular do Brasil, se acha integrada neste mesmo território, sob jurisdição e domínio exclusivo da União Federal"; 2º) a declaração de que "o aproveitamento e a exploração de produtos ou riquezas naturais" ali encontrados dependem de autorização ou concessão federal; 3º) a declaração de que "continuam em pleno vigor as normas sobre a navegação nas águas sobrepostas à plataforma", "sem prejuízo das que venham a ser estabelecidas, especialmente sobre a pesca nessa região".

6.4.5.1. evolução histórica da delimitação da plataforma continental

A matéria da plataforma continental e da sua possível delimitação foram objeto de estudos da Comissão de Direito Internacional das Nações Unidas, desde a sessão que realizou de junho a julho de 1950. A Comissão opinou, então, que o leito do mar e o subsolo das áreas submarinas em apreço não deveriam ser considerados como *res nullius*, nem como *res communis*, e estavam sujeitos ao exercício do controle e jurisdição dos estados costeiros, para os fins de sua exploração e aproveitamento, sendo, porém, tal exercício independente do conceito de ocupação. Entretanto, declarou que as águas acima da plataforma deviam permanecer sob o regime do alto-mar, não se podendo cogitar de direitos de controle e jurisdição sobre tais águas.

Em 1958, em Genebra, foi assinada a **Convenção sobre Plataforma Continental** contendo a definição ampla da expressão "***plataforma continental***"[186].

A **Convenção** de 1958 ainda esclarecia caber ao estado costeiro exercer direitos soberanos sobre a plataforma continental, para os fins da exploração desta e do aproveitamento de seus recursos naturais: tais direitos seriam exclusivos no sentido em que, se o estado costeiro não explorasse a plataforma continental ou não aproveitasse os seus recursos naturais, ninguém poderia empreender tais atividades, nem reivindicar direitos sobre a plataforma continental, sem consentimento expresso do estado costeiro; os direitos do estado costeiro sobre a plataforma continental eram independentes da ocupação efetiva ou fictícia, assim como de qualquer proclamação expressa. Os recursos naturais compreendem os recursos minerais e outros recursos não vivos do leito do mar e do subsolo, assim como os organismos vivos, pertencentes às espécies sedentárias, isto é, os organismos que no período em que podem ser pescados se acham imóveis sobre ou sob o leito do mar, ou só podem mover-se em constante contacto físico com o leito do mar ou o subsolo.

6.4.5.2. a plataforma continental na Convenção de 1982

A **Convenção sobre a Plataforma Continental** de 1958 fora elaborada tendo em vista os conhecimentos e os avanços tecnológicos da época, mas os

186. O artigo 1º da Convenção definia a expressão "plataforma continental" como sendo: *a*) o leito do mar e o subsolo das regiões submarinas adjacentes às costas, mas situada fora do mar territorial, até uma profundidade de 200 metros, ou além deste limite, até o ponto em que a profundidade das águas sobrejacentes permita o aproveitamento dos recursos naturais das referidas regiões; *b*) o leito do mar e o subsolo das regiões submarinas análogas, que são adjacentes às costas das ilhas.

acontecimentos posteriores vieram demonstrar a necessidade de serem revistos alguns de seus artigos, principalmente o relativo a seus limites[187].

Concomitantemente ao avanço das tecnologias de exploração marítima, a estrutura das Nações Unidas alterou-se com o ingresso de dezenas de novos estados, que não haviam participado da elaboração das convenções de 1958. Esses países em desenvolvimento, às voltas com numerosos problemas vinculados à pobreza, poderiam ter sua carência de recursos amenizada mediante a revisão das convenções que primasse por garantir aos estados costeiros alguns direitos sobre as riquezas do mar.

O pronunciamento de Arvid PARDO, ocorrido em 1967, trouxe novo elemento à definição e delimitação da plataforma continental: a ***noção dos fundos oceânicos como patrimônio comum da humanidade***, estabelecendo, então, a necessidade de avaliação da situação das riquezas dali oriundas como de interesse tanto dos estados costeiros quanto da comunidade internacional como um todo, trazendo mais argumentos em prol da revisão dos conceitos, estabelecidos em 1958.

De modo geral, as regras substantivas adotadas em 1958 foram tidas como satisfatórias, a não ser no tocante à delimitação da plataforma continental. Assim, verificamos que ambas as Convenções reconhecem as seguintes normas:

a) direitos do estado costeiro sobre a plataforma continental não devem prejudicar o regime das águas sobrejacentes, tratando-se do alto-mar, nem do espaço aéreo situado sobre estas águas;

b) o estado costeiro não pode entravar a exploração ou manutenção de cabos ou oleodutos submarinos sobre a plataforma continental, ressalvado o seu direito de tomar medidas razoáveis para a exploração da plataforma continental e o aproveitamento de seus recursos naturais;

c) a exploração da plataforma continental e o aproveitamento de seus recursos naturais não devem perturbar a pesca, ou a conservação dos recursos biológicos do mar, nem perturbar as pesquisas oceanográficas fundamentais, ou outras pesquisas científicas efetuadas com a intenção de divulgação de seus resultados;

d) o estado costeiro tem o direito de construir ou fazer funcionar sobre a plataforma continental as instalações e outros dispositivos necessários à exploração desta e ao aproveitamento de seus recursos naturais, bem como o de estabelecer zonas de segurança em torno dessas instalações

187. Poucos anos depois da celebração da Convenção de 1958, já era uma realidade a exploração de recursos do solo e subsolo marinhos em profundidades muito além dos 200 metros convencionados, evidenciando a incompatibilidade da Convenção de 1958 com o rápido desenvolvimento tecnológico de então.

e o de tomar nestas zonas as medidas necessárias à sua proteção;

e) o estado costeiro deve tomar nas zonas de segurança todas as medidas adequadas para proteger os recursos vivos do mar contra agentes nocivos.

6.4.5.3. conflitos e desenvolvimento do conceito de plataforma continental

As regras constantes do artigo 6º da **Convenção** de 1958, ao tratar da eventual delimitação da plataforma continental, tiveram, contudo, de ser modificadas diante dos diversos casos surgidos. Dentre estes, convém mencionar o **caso da Plataforma Continental do Mar do Norte,** julgado pela CIJ em 1969, do qual eram partes os Países-Baixos e a Dinamarca, de um lado, e a República Federal da Alemanha, de outro. A Corte deveria decidir sobre "quais os princípios e regras de direito internacional aplicáveis à delimitação de áreas da plataforma continental do Mar do Norte que pertencem a países além das fronteiras determinadas pela Convenção de 9 de junho de 1958".

A Corte, na decisão de 20 de fevereiro de 1969, não acolheu os argumentos submetidos pelos Países-Baixos e pela Dinamarca a favor do sistema da equidistância, nem a tese da distribuição justa e equitativa, advogada pela República Federal da Alemanha[188]. V. MAROTTA RANGEL, resumindo a sentença, escreve: "Em conclusão, a Corte decidiu, por maioria de votos (onze contra seis), não ser obrigatório entre as partes o método de delimitação baseado na equidistância; e inexistir método único de delimitação obrigatório em todas as circunstâncias. A delimitação deve operar-se por via de acordo, atribuindo-se a cada parte, na medida do possível, a totalidade das zonas de plataforma continental que constituam o prolongamento natural de seu território sob o mar e não interfiram no prolongamento natural do território da outra parte"[189].

Na discussão com a França em 1962-1963, na chamada ***guerra da lagosta***, a Convenção sobre a Plataforma Continental também serviu de pano de fundo. Em suma, a partir de 2 de janeiro de 1962, cinco pesqueiros franceses (*langoustiers*) foram apresados defronte à costa brasileira. O primeiro incidente, envol-

188. *V.* tb., *supra*, 2.2.6., a respeito do **caso da Plataforma Continental do Mar do Norte** (1969).

189. Pode-se concordar com os juízes que criticaram a decisão, visto ter esta simplesmente evitado abordar a parte substantiva da questão, ao dar ênfase à obrigação das partes de negociar, e invocar o princípio da *equidade*. É óbvio que a negociação é o caminho ideal para se alcançar solução; mas, no caso de aquela se arrastar indefinidamente, falar em equidade como solução significa enredar por um caminho igualmente difícil, dado o seu caráter abstrato. No fundo, a sentença como que anulou o princípio da equidistância previsto pela Convenção sobre a Plataforma Continental de 1958 como solução na ausência de outro critério.

vendo o barco *Cassiopée*, teria ocorrido, de acordo com a versão francesa, a 30 milhas da costa, mas, segundo a versão brasileira, a 10. Posteriormente, outros barcos pesqueiros foram apresados além das 12 milhas (então o limite do mar territorial brasileiro). As autoridades francesas alegaram que a pesca predatória não era proibida, embora a Convenção de 1958 sobre a Pesca estipulasse que "todo estado costeiro tem interesse especial em manter a produtividade dos recursos biológicos em qualquer parte do alto-mar, adjacente ao seu mar territorial".

A discussão, contudo, girava em torno do artigo da **Convenção sobre a Plataforma Continental,** segundo o qual o estado costeiro exerceria sobre a plataforma continental direitos soberanos na exploração de seus "recursos naturais". Para o Brasil, a expressão deveria incluir a lagosta. Para a França, a expressão visava apenas aos recursos minerais, e a seu favor pode-se invocar o comentário da Comissão de Direito Internacional ao artigo 68 de seu projeto de convenção de que os peixes que vivem no fundo do mar (*bottom fish*) estavam excluídos da definição de "recursos naturais". Na época, a posição francesa era a mais correta diante do direito internacional existente. Atualmente, em vista da evolução da matéria, a posição brasileira se imporia. Convém ainda salientar que, com anterioridade, os pescadores franceses já haviam exterminado as possibilidades de pesca de lagosta defronte do Marrocos e do Senegal, impedidos, então, de reclamar, em razão da ainda existente subordinação destes ao Governo de Paris. Não fosse a atitude brasileira, o mesmo poderia acabar sucedendo nas águas do Nordeste.

As regras do artigo 6º foram esvaziadas pela Convenção de 1982, embora o novo texto se tenha limitado a indicar linhas muito por alto buscando "solução equitativa". Mas, quando o legislador percebe que as situações que deseja solucionar são tão variadas e fluidas, para as quais não pode elaborar regras exatas, se contentará às vezes com algumas indicações, deixando ao juiz a aplicação em cada caso, com base na ***equidade***. O enfoque genérico das regras da Convenção sobre o Direito do Mar em matéria de delimitação marítima deixa a solução ao arbítrio do juiz[190].

---

190. Vicente MAROTTA RANGEL enfatiza o papel dos tribunais internacionais e arbitrais, para a consolidação de tais conceitos, na delimitação externa da plataforma continental, no artigo "Settlement of disputes relating to the delimitation of the outer continental shelf: the role of international courts and arbitral tribunals" (in **The International Journal of Marine and Coastal Law**, © K. Brill NV, 2006, v. 21, n. 3, p. 347-362, já ref.), no qual avalia a efetividade do controle judicial a respeito da delimitação da plataforma continental. MAROTTA RANGEL aponta as diferentes categorias de delimitação, os direitos do estado costeiro sobre sua plataforma continental e esboça precedentes históricos de controvérsias internacionais, para mostrar a considerável medida na qual a Convenção de 1982 assegura ampla escolha quanto aos meios de solução de controvérsias. Esse sistema se implementa e se revisa por meio da apresentação, com referência específica ao controle judicial das recomendações da Comissão: "The delimitation procedure is intended to be a technical fask instruted to a Acientific body composed by experts in the field of geology, geophysics and hydrography. The recommendations of the commission shall be addressed to the interested coastal state and the limits established on the basis of these recommendations shall be final and binding".

6.4.5.4. exploração da plataforma continental

A plataforma continental é definida no artigo 76 da Convenção sobre o Direito do Mar de 1982 de forma complexa, visando abranger não apenas a solução de conflitos com relação à sua delimitação, mas também contrabalançar os interesses da comunidade internacional, nesse sistema. Dessa forma, a plataforma continental foi definida:

- com limites fictícios, como o limite máximo de 200 milhas a partir das linhas de base, para estados costeiros sem plataforma continental, ou com plataforma continental que deixe de existir antes do limite de 200 milhas; ou
- limites geomorfológicos, resumidamente consitentes na extensão máxima da plataforma continental até limite de 350 milhas marítimas da linha de base ou a distância que não exceda 100 milhas da "isóbata de 2.500 metros, que é linha que une profundidades de 2.500 metros".

Outras provisões do artigo 76 da Convenção sobre o Direito do Mar definem em maior detalhe os aspectos geomorfológicos da delimitação da plataforma continental.

Por lógico, houve argumentos por parte de estados beneficiados com extensas plataformas continentais no sentido de que sua soberania deveria estender-se por toda a plataforma, independentemente de limitações arbitrárias. Mas logo foi levantado o ***princípio do patrimônio comum da humanidade,*** *como argumento contra o excessivo apoderamento por um único estado costeiro de patrimônio que deveria ser universal.*

Ainda permeada pelos princípios de patrimônio da humanidade é a redação do artigo 82 da Convenção, pela qual o estado costeiro que explorar a plataforma continental além de 200 milhas de suas linhas de base deverá contribuir para com a comunidade internacional[191] com parte de seu rendimento oriundo de tal exploração. Esse artigo também é em muito devido às pressões dos estados sem acesso ao mar e dos geograficamente desfavorecidos, que viam na defesa de um caráter internacional dessas riquezas sua única chance de participação, ainda que indireta, em sua exploração.

Como salienta Paul REUTER (1984, ed. 1995)[192]: "O direito marítimo diversificou o regime dos espaços marítimos e aumentou assim o número de deli-

191. Representada pela Autoridade Internacional dos Fundos do Mar (International Seabed Authority) - < http://www.isa.org.jm/>.
192. Paul REUTER, *Une ligne unique de délimitation des espaces maritimes?* (originalmente publicado no volume **Mélanges Georges PERRIN**, Lausanne: Payot diffusion, 1984, reproduzido in **Le développement de l'ordre juridique international: études de droit international**, Paris: Economica, 1995, p. 619-636).

mitações que se fazem necessárias". A prática convencional recente daria, assim, indicações no que concerne às características de linha de delimitação lateral dos espaços marítimos. No que se refere à possibilidade de delimitações multilineares, o exame da prática em matéria marítima confirma o que mostra o exame das fronteiras terrestres, onde não é raro que as fronteiras terrestres sejam objeto de dissociação de linhas, para satisfazer necessidades econômicas diversas[193]: "As mesmas necessidades se encontram ainda mais frequentemente na delimitação dos espaços marítimos".

O artigo 85 salienta que as regras sobre a plataforma continental não prejudicam o direito do estado costeiro de aproveitar o subsolo por meio de escavações de túneis, independentemente da profundidade das águas no local considerado. Esta regra tem sido objeto de análise pelas partes contratantes à **Convenção de Londres sobre Alijamento**, de 1972, para as quais o depósito de resíduos radioativos em túneis que se originam em terra é lícito, mas a sua colocação na plataforma continental através das águas territoriais é modalidade proibida de alijamento.

6.4.6. mares fechados ou semifechados

Os mares internos são extensas áreas de água salgada cercadas de terra, com ou sem comunicação navegável com o mar aberto. A **Convenção sobre o Direito do Mar** consagra os artigos 122 e 123 aos mares fechados ou semifechados[194].

Como exemplo de mar interno fechado, citam-se os mares Cáspio, Morto e de Aral; e de mar semifechado, isto é, com comunicação navegável com outro mar, os mares Negro, de Mármara, de Azove, Branco e Báltico.

No caso de **mar fechado**, podem considerar-se duas hipóteses: ou o mar está rodeado por terras de um único estado, ou é cercado por terras de mais de um estado. Na primeira hipótese, a doutrina e a prática concordam em considerar o mar em questão como pertencente ao território do estado em que se encontre – é o caso do mar de Aral, no Turquestão russo. Na segunda hipótese, as opiniões divergem[195], mas a maioria sustenta que o mar cercado por terras de vários esta-

---

193. P. REUTER (est. cit., 1984, ed., 1995, p. 631); *v.* tb. Daniel BARDONNET, **Les frontières terrestres et la relativité de leur tracé (problèmes juridiques choisis)** (RCADI, 1976, t. 153, p. 9-166).

194. Para efeito da Convenção, a expressão significa "um golfo, bacia ou mar rodeado por dois ou mais Estados e comunicando com outro mar ou com o oceano por uma saída estreita, ou formada inteira ou principalmente por mares territoriais e zonas econômicas exclusivas de dois ou mais Estados costeiros".

195. Tanto divergem as opiniões correntes que a própria Convenção sobre o Direito do Mar de 1982, em seu art. 123, prevê que os estados costeiros do mesmo mar fechado ou semifechado "*deveriam* cooperar entre si no exercício dos seus direitos e no cumprimento de seus deveres nos termos da presente Convenção" (grifo nosso), abstendo-se, portanto, de determinar as questões de soberania e colaboração sobre mares fechados e semifechados rodeados por mais de um estado.

dos deve pertencer aos estados circundantes, por partes correspondentes às delimitações territoriais que eles tenham estipulado[196].

Relativamente aos **mares internos não fechados**, podem ser consideradas, também, duas hipóteses: a de mar cujas costas e a passagem que conduz ao mar livre pertencerem a um único estado, e a de mar que se não ache nestas condições: ou porque suas costas são controladas por vários estados, ou porque o estado controlador das costas não é o mesmo detentor da passagem; ou porque esta pertence a mais de um estado.

No primeiro caso, admite-se geralmente que o estado único controlador das costas e da passagem tem soberania exclusiva sobre o mar. Exemplos: o Mar de Azove, e o Zuiderzê.

No segundo caso, isto é, quando as costas ou a passagem pertencem a mais de um estado, a prática internacional tem reconhecido que o mar em tais condições deve ser livre. Exemplos: o Mar Negro, o Báltico, o Adriático. Pode ser equiparado a esse caso o de mares, como o Branco e o de Cara (Kara), que, embora cercados por terras de um único estado, acham-se ligados ao oceano por passagens demasiado largas para estar inteiramente em poder de tal estado. Consideram-se tais mares como prolongamentos do mar livre e, assim, o estado exercerá sua soberania sobre suas águas dentro do regime de mar territorial, até o limite de 12 milhas náuticas de suas costas.

6.4.7. estreitos internacionais

Análise do direito internacional anterior a 1982[197] e das regras constantes da **Convenção sobre o Direito do Mar** (1982), Parte III, "estreitos utilizados para a navegação internacional", artigos. 34 a 45, leva-nos à conclusão de que das regras até então aceitas pouco resta. Obstáculo à adoção de limite para o mar territorial em 1958 e 1960 foi precisamente o empenho das potências marítimas em dificultar a adoção de qualquer regra que pudesse modificar o *status quo* a respeito. A modificação do regime das três milhas, aceito como o direito internacional costumeiro a respeito, resultaria no desaparecimento da liberdade de passagem em inúmeros estreitos existentes.

---

196. Na prática, essa opinião prevaleceu, no caso do mar Cáspio, entre a Rússia e a Pérsia, o qual se acha entregue à jurisdição desses dois países, em virtude de um tratado concluído em Moscou a 26 de fevereiro de 1921.

197. No prefácio ao livro de Ruth LAPIDOTH Eschelbacher, **Les détroits en droit international** (Paris: Pedone, 1972, p. 7-8), observava C. ROUSSEAU que "em direito internacional, como em qualquer outra disciplina jurídica, os problemas habitualmente classificados como clássicos têm necessidade de serem submetidos a reexames periódicos". *V.* tb. Hugo CAMINOS, **The legal regime of straits in the 1982 United Nations Convention on the Law of the Sea** (RCADI, 1987, t. 205, p. 9-246).

Fatores econômicos e militares pesaram na política advogada, e no passado as principais potências marítimas tinham especial interesse em controlar os mais importantes estreitos do mundo, por motivos estratégicos, com o objetivo de garantir os seus mercados e, eventualmente, obstaculizar a navegação de outros países. Essa preocupação era ainda mais acentuada no caso dos países colonialistas, como, por exemplo, a Inglaterra, que logrou controlar as rotas marítimas por Gibraltar, Malta, o Canal de Suez, Aden e diversas bases no Oceano Índico até Cingapura.

Os ***estreitos com os quais o direito internacional se preocupa são aqueles utilizados para a navegação internacional***[198]. Em tal sentido, a CIJ lembrou em sua sentença de 1949, no caso do **estreito de Corfu**, entre a Grã-Bretanha e a Albânia, que esta sempre reconhecera, de modo geral, "**de acordo com o costume internacional que estados em tempo de paz têm o direito de enviar os seus navios de guerra através de estreitos utilizados para a navegação internacional entre duas partes de altos-mares sem necessitar de autorização prévia do estado costeiro, desde que a passagem seja inocente**". Esta sentença pode ser considerada a regra básica em matéria de navegação em estreitos[199].

Aceito como inevitável que a Terceira Conferência sobre o Direito do Mar acabaria por adotar o limite de 12 milhas para o mar territorial, o empenho das potências marítimas foi o de conciliá-lo com regime capaz de permitir a passagem pelos estreitos, pois a regra das 12 milhas atingiria cerca de 100 estreitos. Para os Estados Unidos, qualquer acordo quanto às 12 milhas de mar territorial estaria condicionado à previsão de direito de passagem de alto-mar, pois a mobilidade de suas forças foi tida como a principal prioridade norte-americana na Conferência. Coube ao Reino Unido a tentativa de conciliar as posições, ao propor direito de passagem e a obrigação dos navios de se conformar com regras que visassem à segurança e à defesa do meio marinho.

A união em negociação de caráter abrangente (*package deal*), entre os estados, desejosos de garantir seus direitos sobre os estreitos, com os países que buscavam a adoção da ZEE, fez com que a Conferência desse importância especial aos estreitos, ao contrário do que ocorrera em 1958.

A Convenção reconhece o direito soberano e a jurisdição do estado costeiro sobre os estreitos, seu espaço aéreo sobrejacente, o leito e o subsolo, de conformidade com a parte específica da Convenção, especialmente no *direito de passa-*

---

198. Adherbal MEIRA MATTOS, **Direito internacional público** (2. ed. Rio de Janeiro: Renovar, 2002, "Estreitos", p. 154-156); Malcolm N. SHAW, **International law** (5. ed., Cambridge: Univ. Press, 2003, "International straits", p. 512-515).

199. *V.* tb. menção a este caso em 2.2.6., *supra*.

gem em trânsito, que, em última análise, é o ***direito de passagem inocente*** com terminologia distinta. Com efeito, segundo o artigo 38, passagem em trânsito significa o exercício da liberdade de navegação e sobrevoo "**exclusivamente para fins de trânsito contínuo e rápido pelo estreito**", o que pouco esclarece.

O empenho dos estados costeiros de estreitos em criar *status* específico resultou na adoção de artigos supérfluos, aplicáveis a todos os estados. É o caso do extenso artigo 41, que estipula que o estado costeiro pode designar rotas marítimas e sistema de separação de tráfego a ser utilizado para a navegação internacional, bem como do artigo que versa sobre as atividades de investigação e levantamento hidrográficos (artigo 40).

No caso de estreitos com menos de 24 milhas cujas margens pertençam ao mesmo estado, as suas águas passarão a ser águas interiores. Na hipótese de as margens pertencerem a estados distintos, haverá duas faixas de mar territorial, aplicando-se, salvo se houver acordo em contrário, o princípio da linha mediana, ou seja, da equidistância. Se a extensão for superior a 24 milhas, haverá faixa de alto-mar entre os dois mares territoriais, muito embora seja lícito indagar se em tal caso a área pode ser considerada ***estreito*** e não simplesmente o alto-mar.

Alguns ***estreitos*** de importância especial se acham submetidos a **regimes especiais**, como nos casos:

- dos estreitos turcos do Bósforo e dos Dardanelos, regulados pela **Convenção de Montreux** de 20 de julho de 1936;
- do Estreito de Magalhães, regulamentado internacionalmente por **Tratado** desde 1881, entre a Argentina e o Chile; e
- do Estreito de Gibraltar, embora a Espanha insista em que sobre este devam aplicar-se as normas gerais sobre estreitos.

6.4.8. canais internacionais

Os ***canais internacionais*** ou interoceânicos são estreitos construídos pelo homem no território de um ou mais estados para permitir ou facilitar a navegação entre dois mares. São partes da terra do estado, transformadas em braços do mar. Acham-se sujeitos à soberania do estado ou estados cujo território é atravessado.

Na ausência de tratado, essas vias de comunicação, perfuradas no território de determinado estado, serão regidas segundo a soberania e as leis do estado territorial. Aí, segundo M. Y. OLWAN (1991)[200], "nenhuma norma internacional

200. Mohammed Y. OLWAN, *Canaux internationaux* (in **Droit international: bilan et perspectives**, red. gen. M. BEDJAOUI, Paris: Pedone / UNESCO, 1991, v. II, p. 1067-1084, cit. p. 1067).

obriga o estado territorial do canal a abri-lo a regime de livre navegação. O estado pode abrir o canal ou fechá-lo, conforme entenda, em tempos de paz, como de guerra. Pode, igualmente, fixar taxas como modalidades e condições de utilização do canal".

Ao direito internacional interessam[201] os **canais utilizados na navegação internacional**. Como enfatiza, ainda, M. Y. OLWAN (1991)[202], a importância estratégica e econômica dos canais para a navegação fez com que três canais interoceânicos – Suez, Panamá e Kiel – tenham sido colocados, desde muito, sob regime dito de internacionalização[203]. Com especificidades, entre cada um destes: Suez, internacionalizado desde o início, e Panamá com regime construído a partir de acordos bilaterais, celebrados pelos Estados Unidos e Kiel, internacionalizado por imposição dos vencedores da primeira guerra mundial, cf. os artigos 380 a 386 do **Tratado de Versalhes** (1919).

No sentido de mostrar a regulação da matéria pelo direito internacional, podem ser mencionados quatro: Canal de Corinto (6.4.8.1.), Canal de Kiel (6.4.8.2.), Canal de Suez (6.4.8.3) e Canal do Panamá (6.4.8.4.).

6.4.8.1. Canal de Corinto

O **Canal de Corinto** foi perfurado em 1893 entre o Golfo de Corinto e o de Egina, e desde o início permanece aberto à navegação de todos os países. Não suscita controvérsia.

Diversamente se deu a evolução para o estabelecimento de regime legal internacional, no caso do Canal de Kiel (5.4.8.2), como se passa a considerar.

6.4.8.2. Canal de Kiel

O **Canal de Kiel**, entre o Báltico e o Mar do Norte, foi construído com fina-

201. R. R. BAXTER, **The law of international waterways: Interoceanic Canals** (Harvard: Univ. Press, 1964); J-P. QUÉNEUDEC, **Droit maritime international** (Paris: Pedone, 1971); A. SIEGFRIED, **Les canaux internationaux et les grandes routes maritimes mondiales** (RCADI, 1949, t. 74, p. 1-72); NGUYEN Quoc Dinh, P. DAILLIER, A. PELLET, **Droit international public** (5. ed., Paris: LGDJ, 1994, "Canaux et fleuves internationaux", p. 1128-1149); Adherbal MEIRA MATTOS, **Direito internacional público** (2. ed., Rio de Janeiro: Renovar, 2002, ao abordar os "Estreitos", p. 154-156, menciona os "Canais", p. 155): "A Convenção (1982) não se refere de modo espresso aos canais, que são vias artificiais de comunicação entre dois mares, podendo ser encontrados no território de apenas um estado, ou entre os territórios de dois ou mais estados, com o fim de facilitar a navegação. Regra geral estão submetidos à soberania do estado ou estados que atravessam, mas, na prática, os mais importantes estão subordinados a regimes internacionais (servidões de passagem). É o que ocorre com os canais de Kiel, Suez e Panamá".

202. M. Y. OLWAN (art. cit., 1991, loc. cit.).

203. M. Y. OLWAN (art. cit., 1991, p. 1067-1068): "O Reino Unido e os Estados Unidos da América tiveram, no final do século XIX, papel determinante na elaboração do regime internacional dos canais de Suez e do Panamá. O fato que estes dois canais tenham sido construídos um no território de pequeno estado e o outro no território de estado vassalizado com a ajuda de capitais estrangeiros em muito facilitou a elaboração de tal regime".

lidade estratégica, e, como tal, a navegação só era permitida mediante autorização especial. Depois da primeira guerra mundial o canal foi aberto, nos termos do Tratado de Versalhes, aos navios de países em paz com a Alemanha. Construído pela Alemanha, a partir de 1887, mede este cerca de 98 km de extensão, e a sua utilização permitia economia de percurso de cerca de 280 milhas náuticas, em águas que costumam ser agitadas. Além de seu interesse comercial, representava, também, para a Alemanha, a possibilidade de fazer ligação de suas bases navais do Mar do Norte às do Mar Báltico, sem ter de passar por águas territoriais da Dinamarca. Consequência da primeira guerra mundial, o **Tratado de Versalhes**, nos artigos 380 a 386[204], instaura regime de navegação internacionalizado no Canal de Kiel.

Suscitou a interpretação desses dispositivos do Tratado de paz de Versalhes julgamento prolatado pela Corte Permanente de Justiça Internacional, em relação à negação de passagem pelo canal de Kiel ao navio Wimbledon.

O caso do **navio Wimbledon** (1923)[205] tem início quando este vapor britânico, afretado pela sociedade francesa *Les affréteurs réunis*, vê-se impedido, pelas autoridades alemãs, de utilizar o Canal de Kiel, na manhã de 21 de maio de 1921, com destino a Dantzig, levando 4.000 toneladas de mercadorias (armamentos). A Polônia se achava em guerra com a União Soviética: a Alemanha invoca o seu estatuto interno sobre neutralidade, de 25 de julho de 1920, para justificar a proibição da passagem do navio, pelo canal.

França, Grã-Bretanha e outros vão se opor à recusa da Alemanha, e, na fundamentação desta, invocava seu *estatuto interno sobre neutralidade, para descumprir obrigação resultante de tratado e justificar a proibição da passagem do navio, carregando armamentos para países vizinhos, que se encontravam em guerra*. A aceitação da submissão do caso à Corte Permanente de Justiça Internacional pela Alemanha exclui qualquer questionamento quanto à jurisdição da Corte Internacional.

A Corte Permanente de Justiça Internacional ainda teve de se manifestar a respeito do pedido de intervenção da Polônia[206]. O caso do **navio Wimbledon**

---

204. P. B. CASELLA, **Tratado de Versalhes na história do direito internacional** (São Paulo: Quartier Latin, 2007); J. MAUPAS, *Le canal de Kiel* (RDI, 1937, p. 49-63).

205. CPJI, caso do **navio Wimbledon** (julgado em 17 de agosto de 1923), envolvendo participação da França, Reino Unido, Alemanha, com intervenção da Polônia, e outros (Série C, n. 3). Ver, a respeito, Clemens FEINÄUGLE, *Wimbledon, The* (in **The Max Planck Encyclopedia of Public International Law**, ed. R. WOLFRUM, Oxford University Press, 2012, v. X, p. 888-891).

206. A intervenção de terceiro estado, em caso em andamento, na antiga Corte Permanente de Justiça Internacional como na Corte Internacional de Justiça pode dar-se de duas formas, previstas pelo **Estatuto**: a primeira, nos termos do art. 62;"1. Quando um estado entender que a decisão de uma causa é suscetível de comprometer um interesse seu de ordem jurídica, esse estado poderá solicitar à Corte permissão para intervir em tal causa. 2. A Corte decidirá sobre esse pedido"; e a segunda, nos termos do art. 63: "1. Quando se tratar da interpretação de uma convenção, da qual forem parte outros estados, além dos litigantes, o escrivão notificará imediatamente todos os estados interessados. 2. Cada estado assim notificado terá o direito de intervir no processo; mas, se usar desse direito, a interpretação dada pela sentença será igualmente obrigatória para ele"; a respeito da noção de estado interessado, em direito internacional, *v.* Jean-Pierre QUÉNEUDEC, **La notion d'état intéressé en droit international** (RCADI, 1995, t. 255, p. 339-462); b/c Jochen Abr. FROWEIN, **Reactions by not directly affected states to breaches of public international law** (RCADI, 1994, t. 248, p. 345-438).

(1923) foi subsequentemente mencionado pela Corte Internacional de Justiça em relação ao pedido de intervenção da Nicarágua, no caso de **fronteira terrestre, marítima e das ilhas** entre El Salvador e Honduras (1986/1992)[207].

Três são as questões principais abordadas: a primazia do direito internacional sobre atos jurídicos internos[208], a questão das indenizações internacionais com a necessidade do nexo causal entre o dano e a reparação[209], e a determinação do regime aplicável à navegação dos cursos de água internacionais[210]. A matéria da navegação dos canais internacionais e as grandes rotas marítimas mundiais pode ser objeto de consideráveis desenvolvimentos, como já mostrava A. SIEGFRIED (1949)[211]. Da mesma forma se coloca a questão, com relação aos rios internacionais, como exemplificativamente referiam G. ZANINI (1972), J. SETTE-CÂMARA (2011), G. E. do NASCIMENTO E SILVA (1996) e S. C. McCAFFREY (2012)[212], enquanto a primazia do direito internacional sobre o direito interno terá consideração específica[213].

---

207. CIJ, **Land, island and maritime frontier dispute** El Salvador and Honduras, Nicaragua intervening (1986/1992); *v.* CIJ, **Recueil**, separate opinion TORRES BERNÁRDEZ (p. 730-731): "I agree with the finding of the judgment that 'in the circumstances of the present case, this judgment is not *res judicata* for Nicaragua' [paragraph 424 of the reasoning]. There remains, however, the question of the effects of the judgment other than that of *res judicata* (art. 59 of the **Statute**) on a non-party state intervening under Article 62 of the **Statute**. (...) My position is based upon the fact that I cannot, as a general proposition, conceive of rights without obligations as well as upon the general economy of the institution of intervention, as embodied in Articles 62 and 63 of the **Statute** of the Court. Interventions under article 63, for example, are non-party interventions and nevertheless the intervening state is under the obligation set forth in that article. *Mutatis mutandis*, an obligation of that kind also exists, in my opinion, for a non-party state intervening under article 62, notwithstanding the fact that that article does not say so in plain words. My reading of the *travaux préparatoires* of the 1920 **Statute** of the Permanent Court of International Justice as well as the observations of the British government, signed by the British agent, Cecil J. B. HURST, concerning the original application of the government of Poland for permission to intervene in the 'S.S. Wimbledon' case, under article 62, confirms rather than negates the above conclusion".

208. A respeito da primazia do direito internacional, *v.* CASELLA, **Fundamentos do direito internacional pós-moderno** (2008, item I, "Construção do direito internacional e contexto pós-moderno", e item XIII, "Boa tradição e a que se deve evitar").

209. A existência de vínculo direto entre o dano e o fato ilícito, para ensejar a obrigação de promover a sua reparação, tornou-se princípio geral do direito internacional, como retomará a Corte Permanente de Justiça Internacional no caso da **fábrica de Chorzow**, Alemanha contra Polônia, 13 de setembro de 1928 (série A, n. 17).

210. Em matéria de determinação do **regime legal aplicável aos cursos de água internacionais**, o caso do **navio Wimbledon** trouxe contribuição relevante para a matéria, reunificando as normas aplicáveis aos canais (além de Kiel, também em razão dos paralelos feitos com os Canais de Suez e do Panamá) e consolida o estatuto internacional destes, baseado na **livre navegação**. Como enfatiza a Corte: "Les précedents des canaux de Suez et de Panamá ne sont (...) que des manifestations de l'opinion générale selon laquelle, lorsqu'une voie d'eau artificielle mettant en relation deux mers a été affectée à l'usage permanent du monde entier, cette voie se trouve assimilée aux détroits naturels".

211. A. SIEGFRIED, **Les canaux internationaux et les grandes routes maritimes mondiales** (RCADI, 1949, t. 74, p. 1-72).

212. Gustavo ZANINI, **Regime jurídico e função econômica dos rios internacionais** (São Paulo: FDUSP – "tese de doutoramento em direito internacional", 1972); José SETTE-CÂMARA, **Poluição de rios internacionais** (do original **Pollution of international rivers**, RCADI, 1984, t. 186, p. 117-217, trad. Arthur R. Capella GIANNATASIO, pref. P. B. CASELLA, São Paulo: Quartier Latin, 2011); Geraldo Eulálio do NASCIMENTO E SILVA, *A utilização dos rios internacionais e o MERCOSUL* (in **Contratos internacionais e direito econômico no MERCOSUL: após o término do período de transição**, coord. P. B. CASELLA *et al.*, São Paulo: LTr, 1996, p. 506-517); Stephen C. McCAFFREY, *International watercourses* e *International watercourses, environmental protection* (in **The Max Planck Encyclopedia of Public International Law**, ed. R. WOLFRUM, Oxford University Press, 2012, v. VI, p. 201-218).

213. A respeito da primazia do direito internacional em relação ao direito interno , *v.* item 2.4., "Relações do direito interna-

A Corte se manifestará no sentido de que "o artigo 380 [do Tratado de Versalhes] é formal, e não se presta a qualquer equívoco. Donde resulta que o Canal de Kiel deixou de ser via navegável interior [...], e tornou-se via internacional". O regime internacional de navegação do canal de Kiel será interrompido pela Alemanha, em 1936, quando HITLER denuncia o Tratado de Versalhes, e será recolocado em vigência, a partir de 1945[214].

Nos termos do artigo 386, parágrafo primeiro, do Tratado de Versalhes, em caso de controvérsia, seria esta encaminhada para a jurisdição da Corte Internacional, como exatamente se colocava no caso: "Em caso de violação de qualquer das condições dos artigos 380 a 386, ou controvérsias a respeito da interpretação destes artigos, qualquer potência interessada poderá submeter o assunto à jurisdição instituída com esse propósito pela Sociedade das Nações". Isso se conserva no artigo 37 do **Estatuto** da Corte Internacional de Justiça[215].

O caso do **navio Wimbledon** deixa claramente estipulado o respeito ao princípio da **superioridade do direito internacional** sobre atos jurídicos internos. A Corte considera que não poderia opor a Alemanha dispositivo legal interno de neutralidade, ademais unilateralmente adotado, para deixar de cumprir obrigação estipulada por tratado[216]. A obrigação internacional não poderia ser subordinada a ato interno, nem à apreciação discricionária das autoridades alemãs. Tampouco considerou a Corte aceitável o argumento de que a segurança alemã estaria ameaçada[217] caso tivesse permitido a passagem do navio.

Cabe considerar, a seguir, o Canal de Suez (6.4.8.3).

---

cional com o direito interno". *V.* tb. Oscar TENÓRIO, **Direito internacional privado** (11. ed., Rio de Janeiro: Freitas Bastos, 1976, 2 v., esp. v. I, Cap. III, "Os conflitos de leis no tempo", p. 55-62); P. B. CASELLA, **Mercosul: exigências e perspectivas – integração e consolidação de espaço econômico** (pref. C. D. A. MELLO, São Paulo: LTr, 1996); P. B. CASELLA, *MERCOSUR* (in **International encyclopaedia of laws**, gen. editor Roger Blanpain, Intergovernmental organizations, Haia: Kluwer Law International, v. 3, p. MERCOSUR 1-150, 2007, com atualizações periódicas); P. B. CASELLA, *Protocolo de Madri de registro internacional de marcas e sua aplicação pelo Brasil* (**Rev. TRF 3ª Região**, v. 82, mar.-abr. 2007, p. 9-109).

214. P. B. CASELLA, **Tratado de Versalhes na história do direito internacional** (São Paulo: Quartier Latin, 2007).

215. CIJ, **Estatuto**, art. 37: "Sempre que um tratado ou convenção em vigor disponha que um assunto deva ser submetido a uma jurisdição a ser instituída pela Sociedade das Nações ou à Corte Permanente de Justiça Internacional, o assunto deverá, no que respeita às partes contratantes do presente Estatuto, ser submetido à Corte Internacional de Justiça".

216. CPJI, caso **Wimbledon** (1923): "*Ne pouvait opposer aux engagements pris en vertu de cet article [380 du traité de Versailles] ses ordonnances de neutralité*".

217. CPJI, caso **Wimbledon** (1923), na linha do voto dissidente do juiz Walter SCHUCKING, o artigo 380 do Tratado de Versalhes teria instaurado *servitus iuris publici voluntaria*, por meio da qual se aplicaria interpretação restritiva, em detrimento da interpretação literal, prevalecente no voto majoritário, que, segundo o juiz alemão, conduziria a distorções. Ressalta, ainda, que o direito de tomar medidas especiais em caso de guerra ou em razão de estatuto de neutralidade não tinha sido objeto de renúncia específica, e visaria salvaguardar interesses, que envolviam a integridade do estado alemão. Enfatiza, ademais, o fato de não ter participado a Rússia do Tratado de Versalhes, e, portanto, em relação a esta, prevaleceria, para a Alemanha, a obrigação de neutralidade.

6.4.8.3. Canal de Suez

O **Canal de Suez** liga o Mediterrâneo ao Mar Vermelho, via Nilo. Foi objeto de primeira concessão, em 1854, emanada do vice-rei do Egito, Said PACHA, ao antigo cônsul francês, o engenheiro Ferdinand de LESSEPS, com a autorização para constituir a "Companhia universal do canal marítimo de Suez, para a perfuração do Istmo de Suez", que deveria receber, igualmente, a atribuição exclusiva dos futuros trabalhos de construção. Em virtude de segunda concessão, do mesmo vice-rei, em 1856, têm início as obras, em 1859, mas somente se tonaria definitiva a concessão com a confirmação do Sultão otomano, em 19 de março de 1866. Em 17 de novembro de 1869, foi inaugurado o canal, com a travessia de Port-Said a Suez, por frota internacional de sessenta navios[218].

O caráter internacional das questões suscitadas pela navegação do canal levaram à celebração de acordo internacional. Nos termos da **Convenção de Constantinopla** de 1888, ficou assegurada a liberdade de navegação em tempo de paz e de guerra[219].

Ao término do protetorado inglês, em 26 de agosto de 1936, o Egito independente assina com o Reino Unido, convenção por meio da qual fica este autorizado a manter tropas britânicas na zona do Canal, durante um período de vinte anos, bem como, duante o mesmo período, assegurar a defesa da zona, em colaboração com as tropas egípcias. Nos termos de acordo anglo-egípcio de 19 de outubro de 1954, os últimos contingentes britânicos são embarcados de volta para casa, em 13 de junho de 1956.

O regime internacional regeria o Canal, até a denúncia da Convenção (1888), pelo Egito de G. Abdel NASSER, com adoção de decreto que nacionalizaria a Companhia do Canal de Suez, em 26 de julho de 1956[220]. Isso leva a intervenção armada franco-britânica, que se estende de 30 de agosto até 6 de novembro de 1956, e bloqueio do Canal a navios egípcios. Visando solucionar a crise do "**ca-**

218. O *Canal* acabou adquirido pela Grã-Bretanha, que inicialmente fora contrária à iniciativa. V. Y. van den MENSBRUGGHE, **Les garanties de la liberté de navigation dans le canal de Suez** (Paris: LGDJ, 1964); B. BOUTROS-GHALI e Youssef CHLALA. **Le problème du canal de Suez** (Alexandrie, 1957).

219. O regime internacional de livre navegação não impediu a Grã-Bretanha de fechá-lo durante a primeira e a segunda guerra mundiais.

220. Constava de edições anteriores: O Egito, que nunca se conformara com a perda do Canal, voltou a pressionar a Grã--Bretanha e, em 1956, acabou por nacionalizar o Canal, mediante o pagamento de indenização aos acionistas em base à cotação das ações da véspera da bolsa de Paris. O Governo egípcio foi muito criticado na época, e dúvidas foram levantadas sobre a sua eventual capacidade de administrar o Canal; mas verificou-se que a administração, entregue a funcionários egípcios, melhorou consideravelmente. Na verdade, a Companhia do Canal, em vista do término da concessão em 1965, deixara de investir, preferindo fazê-lo em outros negócios mais lucrativos.

nal de Suez, a matéria será objeto de Resolução de 13 de outubro de 1956, do CSNU[221].

Por meio de declarações unilaterais, a primeira de 24 de abril de 1957, o Egito reconheceu a validade da **Convenção de Constantinopla** (1888) e determinou o seu entendimento a respeito do conteúdo da Resolução CSNU de 13 de outubro de 1956; e uma segunda declaração unilateral, esta de 18 de julho de 1957, por meio da qual o Egito aceitou a jurisdição obrigatória da Corte Internacional de Justiça, para qualquer controvérsia decorrente da interpretação da declaração de abril de 1957, bem como a respeito da Convenção de 1888.

O sucesso de Ferdinand de LESSEPS fez com que seu nome passasse a ser cogitado, para outro empreendimento difícil: a perfuração de canal no Istmo do Panamá. E se passa a considerar o Canal do Panamá (6.4.8.4).

6.4.8.4. Canal do Panamá

Até o nascimento do Panamá, como sujeito de direito internacional[222], a região fazia parte do território da Colômbia. A ideia da abertura de canal no Istmo do Panamá, que remonta a meados do século XIX, tinha importância estratégica e comercial, para os Estados Unidos, pois tornaria realidade o acesso às costas do Pacífico[223].

Em 12 de dezembro de 1846, por meio do Tratado BIDLACK-MALLARINO, Nova Granada, a futura Colômbia, estipulava em favor do governo e dos cidadãos dos Estados Unidos o direito de passagem ou de trânsito, através do Istmo do Panamá, por qualquer meio de comunicação existente, ou que viesse a ser construído no futuro; por sua vez, os Estados Unidos estipulavam a garantia da neutralidade do Istmo e os direitos de soberania e de propriedade da Nova Granada sobre referido território.

---

221. CSNU, **Resolução**, de 13 de outubro de 1956, propôs ao governo do Cairo aceitar os seis princípios seguintes: 1º) liberdade de passagem, sem discriminação direta ou indireta, através do Canal; 2º) respeito da soberania egípcia; 3º) proibição de qualquer intervenção política na gestão do Canal; 4º) fixação dos direitos de pedágio, mediante acordos entre o governo do Egito e os usuários; 5º) destinação de parte da arrecadação para manutenção e benfeitorias no Canal; 6º) solução da controvérsia entre o governo egípcio e a Companhia do Canal, mediante arbitragem.

222. C. G. FENWICK, *The Treaty of 1955 between the United States and Panama* (AJIL, 1955, p. 543-547); G. FISCHER, *Le canal de Panama: passe, présent et avenir* (AFDI, 1977, p. 745-790); G. FISCHER, **Les États-Unis et le canal de Panama** (Paris: L'Harmattan, 1979); G. FISCHER, *Le canal de Panama: nouveaux problèmes* (AFDI, 1979, t. XXV, p. 245-254); N. J. PADELFORD, *American rights in the Panama Canal* (AJIL, 1940, p. 416-442); N. J. PADELFORD, *The Panama Canal in time of peace* (AJIL, 1940, p. 601-637); N. J. PADELFORD, *Neutrality, belligerency and the Panama Canal* (AJIL, 1941, p. 55-89); R. PERRUCHOUD, **Le regime de neutralité du canal de Panama** (Paris: PUF / IUHEI, 1983).

223. A percepção da importância estratégica de via de acesso rápido, para navios de guerra das costas do Atlântico para o Pacífico, e vice-versa, tornar-se-ia contundente, na altura da guerra entre Espanha e Estados Unidos, em 1898.

Em 19 de abril de 1850, por meio do Tratado CLAYTON-BULWER, a Inglaterra e os Estados Unidos celebram acordo por meio do qual se reservavam, reciprocamente, os direitos sobre o futuro canal. Somente por meio de tratado, celebrado em 18 de novembro de 1901, a Inglaterra desistiria de suas anteriores pretensões sobre a área.

Em 1882, a permissão de construção foi dada pelo governo colombiano à Companhia francesa, que contava com assessoria de Ferdinand de LESSEPS. Depois de sete anos, ocorre a falência da concessionária e a interrupção das obras. O governo americano, que lutava para adquirir os direitos sucessórios da massa falida, somente alcança o seu intento após mudança (quiçá não acidental) da política interna colombiana. A autorização para a assunção de direitos e obrigações foi dada pelo Senado americano em 1902, por meio das Leis SPOONER. Entretanto, o governo colombiano se recusava a transferir aos americanos a concessão anteriormente aos franceses, nos mesmos termos. Em 3 de novembro de 1903, rebelar-se-ia contra o governo central colombiano o "povo" panamenho, direta e abertamente auxiliado pela Marinha dos Estados Unidos. Três dias depois, nasce a República do Panamá; o governo dos Estados Unidos imediatamente reconhece o novo estado, e a Colômbia se vê confrontada com o fato consumado.

A concessão, para período de cem anos, dada por meio do tratado, assinado em 18 de novembro de 1903, entre a República do Panamá e os Estados Unidos, satisfazia integralmente as pretensões dos Estados Unidos. Assim tornou-se possível a aquisição da massa falida da antiga concessionária francesa, em 1904. A construção do canal, com 81 km de extensão completar-se-á em 1914.

Em 1964, o Governo dos Estados Unidos acedeu em negociar novo acordo sobre o Canal, que, contudo, só se tornou realidade treze anos depois, durante a administração CARTER, em 7 de setembro de 1977, em vigor em 1º de outubro de 1979. Nos termos dos dois tratados firmados, o Panamá readquire a soberania sobre a zona do Canal, inclusive os portos de Cristóbal e de Balboa; a estrada de ferro do Panamá lhe foi entregue, e os Estados Unidos se comprometeram a pagar diversas contribuições financeiras, além de, em 31 de dezembro de 1999, haverem entregado o Canal e todas as suas instalações definitivamente ao Panamá[224].

Diversamente do ocorrido no caso do Canal de Suez, cujo regime internacional vige desde o início, por meio da Convenção de Constantinopla (1888), os

224. A transferência de soberania sobre a zona do Canal do Panamá, bem como sobre Hong-Kong e Macau, ao lado dos casos da unificação do Iêmen e da Alemanha, bem como o fracionamento da antiga União das Repúblicas Socialistas Soviéticas, da Tchecoslováquia e da ex-Iugoslávia, com o desmembramento sangrento de várias repúblicas antes integrantes desta, até a independência pacífica do Montenegro, em 2006, mostra a atualidade do tema e os desdobramentos das questões relacionadas à ***sucessão de estados***, tanto em matéria de tratados como em matéria de bens, arquivos e dívidas de estado. *V.* tb. a respeito item 2.3.7., Convenções de Viena sobre sucessão de estados.

Estados Unidos se arrogaram o direito de controlar quase integralmente a zona e o canal do Panamá[225], e a construção do regime legal internacional, aplicável a este último, se deu por meio de acordos bilaterais[226].

6.4.9. estados arquipélagos

O debate em torno do reconhecimento pela comunidade internacional dos estados arquipélagos remonta ao início do século XXI, quando o jurista chileno Alejandro ALVAREZ propôs à *Associação de Direito Internacional* que arquipélagos deveriam ser reconhecidos como compondo unidade político-econômica, e suas ilhas ser consideradas em conjunto para a determinação de seu mar territorial. A questão foi em 1928 estudada pelo *Instituto de Direito Internacional*, que trouxe progresso no desenvolvimento teórico do tema ao separar os ***arquipélagos costeiros*** (pertencentes ao estado costeiro) dos ***arquipélagos oceânicos*** (conjuntamente constituindo **estado arquipélago**)[227]. Embora a Conferência de Codificação de Haia de 1930 tenha levantado o aspecto da regulamentação dos estados arquipélagos, não houve progresso no seu reconhecimento em muito devido às posições de Estados Unidos e Inglaterra, que entendiam abusiva a delimitação de um mar territorial que dependesse do método de linhas de base, conectando um extremo do arquipélago a outro.

Independentemente da lentidão do desenvolvimento e entendimento pela comunidade internacional dos direitos dos estados arquipélagos, Filipinas e Indonésia declararam (em 1955 e 1957, respectivamente) a adoção unilateral do método de linhas de base arquipelágicas retas para a delimitação da largura de seus mares territoriais, apoiando-se em caso julgado pela CIJ em 1951. Entretanto, a questão permaneceu ignorada nas convenções resultantes da Conferência de Genebra de 1958.

---

225. O Canal foi aberto à navegação em 1914. Cedo o Panamá passou a manifestar a sua inconformidade com as condições da concessão, e alegava não ter havido a transferência de soberania em 1903. A Secretaria de Estado norte-americana rejeitava peremptoriamente, nos anos seguintes, a interpretação panamenha. Aos poucos os Estados Unidos consolidaram sua influência na zona, a ponto de exigir para os cônsules estrangeiros o *exequatur* do Governo de Washington, e passaram a ocupar a faixa ao longo do Canal com o estabelecimento de tropas e de fortificações, onde o ingresso de panamenhos era controlado.

226. NGUYEN Quoc Dinh *et al.* (op. cit., 1994, p. 1134-1135) observam: "O regime de neutralidade pode vir a ser garantido pelos Estados Unidos, eventualmente contra o próprio governo panamenho. Segundo o governo americano, não se trata de intervenção nem de atentado contra a integridade territorial ou a independência política do Panamá, mas essa competência visaria manter aberta via marítima internacional, em decorrência de mandato tácito da comunidade internacional. O tratado de neutralidade – na verdade de neutralização – impõe o respeito do princípio de livre trânsito pacífico, em tempos de paz como de guerra, inclusive para navios de guerra. Certo número de disposições foram adotadas, para facilitar a oposabilidade do tratado de neutralidade, em relação a terceiros estados".

227. Para o Instituto de Direito Internacional, os arquipélagos oceânicos seriam uma unidade político-econômica , sendo que a distância separando cada uma de suas ilhas da ilha vizinha mais próxima não poderia ser superior a duas vezes a largura do mar territorial, medida mediante uma reta traçada entre os pontos extremos das duas ilhas.

A *Terceira Conferência sobre o Direito do Mar* finalmente abordou o tema dos estados arquipélagos, devido ao aumento do número destes, muitos dos quais estados recém-independentes. Esses arquipélagos trouxeram a necessidade de utilização dos recursos provenientes do mar para a viabilização político-econômica de seu desenvolvimento, como principal argumento em favor da delimitação de seus mares territoriais. Obviamente, tal reivindicação não agradou às grandes potências marítimas, interessadas na manutenção da total liberdade de navegação pelos oceanos. Entretanto, as oposições não foram suficientes para impedir a entrega, por um grupo desses estados[228], de esboço de artigos regulamentando os estados arquipélagos à sessão de Caracas de 1973. Dessa proposta original surgiu verdadeira codificação sobre os estados arquipélagos, à qual foi dedicada a *Parte IV* da **Convenção sobre o Direito do Mar**.

Dessa forma, passou-se a considerar como ***estado arquipélago***, nos termos do artigo 46 da **Convenção**, estado ***constituído "totalmente por um ou vários arquipélagos, podendo incluir outras ilhas***", consumando-se importante vitória para esses estados, que passaram não só a gozar do direito de extensão de sua total soberania sobre as águas arquipelágicas, mas também com as prerrogativas de delimitar seu mar territorial além dessas águas, bem como sua ZEE.

Conforme as regras do artigo 47 da **Convenção sobre o Direito do Mar**, os estados arquipélagos foram autorizados a traçar "linhas de base arquipelágicas retas que unam os pontos extremos das ilhas mais exteriores e dos recifes emergentes do arquipélago", determinando o conjunto dessas retas um polígono arquipelágico, sendo as águas situadas dentro desse polígono denominadas águas arquipelágicas, sobre as quais esses estados detêm soberania (diferentemente dos direitos de mera jurisdição sobre o mar territorial, zona contígua e ZEE), podendo ainda estabelecer linhas de fecho dentro dessas águas, de forma a delimitar águas interiores.

Como resultado das negociações para o reconhecimento dos direitos de soberania dos estados arquipélagos, foram mantidas algumas liberdades relacionadas à livre navegação, de forma a solucionar o impasse surgido perante os defensores da total liberdade de navegação nas águas arquipelágicas. Dessa forma, o conceito de passagem inocente aplica-se como exceção à soberania exercida pelo estado arquipélago sobre essas águas, bem como o direito de passagem pelas rotas marítimas arquipelágicas, consistente, nos termos do artigos 53, 3 da Convenção, no "exercício dos direitos de navegação e sobrevoo de modo normal, exclusivamente para fins de trânsito contínuo, rápido e sem entraves

228. Filipinas, Indonésia, Fiji e Maurício.

entre uma parte do alto-mar ou de uma ZEE e uma outra parte do alto-mar ou de uma ZEE", numa clara alusão ao direito de passagem em trânsito reconhecido para o caso de estreitos internacionais.

6.5. Domínio aéreo

No final do século XIX, o direito internacional teve de enfrentar a questão da regulação jurídica do espaço aéreo[229]. As experiências pioneiras de A. SANTOS DUMONT tiveram o mérito de chamar a atenção dos internacionalistas para o espaço aéreo. Contudo, não se pode ignorar, já em 1899 fora adotada a Declaração da Haia sobre o uso de balões e outros armamentos semelhantes.

Nesta fase histórica, duas teses foram contrapostas: a da liberdade e a da soberania estatal sobre o que passaria a ser conhecido e regulado como o espaço, ou o **domínio aéreo**. A matéria guarda certa semelhança em relação ao que durante séculos se discutira a propósito dos oceanos, como ilustra a controvérsia histórica entre o ***mare liberum*** defendido por GRÓCIO e o ***mare clausum*** segundo as concepções de SELDEN e Seraphim de FREITAS[230].

Em 1906, o *Instituto de Direito Internacional* adotou **Resolução** sobre os aspectos jurídicos ligados à navegação aérea e à radiotelegrafia[231]. Distinguia referida Resolução o regime aplicável em tempos de paz, quando caberia a cada estado a faculdade de, na medida do necessário para sua segurança, opor-se, acima de seu território e de suas águas territoriais, e tão alto quanto lhe seja útil, à passagem de ondas de rádio, quer sejam estas emitidas por aparelho estatal ou aparelho privado, esteja este situado em terra, a bordo de navio, ou de balão. Em caso de proibição de correspondência de telegrafia sem fio, o governo do estado que adotasse tal medida deveria avisar imediatamente os outros governos a res-

---

229. Até então ***bidimensional***, pois se ocupava apenas de questões vinculadas ao domínio terrestre e ao domínio marítimo, passa o direito internacional a ser ***tridimensional***, não será exagero afirmar, graças a Alberto SANTOS DUMONT. Para tanto, muito contribuiu a façanha deste pioneiro brasileiro, ao provar em 12 de julho de 1901 a viabilidade da navegação aérea, quando dirigiu balão de hidrogênio ao qual havia adaptado motor de explosão. Em 19 de outubro do mesmo ano, confirmou a sua reputação ao ganhar o *Prêmio "Deutsch de La Meurthe"*, destinado ao primeiro homem a voar por rota preestabelecida, circunavegando a Torre Eiffel e voltando ao ponto de partida em menos de trinta minutos.

230. *V.*, *supra*, Parte 1, "Desenvolvimento histórico", esp. item 1.1.1.5. a respeito de Hugo GRÓCIO.

231. IDI, **Resolução sobre regime da telegrafia sem fio**, adotada na Sessão de Gand, em 24 de setembro de 1906, teve como Relator Paul FAUCHILLE, especificava, dentre outros dispositivos: "*Article premier* L'air est libre. Les États n'ont sur lui, en temps de paix et en temps de guerre, que les droits nécessaires à leur conservation". Com a ulterior precisão, contida no art. 2º, relativa à correspondência telegráfica sem fio, regulada esta, por sua vez, de maneira equivalente à da ordinária.

peito da proibição que edita. De maneira equivalente se colocaria a questão, em caso de guerra[232].

Na ocasião, FAUCHILLE defendeu a tese de que o ar deveria ser livre, sujeito às limitações impostas pela segurança do estado subjacente, enquanto WESTLAKE foi favorável ao reconhecimento da soberania do estado sobre o espaço aéreo, com as limitações impostas pelo direito de passagem inocente. Na ocasião, o *Instituto* endossou a posição defendida pelo primeiro, mas a prática subsequente orientou-se no sentido do reconhecimento da soberania do estado sobre o espaço aéreo sobrejacente.

A importância crescente das questões ligadas à navegação aérea (6.5.1) e ao conjunto das telecomunicações (6.5.2) não pode ser ignorada.

6.5.1. navegação aérea

O documento básico em matéria de navegação aérea é a **Convenção Internacional sobre Aviação Civil**, assinada em Chicago em 7 de dezembro de 1944, ou seja, ainda durante a segunda guerra mundial, com as modificações adotadas em **protocolos** adicionais e pela **prática internacional** a fim de acompanhar a evolução tecnológica na matéria.

A **Convenção de Chicago** substituiu a **Convenção** assinada em Paris, em 13 de outubro de 1919, que fora, por sua vez, modificada por quatro **protocolos**.

A **Convenção de Paris** serviu de padrão para todo ou quase todos os documentos relativos à navegação aérea, e chegou a contar com trinta adesões antes da segunda guerra mundial, em cujo número não figurava o Brasil. Seu princípio básico, constante do artigo 1º, foi de que "as altas partes contratantes reconhecem que cada potência tem a ***soberania completa e exclusiva sobre o espaço atmosférico situado acima de seu território***".

A própria Convenção, no entanto, admitiu restrições a essa "soberania completa e exclusiva". Assim, primeiro que tudo, cada estado contratante se obrigou a "conceder, em tempo de paz, às aeronaves dos demais Estados contratantes, a liberdade de passagem inofensiva acima de seu território", contanto que as condições estabelecidas pela convenção fossem observadas.

---

232. A Resolução do IDI (Sessão de Gand, 1906), art. 5º: "Les règles admises pour le temps de paix sont, en principe, applicables au temps de guerre". A seguir, os arts. 8º a 10 especificavam a situação dos Estados neutros, de modo que: "*Article 8.* L' État neutre n'est pas obligé de s'opposer au passage au-dessus de son territoire d'ondes hertziennes destinées à un pays en guerre". "*Article 9.* L'État neutre a le droit et le devoir de fermer ou de prendre sous son administration l'établissement d'un État belligérant qu'il avait autorisé à fonctionner sur son territoire." "*Article 10.* Toute interdiction de communiquer par la télégraphie sans fil, formulée par les belligérants, doit être immédiatement notifiée par eux aux gouvernements neutres."

A mesma **liberdade de trânsito inocente** foi consignada no artigo 15, em virtude do qual toda aeronave de estado contratante tinha o direito de atravessar a atmosfera de outro estado, sem aterrar, devendo, porém, seguir o itinerário fixado pelo estado sobre o território do qual se efetuasse o voo[233].

A convenção não definiu o que fosse **passagem inofensiva** nem disse a quem caberia determinar esse caráter. Parece, entretanto, que se devia entender por passagem inofensiva a travessia, por aeronave particular ou comercial, do espaço aéreo de um estado, efetuada de acordo com os regulamentos desse estado e sem a prática de atos que atentassem contra a segurança, ordem pública, ou os interesses fiscais ou aduaneiros de tal estado. Ao estado ao qual pertencia o espaço aéreo competiria dizer se a passagem tinha o referido caráter.

A **Convenção de Chicago**, concluída por ocasião de conferência internacional de aviação civil e tomou a denominação de "Convenção sobre Aviação Civil Internacional", é a mais completa de todas e está em pleno vigor. Como as anteriores[234], essa Convenção reconhece que "**cada Estado tem completa e exclusiva soberania sobre o espaço aéreo acima de seu território**", neste incluindo as águas territoriais adjacentes.

A Convenção de Chicago só é aplicável a **aeronaves civis**. Mas esclarece que nenhuma aeronave pública ou aeronave pertencente a estado (como tal denominadas *state aircraft*), isto é, aeronave militar ou empregada em serviço de alfândega ou de política, poderá sobrevoar o território de outro estado contratante, sem prévia autorização deste.

O princípio da travessia inofensiva é reconhecido na mesma Convenção, ao proclamar esta a desnecessidade de autorização prévia para as aeronaves civis de qualquer estado contratante atravessarem o espaço atmosférico de qual-

---

233. A Convenção de Paris criou, com a denominação de Comissão Internacional de Navegação Aérea (CINA), uma comissão permanente, dotada de diversas atribuições, de natureza administrativa, legislativa, judiciária e consultiva, colocada sob a autoridade da Sociedade das Nações. Nessa comissão, estavam representados todos os estados contratantes.

234. Três outras grandes convenções internacionais foram celebradas, depois de Paris: uma, em Madri, a 1º de novembro de 1926; outra, em Havana, a 20 de fevereiro de 1928, por ocasião da 6ª Conferência Internacional Americana; e uma terceira, em Chicago, a 7 de dezembro de 1944. As duas primeiras muito se aproximavam, quanto às regras adotadas, do texto da Convenção de Paris. É verdade, porém, que a de Havana, que tomou o título de "Convenção Pan-americana de Aviação Comercial", diferia um pouco mais da de Paris do que a de Madri. Ela se ocupava especialmente de interesses puramente continentais, dos países americanos, nessa matéria. Tinha caráter nitidamente comercial e se preocupava com assegurar a possível uniformidade das leis e regulamentos de todos os estados contratantes, no que concernia à navegação aérea.

A Convenção de Madri, chamada ibero-americana, foi assinada pela Espanha, Portugal e todos os estados latino-americanos, exceto o Haiti, mas só recebeu pouco mais de meia dúzia de ratificações, não tendo chegado, praticamente, a vigorar.

quer dos outros, contanto que observem as condições estipuladas na própria Convenção. Entre essas condições, figuram as seguintes: a) cada estado cujo território é sobrevoado conserva o direito de exigir a aterragem da aeronave que o sobrevoe, bem como o de prescrever certos itinerários; b) cada estado conserva, igualmente, o direito de restringir ou suprimir temporariamente os voos sobre a totalidade ou parte de seu território, em circunstâncias excepcionais ou durante um período de emergência; c) cada estado poderá, em virtude de razões militares ou de segurança pública, proibir permanentemente o sobrevoo de certas áreas de seu território; d) cada estado poderá reservar a cabotagem aérea às aeronaves nacionais.

Na conferência de que resultou a Convenção de Chicago, muito se discutiu sobre as chamadas *cinco liberdades* relativas à navegação aérea, a saber: 1ª) o direito de passagem inocente; 2ª) o direito de pouso para fins diferentes do tráfico; 3ª) o direito de desembarcar passageiros, malas postais e cargas procedentes do país de origem da aeronave; 4ª) o direito de tomar passageiros, malas postais e cargas para o país de origem da aeronave; 5ª) o direito de apanhar e deixar passageiros.

A Convenção de Chicago criou a **Organização da Aviação Civil Internacional** (OACI ou ICAO)[235], destinada a desenvolver os princípios e a técnica da navegação aérea internacional e incrementar os transportes aéreos internacionais[236]. Essa organização é constituída por: Assembleia, composta de representantes de todos os estados contratantes e cujas reuniões ordinárias serão anuais; Conselho permanente, composto de membros eleitos pela Assembleia; e os órgãos complementares que possam ser julgados necessários.

6.5.2. telecomunicações

Em matéria de **telecomunicações**, os ***princípios correntes de direito internacional são análogos aos que vigoram em matéria de navegação aérea***[237]. As ondas de rádio, antes também chamadas hertzianas, e as tele-

235. Ludwig WEBER, *International Civil Aviation Organization* (ICAO) (in **International Encyclopaedia of Laws**, general editor Roger BLANPAIN, Intergovernmental Organizations, editor Jan WOUTERS, Haia: Kluwer Law International, v. 2, p. ICAO 1-202, 2007, com atualizações periódicas).

236. Michael MILDE, **International Air Law and ICAO** (The Hague: Eleven, 2012), observa a imprecisão contida na denominação "Air Law", e que a esta seria preferível "Aeronautical Law", ou direito aeronáutico, por designar de modo mais preciso o objeto deste ramo do direito internacional.

237. Bibliografia: Adherbal MEIRA MATTOS, **Direito internacional público** (2. ed., Rio de Janeiro: Renovar, 2002, Cap. 11, "Direito espacial", p. 209-224); A. D. MCNAIR, **The law of the air**, London, 1953; Bin CHENG, *Air law*, in **Enciclopedia**, v. A-D, p. 66; D. GOEDHUIS, *The limitation of air sovereignty*, relatório submetido à ILA na sessão de Dubrovnik de 1956, p. 196; DÍEZ - 1, p. 313; Francis RUDDY, *Os problemas internacionais sobre satélites de comunicação*, Boletim, 1971, p. 99; Haroldo VALLADÃO, *Problemas jurídicos internacionais de telecomunicações*, Boletim, 1971, p. 81; Jean EVENSEN,

comunicações em geral não respeitam as fronteiras, daí a necessidade de regulamentação internacional.

Como ensinava Celso D. de Albuquerque MELLO (2004)[238]: "o domínio das telecomunicações é um 'bem de uso público internacional'".

Ao desenvolvimento de tecnologia se agrega a criação de quadro jurídico para a regulação dessas atividades[239], desde o início das comunicações telegráficas e radioelétricas às telecomunicações e, a seguir, a formação e o papel da União Internacional das Telecomunicações.

Em 1850 foi constituída a União Telegráfica Austro-Alemã e, em 1855, formada a União Telegráfica da Europa Ocidental. Em 1865, foi constituída a União Telegráfica Internacional (UTI), na qual se criou, em 1868, o *Bureau* Internacional, que começou a operar em 1869. Pioneira dentre as organizações internacionais, vem esta responder à necessidade de regulação legal de inovação instaurada pelo progresso da tecnologia, expressão de movimento que se estenderia a múltiplos campos do direito internacional no século e meio que, desde então, se seguiu.

Em 1906 foi, por sua vez, criada em Berlim, a União Radiotelegráfica Internacional (URI)[240]. E assim operam, com ulteriores conferências em Londres, em 1912, e em Washington, em 1927, até que em 1932, em Madri, as duas, UTI e URI, foram unidas, passando a ser a União Internacional de Telecomunicações (UIT). Esta contava, em outubro de 2008, com 191 países-membros e mais de 700 entidades associadas.

Em razão dessas convenções referidas, consideravam-se, desde o início, as ondas de rádio, provenientes de instalações autorizadas, livres para percorrer, em

---

Aspects of international law relating to modern radio communication, RCADI, 1965, v. 115, p. 471; K. HEILBRONNER, *Freedom of the air and the Convention on the Law of the Sea*, AJIL, 1983, v. 77, p. 490; L. Cartou, *Les services aériens réguliers*, AFDI, 1956; M. Díez de MEDINA, **Las organizaciones internacionales**, Madrid, 1994, p. 286; MELLO - 2, p. 989; Nicolas M. MATTE, **Aerospace law; telecommunications satelite**, RCADI, 1980, v. 166, p. 119; Paul de LA PRADELLE, **Les frontières de l'air**, RCADI, 1954, v. 86, p. 121; Renato RIBEIRO, *Derecho de las communicaciones espaciales*, in **IX Curso da Comissão Jurídica Interamericana**, 1983, p. 294; ROUSSEAU - 4, p. 603.

238. Celso D. de Albuquerque MELLO, **Curso** (15. ed.,Rio de Janeiro: Renovar, 2004, Cap. LI, "Telecomunicações", p. 1333-1340, cit. p. 1333): "O estudo das telecomunicações sempre apresentou interesse para o DIP, sendo de se lembrar que o D. do mar sempre protegeu os cabos submarinos (*v.* Capítulo Alto-mar). A matéria adquire um novo impulso atualmente com a denominada telecomunicação por satélites"; reporta-se MELLO à lição de E. JIMENEZ DE ARECHAGA, **International law in the past third of a century** (RCADI, 1978, t. 159, p. 1-343), e deste também **La coordination des systèmes de l'ONU et de l'Organisation des états américains pour le règlement pacifique des différends et la sécurité collective** (RCADI, 1964, t. 111, p. 419-526) e **Le traitement des différends internationaux par le Conseil de Sécurité** (RCADI, 1954, t. 85, p. 1-106).

239. J. F. HOSTIE, **Examen de quelques règles du droit international dans le domaine des communications et du transit** (RCADI, 1932, t. 40, p. 397-524).

240. O *Bureau* da União Radiotelegráfica Internacional era o mesmo da União Telegráfica Internacional.

geral, livremente o espaço atmosférico de todos os estados contratantes, com a contrapartida de que as estações de operação radiotelegráfica deveriam ser organizadas, tanto quanto possível, de modo a não perturbar o serviço de outras estações equivalentes.

Os estados não têm, assim, o direito de obstar emissões estrangeiras, perturbando as vibrações elétricas por meio da projeção de outras vibrações mais fortes. Assim, cada estado somente teria a possibilidade de se opor a tal passagem na medida em que pudesse alegar necessidade de segurança. Qualquer restrição a essa liberdade deve-se pautar, como em outros campos, pela razoabilidade, bem como, para estar em conformidade com o direito internacional, ter amparo de título reconhecido como válido, pelo padrão internacional.

A União Internacional de Telecomunicações (UIT) considera patrimônio comum da humanidade[241] o espectro de frequências e a órbita geoestacionária dos satélites. O interesse de todos e a necessidade de uso ordenado impõem limites ao que possa pretender, em sentido diverso, qualquer estado.

Enfatizava Celso D. de A. MELLO (2004)[242] o conteúdo jurídico internacional do conceito de patrimônio comum da humanidade[243]: (a) utilização não privativa, (b) uso pacífico e (c) repartição justa e específica "tem uma função igualitária e a autoridade é apenas para gerenciar, vez que o domínio eminente é da humanidade"[244].

No processo de regulamentação internacional[245], a radiodifusão por satéli-

---

241. Juan Antonio CARRILLO SALCEDO, de modo despretensioso, considera a questão em seu *Le concept de patrimoine commun de l'humanité* (in **Ouvertures en droit international: hommage à René-Jean DUPUY**, Paris: Pedone, 1998, p. 55-66).

242. C. D. A. MELLO (op. cit., 2004, Cap. XLIV, "plataforma continental: as grandes profundidades", p. 1219-1240, nota 17, 17A, 17B, 17C).

243. V. tb. P. B. CASELLA, **Direito internacional dos espaços** (São Paulo: Atlas, 2009, Cap. XX, "Espaços internacionais: de *res nullius* a patrimônio comum da humanidade"); José Manuel PUREZA, *Globalização e direito internacional : da boa vizinhança ao patrimônio comum da humanidade* (in **Lua nova**, n. 30, 1993, p. 73 e s.): "A humanidade, como entidade global, quer no plano espacial, quer no temporal, é pois a referência central dos novos traços de identidade do direito internacional, superando o quadro individualista do direito internacional clássico".

244. Celso D. de A. MELLO (op. cit., 2004, Cap. LI, "Telecomunicações", p. 1333): "O estado tem soberania sobre as ondas hertzianas, vez que elas se encontram no seu espaço aéreo. Entretanto, na prática tem-se estabelecido 'uma liberdade de trânsito', em virtude de uma verdadeira necessidade de todos os estados. Por outro lado, essas zonas se estendem também ao espaço exterior, onde não se manifesta a soberania do estado. Para se obter melhor aproveitamento dessas ondas é necessário que haja uma cooperação internacional, para se evitar, por exemplo, as interferências, fazendo a distribuição de frequências etc. Esta cooperação se encontra institucionalizada na União Internacional das Telecomunicações".

245. Em matéria de comunicações radioelétricas, devem ser também referidos o Acordo Sul-Americano de Buenos Aires, de 1935, revisto no Rio de Janeiro em junho de 1937; a Convenção Interamericana de Havana, de 13 de dezembro de 1937; o Acordo Interamericano de Santiago do Chile, de 17 de janeiro de 1940; a Convenção do Rio de Janeiro, de 27 de setembro de 1945; e o Acordo de Washington, de 9 de julho de 1947.

te foi grande transformação do conjunto das comunicações no planeta[246], com utilização crescente de telefones celulares e de todas as modalidades conexas de comunicação.

Existe clara percepção da conveniência de se adotarem, nessa matéria, regras uniformes, reconhecidas internacionalmente[247]. Isso levou os estados a realizar várias conferências internacionais, destinadas a estabelecer regulamentação internacional em matéria radiotelegráfica e de telecomunicações, dentre as quais: em Berlim, em 1906; em Londres, em 1912; em Washington, em 1927; em Madri, em 1932; em Atlantic City, em 1947, em Nairobi, em 1982, até a atual Constituição e Convenção vigentes, assinadas em Genebra, em 1992, em vigor desde 1994, completadas por protocolos adicionais e regulamentos administrativos.

A cooperação no campo da radiotelegrafia surgiu na Conferência de Berlim de 1906, com a criação da União Radiotelegráfica Internacional (URI). Em 1932, como já dissemos, essa organização e a União Telegráfica Internacional (UTI) se fundiram, surgindo a **União Internacional de Telecomunicações** (UIT ou ITU), com sede em Genebra. Terminada a segunda guerra mundial, a Convenção firmada em Atlantic City, em 1947, atualiza a matéria e decide a vinculação da UIT à ONU.

A União Internacional das Telecomunicações (UIT) caracteriza-se, assim, como "instituição especializada das Nações Unidas para as tecnologias da informação e da comunicação"[248], na qual se reúnem poderes públicos e setor

---

Por outro lado, deve ser igualmente mencionada a convenção concluída em Genebra a 23 de setembro de 1936, por iniciativa e sob os auspícios da Sociedade das Nações, destinada a regulamentar o emprego da radiodifusão no interesse da paz.

246. Paul de LA PRADELLE, **Notions de territoire et d'espace dans l'aménagement des rapports internationaux contemporains** (RCADI, 1977, v. 157, p. 415-484, cit. p. 439 e nota 39). Assim a Conferência administrativa extraordinária de Genebra, encarregada de atribuir faixas de frequência para a radiocomunicação espacial definia, em 1963, a comunicação por satélite: "serviço de radiocomunicação, no qual sinais, emitidos ou retransmitidos por estações espaciais ou transmitidos por reflexo sobre objetos em órbita em torno da terra são destinados a ser recebidos diretamente pelo público em geral".

247. Princípios gerais aceitos nessa matéria já se encontravam na **Resolução sobre comunicações radiotelegráficas**, adotada em 1927, pelo *Instituto*: *a*) cada estado tem o direito de regular o estabelecimento e funcionamento de quaisquer estações radiotelegráficas, no seu território; *b*) compete-lhe, também, salvo alguma restrição convencional, suspender o serviço de radiotelegrafia internacional, quando o julgue necessário aos seus interesses essenciais ou exigido pelos seus deveres internacionais; *c*) não tem, entretanto, o direito de se opor à simples passagem de ondas hertzianas sobre o seu território; *d*) é desejável que os estados se entendam para que a exploração das estações radiotelegráficas de todos seja organizada com o mínimo possível de inconvenientes; *e*) o estado que permitir emissões radiotelegráficas do seu território que causem graves perturbações nas emissões de outro estado, ou que sejam suscetíveis de perturbar a ordem pública de outro estado, incorrerá em responsabilidade internacional.

248. ITU, **Final Acts of the Plenipotentiary Conference** (Antalya 2006), contém "Instruments amending the Constitution and the Convention of the International Telecommunication Union (Geneva, 1992) as amended by the Plenipotentiary Conference (Kyoto, 1994), the Plenipotentiary Conference (Minneapolis, 1998) and the Plenipotentiary Conference (Marrakesh, 2002)". *V.* tb. **Collection of the Basic Texts of the ITU adopted by the Plenipotentiary Conference (Ed 2007)**: A reference document containing: *a*) the Constitution and the Convention as amended by plenipotentiary conferences; *b*) General Rules of Conferences, Assemblies and Meetings of the Union; *c*) the full text of the Optional Protocol

privado para regulamentar a comunicação mundial em três setores fundamentais: radiocomunicações, normatização e desenvolvimento[249].

Sucessivas revisões da **Constituição da UIT** e da Convenção da UIT[250] foram adotadas, das quais a de Antalya, em 2006, consolidou e substituiu as anteriores[251]: conforme emendas adotadas pela Conferência de Plenipotenciários, realizada em Genebra, em 1992, em Kyoto, em 1994, em Minneapolis, em 1998, e em Marrakesh, em 2002[252]. Todo o corpo de resoluções e decisões do Conselho da UIT pode ser consultado[253].

---

on the compulsory settlement of disputes relating to the Constitution, the Convention and the Administrative Regulations; *d*) the full text of all decisions, resolutions and recommendations in force; *e*) a list of abrogated decisions, resolutions and recommendations.

249. L'UIT est l'institution spécialisée des Nations Unies pour les technologies de l'information et de la communication. Pôle de convergence mondial où se retrouvent pouvoirs publics et secteur privé, l'UIT aide le monde à communiquer, et ce dans trois secteurs fondamentaux: les radiocommunications, la normalisationet ledéveloppement. L'UIT, qui est aussi l'organisatrice des manifestations TELECOM, fut la principale responsable de l'organisation du Sommet mondial sur la société de l'information.

250. A Constituição (CS) e a Convenção (CV), bem como respectivos Anexos, são as adotadas pela Conferência Adicional de Ministros Plenipotenciários, realizada em Genebra, em 1992, incorporando as emendas adotadas pelas Conferências de Plenipotenciários de Kyoto, em 1994, de Minneapolis, em 1998, de Marrakesh,em 2002, e de Antalya, em2006. O texto se apresenta com referências marginais, que permitem situar a data e a conferência na qual as últimas alterações foram adotadas:'PP-94' (Plenipotentiary Conference, Kyoto, 1994), 'PP-98' (Plenipotentiary Conference, Minneapolis,1998), 'PP-02' (Plenipotentiary Conference, Marrakesh, 2002) e 'PP-06' (Plenipotentiary Conference, Antalya, 2006).

251. Acesse http://www.itu.int/publ/S-Conf-ACTF-2006/en Final Acts of the Plenipotentiary Conference (Antalya 2006). Instruments amending the Constitution and the Convention of the International Telecommunication Union (Geneva, 1992) as amended by the Plenipotentiary Conference (Kyoto, 1994), the Plenipotentiary Conference (Minneapolis, 1998) and the Plenipotentiary Conference (Marrakesh, 2002). Other editions: Marrakesh, 2002/Minneapolis 1998 | Kyoto 1994 | Geneva 1992.

252. In the CS and CV, except in certain cases where particular margin/chapter/ section/article/paragraph numbers have had to be revised editorially for reasons of logical order or consistency, the numbering in the Final Acts of the adopting or amending plenipotentiary conference has been retained. Thus, the letters A, B, C, etc. are retained in added provisions; the Latin suffixes *bis, ter, quater*, etc. are retained in added paragraphs; and chapters/sections/ articles have not been renumbered when text has been deleted (e.g.,the Convention "jumps" from Chapter II to Chapter IV, because Chapter III no longer exists). This will facilitate cross-referencing with the Final Acts of the plenipotentiary conference concerned and make it possible to trace the evolution of the CS and CV texts through successive plenipotentiary conferences.

253. UIT, Resolutions and Decisions of the Council (Ed. 2007). This publication contains the complete text of the Council's Resolutions and Decisions. It also contains three appendices (numerical list of all Resolutions adopted by the Council since its creation, numerical list of all Decisions adopted by the Council since its creation and an analytical table). The General Rules of Conferences, Assemblies and Meetings of the Union were adopted by PP-02 and modified by PP-06. These General Rules comprise: the General Provisions Regarding Conferences and Assemblies, made up of the provisions of Articles26 to 30 of the Convention, transferred by PP-02 into this new instrument; the Rules of Procedure of Conferences, Assemblies and Meetings of ITU; the procedures for electing the Secretary-General, the Deputy Secretary-General, the Directors of the Bureaux of the Sectors, the members of the Radio Regulations Board and the Member States of the Council, adopted by PP-02; and the procedures for amendment, adoption and entry into force, likewise adopted by PP-02. The margin numbers to these General Rules are located in the left-hand margin. The decisions, resolutions and recommendations are those currently in force. "(Kyoto,1994)", "(Minneapolis, 1998)", "(Marrakesh, 2002)" and "(Antalya, 2006)" indicate adoption by PP-94, PP-98, PP-02 or PP-06, respectively. "(Rev. Minneapolis, 1998)", "(Rev.Marrakesh,2002)" or "(Rev. Antalya, 2006)" indicates adoption by PP-94 and revision by PP-98, PP-02 or PP-06. Each decision, resolution and recommendation includes, moreover, an indication of the plenipotentiary conference which adopted it, and, as the case may be, of any subsequent conference having revised it. The present collection also contains a full list of the decisions,

Além da Constituição e da Convenção da UIT, cabe ressaltar a importância e o papel do **Protocolo opcional sobre solução compulsória de controvérsias** (*Optional Protocol on the Compulsory Settlement of Disputes*), adotado durante a Conferência adicional de Plenipotenciários, de Genebra, em 1992. A institucionalização dos mecanismos de solução de controvérsias segue tendência frequente nas organizações internacionais que atingem grau de desenvolvimento institucional como o desta.

As telecomunicações se tornaram especialização de tempo integral no conjunto do sistema institucional e normativo internacional. Não somente pela extensão da participação – são mais de 190 estados, no sistema – como também pela extensão da regulação material, de todo esse conjunto das atividades internacionais de telecomunicação[254].

6.6. Navios

Sujeitos à jurisdição do estado de matrícula, o estudo dos navios e das aeronaves é feito separadamente, embora para muitos a situação jurídico-internacional dos navios seja abordada em relação ao direito do mar, e a das aeronaves sob a rubrica do espaço aéreo[255].

Quer no caso dos navios, quer no das aeronaves, a doutrina ainda luta com dificuldades para enunciar regras gerais a respeito. No tocante à navegação marítima, existe documento básico a respeito, a **Convenção sobre o Direito do Mar** de 1982. No caso das aeronaves, o documento internacional mais importante ainda é a **Convenção da Aviação Civil Internacional**, assinada em Chicago em 1944.

Não obstante as analogias que ainda existem quanto aos navios e aeronaves, o estudo das duas instituições em separado se impõe, dadas as evoluções verificadas nestes últimos anos. São, a seguir, considerados os navios (6.6.1) e, adiante, as aeronaves no direito internacional (6.7).

6.6.1. navios no direito internacional

O direito internacional reconhece a jurisdição do estado sobre os navios

resolutions and recommendations adopted, revised or abrogated by PP-94, PP-98, PP-02 or PP-06.

254. *V.* tb. P. B. CASELLA, **Direito internacional dos espaços** (São Paulo: Atlas, 2009, Cap. XVIII, "Direito internacional das telecomunicações").

255. As regras sobre os navios públicos e privados passaram a ser aplicadas por analogia às aeronaves, depois que SANTOS DUMONT provou a viabilidade da navegação aérea, provocando a adoção pelo *Institut de Droit International* da sua primeira resolução sobre o domínio aéreo.

arvorando a sua bandeira, bem como sobre as pessoas que nestes se encontrem, e o navio como propriedade de seus nacionais.

Nos trabalhos preparatórios que resultaram na Convenção sobre o Direito do Mar houve acordo em que as expressões *navio* e *embarcação* (*ships and vessels*) seriam consideradas equivalentes. Embora em diversas convenções internacionais possam ser encontradas definições de navio, na maioria dos casos trata-se de definições para efeito das referidas convenções. As definições propostas por internacionalistas não têm merecido aceitação. Celso de A. MELLO considerava satisfatória a *definição da Lei n. 2.180, de 1954*: "Considera-se **embarcação mercante toda a construção utilizada como meio de transporte por água e destinada à indústria da navegação, quaisquer que sejam as suas características e lugar de tráfego**".

É importante para o direito internacional saber qual a jurisdição aplicável a um navio, seja ele de guerra ou mercante, quando em domínio estrangeiro ou em alto-mar, bem como as regras que vigoram em tempo de paz e de guerra.

A doutrina procura explicar a razão de ser dessa jurisdição. G. DIENA (1935)[256] e K. STRUPP, dentre outros, argumentam que o navio constituiria o que denominam *domínio flutuante do estado*. Seria a doutrina da territorialidade, pois os navios representariam prolongamento do domínio do estado. Essa teoria já era considerada por BASDEVANT como obsoleta. Encontrou, contudo, acolhida na decisão da Corte Permanente de Justiça Internacional (CPJI), na questão do ***navio Lótus***, em 1927, pois o voto da maioria foi baseado, direta ou indiretamente, no conceito da territorialidade[257].

6.6.1.1. classificação e nacionalidade dos navios

A identificação da *nacionalidade* dos navios e a sua *classificação* são importantes, dadas as consequências que têm quando se encontram em alto-mar ou em domínio estrangeiro. Tradicionalmente[258], os navios são considerados ***públicos*** ou ***privados***, daí falar-se em **marinha militar** e **marinha mercante**[259].

256. G. DIENA, **Principes du droit international maritime** (RCADI, 1935, t. 51, p. 405-482).

257. Justamente na ocasião, a concepção "territorialista" defendida por ANZILOTTI, presidente da Corte, àquela época, foi decisiva no julgamento do caso **Lótus**.

258. As Convenções de Bruxelas de 1910 sobre abalroamento e assistência marítima inovaram ao se referirem "aos navios de guerra e aos navios de estado exclusivamente destinados a serviço público". Em consequência, o *Instituto de Direito Internacional* adotou classificação e dividiu os navios em duas grandes classes: aqueles que exercem um serviço governamental e não comercial (os navios de guerra e os empregados em um serviço público civil) e aqueles que efetuam um serviço de comércio, abrangendo os de propriedade do estado e os de propriedade privada.

259. A divisão dos navios, segundo a sua utilização, em atividades *jure imperii* e *jure gestionis*, teve importância, com o

A **Convenção das Nações Unidas sobre o Direito do Mar** (1982) divide os navios em quatro classes: os navios de guerra (definidos no artigo 29), os navios de estado utilizados para fins não comerciais, os navios de estado utilizados para fins comerciais e os navios mercantes.

Todo estado tem o direito de estabelecer as condições para a atribuição de sua *nacionalidade* a navios que poderão em consequência arvorar o seu pavilhão. A **Convenção sobre o direito do mar** estipula, no artigo 91: "Todo estado deve estabelecer os requisitos necessários para a atribuição da sua nacionalidade a navios, para o registro de navios no seu território e para o direito de arvorar a sua bandeira. Os navios possuem a nacionalidade do estado cuja bandeira estejam autorizados a arvorar. Deve existir vínculo substancial entre o estado e o navio".

A determinação da nacionalidade é tema complexo, pois a exigência de vínculo substancial (*genuine link*) entre o estado e o navio é considerada vaga, em sua formulação, e tem dado lugar a interpretações abusivas[260]. A questão está vinculada à chamada *bandeira de conveniência*, por meio da qual determinados navios, sobretudo de propriedade de pessoas jurídicas norte-americanas, são registrados em países onde as formalidades em matéria de pessoal e de segurança são permissivas, isto é, não exigem certas medidas de segurança. A principal crítica à bandeira de conveniência é a de que esses navios representam a ameaça maior à segurança, pois são obsoletos e com tripulações de diversos países, comandadas por capitães que raramente possuem a nacionalidade do navio. Os navios registrados na Libéria e no Panamá figuram em termos de tonelagem dentre as principais marinhas mercantes do mundo e, em consequência, com importante poder de decisão na **Organização Marítima Internacional**[261].

---

papel desempenhado pela marinha, ao tempo da antiga URSS, porquanto tratava-se de navios de propriedade do estado soviético, mas utilizados em atividades comerciais, isto é, sem direito à imunidade jurisdicional, reconhecida aos navios públicos.

260. Quando a questão foi discutida pela Comissão de Direito Internacional, o Relator Especial, tendo em vista as respostas formuladas pelos estados-membros a questionário, lembrou que a Comissão poderia condicionar o reconhecimento da nacionalidade ao fato que o navio fosse ou de propriedade do estado, ou que mais da metade fosse de propriedade de nacionais de determinado estado ou de pessoas nele domiciliadas, ou pertencesse a pessoa jurídica, cujo capital seria composto por participações, na sua maioria de nacionais ou de residentes no país. Em 1955, a Comissão adotou um texto incorporando a sugestão, mas no ano seguinte o artigo foi abandonado.

261. *Bibliografia*: A. Pearce HIGGINS, **Le régime juridique des navires de commerce**, RCADI, 1929, v. 30, p. 19; ACCIOLY – 2, p. 345; Boleslaw A. Boczek, **Flags of convenience**, Leiden, 1962; C. John Colombos, **International law of the sea**, p. 28; Claudio Baldoni, **Les navires de guerre dans les eaux territoriales étrangères**, RCADI, 1938-III, v. 65, p. 189; G. E. do NASCIMENTO e SILVA, *Deserção de tripulantes*, Boletim, 1954, p. 22; GOLDIE, Flags of convenience, BYB, 1963, p. 220; N. FEINBERG, *A problem of flags of convenience*, BYB, 1963; Natalino RONZITTI, **Maritime terrorism**, Dordrecht, 1990; O'CONNELL, *Personalité en droit international*, **RGDIP**, 1963, v. 34, p. 30; PODESTÀ COSTA – 1, p. 501; Prospero FEDOZZI, **La condition juridique des navires de commerce**, RCADI, 1925, v. 10, p. 5; ROUSSEAU – 4, p. 289; THE AMERICAN INSTITUTE, **Restatement of the law**, Saint Paul, Minn., 1987, v. 2, p. 10; Vangah Francis WODIÉ, *The high seas*, in **International law** (Paris: UNESCO, 1991, p. 891; WHITEMAN, v. 9, p. 1.

A Constituição Nacional de 1988 estabelece em seu art. 178, § 2º, que "serão brasileiros os armadores, os proprietários, os comandantes e dois terços, pelo menos, dos tripulantes de embarcações nacionais". Trata-se de dispositivo, baseado nas Constituições nacionalistas anteriores, que precisa ser reconsiderado, a fim de tornar o frete brasileiro competitivo com o dos demais países, principalmente dos navios que arvoram as bandeiras de conveniência.

A Convenção de 1982 ainda esclarece no artigo 92 que os navios devem navegar sob a bandeira de um só estado: caso o navio navegue sob a bandeira de dois ou mais estados, utilizando-as segundo a sua conveniência, não poderá reivindicar qualquer dessas nacionalidades e poderá ser considerado como um navio sem nacionalidade.

Além da bandeira, o nome, o domicílio, a arqueação e os papéis de bordo (*ship's papers*) servem para identificar o navio. O nome deve ser inscrito no registro de matrícula do navio e figurar neste, em lugar visível. O domicílio é o lugar onde o navio foi inscrito. Os métodos de avaliação da arqueação não são uniformes, mas são bem conhecidos das autoridades marítimas. Os papéis de bordo podem variar, de estado a estado, mas por meio deles é possível provar a nacionalidade do navio.

6.6.1.2. navios em alto-mar

O artigo 92 da Convenção sobre o Direito do Mar estipula que os navios em alto-mar devem submeter-se "à jurisdição exclusiva" do estado do pavilhão. Em outras palavras, estão subordinados às leis civis, criminais e administrativas, aos tribunais, à jurisdição dos estados sob cuja bandeira naveguem. Isto não significa, entretanto, que as infrações cometidas a bordo de navios mercantes na aludida situação não possam, também excepcionalmente, ser submetidas às leis penais de outro estado, dado que, conforme dissemos atrás, a jurisdição penal de um estado pode exercer-se até sobre fatos ocorridos em outro estado.

Em todo caso, as únicas exceções, de ordem geral, admitidas à regra que exclui do exercício da jurisdição ou da autoridade de um estado os navios estrangeiros, no alto-mar, são apenas as seguintes: 1ª) o direito de visita e busca em tempo de guerra, reconhecido aos navios de guerra beligerantes para aplicação das regras sobre contrabando e bloqueio; 2ª) o direito de perseguição (*hot pursuit*), segundo o qual os navios de guerra de um estado podem perseguir em alto-mar, apresar e conduzir a um porto do mesmo estado um navio mercante estrangeiro que tenha cometido alguma infração ou delito nas águas territoriais desse estado, contanto que a perseguição haja começado em tais águas e não tenha sido interrompida; 3ª) o direito de reconhecimento da identidade de navio suspeito, para obtenção da certeza de que não se trata de um pirata, direito também só reconhecido a navios de guerra.

Com relação, não propriamente ao navio, mas a algum fato delituoso nele ocorrido, admite-se igualmente uma exceção à regra da jurisdição do estado sobre os seus navios em alto-mar: à do caso da renúncia do comandante do navio à competência dos tribunais do próprio país.

Quando se trata de *abalroamento* em alto-mar e os navios em causa pertencem a nacionalidades diferentes, e até na hipótese de pertencerem os navios ao mesmo pavilhão e se dirigirem ambos a um porto estrangeiro, podem surgir – e ordinariamente surgem – dificuldades no tocante à determinação do Tribunal competente para conhecer do acidente e de suas consequências, bem como relativamente à lei aplicável.

A doutrina e a jurisprudência a esse respeito são bastante variáveis. Por isso mesmo, foi objeto de acesas discussões a chamada questão do *Lótus,* ocorrida em agosto de 1926 e decidida pela Corte Permanente de Justiça Internacional em setembro do ano seguinte. A própria sentença da Corte, adotada pelo voto de desempate do seu presidente, deu lugar a muitos debates.

Em seu arrazoado, sustentou aquele tribunal que "o que se passa a bordo de um navio, em alto-mar, deve ser considerado como se tivesse ocorrido no território do estado cuja bandeira o navio usa. Se, pois, um ato delituoso, cometido num navio, em alto-mar, produz seus efeitos sobre um navio que usa outra bandeira ou sobre um território estrangeiro, devem ser aplicados ao caso os mesmos princípios que se aplicariam se se tratasse de dois territórios de estados diferentes, e, portanto, deve concluir-se que nenhuma regra de direito internacional proíbe ao estado, de que depende o navio, onde os efeitos do delito se manifestaram, considerar esse delito como se tivesse sido cometido no seu território e exercer a ação penal contra o delinquente".

Em suma, a Corte concluiu que não existe regra de direito internacional em virtude da qual a competência penal, em casos de abalroamento, pertença exclusivamente ao estado do pavilhão do navio causador do dano ou por meio do qual o dano foi causado. Admitiu, portanto, a existência de jurisdições concorrentes, em casos daquela natureza.

Em matéria de abalroamentos no alto-mar, há, contudo, uma hipótese em que todas as opiniões parecem estar acordes: é a de abalroamento em que figura como culpado do acidente um navio de guerra. Considera-se, então, que a jurisdição competente para tomar conhecimento do fato será a do estado a que pertence tal navio, pois que assim o exige a imunidade de jurisdição reconhecida aos estados e que acompanha os seus vasos de guerra.

Como quer que seja, tem-se admitido, no tocante a acidentes no mar – ou, mais precisamente, com relação a abalroamentos –, entre navios de diferentes bandeiras, que o princípio da competência penal não exclui a competência concorrente das jurisdições dos estados de cada um dos navios em causa.

Com a Convenção de Bruxelas, de 1952, sobre a competência penal nessa matéria, a situação, entre os estados ratificantes de tal fato, ficará resolvida, no sentido de que tal competência cabe às autoridades judiciárias ou administrativas do estado cuja bandeira o navio hasteava, no momento do abalroamento (ou de qualquer outro acidente de navegação).

A Convenção sobre o Direito do Mar trata da jurisdição penal em caso de abalroamento ou qualquer outro acidente de navegação.

Relativamente às crianças nascidas a bordo de navios mercantes, não há decisão uniforme entre as legislações que preveem o caso. Parece-nos, contudo, que a esse respeito se poderia determinar que, do ponto de vista da aquisição da nacionalidade de origem, o nascimento a bordo de um navio mercante deve ser assimilado ao nascimento ocorrido no território do estado cuja bandeira o navio hasteia, se o fato se dá nas águas territoriais ou nalgum porto desse estado, ou em alto-mar, ou, ainda, em mar territorial estrangeiro, mas não assim em porto estrangeiro. Nesta última hipótese, o nascimento deve ser considerado como fato ocorrido no território do estado a que pertence o porto.

As razões que apoiam essa solução são as decorrentes do exercício da jurisdição sobre os navios mercantes. Sobre estes, exerce-se a jurisdição do estado do pavilhão, em águas nacionais e no alto-mar. Em águas estrangeiras – e mais especialmente em portos estrangeiros –, eles se acham, em princípio, submetidos à jurisdição do estado ribeirinho. Nas águas territoriais, contudo, a soberania do estado ribeirinho sofre a limitação do direito de passagem inocente. Por isso, nesse caso, que tem suscitado algumas hesitações, parece que se deve atender a razões de ordem prática, assimilando-se o nascimento a bordo de um navio mercante de passagem no mar territorial ao nascimento em alto-mar. O Decreto-lei brasileiro n. 389, de 25 de abril de 1938, adotou a mesma solução.

6.6.1.3. navios em águas estrangeiras

A situação dos navios públicos em águas estrangeiras, especialmente a dos navios de guerra, difere fundamentalmente da dos navios privados.

6.6.1.3.1. navios públicos

No que concerne aos *navios de guerra*, considera-se que eles estão como que identificados com a personalidade do estado, são órgãos do poder público e, por isso, se acham investidos das prerrogativas da soberania; ao passo que os navios privados são meros bens móveis, que, em país estrangeiro, gozam apenas da assistência e proteção devidas pelos estados aos seus nacionais.

Assim, em relação aos navios militares, admite-se, geralmente, a ficção da *extraterritorialidade*, considerando-se que se acham sob a jurisdição deste, qualquer que seja o lugar onde se encontram.

Por isso mesmo, os tribunais do estado em cujas águas um desses navios se encontre consideram-se incompetentes para julgar litígios nos quais tal navio figure como parte. Destarte, por exemplo, se ocorre um abalroamento de que este seja autor, a reparação deverá ser pedida aos tribunais do país a que pertença. Essa incompetência também existirá em relação aos oficiais ou membros da tripulação do navio de guerra, em caso de litígio de natureza civil no qual figurem como agentes do estado do pavilhão, pouco importando que os atos determinantes do litígio tenham sido praticados no próprio navio de guerra ou fora deste.

Como quer que seja, não se deve admitir a ideia da extraterritorialidade em sentido absoluto. O fato é que os navios a que essa ideia se aplica não estão isentos de certas obrigações a respeito do estado estrangeiro em cujas águas se encontrem. É assim, por exemplo, que, embora isentos da jurisdição local, eles devem obedecer ao cerimonial consagrado pelos usos e costumes, nos portos onde foram admitidos, e observar, estritamente, as leis e regulamentos locais, especialmente os concernentes à navegação, ao estacionamento dos navios e à polícia sanitária.

Em todo caso, os crimes e delitos cometidos a bordo, seja por membros da tripulação, seja por quaisquer outras pessoas que ali se encontrem, são subtraídos à competência dos tribunais do estado a que pertença o navio, e serão julgados de acordo com as suas leis, seja qual for a nacionalidade dos autores ou das vítimas. Entretanto, se o comandante do navio entrega o delinquente às autoridades locais, estas recobram o exercício de sua competência normal.

Relativamente aos crimes ou delitos que os membros da tripulação de um navio militar possam cometer em terra, ou em qualquer outra parte, fora do navio ou das embarcações que dele dependem, é frequente que se considerem distintamente os casos: se o autor do fato delituoso se ache, individualmente, em serviço ligado às próprias funções, ou se ache em grupo, sob o comando de um oficial, para realizar, por exemplo, uma parada, ou se ache em situação diversa das duas anteriores.

Nas duas primeiras hipóteses, a maioria dos autores admite que a infração cometida estará isenta da jurisdição local: a autoridade local poderá prender o infrator, mas deverá entregá-lo ao comandante, a pedido deste.

Vários autores, porém, só admitem a segunda hipótese, pois entendem que a primeira cai sob a jurisdição local. Alguns assim opinam por ser difícil precisar se um ato foi praticado em serviço, ou não. Outros sustentam que a imunidade reconhecida ao navio de guerra não se deve estender aos seus tripulantes, que se encontrem fora dele, ainda que se achem, isoladamente, em serviço; e que, se se admite a imunidade para os que venham à terra, em grupo, sob o comando de um oficial e como tropa em serviço, não é porque pertençam ao navio de guerra, mas porque gozam do privilégio geralmente concedido às tropas estrangeiras que atravessam o território de um estado com consentimento do governo desse estado.

No último dos três casos acima considerados, a infração cairá indiscutivelmente sob a alçada das leis e tribunais territoriais. Por cortesia, a autoridade por ordem de quem se tenha efetuado a prisão do infrator ou infratores dará conhecimento do fato ao comandante do navio.

É princípio geralmente seguido – e sancionado pelo IDI, em 1928, bem como pela Convenção de Havana, sobre asilo, concluída a 20 de fevereiro do mesmo ano – o de que o *comandante do navio de guerra não deve conceder asilo a pessoas perseguidas ou condenadas por delitos ou crimes de direito comum, nem a soldados ou marinheiros desertores.*

Relativamente ao asilo a refugiados políticos, admite-se que o navio de guerra possa concedê-lo por motivos humanitários, mas excepcionalmente e dentro de limites razoáveis. Recomenda-se, geralmente, que os oficiais do navio não convidem, direta ou indiretamente, qualquer refugiado a aceitar o asilo.

Se marinheiros ou soldados desertam do navio de guerra, as autoridades locais, ao menos por cortesia, devem procurá-los, para entregá-los às autoridades de bordo, caso a deserção tenha dado lugar a um pedido imediato e durante a permanência do navio de guerra nas águas do estado solicitado.

Em circunstância nenhuma os oficiais do navio poderão proceder diretamente ou mandar que se proceda a pesquisas em terra, para a captura dos desertores.

Relativamente aos *navios públicos que não são de guerra,* isto é, os empregados nalgum serviço público civil, considera-se que eles não podem gozar, em águas estrangeiras, das mesmas imunidades reconhecidas aos navios de guerra. Admite-se, contudo, que, se são utilizados exclusivamente num serviço público civil, não podem ser objeto de sequestro, arresto ou detenção, por nenhuma medida judiciária, embora o estado a que pertença ou em cujo serviço se encontre o navio deva responder pelo fato que possa determinar tal medida. Às vezes, tais navios são isentos de taxas ou direitos que incidem sobre navios privados.

6.6.1.3.2. navios privados

Os navios privados e os navios de estado utilizados para fins comerciais que se encontram em águas estrangeiras acham-se sujeitos à jurisdição do estado ribeirinho e à sua fiscalização.

A Convenção sobre o Direito do Mar adota uma negativa a respeito, pois, no artigo 27, parte do princípio de que a jurisdição penal do estado "não será exercida a bordo de navio estrangeiro que passe pelo mar territorial com o fim de deter qualquer pessoa ou de realizar qualquer investigação, com relação à infração criminal cometida a bordo desse navio", a não ser em quatro hipóteses mencionadas expressamente. Em outras palavras, a proibição se aplica especificamente ao navio que passe pelo mar territorial, e, portanto, os navios, passageiros e tripulantes se acham subordinados "às leis de polícia e a todas as disposições regulamentares no porto onde foram recebidos", conforme salienta resolução do *Institut de Droit International* de 1928.

O direito de visita das autoridades locais aos ditos navios é, por assim dizer, ilimitado, contanto que obedeça às prescrições legais em vigor e se exerça de boa-fé. Em compensação, os referidos navios devem ser tratados em condições iguais às estabelecidas para quaisquer outros que frequentem os mesmos portos, ressalvados certos privilégios concedidos aos navios nacionais.

A prática marítima é constante no sentido de que, se um navio privado estrangeiro desobedece às ordens das autoridades de um porto, estas têm o direito de impedir sua saída. Se o navio tenta sair, apesar das ordens em contrário, as autoridades podem usar de medidas coercitivas, a seu respeito.

Relativamente à jurisdição competente para os crimes ou delitos cometidos a bordo dos mencionados navios (em águas estrangeiras), ou em terra, por gente de sua tripulação, as opiniões não são uniformes. A maioria, porém, sustenta que, em princípio, tais fatos devem ser subordinados à jurisdição do estado ribeirinho.

As legislações internas dos estados também não são uniformes, notando-se dois grandes sistemas, a esse respeito. No primeiro, todos os aludidos fatos delituosos, salvo os que só interessam à disciplina ou aos deveres profissionais da tripulação, pertencem à jurisdição territorial. No segundo, conhecido geralmente sob a denominação de *sistema francês*, os crimes ou delitos são sujeitos à jurisdição territorial quando algum dos autores ou vítimas é pessoa estranha à tripulação; mas a autoridade local terá o direito de intervir nos demais casos, se o seu auxílio é reclamado ou se a tranquilidade do porto foi comprometida.

Certos países aceitam o primeiro sistema apenas quando se trata de navio estrangeiro em algum porto nacional; mas, quando se trata de navio nacional em porto estrangeiro, sustentam a competência da lei e dos tribunais do estado do pavilhão.

Ainda que o reconhecimento da competência jurisdicional ilimitada do estado ribeirinho se justifique perfeitamente, visto que o navio privado em porto estrangeiro se acha como o cidadão de um país em território de outro país, ela sofre, em geral, as restrições indicadas, não só por motivo de considerações de ordem prática, mas também porque as infrações ordinariamente excluídas da competência territorial não são suscetíveis de perturbar a ordem jurídica do estado ribeirinho.

Os navios privados não podem asilar pessoas acusadas de quaisquer crimes ou delitos, sejam comuns ou políticos. Por isso e também porque o estado possui jurisdição sobre todas as pessoas e coisas que se encontrem nos limites do seu território – às quais não tenham sido reconhecidas, excepcionalmente, certas imunidades –, as autoridades locais têm o direito de ir buscar a bordo de qualquer navio privado estrangeiro, estacionado em águas nacionais, qualquer indivíduo que, para se subtrair à ação penal do estado ribeirinho, tenha procurado refúgio em tal navio. Convirá, todavia, que, por cortesia para com o estado do pavilhão, as ditas autoridades comuniquem previamente a diligência ao cônsul da nação a que pertença o navio.

Em matéria de deserção de marinheiros de navio privado estrangeiro, os princípios admitidos são análogos aos geralmente aceitos quando se trata de navios militares.

No tocante a abalroamento, os que ocorram entre navios privados, num porto ou no mar territorial de qualquer país, devem submeter-se à lei dos tribunais do estado ribeirinho.

Os fatos de natureza civil ocorridos a bordo de navios privados ancorados em portos estrangeiros devem subordinar-se às leis e à competência territoriais, porque tais navios não gozam de imunidade de jurisdição e se acham colocados em domínio sobre o qual se exerce plenamente a soberania do estado ribeirinho. Entretanto, por motivos de ordem prática, as regras geralmente admitidas fazem algumas restrições à jurisdição civil territorial. É o que sucede, por exemplo, no tocante aos litígios de ordem civil entre membros da tripulação do navio em causa ou entre qualquer deles e o capitão, ou, ainda, entre oficiais ou tripulantes de diversos navios do mesmo pavilhão, estacionados no mesmo porto – litígios que, segundo declarou o IDI, em 1928, devem ser excluídos da jurisdição territorial, por se tratar de relações jurídicas concernentes exclusivamente à navegação.

Quando é o próprio navio que está em causa, admite-se, em geral, sua subordinação às leis territoriais. Se se trata de navio de propriedade de um estado estrangeiro, ou por ele fretado ou requisitado, e empregado em serviço comercial, o mesmo está sujeito a um regime jurídico idêntico ao dos navios de propriedade privada que efetuam um serviço comercial e não governamental. Admite-se, entretanto, que as cargas pertencentes a um estado e transportadas a bordo de qualquer navio mercante, para um fim governamental e não comercial, possam estar isentas de sequestro, arresto ou detenção. Reconhece-o, explicitamente, a Convenção de Bruxelas, de 10 de abril de 1926, sobre a imunidade de navios do estado.

Se um navio privado se encontra ancorado, não em algum porto, mas no mar territorial de um estado estrangeiro, é princípio corrente que as autoridades territoriais devem sobre ele exercer a mesma jurisdição que exerceriam se o navio estivesse num porto do estado ribeirinho. Se o navio está de passagem, isto é, se se limita a atravessar o mar territorial, admite-se que o direito do estado ribeirinho seja menos abrangente, ou em virtude do direito de trânsito inocente, ou por motivos de ordem prática. E, assim, o estado ribeirinho quase sempre só reclama o exercício da jurisdição sobre os crimes ou delitos cometidos em tal navio se estes envolvem a violação de direitos ou interesses de tal estado ou de seus habitantes.

6.7. Aeronaves

Ao contrário do que ocorre com os navios, o direito internacional, no tocante ao domínio aéreo e às aeronaves, é de formação relativamente recente[262], e, conforme tivemos ensejo de lembrar, a façanha de Alberto SANTOS DUMONT,

262. *Bibliografia*: A. B. CARNEIRO DE CAMPOS, **Direito público aéreo**, Rio de Janeiro, 1941; ACCIOLY - 2, p. 345; Alex Meyer, **Compendio de derecho aeronáutico**, Buenos Aires, 1947; Eugene PÉPIN, **Le droit aérien**, RCADI, 1947, v. 71-II, p. 481; Fernand de VISSCHER, **Les conflits de lois en matière de droit aérien**, in RCADI, v. 48-34-II, p. 279; G. E. do NASCIMENTO e SILVA, *A regulamentação internacional da pirataria aérea*, in **Coletânea em homenagem a Oscar Tenório**, Rio de Janeiro, 1977, p. 267; Haroldo VALLADÃO, *Pirataria aérea, novo delito internacional*, Boletim, 1969, p. 77; Hugo SIMAS, **Código Brasileiro do Ar**, Rio de Janeiro, 1939; J. Dalmo Fairbanks BELFORT DE MATTOS, **Direito público aéreo**, São Paulo, 1938; José da SILVA PACHECO, **Código Brasileiro de Aeronáutica**, Rio de Janeiro, 1990; MELLO - 2, p. 969; Paul de Géouffré de LA PRADELLE, **Les frontières de l'air**, RCADI, 1954, v. 86-II, p. 121.

ao provar a viabilidade da navegação aérea, como que provocou os artigos de Paul FAUCHILLE, de 1901 e de 1910, e o projeto apresentado e aprovado pelo *Institut de Droit International*, na sessão de Gand, em 1906[263].

Os progressos científicos e tecnológicos verificados nas grandes guerras mundiais tiveram profunda influência sobre a doutrina, provocando a assinatura de atos internacionais a respeito, com destaque para: a Convenção de Paris de 13 de outubro de 1919, e, sobretudo, a **Convenção sobre Aviação Civil Internacional**, assinada em Chicago, em 7 de dezembro de 1944, e com inúmeras emendas, que permanece o documento básico na matéria.

O Código Brasileiro do Ar (Dec.-lei n. 483, de 8-6-1938) foi substituído pelo Código Brasileiro de Aeronáutica (Lei n. 7.565, de 19-12-1986).

6.7.1. classificação e nacionalidade das aeronaves

A classificação das aeronaves que se nos deparara desde o antigo Código Brasileiro do Ar corresponde, *grosso modo*, à da Convenção sobre o Direito do Mar em matéria de navios. O Código divide as aeronaves em militares e as que forem utilizadas pelo estado em serviço público; todas as demais se consideram aeronaves privadas, dentre as quais devemos incluir as aeronaves do estado que *não* forem utilizadas em serviço público.

A equiparação das aeronaves estatais usadas para fins comerciais com as aeronaves privadas é mais importante em matéria aeronáutica do que em marítima, visto que grande número, senão a maioria, das companhias de aviação civil são de propriedade de estados ou a maioria das ações são controladas pelo estado.

As regras sobre a *nacionalidade* das aeronaves não correspondem às utilizadas quanto aos navios. Citam-se cinco critérios: 1º) o do país de matrícula; 2º) o do país de base (*port d'attache*); 3º) o do país de origem ou construção; 4º) o da nacionalidade do proprietário; e 5º) o do domicílio do proprietário. A legislação brasileira combina o critério da matrícula com o da nacionalidade do proprietário. No fundo, a questão é bem mais complexa, pois o que se verifica na prática é que hoje em dia vigora o sistema do *leasing*, ou seja, embora as aeronaves comerciais tragam obrigatoriamente os sinais distintivos de sua nacionalidade (assim como as marcas de sua matrícula), isto não significa necessariamen-

263. INSTITUTO DE DIREITO INTERNACIONAL, **Session de Gand – 1906** (24 septembre 1906) **Régime de la télégraphie sans fil** *(Rapporteur: M. Paul FAUCHILLE)*, cujo artigo primeiro estipulava: "L'air est libre. Les États n'ont sur lui, en temps de paix et en temps de guerre, que les droits nécessaires à leur conservation".

te que sejam de propriedade da companhia de aviação civil cujas cores ostentam, mas sim de pessoa jurídica sediada em outro país.

6.7.2. aeronaves em espaço aéreo estrangeiro

O regime das aeronaves em espaço estrangeiro segue regras que se assemelham às estabelecidas para os navios em condições análogas.

No tocante às aeronaves militares, é-lhes reconhecido o gozo de certas imunidades, que as subtraem à jurisdição do estado estrangeiro em cuja atmosfera tenham tido permissão de circular ou em cujo território tenham sido autorizadas a pousar. Assim, estão isentas da visita dos funcionários de polícia ou aduaneiros; os poderes locais não exercerão nenhuma autoridade sobre elas; as infrações praticadas a bordo não estão sujeitas à jurisdição dos tribunais locais; elas não podem ser objeto de sequestro, arresto ou detenção. Não estão isentas, porém, do dever de obediência às leis e regulamentos de polícia ou de defesa militar, fiscal ou sanitária, do dito estado.

As regras estabelecidas para os navios públicos não militares são aplicáveis às aeronaves da mesma natureza. Pode dizer-se, também, que, em geral, as normas adotadas para os navios privados são aplicáveis às aeronaves privadas.

Entretanto, entre as disposições regulamentares que um estado pode adotar muitas se referem, privativamente, à navegação aérea. Assim, por exemplo, pode um estado exigir que as aeronaves privadas estrangeiras não transportem explosivos, armas ou munições; não pratiquem acrobacias acima de cidades etc. Além disso, pode ordenar – e não só para as aeronaves privadas, mas também e sobretudo para as militares – o estabelecimento de um itinerário determinado para a travessia aérea do território do estado; a interdição de voo sobre certas zonas; a proibição do transporte de aparelhos fotográficos.

Com referência à aplicação do direito de jurisdição do estado sobre as aeronaves privadas estrangeiras, pode dizer-se que, juridicamente, o princípio é perfeitamente exato, uma vez que se reconhece a soberania do estado sobre o espaço atmosférico acima do respectivo território. Na prática, porém, tal aplicação oferece, às vezes, sérias dificuldades. Daí a variedade de sistemas propostos para esse efeito.

6.7.3. aeronaves em voo ou sobre o alto-mar

A determinação da justiça competente em relação a ato cometido em aeronave em voo pode ser sumamente complexa. No caso de voo sobre o alto-mar, as aeronaves só podem estar sujeitas à jurisdição e à autoridade do país cuja nacionalidade possuam.

O princípio da territorialidade da lei penal tem sido invocado, mas, embora juridicamente correto, seria desaconselhável em certas circunstâncias, pois nem sempre será fácil determinar o território sobrevoado; e possivelmente o país sobrevoado não se considere competente.

A competência do país de aterragem tem sido defendida; seria a lei do captor. Mas também apresenta desvantagens, inclusive a possibilidade de o local de pouso ser modificado. Existe ainda a possibilidade de as autoridades locais não se interessarem pelo caso.

O critério mais aceito é o da competência do estado cuja nacionalidade a aeronave possua. Tem a vantagem de indicar claramente a lei e a justiça competente, mas pode retirar a competência do estado que se julga normalmente competente, ou em virtude da nacionalidade da vítima ou por se tratar do estado de aterragem.

Em suma, a solução está na adoção de um critério que permita a pluralidade de competências. A **Convenção de Tóquio sobre infrações e certos outros atos praticados a bordo de aeronaves**, de 1963, por exemplo, adota o critério da nacionalidade da aeronave, mas reconhece no artigo 4º a competência de qualquer estado contratante de exercer a sua jurisdição penal, se a infração produzir efeito em seu território, se for cometida por ou contra um seu nacional ou pessoa que nele tenha residência permanente ou se afetar a sua segurança nacional. Na realidade, os crimes de pirataria aérea, bem como os de pirataria tradicional, são crimes de direito das gentes cujo julgamento e punição podem ser exercidos por qualquer país.

6.8. Espaços internacionais

O direito internacional passou a se preocupar com a regulamentação dos espaços internacionais, também denominados extraterritoriais ou internacionalizados[264]. A rigor, o problema não é novo, desde a aceitação dos ensinamentos de Grocius sobre a liberdade dos mares. A adoção por unanimidade pela Assembleia Geral das Nações Unidas em 1963 da Declaração dos princípios jurídicos que regulamentam as atividades dos estados em matéria de Exploração e Utilização do Espaço Extra-Atmosférico e a adoção dos artigos da Convenção sobre o Di-

264. A respeito, P. B. CASELLA, **Direito internacional dos espaços** (2009, esp. Cap. XX, "espaços internacionais: de *res nullius* a patrimônio comum da humanidade", p. 565-586).

reito do Mar sobre os fundos marinhos vieram mostrar que havia outros espaços não submetidos à soberania dos estados. Conforme foi visto, com a adoção de normas em nível internacional sobre o domínio aéreo, o direito internacional passou a ser tridimensional, sendo que agora novas dimensões se acrescentaram.

Os problemas ligados ao alto-mar, espaço ultraterrestre e fundos marinhos têm sido abordados como matérias estanques, quando existe a conveniência de serem identificadas as normas de direito internacional aplicáveis a todos os espaços.

Para Pierre-Marie DUPUY, espaços internacionalizados podem ser caracterizados como "um espaço legalmente insuscetível de apropriação nacional"[265]. O artigo 89 é categórico neste sentido ao dispor que: "Nenhum Estado pode legitimamente pretender submeter qualquer parte do alto-mar à sua soberania". A não apropriação nacional corresponde à liberdade de utilização dos espaços por todos os estados, inclusive os estados sem litoral, que têm como os demais "o direito de fazer navegar no alto-mar navios que arvorem a sua bandeira" (artigo 90).

Existe uma tendência de incluir a Antártica dentre os espaços internacionalizados, e a prática internacional tem sido em tal sentido, embora alguns países ainda mantenham de pé as suas reivindicações sobre parcelas da mesma.

Os relatores da Comissão de Direito Internacional incumbidos de adotar regras sobre a utilização, que não a navegação, dos rios internacionais têm buscado equiparar a navegação dos rios internacionalizados ao regime, por exemplo, do alto-mar, ao falarem em *shared national resources*, mas semelhante teoria não tem fundamento e vai contra os pronunciamentos dos países consultados a respeito.

6.8.1. alto-mar

O princípio da liberdade do mar assumiu, em decorrência dos progressos da ciência e da tecnologia, nova dimensão, a começar com a possibilidade de ser explorado o fundo do mar. As novas técnicas de pesca provocaram saudável reação[266] destinada à proteção dos recursos vivos do mar, muito embora as regras

---

265. Pierre-Marie DUPUY, **Droit international** (7. ed., Paris: Dalloz, 2004, ch. 3. "L'utilisation des espaces d'usage international et la gestion des ressources de l'humanité", p. 710-777).

266. *Bibliografia*: ACCIOLY - 2, **Tratado** (2009); CASELLA, **Direito internacional dos espaços** (2009, Cap. XXI, "alto-mar", p. 587-596); Charles CHAUMONT, **Le droit de l'espace**, Paris, 1970; DÍEZ - 1, p. 431; DUPUY, p. 511; John KISH, **The law of international spaces**, Leiden, 1973; MELLO - 2, p. 979; NGUYEN Quoc Dinh, p. 601; René-Jean DUPUY e Daniel VIGNES, **A handbook on the new law of the sea**, Haia, 1991; ROUSSEAU - 4, p. 630; S. ODA, **The international law of ocean development**, Leiden, 1972; Tullio TREVES, **Codification du droit international et pratique des**

adotadas em 1982 já exijam revisão diante dos perigos de extinção de determinadas espécies[267].

A caracterização de alto-mar tornou-se mais difícil diante da introdução a partir de 1958 de diversas novas zonas no domínio marítimo, como a zona contígua, a zona econômica exclusiva e a plataforma continental. A Convenção de Montego Bay nos apresenta no artigo 86 a seguinte definição negativa, ou seja, "todas as partes do mar não incluídas na zona econômica exclusiva, no mar territorial ou nas águas interiores de um Estado, nem nas águas arquipelágicas de um Estado arquipélago". Parece-nos preferível dizer que o alto-mar compreende todas as águas situadas além dos limites das águas territoriais.

Historicamente, verifica-se que a noção de liberdade dos mares só surgiu no início do século XVII, visto que até então o direito feudal se guiava pelo conceito de *dominium maris* do direito romano. Diversos países proclamaram a sua soberania sobre extensas áreas do mar, como Veneza sobre o Adriático, Gênova sobre o mar de Ligúria, a Dinamarca e a Suécia sobre o Báltico, a Inglaterra sobre o Mar do Norte e o Mar da Irlanda, e o Canal da Mancha, até hoje chamado *English Channel*. Com as descobertas de Portugal e de Espanha no século XV, os dois países ibéricos, invocando o princípio da descoberta, passaram a proibir a permanência de navios de outras nações nas águas sobre as quais invocavam a sua soberania. A Bula *Inter Coetera*, de ALEXANDRE VI, de 4 de maio de 1493, simplesmente reconheceu este estado de coisas.

O declínio naval de Portugal e de Espanha, a consolidação do poder naval da Inglaterra e da França e o surgimento da Holanda como potência marítima, todas desejosas de participar do comércio com os países orientais, resultou na substituição do *dominio maris* pelo princípio da liberdade dos mares, que teve em GROCIUS o seu principal artífice. A publicação, em 1609, do *Mare Liberum* de GROCIUS provocou uma série de trabalhos pró e contra, mas o resultado final foi o reconhecimento do princípio da *liberdade de navegação marítima*, que pouco depois evoluiria para o princípio da *liberdade dos mares*, tido até recentemente como axiomático.

A Convenção sobre o Alto-Mar de 1958 no artigo 2º salienta que a liberdade do mar compreende, principalmente, a liberdade de navegação, a de pesca, a de nele colocar cabos e oleodutos submarinos e a de sobrevoo. O artigo 87 da Convenção de 1982 aumentou a relação, acrescentando a liberdade de construir

---

États dans le droit de la mer, RCADI, 1990, v. 223; Vangah Francis Wodié, The High Seas, in **International law** (Paris: UNESCO, 1991, p. 885); Wolfgang FRIEDMANN, **The changing structure of international law**, London, 1964.

267 *V.*, a seguir, item 7, direito internacional do meio ambiente.

ilhas artificiais e outras instalações permitidas pelo direito internacional e a liberdade de investigação científica. No caso do direito de pesca e do de colocar cabos submarinos, o novo texto salienta que a faculdade não é ilimitada.

O *direito de navegação* deixou de ter o prestígio de quando os mares eram ou mar territorial ou alto-mar. Com a extensão do mar territorial para 12 milhas e a adoção da ZEE com 200, a área de influência do princípio da liberdade dos mares diminuiu consideravelmente.

Uma das primeiras preocupações do direito internacional foi a proteção da vida humana no mar. Em 20 de janeiro de 1914 foi assinada uma Convenção com este objetivo, modificada posteriormente. A primeira conferência organizada pela OMI foi dedicada à questão da segurança. A Convenção Internacional sobre Segurança no Mar, mais conhecida por SOLAS (*Safety of Life at Sea*), entrou em vigor em 1965, mas foi substituída por outra mais ampla durante a Conferência celebrada em 1974.

A adoção de medidas destinadas a evitar o *abalroamento* em alto-mar não pode ser desassociada da segurança da navegação. A Convenção de 1982 se ocupa da matéria no artigo 97, mas o direito internacional a respeito deve ser buscado em outros documentos, a começar com as duas Convenções de Bruxelas, de 23 de setembro de 1910, para a unificação de certas regras em matéria de abalroamento e de assistência e salvamento marítimos. Em 1972, a OMI adotou um novo e atualizado Regulamento na Convenção sobre Regulamentos Internacionais para Prevenir Abalroamentos no Mar (COLREG 1972). Dentre as inovações deste Regulamento figura a obrigatoriedade da adoção de faixas de separação do tráfego naquelas partes do mundo em que o tráfego marítimo é muito congestionado.

A Convenção sobre o Direito do Mar adotou as regras da Convenção de 1958 sobre a pirataria e criou para todos os estados a obrigação de cooperar na sua repressão. Em tal sentido, reconhece o direito dos estados de apresar um navio ou aeronave capturados por ato de piratas e o direito de visita. O direito de visita é igualmente reconhecido no caso de navios empregados no transporte de escravos. Uma das novidades da Convenção é a adoção de regra relativa ao tráfico ilícito de estupefacientes e substâncias psicotrópicas.

A *liberdade de sobrevoo* é devidamente reconhecida, sendo que uma das condições exigidas pelas potências marítimas ao aceitar a ZEE foi precisamente a da confirmação do direito de passagem inocente.

A Convenção de 1982 rompe com a tradicional tese da *liberdade de pesca* ao estipular que está condicionada às obrigações constantes de acordos bi ou multilaterais, aos direitos e deveres dos estados costeiros em relação às espécies altamente migratórias, bem como às espécies transzonais. Os estados que se dediquem à pesca em alto-mar têm ainda a obrigação de trocar informações científicas disponíveis, estatísticas de captura e outros dados pertinentes à conservação das populações de peixes, por intermédio das organizações internacionais competentes e com a participação de todos os estados interessados.

Um dado que não tem merecido a devida divulgação é que, com a criação da ZEE, ocorreu uma diminuição sensível do alto-mar e, em consequência, das zonas de pesca das espécies mais procuradas, ou seja, as de maior interesse comercial. A rigor, a pesca no alto-mar passará a ser principalmente a do atum e, talvez, da baleia, se a comunidade internacional levantar as proibições que vêm sendo adotadas.

O controle pelos estados da pesca em alto-mar só é aplicável aos pesqueiros que arvoram o seu pavilhão.

O direito de pesca em alto-mar é reconhecido a todos os estados e, em consequência, aos estados sem litoral.

Conforme foi visto, existe muita preocupação com a pesca excessiva das espécies altamente migratórias que ora frequentam a ZEE, onde contam com proteção, ora o alto-mar. As Nações Unidas convocaram uma Conferência visando à implementação da Convenção sobre o Direito do Mar sobre as populações transzonais e espécies altamente migratórias. Em 1993 duas reuniões foram realizadas em Nova York, mas os resultados alcançados têm sido modestos.

O *direito de colocação de cabos e ductos submarinos* no alto-mar tem sido reconhecido desde 1854, quando um primeiro tratado, que não chegou a ser aplicado, foi assinado. A Convenção de 1884, da qual o Brasil é parte, continua em vigor e busca proteger os cabos submarinos. A Convenção de 1982 se ocupa da matéria e cria para os estados a obrigação de adotar as leis e os regulamentos necessários para que constituam infrações passíveis de sanção a ruptura ou a danificação, intencional ou por negligência culposa, de um cabo em alto-mar.

A transmissão não autorizada a partir do alto-mar é igualmente prevista. A adoção de uma faixa de mar territorial de 12 milhas, isto sem falar na ZEE, fez com que tais transmissões, que chegaram a ser motivo de muita preocupação e inúmeros processos na Europa, diminuíssem a importância deste problema.

6.8.2. espaço ultraterrestre

Ao passo que o princípio da liberdade dos mares figura dentre as mais antigas regras de direito internacional, as normas relativas ao espaço ultraterrestre, ou sideral, figuram dentre as mais recentes[268]. Constatada a possibilidade de

268. *Bibliografia*: B. CHENG, Studies in international space law, 1997; P. B. CASELLA, **Direito internacional dos espaços**

o homem estender as suas atividades além do espaço aéreo territorial, em decorrência do lançamento do satélite artificial *Sputnik 1* pela URSS, em 4 de outubro de 1957, do voo do cosmonauta soviético Y. GAGARIN, em 12 de abril de 1961, e do desembarque dos primeiros seres humanos na Lua, em 10 de julho de 1969 – os astronautas norte-americanos N. A. ARMSTRONG, E. A. ALDRIN e M. COLLINS –, coube ao direito internacional formular as regras destinadas a regulamentar tais atividades. A circunstância de apenas as duas então existentes superpotências, EUA e URSS, terem a capacidade tecnológica de explorar o espaço ultraterrestre, durante os primeiros anos da chamada "era espacial", também concorreu para que os demais estados sentissem a necessidade de serem fixadas regras capazes de impedir que nesta área também vingasse o princípio de *quem chega na frente, serve-se à vontade (first come, first served)*.

O *Instituto de Direito Internacional* adotou resolução, na sessão de Bruxelas, em 1963[269], no sentido de que "o espaço bem como os corpos celestes não podem ser objeto de nenhuma apropriação"[270]. Vários dispositivos enunciados na Reso-

---

(2009, Cap. XXII, "espaço ultraterrestre", p. 597-626); I. H. DIEDERICKS-VERSCHOOR, **An introduction to space law**, 1997; C. Q. CHRISTOL, **Space law: past, present and future**, 1991; M. Augusto FERRER, **Derecho Espacial**, 1976; A. THEIS, *The international legal code on geostationary radio satellites*, GYIL, 1985, p. 227; D. GOEDHUIS, **The problem of the frontier of outer space**, RCADI, 1982-1, v. 174, p. 367; DUPUY, p. 515; Edward MCWHINNEY, **New frontier in space law**, Leiden, 1969; Ivo Sefton de AZEVEDO, *A conquista da lua e o direito internacional*, Boletim, 1969, p. 87; Jean-Marie ALLINE, **L'orbite des satellites geostationaires**, Paris, 1978; John KISH, **The law of international space**, p. 39; Manfred LACHS, **The international law of outer space**, RCADI, 1964, v. 113, p. 7; idem, *Outer space, the Moon and Other Celestial Bodies*, in **International law** (Paris: UNESCO, 1991, p. 959); MCMAHON, *Space law*, BYB, v. 38, p. 339, 1962; MELLO - 2, p. 979; NGUYEN Quoc Dinh, p. 659; ROUSSEAU - 4, p. 631; Simone Courteix, *Questions d'actualité en matière de droit de l'espace*, AFDI, 1978, p. 890; Stephen GOROVE, *The geostationary orbit*, AJIL, 1979, v. 73, p. 444.

269. INSTITUTO DE DIREITO INTERNACIONAL, **Session de Bruxelles – 1963** (11 septembre 1963) / **Le régime juridique de l'espace** *(Deuxième Commission, Rapporteur: M. C. Wilfred Jenks) / (Le texte français fait foi. Le texte anglais est une traduction)* constata dever se inspirar de espírito de universalidade todo o regime jurídico da exploração e da utilização do espaço, bem como dos corpos celestes; reconhece ser do interesse da humanidade que o espaço seja consagrado somente a fins pacíficos, em conformidade com a **Carta** das Nações Unidas; se reporta às Resoluções em matéria de cooperação internacional para o uso pacífico do espaço, adotadas por unanimidade pela Assembleia Geral das Nações Unidas, em 20 de dezembro de 1961 e 14 de dezembro de 1962, bem como o **Tratado proibindo as experiências com armas nucleares na atmosfera, no espaço e sob as águas**, assinado em Moscou, em 6 de agosto de 1963; considera a urgência de regulamentação internacional da matéria, em razão da rapidez dos progressos da ciência e da tecnologia; reconhece o valor dos princípios seguintes e almeja a incorporação destes em tratado ou declaração amplamente aceitas, a respeito do regime jurídico do espaço.

270. IDI, **Resolução** (sessão de Bruxelas, 1963): "1. L'espace ainsi que les corps célestes ne peuvent faire l'objet d'aucune appropriation. Ils peuvent être librement explorés et utilisés par tous les États à des fins exclusivement pacifiques conformément aux dispositions suivantes. 2. Aucun objet spatial ne doit être lancé si ce n'est sous l'autorité d'un État. Chaque État est tenu de garantir que l'utilisation de tout objet spatial lancé sous son autorité sera conforme aux règles internationales applicables. 3. Tout lancement d'un objet spatial devra être enregistré sans délai, et avec les précisions à convenir, auprès des Nations Unies ou d'un organisme spécial à créer, par l'État sous l'autorité duquel il a été effectué. 4. Tout objet spatial devra porter des signes d'identification de son origine et utiliser des signaux d'appel permettant de déterminer l'État sous l'autorité duquel le lancement a été effectué. 5. Tout objet spatial, lancé dans les conditions ci--dessus énumérées, reste soumis à la juridiction de l'État sous l'autorité duquel il a été lancé. 6. L'État établissant une installation spatiale est tenu d'y assurer l'ordre et la sécurité. Sous réserve de tout accord international ultérieur, les

lução de 1963 viram-se refletidos na regulamentação posteriormente adotada.

O dado mais relevante foi o reconhecimento de ser o **espaço ultraterrestre** ***res communis*** e não ***res nullius***, tese esta transformada no conceito mais atualizado de **patrimônio comum da humanidade**, portanto não passível de apropriação ou pretensão em tal sentido, por parte de qualquer estado.

Palco principal de discussões normativas sobre a matéria, a ONU contribuiu decisivamente para a criação de ramo autônomo do direito internacional privado, o direito espacial (ou ultraterrestre, ou sideral). Logo após o sucesso da missão soviética *Sputnik*, foram acordadas diversas resoluções por parte da Assembleia Geral. Embora contendo regras meramente indicativas aos estados-membros, foram bem recebidas pela comunidade internacional, e assumiram, rapidamente, *status* de **normas costumeiras**. Destacam-se as **Resoluções 1.884 (XVIII)**, ***contra a alocação de armamentos nucleares em órbita***, e **1.721 (XVI)**, que ***consagrou o princípio de liberdade do espaço***. No entanto, a mais importante, sem dúvida, foi a **Resolução 1.962 (XVIII)**, adotada pela Assembleia Geral das Nações Unidas, por unanimidade, em 13 de dezembro de 1963, denominada "***Declaração de Princípios Legais regulamentando as Atividades na Exploração dos Espaços Exteriores***".

---

personnes utilisant l'installation et les faits qui s'y produisent relèvent de la juridiction de l'État ayant établi l'installation. 7. Tous les États sont tenus d'assurer que les télécommunications spatiales sont conformes aux règlements de l'Union internationale des télécommunications. 8. Les États devront prendre des mesures appropriées pour: a) l'assistance mutuelle entre astronautes; b) la coopération mutuelle entre États en faveur des astronautes ayant besoin d'assistance; c) le rapatriement rapide des astronautes après tout atterrissage d'urgence ou sauvetage. 9. Des mesures appropriées devraient être prévues dans un accord international en vue de la restitution à l'État, sous l'autorité duquel le lancement a été effectué, d'objets spatiaux dont le lancement a été officiellement annoncé, qui portent les signes d'identification de leur origine, et qui, à leur retour sur la terre, tombent en possession d'un autre État. 10. L'État, sous l'autorité duquel le lancement est effectué, doit s'assurer que tout objet spatial soit muni, dans la mesure où cela est pratiquement possible, d'un dispositif adéquat permettant à 1'auteur du lancement de le récupérer au moment où prend fin son existence utile ou, si cela n'est pas réalisable, tout au moins de réduire au silence les transmissions par radio qui en proviennent et d'éliminer ses autres effets. 11. L'État, sous l'autorité duquel le lancement est effectué, devra s'assurer que soient prises les précautions appropriées contre la contamination biologique, radiologique ou chimique de l'espace ou des corps célestes, ou en provenant. Une coopération internationale dans ce domaine devrait être organisée. 12. Les expériences scientifiques et techniques touchant à l'espace, qui pourraient comporter le risque d'une modification de la terre ou des corps célestes, de leur milieu ambiant ou de l'espace, d'une façon susceptible d'être préjudiciable à des recherches ou expériences scientifiques futures, aux conditions de la vie humaine ou aux intérêts d'un autre État, affectent nécessairement et directement les intérêts de la communauté internationale tout entière. En vue de conjurer ce risque, les dispositions de la présente Résolution devraient être complotées par des arrangements internationaux appropriés. 13. L'État sous l'autorité duquel le lancement d'un objet spatial a été effectué, est responsable des dommages en résultant, même en dehors de toute faute. Des modalités d'application de ce principe pourraient être déterminées par convention spéciale. Toute limitation éventuelle du montant de la réparation due devrait également être prévue de cette manière. 14. Pour tout ce qui n'est pas prévu aux paragraphes précédents, les États sont liés par le droit international général, y compris les principes de la Charte des Nations Unies. 15. Les principes contenus dans la présente Résolution s'appliquent aux activités spatiales entreprises par des États agissant individuellement ou collectivement, ou par des organisations internationales. Ce qui est dit des Etats aux paragraphes précédents s'applique également aux organisations internationales, étant entendu que les États Membres d'une organisation internationale demeurent responsables pour les activités spatiales entreprises par l'organisation".

A necessidade de elaboração de instrumentos vinculantes, prevendo direitos e responsabilidades dos estados, justificou a criação de órgão especial da ONU, onde as delegações diplomáticas pudessem contribuir para a elaboração de tratados e discussões técnicas, denominado **"Comitê das Nações Unidas para Uso Pacífico do Espaço"**, ou **COPUOS** (**Resoluções 1.348** (**XIII**) e **1.472 A** (**XIV**)). Dos trabalhos deste comitê, foram concebidos cinco grandes acordos internacionais sobre a matéria.

Em 27 de janeiro de 1967 era assinado o **"Tratado sobre os Princípios que Regulamentam as atividades dos Estados em matéria de Exploração e de Utilização do Espaço Ultraterrestre, inclusive a Lua e outros Corpos Celestes"**, que, de modo geral, consolidou os princípios acolhidos pela **Resolução 1.962** (**XVIII**), de 1963. O **Tratado** de **1967** consolida o direito de todos os estados a explorar os espaços ultraterrestres e o ***princípio da não apropriação do território, inclusive de corpos celestes***, vedando que sejam objeto de reivindicação de qualquer estado. No entanto, a maior preocupação da época, a utilização do espaço como cenário de guerra, não foi proibida de forma total. Com efeito, a carta prevê desmilitarização parcial do território sideral, ao não permitir a utilização de armas de todo e qualquer tipo em corpos celestes, ao mesmo tempo em que, quanto à órbita terrestre, apenas impede a alocação de armas nucleares e de destruição em massa, não estendendo tal restrição a outros tipos bélicos. Trata-se de manifesta contradição com outro dos princípios que estipula, o de que a ***utilização do espaço ultraterrestre será exclusivamente para fins pacíficos***.

Por constituir acordo-quadro, o **Tratado** de **1967** foi complementado por alguns outros atos destinados a desenvolver os princípios básicos. Em 22 de abril de 1968, foi aberto à assinatura o **Tratado sobre o salvamento e a devolução de astronautas e a restituição de objetos lançados ao espaço ultraterrestre**, com determinações específicas sobre a ***assistência obrigatória de todos os estados a astronautas***, independentemente de suas nacionalidades. Tema importante tanto para os EUA quanto para a URSS desde os primeiros anos da conquista do espaço, o acordo prevê que nenhum astronauta pode ser considerado espião, devendo ser prontamente restituído ao seu país de origem, e este será responsável pelas despesas correspondentes. Da mesma forma, ***estabelece regra semelhante para objetos espaciais encontrados em territórios de outros estados, de forma a impedir a apropriação de tecnologia estratégica abarcada nesses equipamentos***.

O próximo acordo internacional, a **Convenção sobre responsabilidade internacional por danos causados por engenhos espaciais**, de 29 de março de 1972, constitui instrumento chave, por inovar em diversos princípios clássicos de direito internacional. Prevê ser o estado lançador o responsável absoluto por danos causados por objetos espaciais em solo ou a aeronaves em voo, respondendo, em tais casos, independentemente de culpa. Por outro lado, danos experimentados no espaço ultraterrestre, por outros objetos em órbita, ensejarão responsabilidade subjetiva dos estados, exigindo comprovação prévia de culpa para que se constitua obrigação de indenizar. O pedido de reparação, que deve ser formulado por vias diplomáticas, não constitui exclusividade do estado de nacionalidade do lesado, podendo ser apresentado, por exemplo, por aquele em cujo território foi experimentado o dano. Respondem os estados, solidariamente, por lançamentos conjuntos e, subsidiariamente, por aqueles promovidos por organizações internacionais de que façam parte. Caso não seja possível acordo diplomático sobre a reparação, o tratado prevê a constituição de uma comissão de resolução de conflitos, que decidirá de forma vinculante, se as partes assim acordarem.

Poucos anos depois, em 14 de janeiro de 1975, foi concluída a **Convenção sobre registro de objetos lançados no espaço exterior**, que obriga estados-partes a manterem registro nacional de todos os lançamentos espaciais em que estiverem envolvidos, devendo, igualmente, informar às Nações Unidas detalhes específicos do objeto lançado. Em missões conjuntas, os envolvidos decidirão qual será o estado de registro perante a ONU. Seu objetivo é criar mecanismo capaz de prontamente identificar o estado responsável por lançamentos e objetos espaciais, facilitando eventuais reparações.

Ao contrário dos outros grandes tratados sobre a matéria, os quais foram bem recebidos pela comunidade internacional, tendo sido, inclusive, assinados e ratificados pelo Brasil, o acordo sobre **atividades dos estados na Lua e outros corpos celestes**, de 18 de novembro de 1979, conta com pouco mais de dez signatários. Prevê que todos os corpos celestes são patrimônio comum da humanidade, devendo ser explorados em benefício de todos os estados, utilizados, exclusivamente, para fins pacíficos. De forma estratégica, dispõe que o tratado será revisado quando tal exploração tornar-se econômica e tecnicamente viável, ocasião em que se obrigam os estados-partes a estabelecer regime internacional sobre recursos naturais extraídos ou utilizados.

O Tratado de 1967, ao declarar que o ***espaço ultraterrestre não pode ser objeto de reivindicações por parte dos estados***, levantou o problema sobre os **limites entre o espaço aéreo nacional e o espaço ultraterrestre**. A doutrina clássica, pautada no direito romano, reconhecia o direito soberano do estado sobre o espaço aéreo acima de seu território, *cujus est solum ejus est usque ad coelum et ad inferos*.

Aceita a noção da soberania do estado subjacente, tal como reconhecida pela **Convenção de Chicago sobre a Aviação Civil Internacional**, surge a necessidade de determinar até onde se estende a soberania do estado e onde começa o espaço ultraterrestre. Segundo M. W. MOUTON, não se trata de questão importante a exigir solução imediata. Esta opinião, contudo, não tem tido aceitação, tanto assim que o **Comitê das Nações Unidas sobre o Uso Pacífico do Espaço** tem salientado que este problema, bem como o da definição do espaço ultraterrestre, merece tratamento prioritário. Inúmeras teses têm sido apresentadas a respeito, mas verifica-se que na prática, por motivos políticos e econômicos, a questão tem esbarrado em toda espécie de dificuldades, levantadas principalmente pelas grandes potências do mercado espacial, contrárias à adoção de qualquer regra capaz de limitar a sua liberdade de ação nesta área, bem como de onerar suas empresas privadas.

Seja como for, ***a altitude máxima alcançável por aviões pode ser considerada o limite funcional do espaço nacional***, conforme defendido por parte da doutrina. No entanto, John KISH, após analisar os vários critérios sugeridos, conclui que a adoção de regulamentação internacional aceitável – mesmo se resultasse no estabelecimento de limite de noventa milhas de espaço nacional – delimitaria pelo menos o espaço nacional e o espaço ultraterrestre. Tratava-se de entendimento defendido por delegações da antiga URSS e, posteriormente, da Rússia, que propuseram a estipulação de limite de cem quilômetros do nível do mar, até onde se estende noventa e nove por cento da atmosfera terrestre, para ***distinguir os territórios aéreo e sideral, cujos regimes jurídicos apresentam dessemelhanças marcantes***.

Para os estados situados sob a linha do Equador, a delimitação do espaço aéreo se reveste de interesse especial, pois poderia abranger a órbita geoestacionária, localizada 35.871 quilômetros (22.374 milhas) acima de seu domínio terrestre, marítimo e insular, que, assim, seria considerada parte integrante do espaço aéreo nacional. A questão foi suscitada pela Colômbia na Assembleia Geral das Nações Unidas. Na Ata Final da reunião efetuada em Bogotá, em 1976, os participantes da reunião, invocando a posição apresentada nas Nações Unidas, bem como na União Internacional de Telecomunicações, reivindicaram a soberania sobre o espaço geoestacionário. O Brasil participou da reunião de 1976 como Observador, mas não subscreveu a Ata Final.

A pretensão dos países equatoriais provocou forte reação, principalmente da parte das duas então existentes superpotências, sendo objeto de declaração formal da antiga URSS, por ocasião da reunião de 1977, do Comitê para o Uso Pacífico do Espaço no sentido de que "a órbita geoestacionária não pode ser separada do espaço ultraterrestre" e que todos os dispositivos relevantes do Tratado sobre as Atividades dos Estados na Exploração do Espaço Ultraterrestre, inclusive a Lua e outros Corpos Celestes, lhe são aplicáveis. Nos termos do Tratado, a órbita geoestacionária, como o espaço ultraterrestre como um todo, não pode ser sujeita de nenhum modo à apropriação nacional. Admitido que a órbita geoestacionária se acha localizada no espaço ultraterrestre, a posição então afirmada pelos soviéticos seria correta; mas, se o direito internacional admitir que o espaço aéreo nacional se estende a 40.000 quilômetros ou mais acima do território nacional, a tese defendida pelos países equatoriais – quase todos eles de pequeno poder político ou econômico – estaria correta.

O documento, cuja aplicação prática seria virtualmente impossível, acabou rechaçado pela comunidade internacional, por afrontar princípios basilares do direito internacional espacial e, hoje, guarda somente importância pelo fato de ter suscitado a questão do limite de soberania vertical dos estados em âmbito diplomático. Até o momento, ***ainda não foi obtido consenso sobre a fronteira entre os espaços aéreo e ultraterrestre***.

Por fim, cumpre analisar a questão do **lixo espacial**, tema que merece, a cada dia, maior atenção. Com o aumento do número de lançamentos espaciais, o problema ganha contornos relevantes, posto que a grande maioria dos objetos em órbita do planeta, atualmente, ou são satélites artificais inativos, ou peças e restos de foguetes, colocando em risco a exploração do território, principalmente por astronautas. Não existe previsão internacional específica, que condene a poluição do espaço por tais dejetos, nem que obrigue estados responsáveis a retirarem de órbita tais restos. A dificuldade de identificar o estado responsável por pequenos detritos, que podem causar graves danos a terceiros, também justifica a tese de que a **Convenção de responsabilidade** de 1972 deve ter seu ***regime atualizado***, bem como a **Convenção de registro**, de 1975.

O principal caso sobre o tema deixou clara a pertinência da responsabilidade objetiva dos estados por danos à superfície terrestre decorrentes de atividades espaciais. Em 24 de janeiro de 1978, o satélite militar soviético *Cosmos 954*, por falhas técnicas, entrou em queda livre e colidiu com o território do Canadá, na região do Lago dos Escravos, a noroeste de Montreal. Como seu combustível era nuclear, composto de urânio enriquecido, os danos causados no local da queda foram consideráveis, provocando radioatividade nociva a seres vivos, o que obrigou a realização de esforços emergenciais de limpeza da área, capitaneados por equipes canadenses e norte-americanas. O incidente foi discutido por vias diplomáticas com base nas cartas de Direito Espacial, sendo que, num primeiro momento, as autoridades da então URSS buscaram eximir-se de sua responsabilidade pelos danos causados. Em 1981, as partes chegaram a acordo; os soviéticos pagariam indenização no valor de 3 milhões de dólares canadenses, metade do que havia sido pedido originalmente pelo Canadá, para compensar os gastos com a descontaminação da área atingida, bem como abririam mão de seu direito de reaver os destroços do objeto espacial.

Para Manfred LACHS (1991)[271], o direito aeroespacial deve ser concebido como parte do direito internacional. Mas a construção dessas novas áreas pressupõe novos critérios, adaptados aos problemas da época. De tal modo, faz-se necessário refletir a respeito do fato de que grande número de normas internacionais deverão ter o seu campo de aplicação estendido do fundo dos oceanos às órbitas dos satélites. Ao avaliar todas as implicações decorrentes de tal necessidade, estaremos, talvez, em melhor situação, para formular normas válidas e úteis e dar-lhes interpretações construtivas, para o maior bem dos contemporâneos e da humanidade futura, com espírito de compreensão internacional e de cooperação.

6.8.3. fundos oceânicos

Em 1967, o Representante de Malta, Arvid PARDO, pronunciou perante a Assembleia Geral das Nações Unidas um discurso histórico em que abordou os últimos e importantes avanços verificados em relação à exploração dos mares, principalmente dos fundos dos oceanos, donde, ao que tudo indicava, seria possível extrair quantidades fantásticas de minérios, sobretudo nódulos de manganês, cobre, níquel e ferro, além do potencial do subsolo dos fundos marinhos em matéria de petróleo e de gás natural.

Para os países em desenvolvimento, a possibilidade de participar na exploração e explotação desses recursos representaria importante elemento no combate à miséria e, em consequência, e aproveitando o seu poder de voto na Assembleia Geral, votaram Declaração de Princípios pela qual o leito marinho, além dos limites da jurisdição nacional, foi declarado ***patrimônio comum da humanidade***. Nos termos da Declaração, a Área não poderia ser motivo de apropriação ou de reivindicações de soberania, os seus recursos seriam explorados e explotados por meio de um regime internacional, e seria firmado "um tratado internacional de caráter universal, aceito em termos gerais".

Na mesma ocasião, a Assembleia Geral decidiu convocar para 1973 uma conferência sobre o direito do mar, e desde o início verificou-se que a questão

271. Manfred LACHS, L'espace, la lune et les autres corps célestes (in **Droit international**, Paris: UNESCO / Pedone, 1991, v. II, cap. XLIII, p. 1025-1040, cit. p. 1039).

da exploração dos fundos marinhos e do respectivo subsolo seria a questão central. O tema mantém sua relevância[272].

Em outras palavras, caberia à nova conferência reapreciar as regras adotadas em Genebra em 1958; só que, ao contrário da solução adotada anteriormente, quando a Comissão de Direito Internacional foi encarregada de submeter projetos que foram apreciados por uma conferência, os países em desenvolvimento conseguiram que a Assembleia Geral chamasse a si a formulação de uma Convenção em que considerações políticas prevaleceriam sobre as jurídicas.

Embora a Declaração tenha sido acolhida sem nenhum voto contra, os seus termos passaram a ser interpretados de maneiras distintas. Os países socialistas, por exemplo, salientaram que os princípios eram vagos e imprecisos, e a URSS sugeriu que o princípio do *patrimônio comum da humanidade* deveria ser incluído no preâmbulo da futura convenção, sem nenhuma referência aos *recursos*. Não cabe aqui mencionar todas as fórmulas sugeridas; basta salientar que, para os países industrializados, o princípio *first come*, *first served* deveria continuar a reger a matéria, ou seja, em última análise os benefícios acabariam revertendo a eles. De conformidade com semelhante filosofia, o estado ou a entidade pública ou privada à qual a concessão fosse concedida gozaria de direitos exclusivos na exploração ou na explotação da área; a entidade internacional a ser criada não teria o direito de discriminadamente escolher o operador, tampouco de negociar os termos da concessão; o beneficiário não seria obrigado a transferir a tecnologia desenvolvida na exploração dos recursos. Como concessão ao conceito de patrimônio comum da humanidade, os países industrializados concordavam em que os beneficiários deveriam pagar uma taxa à entidade internacional.

O enfoque dos países em desenvolvimento era exatamente contrário; caberia à entidade internacional indicar o beneficiário, que poderia ser um grupo internacional; as condições da concessão seriam fixadas pela entidade interna-

---

272. *Bibliografia*: P. B. CASELLA, **Direito internacional dos espaços** (2009, Cap. XIII, "plataforma continental", esp. item 13.5, "o caso brasileiro", p. 431-435, sobre o pré-sal, e Cap. XXIII, "fundos oceânicos", p. 627-631). A. M. PAST, **Deepsea mining and the law of the sea**, Leiden, 1983; Alexandre-Charles KISS, **La notion de patrimoine commun de l'humanité**, RCADI, 1982, v. 175, p. 99; Calixto Armas BAREA, *Patrimonio común de la humanidad: naturaleza jurídica, contenido normativo y prospectiva*, Anuário do IHLADI, 1992; Cecil HURST, *Whose is the bed of the sea?* BYB, 1923, p. 34; Christian CAUBET, Fundamentos político-econômicos da apropriação dos fundos marinhos, 1979; DIEZ - 1, p. 403; DUPUY, p. 521; DUPUY e VIGNES, **Traité du nouveau droit de la mer**, p. 1445; Felippe PAOLILLO, *Naturaleza del principio del patrimonio comun de la humanidad*, Anuário do IHLADI, 1984, p. 353; José Antonio Pastor RIDRUEJO, **La explotación de los fondos marinos mas alla de la jurisdicción nacional**, Valladolid, 1975; M. VOELKEL, *L'utilisation du fond de la mer*, AFDI, 1968, p. 719; MELLO - 2, p. 895; Ramiro Saraiva GUERREIRO, *O aproveitamento dos recursos do mar além das jurisdições nacionais*, Boletim, 1969, p. 5; S. P. JAGOTA, The seabed outside the limits of national jurisdiction, in **Droit international**, Paris: UNESCO, 1991, p. 915.

cional; não haveria monopólio tecnológico; os lucros auferidos com a exploração seriam distribuídos.

Ao findar o Governo do Presidente Jimmy CARTER, os Estados Unidos concordaram com uma solução de compromisso, mas o governo seguinte declarou que não aceitaria o citado texto e que estaria disposto a reabrir as negociações. Estas, contudo, não tiveram sucesso, e quando da assinatura da Convenção, em 10 de dezembro de 1982, os Estados Unidos e alguns países industrializados se recusaram a assiná-la.

A Convenção regulamenta minuciosamente as questões relativas à *Área* e *Autoridade* na Parte XI, ou seja, pelos dos artigos 133 a 183. Para efeito da Convenção, a *Área* "significa o leito do mar, os fundos marinhos e o seu subsolo além dos limites da jurisdição nacional". *Autoridade* significa "a Autoridade Internacional dos Fundos Marinhos" (artigo 1º). Quanto aos recursos, são eles todos os recursos minerais, sólidos, líquidos ou gasosos *in situ* na Área, no leito do mar ou no seu subsolo, incluindo os nódulos polimetálicos (artigo 133).

Com o objetivo de contornar a crise criada com a não aceitação pela grande maioria dos países industrializados da Convenção, ou, mais precisamente, da sua Parte XI, o Secretário-Geral das Nações Unidas, Perez de CUELLAR, iniciou novas negociações buscando uma solução que mantivesse intocada a própria Convenção, mas que pudesse atender às dificuldades dos países industrializados no tocante à referida Parte XI. À medida que o número de ratificações necessárias à entrada em vigor ia sendo obtido, a necessidade de uma solução de compromisso se foi acentuando.

Após quatro anos de negociações, uma solução emergiu, possibilitando modificações à citada Parte XI da Convenção, que, contudo, não deveriam ser caracterizadas como emendas, o que seria inaceitável para os países, como o Brasil, que haviam ratificado a Convenção, mas que pudessem atrair os países industrializados. A solução foi finalmente aceita em resolução da Assembleia Geral, firmada em junho de 1994, segundo a qual o Acordo e a Convenção passam a constituir um documento único, e o estado que se vincular a um estará, automaticamente, vinculado ao outro. No plano substantivo, as soluções acolhidas têm o mérito de preservar o essencial da estrutura institucional destinada à exploração dos fundos marinhos e o conceito de patrimônio comum da humanidade, bem como os dispositivos relativos à transferência de tecnologia. Como o desejo, não atendido, dos Estados Unidos de disporem do direito de veto às decisões da Autoridade foi uma das razões da recusa daquele país em assinar a Convenção em 1982, idealizou-se um sistema de veto às decisões da Autoridade por meio das câmaras do Conselho. O objetivo dos países industrializados era atribuir apenas às suas câmaras a faculdade de veto, mas a solução finalmente acolhida em julho de 1994 reconheceu o direito de veto igualmente às câmaras ligadas aos países em desenvolvimento. Cumpre assinalar que a solução é puramente política, visto que, do ponto de vista jurídico, é forçoso reconhecer que o Acordo consubstanciado na resolução da Assembleia Geral constitui a rigor uma emenda, e como tal sujeita às regras de direito internacional a respeito. Para que o Acordo entre em vigor será necessária a ratificação de 40 estados, dos quais cinco deverão ser necessariamente países industrializados. Para os países que assinarem o Acordo ou ratificarem a Convenção a partir de julho de 1994, os dois textos entrarão em vigor provisoriamente, enquanto o poder legislativo dos países não se manifestar a respeito.

Finalizando, convém salientar que, segundo estudos técnicos e científicos atualizados, a exploração dos minerais dos fundos marinhos somente passará a ser viável em termos comerciais no fim da próxima década ou no início da seguinte, contrariando largamente as expectativas suscitadas pelo discurso de Arvid PARDO.

6.8.4. domínio polar

Com os progressos da tecnologia, a exploração dos polos tornou-se factível e, em consequência, o direito internacional passou a se preocupar com os problemas específicos do Polo Norte e do Polo Sul. Mas é importante ter em mente que se trata de duas situações distintas[273], visto que, num caso, trata-se de um oceano coberto por gelo e, no outro, de terra firme coberta por gelo. Para P. FAUCHILLE, um dos mais conceituados autores clássicos, o princípio do *res nullius* poderia ser aplicado no caso de ocupação efetiva. Quanto ao Ártico, Pearce HIGGINS, ao se manifestar contrário à ocupação, trilhava o caminho certo ao defender a tese oposta, embora tivesse em vista ambas as regiões polares.

No caso do *Ártico*, as considerações teóricas cederam à realidade depois da segunda guerra mundial, principalmente por motivos estratégicos, pela confrontação entre os países integrantes da Organização do Tratado do Atlântico Norte (OTAN ou NATO) e os países do Pacto de Varsóvia.

Com o objetivo de justificar as pretensões canadenses sobre a região polar, o Senador Pascal POIRIER apresentou em 1907 a teoria dos setores, sob o fundamento de que "a tomada de posse varia de acordo com as condi-

273. A respeito, P. B. CASELLA, **Direito internacional dos espaços** (2009, Cap. XXIV, "domínios polares", p. 632-655).

ções da região". A teoria só se aplicaria aos países que atingissem o círculo Ártico, ou seja, o Canadá, os Estados Unidos, a Rússia, a Noruega, a Dinamarca e a Finlândia.

Não obstante a relativa aceitação verificada, a teoria deve ser rechaçada no tocante ao Ártico, pois fere frontalmente o princípio da liberdade dos mares, devidamente consolidada pela Convenção sobre o Direito do Mar. A Convenção de 1982, ao proclamar no artigo 87 a liberdade dos mares, não abre nenhuma exceção quanto às áreas cobertas de gelo, que são objeto do artigo 234, o qual figura na Parte XII da Convenção relativa à proteção e preservação do meio marinho. O referido artigo dá ao estado costeiro o direito de adotar e aplicar leis e regulamentos para prevenir, reduzir e controlar a poluição do meio marinho proveniente de embarcação nas áreas cobertas de gelo dentro dos limites da ZEE.

6.8.4.1. Antártica

As reivindicações sobre a *Antártica* têm mais peso e foram objeto de sérias discussões[274] e pretensões baseadas nas mais diversas teorias, como a da descoberta, a da ocupação por meio de explorações, a da contiguidade, a da ocupação efetiva e da defrontação.

Em 1948, os Estados Unidos, que desde 1924 se recusavam a formular qualquer reivindicação sobre áreas do Polo Sul e a reconhecer as existentes, propôs a internacionalização da Antártica sob a tutela das Nações Unidas ou outro sistema de controle internacional. A sugestão foi rechaçada pelos países interessados, com a exceção da Grã-Bretanha, que, a rigor, tinha os direitos mais positivos a respeito.

O Ano Geofísico Internacional, 1957-1958, permitiu a elaboração de alguns Princípios, como a liberdade de investigação e de cooperação científica e normas de conduta, dentre as quais o dever de utilização da região exclusivamente para

274. Bibliografia: ACCIOLY - **Tratado** (2009); Boleslaw Adam BOCZEK, *The Artic Ocean and the new law of the sea*, GYIL, 1986, p. 154; DÍEZ - 1, p. 433; Ernesto J. Rey CARO, L'Antarctique (in **Droit international**, Paris: UNESCO/Pedone, 1991, v. 2, Cap. XLIV, p. 1043-1054); P. B. CASELLA, **Direito internacional dos espaços** (2009, item 24.1, "Antártica", p. 636-648); Eurípedes Cardoso de MENEZES, **Os direitos do Brasil na Antártica**, Rio de Janeiro, 1971; FAUCHILLE - 2, p. 531; João Frank da COSTA, A teoria dos setores polares, Boletim, 1951, p. 87; idem, Antártica: o problema político, **Revista Brasileira de Política Internacional**, set. 1958, p. 41; Juan Carlos Puig, **L'Antartida Argentina ante el derecho**, Buenos Aires, 1960; M. W. MOUTON, **The international regime of the polar regions**, RCADI, 1962, v. 107, p. 245; Magdalena LONDERO, **O direito internacional das regiões polares**, Boletim, 1968, p. 79; MELLO - 2, p. 838; R. E. GUYER, **The Antarctic System**, RCADI, 1973, t. 139, p. 149-226; R. J. DUPUY, Le Statut de l'Antartique, AFDI, 1958, p. 196; René DOLLOT, **Le droit international des espaces polaires**, RCADI, 1949, t. 75, p. 115-200; Ricardo da COSTA PINTO, **A Antártica e a sua importância para a América do Sul**, 1991; ROUSSEAU - 3, p. 203.

fins pacíficos. No ano seguinte, em 1º de dezembro de 1959, era assinado em Washington o Tratado da Antártica pela Argentina, Austrália, Bélgica, Chile, Estados Unidos, França, Grã-Bretanha, Japão, Nova Zelândia, Noruega e a URSS. O Brasil, que apresentava títulos históricos e jurídicos que justificavam a sua participação nas negociações e posterior assinatura do Tratado, foi deliberadamente excluído, tanto assim que o Ministro das Relações Exteriores não teve dúvidas em declarar perante a Câmara de Deputados que "nosso País foi impedido de assinar o Tratado da Antártica pela inflexibilidade do Governo norte-americano". O Brasil aderiu a ele em 1975. Foi o Tratado promulgado pelo Decreto n. 75.963, de 11 de julho de 1975.

O objetivo original do Tratado fora o de garantir que a Antártica fosse para sempre utilizada exclusivamente para fins pacíficos e não se converteria em centro de discórdia internacional. O seu verdadeiro objetivo, contudo, foi o de adotar uma moratória de trinta anos em relação às pretensões territoriais sobre a área. Com a assinatura do Tratado, as discussões arrefeceram. Como o artigo IV poderia ser interpretado como significando "a renúncia por qualquer das Partes Contratantes a direitos previamente invocados ou a pretensões de soberania territorial na Antártica", esclareceu-se no seu parágrafo 2º que "nenhum ato ou atividade que tenha lugar, enquanto vigorar o presente Tratado, constituirá base para proclamar, apoiar ou contestar reivindicação sobre soberania territorial na Antártica, ou para criar direitos de soberania na Antártica".

Foi tendo em vista os termos do artigo IV que o Brasil, em 30 de junho de 1958, notificou ao Departamento de Estado suas pretensões ao setor entre o meridiano 53º (arroio Chuí), trecho este reivindicado quer pela Argentina, quer pela Grã-Bretanha.

Embora o objetivo principal do Tratado tenha sido político, os seus redatores incluíram cláusulas pelas quais as Partes se comprometeriam a garantir a preservação e conservação dos recursos vivos da Antártica. Outro artigo feliz é o V, que proíbe as explorações nucleares bem como o lançamento ali de resíduos radioativos. Nas últimas reuniões realizadas, verificou-se uma acentuada tendência das Partes de considerar a preservação do meio ambiente o principal objetivo do Tratado. As discussões em torno da Convenção sobre a Regulamentação das Atividades de Recursos Minerais, aprovada em Wellington, em 1988, pode ser apontada como prova desta tendência, dada a campanha desenvolvida em muitos países contrária à explotação de minérios na Antártica. Diversos países já declararam que a Convenção é inaceitável e que o continente deve ser considerado um Parque Mundial, ou então que seja considerado *patrimônio comum da humanidade*.

7 PROTEÇÃO INTERNACIONAL DO MEIO AMBIENTE

O desenvolvimento do direito internacional do meio ambiente coloca-se dentre os mais significativos das últimas décadas, porquanto, praticamente inexistente até 1972, tornou-se parte central do direito internacional, no contexto pós-moderno, e tema recorrente das negociações e esforços de regulamentações de caráter tanto interno como internacional. Desnecessário frisar o papel crucial deste, desde que se lhe assegure a efetividade institucional e normativa, visando a sobrevivência da vida no planeta[1].

Para ordenar a exposição desta parte, serão sucessivamente considerados: introdução (7.1.), com breve exame do desenvolvimento histórico até 1972 (7.1.1.), quando acontece a conferência de Estocolmo sobre meio ambiente humano (1972) (7.1.2.). Exatamente vinte anos depois, terá lugar a conferência do Rio de Janeiro (1992) (7.1.3.). Nessa altura será possível apontar os princípios do direito internacional do meio ambiente (7.1.3.1.): desenvolvimento sustentável (7.1.3.1.1.), o da precaução (7.1.3.1.2.), o do poluidor-pagador (7.1.3.1.3.), o da responsabilidade comum, porém diferenciada (7.1.3.1.4.).

Consideráveis mudanças ocorrem desde esse marco, como assinalam, dez anos mais tarde, a Conferência de Johannesburgo (2002) e a Conferência Rio + 20 (2012) (7.1.4.). Podem ser apontadas as características da formação do direito internacional ambiental, do processo decisório e das instituições internacionais específicas (7.1.5.), bem como as formas de implementação e de execução do direito internacional ambiental (7.1.6.).

---

1. A respeito, P. B. CASELLA, **Direito internacional dos espaços** (2009, Cap. XXV, "direito internacional dos espaços e emergência da proteção internacional do meio ambiente", p. 656-677).

Em relação à poluição atmosférica (7.2.), serão considerados: a Convenção de Genebra sobre poluição transfronteiriça de longa distância (1979) (7.2.1.), a Convenção de Viena para a proteção da camada de ozônio (1985) (7.2.2.), e a Convenção-quadro das Nações Unidas sobre a mudança de clima (7.2.3.).

Em relação ao mar e seus recursos (7.3.) serão considerados: mares e oceanos (7.3.1.), a Convenção sobre prevenção da poluição marinha por alijamento de resíduos e outras matérias (1972) (7.3.1.1.), MARPOL (1973, 1978) (7.3.1.2.), Programa de mares regionais (UNEP – 1974) (7.3.1.3.), a Convenção das Nações Unidas sobre o Direito do Mar (1982), no tocante ao direito internacional ambiental (7.3.1.4.), bem como recursos marinhos vivos (7.3.2.), enfocando a Convenção internacional para a regulação da pesca da baleia (1946) (7.3.2.1.), a Convenção das Nações Unidas sobre o Direito do Mar (1982) (7.3.2.2.), o Acordo da FAO para promover cumprimento de medidas internacionais de conservação e manejo por embarcações pesqueiras no alto-mar (1993) (7.3.2.3.), e o Acordo das Nações Unidas sobre espécies de peixes altamente migratórias (1995) (7.3.2.4.).

Em relação às águas comuns internas (7.4.) serão examinados: a Convenção sobre o direito do uso não navegacional dos cursos d'água internacionais (1997) (7.4.1.), a Convenção sobre a Proteção e Uso de cursos d'água transfronteiriços e Lagos Internacionais (1992) (7.4.2.), bem como rios, lagos e bacias (7.4.3.), com menção específica do Tratado de cooperação amazônica (1978) (7.4.3.1.) e do Tratado da bacia do Prata (1969) (7.4.3.2.). A situação atual do planeta vem ressaltar a crescente importância estratégica da água potável[2].

Em relação à biodiversidade, fauna, flora, solo e desertificação (7.5.), considerar-se-ão, desse vasto e complexo universo, respectivamente: biodiversidade, fauna e flora (7.5.1.), a Convenção de Ramsar (7.5.1.1.), a Convenção da UNESCO sobre Patrimônio Mundial (7.5.1.2.), a Convenção internacional sobre comércio internacional das espécies da flora e da fauna selvagens em perigo de extinção (CITES) (7.5.1.3.), a Convenção de Bonn sobre Espécies Migratórias (7.5.1.4.), a Convenção sobre Madeiras Tropicais (ITTA) (1983, 1994, 2006) (7.5.1.5.), a Declaração de Princípios sobre as Florestas (1992) e desenvolvimento subsequente (7.5.1.6.), a Convenção sobre diversidade biológica (CBD) (7.5.1.7.) e o Protocolo de Cartagena sobre biossegurança (7.5.1.7.1.), bem como solo e desertificação (7.5.2.).

Em relação a resíduos e substâncias perigosas (7.6.) serão sucessivamente consideradas: a Convenção de Basileia sobre movimento transfronteiriço de resíduos perigosos e sua disposição (1989) (7.6.1.), a Convenção de Rotterdam

2. Enfatizava G. E. do NASCIMENTO E SILVA quanto lhe parecia que a importância estratégica da água, neste século, superaria a do petróleo, em futuro não muito distante. O tempo passado desde que este se foi, em 2003, tem mostrado quanto a percepção estava correta!

sobre o procedimento de consentimento prévio (1998) (7.6.2.) e a Convenção de Estocolmo sobre poluentes orgânicos persistentes (2001) (7.6.3.).

Após breve comentário sobre a evolução do direito internacional ambiental como direito de terceira geração (7.7.), passar-se-á a tratar da questão nuclear (7.8.) e dos instrumentos internacionais de regulação do tema: Notificação imediata e assistência (1986) (7.8.1.), Zonas livres de armas nucleares (7.8.2.), Convenção sobre a Proteção Física de Material Nuclear (1979) (7.8.3.), Convenção sobre Segurança Nuclear (1994), (7.8.4.), Convenção Conjunta para o Gerenciamento Seguro de Combustível Nuclear Usado e dos Rejeitos Radioativos (1997) (7.8.5.), e Responsabilidade (7.8.6.).

Por fim, o capítulo se encerra com a responsabilidade dos estados por danos ambientais.

A análise dos instrumentos e mecanismos existentes em matéria de direito internacional ambiental não será exaustiva, comportando consideráveis desenvolvimentos específicos, alguns dos quais referidos, para ulteriores consultas, leituras e aprofundamento. Faz-se, contudo, indispensável apontar ao menos os itens seguintes, sem prejuízo de consultas às fontes de atualização eletrônica, para acompanhamento dos desenvolvimentos mais recentes.

7.1. Introdução

Para apontar os princípios do direito internacional do meio ambiente, será considerada, à guisa de introdução, breve evolução histórica, com destaque para três marcos relevantes: as conferências de Estocolmo (1972), Rio (1992) e Johannesburgo (2002), e, a partir desta, os mais recentes desenvolvimentos já ocorridos.

7.1.1. desenvolvimento histórico até 1972

Não há marco inicial claro do direito internacional ambiental, ou direito internacional do meio ambiente. Aponta-se o ano de 1972, quando foi realizada a Conferência de Estocolmo, convocada pela Resolução 2.398 (XXIII) de 3 de dezembro de 1968, da AGNU, como o ano em que a conscientização para a destruição do meio ambiente tomou âmbito global. Este despertar tardio para a forma com que se vinha até então lidando com o meio ambiente se confunde com a própria história do homem. Basta lembrar que as sociedades ocidentais, de forma geral, não eram muito apegadas ao meio natural. O padrão eurocentrista de civilização, imposto às diversas regiões do mundo, sempre foi pautado por essa indiferença em relação à natureza. Os povos indígenas da América, assim como os reinos e tribos africanas e mesmo algumas sociedades milenares e culturas tradicionais na Ásia, chegaram a ser considerados "selvagens", porque o padrão europeu de progresso e civilização era invariavelmente atrelado à desvinculação do homem com o meio natural.

O marco de 1972 dá lugar a adoção da *Declaração das Nações Unidas sobre o meio ambiente* (1972), que comporta um preâmbulo e 26 princípios, acompanhada de *Plano de ação para o meio ambiente* e à decisão da AGNU de criar novo órgão subsidiário, por meio da Resolução 2.997 (XXVII), o *Programa das Nações Unidas para o meio ambiente* (UNEP ou PNUE); contudo, não significa a ausência de instrumentos jurídicos internacionais de proteção a elementos específicos do meio ambiente nos séculos anteriores, ainda que a finalidade mais premente destas normas não fosse a conservação do meio ambiente, como conjunto abrangente, tal como o entendemos hoje.

De toda forma, o início da história do direito internacional ambiental, assim como existe hoje, é apontado pela doutrina como a arbitragem entre os Estados Unidos e o Canadá, por conta de poluição transfronteiriça, causada por fundição instalada no território do Canadá, que ficou conhecida como ***Trail Smelter Case***. Esgotadas as tentativas de conciliação e após inúmeras reclamações da população, alocada na fronteira do estado norte-americano de Washington com o Canadá, por causa das emissões tóxicas, que afetavam diretamente os habitantes do lado dos Estados Unidos, estes o assumiram como problema de estado, e deram início a procedimento arbitral contra o Canadá. O desfecho deste, em **1941**, teve como resultado o julgamento favorável aos Estados Unidos e a formulação, na parte final da sentença arbitral, de princípio até hoje mencionado em declarações e tratados internacionais: "*Nenhum estado tem o direito de usar ou permitir o uso de seu território de maneira tal que emanações de gases ocasionem danos dentro do território de outro estado ou sobre as propriedades ou pessoas que aí se encontrem, quando se trata de consequências graves e o dano seja determinado mediante prova certa e conclusiva*"[3].

O reconhecimento de tal princípio como norma de direito internacional consuetudinária teve consequências em diversos outros casos, não necessariamente envolvendo proteção ao meio ambiente, e foi o prenúncio de longo pro-

---

3. G. F. S. SOARES, **A Proteção Internacional do Meio Ambiente**, p. 22-23; M. J. ROBINSON-DORN, *The Trail Smelter*, NYU Journal of Environmental Law, p. 233 e s.; U. BEYERLIN, **Umweltvölkerrecht**, p. 7. Do original, em inglês, "*The Tribunal finds that under the principles of international law, as well as the law of the United States, no State has the right to use or permit the use of its territory in such a manner as to cause injury by fumes in or to the territory of another or the properties or persons therein, when the case is of serious consequence and the injury established by clear and convincing evidence*".

cesso de redefinição gradual de soberania, ao qual os estados se submeteram para lidar com questões de poluição transfronteiriça.

A aplicação seguinte desse princípio no direito internacional pode ser observada em dois outros casos: ***Caso do Canal de Corfu***, julgado pela Corte Internacional de Justiça em **1949**, entre Reino Unido e Albânia, no qual a Albânia não respeitara o princípio acima mencionado ao deixar de alertar navios de guerra ingleses, em águas sob sua jurisdição, sobre a existência de minas submarinas em sua costa, ali descarregadas durante a segunda guerra mundial[4]; outro caso foi a da arbitragem do ***Lago Lanoux***, envolvendo controvérisa entre França e Espanha em 1957 acerca de uso de recursos hídricos comuns, no qual ficou determinado que o estado a montante de um rio só pode fazer uso desse recurso, desde que o estado a jusante não seja seriamente prejudicado[5]. Esses conflitos, que em última análise eram conflitos quanto aos limites do exercício do direito de soberania, passaram a fazer parte da rotina das relações internacionais.

Aos casos de poluição transfronteiriça[6] e uso de recursos naturais comuns[7], somam-se também, especialmente no período pós-guerra, tratados de limitação de caça e pesca de determinadas espécies[8], como as baleias, o atum e as focas, cujo escopo restritivo, se em muitos dos casos não era de cunho preservacionista, denotam pelo menos o reconhecimento da insustentabilidade do uso indiscriminado dos recursos naturais.

7.1.2. Conferência de Estocolmo sobre meio ambiente humano (1972)

A crescente poluição transfronteiriça e o aumento significativo no número de tragédias ambientais a partir da década de 1960 alertou a comunidade internacional para a necessidade de tratar o meio ambiente de forma ampla e não desvinculada de questões sociais e econômicas. Vazamento de óleo e outros acidentes com navios petroleiros foram responsáveis por eventos como o das "***marés negras***", no Mar do Norte, quando a liberação de petróleo bruto pelo petroleiro Torrey Canion praticamente destruiu o mar e a costa da Grã-Bretanha e do norte da França. A poluição atmosférica também tomou dimensões bastan-

4. CORTE INTERNACIONAL DE JUSTIÇA, **Recueil**, 1949, 4 (22).
5. **RIAA**, 12, (1963) p. 281.
6. *V.* item 7.2, "Poluição atmosférica".
7. Exemplo dessa crescente preocupação com recursos comuns são as Convenções Internacionais para Prevenção da Poluição do Mar por Óleo (Londres, 1954 e 1962 e Bruxelas 1969, emendada pelo Protocolo de Londres de 1973).
8. *V.* "Mar e seus recursos" (7.3) e "biodiversidade, fauna, flora, solo e desertificação" (7.5).

te sérias na Europa. A emergência da energia nuclear e o risco de guerra nuclear entre os Estados Unidos e a Rússia também inspiravam preocupação em relação ao futuro da humanidade.

Estes eventos conduziram a processo de mobilização no âmbito das Nações Unidas, que, por impulso do Conselho Econômico Social – ECOSOC, convocou conferência internacional, aprovada pela Assembleia Geral em 1968[9], a ser realizada em Estocolmo, na Suécia, para discussão e adoção de medidas globais voltadas à preservação do meio ambiente. Sessões e reuniões preparatórias para a Conferência foram realizadas. Entre os resultados desses atos preparatórios merece destaque o *Relatório de Founex*, apontado por muitos como o documento responsável por maior integração de aspectos de desenvolvimento econômico nos princípios declarados na Conferência[10].

A **Conferência de Estocolmo sobre o Meio Ambiente Humano** inaugurou conflito diplomático entre os países desenvolvidos, responsáveis pela maior parte da poluição global e dispostos a atrair a participação dos demais países para a busca de solução conjunta, e os países em desenvolvimento, desinteressados em adotar medidas que poderiam limitar seu potencial de desenvolvimento econômico, despreocupados com problemas ambientais. Tal conflito se estende até os dias atuais e é motivo pelo qual avanços no direito internacional são sempre precedidos de intensas e nem sempre bem-sucedidas negociações[11].

A Conferência de Estocolmo culminou com a adoção de três principais documentos: a **Declaração de Princípios de Estocolmo**, com 26 princípios de cunho político, mas não sem importância para o direito internacional; o **Plano de Ação para o Meio Ambiente**, que contém 109 recomendações para desenvolvimento de políticas; e a resolução que instituiu o **Programa das Nações Unidas para o Meio Ambiente** (*United Nations Environment Programme* – UNEP), órgão subsidiário da Assembleia Geral das Nações Unidas, sem personalidade jurídica, portanto, criado para desenvolver programas internacionais e nacionais de proteção ao meio ambiente.

7.1.3. a Conferência do Rio de Janeiro (1992)

No período entre as Conferências de 1972 e de 1992, a comunidade inter-

---

9. Resolução 2.398 XXIII.

10. G. E do NASCIMENTO E SILVA, **Direito internacional ambiental** (1995, p. 30); G. F. S. SOARES (op. cit., p. 41); Michel PRIEUR, *La protection de e'environment* (in **Droit international**, Paris: UNESCO/Pedone, 1991, v. II, p. 1084-1106.

11. G. E do NASCIMENTO E SILVA (op. cit., 1995, p. 30 e s.).

nacional presenciou aumento significativo no número de tratados internacionais voltados à proteção do meio ambiente. Convenções multilaterais importantes, visando à proteção de espécies ameaçadas e de locais de importância ecológica, foram sucessivamente assinadas. A poluição transfronteiriça passou definitivamente a integrar a lista de temas internacionais nos diversos fóruns, seja na Assembleia Geral das Nações Unidas, na OECD, no âmbito das organizações regionais e principalmente perante as organizações de fomento econômico, como o Banco Mundial, que gradualmente incorporam às suas atividades componentes de proteção ao meio ambiente.

Esse período foi marcado também por catástrofes ambientais sem precedentes. Com o fim da Guerra do Vietnã, a comunidade internacional foi alarmada pela estratégia de guerra norte-americana. Para impedir ataques surpresa dos *vietcongues* embrenhados na densa floresta tropical do Vietnã, a força aérea norte-americana lançava agente desfoliante sobre a floresta – o famigerado *agente laranja* – para poder combater as tropas do norte do Vietnã em campo aberto. Após a evacuação norte-americana, o agente desfoliante continuou a contaminar as águas superficiais e subterrâneas consumidas pela população vietnamita. Além do câncer e outros problemas de saúde, o número de crianças nascidas até hoje com distúrbios graves no sistema nervoso é surpreendentemente elevado.

Em 1984, em Bhopal, Índia, explosão dentro de fábrica da Union Carbide liberou gases tóxicos. O acidente matou em torno de 20 mil pessoas e outras 200 mil ficaram feridas pela contaminação, que atingiu principalmente os olhos e o sistema respiratório da população próxima à fábrica. Logo no ano de 1986, na Basileia, Suíça, fábrica de pesticidas da Sandoz pegou fogo. A água utilizada pelos bombeiros para apagar o fogo levou para o Rio Reno aproximadamente 30 toneladas de substâncias tóxicas, causando o fenômeno do Rio Vermelho, quando as águas contaminadas de coloração vermelha atingiram os demais países banhados pelo Reno.

No mesmo ano, a humanidade reviveu os terríveis efeitos da contaminação por radioatividade, desta vez em tempos de paz. Falha nos sistemas de segurança durante teste na Usina de Chernobyl, Ucrânia, causou superaquecimento de um dos quatro reatores ali instalados. O resultado disso foi a explosão do reator, com o consequente lançamento de gases radioativos na atmosfera e exposição do núcleo radioativo deste reator, com efeitos fatais para a população nas proximidades da usina. O acidente ocorreu em 26 de abril de 1986, ainda no contexto dos anos da Guerra Fria, e por trás da *cortina de ferro* formada pela União Soviética, não se sabe até hoje, por falta de divulgação de dados oficiais confiáveis, qual o número aproximado de vítimas. A magnitude desse acidente, entretanto, pôde ser constatada no mundo todo. O aumento dos níveis de radiação transmitida pela poeira radioativa na atmosfera foi sentido, já em 29 de abril, na Polônia, na Alemanha, na Áustria e na Romênia; em 30 de abril, na Suíça e no norte da Itália; nos dias 1º e 2 de maio, na França, na Bélgica, nos Países Baixos, na Grã-Bretanha e no norte da Grécia; em 3 de maio, em Israel, no Kuwait e na Turquia. As substâncias gasosas e voláteis projetadas a grandes alturas espalharam-se pelo mundo: em 2 de maio estas foram detectadas no Japão; no dia 4, na China; no dia 5, na Índia; nos dias 5 e 6 de maio, nos Estados Unidos e no Canadá. Ainda hoje o número de mortos decorrentes desse acidente permanece incógnito. A única certeza é que as radiações constituem a principal razão do déficit demográfico, e as pessoas morrem, ou têm algum tipo de deficiência mental ou física grave, ainda hoje, três décadas após o acidente. Muitas crianças, todavia, nem sequer concebidas, sofreram ou pagaram com suas vidas pelos efeitos da radiação. Área do tamanho de muitos milhares de quilômetros quadrados está condenada por tempo indeterminado. A Bielorrússia e a Ucrânia, desde então, sofrem os efeitos sobre a saúde de sua população e sobre sua economia[12].

Em 1989, o petroleiro da Exxon, que saía do Porto de Valdez, no Alasca, derramou nas águas marinhas mais de 41,5 milhões de litros de petróleo, matando quantidade incontável de seres marinhos e poluindo o mar e a costa da região.

Ainda em 1987, a Assembleia Geral das Nações Unidas transmitiu a todos os governos um relatório preparado pela Comissão Mundial sobre Meio Ambiente e Desenvolvimento (*World Commission on Environment and Development* – WCED). Este Relatório, conhecido como *Relatório de Brundtland*, tratou de propostas para estabelecimento de políticas e programas para promoção do desenvolvimento sustentável. Este trabalho influenciou de forma determinante a Conferência de 1992 com propostas de conciliação da preservação das águas, do solo e de ecossistemas e de conservação de espécies individualmente. O Relatório postulou igualmente responsabilidade coletiva para proteção de "recursos universais", tais como clima e biodiversidade, e convocou os países desenvolvidos a prestarem assistência aos países em desenvolvimento[13].

12. Svetlana ALEXIEVITCH, em **La supplication: Tchernobyl, chroniques du monde après l'Apocalypse** (do original **Tchernobilskaia molitva. Kronika buduchevo** © 1998, trad. du russe par Galia ACKERMAN et Pierre LORRAIN, in S. ALEXIEVITCH, **Oeuvres**, Arles: Actes Sud, 2015, p. 559-777), observa que a central nuclear de Chernobyl, situada na Ucrânia, mas próxima da fronteira com a Belarus ou Bielorrússia, representou para esta "uma catástrofe em escala nacional", afetando um quinto da população nacional (2,1 milhões de pessoas de total de cerca de 10 milhões), com 23% do território nacional contaminado com altos teores de resíduos nucleares, em relação a 4,8% do território ucraniano e 0,5% do território russo.

13. P. W. BIRNIE e A. E. BOYLE, **International law and the environment**, p. 563. Ph. SANDS, em seu curso **Vers une transformation du droit international? Institutionnaliser le doute** (Paris: Pedone, 2000, "cours et travaux" de l'Univ. Panthéon-Assas – Institut des Hautes Études Internationales de Paris – Droit international, v. 4, p. 179-268, esp. p. 265-266), enfatiza poder ser difícil conciliar o conceito tradicional de soberania permanente dos estados sobre os recursos naturais com os novos enfoques, tendentes à privatização de tais recursos.

Diante desse cenário quase apocalíptico dos anos 80, foi realizada a **Conferência das Nações Unidas sobre Meio Ambiente e Desenvolvimento**, em 1992, no Rio de Janeiro. Tal Conferência reuniu 178 representantes de estados e diversas ONGs em torno de única causa: promoção da proteção do meio ambiente e do desenvolvimento. Os documentos extraídos dessa Conferência deram a tônica do direito internacional ambiental a partir de então.

Além das **Convenções-Quadro sobre Mudança do Clima** e **sobre Diversidade Biológica**, concebidas nos anos anteriores, mas que refletem o processo e as preocupações da Conferência de 1992, da Conferência resultou a adoção dos seguintes documentos não vinculantes:

- **Agenda 21** – documento propositivo, com a função de nortear políticas públicas dos estados em quatro áreas, quais sejam, aspectos sociais e econômicos do meio ambiente, conservação e exploração dos recursos naturais com vistas ao desenvolvimento, fortalecimento e participação de grupos importantes e formas de implementação;
- **Declaração de Princípios sobre as Florestas** – trata da exploração econômica de florestas, foi preparado sob a forma de declaração, em razão da falta de consenso entre as partes para celebração de tratado multilateral sobre a conservação das florestas tropicais;
- **Declaração de Princípios sobre Meio Ambiente e Desenvolvimento** – conjunto de princípios, a exemplo da Declaração de Estocolmo, não vinculantes, que, segundo avalia Guido F. S. SOARES, "a) consagram a filosofia da proteção dos interesses das presentes e futuras gerações; b) fixam os princípios básicos para uma política ambiental de abrangência global, em respeito aos postulados de um Direito ao Desenvolvimento, desde há muito reivindicados pelos países em vias de desenvolvimento; c) em decorrência dos mencionados princípios básicos, consagram a luta contra a pobreza, e recomendam uma política demográfica; e d) reconhecem o fato de a responsabilidade de os países industrializados serem os principais causadores dos danos já ocorridos ao meio ambiente mundial"[14].

Outro resultado da Conferência de 1992 foi a criação da **Comissão para o Desenvolvimento Sustentável** (*Commission on Sustainable Development* – CSD), órgão das Nações Unidas vinculado ao ECOSOC, cuja principal função é acompanhar a implementação da Agenda 21 e avanços das políticas de promoção do desenvolvimento sustentável.

---

14. G. F. S. SOARES (op. cit., p. 79).

7.1.3.1. princípios

Os **princípios** aqui descritos não exaurem os princípios de direito internacional ambiental. Tampouco se fará aqui menção aos princípios de direito internacional, com viés ambiental, tais como o princípio da cooperação, da boa vizinhança[15], o princípio da soberania permanente sobre os recursos naturais e do dever de não causar danos ao território de outros estados.

Não há consenso na literatura sobre quais os princípios das Declarações de Estocolmo e do Rio de Janeiro atingiram o *status* de normas consuetudinárias de direito internacional geral[16]. Afora o princípio declarado na decisão final da arbitragem do *Trail Smelter Case*, correspondente aos Princípios 21 da Declaração de Estocolmo e 2 do Rio de Janeiro[17], amplamente admitido como norma internacional consuetudinária, a própria existência de controvérsia na literatura quanto a quais destes princípios seriam de fato norma consuetudinária já é indício de que a tais princípios falta o requisito subjetivo para a formação do costume, qual seja, a convicção da juridicidade, no sentido de o conteúdo destes princípios refletir obrigação. Aliás, a ausência de conteúdo normativo preciso destes princípios induz à conclusão de que não é possível extrair norma definida de conduta destes, o que os priva de caráter normativo.

De qualquer forma, alguns dos princípios enumerados nestas declarações ganharam corporificação jurídica e menção expressa no âmbito de alguns tratados. Convenções multilaterais, como a **Convenção-Quadro sobre Mudança Climática** e a **Convenção sobre Biodiversidade**, possuem referências expressas ao desenvolvimento sustentável e à precaução. No âmbito destas Convenções, por exemplo, pode-se dizer que estes princípios são vinculantes por expressa previsão. Não se pode afirmar, contudo, que deles se depreenda claramente norma de conduta.

Por outro lado, a prescrição de norma de conduta não é característica dos princípios na maioria das vezes. O que se objetiva com o estabelecimento de princípios é conferir às normas de conduta valores gerais, sem orientar compor-

---

15. Iftene POP, **Voisinage et bon voisinage en droit international** (pref. M. VIRALLY, Paris: Pedone, 1980), enfatiza que a "boa vizinhança" não pode ser compreendida sem examinar a "vizinhança" em geral, no direito internacional.

16. Para algumas contribuições para o tema, *v.* U. BEYERLIN, *"Prinzipien"' im Umweltvölkerrecht – ein pathologisches Phänomen?*, in **Tradition und Weltoffenheit des Rechts**, p. 31 e s., W. LANG, **UN-Principles and International Environmental Law**, Max Planck: UNYB 1999 (3), p. 157 e s., P. SANDS, **Principles of International Environmental Law**, p. 231 e s., R. WOLFRUM, *Purposes, principles and means of ensuring compliance*, in **International, Regional and National Environmental Law**, p. 3 e s.

17. Princípio 2 – Os estados, de conformidade com a Carta das Nações Unidas e com os princípios de direito internacional, têm o direito soberano de explorar seus próprios recursos segundo suas próprias políticas de meio ambiente e desenvolvimento, e a responsabilidade de assegurar que atividades sob sua jurisdição ou controle não causem danos ao meio ambiente de outros estados ou de áreas além dos limites da jurisdição nacional.

tamento específico, mas reduzindo o campo interpretativo da norma submetida a este princípio, de modo a direcioná-la para finalidade desejada ou influenciar o desenvolvimento normativo subsequente. Este último é o principal efeito dos princípios: estes devem direcionar o processo futuro de formação normativa e estabelecer *standards* para a implementação dos tratados[18]. Tendo em vista que negociações excessivamente detalhadas sobre normas podem impedir acordo, é muitas vezes preferível incluir princípios no texto de Convenção como ponto de partida para negociações posteriores, sem prejudicar a adesão do maior número possível de países. Os princípios conferem aos textos dos tratados flexibilidade e dinamicidade e é exatamente esta a razão pela qual princípios são comumente encontrados em Convenções-Quadro[19].

O efeito dos princípios sobre determinada norma de conduta será tão forte quanto mais próximos do objeto jurídico tutelado estiverem estes princípios. Assim, princípios previstos de forma extremamente genérica em Declaração Internacional têm pouco impacto, por não se referirem a objeto ou elemento específico do meio ambiente. Contudo, ao se inserirem esses princípios em convenções com objetos limitados, tais como clima, biodiversidade, mar, etc., confere-se-lhes força normativa, por ser mais fácil depreender sua finalidade específica em cada um desses regimes. Do contrário, se os princípios mantêm certa distância do bem tutelado, como nos casos das declarações internacionais, estes perdem força normativa, porque a relação próxima entre os princípios e o objeto concreto é fundamental para se vislumbrar a finalidade a orientar a norma de conduta[20].

7.1.3.1.1. desenvolvimento sustentável

Com a mesma ressalva, já antes formulada, quanto ao caráter não exaustivo dos princípios aqui descritos – que não exaurem os princípios de direito internacional ambiental – e tampouco se faz menção a princípios (gerais) de direito internacional, com viés ambiental, o desenvolvimento sustentável pauta-se pelos princípios seguintes:

"1 – Os seres humanos estão no centro das preocupações com o desenvolvimento sustentável. Têm direito a vida saudável e produtiva, em harmonia com a natureza".

---

18. D. BODANSKY, *The United Nations Framework Convention on Climate Change: a commentary*, YJIL 1993, p. 451, 501. L. PARADELL-TRIUS, **Principles of International Environmental Law: An Overview**, RECIEL 2000 (2), p. 93, 94.
19. L. PARADELL-TRIUS, **Principles of International Environmental Law: an overview**, RECIEL, 2000 (2), 93, 94.
20. U. BEYERLIN, *"Prinzipien" im Umweltvölkerrecht – ein pathologisches Phänomen?*, in **Tradition und Weltoffenheit des Rechts**, p. 31, 51.

"3 – O direito ao desenvolvimento deve ser exercido, de modo a permitir que sejam atendidas equitativamente as necessidades de gerações presentes e futuras".

"4 – Para alcançar o desenvolvimento sustentável, a proteção ambiental deve constituir parte integrante do processo de desenvolvimento, e não pode ser considerada isoladamente deste".

"27 – Os estados e os povos devem cooperar de boa-fé e imbuídos de espírito de parceria para a realização dos princípios consubstanciados nesta Declaração, e para o desenvolvimento progressivo do direito internacional no campo do desenvolvimento sustentável".

O **princípio do desenvolvimento sustentável** ganhou importância não só pelas diversas referências em tratados internacionais, antes e depois da Conferência de 1992, mas também por servir de orientação para organizações internacionais, ONGs, Conferências das Partes de diversas Convenções e, mais recentemente, para Tribunais nacionais e internacionais.

Nesse sentido, a referida lição de Julio BARBERIS (1979)[21]: *"O direito internacional distingue, dentre os recuros naturais, aqueles que são próprios de cada estado, os que pertencem à comunidade internacional e os compartilhados entre dois ou mais países"*[22].

No julgamento do caso **Gabcíkovo-Nagymaros**, a Corte Internacional de Justiça teve de enfrentar o problema do conteúdo deste princípio em caso concreto. Tratava-se de controvérsia entre a República Tcheca e a Hungria acerca de barragem para geração de energia a ser construída e operada por ambas as partes no Rio Danúbio, de acordo com tratado firmado em 1977. Por conta de alterações no cenário político-internacional e por alterações unilaterais do projeto, os estados submeteram o caso à Corte Internacional de Justiça. As duas partes alegavam o direito ao desenvolvimento sustentável e a Corte teve que se debruçar pela primeira vez sobre tema. A Eslováquia desviaria cerca de 80% da vazão do Danúbio para canal em seu território, de modo a viabilizar o projeto, o que causou descontentamento na população húngara.

A Corte afirmou "*Para os fins do presente caso, significa que as partes conjuntamente deverão contemplar os efeitos sobre o meio ambiente da operação da usina hidrelétrica Gabcíkovo. Particularmente, devem encontrar solução satisfatória para o volume de água a ser liberado no antigo leito do rio Danúbio, bem como nos canais, em ambos os lados do rio*"[23].

---

21. Julio A. BARBERIS, **Los recursos naturales compartidos entre estados y el derecho internacional** (Madri: Tecnos, 1979).
22. J. BARBERIS (op. cit., 1979, "preliminar", p. 11).
23. "For the purposes of the present case, this means that the Parties together should look afresh at the effects on the

A Corte não definiu o conteúdo jurídico do princípio, seja em termos materiais ou em termos procedimentais. A Corte questionou ainda se o desenvolvimento sustentável seria *princípio* ou *conceito*, mas não determinou em que medida seria possível conciliar o "***direito ao desenvolvimento***" com a proteção do meio ambiente neste caso concreto[24].

A Organização Mundial do Comércio (OMC)[25], por meio de seu Órgão de Apelação, também teve de debater a legitimação de medida restritiva à importação de camarão, proveniente de países do sudeste asiático, aplicada pelos Estados Unidos da América, que alegavam a necessidade de impor parâmetros (*standards*) mais restritivos para a proteção de tartarugas marinhas ameaçadas pela pesca do camarão. Assim como no julgamento do caso **Gabcíkovo-Nagymaros**, o desenvolvimento sustentável não foi tratado como *princípio*, mas como *conceito*. O Órgão de Apelação reconheceu a necessidade de se conciliar desenvolvimento e comércio e acentuou a possibilidade de se impor esse tipo de restrição ao comércio internacional, para proteção de recursos naturais não renováveis, mas considerou a restrição imposta pelos Estados Unidos injustificada e discriminatória, do ponto de vista ambiental. A OMC tampouco debateu o *status* jurídico da norma, nem discorreu sobre seu conteúdo[26].

Delimitar o conteúdo deste *princípio* (ou *conceito*) está ainda para ser feito. O principal aspecto, e também mais evidente, destacado pela doutrina é a atribuição de componente ambiental em políticas de desenvolvimento[27]. O relatório de Brundtland acrescenta ao conceito "**o desenvolvimento que atende às necessidades das gerações presentes, sem comprometer a capacidade das gerações futuras de atender aos seus próprios interesses**". Extrai-se, portanto, do desenvolvimento sustentável a noção de responsabilidade em relação às próximas, ou entre gerações.

O desenvolvimento sustentável compreende ainda o uso equitativo dos recursos naturais comuns. Tal aspecto resulta de forma bastante clara quando do julgamento, na Corte Internacional de Justiça, do caso **Gabcíkovo-Nagymaros**, ao afirmar que a Eslováquia teria violado o direito internacional ao assumir controle unilateral de recurso natural comum[28].

---

environment of the operation of the Gabcíkovo power plant. In particular they must find a satisfactory solution for the volume of water to be released into the old bed of the Danube and into the side-arms on both sides of the river."

24. P. SANDS. *The International Courts and the Application of the Concept of "Sustainable Development"*, Max Planck UNYB 3 (1999), p. 389, 396.
25. A respeito da OMC, *v.* item 4.1.2.1.
26. P. SANDS. *The International Courts and the Application of the Concept of "Sustainable Development"*, Max Planck UNYB 3 (1999), p. 389, 405-409.
27. U. BEYERLIN, *Umweltvölkerrecht*, p. 18.
28. P. SANDS. **Principles of International Environmental Law**, p. 263. *V.* tb. P. SANDS, **Vers une transformation du droit**

Por fim, o desenvolvimento sustentável incluiu aspectos procedimentais, tais como o dever de elaborar estudo de impacto ambiental e outras avaliações ambientais, e participação pública no processo decisório como forma de promover aumento de qualidade e sustentabilidade[29]. Cabe assinalar a ocorrência de divergência a respeito de outros elementos e aspectos, que integrariam o desenvolvimento sustentável, dentre eles os "princípios" aqui tratados separadamente.

7.1.3.1.2. precaução

A ressalva formulada, em relação ao desenvolvimento sustentável, bem como ao caráter não exaustivo dos princípios aqui descritos, pauta-se na "precaução" pelos princípios seguintes:

"15 – De modo a proteger o meio ambiente, o princípio da precaução deve ser amplamente observado pelos estados, de acordo com suas capacidades. Quando houver ameaça de danos sérios ou irreversíveis, a ausência de absoluta certeza científica não deve ser utilizada como razão para postergar medidas eficazes e economicamente viáveis para prevenir a degradação ambiental".

Tradicionalmente os tratados ambientais costumavam ser não precaucionários. Espécies ameaçadas só seriam protegidas se houvesse prova científica da sua ameaça, assim como atividades poluentes só seriam consideradas degradantes se provada de forma concreta a relação de causalidade entre o dano e a atividade. Tal cenário começou a mudar com o início das negociações para a **Convenção de Viena para a Proteção da Camada de Ozônio**, de 1985, quando incertezas científicas poderiam impedir a adoção de medidas voltadas à restrição da produção e comercialização de gases que destroem a camada de ozônio.

Falta de comprovação científica sempre foi argumento para retardar ações de preservação do meio ambiente ou mesmo para impedi-las. A partir da década de 1980 vários tratados e documentos passaram a fazer referência a tal princípio, muitas vezes de forma quase confundida com deveres gerais de prevenção de danos. De qualquer forma, o ***princípio da precaução***, representado pelo Princípio

---

international? Institutionnaliser le doute (Paris: Pedone, 2000, "cours et travaux" de l'Univ. Panthéon-Assas – Institut des Hautes Études Internationales de Paris – Droit international, v. 4, p. 179-268).

29. P.W. BIRNIE, A. E. BOYLE, **International Law and The Environment**, p. 95. *Princípio 17* da **Declaração sobre Meio Ambiente e Desenvolvimento** de 1992: A avaliação de impacto ambiental, como instrumento nacional, deve ser empreendida para as atividades planejadas que possam vir a ter impacto negativo considerável sobre o meio ambiente, e que dependam de uma decisão de autoridade nacional competente; *v.* tb. Kym ANDERSON e Richard BLACKHURST (sous la direction de), **Commerce international et environnement** (© 1992, ed. inglesa; traduit par Yves Duret, Sylvie de Gunzburg et Jean-Michel Plessz, Paris: Economica, 1992).

15 da Declaração do Rio, também sofre de incipiente especificação de conteúdo normativo. Na forma como conhecida hoje, o princípio apenas limita-se a afirmar que **a falta de certeza científica não deve ser usada como meio de postergar a adoção de medidas preventivas, quando houver ameaça séria de danos irreversíveis.**

Daí se extrai orientação normativa antes política que jurídica. Não se pode dizer, com base exclusivamente neste princípio, qual a conduta a ser tomada ante a ocorrência de atividade concreta que tenha potencial de degradação irreversível do meio ambiente. Deste se obtém somente mandamento para a tomada de iniciativas de precaução, seja por parte do estado, dos Parlamentos ou da própria comunidade internacional, ainda que o risco de dano não possa ser cientificamente demonstrado.

Esse princípio foi objeto de algumas decisões internacionais, em especial no âmbito da OMC[30], mas seu *status* jurídico – se *soft law*, princípio geral de direito ou norma consuetudinária – permanece incerto. Ao menos parece claro, contudo, que o ***princípio da precaução*** sugere o ônus da demonstração de que a atividade não causa riscos de danos irreversíveis pela parte empreendedora.

7.1.3.1.3. poluidor-pagador

A mesma ressalva formulada, quanto ao caráter não exaustivo, tampouco exclui se faça menção ao ***princípio do poluidor-pagador***, que deve pautar-se pelos princípios seguintes:

"16 – Tendo em vista que o poluidor deve, em princípio, arcar com o custo decorrente da poluição, as autoridades nacionais devem promover a internacionalização dos custos ambientais e o uso de instrumentos econômicos, levando na devida conta o interesse público, sem distorcer o comércio e os investimentos internacionais".

O ***princípio do poluidor-pagador*** – enunciado como princípio 16 da **Declaração do Rio** – não se confunde com os princípios de responsabilidade no direito internacional. Trata-se de princípio voltado a corrigir eventuais distorções econômicas e concorrenciais na esfera internacional. Estados, agências de fomento nacionais e organizações internacionais, durante décadas, subsidiaram atividades poluidoras e degradantes do meio ambiente, no afã de promover desenvolvimento econômico. Os custos da degradação, entretanto, eram socialmente compartilhados.

30. A respeito da OMC, *v.* item 4.1.2.1.

O ***princípio do poluidor-pagador*** determina a internalização no ordenamento de mecanismos e instrumentos de responsabilidade e de medidas preventivas que tornem o poluidor o único a arcar com os custos ambientais advindos do seu negócio. Isso explica porque tal princípio não é apenas princípio de responsabilidade. A adoção de padrões de qualidade ambiental é atualmente um dos principais fatores de concorrência internacional. Este princípio visa desincentivar atividades que lucram com a adoção de padrões de qualidade ambiental muito baixos em detrimento de atividades concorrentes que adotem *standards* mais avançados e, por conseguinte, mais custosos. Em vez de atribuir estes custos ao estado, aos investidores ou à própria comunidade internacional, o empreendedor deve integrar esses custos na sua produção.

7.1.3.1.4. responsabilidade comum, porém diferenciada

A ressalva já foi formulada e reiterada, quanto ao caráter não exaustivo, mas cabe, a seguir, fazer menção ao princípio da responsabilidade comum, porém diferenciada, que deve pautar-se pelos enunciados seguintes:

"7 – Os estados devem cooperar, em um espírito de parceria global, para a conservação, proteção e restauração da saúde e da integridade do ecossistema terrestre. Considerando as distintas contribuições para a degradação ambiental global, os estados têm responsabilidades comuns porém diferenciadas. Os países desenvolvidos reconhecem a responsabilidade que têm na busca internacional do desenvolvimento sustentável, em vista das pressões exercidas por suas sociedades sobre o meio ambiente global e das tecnologias e recursos financeiros que controlam".

Neste tópico, o último princípio que merece menção específica é o princípio da ***responsabilidade comum, porém diferenciada***, enumerado como princípio 7 da **Declaração do Rio**. Três elementos exsurgem imediatamente da leitura deste princípio:

- o primeiro é a *cooperação global* entre estados, uma vez que os fenômenos naturais desconhecem fronteiras políticas – e a preservação efetiva do meio ambiente só se faz possível mediante a participação universal e cooperativa, considerando que esforços isolados teriam muito pouco efeito sobre a degradação do meio ambiente[31];
- o segundo aspecto é a *responsabilidade comum* dos estados – e neste princípio reforça a ideia de que a comunidade internacional como um todo tem de se empenhar na consecução dos objetivos da preservação ambiental, aspecto mais ligado à responsabilidade pela preservação futura do que à degradação histórica;

31. L. RAJAMANI, *Common but differentiated responsibility and climate change*, RECIEL 2000 (2), p. 120, 121.

- o terceiro e mais polêmico aspecto é a *responsabilidade diferenciada* dos estados, onde a diferenciação da responsabilidade tem por fundamento a premissa de que a maior parte da degradação ambiental advém do desenvolvimento econômico acelerado de grupo pequeno de países nos últimos dois séculos – premissa, todavia, se era absolutamente válida até 1972, relativamente válida até 1992, começa gradativamente a ver exaurir-se a sua pretensão de validade, porque a qualidade ambiental, decorrente do avanço tecnológico, atingido por alguns países desenvolvidos, cria tendência de igualdade da contribuição de países desenvolvidos e em desenvolvimento para a degradação ambiental. A inversão da balança é liderada por Brasil, China, Índia, Malásia, México e Tailândia, que tiveram aumentos significativos das atividades industriais, nas últimas três décadas, mas não dão à proteção do meio ambiente a mesma prioridade dada pelos países desenvolvidos.

Alguns países desenvolvidos negam a diferenciação em função da responsabilidade histórica e afirmam que tal princípio tem compensação decorrente da maior capacidade dos países desenvolvidos de contribuir para a defesa do meio ambiente.

De qualquer forma, este princípio fundamenta, ainda que de forma imprecisa, o dever de assistência dos países desenvolvidos aos países em desenvolvimento. Em termos práticos, legitimou a criação de uma série de mecanismos de ajuda financeira, transferência de tecnologia e formação de capacidade, além da condução conjunta de projetos de preservação ambiental e de desenvolvimento sustentável em número bastante elevado de Convenções. Mais recentemente esse princípio também fundamentou o estabelecimento de obrigações diferentes para países desenvolvidos, em desenvolvimento e em transição para economias de mercado, de acordo com suas capacidades[32].

7.1.4. as Conferências de Johannesburgo (2002) e do Rio de Janeiro (2012)

Enquanto as Conferências de Estocolmo (1972) e Rio de Janeiro (1992) são consideradas verdadeiros marcos, pela importância que tiveram no desenvolvimento subsequente do direito internacional, a Conferência de Johannesburgo (também

---

32. P.W. BIRNIE; A. E. BOYLE, **International law and the environment**, p. 102.

correta a grafia, Joanesburgo) já não é vista com tanto entusiasmo[33]. Também conhecida como **Fórum Mundial sobre Desenvolvimento Sustentável (Rio + 10)**, nem a Conferência de Johannesburgo, em 2002, nem a Conferência do Rio de Janeiro, em 2012 – também chamada "Rio + 20" – infelizmente não apresentaram muitos avanços, se comparadas às Conferências anteriores. Pelo contrário, o estabelecimento de metas concretas para a implementação de vários pontos da **Agenda 21** foi obstado por diversos países desenvolvidos.

Os resultados da Conferência de 2002 foram a **Declaração de Joanesburgo sobre Desenvolvimento Sustentável**, o **Plano de Implementação do Fórum Mundial sobre Desenvolvimento Sustentável**, além de 251 propostas de parcerias. Enquanto os dois primeiros documentos podem ser classificados como enunciado não vinculante, passível de enquadramento na categoria bastante fluida de *soft law*, o terceiro sequer pode pretender a tanto, por se tratar apenas de compilação de propostas de Parcerias Público-Privadas sem qualquer caráter de normatividade[34]. Mesmo os dois primeiros documentos foram tão vagamente redigidos, que não se esperava viessem influenciar algum dia o desenvolvimento de novas normas de direito internacional. Anos após a Conferência de Joanesburgo, ainda não se viram muitos avanços no direito internacional que a esta possam ser atribuídos. Representou ponto positivo a constatação quanto ao fato de que, se por um lado os estados não estavam dispostos a criar novos instrumentos jurídicos, passou-se o foco para a implementação dos instrumentos existentes.

Depois de referir os principais elementos da Conferência de Johannesburgo de 2002, pode-se passar à Conferência do Rio de Janeiro de 2012, também referida como "Rio + 20".

A **Conferência das Nações Unidas sobre Desenvolvimento Sustentável**, realizada em junho de 2012, foi marcada por tensa expectativa de que os países talvez sequer chegassem a uma declaração conjunta após as reuniões da Conferência, devido às grandes divergências de propostas e interesses. O mundo mudou bastante nos 20 anos que separaram as duas conferências do Rio de Janeiro. Embora a comunidade internacional tenha realizado seu maior avanço na criação de instrumentos, instituições e obrigações internacionais, nesse período, após a entrada em vigor do Protocolo de Quioto em 2005, a criação

33. Para mais detalhes a respeito dos acontecimentos em 2002, *v.* www.johannesburgsummit.org e www.earthsummit2002.org.

34. U. BEYERLIN; M. REICHARD, *The Johannesburg Summit: Outcome and Overall Assessment*, ZaöRV (2003), v. 63, p. 213, 218 e s. Apesar das críticas feitas ao resultado final da Conferência, os autores destacam aspectos bastante interessantes e inovadores das Parceirias Público-Privadas aplicadas à proteção ambiental.

de instrumentos vinculantes sobre temas globais de meio ambiente sofreu acentuada desaceleração.

Desde Johannesburgo, o foco das questões ambientais internacionais foi muito mais pragmático e voltado à concretização dos textos adotados até então. Porém, a implementação da Agenda 21, das Metas do Milênio e do Plano de Implementação de Johannesburgo caminhou mais lentamente do que se imaginava. Segundo a Publicação das Nações Unidas *Global Environmental Outlook* de 2012, somente 4 de 90 metas internacionais relacionadas ao desenvolvimento sustentável foram completamente atingidas[35].

As crises financeiras e a maior presença econômica de países emergentes tiveram como consequência a perda de liderança da Europa no estabelecimento da agenda de negociação. Temas sociais trazidos por países emergentes e organizações não governamentais ganharam peso nas discussões ambientais. Com o incremento da complexidade dos temas ambientais, aprofundaram-se as diferentes visões sobre a forma pela qual cada um dos estados deve lidar com a questão ambiental.

Como resultado desse cenário pode-se avaliar que a Rio + 20 teve muito mais importância na criação de debates amplos e no envolvimento e conscientização dos cidadãos e instituições públicas do que em matéria de direito internacional. Como já era esperado, a Conferência terminou sem nenhum tratado ou obrigação multilateral vinculante, mas a repercussão da Conferência e dos debates na mídia teve o efeito de formar opiniões, influenciar a adoção de práticas internacionais de desenvolvimento sustentável e gerar demanda para assistência a países em desenvolvimento e levantamento de recursos financeiros para projetos ambientais[36].

A declaração adotada pelos países ao final da Conferência, *O Futuro que Queremos*[37], é um documento de 56 páginas, com a finalidade de reafirmar os princípios declarados e as ações tomadas pelos estados até o momento, bem como dar impulso a discussões em andamento, em especial, sobre os seguintes temas: renovação do comprometimento político com os planos de ação, metas, agendas e outros documentos criados ao longo dos últimos 20 anos, o desenvolvimento da assim chamada "economia verde", no contexto da erradicação da pobreza, e de padrões sustentáveis de produção e consumo, como ferramenta fundamental à promoção do bem-estar social e, por fim, o fortalecimento institucional (prin-

35. J. A. LEGGETT; N. T. CARTER. **Rio + 20: The United Nations Conference on Sustainable Development, June 2012** (2012, versão eletrônica, location 10).

36. J. A. LEGGETT; N. T. CARTER. **Rio + 20: The United Nations Conference on Sustainable Development, June 2012** (2012, versão eletrônica, location 14).

37. **Report of the United Nations Conference on Sustainable Development, Rio de Janeiro, Brazil, 20-22 June 2012**, doc. A/CONF.216/16. A declaração oficial se encontra no documento A/CONF.216/L.1.

cipalmente governamental) para promoção de medidas de proteção ambiental.

Em suma, pode-se considerar que a Conferência do Rio de Janeiro (2012) representou ambicioso esforço de negociação, mas o saldo desta, em termos concretos, parece pouco expressivo. Sobretudo se comparada com as grandes conferências multilaterais precedentes.

7.1.5. características da formação do direito internacional ambiental, do processo decisório e das instituições internacionais específicas

Após as Conferências de Estocolmo e do Rio de Janeiro, os tratados internacionais de direito ambiental adquiriram contornos próprios. Devido à natureza das obrigações e a peculiaridade dos bens ambientais protegidos, os tratados de direito ambiental assumiram características próprias e criaram mecanismos originais.

Diante da grande abrangência dos tratados internacionais e das dificuldades técnicas inerentes à matéria, o direito ambiental internacional adaptou-se bem a Convenções-tipo (*umbrella*) e às Convenções-quadro. As Convenções-tipo (*umbrella*) caracterizam-se pela generalidade e flexibilidade de suas provisões, a fim de criar padrão a ser observado por outros tratados ou documentos internacionais firmados com base em Convenção-tipo, denominada *umbrella convention*. Exemplo desse tipo de convenção é a **Convenção de Bonn sobre Espécies Migratórias**. Por sua vez, as Convenções-quadro são caracterizadas pela existência de metas abstratas e normas programáticas, cuja implementação e cumprimento só são possíveis mediante a adoção de normas posteriores, normalmente protocolos, e regulamentação técnica específica para os dispositivos da Convenção, normalmente a cargo das Conferências ou Reuniões periódicas das Partes da Convenção e de outras instituições criadas para essa finalidade. Tanto as Convenções-tipo (*umbrella*) quanto as Convenções-quadro seguem o que a doutrina internacional chama de enfoque fracionado (*piecemeal-approach*).

Por enfoque fracionado (ou *piecemeal-approach*) entenda-se a estratégia negocial adotada pelos representantes dos estados, quanto a ser preferível firmar tratados acerca dos pontos em relação aos quais haja acordo, deixando para negociações posteriores e específicas os pontos mais polêmicos. A partir dessa estratégia, a **Convenção-Quadro das Nações Unidas sobre Mudança Climática** deixou para tratado posterior, o **Protocolo de Quioto**, a questão de metas obrigatórias de redução de emissões. No mesmo sentido, a **Convenção sobre Diversidade Biológica** teve que ser complementada no que se refere à biossegurança e organismos geneticamente modificados, o que se deu por meio do

Protocolo de Cartagena. Em ambos os casos, a falta de consenso inicial sobre os temas poderia ter levado ao fracasso o conjunto das negociações, caso as matérias polêmicas não fossem deixadas para tratamento posterior.

Ainda em conformidade com essas características, algumas convenções permitem que anexos sejam alterados sem necessidade de emenda ao tratado ou novo protocolo, o que garante certo dinamismo para a Convenção. Como se verá abaixo, toda uma série de Convenções estabelecem sistemas de anexos ou listas que podem ser atualizadas, por vezes, unilateralmente. Esse procedimento tem a finalidade de permitir que as partes possam incluir, futuramente, no rol de bens protegidos pelas Convenções, outros espaços ou espécies, ou, ainda, alterar o rol de substâncias proibidas ou de circulação restrita.

Segundo dado característico, embora não exclusivo, dos tratados multilaterais ambientais se põe quanto à extensão da criação de instituições internacionais – organizações internacionais, no sentido jurídico do termo – para coordenar, fiscalizar e ajudar os estados na implementação e cumprimento das suas obrigações[38]. Essa tendência se firma a partir da década de 1970, e ganha amplitude, ainda maior, a partir da Conferência do Rio de Janeiro.

As **Conferências e Reuniões das Partes (COP ou MOP)** são, via de regra, os órgãos supremos das Convenções que preveem esse tipo de estrutura, são formadas por representantes dos estados-partes e têm por objetivo expedir normas para implementação da Convenção, revisar periodicamente as obrigações das partes e sugerir emendas e protocolos, além de criar outros órgãos subsidiários, para ajudar em aspectos técnicos, tecnológicos e financeiros. Exemplo de Convenções com esse tipo de estrutura orgânica são: CITES, MARPOL, Convenção de Viena para Proteção da Camada de Ozônio, Convenção-Quadro das Nações Unidas sobre Mudança Climática, Convenção sobre Diversidade Biológica. Algumas Convenções chegam a contar com verdadeiras organizações internacionais específicas, dotadas de personalidade jurídica, para desempenhar essas funções, tais como a Convenção das Nações Unidas sobre o Direito do Mar, que criou a Autoridade Internacional dos Fundos Marinhos, o Acordo Internacional sobre Madeiras Tropicais, que criou a Organização Internacional de Madeiras Tropicais, entre diversas outras. Outras Convenções têm, em substituição à **COP/MOP, Comitês de Partes**, como, por exemplo, a Convenção da UNESCO sobre o Patrimônio Mundial da Humanidade, que conta com o Comitê de Patrimônio Mundial.

---

38. Sobre o tema *v.* P. H. SAND, *Institution-building to assist compliance with international environmental law: perspectives*, ZaöRV 1996, p. 774 e s. U. BEYERLIN, **Umweltvölkerrecht**, p. 67 e s., e 264 e s.

As Convenções contam também com **Secretariado**, cujas funções se resumem a tarefas executivas e administrativas essenciais, como a coleta, reunião, organização de informações sobre a implementação e execução de obrigações das partes. Os secretariados, diferentemente das COP/MOP, são permanentes.

Muitas Convenções possuem ainda **órgãos subsidiários** eminentemente **técnicos**, com a função de coordenar atividades científicas conjuntas, promover transferência de tecnologia, bem como desenvolver diretrizes e manuais de orientação para as autoridades nacionais. Tais órgãos vêm ganhando cada vez mais importância no cenário internacional, porque diretamente envolvidos na concretização de disposições normativas complexas, em especial nos países em desenvolvimento. O resultado do trabalho desses órgãos é constantemente divulgado eletronicamente, publicado por editoras internacionais ou pela própria Organização das Nações Unidas, tornando-se importante fonte de experiência para agentes públicos no mundo inteiro.

Algumas poucas Convenções contam, em sua estrutura orgânica, com órgãos subsidiários com poderes que vão além da avaliação de cumprimento das obrigações. A Convenção de Viena sobre a Proteção da Camada de Ozônio, considerada conjuntamente com o Protocolo de Montreal, e a Convenção das Nações Unidas sobre Mudança do Clima, considerada conjuntamente com o Protocolo de Quioto[39], dispõem, nesse contexto, de órgão com poderes para prestar assistência e impor sanções em caso de descumprimento de obrigações específicas, de forma a desincentivar o descumprimento e dar efetividade às obrigações previstas nestes documentos.

Por fim, como muitos dos tratados internacionais de direito ambiental preveem obrigações de transferência de recursos financeiros a países em desenvolvimento e em transição para economias de mercado, o Banco Mundial criou o *Global Environmental Facility* – GEF, com o propósito de coordenar, gerir e conceder recursos financeiros, por meio de um único órgão internacional responsável por várias Convenções.

O GEF é mecanismo financeiro multilateral criado pelo Banco Mundial em 1994[40], reestruturado em 1997[41] e em 2002[42], cuja função é financiar medidas e

39. No caso do **Protocolo de Quioto**, o Comitê de Avaliação do Cumprimento de Obrigações (*Compliance Committee*) foi criado pela COP 7 e ratificado pela COP/MOP 1, mas a imposição de sanções vinculantes quanto às metas de redução dependerá de emenda ao Protocolo.

40. Resolution 91-5, ILM 1991 (30), 1739ff.

41. Para o instrumento de instituição do GEF (*Instrument for the Establishment of the Restructured Global Environmental Facility*) *v.* ILM 1994 (33), 1283 e s.

42. Doc. Beijing Declaration of the Second GEF Assembly von 16. bis 18. Oktober, 2002, em 'www.gefweb.org'.

projetos relacionados a seis áreas: mudança climática, diversidade biológica, águas internacionais, degradação do solo, desertificação e desmatamento, destruição da camada de ozônio e poluentes orgânicos persistentes (POPs)[43]. As Convenções sobre Mudança Climática, Biodiversidade e para o Combate à Desertificação, e o Protocolo de Montreal adotaram o GEF, já em sua fase inicial, como mecanismo financeiro multilateral, enquanto as demais Convenções o adotaram mais tarde. O GEF não é um fundo, mas gestor de fundos do Banco Mundial e das Nações Unidas. O GEF não tem personalidade jurídica própria. Trata-se de órgão subsidiário comum das Nações Unidas e do Banco Mundial[44].

Sua inovadora estrutura possibilita a participação de outros dois órgãos subsidiários das Nações Unidas, quais sejam, a UNEP e o Programa das Nações Unidas para o Desenvolvimento (*United Nations Development Programme* – UNDP), e dos estados-partes[45]. A complexa divisão orgânica interna possibilita que a administração dos fundos geridos pelo GEF fique a cargo do Banco Mundial, enquanto os processos decisórios quanto às áreas e formas de atuação são determinados pelos estados-partes. Tanto países em desenvolvimento quanto países desenvolvidos têm direito a voto no processo decisório independentemente de contribuição para os fundos do GEF. UNEP e UNDP se ocupam de questões práticas de apoio técnico e ao desenvolvimento dos países beneficiados, da formação de capacidade e da execução de pesquisas científicas.

O financiamento pelo GEF ocorre na maioria das vezes por meios concessionais e não por contratos de mútuo, o que significa dizer que os países beneficiários não precisam restituir os valores recebidos. Tal sistema tem fundamento no fato de que a responsabilidade pela preservação do meio ambiente e os seus benefícios são globais, de modo que não seria justo atribuir os custos da preservação exclusivamente aos estados que detêm os recursos naturais. Esse sistema, contudo, exige que os recursos dos fundos sejam constantemente renovados. A negociação para a quarta rodada – período de 2006-2010 – determinará os aportes para o *Trust Fund*[46], o principal fundo cujos recursos são destinados a todas as áreas de atuação do GEF. Além do *Trust Fund*, o GEF gere também outros fundos, com destaque para os quatro fundos vinculados às mudanças climáticas.

---

43. Art. 3 do Instrumento de criação do GEF alterado.

44. Essa é, pelo menos, a opinião das Nações Unidas. De forma detalhada, *v.* M. EHRMANN, *Die Globale Umweltfazilität*, ZaöRV 1997, 564, 592.

45. Para detalhamento do quadro estrutural do GEF *v.* Laurence BOISSON DE CHAZOURNES, The global environmental facility galaxy, Max Planck UNYB 1999, p. 243 e e s. e Laurence BOISSON DE CHAZOURNES, *The global environmental facility*, **RECIEL** 2005 (3), p. 193 e s.

46. Nas rodadas anteriores, o *Trust Fund* contou com aportes de US$ 2 bilhões para o período de 1994-1998, US$ 2,75 bilhões para 1998-2002 e US$ 3 bilhões para 2002-2006.

7.1.6. formas de implementação e execução do direito internacional ambiental

Na década de 1990 ganhou força o movimento dos órgãos internacionais voltados à preservação do meio ambiente no sentido de implementar, promover o cumprimento e, se necessário, buscar a execução forçada dos tratados multilaterais ambientais. Antes, a principal preocupação era a formação do direito internacional ambiental minimamente completo, ou seja, que abrangesse todas as áreas sensíveis em termos de preservação ambiental. No plano acadêmico, a década de 1990 também vivenciou aumento significativo de estudos sobre a questão do cumprimento e da execução. Essa mudança de foco se deu em parte porque o direito internacional como um todo sofre da falta de mecanismos eficientes de implementação e de coerção normativa em comparação com os ordenamentos nacionais. No que se refere ao direito internacional ambiental, verifica-se a acentuação do déficit de executoriedade (nos países de língua alemã, ***Vollzugsdefizit***) em relação às obrigações ambientais.

Esse movimento começou a se ocupar das causas de não cumprimento de obrigações ambientais e de formas alternativas de promover o seu cumprimento[47]. A contraposição se há de fazer entre a adoção de ***meios repressivos*** – que preveem sanções como consequência ao descumprimento – ou de ***meios cooperativos*** – que objetivam antes a implementação em si, de tal forma que costumam

47. Convém enumerar aqui algumas obras fundamentais sobre o tema: U. BEYERLIN e T. MARAUHN, **Rechtsetzung und Rechtsdurchsetzung im Umweltvölkerrecht nach der Rio Konferenz 1992** (1997); R. WOLFRUM (Coord.), **Enforcing environmental standards, economic mechanisms as viable means?** (1996); M. BOTHE, *Vollzugsdefizit im Umweltvölkerrecht – Uberlegungen zu 30 Jahren Umweltrecht*, in Hans-Joachim CREMER, Thomas GIEGERICH, Dagmar RICHTER e Andereas ZIMMERMANN (Coords.), **Tradition und Weltoffenheit des Rechts**, (2002) p. 83 e s.; J. BRUNNÉE, *The Kyoto Protocol: Testing Ground for Compliance Theories?*, ZaöVR 2003, p. 255 e s.; J. BRUNNÉE e S. J. TOOPE, *International law and constructivism: elements of an interactional theory of international law*, Colum. J. Transnat'l. L. 2000 (39), p. 19 e s.; A. CHAYES; A. H. CHAYES, **The New Sovereignty** (1995); G. DOWNS, *Enforcement and the Evolution of Cooperation*, Mich. J. Int'l. L. 1998 (19), p. 319 e. s.; M. EHRMANN, **Erfullungskontrolle im Umweltvölkerrecht** (2000); L. GUNDLING, *Compliance assistance in international environmental law: capacity-building through financial and technology transfer*, ZaöRV 1996, p. 796 e s.; B. KINGSBURY, *The concept of compliance as a function of competing conceptions of international law*, Mich. J. Int'l. L. 1998 (19), p. 345 e s.; C. KREUTER-KIRCHHOF, *Neue Kooperationsformen im Umweltvölkerrecht*, **Die Kyoto Mechanismen** (2005); F. LADENBURGER, *Durchsetzungsmechanismen im Umweltvölkerrecht*, **"Enforcement" gegenuber den Staaten** (1996); P. H. SAND, *Institution-building to assist compliance with international environmental law: perspectives*, ZaöRV 1996, p. 774 e s.; Ph. SANDS, **Vers une transformation du droit international? Institutionnaliser le doute** (Paris: Pedone, 2000, "cours et travaux" de l'Univ. Panthéon-Assas – Institut des Hautes Études Internationales de Paris – Droit international, v. 4, p. 179-268); E. B. WEISS, *Understanding compliance with international environmental agreements: the Baker's dozen myths*, U. Rich. L. Rev. 1999, p. 1555 e s.; R. WOLFRUM, *Means of Ensuring Compliance with and enforcement of international environmental law*, in **Recueil de cours** (1998) Band. 272, p. 9 e s.; U. BEYERLIN; P. T. STOLL; R. WOLFRUM, **Ensuring Compliance with multilateral environmental agreements: a dialogue between practioners and academia**, (2006); UNEP, **Manual on compliance with and enforcement of multilateral environmental agreements** (2006).

ter efeito antes da constatação de ocorrência de cumprimento ou descumprimento das obrigações internacionais.

A eficiência de tratado multilateral ambiental se enceta com o seu processo de formação. Assim, o tratado terá maior viabilidade de ser executado na medida em que:

a) suas obrigações sejam de tal forma redigidas que as partes tenham exata consciência do meios necessários para se cumprir tais obrigações;
b) o conteúdo da obrigação seja claro e de dimensão restrita, de modo a facilitar o controle sobre o seu cumprimento;
c) os mecanismos de controle sejam transparentes, a fim de possibilitar às partes total previsibilidade das consequências do seu não cumprimento; e
d) os benefícios obtidos com a adesão ao tratado sejam, na medida do possível, equilibrados com os custos decorrentes da assunção de obrigações[48].

No que se refere à implementação e cumprimento, nos tratados em matéria de proteção do meio ambiente, aponte-se a preferência por ***meios cooperativos*** em detrimento de ***meios repressivos*** de execução, de modo que evite a instauração de antagonismos e confrontos políticos entre estados, causando o que se denomina efeito disruptor (*disruption effect*).

Além da consequência política natural, associada aos ***meios repressivos***, é fato que os meios tradicionais de tratamento da quebra de obrigações internacionais nem sempre, nem tampouco, em todos os aspectos, são compatíveis com a proteção do meio ambiente. Exemplo disso é o art. 60, § 2º, da **Convenção de Viena sobre o Direito dos Tratados**. Este dispositivo prevê, em caso de descumprimento unilateral de obrigações internacionais, a adoção unilateral de contra medidas (*counter-measures*), as quais são evidentemente inadequadas à proteção de bens ambientais e de bens comuns. Por certo, a suspensão ou término do tratado em relação à parte infratora, como ali previsto, só teria o condão de agravar ainda mais o bem jurídico ambiental tutelado, porquanto atuaria de forma contrária à sua preservação.

As demais formas tradicionais de execução, existentes no direito internacional, tampouco oferecem eficiência. A responsabilidade por danos ambientais

48. M. BOTHE, *The evaluation of enforcement mechanisms in international environmental law*, in R. WOLFRUM (Coord.), **Enforcing environmental standards: economic mechanisms as viable means?** (1996) p. 13 e s. U. BEYERLIN, Preface in: U. BEYERLIN, P.T. STOLL, R. WOLFRUM, **Ensuring compliance with multilateral environmental agreements** (2006), p. VII.

é de difícil aplicação mesmo nos casos mais evidentes, como no caso de *Chernobyl*, no qual nenhum estado até hoje reclamou indenização pelos danos causados pelo acidente nuclear[49]. Além disso, a responsabilidade só atua de forma posterior ao dano ambiental, que na maioria das vezes é irreversível. A responsabilidade por danos ambientais depende da caracterização do estado lesado (*injured state*), o que no âmbito do direito internacional nem sempre é possível, pois a lesão pode afetar não somente este ou aquele estado, individualmente, mas a comunidade internacional como um todo.

As diferentes formas de solução pacífica de controvérsias, tais como previstas no art. 33 da **Carta** das Nações Unidas, apesar de constarem da maioria dos tratados internacionais ambientais, tampouco têm demonstrado eficiência considerável. Em especial a ***arbitragem*** e o ***recurso a tribunais internacionais*** não evitam o desgaste político entre as partes nem necessariamente solucionam o problema. O prejuízo para os estados envolvidos é sempre latente, pois tais conflitos criam impasses nas relações internacionais, que extrapolam os limites do caso litigioso[50].

Sanções econômicas e restrições a comércio também têm efeitos positivos limitados, além de acarretarem efeitos negativos, que podem superar os positivos. Além disso, tais medidas frequentemente conflitam com normas internacionais, em matéria de proteção do livre comércio, de modo que só se têm admitido restrições a comércio e sanções comerciais, motivadas pela preservação ambiental, em poucos casos[51].

Diante desse cenário, os tratados multilaterais de proteção do meio ambiente estabelecem preponderantemente ***medidas assistenciais*** para incentivar a adesão e promover a implementação das obrigações dos estados. As formas as-

49. Como alerta a vencedora do prêmio Nobel de Literatura de 2015, Svetlana ALEXIEVITCH, em seu livro de depoimentos sobre o acidente e os efeitos da catástrofe de Chernobyl, **La supplication: Tchernobyl, chroniques du monde après l'Apocalypse** (do original **Tchernobilskaia molitva. Kronika buduchevo** © 1998, trad. du russe par Galia ACKERMAN et Pierre LORRAIN, in S. ALEXIEVITCH, **Oeuvres**, Arles: Actes Sud, 2015, p. 559-777), o quarto reator da central nuclear de Chernobyl, sob o codinome "Abrigo", foi revestido de chumbo e de concreto, mas conserva em seu interior algo que se estima como 20 toneladas de combustível nuclear. Admitido que não podem ser feitas verificações exatas do estado de conservação desse isolamento, construído por meio de robôs e de helicópteros, existem fundados temores de que gases radioativos continuem a sair do interior. E o desabamento desse "Abrigo" poderia ter consequências ainda mais desastrosas do que o acidente de 1986.

50. Exemplo é o conflito entre Uruguai e Argentina, por causa da construção das fábricas de papel às margens do Rio Uruguai, do lado uruguaio, com potencial prejuízo ambiental e ao turismo do lado argentino. O conflito entre os dois países, que não pôde ser resolvido pela diplomacia, nem pela tentativa de mediação de terceiros, foi submetido à Corte Internacional de Justiça. A tensão diplomática é tão grande, que tem prejudicado negociações multilaterais no âmbito do MERCOSUL, envolvendo outros estados não relacionados diretamente com esta controvérsia.

51. Os tratados em que essa prática é considerada justificável são, a título de exemplo, CITES, o Protocolo de Montreal e a Convenção da Basileia de 1989.

sistenciais atuam na fase da implementação das obrigações, mas podem, igualmente, ser determinadas após o descumprimento, em conjunto com medidas sancionatórias, como já aconteceu no âmbito do **Protocolo de Montreal**, e possivelmente acontecerá no âmbito do **Protocolo de Quioto**.

As medidas assistenciais resumem-se a três formas de cooperação:

a) transferência de recursos financeiros, para compensar custos de implementação de obrigações, aquisição de tecnologia, contratação de pessoal etc.

b) transferência de tecnologia, que se justifica pela demanda de tecnologia avançada para implementação de medidas de proteção ambiental, e

c) formação de capacitação, que significa a troca de experiências, intercâmbio de profissionais, custeio de pesquisas e de instituições de pesquisa em determinadas áreas, sempre de forma a criar os meios necessários para que o estado beneficiário disponha de condições próprias de dar continuidade a tais atividades.

A tais medidas, de caráter puramente assistencial, somem-se os mecanismos previstos no **Protocolo de Quioto**, que incluem componentes de mercado ao mesmo tempo que fomentam a transferência de recursos financeiros e de tecnologia e tornam os custos com as metas de redução de gases de efeito estufa menores[52]. A vantagem e a inovação destes mecanismos consistem na possibilidade de implementação de obrigações internacionais diretamente por pessoas físicas e jurídicas, sem intermédio dos estados, que só precisam ter estabelecido as condições jurídicas necessárias à viabilização desses mecanismos.

Os ***meios assistenciais***, entretanto, não excluem a adoção de ***meios repressivos***. Formas repressivas de execução de obrigações internacionais complementam as medidas assistenciais. Apesar de possíveis efeitos negativos, as Convenções e Protocolos têm feito significativos avanços quanto ao estabelecimento de normas e procedimentos de execução, como o do **Protocolo de Montreal** e, potencialmente, o do **Protocolo de Quioto**. Contudo, a maior dificuldade continua a ser que poucos tratados ambientais criam clima político propício ao estabelecimento de sistemas de verificação do cumprimento de obrigações tão rigorosos e eficientes quanto aqueles previstos no âmbito da Organização Mundial do Comércio (OMC)[53] e da União Europeia[54].

52. *V.* a seguir Proteção do Clima.

53. A respeito da OMC, *v.* item 4.1.2.1.

54. A respeito de sistema regional europeu de proteção ambiental, especialmente em relação ao meio ambiente marinho,

Para que os ***meios assistenciais*** e ***repressivos*** sejam sérios e confiáveis, é, ainda, necessário que o controle e monitoramento da implementação e do cumprimento das obrigações seja igualmente efetivo. Por essa razão, os tratados multilaterais, com frequência, preveem deveres de elaboração periódica de relatórios, inventários e comunicação de informações relevantes aos Secretariados e às demais partes. Essas obrigações são absolutamente essenciais para o acompanhamento por parte dos órgãos e das organizações internacionais, das ONGs e da imprensa, que, em última análise, formam a opinião pública.

7.2. Poluição atmosférica

Os problemas ligados à poluição da atmosfera agravaram-se consideravelmente depois da segunda guerra mundial. A chuva ácida que atingiu os rios e lagos escandinavos obrigou a opinião pública a tomar conhecimento de uma ameaça cuja gravidade não era levada na devida conta. O *fog* londrino, a poluição do Ruhr e o *smog* de Los Angeles muito contribuíram para aumentar esta preocupação, que atingiu o seu ponto mais alto em dezembro de 1952, quando o *fog* causou a morte de 4.000 pessoas nos quatro dias de sua duração. A enormidade da tragédia obrigou as autoridades a proibir a queima de carvão em Londres, com consequente queda nos níveis de poluição.

O fenômeno não é recente. Em 1872 o cientista escocês Robert Angus SMITH escreveu um livro sobre a *chuva ácida*, inventando a expressão. Diante da gravidade do fenômeno, foi criada na Europa em 1950 a *European Atmospherica Chemistry Network.*

Do ponto de vista legal, o caso mais citado em relação à *chuva ácida* é o Caso da Fundição Trail, o *Trail Smelter Case*, entre os Estados Unidos e o Canadá, decidido a favor deste[55].

Ao lado da *chuva ácida*, a atmosfera sofreu, nos últimos tempos, com fenômenos ligados à ação antrópica, como o efeito estufa, as queimadas, o desaparecimento das florestas tropicais e a destruição da camada de ozônio. Os perigos decorrentes da poluição atmosférica, provocada pelas descargas de gás e pelas indústrias, já fazem parte há algum tempo do cotidiano de diversas cidades da América Latina, como São Paulo, Rio de Janeiro, Santiago do Chile e a Cidade do México.

---

v. Wolfgang GRAF VITZTHUM e Claude IMPERIALI (sous la direction de), **La protection régionale de l'environnement marin: approche européenne** (préface Martin BANGEMANN, Paris: Econômica/Centre d'Études et de Recherches Internationales et Communautaires – Univ. d'Aix-Marseille III, 1992).

55. *V.* ref. ao *Trail Smelter case*, no item 7.1.1., *supra*.

Os malefícios da *chuva ácida* não se limitam aos danos à saúde humana, à agricultura e às florestas; seus efeitos também se fazem sentir sobre os monumentos históricos e até sobre edifícios e viadutos de construção recente. A Assembleia Parlamentar da Comunidade Europeia declarou-se preocupada, em 1984, com "*a corrosão de monumentos e de edifícios, bem como a deteriorização do patrimônio cultural, especialmente de documentos (arquivos), couros, têxteis e vitrais, provocada em grande parte pela chuva ácida*".

No direito internacional, uma série de tratados bilaterais, regionais e multilaterais destinam-se a regular a poluição atmosférica. Além dos tratados a seguir descritos, destacam-se o **Acordo sobre Qualidade do Ar** firmado entre os Estados Unidos e o Canadá (*Air Quality Agreement*) em 1991, sobre a redução de emissões de gases tóxicos por meio de medidas nacionais, o **Tratado de Cooperação sobre Poluição Atmosférica Transfronteiriça** entre os Estados Unidos e o México de 1987, sobre restrições de emissões de dióxidos de enxofre em regiões fronteiriças de ambos os estados, e o **Acordo de Cooperação sobre o Transporte Internacional de Poluição Urbana** de 1989, a respeito de restrições de emissões de substâncias tóxicas em determinadas áreas de fronteira.

7.2.1. Convenção de Genebra sobre poluição transfronteiriça de longa distância (1979)

Na década de 1960, foi comprovado cientificamente que emissões de óxidos de enxofre na Europa continental causaram a acidificação de lagos na Escandinávia. No curso da década de 1970 novos estudos demonstraram que a poluição era transportada pela atmosfera por milhares de quilômetros. O problema exige, portanto, adoção de medidas conjuntas e cooperativas e, nesse contexto, foi negociada **Convenção multilateral sobre poluição atmosférica transfronteiriça**, em Genebra, e esta conta atualmente com 51 partes, limitadas aos países europeus, alguns poucos países do Sudoeste asiático e Ásia central, Estados Unidos e Canadá.

Trata-se de típica Convenção-Quadro com obrigações muito abstratas e, por conseguinte, de reduzido conteúdo normativo vinculante. A Convenção em si determina a redução e prevenção de poluição atmosférica por meio de adoção de medidas cooperativas, dentre as quais se incluem troca de informações, consultas entre partes, pesquisa e monitoramento, revisão e elaboração de políticas nacionais de controle e combate à poluição e sistemas de gestão da qualidade do ar (artigos 2º a 9º).

O Secretariado da Convenção é exercido pelo Secretariado da Comissão Econômica para a Europa das Nações Unidas – UNECE (artigo 11). O Órgão

Executivo da Convenção é o órgão supremo e decisório, responsável pela revisão de atividades em andamento e pelo planejamento de medidas futuras. Para execução destas tarefas o Órgão Executivo conta com o apoio de outros três órgãos subsidiários.

Medidas concretas de implementação e restrições de emissão de certos poluentes foram adotadas somente com os oito Protocolos que se seguiram à Convenção:

- Protocolo sobre o financiamento de longo prazo do Programa de Cooperação para o Monitoramento e Avaliação da Transmissão de Longa Distância de Poluentes na Europa (EMEP) (1984, em vigor desde 1988)
- Protocolo sobre a redução de emissões de enxofre ou de seus fluxos transfronteiriços por pelo menos 30% (1985, em vigor desde 1987)
- Protocolo sobre o controle de óxidos de nitrogênio ou seus fluxos transfronteiriços (1988, em vigor desde 1991)
- Protocolo sobre o controle de emissões de compostos orgânicos voláteis ou seus fluxos transfronteiriços (1991, em vigor desde 1997)
- Protocolo sobre reduções adicionais de emissões de enxofre (1994, em vigor desde 1998)
- Protocolo sobre metais pesados (1998, em vigor desde 2003)
- Protocolo sobre poluentes orgânicos persistentes (POPs) (1998, em vigor desde 2003)
- Protocolo para diminuir acidificação, eutroficação e o nível de ozônio no solo (1999, em vigor desde 2005)

7.2.2. Convenção de Viena para a Proteção da Camada de Ozônio (1985)

A camada de ozônio acha-se situada entre 10 e 50 quilômetros da superfície da terra, sendo que a maior concentração verifica-se entre 20 e 25 quilômetros. O ozônio é gás azulado, com forte cheiro, venenoso e poluente; mas constitui escudo protetor da terra contra os raios ultravioleta (UV-8), nocivos à vida animal, às plantas e ao homem, principalmente como causadores do câncer de pele. Em 1974, o primeiro sinal de alarme foi dado a propósito dos malefícios dos CFCs, até então tidos como gases quase perfeitos, dada a ausência de cheiro, sabor e sua longa duração; estudos realizados em laboratórios mostraram que os CFCs destruíam o ozônio.

Tendo em vista as conclusões apresentadas pelos cientistas quanto às consequências da exposição excessiva de seres humanos aos raios ultravioleta, o Governo dos Estados Unidos passou a proibir o uso dos CFCs em 1978, a não ser para algumas utilizações específicas. O exemplo foi seguido pelo Canadá e pelos Países Escandinavos.

Em janeiro de 1982 foi criado grupo de peritos em questões legais e técnicas, com a incumbência de preparar projeto de Convenção destinada à proteção da camada de ozônio. O grupo efetuou diversas reuniões em Estocolmo, Genebra e Viena, e em 22 de março de 1985 a **Convenção de Viena para a Proteção da Camada de Ozônio** foi firmada. A Convenção foi ratificada por 191 partes, incluindo o Brasil[56], e está em vigor desde 1988.

Característica presente nas demais Convenções-Quadro, a Convenção de Viena não estabelece metas de redução e cronogramas, mas apenas delineia obrigações gerais a serem complementadas e concretizadas por outros documentos. A **Convenção de Viena**, juntamente com o **Protocolo de Montreal**, constitui marco do direito internacional ambiental, em especial porque se trata de precedente inédito de aplicação do ***princípio da precaução***. Apesar das incertezas científicas quanto à existência de processo de destruição da camada de ozônio e de seus efeitos, a comunidade internacional adotou medidas efetivas de controle de emissões de substâncias que destroem a camada de ozônio[57].

As obrigações gerais nela previstas, em vista do combate dos efeitos adversos da destruição da camada de ozônio, consistem resumidamente em cooperação para observações sistemáticas, pesquisa, troca de informações; adoção de medidas nacionais e políticas visando à redução das atividades que modifiquem ou destruam a camada de ozônio; adoção e desenvolvimento de padrões e procedimentos para a implementação da Convenção, visando à adoção de Protocolos e anexos à Convenção (artigo 2º). A Convenção dispõe ainda de obrigações para cooperação na condução de estudos científicos e pesquisas (artigos 3º, Anexos I e II, e 4º) e sobre transmissão de informações à COP, por intermédio do Secretariado, sobre as medidas implementadas pelas partes em cumprimento às disposições da Convenção (artigo 5º).

A estrutura da Convenção conta com uma COP, órgão supremo e decisório, responsável pelo acompanhamento da implementação da Convenção, bem como pela tomada de decisões sobre regras e procedimentos atinentes aos diversos as-

---

56. A **Convenção de Viena para a Proteção da Camada de Ozônio** foi aprovada, no Brasil, pelo Decreto legislativo n. 91/89 e promulgada pelo Decreto n. 99.280/90.

57. P. SANDS, **Principles**, p. 346.

pectos financeiros, técnicos, administrativos e operacionais da Convenção, além de poder instituir órgãos subsidiários (artigo 6º). A COP tem ainda, independentemente de ratificação pelas partes, poder para decidir sobre adaptações e alterações de Anexos, desde que versem sobre o potencial de destruição de determinadas substâncias e sobre adaptações e reduções de consumo e produção de substâncias específicas em certos processos. Decisão nesse sentido pressupõe igualmente que a decisão tenha sido preferencialmente adotada por consenso ou, sendo este impossível, por maioria de dois terços, representada pela maioria dos países desenvolvidos e dos países em desenvolvimento. Tal procedimento, introduzido posteriormente pelo **Protocolo de Montreal** (artigo 2º, § 10, do Protocolo)[58] constitui novidade no direito internacional, pelo fato de prescindir de ratificação pelas partes, tampouco comportando mecanismo de retirada (*opting out*)[59].

O Secretariado foi conferido à UNEP (artigo 7º) e desempenha as funções executivas da Convenção.

Diante de objeções suscitadas à época das negociações, principalmente pelos países da União Europeia, a Convenção teve de aceitar série de cláusulas de escape (*escape clauses*) que, de início, vieram enfraquecê-la. Mas como contrapartida estabeleceu mecanismo mediante o qual, por meio de Protocolos adicionais, possibilitou adotar medidas mais efetivas visando à proteção da ozonosfera.

Mediante a adoção deste dispositivo foi possível ultimar o **Protocolo de Montreal sobre Substâncias que destroem a Camada de Ozônio** de 1987, emendado para, entre outras alterações, incluir, com base em estudos científicos subsequentes, outros gases, alguns dos quais com capacidade destrutiva da camada de ozônio muito superior à dos CFCs. É interessante observar que os países europeus que haviam dificultado a assinatura da Convenção de 1985 passaram a adotar em 1987 posição mais favorável do que a dos Estados Unidos, diante da comprovação de que ocorrera perda da ordem de 40% da camada de ozônio acima da Antártica, numa superfície superior à dos Estados Unidos, e do impacto das notícias sobre o efeito estufa, ligadas a verão excessivamente quente no Hemisfério Norte.

O **Protocolo de Montreal** foi alterado pelas **emendas de Londres** (1990), **Copenhague** (1992), **Viena** (1995), **Montreal** (1997) e **Pequim** (1999)[60]. No Brasil, as emendas ao Protocolo foram todas aprovadas e promulgadas[61]. Em sua

---

58. *V.* também artigos 9º e 10 da Convenção.

59. U. BEYERLIN, **Umweltvölkerrecht**, p. 172.

60. Em suas diversas versões, o Protocolo de Montreal tem respectivamente 191, 184, 175, 149 e 120 partes.

61. A última por meio do Decreto legislativo n. 212/2004, promulgado pelo Decreto n. 5.280/2004.

versão original, o Protocolo de Montreal possuía previsões discretas de redução e consumo de oito substâncias que destroem a camada de ozônio. Atualmente o número de substâncias controladas é de noventa e seis. Cronogramas para a abolição gradual e completa de certas substâncias foram instituídos, alguns dos quais já chegaram ao seu final. O Protocolo prevê também a instituição de sistema de licenciamento para o comércio internacional (importação e exportação), que permite identificar substâncias comercializadas sem licenciamento.

O Artigo 2º do Protocolo de Montreal prevê uma série de medidas de controle e estudos sobre produção e consumo de certas substâncias e formas de transferência, entre as partes, de "níveis calculados de consumo", de forma a permitir certa flexibilidade no cumprimento de metas de redução das substâncias especificadas nos artigos 2-A e seguintes. Com as emendas ao Protocolo de Montreal, foram incluídas medidas mais rígidas e bem mais complexas de redução da produção e consumo de substâncias que destroem a camada de ozônio.

Para os CFCs, as partes devem limitar, até o décimo nono mês após a entrada em vigor do Protocolo, o consumo doméstico calculado de substâncias do Grupo I, Anexo A, até os níveis calculados de 1986. A partir de 1º de janeiro de 1994, os níveis de produção e consumo de substâncias devem-se limitar a 25% dos níveis de 1986. De 1º de janeiro de 1996 em diante as partes devem reduzir a produção e o consumo a zero. Certa tolerância, normalmente de 10% em relação aos níveis de 1986, é permitida para fins de equalizar e racionalizar a indústria doméstica (artigo 2º-A). Aos países em desenvolvimento, cujo consumo de substâncias do Anexo A é inferior a 0,3 quilogramas *per capita* (artigo 5º, § 1º), é conferido período de carência de 10 anos. Para os fins específicos do art. 2A, aqueles países descritos no artigo 5º, §1º que precisem atender a necessidades domésticas básicas, devem reduzir sua produção para 80% do nível médio do período de 1995-1997 até 1º de janeiro de 2003, para 50% até 1º de janeiro de 2005, para 15% até 1º de janeiro de 2007 e para 0% até 1º de janeiro de 2010 (artigo 2º-A).

O consumo e a produção de substâncias halogênias (Grupo II do Anexo A) devem ser estabilizados nos níveis de 1986 de 1º de janeiro de 1992 em diante, limite este que pode ser excedido em 10% pelos países do artigo 5º, § 1º, para atender a necessidades domésticas básicas. A partir de 1º de janeiro de 1994 o consumo e a produção destas substâncias devem cair a zero. Para os países do artigo 5º, § 1º, as metas de redução são mais flexíveis, prevendo a redução do consumo e da produção em 1º de janeiro de 2005 (50% em relação à média do período de 1995-1997) e a extinção completa em 1º de janeiro de 2010 (artigo 2º-B).

O limite de consumo de outros tipos totalmente halogenados de CFCs (Grupo I, Anexo B), nos termos do artigo 2-C, deve ser restringido a 80% dos níveis de 1989 a partir de 1º de janeiro de 1993, enquanto a produção deve ser estabilizada até tal data, observada a tolerância de 10% para os países produtores do artigo 5º, § 1º. A partir de 1º de janeiro de 1994, consumo e produção devem cair para 25% do níveis de 1989, e para zero a partir de 1º de janeiro de 1996, observada sempre a tolerância de 10% para os países do artigo 5º, § 1º. Países do artigo 5º, § 1º, que precisem atender a necessidades domésticas básicas, podem valer-se de cronograma que prevê a extinção da produção e consumo das substâncias do Grupo I do Anexo B em 1º de janeiro de 2010 (artigo 2º-C).

Os tetracloretos de carbono, Grupo II do Anexo B, devem ter seu consumo e produção reduzidos, a partir de 1º de janeiro de 1995, a apenas 15% dos níveis de 1989, respeitada a tolerância de 10% aos países produtores do artigo 5º, § 1º. A partir de 1º de janeiro de 1996, os níveis de produção e consumo devem cair a zero (artigo 2º-D).

O consumo e a produção de metilclorofórmio (Grupo III do Anexo B) devem ser estabilizados até 1º de janeiro de 1993, considerando os níveis de 1989, reduzidos a 50% em 1º de janeiro de 1994 e a zero a partir de 1º de janeiro de 1996. Também aqui se aplicam os limites de tolerância dos países em desenvolvimento que necessitem de tais substâncias para atender a demandas domésticas de caráter básico (artigo 2º-E).

O consumo de substâncias do Grupo I, Anexo C, denominadas hidrofluorcarbonetos, não pode exceder, a partir de 1º de janeiro de 1996, a 2,8% dos níveis de consumo de 1989 calculados para as substâncias do Grupo I do Anexo A, e o nível calculado para as substâncias do Grupo I do Anexo C. De 1º de janeiro de 2004 em diante, o nível de consumo destas substâncias deve ser reduzido a 65% dos níveis mencionados anteriormente, a 35% em 1º de janeiro de 2010, a 10% em 1º de janeiro de 2015, a 0,5% em 1º de janeiro de 2020, e a zero em 1º de janeiro de 2030. Para a produção de hidroclorofluorcarboneto, o Protocolo estabelece um calendário de reduções diferentes. Afora isso, a partir de 1º de janeiro de 1996, as partes devem adotar medidas para garantir que tais substâncias sejam usadas somente quando não haja alternativa viável disponível e de forma que minimizem a destruição da camada de ozônio (artigo 2º-F).

Salvo nos casos em que as partes estejam de acordo quanto à essencialidade do uso de hidrobromofluorcarbonetos (Grupo II do Anexo C), o consumo e a produção destas substâncias devem ser reduzidos a zero a partir de 1º de janeiro de 1996 (artigo 2º-G).

Por fim, o consumo e a produção do último grupo de substâncias controladas pelo **Protocolo de Montreal**, denominadas metilbromídio (Anexo E), não devem exceder, a partir de 1º de janeiro de 1995, os níveis de 1991, observada a tolerância de 10% para os países do artigo 5º, § 1º. De 1º de janeiro de 1999 em diante os níveis de consumo e produção não devem exceder a 75% dos níveis de 1991. A partir de 1º de janeiro de 2001, tais níveis devem ser reduzidos a 50%, a 30% a partir de 1º de janeiro de 2003, a zero em 1º de janeiro de 2005 (artigo 2º-H).

A fim de inibir as atividades dos chamados aventureiros (*free riders*), países que poderiam lucrar com a transferência de indústrias para seu território por não aderirem ao Protocolo de Montreal, o artigo 4º estipula restrições de comércio com países que não são parte do Protocolo. São basicamente três as formas de restrições do comércio com países não partes do Protocolo:

a) as importações de substâncias controladas de estados que não aderiram ao Protocolo devem ser banidas segundo o cronograma previsto no artigo 4º, e as exportações de estados-partes do Protocolo para estados que não são partes do Protocolo estão igualmente proibidas;
b) o artigo 4º restringe também as importações de produtos contendo substâncias controladas de países que não são partes do Protocolo; e
c) a última forma de restrição a comércio prevista no artigo 4º refere-se à avaliação de viabilidade pelas partes para aplicação de restrições a produtos que não contêm substâncias controladas, mas foram produzidas com tais substâncias.

De modo a reforçar a implementação destas restrições, o art. 4º-B criou um sistema de licenciamento para controle de importação e exportação de substâncias controladas. Por meio deste sistema, as partes e o Secretariado teriam condições de aferir o cumprimento das medidas adotadas para impedir o comércio com *free riders*.

Estas restrições a comércio foram, no início, extremamente controversas, em especial a última, que contrariaria dispositivo da GATT proibindo discriminação do comércio com base nos processos de produção. Apesar dessas controvérsias iniciais, abrandadas com o tempo pela doutrina e pela incorporação de componentes ambientais no ***sistema da* OMC**[62], tais restrições nunca foram questionadas pelas partes como contrárias às regras de livre comércio[63]. No entanto, sua eficácia mostrou-se bastante satisfatória.

62. A respeito do sistema da OMC, *v.* item 4.1.2.1.

63. Como já abordavam Kym ANDERSON e Richard BLACKHURST (sous la direction de), **Commerce international et environnement** (© 1992, ed. inglesa; traduit par Yves Duret, Sylvie de Gunzburg et Jean-Michel Plessz, Paris: Economica, 1992), com consideráveis desenvolvimentos posteriores.

O **Protocolo de Montreal** é, também, inovador quanto às obrigações e mecanismos de implementação e execução. O sistema de prestação de informações e relatórios pelas partes ao Secretariado possibilita efetivo controle do cumprimento das obrigações (artigo 7º). O **Protocolo** prevê também disposições menos genéricas em comparação a tratados precedentes acerca da ajuda financeira, técnica e tecnológica aos países em desenvolvimento. Pela primeira vez se estabeleceu mecanismo financeiro que seria adicional aos demais fundos e recursos de desenvolvimento destinados a países em desenvolvimento e que cobriria todos os custos adicionais dos países em desenvolvimento para cumprir e implementar suas obrigações. Por custos adicionais entende-se aqueles que não ocorreriam na ausência do Protocolo de Montreal.

À época das negociações para a Convenção e para o Protocolo, estimava-se que a produção e o consumo de substâncias que destroem a camada de ozônio era de 85% nos países desenvolvidos, de modo que o estabelecimento de um mecanismo financeiro nestes termos teria o condão de contrabalançar essa desproporção, de modo a evitar que países em desenvolvimento arcassem com os custos de um problema causado em muito maior parte pelos países desenvolvidos. O mecanismo financeiro foi também forma de atrair os países em desenvolvimento para o Protocolo, em razão da melhoria tecnológica e de estrutura que esse mecanismo poderia propiciar. O mecanismo financeiro, nos termos do artigo 10 prevê a instituição de um Fundo Multilateral, cuja gestão ficou a cargo do GEF.

O Secretariado da Convenção de Viena e do Protocolo de Montreal são os mesmos. A COP, quando decide questões relativas ao Protocolo, atua na condição de MOP (*Meeting of the Parties*) e concentra as mesmas funções decisórias, de revisão e acompanhamento da implementação.

O artigo 8º do **Protocolo de Montreal** prevê a criação de mecanismo para tratar das causas e dar respostas ao não cumprimento das obrigações. Com base nesse dispositivo foi instituído pela MOP 4 de 1992[64] e alterado pela MOP 10 de 1998[65] mecanismo de avaliação do cumprimento das obrigações do Protocolo de Montreal. As consequências advindas do não cumprimento podem ser assistência técnica, tecnológica e financeira, bem como suspensão de direitos e privilégios decorrentes do Protocolo[66]. As partes não cumpridoras das metas de

64. Decisão IV/5.

65. Decisão X/10.

66. Para maior profundidade quanto ao funcionamento do mecanismo de avaliação, *v.* M. EHRMANN, **Erfullungskontrolle im Umweltvölkerrecht** (2000). K. MADHAVA SARMA, *Compliance with Multilateral Environmental Agreements to Protect the Ozone Layer*, in **Ensuring Compliance with Multilateral Environmental Agreements** (2006), p. 25 e s.

redução devem apresentar ainda plano de ação para tratar e resolver as causas de não cumprimento. O Comitê de avaliação do cumprimento já teve de se debruçar sobre série de casos envolvendo o não cumprimento dos cronogramas de redução de substâncias que destroem a camada de ozônio[67].

Pela estrutura, formas de implementação e execução e natureza das obrigações, que contribuíram para a reversão da tendência de destruição da camada de ozônio, o **Protocolo de Montreal** passou a ser considerado um dos mais efetivos instrumentos de proteção ambiental em vigor. As experiências com o Protocolo de Montreal acabaram por influenciar os tratados seguintes, em especial a **Convenção-Quadro das Nações Unidas sobre Mudança do Clima**, que adotou mecanismos financeiros, de implementação e de execução semelhantes aos mecanismos previstos para o regime de proteção da camada de ozônio.

7.2.3. Convenção-Quadro das Nações Unidas sobre Mudança do Clima

Até a década de 1980 as discussões acerca da existência de fenômeno global de mudança climática, suas causas e seus efeitos eram restritas a grupos de pesquisadores. A movimentação política relacionada a tal tema só teve início no final da década de 1980, quando estudos mais concretos sobre esse assunto passaram a preocupar a comunidade internacional pelo potencial catastrófico do aquecimento global, comumente denominado efeito estufa. Diferentemente do que ocorreu com os antecedentes históricos de poluições atmosféricas, em especial com poluição por gases tóxicos e que destroem a camada de ôzonio, o processo de conscientização em relação à mudança climática é bem mais demorado e perdura até hoje.

Pode-se se dizer que, para o direito internacional, a proteção do clima teve início a partir da convocação em 1988 de comissão internacional denominada *International Panel on Climate Change* – IPCC, sob a direção do Programa das Nações Unidas para o Meio Ambiente (*United Nations Environment Programme* – UNEP) e da Organização Mundial de Metereologia (*World Meteorological Organization* – WMO), para a condução permanente de estudos políticos e pes-

67. Por ser o Protocolo de Montreal um tratado em estado avançado de implementação, é interessante acompanhar o funcionamento do sistema de avaliação do cumprimento das obrigações, que é pioneiro e influenciou outros sistemas ainda em fase inicial. Para uma visão completa das decisões da praxis deste mecanismo, *v.* **Handbook for the Montreal Protocol on Substances that Deplete the Ozone Layer** (2006), 7. ed., preparado pelo Secretariado e pela UNEP, consultável através de <http://ozone.unep.org/Publications/Handbooks/MP_Handbook_2006.pdf>.

quisas na área das ciências naturais sobre as causas e os efeitos da mudança climática. Tal comissão apresentou em 1990 seu primeiro relatório abrangente sobre a contribuição de gases antropogênicos, em especial daqueles gases emitidos a partir da combustão de combustíveis fósseis, para o aquecimento global. Os prognósticos deste relatório para as próximas décadas foram alarmantes.

Em 1989, ante o alarmismo criado acerca dos potenciais efeitos negativos do aquecimento global, a Assembleia Geral das Nações Unidas, por meio da Resolução 53 (XLIII), declarou ser o clima "***preocupação comum da humanidade***" (*comum concern of mankind*), fundada no fato de ser o clima condição fundamental para a manutenção da vida sobre a Terra. A iniciativa da Assembleia Geral convocava a comunidade internacional e organizações internacionais a cooperar e tratar do fenômeno climático como prioridade. O estabelecimento de princípio como este, que no início tinha *status* jurídico de *soft law*, mas ganhou consistência normativa, posteriormente, mediante a sua inclusão em tratados, pode ser considerado o ponto de partida para a criação de sistema internacional que daria o tratamento jurídico necessário para combater as causas e os efeitos adversos do aquecimento global. A terminologia de ***preocupação comum*** (*common concern*) já havia sido empregada na Conferência de Estocolmo em 1972 para descrever a responsabilidade dos estados sobre áreas fora da soberania nacional. Durante a Conferência do Rio de Janeiro em 1992, tal termo foi utilizado como referência aos assuntos sujeitos à responsabilidade da comunidade internacional como um todo.

Preocupação comum (*common concern*) não deve ser confundida com o ***patrimônio comum da humanidade*** (*common heritage of mankind*)[68]. Em contraposição ao patrimônio da humanidade, o conceito de ***preocupação comum da humanidade*** não se refere à propriedade sobre os recursos naturais – no sentido de direito soberano de exploração dos recursos naturais pelos estados – tampouco às áreas excluídas da soberania dos estados (como o alto-mar, o espaço extra-atmosférico e a Antártica). Trata-se de considerar o clima como a responsabilidade una que recai sobre a comunidade internacional como todo[69], vez que a atmosfera e outros elementos do clima não estão sujeitos a nenhum tipo de direito soberano dos estados. Nesse contexto, o exercício individual pelos estados de qualquer direito de soberania deve observar suas respectivas responsabilidades perante a causa climática[70]. A limitação da soberania dos estados por meio deste

68. R. WOLFRUM, *Common heritage of mankind*, in **Encyclopedia of public international law**, v. 11, p. 65 e s.
69. F. BIERMANN, *Common concerns of humankind and national sovereignty*, in: **Globalism: people, profits and progress**, p. 162.
70. P. W. BIRNIE e A. E. BOYLE, op. cit., p. 98-99.

princípio é, todavia, muito sutil e entra em permanente conflito com declarações unilaterais e conjuntas dos estados, pelas quais a soberania sobre os recursos naturais é acentuada[71]. Apesar do avanço expresso na Resolução n. 53 (XLIII), a preocupação com a mudança climática não foi colocada acima dos interesses individuais dos estados, mas ao lado. A partir de tal princípio, não é possível dizer que o clima, enquanto responsabilidade da comunidade internacional, tenha *status* privilegiado em relação aos demais interesses dos estados[72]. Com base nessa exposição, o disposto no artigo 6º da Resolução n. 43/53 fundamenta apenas um mandamento geral de reciprocidade entre direitos e deveres dos estados para com o clima, isto é, todos têm direito ao uso deste recurso natural, mas todos têm o dever de preservá-lo.

O passo seguinte seria firmar tratado multilateral. Esta iniciativa veio então com a Resolução n. 212 (XLV), da Assembleia Geral das Nações Unidas, a qual instituiu e conferiu poderes ao Comitê Intergovernamental para a Convenção sobre Mudança Climática (*Intergovernmental Comittee for a Convention on Climate Change* – INC) para dar início ao processo de negociações que culminaria na **Convenção-Quadro das Nações Unidas sobre Mudança do Clima**. O texto atual da Convenção foi apresentado para assinatura em Nova Iorque em 9 de maio de 1992 e, em seguida, na Conferência das Nações Unidas para Meio Ambiente e Desenvolvimento, sediada no Rio de Janeiro em 1992. Após o período necessário à ratificação por parte dos estados, a Convenção entrou em vigor em 21 de março 1994 e conta atualmente com 189 ratificações, inclusive o Brasil[73].

A **Convenção** foi firmada na forma de Convenção-Quadro, assim descrita por apresentar apenas objetivos e obrigações gerais e abstratos. A concretização e a aplicação de seus preceitos não é imediata, dependendo de processo de desenvolvimento contínuo por etapas, a ser conduzido pelas instituições previstas na Convenção, as quais se ocuparão das questões técnicas e práticas de implementação. A COP, formada por representantes dos estados-partes e órgão supremo da Convenção. Fica a cargo desta trabalhar, desenvolver e realizar a Convenção no futuro por meio de suas decisões e propostas de protocolo[74].

A **Convenção** pode ser dividida em quatro tipos distintos de normas: os dispositivos introdutórios (definições de termos empregados no texto, princípios e objetivo final), obrigações relativas às fontes de emissões e à redução da concen-

71. Um exemplo disso é o sétimo parágrafo do Preâmbulo da Convenção-Quadro sobre Mudanças Climáticas.
72. U. BEYERLIN e T. MARAUHN, **Rechtsetzung und Rechtdurchsetzung** , p. 17.
73. O Brasil aprovou a **Convenção** por meio do Decreto legislativo n. 1/94 e promulgou-a por meio do Decreto n. 2.652/98.
74. Artigos 7 e 17 da Convenção.

tração de gases que contribuem para o aquecimento global por meio de sumidouros, bem como as relativas à cooperação e à troca de informações, dispositivos voltados à instituição de órgãos e aos aspectos procedimentais e, por último, dispositivos acerca de alteração da Convenção, entrada em vigor, anexos e protocolos[75].

O objetivo final da **Convenção**, assim como descrito no seu artigo 2º, é a estabilização da concentração de gases que contribuem para o aquecimento global em um nível que impeça uma inteferência perigosa no sistema climático. O artigo 2º não trata de prazo no qual tal objetivo há de ser alcançado, mas determina que a estabilização ocorra dentro de período que permita aos ecossistemas adaptarem-se naturalmente à mudança do clima, que assegure que a produção de alimentos não seja ameaçada e que permita desenvolvimento econômico sustentável. Além da ausência de prazos, ou ainda de calendário de medidas a serem adotadas, de tal dispositivo também não decorre nível objetivo, em que os gases antropogênicos que contribuem para o aquecimeno global devam ser estabilizados[76], mas apenas ponto de partida para futuras negociações[77].

De forma a atingir o objetivo final da **Convenção**, as partes devem observar os princípios enumerados no artigo 3º, quais sejam, a responsabilidade comum mas diferenciada de países desenvolvidos e em desenvolvimento, levar em consideração as necessidades das futuras gerações, assim como daqueles países em desenvolvimento mais vulneráveis aos efeitos da mudança climática, o princípio da precaução, o dever de fomentar o desenvolvimento sustentável e a proibição da discriminação ou restrição arbitrária nas relações comerciais entre as partes. Ademais, os países desenvolvidos devem adotar posição de liderança no combate da mudança climática e de seus efeitos.

As obrigações surgidas a partir da Convenção são de tal forma influenciadas pelos princípios da responsabilidade comum, porém diferenciada, e da liderança dos países desenvolvidos, que aos países desenvolvidos e em desenvolvimento, assim como aos países em transição para economias de mercado, é conferido tratamento substancialmente diferenciado. Assim, as obrigações oriundas da Convenção foram classificadas de acordo com a divisão entre os referidos "grupos de estados".

---

75. D. BODANSKY, *The United Nations Framework Convention on Climate Change: a Commentary*, AJIL (1993), p. 492.

76. A imposição de *soft targets* foi, por um lado, duramente criticada e, por outro lado, significou que também as obrigações de uma forma geral contidas na Convenção fossem tidas como não vinculantes (*non-binding*) por parte de alguns estados. Nesse sentido *v.* K. CAMPBELL, *From Rio to Kyoto: The Use of Voluntary Agreements to Implement the Climate Change Convention*, RECIEL 2 (1998), 159-160. D. BODANSKY, op. cit., p. 516-517.

77. L. BOISSON DE CHAZOURNES, *The United Nations Framework Convention on Climate Change: on the road towards sustainable development*, in **Enforcing environmental standards**, p. 287.

As obrigações fundadas no artigo 4º, parágrafo 1º, são direcionadas a todas as partes e abrangem principalmente as obrigações de elaboração de inventários nacionais de emissões antrópicas e comunicação à COP, em conjunto com o Artigo 12, da tomada de medidas e iniciativas no âmbito de programas nacionais para conter a mudança climática ou mitigar seus efeitos negativos e também de medidas no âmbito de pesquisas e troca de conhecimento científicos.

O artigo 4º, parágrafo 2º, prevê obrigações exclusivas aos países enumerados no Anexo I (países desenvolvidos e países em transição para economia de mercado) pertinentes a políticas e medidas nacionais de combate ao aquecimento global pela redução de gases que contribuem para o efeito estufa, entre outras. Segundo o artigo 4º, parágrafos 3º e 4º, incumbe aos países arrolados no Anexo II (países membros da OECD, embora nem todos possam ser descritos como países desenvolvidos) apoiar os países em desenvolvimento, colocando à sua disposição os recursos financeiros novos e adicionais necessários a cobrir os custos decorrentes do cumprimento do artigo 12, parágrafo 1º, ou dos custos causados pelos efeitos negativos da mudança climática. Afora isso, os países desenvolvidos devem, nos termos do artigo 4º, parágrafo 5º, possibilitar a transferência e acesso a tecnologias "limpas" e respectivo *know-how*. A se ter como referência tais dispositivos, fica claro o tratamento diferenciado conferido às partes, que se explica e é destaque também no preâmbulo da Convenção[78].

Aos países em transição para a economia de mercado é assegurada certa flexibilidade na implementação e cumprimento das obrigações por força do artigo 4º, parágrafo 6º, enquanto para países em desenvolvimento há previsão de verdadeira cláusula condicional suspensiva no artigo 4º, parágrafo 7º, segundo o qual o cumprimento de obrigações fundadas na Convenção dependerá da extensão na qual os países desenvolvidos cumprirão as obrigações de transferência financeira e tecnológica.

Por fim, a **Convenção** contém preponderantemente meios cooperativos para o atingimento de suas metas. O exemplo disso é a série de obrigações de ajuda entre países desenvolvidos e em desenvolvimento, as quais, apesar de muito genéricas e da falta de medidas concretas de combate ao aquecimento global e de metas de redução de emissões, pelo menos denotam uma prontidão da comunidade internacional de combater em conjunto as causas da mudança climática. Todavia, a **Convenção**, considerada de forma isolada, é ainda incipiente e pouco clara quanto aos mecanismos para implementação e cumprimento das obrigações relativas à cooperação interestatal.

78. L. RAJAMANI, *The principle of common but differentiated responsibility and the balance of commitments under the climate regime*, RECIEL 2 (2000), p. 122.

Diante da necessidade de desenvolvimento dos mecanismos para fomentar a implementação e induzir a execução da Convenção foi criado mecanismo de financiamento multilateral da Convenção, o qual se presta não só à transferência de recursos financeiros para cobrir custos novos e adicionais de implementação da Convenção, como também destina-se ao financiamento de aquisição e transferência de tecnologia. De fato, a prontidão e os interesses de grande parte dos países em desenvolvimento em se vincular por tratado internacional de proteção ao clima, ante a indesejada perspectiva de aumento de despesas públicas, dependiam de forma imediata da disposição de recursos financeiros, de modo que os custos novos e adicionais provenientes da Convenção fossem, nos termos do artigo 4º, parágrafo 3º, suportados por eles mesmos[79]. Sem a criação de instrumento para suprir esta demanda por recursos necessários para amortizar as despesas da Convenção, a participação global estaria ameaçada.

Posto este cenário político, o artigo 11, combinado com o artigo 21, lançou a base jurídica para a instituição e o desenvolvimento de mecanismo financeiro internacional, o qual se submeteria hierarquicamente à COP e contaria com a participação de outros órgãos internacionais, como o Banco Mundial, por meio de seu gestor de recursos para proteção do meio ambiente, os já referidos *Global Environmental Facility* – GEF, o Programa das Nações Unidas para o Meio Ambiente (UNEP) e o Programa das Nações Unidas para o Desenvolvimento (UNDP). Tal iniciativa objetivava promover e incentivar o cumprimento de obrigações oriundas da Convenção e complementar os deveres de ajuda dos países em desenvolvimento por parte dos países desenvolvidos, além de confirmar a tendência mundial de incumbir organizações e órgãos internacionais de fins específicos da tarefa de zelar pela implementação e execução de tratados internacionais ambientais.

Após a entrada em vigor da Convenção, a COP se reuniu pela primeira vez de 28 de março de 1995 a 07 de abril de 1995 em Berlim. Na primeira reunião as partes chegaram à conclusão de que as obrigações do artigo 4º, parágrafo 2º, *a* e *b*, da Convenção não seriam adequadas para se atingir o objetivo proposto pela Convenção. Decidiu-se então – segundo o que se convencionou chamar de *Mandato de Berlim* – pela criação de grupo *ad hoc* para estudar e propor protocolo à Convenção com metas concretas de redução de emissões de gases que contribuem para o aquecimento global a serem impostas aos países arrolados no Anexo I[80]. Acordo sobre o texto do Protocolo foi alcançado somente na terceira

79. A. JORDAN e J. WERKSMANN, *Additional funds, incremental costs and the global environment*, RECIEL (1994), p. 81.
80. Decisão 1/CP.1, Doc. FCCC/CP/1995/7/Add.1.

COP em 1997, na cidade de Quioto[81]. Para entrar em vigor, o **Protocolo de Quioto** requer, nos termos do artigo 25, a ratificação de pelo menos 55 estados-partes da Convenção, cujas emissões devem corresponder no total a pelo menos 55% das emissões de dióxido de carbono no ano de 1990. O **Protocolo de Quioto** entrou em vigor em 16 de fevereiro de 2005 e conta atualmente com 161 ratificações, equivalentes a 61,6% das emissões de dióxido de carbono no ano de 1990[82], inclusive o Brasil[83].

O objetivo do **Protocolo de Quioto**, de acordo com o artigo 3º, parágrafo 1º, é a redução de 5% das emissões de gases que contribuem para o aquecimento global, descritos no Anexo A[84], por parte do países arrolados no Anexo I[85] no período entre 2008 e 2012, tomando-se como base o ano de 1990. Em acréscimo à meta principal do artigo 3º, o Protocolo concretiza e completa nos artigos 2º, 3º, 5º e 7º algumas das obrigações dos estados incluídos no Anexo I já previstas na Convenção, conforme foi determinado por ocasião do *Mandato de Berlim*.

Os aspectos concretizados e complementados pelo **Protocolo de Quioto** podem ser enumerados da seguinte forma:

a) os estados incluídos no Anexo I devem implementar uma série de políticas e medidas nacionais para mitigação dos efeitos negativos da mudança climática[86];

b) metas de redução de emissões compulsórias individuais para cada estado foram estabelecidas[87]; e

c) as informações sobre fontes e emissões antrópicas, bem como os inventários anuais de cada estado, devem ser transmitidas ao Secretariado da Convenção[88].

Nesses aspectos nota-se no **Protocolo de Quioto** avanço substancial, uma vez que, diferentemente da Convenção, prevê regras mais precisas e claras, além

81. Decisão 1/CP.3, Doc. FCCC/CP/1997/7/Add.1.
82. Doc. FCCC Status of Ratifications on 14-2-2006.
83. No Brasil o **Protocolo de Quioto** foi aprovado pelo Decreto legislativo n. 144/2002 e promulgado pelo Decreto n. 5.445/2005.
84. Os gases abrangidos pelo Anexo A são o dióxido de carbono, o metano, o óxido nitroso, hidrofluorcarbonos, perfluorcarbonos e o hexofluoreto de enxofre.
85. As "partes incluídas no Anexo I" referem-se, segundo o artigo 1, inciso 7, do Protocolo de Quioto às partes incluídas no Anexo I da Convenção.
86. Artigo 2º.
87. Artigo 3º, parágrafo 7º, combinado com o Anexo B.
88. Artigos 5º e 7º.

de inquestionavelmente vinculantes, em relação ao objetivo final e às obrigações das partes[89].

Paralelamente à meta global de redução, o **Protocolo de Quioto** estabelece obrigações individuais de reduções de emissões para cada uma das partes incluídas no Anexo I e, em alguns casos, um aumento limitado de emissões é permitido[90]. Segundo a regra geral, todos os países do Anexo I, repetidos no Anexo B, incluindo a União Europeia, submetem-se à meta de redução de emissões de 8%, com base no ano de 1990, exceto os Estados Unidos da América (-7%)[91], Japão (-6), Croácia, (-5%), Rússia, Ucrânia e Nova Zelândia (0%), Noruega (+1%), Austrália (+8%) e Islândia (+10). O estabelecimento de metas de redução distintas para os países do Anexo I é expressão do reconhecimento político e jurídico dos princípios enumerados no artigo 3º da Convenção, segundo os quais as medidas de combate à mudança climática devem levar em consideração a realidade e as necessidades de cada estado, assim como suas responsabilidades diferenciadas[92].

No que diz respeito às metas individuais de redução de emissões, os estados devem cumpri-las, em princípio, por meio de políticas e medidas nacionais (artigo 2º), as quais conduzam à redução real da quantidade de emissões advindas do território de cada estado, listado no Anexo B[93]. Entretanto, o **Protocolo de Quioto** criou a possibilidade de flexibilizar tais obrigações mediante os assim denominados *Mecanismos de Flexibilização* (*flexibility mechanisms*), com os quais as partes do Protocolo têm a possibilidade de cumprir suas metas de redução por meio de atividades e projetos desenvolvidos e executados em cooperação com outros estados. Apesar das críticas iniciais a tais mecanismos – em especial porque estes poderiam vir a ter o efeito contrário ao desejado, isto é, poderiam não resultar na redução da concentração de gases de efeito estufa na atmosfera, à medida que os países com metas de redução poderiam simplesmente compensar suas emissões pela transferência de montantes de emissões excedentes de outros países em vez de procurar de fato reduzi-las[94] – estabeleceu-se que eles

89. C. BREIDENICH, D. MAGRAW, A. ROWLEY e J. W. RUBIN; *The Kyoto Protocol to the United Nations Convention on Climate Change*, AJIL 1998, 315, 327.

90. A lista completa de todos os países e respectivas metas de redução encontram-se no Anexo B do Protocolo de Quioto.

91. Os Estados Unidos da América não ratificaram o **Protocolo de Quioto** e, portanto, não estão sujeitos às metas neste previstas.

92. P. W. BIRNIE e A. E. BOYLE, op. cit., p. 526-527. M. CAMPINS ERITJA, *La acción internacional para reducir los efectos del cambio climático: el Convenio Marco y el Protocolo de Kyoto*, Anuario de Derecho Internacional (1999), p. 88-89.

93. C. VROLIJK, *Quantifying the Kyoto Commitments*, RECIEL (2000), p. 286 e ss.

94. C. VROLIJK, p. 286 e s. F. YAMIN, *The Kyoto Protocol: origins, assessment and future challenges*, RECIEL (1998), p. 121.

poderiam ser empregados pelas partes para fins de cumprimento das metas de redução, desde que de forma subsidiária e complementar às medidas nacionais que de fato levem à redução de emissões no próprio território.

Ao todo são três as formas de manifestação destes mecanismos:

a) a implementação conjunta[95];

b) o mecanismo de desenvolvimento limpo[96]; e

c) o comércio de emissões[97].

Tais mecanismos introduzem componentes de mercado no regime de proteção ao clima e possibilitam, em última análise, inovadora forma de implementação de obrigações internacionais, de acordo com as quais pessoas físicas e jurídicas teriam participação direta, seja sob a forma de condução de projetos com benefícios para o clima, seja por meio de geração e de comercialização de *commodities* vinculadas ao **Protocolo de Quioto**.

Em vista da expressa limitação dos poderes outorgados no *Mandato de Berlim*, o **Protocolo de Quioto** não contém obrigações adicionais às da Convenção para os países em desenvolvimento, mas apenas dispositivos que reforçam e detalham aspectos de implementação das obrigações previstas no artigo 4º, parágrafo 1º, da Convenção[98].

Quanto à efetividade das metas de redução para combater a causa da mudança climática, o objetivo final de reduzir a emissão global de gases que contribuem para o aquecimento global em 5% com base nas emissões de 1990 é considerado deveras insuficiente. Segundo o relatório do IPCC, o efeito estufa só deverá ser contido a partir de redução em torno de 60% da emissão global. Em tal cenário, a continuidade de desenvolvimento e aplicação dos mecanismos de implementação do **Protocolo de Quioto** faz-se absolutamente imprescindível, uma vez que, para alcançar tal nível de redução de emissões no futuro, os estados precisariam lançar mão de praticamente todos os recursos técnicos e meios jurídicos disponíveis, sem prejuízo de novos mecanismos, para atingir suas metas, em especial após o período entre 2008 e 2012. Apesar de as metas de redução do **Protocolo de Quioto** serem irrisórias, em comparação com o que se poderia ou se deveria cumprir para evitar o que pode transformar-se em catástrofe sem precedentes, seu valor está exatamente no fato de se mostrar como avanço, qual seja,

---

95. Artigo 6º.

96. Para uma visão abrangente e detalhada da evolução e atual regulamentação do MDL, *v.* W. GRAU NETO, **O Protocolo de Quioto e o Mecanismo de Desenvolvimento Limpo**. São Paulo: Fiuza, 2007.

97. Artigo 17.

98. Artigo 10.

o início de longo processo de conscientização e ação da comunidade internacional para vencer o desafio que a mudança climática coloca para a humanidade.

Apesar de todos os esforços diplomáticos, as obrigações, medidas de implementação e mecanismos previstos na **Convenção** e no **Protocolo de Quioto**, dada a novidade e peculiaridade que representam, dependem de intenso e longo trabalho de implementação e execução de seus preceitos. Para viabilizar seus dispositivos, a Conferência das Partes juntamente com a Reunião das Partes do **Protocolo de Quioto** (*Conference of the Parties serving as the Meeting of the Parties to the Kyoto Protocol*) COP/MOP expediu gigante número de normas, muitas vezes de cunho eminentemente técnico, mas sem prejuízo de importante regulamentação jurídica detalhada dos mecanismos da **Convenção** e do **Protocolo de Quioto**. Os principais documentos oriundos das reuniões anuais das partes são: a) o Plano de Ação de Buenos Aires, elaborado com a finalidade de fortalecer a implementação da Convenção – ainda enfrentando muitas dificuldades iniciais, fosse na parte técnica, fosse na parte política e diplomática, para fazer valer seus dispositivos – e preparar a entrada em vigor do Protocolo de Quioto[99]; b) os Acordos de Bonn, iniciados na Haia e continuados em Bonn, que se ocuparam principalmente dos aspectos técnicos de implementação do Plano de Buenos Aires e com questões centrais do Protocolo de Quioto, tais como a colocação de fontes de financiamento adicionais ao lado do *Trust Fund*, gerido pelo GEF[100], a criação de grupo de *experts* para tratar de questões atinentes à transferência de tecnologia e a implementação do artigo 4º, parágrafos 8º e 9º, da Convenção, e do artigo 3º, parágrafo 14, do Protocolo de Quioto, além das diretivas gerais de execução da implementação conjunta, do mecanismo de desenvolvimento limpo e comércio de emissões e da criação de sistema quase judicial para constatação e execução de casos de descumprimento das obrigações[101]; c) os Acordos de Marraqueche, nos quais ficaram decididos, dentre muitas questões pendentes, aspectos fundamentais (I) de financiamento a cargo do GEF; (II) do desenvolvimento de propostas no âmbito "de mudança direta, induzida pelo homem, no uso da terra e nas atividades florestais, limitadas ao florestamento, reflorestamento e desflorestamento" para fins de remoção de gases que contribuem para o aquecimento global, conforme disposto no artigo 3º, parágrafo 3º, do Protocolo de Quioto (LULUCF); (III) da integração das atividades de sumidouro como formas de cumprimento das obrigações de redução de emissões; (IV) de concretização de medidas de *capacity building* nos países em desenvol-

99. Doc. FCCC/CP/1998/16/Add.1.

100. Os fundos adicionais seriam, segundo o Anexo da Decisão 5, o *Special climate change fund, Least developed countries fund and The Kyoto Protocol adaptation fund.*

101. Anexo da Decisão 5/CP.6, Doc. FCCC/CP/2001/5.

vimento e em países em transição para economia de mercado; (V) das diretivas gerais sobre transferência de tecnologia; (VI) de implementação do artigo 4º, parágrafos 1º, 3º, 4º, 5º, e 7º, da Convenção e de preparação para a efetiva participação dos países em desenvolvimento no Protocolo de Quioto; (VII) aperfeiçoamento do mecanismo de execução forçada do Procotolo de Quioto (*procedures and mechanisms on compliance under the Kyoto Protocol*); (VIII) além de muitos outros aspectos[102]; e (d) a Primeira Conferência das Partes da Convenção atuando na Condição de Reunião das Partes do Protocolo de Quioto (COP/MOP1), que tornou efetivas as decisões tomadas anteriormente, muitas das quais não teriam aplicabilidade antes da entrada em vigor do Protocolo de Quioto[103].

Nas conferências de Bali, em dezembro de 2007 ("COP 13" e "COP/MOP 3"), os estados adotaram o Plano de Ação de Bali, segundo o qual foi dado início a um intenso processo de cooperação de longo prazo para implementação das obrigações da Convenção. Com efeito, durante o período em que se aguardou a entrada em vigor do Protocolo de Quioto e o início do período de compromissos de redução de emissões (2008-2012) pouco se fez para dar maior implementação à Convenção. O Plano de Ação de Bali criou o Grupo de Trabalho Ad Hoc (*Ad Hoc Working Group on Long-term Cooperative Action under the Convention – AWG-LCA*) para definir até o final de 2009 qual o melhor instrumento para dar efetividade às obrigações previstas na Convenção. Em outra frente de negociação, foi criado o Grupo de Trabalho Ad Hoc para discussão de obrigações adicionais aos países do Anexo I do Protocolo de Quioto (*Ad Hoc Working Group on Further Commitments for Annex I Parties under the Kyoto Protocol AWG-KP*).

Na 21ª Conferência das Partes em Paris, as partes da Convenção aprovaram o Acordo de Paris, cujo objetivo é o compromisso das partes para "manter o aumento da temperatura média global a menos de 2 °C acima dos níveis industriais e envidar esforços para limitar o aumento da temperatura a 1,5 °C acima dos níveis pré-industriais". A principal forma de atingir tal objetivo é o que se denominou Contribuição Nacionalmente Determinada (*intended Nationally Determined Contribution – iNDC*)[104]. O Brasil apresentou como iNDC o compromisso de reduzir as emissões de gases de efeito estufa em 37% abaixo dos níveis de 2005, em 2025, e em 43%, em 2030[105], por meio de um plano de ações.

O Acordo de Paris trata, ainda, de diversas obrigações de mitigar e criar condições de adaptação às mudanças climáticas. Obrigações genéricas de disponi-

102. Docs. FCCC/CP/2001/13/Add.1, Add. 2, Add. 3 e Add. 4.

103. Doc. FCCC/KP/CMP/2005/8/Add.1, Doc. FCCC/KP/CMP/2005/8/Add.2, Doc. FCCC/KP/CMP/2005/8/Add.3 e Doc. FCCC/KP/CMP/2005/8/Add.4.

104. Artigo 4º.

105. http://www.itamaraty.gov.br/images/ed_desenvsust/BRASIL-iNDC-portugues.pdf.

bilização de recursos financeiros, troca de tecnologia, *capacity building*, entre outros mecanismos que já constaram dos tratados anteriores, foram reiteradas nesse Acordo. No entanto, em relação aos mecanismos de mercado e de flexibilização previstos no Protocolo de Quioto, houve um retrocesso. Além de não terem sido renovados, o Brasil apresentou reservas a tais mecanismos mesmo em caráter voluntário, baseando seus esforços somente em atividades estatais e desperdiçando a oportunidade de prosseguir no desenvolvimento de uma economia baseada em baixa emissão de gases de efeito estufa. O Acordo de Paris entrou em vigor em 4 de novembro de 2016 com 85 ratificações. O Brasil aprovou o Acordo de Paris por meio do Decreto Legislativo n. 140/2016.

7.3. Mar e seus recursos

O direito sobre mares e oceanos sempre foi tema de relevo para o direito internacional[106].

O desenvolvimento do direito dos mares e oceanos remonta a tempos históricos remotos. A abrangência de temas e disputas relacionados às águas marinhas não se limita a demarcações territoriais e exercício de jurisdição. O mar tem importância para o comércio, para a guerra[107], para a alimentação da população e serve, já em tempos industriais, como fonte de recursos valiosos, mas também como o grande lixão da humanidade.

As disputas sobre o mar, em especial em matéria de pesca e exploração dos recursos marinhos vivos, levaram à formação de direito consuetudinário de livre exploração e de não aplicação das regras de jurisdição nacional ao alto-mar. Tal desenvolvimento foi bastante influenciado por arbitragens internacionais e decisões de tribunais.

Porém, do ponto de vista da conservação ambiental, os princípios e regras vigentes para mares e oceanos são bastante insatisfatórios. Em decorrência disso, o mar tem sofrido uma crescente perda qualitativa em termos de pureza e biodiversidade. Segundo estimativas recentes, a manutenção da pesca nos níveis atuais pode levar ao total exaurimento das reservas de peixes em quarenta anos. Somente após a segunda guerra mundial as atenções da comunidade internacio-

---

106. Benedetto CONFORTI, **Il regime giuridico dei mari: contributo alla ricostruzione dei principi generali** (Napoli: Eugenio Jovene, 1957); Vicente MAROTTA RANGEL, **Natureza jurídica e delimitação do mar territorial** (2. ed., rev. e ampliada, São Paulo: RT, 1970); Tullio SCOVAZZI, **The evolution of the international law of the sea: new issues, new challenges** (RCADI, 2000, t. 286, p. 39-243); Prosper WEIL, **Perspectives du droit de la delimitation maritime** (Paris: Pedone, 1988).

107. Peter PADFIELD, **Maritime supremacy and the opening of the Western mind: naval campaigns that shaped the world 1588-1782** (Londres: Pimlico, 2000).

nal se voltaram para a preservação dos mares não como necessidade econômica, mas como necessidade ambiental.

A exploração insustentável da pesca e a retirada de outros animais afeta o meio marinho desfavoravelmente e o homem, que retira do mar a maior parte de sua alimentação. O mar tem recebido o lançamento de esgotos, de resíduos urbanos e industriais, de substâncias poluentes de portos e navios, de resíduos radioativos e do alijamento ou lançamento deliberado de poluentes em tempos de guerra. Está suscetível ainda às intempéries e efeitos do aquecimento global, causado pelo efeito estufa. Com o aumento da temperatura média das águas marinhas, várias espécies do meio aquático podem ter seus *habitats* ameaçados. A formação de desertos subaquáticos, causados pela aplicação de técnicas de exploração que revolvem a superfície do leito dos mares, como por exemplo por redes de arrasto, retirando as condições de sustento de várias espécies, também vem preocupando ambientalistas e a comunidade internacional.

A proteção dos mares, oceanos e recursos marinhos, portanto, é matéria não só de preservação de águas e de recursos minerais, mas também de biodiversidade. O desenvolvimento do direito neste vasto campo é abrangente. A seguir serão tratados, de forma sucinta, alguns dos principais instrumentos internacionais de proteção dos mares, subdivididos em mares e oceanos e recursos marinhos vivos.

7.3.1. mares e oceanos

A *Agenda 21*, em seu Capítulo 17, traça programa geral de ações, as quais visam exatamente a orientar os estados a dar tratamento adequado e abrangente às zonas costeiras e marítimas[108].

Historicamente a regulamentação das atividades com efeitos sobre os oceanos é feita por meio de tratados e programas regionais. Não seria cabível aqui pretender enumerar todos esses tratados, em razão de sua quantidade, mas podem ser mencionados os principais. Mares regionais possuem regulamentação própria,

---

108. Item 17.1: "O meio ambiente marinho – inclusive os oceanos e todos os mares, bem como as zonas costeiras adjacentes – forma um todo integrado que é um componente essencial do sistema que possibilita a existência de vida sobre a Terra, além de ser uma riqueza que oferece possibilidades para um desenvolvimento sustentável. O direito internacional, tal como está refletido nas disposições da Convenção das Nações Unidas sobre o Direito do Mar e mencionadas no presente capítulo da Agenda 21, estabelece os direitos e as obrigações dos Estados e oferece a base internacional sobre a qual devem apoiar-se as atividades voltadas para a proteção e o desenvolvimento sustentável do meio ambiente marinho e costeiro, bem como seus recursos. Isso exige novas abordagens de gerenciamento e desenvolvimento marinho e costeiro nos planos nacional, sub-regional, regional e mundial – abordagens integradas do ponto de vista do conteúdo e que ao mesmo tempo se caracterizem pela precaução e pela antecipação, como demonstram as seguintes áreas de programas:(...)".

tais como, dentre eles, Mar do Norte, Mar Mediterrâneo, Mar Báltico, Antártica, Atlântico Norte, Golfo Pérsico etc.

A proteção do meio ambiente marinho, como dito, envolve uma série de aspectos que necessariamente demandam atuação abrangente e ordenada dos estados sobre todas as causas que ameaçam esse meio. Wolfgang GRAF VITZTHUM e Claude IMPERIALI (1992)[109] coordenaram grupo de estudo e análise de sistema regional europeu de proteção ambiental, especialmente em relação ao meio ambiente marinho, e sobretudo em relação às assim chamadas "***primeiras experiências de regionalismo marítimo***", especificamente em relação ao Mar do Norte[110], ao Mar Mediterrâneo[111] e ao Mar Báltico[112].

Sempre foi muito difícil alcançar consenso universal sobre questões globais ligadas aos mares e oceanos, de forma que a regulamentação global acerca dos diversos aspectos relacionados à preservação do meio marinho consta de número menor de tratados. Tom IJLSTRA (1992)[113] enfatiza a conveniência da adoção de enfoque regionalmente planejado e concertado para a utilização do mar.

Por meio do Programa de Mares Regionais da UNEP e da **Convenção das Nações Unidas sobre o Direito do Mar**, o tratamento do mar, em especial das áreas fora da jurisdição nacional, tende a ser harmonizado e coeso. Pretendeu-se com estes instrumentos criar padrão de regulamentação dos mares a influenciar o desenvolvimento seguinte de tratados e outros instrumentos. Apesar da existência de grande número de instrumentos, a grande maioria *soft law*, o uso sustentável dos recursos marinhos está longe de ser atingido por impulso do direito internacional em vigor, que concentra medidas de conservação muito aquém do necessário.

A regulamentação internacional marinha engloba ainda tratados sobre cooperação, poluição por óleo, disposição de resíduos radioativos no fundo do mar, atividades no fundo do mar, entre outros[114].

---

109. Wolfgang GRAF VITZTHUM e Claude IMPERIALI (sous la direction de), **La protection régionale de l'environnement marin: approche européenne** (préface Martin Bangemann, Paris: Econômica / Centre d'Études et de Recherches Internationales et communautaires – Univ. d'Aix-Marseille III, 1992).

110. Thomas O. CRON e Alexandra ZOLLER, *La mer du Nord* (in **La protection régionale de l'environnement marin: approche européenne**, op. cit., 1992, p. 57-76).

111. Maguelone DÉJEANT-PONS, *La mer Mediterranée* (in **La protection régionale de l'environnement marin: approche européenne**, op. cit., 1992, p. 77-98).

112. Uwe JENISCH e Rudiger WAGNER, *La mer Baltique* (in **La protection régionale de l'environnement marin: approche européenne**, op. cit., 1992, p. 99-124).

113. Na condição de chefe-adjunto do Secretariado da Comissão interdepartamental para as questões do Mar do Norte, da Haia, antes pesquisador do Netherlands Institute for the Law of the Sea (NILOS), de Utrecht, Tom IJLSTRA, aborda a questão no seu *Vers une approche régionale planifiée et concertée des usages de la mer* (in **La protection régionale de l'environnement marin: approche européenne**, op. cit., 1992, p. 127-145).

114. Vide Axel BUSSEK, *Les régimes de responsabilité internationale pour dommages causés à l'environnement marin* (in **La protection régionale de l'environnement marin: approche européenne**, op. cit., 1992, p. 149-177).

São, a seguir, tratados os principais instrumentos multilaterais de proteção ambiental referentes aos mares e oceanos.

7.3.1.1. Convenção sobre prevenção da poluição marinha por alijamento de resíduos e outras matérias (1972)

A **Convenção de Londres sobre Alijamento** está em vigor desde 1974 e foi alterada pelo **Protocolo** de 1996, que eventualmente substituirá a Convenção. Embora o **Protocolo** tenha entrado em vigor em 2006, contando 28 partes, a maioria dos estados continua parte apenas da Convenção, que conta 83 partes. Ambos os instrumentos vigoram paralelamente[115].

A **Convenção** (com as alterações subsequentes, mas sem as alterações introduzidas pelo **Protocolo**) visa a restringir o alijamento de resíduos e outros poluentes nos mares por embarcações, aeronaves, fontes terrestres, plataformas ou outras estruturas feitas pelo homem. ***Alijamento*** (também conhecido como *dumping*) inclui as formas deliberadas de lançamento de resíduos e outras matérias. Lançamentos acidentais ou normais, segundo a definição dada pela Convenção, não são considerados alijamento.

O artigo IV proíbe o alijamento de resíduos e matérias listadas no Anexo I[116]. Resíduos e matérias listadas no Anexo II requerem licença especial para lançamento, enquanto outros resíduos e matérias de qualquer tipo requerem licença geral para lançamento. As licenças só podem ser concedidas após a realização de estudos em conformidade com o Anexo III.

As partes devem designar autoridade nacional para a emissão de licenças (artigo VI). As disposições da Convenção devem ser aplicadas pelas partes a todas as embarcações, aeronaves e plataformas registradas em seu território, sob sua jurisdição (bandeira), que embarquem em seu território matérias a serem alijadas ou que pretendam alijar em suas águas (artigo VII).

Consoante o procedimento previsto no artigo XIV, as partes escolheram, em sua primeira reunião (MOP), a Organização Marítima Internacional (OMM ou IMO) para atuar como Secretariado da Convenção.

7.3.1.2. MARPOL (1973, 1978)

MARPOL é a abreviatura da **Convenção Internacional para Prevenção**

115. No Brasil, a Convenção foi aprovada pelo Decreto legislativo n. 10/82 e promulgada pelo Decreto n. 87.566/82, contudo, o Protocolo não foi ratificado.

116. No Anexo I constam, por exemplo, resíduos industriais e radioativos, bem como a incineração de resíduos, de uma forma geral, no mar.

da Poluição Proveniente de Embarcações. A MARPOL foi originalmente assinada em 1973, mas esta versão nunca chegou a entrar em vigor. Apenas com as alterações introduzidas pelo Protocolo de 1978 atingiu-se o número necessário de ratificações para que a Convenção entrasse em vigor em 1983, inclusive no Brasil[117]. Desde então a MARPOL foi emendada 26 vezes e possui, em comparação com as demais Convenções, texto bastante extenso e detalhado. A MARPOL substituiu, para a maior parte dos estados, a **Convenção Internacional para Prevenção da Poluição do Mar por Óleo (OILPOL)**, de 1954, que, apesar das diversas modificações, não era eficientemente aplicada. Entretanto, alguns estados continuam vinculados apenas à Convenção de 1954.

Embora a poluição por óleo contribua proporcionalmente pouco para a poluição do mar, uma vez que a poluição de origem terrestre é responsável por cerca de 80% da poluição marinha, os vazamentos e lançamentos de óleo no mar são os mais dramáticos, considerando a exploração da mídia e os efeitos sobre a opinião pública. Com efeito, as catástrofes causadas por acidentes com superpetroleiros atingem de forma muito mais intensa, porém pontual, o meio ambiente, a economia e o cotidiano das pessoas, enquanto a poluição por alijamento, gradual e "diluída", mas constante e de larga escala, atrai menor atenção. De toda forma, não mais se subestimam os efeitos da poluição por óleo, em especial após os acidentes com os navios *Torrey Canyon*, *Amoco Cadiz* e *Exxon Valdez*.

A poluição do mar não decorre somente de acidentes e vazamentos de óleo. Navios cargueiros ainda hoje descartam água de lavagem de seus tanques no mar, contendo quantidade significativas de poluentes.

A MARPOL pretendeu dar tratamento mais amplo, abrangendo outros poluentes do mar além do óleo. Alguns artigos da Convenção refletem normas de direito consuetudinário, conquanto as regras mais específicas quanto à prevenção da poluição, bem como as normas constantes dos Anexos, vinculem somente as partes.

As principais regras da MARPOL, afora os Anexos, dizem respeito à fiscalização e cooperação por parte de estados costeiros, bem como à instituição de procedimento de inspeção e certificação. A IMO é encarregada de concentrar os relatórios das partes em cumprimento à Convenção. Há ainda seis Anexos, dos quais apenas os Anexos I e II são de adesão obrigatória. Tais Anexos possuem regras bastante detalhadas que abordam aspectos técnicos do transporte marítimo.

O Anexo I trata da prevenção da poluição por óleo. O Anexo II regulamenta o controle de poluição por cargas líquidas nocivas. O Anexo III trata da pre-

117. O Brasil aprovou a Convenção pelo Decreto legislativo n. 60/95 e a promulgou pelo Decreto n. 2.508/98.

venção de poluição por substâncias perigosas transportadas em *containers*. O Anexo IV trata da prevenção de poluição por esgoto de navios. O Anexo V trata da prevenção de poluição por descarte de resíduos por navios. Por fim, o Anexo VI trata da prevenção de poluição atmosférica por navios.

7.3.1.3. Programa de mares regionais (UNEP – 1974)

Em 1974, por impulso da Conferência de Estocolmo, a então recém-criada UNEP deu início a programa para impedir a degradação dos mares regionais[118]. À luz de estratégias de desenvolvimento sustentável, este Programa teve a vantagem de integrar políticas de conservação e exploração sustentável do alto-mar e da costa, contando com a participação ativa dos países costeiros envolvidos.

O **Programa** conta com a colaboração de 140 estados e abrange 18 mares regionais, alguns dos quais contam até mesmo com tratados regionais específicos, o que significa que não se trata apenas de mais um programa das Nações Unidas implementado com base em *soft law*.

O **Programa** é implementado por meio de Planos de Ação específicos para cada uma das regiões. Nestes Planos de Ação as partes, sob a coordenação e assistência da UNEP, estipulam políticas de ordenamento e gestão dos recursos marinhos comuns, com vistas à exploração racional e ambientalmente adequada. Os Planos de Ação abrangem todos os aspectos ligados à conservação do mar, isto é, poluição, de todas as formas, exploração de recursos minerais e marinhos, transporte e turismo.

7.3.1.4. Convenção das Nações Unidas sobre o Direito do Mar (1982), no tocante ao direito internacional ambiental

A **Convenção das Nações Unidas sobre o Direito do Mar**, também conhecida pela sigla inglesa UNCLOS, é tratado multilateral amplo[119]. A Convenção trata dos mares e oceanos de forma extensa, indo muito além de aspectos envolvendo a preservação do meio ambiente, como visto em capítulos anteriores. A **Convenção** substitui regras rudimentares das **Convenções de Genebra sobre**

118. Recomenda-se a consulta a <http://www.unep.org/regionalseas>.

119. Assinada em Montego Bay em 10 de dezembro de 1982, em vigor, internacionalmente, desde 16 de novembro de 1994. Aprovada pelo Decreto legislativo n. 5, de 9 de novembro de 1987, ratificada pelo Brasil em 22 de dezembro de 1988, foi promulgada pelo Decreto n. 1530, de 22 de junho de 1995.

o Direito do Mar de 1958 e cria arcabouço jurídico bastante completo, porém carente de implementação imediata, haja vista a necessidade de desenvolvimento de regulamentação mais específica e pontual.

Carla Amado GOMES (2002)[120], em análise da proteção internacional do ambiente na Convenção de Montego Bay, aponta a sensível evolução no tratamento das questões relativas à preservação do meio marinho: de abordagem baseada num pressuposto de que a *capacidade de assimilação/aproveitamento* era *tendencialmente ilimitada* (cf. Convenções de Londres, de 1972 e 1973) – o qual justificava a adoção de medidas preventivas apenas quando o risco para o ambiente fosse razoavelmente previsível –, passou-se para um *modelo de capacidade de assimilação/aproveitamento tendencialmente limitada* (cf. a Convenção de Montego Bay, Parte XII). Com a implementação de atitude permanentemente preventiva por parte dos estados, ter-se-á transitado, no final dos anos 80 (cf. a Declaração de Londres, de 1987), para quadro de *tendencial incapacidade de assimilação/aproveitamento*, que obriga à abstenção de intervenções potencialmente lesivas ao meio marinho, mesmo quando os dados científicos não permitam estabelecer, com segurança, o nexo de causalidade entre a intervenção projetada e o dano pressentido[121].

Embora não contenha regras ambientais substanciais, a Convenção pelo menos rejeita a visão tradicional de que o direito de poluir é implícito à liberdade que rege o uso do mar. A Convenção, na qualidade de Convenção-Quadro, contém somente moldura para o desenvolvimento de instrumentos mais concretos para a preservação do meio ambiente[122].

No que diz respeito às disposições específicas de preservação ambiental, a **Convenção** se ocupa das várias modalidades de poluição do mar em artigos baseados na maioria dos casos em atos internacionais anteriores, ou seja, da

120. Carla Amado GOMES, *A proteção inernacional do ambiente na Convenção de Montego Bay* (in **Estudos em homenagem à professora doutora Isabel de Magalhães Collaço**, org. Rui M. de MOURA RAMOS *et al.*, Coimbra: Almedina, 2002, v. II, p. 695-724).

121. C. A. GOMES (cap. cit., 2002, p. 696-697): "É a propósito destes últimos desenvolvimentos que se fala do princípio da precaução e dos seus efeitos revolucionários no domínio do direito internacional, concretamente, para o que aqui releva, no direito do mar. Esse conceito, de natureza muito debatida, teve a sua gênese precisamente no direito do mar (a propósito dos problemas da poluição marinha) e tem alargado o seu âmbito a variados objectos, no domínio estrito do ambiente e noutros (como a saúde pública: lembre-se o problema da doença das vacas loucas). O acordo de 1995, celebrado em Nova Iorque para dar aplicação às disposições da Convenção de Montego Bay sobre a protecção dos peixes transzonais e das espécies altamente migratórias, tem sido apontado como exemplo de mais uma consagração da ideia de precaução (cfr. o artigo 6) e também como passo sedimentador da caminhada do direito das pescas em direcção a um novo estádio".

122. U. BEYERLIN, *New developments in the protection of the marine environment: potential effects of the Rio Process*, ZaöR (1995), v. 55, p. 547.

poluição de origem terrestre, poluição proveniente de atividades na "*Área*", poluição por alijamento, poluição proveniente de embarcação e poluição proveniente da atmosfera. Nota-se, contudo, mais uma iniciativa de regular e balancear o uso pelos estados do que de preservar o meio ambiente e promover o uso sustentável. A **Convenção** enfatiza a necessidade de cooperação internacional, mas não fornece padrões de conduta concretos, como *standards* para poluição, por exemplo. Muitas das normas de direito consuetudinário foram simplesmente consolidadas na Convenção[123].

Especial destaque é dedicado ao fundo do mar, denominado na **Convenção** como a "*Área*", e seus recursos minerais, aos quais se deu o *status* de **patrimônio comum da humanidade** (*common heritage of mankind* – artigo 136). Contudo, o fato de se lhe atribuir a condição de patrimônio comum da humanidade gera tão somente a obrigação de empreender o uso mais equitativo dos recursos presentes no fundo do mar, bem como o dever de observar o princípio de responsabilidade pelos interesses das gerações futuras[124], de modo que os estados tomem medidas que assegurem a proteção da vida humana contra efeitos danosos da exploração dos recursos do fundo do mar (artigo 146). A Autoridade Internacional dos Fundos Marinhos, organização internacional criada pelo artigo 156, expedirá normas adequadas para regulamentar a exploração do fundo do mar[125].

Os ***dispositivos mais relevantes quanto à preservação do meio ambiente*** estão contidos na Parte XII da Convenção. Os artigos 192 a 206 compreendem as regras gerais, enquanto os artigos seguintes se ocupam de poluição de origem terrestre (artigos 207 e 213), atividades no fundo do mar (artigos 208, 209, 214 e 215), alijamento (artigos 210 e 216), poluição proveniente de embarcações (artigos 211, 217 a 221) e poluição proveniente da atmosfera (artigo 212).

O artigo 192 registra a obrigação geral dos estados de proteger e preservar o meio marinho. O artigo 193 tem o grande mérito de haver transformado em regra de direito internacional convencional o princípio consagrado pela Declaração de Estocolmo sobre o Meio Ambiente de 1972, ou seja, "***os estados têm o direito de soberania para aproveitar os seus recursos naturais de acordo com a sua política em matéria de meio ambiente e de conformidade com o seu dever de proteger e preservar o meio marinho***". Ainda na parte geral, o artigo 194 prevê a obrigação dos estados de adotar os meios disponíveis mais eficientes para

123. Os principais dispositivos com cunho preservacionista se concentram na Parte XII da **Convenção**, mas há regulamentação esparsa aplicável ao uso dos recursos marinhos.

124. *V.* 7.3.1.1.

125. U. BEYERLIN, **Umweltvölkerrecht**, p. 127.

evitar e reduzir a poluição do mar, desde que viáveis. Tal obrigação representa avanço substancial em termos de direcionamento da conduta dos estados, ainda que, na prática, sua exequibilidade pareça duvidosa.

A poluição de origem terrestre, objeto dos artigos 207 e 213 da Convenção, é responsável por aproximadamente 80% da poluição dos mares. Apesar da relevância, o direito internacional pouco se tem ocupado da questão, visto que a poluição inicialmente ocorre em águas interiores (em rios que deságuam no mar ou em mar territorial, por exemplo), mas a tendência, fortalecida por ocasião da Conferência do Rio de Janeiro de 1992, é a de adotar normas mais rigorosas no sentido de diminuir a poluição levada aos mares por rios, por esgotos e por outros meios.

Os *trabalhos preparatórios* da Convenção de 1982 mostram que, no tocante à poluição de origem terrestre, não foi possível conciliar a posição de alguns poucos países favoráveis à adoção de normas rígidas com a da maioria. O dispositivo citado adota nível de controle mínimo, tanto assim que deixa às partes adotar as leis e regulamentos que desejarem.

A poluição proveniente de atividades na "*Área*", leia-se fundo do mar, além dos limites jurisdicionais, é tratada pelos artigos 208, 209, 214 e 215 da **Convenção**. Trata-se de questão a respeito da qual pouco se tem feito. O fundo do mar é rico em minérios e outros recursos valiosos, como hidrocarbonetos. A exploração econômica destes recursos pode ter efeitos bastante danosos para o mar e para os seus recursos vivos. Tentativa sem sucesso de regulamentar de forma mais vinculante a proteção do fundo do mar foi esboçada na **Convenção da UNESCO sobre o Patrimônio Cultural Subaquático**, de 2001, a qual não reuniu sequer número expressivo de assinaturas. Sua entrada em vigor não é esperada[126].

No tocante ao ***alijamento***, a Convenção sobre o Direito do Mar se limita a repetir as regras constantes da **Convenção de Londres sobre Alijamento** (artigos 210 e 216). Em outras palavras, é na Convenção de 1972 e nas deliberações das suas Partes Contratantes que se deve buscar o direito internacional na matéria. Nos termos das duas Convenções, ***alijamento***[127] significa "***qualquer lançamento deliberado no mar de detritos e outras matérias, a partir de embarcações,***

126. Para uma visão bem abrangente sobre a compatibilidade entre a Convenção sobre a Lei do Mar e a Convenção da UNESCO *v.* M. RAU, *The UNESCO Convention on Underwater Cultural Heritage and the International Law of the Sea, Max Planck* UNYB 6 (2002), p. 387-464.

127. Em português, a palavra é pouco conhecida, ao contrário da palavra em inglês *dumping*, utilizada até em textos oficiais brasileiros.

***aeronaves, plataformas ou outras construções*" e "*qualquer afundamento deliberado no mar de embarcações, aeronaves, plataformas e outras construções*". O alijamento era considerado prática normal, mas já antes da segunda guerra mundial começou-se a verificar que a capacidade dos mares de absorver todos os detritos era contestável, em decorrência de novos e mais nocivos poluentes e, sobretudo, da contaminação por óleos. É sintomático que os primeiros tratados versem precisamente sobre a poluição por óleo, cujo combate cabe à Organização Marítima Internacional (OMI ou IMO). Quanto aos demais poluentes, o seu controle é da alçada do Secretariado da **Convenção de Londres de 1972**, conhecida como a "*London Dumping Convention*", que enumera os poluentes cujo alijamento é proibido e aqueles que necessitam de uma autorização especial[128].

O alijamento de resíduos radioativos, durante anos tema dos mais controvertidos da Convenção, ficou proibido a partir de 1994. A incineração no mar, por meio de navios incineradores, equiparada ao alijamento, é igualmente proibida.

A poluição proveniente de embarcação está regulada nos artigos 211, 217 a 221 da Convenção sobre o Direito do mar. O artigo 211, baseado principalmente nas Convenções firmadas sob os auspícios da OMI, ocupa-se minuciosamente do problema da poluição proveniente de embarcações, com a obrigação geral de "***prevenir, reduzir e controlar a poluição do meio marinho, proveniente de embarcações***".

Como nos demais artigos sobre poluição, esse artigo prevê a adoção de tratados internacionais e de leis e regulamentos destinados a prevenir, reduzir e controlar a poluição. No caso das leis internas, vai mais longe do que nos demais artigos, pois estipula que devem ter "pelo menos a mesma eficácia que as regras e normas internacionais geralmente aceitas que se estabeleçam por intermédio da organização internacional competente (*trata-se da Organização Marítima Internacional*) ou de conferência diplomática geral".

O estado costeiro, no exercício de sua soberania, tem o direito de adotar legislação destinada a prevenir a poluição proveniente de embarcações estrangeiras, incluindo as que estejam exercendo o direito de passagem inocente. Pode ainda adotar medidas mais rigorosas para prevenir poluição proveniente de embarcação em sua ZEE, desde que ocorram determinadas condições oceanográficas e ecológicas[129].

---

128. *V.* item 7.3.1.

129. Francisco ORREGO-VICUÑA, **La zona económica exclusiva: régimen y naturaleza jurídica en el derecho internacional** (Santiado: Ed. Jurídica de Chile, 1991); Belter GARRE Copello, **La zona económica exclusiva** – usos no contemplados de la zona económica exclusiva, del espacio aereo suprayacente y de la plataforma continental en la Convención de las Naciones Unidas sobre derecho del mar de 10 de diciembre de 1982 (Montevideo: Dirección General de

A atuação de estado isolado, em nome de interesse coletivo, está contida na **Convenção das Nações Unidas sobre o Direito do Mar** (1982), no artigo 218[130]. Em linha semelhante, o **Acordo relativo à conservação e gestão de recursos pesqueiros migratórios** (1985)[131] estipula certas medidas de execução de estados isoladamente considerados, em relação a barcos pesqueiros arvorando o pavilhão de outros estados[132]. Como ocorreu no caso da **jurisdição em matéria pesqueira**, entre Espanha e Canadá, julgado pela Corte Internacional de Justiça em 4 de dezembro de 1998[133].

Na mesma linha de evolução conceitual e mutação operacional do direito internacional pós-moderno, o *Instituto de Direito Internacional*, na Resolução sobre **obrigações *erga omnes***, adotada na sessão de Cracóvia (2005)[134], inclui

---

Extensión Universitaria, 1987).

130. **Convenção das Nações Unidas sobre o Direito do Mar** (1982), artigo 218, 1; a seguir, o artigo 218, 2 prevê que "não serão iniciados procedimentos nos termos do parágrafo 1º, relativos a uma infração por descarga nas águas interiores, mar territorial ou zona econômica exclusiva de outro estado, a não ser que o solicite esse estado, o estado de bandeira ou qualquer outro estado prejudicado ou ameaçado pela descarga, a não ser que a infração tenha provocado ou possa vir a provocar poluição nas águas interiores, mar territorial ou zona econômica exclusiva do estado que tenha iniciado os procedimentos." 3. "Quando uma embarcação se encontrar voluntariamente num porto ou num terminal ao largo da costa de um estado, esse estado deve atender, na medida do possível, às solicitações de qualquer estado relativas à investigação de uma infração por descarga referida no parágrafo primeiro, que se julgue ter sido cometida nas águas interiores, mar territorial ou zona econômica exclusiva do estado solicitante que tenha causado ou ameace causar danos aos mesmos. O estado do porto deve igualmente atender, na medida do possível, às solicitações do estado de bandeira relativas à investigação de tal infração, independentemente do local em que tenha sido cometida." 4. "Os elementos da investigação efetuada pelo estado do porto nos termos do presente artigo devem ser transmitidos ao estado de bandeira ou ao estado costeiro, a pedido destes. Quaisquer procedimentos iniciados pelo estado do porto, com base em tal investigação, podem, salvo disposição em contrário da seção 7 ['garantias', arts. 223-233 da mesma Convenção], ser suspensos a pedido do estado costeiro, quando a infração tiver sido cometida nas águas interiores, mar territorial ou zona econômica exclusiva desse estado. Em tal situação, as provas e elementos do caso, assim como qualquer caução ou outra garantia financeira depositada junto das autoridades do estado do porto, serão transferidos para o estado costeiro. Esta transferência exclui a possibilidade de os procedimentos prosseguirem no estado do porto."

131. **Agreement relating to the conservation and management of straddling fish stocks and highly migratory fish stocks** A/CONF.164/37, 8 de setembro de 1995 (ILM 34 (1995) 1547).

132. R. WOLFRUM, Means of ensuring compliance with and enforcement of international environmental law (**RCADI**, 1998, t. 272, p. 9-154, cit. p. 154), lembra "the regimes on the protection of the ozone layer and against climate change, as well as the **Convention for the protection of the north-east Atlantic** are based upon the same philosophy since they open the possibility for individual states to invoke non-compliance of others. In the examples referred to – and this constitutes the dogmatic innovation, already referred to – the state does not proceed on the basis of its own interests, but upon the community´s interest. Consequently the individual state's competences to enforce international obligations of another states are not used in the interest of the enforcing state but in the interest of the community of states. This means a profound modification of international law, which can no longer – at least not exclusively – be regarded as merely responding to the interests of individual states".

133. CIJ, case concerning **fisheries jurisdiction** (Espanha c. Canadá, julgamento em 4 de dezembro de 1998). Ver adiante, no item 7.3.2, sobre "recursos marinhos vivos", relato do caso do navio **Estai**.

134. IDI, sessão de Cracóvia, resolução adotada em 27 de agosto de 2005, a respeito **Les obligations et les droits erga omnes en droit international / *Obligations and rights* erga omnes *in international law*.** Comissão, tendo como Relator Giorgio GAJA, ressalta como "en vertu du droit international, certaines obligations s'imposent à tous les sujets du droit international dans le but de préserver les valeurs fondamentales de la communauté internationale", onde

as obrigações relativas ao meio ambiente, e proteção dos espaços comuns, como exemplarmente insertas dentre as "obrigações que refletem ditos valores fundamentais". Assim deixa de ser questão de bilateralidade de relações interestatais e passa a ser matéria de interesse da comunidade dos estados, como um todo, e em relação às quais qualquer estado pode engajar-se na defesa de interesse comum, mesmo sem ter sido diretamente visado ou atingido. A noção de obrigações *erga omnes* serve como base para a legitimação de tais ações concertadas.

A poluição proveniente da atmosfera *ou através dela* é tratada no artigo 212, que pouco esclarece a respeito. As normas de controle de cunho internacional ou nacional não são obrigadas a se conformar necessariamente com regras mais severas, tal como previsto no artigo 211.

Por vezes será difícil dizer qual a origem da poluição, pois em muitos casos será de origem terrestre, mas terá chegado aos mares através da atmosfera. É o caso da *chuva ácida* transportada pelas correntes aéreas através do mar do Norte para atingir os países escandinavos. A fumaça proveniente das chaminés de embarcações foi no passado, quando o carvão era o combustível utilizado, grave foco de poluição. A fuligem proveniente dos navios incineradores foi outro fator de poluição dos mares, até fins de 1993, quando a prática passou a ser proibida.

7.3.2. recursos marinhos vivos

A exploração dos recursos marinhos vivos é questão de ***biodiversidade***. Porém, o tratamento de tal questão como aspecto da proteção da biodiversidade é recente, em especial após o processo desencadeado pela **Convenção sobre Diversidade Biológica**. Embora os problemas com a exploração insustentável dos recursos vivos marinhos sejam consideravelmente antigos, somente recentemente a questão ganhou contornos ambientais. Ainda segundo desenvolvimentos recentes do direito internacional, a exaustão dos recursos vivos do mar era tratada, como referido, sob enfoque meramente econômico, o que explica o desenvolvimento peculiar das normas de restrição à pesca e outras atividades relacionadas.

Toda a exploração dos recursos marinhos vivos é calcada no princípio da liberdade da pesca em alto-mar, princípio este reafirmado em arbitragem sobre pele de focas no Oceano Pacífico em 1893 entre os Estados Unidos e o Reino

aponta "existe un large consensus pour admettre que l'interdiction des actes d'agression, la prohibition du génocide, les obligations concernant la protection des droits fondamentaux de la personne humaine, les obligations liées au droit à l'autodétermination et les obligations relatives à l'environnement des espaces communs, constituent des exemples d'obligations qui reflètent lesdites valeurs fondamentales".

Unido (*Pacific Fur Seal Arbitration*), posteriormente integrada por outros países europeus contra os Estados Unidos. Para a proteção das focas contra exploração predatória do Reino Unido no Mar de Bering fora da área de jurisdição dos estados, os Estados Unidos da América impuseram uma série de restrições, visando a evitar a total extinção da espécie naquela região, sob a alegação de que estaria atuando na condição de protetor de bem pertencente a toda a humanidade, ainda que fora de sua área de jurisdição.

Os argumentos norte-americanos acabaram sendo rejeitados, mas pelo menos foi possível obter resultado que garantisse a proibição de uso de meios como explosivos, certos tipos de rede etc., de forma a tornar a exploração das focas menos predatória. Neste caso foi reafirmado o princípio da liberdade da pesca em alto-mar, que é apenas uma das vertentes do princípio de liberdade, mais abrangente, que rege a utilização do alto-mar pelos estados. Tal princípio teve de ser aos poucos remodelado para evitar que a crescente pesca marítima resultasse na extinção em massa da vida aquática.

Em 1958, no âmbito da **Primeira Conferência das Nações Unidas para o direito do Mar**, foram adotadas **quatro Convenções**, dentre as quais a Convenção sobre Pesca em Alto-Mar e Conservação. Nos termos desta Convenção, foi reconhecido o direito de pesca em alto-mar, o qual, entretanto, não é ilimitado[135]. Essa tentativa de redelimitar o princípio da liberdade de pesca em alto-mar, contudo, foi só o primeiro passo de processo que ainda precisa ser intensificado.

A jurisdição dos Estados sobre áreas de pesca, em razão do aumento unilateral da zona de pesca exclusiva, de 12 para 50 milhas por parte da Islândia, apesar de acordos por esta firmados em 1961, com o Reino Unido e a Alemanha, por meio dos quais se fixara em 12 milhas marítimas a extensão do mar territorial, foi objeto de análise e julgamento pela Corte Internacional de Justiça, no caso da **competência em matéria pesqueira** por parte do Reino Unido contra a Islândia, e também a participação da Alemanha[136]. A Corte[137] declarou que os es-

---

135. P. SANDS, **Principles**, p. 566. *V.* tb. P. SANDS, **Vers une transformation du droit international? Institutionnaliser le doute** (Paris: Pedone, 2000, "cours et travaux" de l'Univ. Panthéon-Assas – Institut des Hautes Études Internationales de Paris – Droit international, v. 4, p. 179-268).

136. CORTE INTERNACIONAL DE JUSTIÇA, **compétence en matière de pêcheries** (Reino Unido c. Islândia e R. F. da Alemanha, decisão a respeito da competência, em 2 de fevereiro de 1973 e julgamento do mérito em 25 de julho de 1974).

137. Observa Blaise TCHIKAYA, **Mémento de la jurisprudence du droit international public** (Paris: Hachette, 2000, p. 96-98, cit. p. 96) a respeito do caso: "Sur fond de polémique sur l'exploitation des ressources halieutiques entre les trois pays, la Cour (présidée par M. LACHS) va apporter, à travers ses décisions, d'importants éléments de droit sur différentes questions, notamment sur l'exécution des conventions internationales, sur la caducité des actes, sur le régime des actes unilatéraux, sur la contrainte dans la formation des actes internationaux, sur le recours aux travaux préparatoires d'une convention, sur les droits spéciaux des états riverains, etc.".

tados não têm direitos absolutos e excludentes de pesca na região[138] e reconheceu o dever de ***consideração mútua*** das necessidades dos países mais dependentes da pesca[139] e o dever de conservação da fauna marinha para o benefício comum[140].

Não obstante os limites de implementação todavia colocados, o alcance e os desdobramentos da mutação conceitual e institucional do direito internacional ambiental, no contexto pós-moderno, é extremamente relevante, no sentido de reforçar a legitimação dos estados individualmente considerados, como mandatários para atuar no sentido de pleitear o cumprimento de tais obrigações, em nome do interesse da comunidade internacional como um todo, o que vem ganhando terreno em direito internacional ambiental. Como enfatiza R. WOLFRUM, na conclusão de seu curso na Haia sobre os **meios de assegurar o cumprimento e a execução de obrigações em matéria de direito internacional ambiental** (1998)[141], a relevância da mutação decorre do fato de que as competências do estado, isoladamente considerado, para fazer cumprir obrigações internacionais, por outro estado, não são exercidas em benefício e na proteção dos interesses do estado que promove a execução, mas em razão da comunidade de interesses, ou dito, no interesse da comunidade de estados, como um todo, o que representa modificação do direito internacional, que não mais pode ser considerado – ao menos, não mais exclusivamente – como simplesmente respondendo aos interesses dos estados, isoladamente considerados.

O mais claro exemplo de atuação de estado isolado, em nome de interesse coletivo, está contido na **Convenção das Nações Unidas sobre o Direito do Mar** (1982), cujo artigo 218, *conforme já referido supra*, prevê a *execução pelo estado do porto*, facultando a tal estado executar investigações, quando uma embarcação se encontrar voluntariamente num porto ou num terminal, ao largo da costa desse estado, e, "*se as provas o justificarem iniciar procedimentos relativos a qualquer descarga procedente dessa embarcação, realizada fora das águas interiores, mar territorial ou zona econômica exclusiva desse estado com violação das regras e normas internacionais aplicáveis estabelecidas por meio da organi-*

---

138. *V.* sentença arbitral de 15 de agosto de 1883, sobre **as focas de pele do Mar de Bering** (*Phoques à fourrure de la mer de Behring*).

139. Mesmo considerando a Islândia especialmente dependente da pesca, pondera a Corte ser preciso levar em conta o fato de que mesmo o estado que se declare em tal situação, pode pretender direitos preferenciais, mas não está livre para fixar, de modo unilateral e totalmente discricionário, a extensão de seus direitos.

140. P. SANDS, **Principles**, p. 568.

141. Rudiger WOLFRUM, **Means of ensuring compliance with and enforcement of international environmental law** (RCADI, 1998, t. 272, p. 9-154); *v.* tb. R. WOLFRUM e Jost DELBRUCK, **Völkerrecht** (2. ed., Berlim: W. De Gruyter, Band I, 1989).

zação internacional competente ou de uma conferência diplomática geral"[142]. Em linha semelhante, o **Acordo relativo à conservação e gestão de espécies de peixes altamente migratórias** (1985)[143] também mencionado, por meio do qual se estipulam certas medidas de execução de estados isoladamente considerados, em relação a barcos pesqueiros arvorando o pavilhão de outros estados[144].

Caso emblemático de **jurisdição em matéria pesqueira**, este entre Espanha e Canadá, também julgado pela Corte Internacional de Justiça, em 4 de dezembro de 1998[145], onde a Corte analisa o pedido que a Espanha apresentara contra o Canadá, em 28 de março de 1995, relacionado à alteração, ocorrida em 12 de maio de 1994, da lei interna canadense em matéria de proteção da pesca costeira (*canadian coastal fisheries protection act*) e modificações supervenientes, decorrentes de regulamentos, para a implementação de referida lei, bem como relacionado a ações específicas tomadas pelo Canadá, com base na nova versão de referida lei e de seus regulamentos, incluindo a perseguição, abordagem e captura, em alto-mar, em 9 de março de 1995, do barco pesqueiro **Estai**, arvorando pavilhão espanhol. A petição invocava como base da jurisdição da Corte

142. **Convenção das Nações Unidas sobre o direito do mar** (1982), artigo 218, 1; a seguir, o art. 218, 2 prevê "não serão iniciados procedimentos nos termos do par. 1º, relativos a uma infração por descarga nas águas interiores, mar territorial ou zona econômica exclusiva de outro estado, a não ser que o solicite esse estado, o estado de bandeira ou qualquer outro estado prejudicado ou ameaçado pela descarga, ou a não ser que a infração tenha provocado ou possa vir a provocar poluição nas águas interiores, mar territorial ou zona econômica exclusiva do estado que tenha iniciado os procedimentos." 3. "Quando uma embarcação se encontrar voluntariamente num porto ou num terminal ao largo da costa de um estado, esse estado deve atender, na medida do possível, às solicitações de qualquer estado relativas à investigação de uma infração por descarga referida no parágrafo primeiro, que se julgue ter sido cometida nas águas interiores, mar territorial ou zona econômica exclusiva do estado solicitante que tenha causado ou ameace causar danos aos mesmos. O estado do porto deve igualmente atender, na medida do possível, as solicitações do estado de bandeira relativas à investigação de tal infração, independentemente do local em que tenha sido cometida." 4. "Os elementos da investigação efetuada pelo estado do porto nos termos do presente artigo devem ser transmitidos ao estado de bandeira ou ao estado costeiro, a pedido destes. Quaisquer procedimentos iniciados pelo estado do porto, com base em tal investigação podem, salvo disposição em contrário da seção 7 ['garantias', arts. 223-233 da mesma Convenção], ser suspensos a pedido do estado costeiro, quando a infração tiver sido cometida nas águas interiores, mar territorial ou zona econômica exclusiva desse estado. Em tal situação, as provas e elementos do caso, assim como qualquer caução ou outra garantia financeira depositada junto das autoridades do estado do porto, serão transferidas para o estado costeiro. Esta transferência exclui a possibilidade de os procedimentos prosseguirem no estado do porto."

143. **Agreement relating to the conservation and management of straddling fish stocks and highly migratory fish stocks** A/CONF.164/37, 8 de setembro de 1995 (ILM 34 (1995) 1547).

144. R. WOLFRUM (op. cit., 1998, p. 154) lembra "the régimes on the protection of the ozone layer and agaisnt climate change, as well as the **Convention for the protection of the north-east Atlantic** are based upon the same philosophy since they open the possibility for individual states to invoke non-compliance of others. In the examples referred to – and this constitutes the dogmatic innovation, already referred to – the state does not proceed on the basis of its own interests, but upon the community´s interest. Consequently the individual state's competences to enforce international obligations of another states are not used in the interest of the enforcing state but in the interest of the community of states. This means a profound modification of international law, which can no longer – at least not exclusively – be regarded as merely responding to the interests of individual states".

145. C I J, case concerning **fisheries jurisdiction** (Espanha c. Canadá, julgamento em 4 de dezembro de 1998).

as declarações por meio das quais ambos os estados tinham aceito a jurisdição compulsória, nos termos do art. 36, par 2º, do **Estatuto** da Corte Internacional de Justiça[146].

A Corte acompanha a opinião manifestada pela Espanha, de que "instrumentos internacionais têm de ser interpretados com referência ao direito internacional". Contudo, no tocante ao conteúdo das "medidas de conservação e de gestão", tais como utilizadas na reserva canadense à aceitação da jurisdição compulsória da Corte Internacional de Justiça, esta entendeu: "Em conformidade com o direito internacional, para que determinada medida possa ser considerada como 'medida de conservação e gestão' é suficiente que esta se destine a conservar e a administrar recursos vivos, e para tal fim satisfaça especificações técnicas determinadas, sendo nesse sentido interpretada e aplicada a expressão 'medida de conservação e gestão', tal como utilizada pelos estados, em tratados por estes celebrados. O mesmo uso se dá na prática dos estados. Tipicamente, em leis internas e atos administrativos, os estados descrevem tais 'medidas de conservação e gestão' com referência a critérios científicos e técnicos". Desse modo, "lendo os termos da reserva canadense de modo natural e razoável (*in a natural and reasonable manner*) não há nada

---

146. Por meio de carta de 21 de abril de 1995, o embaixador canadense nos Países Baixos informou à Corte a opinião do seu governo, no sentido de carecer aquela de jurisdição para conhecer e para decidir a respeito do caso, por entender que a Corte "manifestly lacks jurisdiction to deal with the application filed by Spain (...) by reason of paragraph 2 (d) of the Declaration, dated 10 May 1994, whereby Canadá accepted the compulsory jurisdiction of the Court". A aceitação da jurisdição compulsória da Corte Internacional de Justiça pelo Canadá tinha anteriormente sido manifestada por Declaração, de 1985, na qual se estipulavam as três reservas, contidas nos subparágrafos (a), (b) e (c) do parágrafo 2, às quais fora acrescentada, na nova Declaração canadense, de 1994, a reserva adicional, estipulada na letra (d) relativa a controvérsias "arising out of or concening conservation and management measures taken by Canada with respect to vessels fishing in the NAFO Regulatory Área, as defined in the **Convention on future multilateral co-operation in the Northwest Atlantic Fisheries**, 1978, and the enforcement of such measures."

No mesmo dia, o governo canadense depositara a nova Declaração, foi apresentada ao Parlamento a proposta de emenda (*Parliament Bill C-29*) alterando dispositivos do *Coastal fisheries protection act*, estendendo seu âmbito de aplicação, para abranger a área protegida (*Regulatory Area*) pela **Northwest Atlantic Fisheries Organization (NAFO)**. A proposta de emenda foi aprovada, tendo recebido a sanção real (*Royal Assent*) em 12 de maio de 1994. Os regulamentos em matéria de proteção da pesca costeira foram igualmente emendados, em 25 de maio de 1994 e novamente em 3 de março de 1995, quando barcos pesqueiros espanhóis e portugueses foram detectados na área iv da seção 21 (a categoria de barcos proibida de pescar o *Halibut da Groenlândia* naquela região).

Em 12 de maio de 1994, seguindo-se à adoção da Lei C-8, o Canadá também alterou dispositivos do seu Código Penal, com relação ao uso da força por policiais e outros agentes de forças de paz, para assegurar o cumprimento da lei. Esta seção igualmente se aplicava aos policiais responsáveis por proteção pesqueira.

Em 9 de março de 1995, o **Estai**, barco pesqueiro espanhol, com tripulação espanhola, foi interceptado e abordado a 245 milhas da costa canadense, na divisão 3L da área protegida (*NAFO Regulatory Area*) denominada *Grand Banks Area*, por barcos do governo canadense. O barco foi apreendido e seu comandante preso, com base em alegação de violação da Lei de proteção da pesca costeira e seus regulamentos. Foram levados para o porto canadense de St. John's, no Newfoundland, onde foram indiciados por violação da referida legislação e especificamente por pesca ilegal do *Halibut da Groenlândia*; parte do pescado encontrado a bordo foi confiscado. Os integrantes da tripulação foram libertados imediatamente a seguir. O capitão foi libertado em 12 de março de 1995, mediante fiança, e o barco liberado em 15 de março de 1995, depois de feito depósito judicial (*posting of a bond*).

que permita à Corte concluir que o Canadá tivesse a intenção de usar a expressão 'medida de conservação e gestão' com sentido diferente do geralmente aceito no direito e na prática internacionais. Ademais, qualquer outra interpretação dessa expressão privaria a reserva de seu tencionado efeito".

Depois de examinar as alterações feitas pelo Canadá à sua legislação interna[147], em 1994 e 1995, a Corte conclui serem estas consentâneas com o que se entende por "medidas de conservação e gestão", no sentido em que esta expressão é habitualmente compreendida no direito e prática internacionais e tal como foi utilizada na reserva canadense. A Corte a seguir analisa o conceito de embarcação (*vessel*) e observa que as "medidas de conservação e gestão", às quais se refere a reserva canadense, somente poderiam reportar-se ao alto-mar e consequentemente somente poderiam dizer respeito às embarcações encontradas na área de proteção pesqueira da NAFO[148]. Em razão das considerações desenvolvidas, a Corte entendeu não ter jurisdição para decidir a respeito do caso[149].

Além do interesse intrínseco do caso, é relevante também por tratar da questão da aplicação de norma de direito internacional por meio de ação de estado, valendo-se também de dispositivos complementares de seu direito interno, consentâneo com a norma internacional, na medida em que não conflite com esta. Interessantes, igualmente, na delimitação do objeto da controvérsia: a causa próxima, o navio **Estai** e o tratamento a este dispensado, bem como à sua tripulação e carga, pelas autoridades canadenses, a causa principal, a delimitação da interpretação e da aplicação de norma de direito internacional e os desdobramentos da **claúsula facultativa de jurisdição obrigatória**, e de reservas formuladas em relação à extensão possível na aplicação desta.

Na mesma linha de evolução conceitual e mutação operacional do direito internacional pós-moderno, o *Instituto de Direito Internacional*, na já referida Resolução sobre **obrigações *erga omnes***, adotada na sessão de Cracóvia (2005)[150],

---

147. Cf. nota *supra*.

148. CIJ, **fisheries jurisdiction** (Espanha c. Canadá, julgamento em 4 de dezembro de 1998), parágrafos 74-77: "the conservation and management measures to which this reservation refers are measures 'taken by Canada with respect to vessels fishing in the NAFO Regulatory Area, as defined in the **Convention on future multilateral co-operation in the Northwest Atlantic Fisheries**, 1978'. As the NAFO 'Regulatory Area' as defined in the Convention is indisputably part of the high seas, the only remaining issue posed by this part of the reservation is the meaning to be attributed to the word 'vessels'".

149. CIJ, **fisheries jurisdiction** (Espanha c. Canadá, julgamento em 4-12-1998): "For these reasons, the Court, by twelve votes to five, finds it has no jurisdiction to adjudicate upon the dispute brought before it by the application filed by the Kingdom of Spain on 28 March 1995".

150. I.D.I., sessão de Cracóvia, resolução adotada em 27 de agosto de 2005, a respeito de **Les obligations et les droits erga omnes en droit international / *Obligations and rights* erga omnes *in international law*** (Le texte anglais fait foi. Le texte français est une traduction.), a 5ª Comissão, tendo como Relator Giorgio GAJA, como "en vertu du droit

inclui as obrigações relativas ao meio ambiente, e proteção dos espaços comuns, como exemplarmente insertas dentre as "obrigações que refletem ditos valores fundamentais". Assim deixa de ser questão de bilateralidade de relações interestatais e passa a ser matéria de interesse da comunidade dos estados, como um todo, e em relação às quais qualquer estado pode engajar-se na defesa de interesse comum, mesmo sem ter sido diretamente visado ou atingido. A noção de obrigações *erga omnes* se põe como a base para a legitimação de tais ações concertadas.

Outro caso, submetido a órgãos internacionais para solução de controvérsias, decorreu das restrições domésticas impostas pelo Chile à pesca predatória do peixe espada dentro de sua ZEE. A Comunidade Europeia levou o caso à Organização Mundial do Comércio, para a instauração de procedimento de solução de conflitos, em 2000, visto ser o Chile, assim como a Comunidade Europeia, parte da Convenção sobre Direito do Mar e do GATT 1994. O caso foi suspenso, por meio de acordo, alcançado entre as partes, quanto às limitações da quantidade de peixes retirados e quanto ao número de embarcações autorizadas a tanto, além de iniciarem pesquisa conjunta sobre a pesca do peixe espada na costa chilena. Entretanto, tal caso suscitou discussões acerca da legalidade da imposição de restrições de cunho conservacionista, com base nos arts. 64 e 116 da Convenção sobre Direito do Mar pelo países costeiros, ante as normas de livre comércio e o **Acordo das Nações Unidas sobre as Espécies de Peixes Altamente Migratórias**[151].

O número de controvérsias, acerca de direitos de pesca ou de retirada de outros recursos marinhos vivos do mar, tomou dimensão global, envolvendo não só as potências marítimas, mas praticamente todos os estados costeiros. Com a instituição do **Tribunal Internacional do Mar**, o direito de pesca e exploração dos recursos marinhos vivos ficou mais dinâmico[152].

O desenvolvimento de instrumentos normativos nessa seara é absolutamente indispensável. Isso aconteceu de forma mais ordenada nos âmbitos regionais, com a assinatura de tratados e o estabelecimento de comissões regionais e sub-regionais. Como exemplo desse movimento cooperativo, os estados esta-

---

international, certaines obligations s'imposent à tous les sujets du droit international dans le but de préserver les valeurs fondamentales de la communauté internationale ", onde aponta " existe un large consensus pour admettre que l'interdiction des actes d'agression, la prohibition du génocide, les obligations concernant la protection des droits fondamentaux de la personne humaine, les obligations liées au droit à l'autodétermination et les obligations relatives à l'environnement des espaces communs, constituent des exemples d'obligations qui reflètent lesdites valeurs fondamentales".

151. P. T. STOLL e S. VÖNEKY, *The Swordfish Case: Law of the Sea v. Trade*, ZaöRV 62 (2002), p. 21-35.

152. http://www.itlos.org.

beleceram comissões de pesquisa para orientar a regulamentação da pesca. Citem-se como exemplos as seguintes comissões e órgãos regulamentadores: Conselho Internacional para a Exploração do Mar (1902), Comissão Geral de Pesca para o Mediterrâneo (1949), Comissão do Pacífico Asiático sobre Pesca (1948)[153], Comissão Internacional do Pacífico-Halibut (1923), Comissão de Pesca do Anadromos no Pacífico Norte (1952), Comissão Permanente do Pacífico Sul sobre a Exploração de Recursos Marinhos do Pacífico Sul (1952), Organização da Pesca do Sudeste do Atlântico (1973), Comissão Internacional da Pesca no Mar Báltico (1973), Organização de Pesca do Noroeste do Atlântico (1978), Agência de Pesca do Pacífico Sul (1979), Comissão de Pesca do Noroeste do Atlântico (1980) e Organização para a Conservação do Salmão no Atlântico Norte (1982)[154].

A FAO também atua de forma bastante ativa na regulamentação, na maioria das vezes por meio de *soft law,* e criação de diretrizes sobre pesca. Dentre as iniciativas da FAO, merece destaque o **Código de Conduta para Pesca Responsável** (*Code of Conduct for Responsible Fisheries*), de 1995. Neste documento, elaborado em vista do Capítulo 17 da Agenda 21, a FAO recomenda a adoção de uma lista de princípios, que acabaram por influenciar o desenvolvimento de instrumentos subsequentes. Sob a égide do Código de Conduta da FAO, foram elaborados ainda quatro Planos de Ação Internacionais, cujo escopo é a gestão sustentável da pesca[155].

O Plano de Implementação do Fórum Mundial sobre Desenvolvimento Sustentável (Joanesburgo, 2002) contém igualmente medidas não vinculantes voltadas à preservação dos recursos marinhos vivos, tais como planos de ação, cronogramas de implementação, entre outras medidas[156].

Abaixo faz-se a descrição de alguns dos principais tratados multilaterais sobre o tema.

7.3.2.1. Convenção Internacional para a Regulamentação da Pesca da Baleia (1946)

Assinada em Washington, em 1946 e em vigor desde 1948, a **Convenção**

153. Todas sob os auspícios da FAO.

154. P. SANDS, **Principles,** p. 585.

155. A saber, *International Plan of Action for Reducing Incidental Catch of Seabirds in Longline Fisheries, International Plan of Action for Conservation and Management of Sharks, International Plan of Action for the Management of Fishing Capacity* e *International Plan of Action to Prevent, Deter and Eliminate Illegal, Unreported, and Unregulated Fishing.*

156. W. EDESON, *Sustainable use of marine living resources,* ZaöRV 63 (2003), p. 365-375.

sobre Pesca da Baleia conta 67 partes, incluindo o Brasil, que aprovou a Convenção, pela última vez, por meio do Decreto Legislativo n. 77/73, e a promulgou pelo Decreto n. 73.497/74[157].

A Convenção se ocupa de aspectos mais procedimentais do que substantivos. O objetivo da Convenção é o estabelecimento de regulamentação acerca da pesca da baleia, assim como promover pesquisa sobre as baleias e sobre a sua pesca.

O ponto principal da Convenção refere-se ao estabelecimento da Comissão Internacional de Pesca da Baleia (artigo III). A tal Comissão cumpre o encorajamento e condução de estudos sobre baleias e sua pesca, coleta e análise relativas às condições das reservas de baleias e dos efeitos da pesca, pesquisa e disseminação de meios de manter e aumentar a população de baleias (artigo IV).

Integra a Convenção o Anexo (*Schedule*), no qual se encontram as obrigações das partes. Nos termos do artigo V, a Comissão pode emendar o Anexo para adotar regulamentação acerca dos seguintes temas: a) espécies protegidas; b) estações de pesca; c) águas abertas e fechadas (à pesca), incluindo a delimitação de santuários; d) limites de tamanho para cada espécie; e) período, métodos e intensidade da pesca (incluindo a retirada máxima por estação); f) tipos e especificações de instrumentos usados; g) métodos e medidas; e h) taxa de retorno de retirada e outros registros estatísticos e biológicos.

As emendas do Anexo vinculam os estados, a não ser que, dentro do prazo de noventa dias contados da notificação de emenda, qualquer estado declare não estar vinculado à emenda. Neste caso, é aberto o prazo de noventa dias aos demais estados para declararem se aceitam ou não a emenda como vinculante. Após este prazo, a emenda se torna vinculante a todos os estados que não se opuseram. Esse procedimento permitiu que a Convenção fosse adaptada para um verdadeiro instrumento de preservação das baleias, que vai muito além da regulamentação original proposta pela Convenção.

Entre as emendas mais polêmicas há que citar a moratória de pesca da baleia a partir dos anos de 1985 e 1986, contra a qual se insurgiram a então ainda existente União Soviética, Japão, Noruega, entre outros, e o estabelecimento da parte sul dos oceanos como santuário, observados os limites contidos no Anexo, onde até mesmo a pesca para fins de pesquisa é proibida[158].

A proteção de cetáceos também é objeto dos acordos ASCOBANS e ACCOBAMS, celebrados sob a égide da **Convenção de Bonn sobre Espécies Migratórias**[159].

---

157. Anteriormente o Brasil havia aprovado a Convenção por meio do Decreto Legislativo n. 14/50 e promulgado pelo Decreto n. 28.524/50.

158. U. BEYERLIN, **Umweltvölkerrecht**, p. 115.

159. *V.* 7.5.1.4.

7.3.2.2. Convenção das Nações Unidas sobre o Direito do Mar (1982)

A **Convenção das Nações Unidas sobre o Direito do Mar** também contém aspectos relacionados especificamente à conservação dos recursos marinhos vivos. Os dispositivos pertinentes a esta matéria, todavia, não são propriamente de proteção dos recursos marinhos vivos, mas de cooperação e uso comum. Tal conclusão resta clara da leitura dos artigos 116 a 120 da Convenção, que preveem obrigações muito abstratas.

O tratamento conferido aos recursos marinhos vivos é pouco satisfatório na Parte XII da Convenção. Os artigos 192 e 194, já descritos acima, não são antecipatórios e precaucionários, o que equivale a dizer que fundamentam conduta que valoriza muito pouco a prevenção da degradação dos recursos marinhos vivos[160].

Ao menos cabe notar que o princípio da liberdade de pesca não se aplica às ZEEs, conforme se depreende dos artigos 55 a 61[161]. O artigo 61 estipula o direito de os países costeiros regulamentarem o montante da retirada de recursos marinhos vivos de sua costa. As restrições impostas, contudo, não devem ser discriminatórias e, nessa qualidade, contrárias às regras de livre comércio e às de outros tratados.

Os artigos 62 a 68 também disciplinam o uso dos recursos marinhos vivos, mas de tal forma que não se pode considerar tais normas como de preservação das espécies marinhas, mas tão somente regras de aproveitamento econômico dos recursos marinhos vivos.

7.3.2.3. Acordo da FAO para promover cumprimento de medidas internacionais de conservação e manejo por embarcações pesqueiras no alto-mar (1993)

Adotado em 1993 e em vigor desde 2003, o **Acordo para Promover Cumprimento de Medidas Internacionais de Conservação e Manejo por Embarcações Pesqueiras no Alto-Mar**, firmado sob os auspícios da Organização para Alimentos e Agricultura das Nações Unidas – FAO, por isso também muitas vezes referido como ***FAO Compliance Agreement***, faz parte de iniciativa para possibilitar o controle e cumprimento de obrigações internacionais atinentes à conservação dos recursos vivos marinhos.

Tendo em vista que o direito internacional impede a aplicação de legislação nacional sobre embarcações pesqueiras de bandeiras de outros estados em alto-

160. U. BEYERLIN, **New Developments**, p. 551.

161. U. BEYERLIN, **New Developments**, p. 550.

-mar, muitas empresas pesqueiras migraram para países que não fazem parte de tratados globais e regionais de proteção aos recursos marinhos vivos, operação que ficou conhecida como *reflagging* ou *flying flags*. Dessa forma, é possível que embarcações de países sem ou com menores restrições à pesca pudessem burlar impunemente a regulamentação internacional para a pesca em alto-mar onde há regulamentação específica.

A FAO convocou a conferência para negociar a adoção de Acordo Internacional visando a impedir o descumprimento de regulamentação internacional por meio de embarcações sujeitas a países não aderentes a tal regulamentação. O resultado desta conferência foi a adoção do que se convencionou chamar de ***FAO Compliance Agreement***.

O cerne de tal Acordo é o artigo III, segundo o qual as partes devem adotar as medidas necessárias para assegurar que embarcações pesqueiras sob sua jurisdição (*bandeira*) não sejam permitidas a exercer suas atividades de forma a enfraquecer medidas de conservação e manejo e comprometer sua efetividade. Para a consecução desse objetivo, as partes devem assegurar que embarcações pesqueiras sob sua jurisdição possam exercer suas atividades em alto-mar apenas se autorizadas por órgão nacional. O Acordo especifica os requisitos e aspectos procedimentais das autorizações.

Além disso, o Acordo contém também obrigações relativas à manutenção de registros, cooperação internacional, troca de informações e assistência a países em desenvolvimento (artigos IV a VII). As partes devem ainda engajar os estados que não aderirem ao Acordo a fazê-lo (artigo VIII).

A FAO é encarregada do monitoramento e controle do cumprimento das obrigações deste Acordo.

A grande deficiência deste instrumento é a não adesão de grande parte dos estados que já toleravam a atividade pesqueira sob sua jurisdição em desrespeito a normas internacionais de preservação do meio ambiente marinho. Verificou-se que a maioria dos estados que aderiram à Convenção já cumpriam suas normas, enquanto os estados que não se dispõem a cumpri-las continuam não vinculados a tratados internacionais que restrinjam a pesca em áreas protegidas.

7.3.2.4. Acordo das Nações Unidas sobre espécies de peixes altamente migratórias (1995)

Originalmente denominado **Acordo para a Implementação das Provisões da Convenção das Nações Unidas sobre o Direito do Mar de 10 de dezembro de 1982 sobre a Conservação e Ordenamento de Populações de Peixes Tranzonais e de Populações de Peixes Altamente Migratórios**, o

Acordo regulamenta e especifica obrigações em complemento às normas da Convenção das Nações Unidas sobre o Direito do Mar. Encontra-se em vigor, inclusive no Brasil[162].

O objetivo do **Acordo** é assegurar a conservação de longo prazo e uso sustentável de espécies de peixes migratórias pela implementação da Convenção sobre Direito do Mar em áreas fora da jurisdição nacional (artigos. 2º e 3º). O artigo 5º enumera uma série de princípios relevantes a nortear as atividades dos estados. Uma relevante provisão encontra-se no artigo 6º, que detalha as formas de aplicação do princípio da precaução no caso específico do acordo.

Do artigo 7º em diante, o Acordo prevê regras detalhadas e extensivas de conservação, ordenação, cooperação e uso sustentável das espécies de peixes altamente migratórias e a relação com estados não aderentes ao **Acordo**.

As principais disposições do **Acordo** referem-se (a) à compatibilização de regras de conservação nas ZEE's e no alto-mar, (b) à necessidade de conferir às diversas áreas do alto-mar tratamento compatível com o de ecossistemas, (c) às obrigações dos estados de fiscalizar as embarcações sob sua jurisdição no alto-mar, (d) a regras detalhadas a serem observadas por organizações regionais de pesca, (e) a regras detalhadas de execução das obrigações das partes, incluindo o controverso sistema de embarque e vistoria de embarcações por inspetores credenciados e de controle de portos, e (f) à adoção de medidas "em conformidade com o Acordo e o direito internacional" contra embarcações de estados que não são partes do Acordo e praticam a pesca de forma a enfraquecer regras internacionais de conservação das espécies de peixes altamente migratórias[163].

7.4. Águas comuns internas

O compartilhamento de rios e lagos por mais de um estado é situação comum[164] a quase todos os países continentais. Dificilmente dois estados vizinhos não dividem pelo menos um corpo d'água relevante, quando o corpo d'água não é a própria fronteira entre ambos. Estes corpos d'água, sejam eles lagos, mares internos ou rios transfronteiriços, serão denominados aqui **águas comuns, excluídas as águas marítimas**.

---

162. No Brasil, o Acordo foi aprovado pelo Decreto legislativo n. 5/2004 e promulgado pelo Decreto n. 4.361/2002. São 63 partes aderentes ao Acordo em vigor desde 2001.
163. Análise das obrigações do Acordo in G. F. S. SOARES, **Direito internacional do meio ambiente**, p. 433-437.
164. Cf. o já referido Julio A. BARBERIS, **Los recursos naturales compartidos entre estados y el derecho internacional** (Madri: Tecnos, 1979, Cap. I, "Los rios internacionales", p. 15-54).

Se as águas comuns são fonte de água e alimento, vias de transporte, fonte de geração de energia, local de turismo e lazer e escoadouro natural de esgoto, é absolutamente natural que seu uso deva ser regulamentado entre os estados que as compartilhem, uma vez que o uso feito por um não necessariamente atende aos interesses dos demais. Não surpreende, portanto, a existência de número elevado de acordos internacionais para regulamentação do uso das águas comuns. Somente no século passado, com o aumento da população urbana e com o processo acelerado de industrialização, é que problemas ambientais passaram a integrar o rol de aspectos envolvidos no uso compartilhado das águas.

A práxis dos estados determinou mais a formação do direito do que iniciativas de regulamentação positiva propriamente dita. O **princípio consuetudinário do uso equitativo das águas comuns** passou a conter componente ambiental, que pode ser definido pelo uso racional. Tal práxis foi em parte consolidada em trabalho desenvolvido pela *International Law Association* – ILA em conjunto com a *International Law Commission* – ILC, que resultou nas *Regras de Helsinki sobre os usos das águas de rios internacionais*, de 1966. A codificação de algumas regras de direito consuetudinário, ainda que em documento não vinculante, acabou por influenciar ainda o desenvolvimento dos tratados seguintes, reforçando normas que ainda não integravam o direito consuetudinário.

A posição oficial do Brasil em relação à livre navegação dos rios internacionais mostra certa contradição. A matéria, contudo, ainda estava para ser consolidada no direito internacional positivo, como mostram a evolução da regulação do tema, em relação a rios internacionais, tais como a Convenção, de 7 de novembro de 1857, sobre o Danúbio, ou a evolução da regulamentação do Reno, com a criação de comissões internacionais de navegação e regulação da livre navegação, como por exemplo teve de examinar a Corte Permanente de Justiça Internacional em parecer prolatado em relação à competência da comissão internacional do **Danúbio entre Galatz e Braïla**[165], ou em relação à **liberdade de navegação e competência da comissão internacional do Rio Oder**[166].

165. CPJI, **competência da comissão internacional do Danúbio, entre Galatz e Braïla** (**Jurisdiction of the European commission of the Danube between Galatz and Braila**, série B, n. 14, série C, n. 13/1 e 13/4); *v.* item II, "Precisões terminológicas e valorativas".

166. CPJI, **Competência da comissão internacional do rio Oder** (**Territorial jurisdiction of the international commission of the river Oder**, série A, n. 23, série C, n. 17/2); em 30 de outubro de 1928 foram submetidas à Corte Permanente de Justiça Internacional duas questões relativas à extensão territorial da Comissão internacional do rio Oder, para determinar se a jurisdição desta Comissão, no entendimento da Corte, deveria abranger ou não os afluentes do Oder, os Rios Wartha e Netze, situados em território polonês; em caso afirmativo, qual deveria ser o princípio adotado para a determinação dos limites da jurisdição da Comissão; segundo estipulara o tratado de Versalhes, a Corte Permanente de Justiça Internacional entende que a jurisdição da Comissão internacional do Rio Oder se estenderia a seus afluen-

"O Brasil não consagrava atitude coerente e uniforme a propósito dos rios internacionais", como aponta Oscar TENÓRIO (1975)[167], porquanto "tinha orientação colidente em relação ao Amazonas e ao rio da Prata": "nem o direito internacional positivo, no século XIX, chegara a formulações convencionais uniformes. Havia tendências doutrinárias e interesses nacionais em jogo"[168].

Prosseguia O. TENÓRIO (1975) enfatizando que, por seu espírito universal, o direito de comunidade das nações geralmente não perde sua característica internacional. Entretanto, diversidades de condições geográficas e econômicas explicam que o princípio da liberdade da navegação dos rios não tenha tido a mesma regulação. Foi o que ocorreu com a evolução seguida pela América. Quando o internacionalista explica por que a evolução não foi a mesma, mostra que a Europa, em virtude da densidade da população, da área limitada de seu território, do número de estados percorridos ou separados, da concentração industrial, apresentava um interesse geral e sua livre navegação se impõe como um direito do qual se beneficiam todos os estados, ribeirinhos ou não; ao passo que a situação dos rios americanos, sobretudo os sul-americanos, é muito diferente, porque atravessam frequentemente vastas regiões porque (*sic*) povoadas e que têm pouco interesse para a navegação. A referência ao problema, por internacionalistas estrangeiros é expressiva quando estudamos o pensamento e a ação de

---

tes, porquanto, no território polonês, há trechos "navegáveis e de interesse internacional", considerando como princípio a ser adotado, nos termos do art. 338 do Tratado de Versalhes, que na determinação dos limites da jurisdição da Comissão deveriam estar incluídos todos os trechos dos Rios Wartha e Netze que seguem os critérios do artigo 331 do Tratado de Versalhes; os artigos 332 a 337 dispõem sobre o regime de internacionalização e os artigos 340 a 345 sobre o regime de administração do Rio Oder; a Corte Permanente de Justiça Internacional entendeu que as referências do Tratado de Versalhes ao Rio Oder deveriam ser interpretadas como abrangendo igualmente os afluentes navegáveis deste; a lógica adotada no Tratado de Versalhes era favorável à internacionalização e liberdade de navegação dos rios internacionais na Europa.

167. Oscar TENÓRIO, *Tavares Bastos: profeta da Amazônia* ("Prefácio" a **O vale do Amazonas: a livre navegação do Amazonas, estatística, produção, comércio, questões fiscais do vale do Amazonas**, de Aureliano Cândido TAVARES BASTOS, 3. ed. São Paulo / Brasília: Ed. Nacional / INL, 1975, p. 7-18); *v.* tb. A. C. TAVARES BASTOS, **Os males do presente e as esperanças do futuro (estudos brasileiros)** (Prefácio de Cassiano TAVARES BASTOS, Nota introdutória de José Honório Rodrigues, 2. ed. São Paulo/Brasiília: Ed. Nacional/INL, 1976); e **Cartas do solitário** (nota introdutória de Manuel Diegues Jr., 4. ed., "feita sobre a 2ª edição de 1863", São Paulo/Brasiília: Ed. Nacional/INL, 1975); Carlos PONTES, **Tavares Bastos (Aureliano Cândido) 1839-1875** (2. ed., São Paulo / Brasília: Ed. Nacional / INL, ed., 1975).

168. O. TENÓRIO (pref. cit., 1975, p. 15-16): "O dominicano espanhol Francisco de VITÓRIA defendera, na sua cátedra da Universidade de Salamanca, no século XVI, o direito de comércio como direito absoluto. Mas ele não era jurista. Sua tese, ademais, contrastava com a dominante na Idade média. Coube à Revolução Francesa, impregnada pelas ideias liberais, baixar o decreto de 16 de novembro de 1792 sobre a liberdade dos ribeirinhos. Era um ato unilateral, mas cuja execução ia ser feita com instrumentos políticos e militares. Estava-se no começo da batalha. Tornou-se o princípio regra expressa de direito internacional no Congresso de Viena de 1815. Não foi ainda a proclamação ampla do princípio, embora constituísse uma evolução satisfatória, porque o acordo entre os ribeirinhos seria necessário para regular a navegação. Graças a ele um direito fluvial internacional novo permitia que se dispusesse a respeito de grandes rios da Europa"; cita Charles ROUSSEAU, **Droit international public** (Paris, 1953, n. 494).

TAVARES BASTOS, e bastante proveitosa ao julgamento da posteridade. Ele se propunha a inverter as cláusulas do problema e das correspondentes soluções. Mediante a livre navegação do Amazonas, ele almejava encher os vazios, povoar os desertos verdes, explorar as riquezas. Seus adversários preocupavam-se com a segurança do país, com a sua integridade. Mas não propunham equações para a integração efetiva da vastíssima região amazônica[169].

Na história do Brasil, o Decreto n. 3749, de 1866, que declarou aberta aos navios mercantes de todas as nações a navegação do Amazonas, até a fronteira do Brasil com o Peru, e de outros rios que cortam o território nacional, coroou a missão de TAVARES BASTOS, como avalia TENÓRIO: missão difícil e áspera pela natureza das questões que suscitou. A liberdade da navegação era, nas suas raízes, uma questão jurídica. As questões econômica e política entrosavam-se. E ainda hoje se entrosam no plano da integração territorial da região amazônica. O problema diplomático e jurídico do Rio Amazonas e de seus afluentes teve difícil solução, por suas implicações políticas, sensibilizadas pela opinião pública da época, em que foi discutido por TAVARES BASTOS. As divergências persistem, sob outros aspectos; mas o direito fluvial internacional tem estabelecido regras que as nações, em sua maioria, aceitam.

Conclui TENÓRIO: "para o Brasil a questão não é apenas de acatamento ou não aos princípios do direito das gentes. Apresenta-se no seu aspecto primordial, o da integração nacional a coexistir com os interesses da comunidade internacional"[170].

Para A. C. TAVARES BASTOS, além de deplorar "os males do presente e as esperanças do futuro"[171] – exclamação de tal atualidade, que, guardadas certas

169. O. TENÓRIO (pref. cit., 1975, p. 16-17): "TAVARES BASTOS no livro específico sobre a Amazônia, sustentava que, com o progresso na conduta do governo em correspondência com o progresso científico, se chegaria ao progresso material".

170. O. TENÓRIO (pref. cit., 1975, p. 18): "O **vale do Amazonas** contém sugestões e projetos a respeito da livre navegação (entrepostos, rendas, favores especiais aos navios ribeirinhos e tantos outros) e de seus efeitos. Na distância do tempo, a obra perdeu seu interesse quanto às estatísticas, aos dados, às apreciações críticas. Tem importância, ainda, para o historiador da economia brasileira e mesmo da própria política. Obra atual no sentido de um exemplo de apreciação e solução de problemas nacionais, sem o vozerio dos demagogos e com uma objetividade modelar. No rio da história, por um desvio explicável em sua corrente, o apostolado de TAVARES BASTOS apresenta-se, agora, como expressão do desenvolvimento nacional. As condições materiais de seu tempo não permitiam outra indicação. Ele lutava pela integração nacional, por meios inspirados no liberalismo econômico. Sua ideia central não feneceu – a de integrar a Amazônia no desenvolvimento nacional. Os métodos são outros. A leitura de **O vale do Amazonas** é a confirmação".

171. Aureliano Cândido TAVARES BASTOS, **Os males do presente e as esperanças do futuro (estudos brasileiros)** (Prefácio de Cassiano TAVARES BASTOS, nota introdutória de José Honório RODRIGUES, 2. ed., São Paulo / Brasília: Ed. Nacional/INL, 1976, p. 27-48), dividia-o em: introdução; I. realidade; II. ilusão; III. solução; no item I, sob a epígrafe: *mala autem arbor malos fructus facit*, desenvolvia: "Ninguém há neste país que desconheça a profunda aflição de muitos, o desespero de alguns, e o incômodo geral de todos os homens de bem, desde o humilde lavrador até o estadista, desde o eleitor até o deputado, desde o menor funcionário até o ministro da coroa. Estudando-se com imparcia-

configurações de estilo, poderia estar nos diários – no "vale do Amazonas" (1866)[172], a ênfase se punha em relação à importância e à necessidade do livre comércio, para trazer desenvolvimento para a Amazônia: a abertura dos rios da região, ao livre comércio, haveria de ser pensada como estratégia de desenvolvimento e de integração nacional[173].

Ainda A. C. TAVARES BASTOS, abordando "as leis de navegação; o comércio costeiro; a franquia dos grandes rios; questão do Amazonas; comunicações diretas entre as duas Américas", apontava na Carta XV, das **Cartas do solitário** (1862)[174]: "A livre e fraternal comunicação dos homens de todas as regiões, de todos os climas e de todas as raças, legenda brilhante de uma grande escola, é o fim último da humanidade, a condição de nosso desenvolvimento no espaço e no tempo, um princípio da filosofia e a essência do cristianismo"[175].

Como apontava G. E. do NASCIMENTO E SILVA (1996)[176], "nos acordos sobre o aproveitamento industrial e agrícola dos rios da região, dentro do contexto do MERCOSUL, o direito internacional pode indicar o caminho a ser trilhado"[177].

---

lidade o meio social em que vivemos, encontram-se tanta vez a corrupção e o crime sem pudor, a rotina e o fanatismo, a imbecilidade e a ignorância, o ceticismo no coração e a desordem nas ideias, que involuntariamente cada qual se interroga acerca do resultado de uma situação tão ameaçadora e tão sombria, e sobre as causas que acumularam essas nuvens negras no horizonte, que há pouco ostentava as rosadas cores de uma aurora de venturas", *V.* tb. A. C. TAVARES BASTOS, **Cartas do solitário** (nota introdutória de Manuel DIEGUES JR., 4. ed., "feita sobre a 2ª edição de 1863", São Paulo / Brasília: Ed. Nacional / INL, 1975).

172. Aureliano Cândido TAVARES BASTOS, **O vale do Amazonas: a livre navegação do Amazonas, estatística, produção, comércio, questões fiscais do vale do Amazonas** (Prefácio de Oscar TENÓRIO, 3. ed., São Paulo/Brasília: Ed. Nacional/INL, 1975).

173. A. C. TAVARES BASTOS (op. cit., 1866, ed. 1975, Cap. I, "Considerações sobre a livre navegação do Amazonas", p. 33-67, cit. p. 37): "O belo ideal nestes assuntos já foi o do célebre tratado de Santo Ildefonso (1777), onde a Espanha e Portugal estipularam o seguinte: 'A navegação dos rios por onde passa a fronteira ou o limite das duas nações será comum às duas nações em todo o espaço que o rio percorre por entre duas margens pertencentes às duas nações; mas a navegação e o uso dos ditos rios serão a propriedade exclusiva da nação proprietária das duas margens, a partir do ponto em que começar esse domínio'".

174. Aureliano Cândido TAVARES BASTOS, **Cartas do solitário** (nota introdutória de Manuel DIÉGUES Jr., 4. ed. "feita sobre a 2. ed. de 1863", São Paulo/Brasiília: Ed. Nacional/INL, 1975), publicadas no Correio Mercantil, a partir de 19 de setembro de 1861, somente a 3 de abril de 1862, foi-lhes identificada a autoria; ainda em 1862, aparecem as cartas em volume; em 1863, o volume é reeditado, e nesta segunda edição as **Cartas** se apresentam refundidas e completas, separadas por assuntos, não mais na ordem em que se dera a publicação; as **Cartas do solitário** ainda mereceram terceira edição, em 1938, um ano antes do centenário de nascimento do autor; na Carta II (p. 13-18, cit. p. 13), exclamava TAVARES BASTOS e poderia estar discorrendo a respeito do Brasil de hoje: "Dentre os vícios que afligem o povo e embaraçam o progresso, são os administrativos aqueles que primeiro avultam e se tornam carecedores de um estudo aprofundado. Eles constituem, porém, uma tão longa série de fatos, que não poderíamos jamais contê-los todos no quadro estreito de um artigo".

175. A. C. TAVARES BASTOS (op. cit., Carta XV, p. 125-134, cit. p. 125).

176. G. E. do NASCIMENTO E SILVA, *A utilização dos rios internacionais e o MERCOSUL* (in **Contratos internacionais e direito econômico no MERCOSUL: após o término do período de transição**, coord. P. B. CASELLA *et al.*, São Paulo: LTr, 1996, p. 506-517).

177. G. E. do NASCIMENTO E SILVA (art. cit., 1996, p. 516): "As negociações poderão ser difíceis, mas o exemplo do Acordo Tripartite, de 19 de outubro de 1979, entre a Argentina, o Brasil e o Paraguai veio demonstrar que mesmo em se

Também se manifesta Pierre-Marie DUPUY (1978)[178], já referido, a respeito da controvérsia entre a Argentina e o Brasil, a respeito da construção da barragem de Itaipu: o interesse estratégico e o aproveitamento dos recursos naturais não podem ser negligenciados; isso pode, validamente, ser compatiblizado com a consistência na interpretação e aplicação do direito internacional pós-moderno.

J. SETTE-CÂMARA, em curso na Haia (1984)[179], analisando a questão da "poluição de rios internacionais", examinara quanto a adoção das Regras de Helsinki seriam desvantajosas para o Brasil, na medida em que a inteira bacia do Paraná ficaria submetida a regime internacional[180]: "se fôssemos admitir a teoria da integridade ou unidade de bacias, acolhida pelas *Regras de Helsinki*, significaria que todo aquele vasto território, maior do que a maioria dos países do mundo, estaria submetido a um regime de soberania múltipla no tocante aos usos ou ao regime do rio e de seus afluentes".

A UNEP também prestou grande serviço ao uso de águas comuns ao redigir a Minuta de **Princípios de Conduta sobre a Exploração Harmônica dos Recursos Naturais Comuns** (*Draft Principles of Conduct*) de 1977. Embora aplicável aos recursos comuns de forma geral, este documento contém orientações interessantes com vistas ao uso e conservação das águas comuns. Em 1982, a UNEP desenvolveu o documento **Diretrizes para o Desenvolvimento de Bacias Hidrográficas**.

A estes documentos cumpre somar os princípios de proibição de causar danos a países vizinhos e de minimização de poluição transfronteiriça, que desempenham importante papel em relação à poluição de águas comuns. Também os deveres de notificação e consulta em casos de atividades com potenciais impactos sobre águas comuns integram o arcabouço consuetudinário. Contribuíram para a formação do direito consuetudinário os já citados casos **Lago Lanoux** e **Gabcíkovo-Nagymaros**.

Afora as normas consuetudinárias, são poucos os instrumentos universais de proteção às águas comuns, os quais serão abaixo sucintamente descritos. Via de

---

tratando de situações complexas é possível chegar a bom termo".

178. Pierre-Marie DUPUY, *La gestion des ressources naturelles: à propos du différend entre le Brésil et l'Argentine relatif au barrage d'Itaipu* (AFDI, 1978, t. XXIV, p. 866 e s.)

179. José SETTE-CÂMARA, *Pollution of international rivers* (RCADI, 1984, t. 186, p. 117-217).

180. G. E. do NASCIMENTO E SILVA (art. cit., 1996, p. 511): "J. SETTE-CÂMARA, em curso dado na Haia, teve oportunidade de mostrar as consequências indesejáveis que a adoção das **Helsinki Rules** teriam no caso brasileiro. Salientou que a bacia do Prata inclui todo o território do Paraguai, dois terços do território do Uruguai, quase toda a zona norte-oriental da Argentina, grande parte da Bolívia e quase todo o território do Brasil, ao sul da bacia Amazônica, ou seja, quase todo o estado de São Paulo, inclusive a sua capital, bem como Belo Horizonte e Cuiabá e até Brasília, onde se localiza uma das nascentes do sistema. Em suma, aproximadamente 1.300.000 quilômetros quadrados do território nacional".

regra, os estados adotam regulamentação específica sobre diversos corpos d'água comuns. É interessante notar que, em vez de regulamentar o uso das águas tendo como critério as bacias hidrográficas, conforme sugerido pelas *Regras de Helsinki* e outros documentos, a práxis internacional firmou-se no sentido de regulamentar as águas comuns pelo critério político, isto é, desenvolvendo normas aplicáveis diretamente sobre os rios, lagos e mares internos. Na América do Sul e em algumas regiões da África e da Ásia, entretanto, adotou-se a **regulamentação internacional em vista das bacias hidrográficas**, e não dos rios e lagos isoladamente.

7.4.1. Convenção sobre o Direito dos Usos Não Navegacionais dos Cursos d'Água Internacionais (1997)

A Convenção é resultado de décadas de trabalho da ILC a respeito da criação de instrumentos universais voltados à proteção de águas internacionais internas. O texto da Convenção foi preparado a partir das *Regras de Helsinki* de 1966 e da *Minuta* de **Regras** da ILC de 1994. A Convenção foi adotada em 1997 por meio da Resolução n. 51/229 da Assembleia Geral das Nações Unidas, mas não conta com número suficiente de ratificações para entrar em vigor.

A Convenção se aplica aos cursos d'água superficiais, cujas partes estão situadas em diferentes estados. O artigo 5º descreve o princípio da utilização equitativa e racional e da participação. Nos termos desse dispositivo, um curso d'água internacional deve ser explorado com vistas à utilização otimizada e sustentável, considerando os interesses dos demais estados marginais e a adequada proteção do curso d'água. A participação consiste no direito de utilizar o curso d'água e no dever de cooperar para sua proteção e desenvolvimento. Tal princípio é complementado por uma série de aspectos procedimentais previstos no artigo 6º, quanto às medidas a serem observadas na utilização de cursos d'água internacionais.

Os artigos 7º a 10 prescrevem os demais princípios a serem observados pelas partes na utilização dos cursos d'água internacionais, quais sejam, o dever de cooperar, a troca de informações e o balanceamento dos diversos tipos de uso, de modo que um não tenha prioridade sobre o outro.

Os artigos 11 a 19 particularizam as relevantes obrigações de prévia notificação e, em determinados casos, consulta aos demais estados sobre as atividades planejadas que possam interferir nas condições do curso d'água.

No mais, a **Convenção** prevê uma série de obrigações abstratas de conservação, gestão do uso e prevenção da poluição (artigos 20 a 26), além de provisões acerca de condições perigosas e de emergências que possam afetar os cursos d'água internacionais (artigos 27 e 28).

7.4.2. Convenção sobre a Proteção e Uso de Cursos d'Água Transfronteiriços e Lagos Internacionais (1992)

A **Convenção sobre a Proteção e Uso de Cursos d'Água Transfronteiriços e Lagos Internacionais** foi firmada em 1992 no âmbito da Comissão Econômica das Nações Unidas para a Europa – UNECE e entrou em vigor em 1996. A Convenção está restrita aos países do bloco que formam a Comissão Econômica para a Europa, o qual abrange a Europa, Estados Unidos, Canadá e Ásia Central. Atualmente, são 35 as partes da Convenção.

Esta **Convenção** diferencia-se da **Convenção das Nações Unidas** de 1997, por se aproximar mais das regras de direito consuetudinário e da ***práxis*** internacional, bem como por conter obrigações mais concretas e mais facilmente implementáveis. A aplicação da **Convenção** também é diferente, ao passo que a **Convenção europeia** incide também sobre ***águas subterrâneas***.

A Convenção coloca como objetivos a adoção pelas partes de medidas preventivas para redução da poluição nas fontes, uso racional e equitativo, gestão ecológica e conservação das águas, observados os princípios da precaução, poluidor-pagador e da responsabilidade pelas futuras gerações (artigo 2º). As partes devem implementar medidas que assegurem a redução da poluição mediante a aplicação de tecnologias de baixa ou nenhuma poluição, do licenciamento, monitoramento e fiscalização dos lançamentos, baseados na melhor tecnologia disponível, da imposição de requisitos restritivos ou mesmo da proibição de lançamento de efluentes, do tratamento de efluentes de águas urbanas, de estudo de impacto ambiental, de gestão sustentável das águas, entre outras (artigo 3º). Com base em tais artigos, ja se vê que a Convenção define, de forma muito mais clara e concreta que a Convenção de 1997, as medidas a serem tomadas pelas partes.

Os artigos 9º a 16 especificam as obrigações e medidas específicas dos estados que possuem cursos d'água comuns entre si, tais como obrigações de cooperação e de estabelecimento de órgão conjuntos, consulta entre partes, monitoramento conjunto e estudos, pesquisas, troca de informações, estabelecimento de um sistema de alarme e avisos, assistência mútua e publicização de informações.

A **Convenção** dispõe ainda de uma estrutura orgânica para viabilizar sua implementação. O Secretariado da UNECE funciona como o Secretariado da

Convenção. A Reunião das partes é o órgão decisório supremo da Convenção, responsável pela revisão de seus dispositivos e implementação, proposição de emendas, troca de informações, entre outras funções.

A **Convenção** possui ainda dois Protocolos.

O **Protocolo sobre Água e Saúde**, adotado em 1999, ratificado por 5 partes e, dessa forma, ainda não vinculante, objetiva a melhora da qualidade da água como forma de promover o bem-estar e a saúde. A Convenção se ocupa bastante de procedimentos e métodos de monitoramento e gestão das águas, como forma de reduzir doenças relacionadas à qualidade da água, além de cronogramas de implementação de metas nacionais, como melhora do acesso à água e o fornecimento de saneamento básico à população, afora outras metas para melhoria da qualidade da gestão das águas.

O **Protocolo sobre responsabilidade civil e compensação por danos causados pelos efeitos transfronteiriços de acidentes industriais em águas transfronteiriças**, de 2003, tem a peculiaridade de servir de Protocolo tanto para a **Convenção da UNECE** de 1992 quanto para a **Convenção de Helsinki sobre os efeitos transfronteiriços de acidentes industriais**, o que denota uma preocupação de integrar os diversos regimes de proteção ambiental na Europa.

O Protocolo só se aplica aos casos em que o dano tenha ocorrido fora do estado de origem do acidente (artigo 4º). A princípio, as regras de responsabilidade ali previstas aplicam-se somente a operadores ou agentes sob a jurisdição das partes. A responsabilidade dos estados continua a ser regida pelas demais normas de direito internacional (artigo 12). As regras do Protocolo quanto à espécie de responsabilidade (objetiva ou não), excludentes de responsabilidade, recursos, limites de condenação e seguro devem ser internalizadas no ordenamento jurídico das partes. O Protocolo chega até mesmo a prever normas de direito internacional privado, como a lei nacional aplicável aos casos de danos transfronteiriços e a competência dos tribunais nacionais.

7.4.3. rios, lagos e bacias

Como já afirmado, a regulamentação, com vistas à conservação ambiental, das águas no cenário global é reduzida. A práxis internacional se desenvolveu a partir de tratados bilaterais ou regionais, envolvendo bacias, lagos ou rios específicos[181]. Abaixo são listados alguns exemplos de regulamentações setoriais nessa matéria.

---

181. O programa *Food and Agricultyural Organization – FAO*, das Nações Unidas, documentou mais de 3.600 tratados sobre águas comuns entre o ano de 805 a 1984. Naturalmente, grande parte desses documentos não trata de aspectos ambientais (in **UNEP. Atlas of International Freshwater Agreements**, 2002, p. 6).

Em relação à Europa: Lago Constança (1960, 1963, 1973), Danúbio (1994), Elba (1990), Mosela (1956, 1961), Oder (1992, 1996), Reno (1815, 1950, 1963, 1999).

Na América do Norte: Grandes Lagos (1909, 1978).

Na América do Sul: Bacia do Prata (1969), Paraná (Itaipú – 1970) e Bacia Amazônica (1978).

Na África: Bacia do Chade (1964), Senegal (1972), Bacia do Níger (1963), Zambeze (1987) e Lago Vitória (1994).

Na Ásia: Jordão e Yarmouk (1994), Ganges (1996), Mahakali (1996), Bacia do Mekong (1995).

Apesar de tais tratados serem bastante específicos quanto aos interesses regulamentados e possuírem soluções bem diferentes e criativas para regulação de seus interesses, estudo realizado pela FAO, Universidade do Oregon, e coordenado pela UNEP extraiu dos documentos as seguintes experiências e lições, que devem balizar e dar uma moldura para o melhoramento dos atuais regimes de rios e bacias[182]:

1. Os tratados devem prever uma estrutura flexível de gestão, de forma a permitir participação pública, mudança de prioridades nos usos das bacias hidrográficas e incorporar novas informações e novas tecnologias de monitoramento, além de considerar os interesses dos países incluídos na bacia, mas que não são parte dos tratados.

2. Deve haver também provisões de critérios claros e flexíveis de alocação da quantidade de água para os fins almejados por cada país e sobre a qualidade da água. Quantidade e qualidade da água são centrais em quase todas as disputas internacionais sobre cursos d'água. As instituições devem cuidar para identificar as demandas de quantidade de cada país e estabelecer *standards* de qualidade a serem respeitados e que simultaneamente deem base para entendimento da dinâmica da bacia, ação em caso de eventos hidrológicos extraordinários e alteração das prioridades do uso da água.

3. As instituições devem agir no sentido de promover a distribuição equitativa dos benefícios. Esse conceito é diferente do uso equitativo da água entre os países e visa à distribuição equitativa entre os países dos benefícios do uso, como geração de energia hidroelétrica, agricultura, usos estéticos e preservação de ecossistemas aquáticos.

182. Idem, p. 9.

4. Por fim, a existência de detalhado mecanismo de resolução de conflitos é fundamental para garantir a adequada gestão de longo prazo, pois conflitos podem surgir mesmo depois de negociado e assinado o tratado entre as partes.

7.4.3.1. Tratado de Cooperação Amazônica (1978)

O **Tratado de Cooperação Amazônica** foi firmado em 1978 entre Brasil[183], Bolívia, Colômbia, Equador, Guiana, Peru, Suriname e Venezuela. O Tratado foi emendado em 1998, com a emenda aprovada pelo Brasil em 2002, para a criação da Organização do Tratado de Cooperação Amazônica.

O objetivo do tratado não é propriamente a preservação das águas da Bacia do Rio Amazonas, mas considerando que a região concentra em torno de 20% de toda água doce do mundo, não se pode olvidar que água é talvez a principal riqueza a ser preservada, sem a qual a manutenção da imensa floresta e da rica biodiversidade seria impossível. O artigo I define o objetivo do Tratado como o desenvolvimento harmônico e equitativo da região, sem perder de vista a necessidade de conservação do meio ambiente e o uso racional dos recursos naturais.

O artigo V conclama as partes para a utilização racional dos recursos hídricos da região, enquanto o artigo VII determina pesquisa científica, troca de informações e a elaboração de relatórios.

No mais, as disposições do Tratado referem-se à promoção do desenvolvimento econômico, dos transportes, comunicação e serviços de saúde da região, o que dá à preservação do meio ambiente apenas uma abordagem menor ante o conjunto dos demais temas.

7.4.3.2. Tratado da Bacia do Prata (1969)

Concluído em 1969 entre Argentina, Bolívia, Brasil, Paraguai e Uruguai, o **Tratado da Bacia do Prata**, assim como o Tratado de Cooperação Amazônica, é tratado amplo de cooperação entre os estados da bacia do Rio da Prata. No que se refere especificamente ao meio ambiente, o **Tratado** é bastante genérico, delineando apenas comandos de exploração racional dos recursos hídricos e preservação da flora e fauna. Para acompanhar os estudos e atividades praticadas em conjunto entre as partes, foi criado o Comitê Intergovernamental. A execução das medidas previstas no Tratado fica a cargo dos órgãos nacionais competentes.

---

183. No Brasil, foi aprovado pelo Decreto legislativo n. 68/78 e promulgado pelo Decreto n. 85.050/80.

7.5. Biodiversidade, fauna, flora, solo e desertificação

O avanço considerável da regulação internacional do conjunto de convenções para a proteção da biodiversidade representa volume importante de normas e de procedimentos internacionalmente vigentes, ou em processo de implementação. Para a ordenação da exposição, são, assim, sucessivamente considerados: biodiversidade, fauna e flora (7.5.1.), subdividindo-se em exame da: Convenção de Ramsar (7.5.1.1.), Convenção da UNESCO sobre Patrimônio Mundial (7.5.1.2.), Convenção CITES (7.5.1.3.), Convenção de Bonn sobre Espécies Migratórias (7.5.1.4.), convenção sobre madeiras tropicais (ITTA) (1983, 1994, 2006) (7.5.1.5.), declaração de Princípios sobre as Florestas (1992) e desenvolvimento subsequente (7.5.1.6.), convenção sobre diversidade biológica (7.5.1.7.), protocolo de Cartagena sobre biossegurança (7.5.1.7.1.), antes de passar ao exame das questões relativas ao solo e desertificação (7.5.2.).

7.5.1. biodiversidade, fauna e flora

A preservação de algumas espécies animais e vegetais específicas por meio de instrumentos jurídicos internacionais tem como finalidade última a proteção jurídica da biodiversidade, embora tal nomenclatura seja mais recente que alguns tratados e documentos com essa finalidade. Por biodiversidade entende-se a variabilidade da vida em todas as suas formas, níveis e combinações. A finalidade da preservação da biodiversidade é a conservação não só de espécies e populações das espécies, como de seus *habitats*, ecossistemas e da diversidade genética[184]. Daí por que único documento sobre biodiversidade, por envolver um campo tão extenso, não poderia esgotar toda a matéria. A proteção de diversidade genética, espécies, *habitats* naturais e ecossistemas é objeto de um grande número de convenções internacionais e de tratados regionais e bilaterais, como se verá adiante[185].

A proteção da biodiversidade é preocupação antiga da comunidade científica e tem reflexo nas diversas leis nacionais, acordos bilaterais e convenções que objetivam a proteção de espécies específicas, como a Convenção relativa à Preservação da Fauna e Flora em seu Estado Natural, adotada em Londres, em 1933[186], a Convenção para a Proteção da Fauna e da Flora e das Belezas Cênicas

184. P. W. BIRNIE e A. E. BOYLE, op. cit., p. 549.

185. A proteção dos recursos vivos marinhos foi incluída no tópico dedicado à proteção dos mares, o que não quer dizer que alguns dos instrumentos ali tratados não objetivem, afinal, a conservação de espécies, hábitats e ecossistemas.

186. Esta Convenção não mais se encontra em vigor.

Naturais dos Países da América, adotada em Washington, em 1940[187], a Convenção Internacional para a Proteção dos Pássaros, adotada em Paris, em 1950[188], a Convenção Africana sobre a Conservação da Natureza e Recursos Naturais, adotada em Argel, em 1968[189], afora outros tratados e documentos não vinculantes de restrição à caça e à pesca, ou de áreas determinadas, como a imposição de restrições ao desmatamento e a criação de áreas protegidas. Nas últimas décadas, o tema ganhou amplitude universal na mídia, em especial por conta de queimadas e desmatamentos indiscriminados de florestas nos países em desenvolvimento, que chocaram – e ainda chocam – a opinião pública nos países desenvolvidos; e prognósticos ameaçadores de extinção em massa de espécies vegetais e animais[190]. Além disso, em última análise, todos os problemas ambientais têm algum tipo de reflexo sobre a biodiversidade, uma vez que poluição e mesmo a mudança climática são fenômenos também responsáveis pela extinção de elementos da fauna e flora. **A proteção da biodiversidade, nesse contexto, não se esgota nos tratados internacionais aqui expostos**[191].

A proteção da biodiversidade não somente está ligada a outros campos do direito internacional, mas ainda com problemas sociais, econômicos e tecnológicos.

Dentre as diversas causas a serem apontadas como críticas no que respeita à biodiversidade – sem mencionar a causa mais óbvia, qual seja, a exploração econômica indiscriminada de recursos naturais por força de (ou da ausência de) políticas públicas de desenvolvimento, na qual o estado é o próprio predador – está a pobreza e a consequente dependência de certas comunidades dos recursos naturais à sua volta, como no caso de pescadores de certas iguarias marinhas que praticam pesca predatória para manter a si e a seus familiares, a caça e o tráfico de espécies em extinção e a falta de política pública de ordenação da expansão de áreas urbanas e agropecuárias. A essas causas somem-se-lhe outras questões delicadas, como a exploração de recursos biológicos de países em desenvolvimento por grupos de empresas de países desenvolvidos sem reverter qualquer benefício para e em detrimento do conhecimento tradicional de comunidades

187. Firmada no âmbito da antiga União Panamericana, que veio a ser substituída pela Organização dos Estados Americanos.

188. Restrita a países europeus.

189. A respeito das Convenções Panamericana e Africana, *v.* G. F. S. SOARES, **Direito internacional do meio ambiente**, p. 346 e s.; e a respeito da Convenção para Proteção dos Pássaros, *v.* U. BEYERLIN, **Umweltvölkerrecht**, p. 185 e s.

190. Exemplo recente é a previsão de que a pesca marítima, se mantida nos atuais patamares, deverá causar escassez de peixes nos oceanos dentro de 50 anos.

191. Essa interatividade entre áreas de conhecimento e atuação e entre instrumentos jurídicos acaba por resultar em conflito entre tratados e políticas. Sobre o assunto *v.* R. WOLFRUM, N. MATZ, **Conflicts in International environmental law** (2003); N. MATZ, **Wege zur Koordinierung völkerrechtlicher Verträge** (2005).

locais, bem como a disseminação de espécies geneticamente manipuladas e de organismos geneticamente modificados, e assim se terá o panorama da complexidade envolvida na matéria.

É interessante notar o caráter de precaução e o enfoque no aspecto do desenvolvimento sustentável dado à biodiversidade pelos diversos tratados sobre o tema. O simples fato de a **diversidade biológica ser recurso natural não renovável** faz a matéria pender de forma mais acentuada e dramática que em outras áreas para a discussão acerca da necessidade de imediata ação e adoção de práticas sustentáveis de desenvolvimento, assim como de posições pró-conservação no que se refere ao trato com recursos biológicos.

Nesse contexto, vem bem a propósito interessante exposição de P. W. BIRNIE e A. E. BOYLE acerca da exploração dos recursos naturais vivos em áreas fora e dentro da jurisdição nacional e que exemplifica a mudança gradual no tratamento dado ao tema pelo direito internacional[192]. Por impulso de estados independentes que emergiram após a segunda guerra mundial, o direito internacional acostumou-se à bandeira da plena **soberania dos estados sobre seus recursos naturais**, sejam estes vivos ou não (*doctrine of the permanent sovereignity over natural resources*). A doutrina vigorante a partir daí vem sendo reiterada nas diversas declarações internacionais e tratados[193], o que levou à sua admissão pela comunidade internacional, como meio de garantir a plena exploração dos recursos naturais sujeitos à jurisdição estatal de acordo com suas próprias políticas nacionais. O que pode ser "politicamente correto", mas nem sempre o mais adequado para a preservação da diversidade biológica, no interesse da humanidade, como um todo!

Os recursos naturais, além das áreas de jurisdição dos estados e áreas comuns, sujeitam-se a regime pouco diferente. Segundo a **doutrina da propriedade comum** (*common property*), os recursos naturais vivos não poderiam ser submetidos pelos estados a seu uso exclusivo. Todavia, esses recursos eram passíveis de apropriação assim que reduzidos à soberania de qualquer estado. Tal doutrina conduziu à exploração irrestrita dos recursos naturais em áreas comuns por todos os estados que estivessem em condições de explorar essas áreas, em especial os recursos vivos marinhos, que passavam a ser de propriedade de algum estado assim que apanhados. Os problemas dessa teoria eram facilmente identificados em atividades como a exploração da pesca e de aves migratórias.

---

192. Op. cit., p. 137 e s. e 559.

193. Resolução n. 1.803 (XVII) de 1962 da Assembleia Geral das Nações Unidas, Resolução n. 3.201 (S-VI) de 1974 da Assembleia Geral das Nações Unidas (New International Economic Order), **CITES** e **Convenção sobre Diversidade Biológica** são bons exemplos.

A redefinição dessas duas doutrinas implicaria, portanto, a própria **redefinição de entendimento de soberania**. Paralelamente a essas duas doutrinas, surgiram no direito internacional os princípios de **patrimônio comum** (*common heritage*)[194], também conhecido como **patrimônio mundial da humanidade**, e de **preocupação comum** (*common concern*). Sem substituir as doutrinas anteriormente vigentes, os novos princípios vieram a ser aplicados de forma pontual e gradativa a certos elementos do meio ambiente, como no caso da **Convenção da UNESCO sobre o Patrimônio Mundial**, e atinge abrangência global com as **Convenções das Nações Unidas sobre o Direito do Mar**, que declarou o fundo do mar como patrimônio mundial da humanidade, e as **Convenções sobre Clima e Biodiversidade** de 1992, que declararam os elementos do meio ambiente como preocupações comuns da humanidade.

Os efeitos jurídicos desses princípios não são muito concretos e fornecem pouca orientação normativa para a ***biodiversidade***. Entretanto, isto não diminui sua importância. Enquanto o princípio do patrimônio mundial refere-se somente à forma de utilização da propriedade sobre os recursos naturais internacionalizados, no sentido da exploração conjunta, equitativa e razoável de recursos próprios ou em áreas fora da jurisdição soberana dos estados[195], a ***preocupação comum da humanidade refere-se à visualização da biodiversidade como responsabilidade indivisível da humanidade***, uma vez que a sua preservação só pode ser atingida se os direitos soberanos sobre os diversos elementos específicos da biodiversidade forem exercidos de forma que os estados individualmente levem em consideração a sua responsabilidade de preservação da biodiversidade perante a comunidade internacional como um todo[196].

Trata-se, dessa forma, de princípio que contém diversos aspectos de cooperação internacional, como a **diferenciação** entre os países segundo suas responsabilidades e capacidades no estabelecimento de obrigações internacionais, a **solidariedade** no combate a problemas de dimensões globais, que se materializaram em obrigações de ajuda financeira e tecnológica, a **representação equivalente** em processos decisórios internacionais no âmbito das organizações internacionais e convenções e a **reciprocidade** entre as obrigações de conservações e os benefícios obtidos perante a comunidade internacional, conforme se depreende dos tratados que se utilizam deste conceito[197]. Este o **significado do prin-**

---

194. Para uma delimitação mais precisa deste princípio, *v.* R. WOLFRUM, **Common heritage of mankind**, p. 65 e s.
195. F. BIERMANN, **Common concerns of humankind and national sovereignty**, p. 162.
196. P. W. BIRNIE e A. E. BOYLE, ob. cit., p. 98-99.
197. F. BIERMANN, **Common concerns of humankind and national sovereignty**, p. 167-181.

cípio da preocupação comum em termos práticos.

Assim como em outras áreas do direito internacional ambiental, seria impossível pretender aqui tratar de todos os documentos relevantes sobre o tema. Por essa razão, faz-se, adiante, tão somente breve enumeração cronológica de alguns documentos relevantes para o tema, seguida de exposição pouco mais detalhada dos principais tratados multilaterais e declarações não vinculantes[198].

Na África: Convenção de Londres para a proteção de animais selvagens, pássaros e peixes na África (1900), Convenção relativa à Preservação da Fauna e Flora em seu Estado Natural, Londres (1933), Convenção Africana sobre a Conservação da Natureza e Recursos Naturais, Argel (1968), Protocolo para Proteção de Áreas e Fauna Selvagem e Flora na Região Oriental Africana, Nairobi (1985), Protocolo sobre a Conservação da Vida Selvagem, Maputo (1999 – Protocolo ao tratado que estabeleceu a Comunidade para Desenvolvimento da Região do Sul da África).

Nas Américas: Convenção para a Proteção da Fauna e da Flora e das Belezas Cênicas Naturais dos Países da América, Washington (1940), Tratado de Cooperação Amazônica, Brasília (1978)[199], Procotocolo sobre Áreas Especialmente Protegidas e Vida Selvagem, Kingston (1990 – Protocolo à Convenção de Cartagena de Índias, 1983), Convenção para a Conservação da Biodiversidade e Proteção de Reservas Prioritárias na América Central (1992), Convenção Regional para o Manejo e Conservação dos Ecossitemas de Florestas Naturais e do Desenvolvimento do Plantio de Florestas na América Central, (1993), Acordo da América Central sobre a Segurança da Biotecnologia Moderna (2001), Acordo da América Central sobre Acesso a Recursos Genéticos e Bioquímicos e a Conhecimentos Tradicionais Associados (2001).

Na Europa: Convenção do Benelux sobre a Caça e Proteção das Aves, Bruxelas (1970), Convenção sobre a Conservação da Vida Selvagem Europeia e seus Habitats Naturais, Berna (1979), Diretiva da Comunidade Europeia sobre Aves Silvestres (1979), Convenção do Benelux sobre Conservação da Natureza e Recursos Naturais, Bruxelas (1982), Convenção sobre a Proteção dos Alpes, Salsburgo (1991), Diretiva da Comunidade Europeia sobre a Conservação dos Habitats Naturais da Fauna e Flora Silvestres (1992).

---

198. Parte dos documentos apenas citados foi derrogada por outra Convenção ou documentos com objetos mais amplos. De qualquer forma, considera-se útil enumerar mesmo os textos derrogados para fim de assinalar a evolução como conjunto.

199. Não se trata propriamente de um tratado de conservação da biodiversidade, flora ou fauna, mas contém aspectos a este tema relacionados.

Na Ásia e Pacífico Sul: Convenção sobre a Conservação da Natureza no Pacífico Sul, Apia (1976), Convenção de Noumea (1986)[200], Acordo sobre a Conservação da Natureza e Recursos Naturais (*ASEAN Agreement*), Kuala Lumpur (1985)[201].

Podem ser referidos, como documentos subregionais: Acordo para Conservação do Urso Polar, Oslo (1973) e a Convenção Interamericana para a Proteção e Conservação das Tartarugas Marinhas (1996). Ao lado destes, como documentos de alcance e de interesse globais: Convenção Internacional para a Proteção dos Pássaros, Paris (1950), Convenção para a Conservação e Manejo da Vicunha, Lima (1979), Acordo para Proteção e Conservação da Vicunha, Buenos Aires (1981), Estratégia de Conservação Mundial (*World Conservation Strategy*) (1982), Carta Mundial da Natureza (*World Charter for Nature*), Resolução da Assembleia Geral das Nações Unidas 37/7 (1982).

Neste item, serão abordados: Convenção de Ramsar (7.5.1.1.), Convenção da UNESCO sobre Patrimônio Mundial (7.5.1.2.), a Convenção internacional sobre o comércio de espécies ameaçadas de extinção (doravante referida por meio de sua sigla habitual CITES) (7.5.1.3.), Convenção de Bonn sobre Espécies Migratórias (7.5.1.4.), Convenção sobre Madeiras Tropicais (ITTA) (1983, 1994, 2006) (7.5.1.5.), Declaração de Princípios sobre as Florestas (1992) e desenvolvimento subsequente (7.5.1.6.), Convenção sobre diversidade biológica (CBD) (7.5.1.7.) e o Protocolo de Cartagena sobre biossegurança (7.5.1.7.1.).

7.5.1.1. Convenção de Ramsar

Tida por muitos como a primeira Convenção global a tratar de *habitat* específico, a **Convenção sobre Zonas Úmidas de Importância Internacional, Particularmente como Habitat de Aves Aquáticas** foi adotada em Ramsar, em 2 de fevereiro de 1971, entrou em vigor, internacionalmente, em 21 de dezembro de 1975, contando com a ratificação de 159 estados, inclusive o Brasil[202]. Emendas posteriores, em 1982 a 1987, estabeleceram mecanismos para a apresentação e aprovação de emendas, e criaram a Conferência das partes contratantes, cuja principal finalidade é verificar e promover a implementação da Convenção[203].

---

200. Aplica-se à preservação de recursos marinhos vivos.

201. Firmado no âmbito da Associação das Nações do Sudeste Asiático, mas ainda não entrou em vigor.

202. A **Convenção de Ramsar** foi aprovada pelo Decreto legislativo n. 33, de 16 de junho de 1992, ratificada pelo Brasil em 24 de maio de 1993, passa a estar em vigor para o Brasil em 24 de setembro de 1993, e foi promulgada pelo Decreto n. 1.905, de 16 de maio de 1996.

203. **Convenção de Ramsar sobre zonas úmidas de importância internacional, especialmente como *habitat* de aves marinhas** (apresentação Alm. Ibsen Gusmão CÂMARA, São Paulo: Secretaria de estado do meio ambiente, coleção "Entendendo o meio ambiente" – v. III, 1997, p. 7-9, cit. p. 8).

O objetivo da **Convenção de Ramsar** é conservar e promover o aumento das zonas úmidas de que trata. Segundo o artigo 1º, §1º, entende-se por zonas úmidas "as áreas de pântano, charco, turfa ou água, natural ou artificial, permanente ou temporária, com água estagnada, corrente, doce salobra ou salgada, incluindo áreas de água marítima com menos de sete metros de profundidade na maré baixa". Apesar de minuciosa, tal definição não reflete toda a gama de zonas úmidas existentes e dignas de preservação[204]. O § 2º define como aves aquáticas aqueles "pássaros ecologicamente dependentes de zonas úmidas".

Diferentemente do que os tratados anteriores costumavam focar, a proteção de espécies específicas, a Convenção de Ramsar confere tratamento mais amplo ao bem jurídico tutelado, o qual acaba por abranger não só as diversas espécies compreendidas pelas zonas úmidas, mas também garante a preservação de outros bens correlatos (ambientais ou não) não menos importantes que o próprio *habitat* "zona úmida", como o suprimento e a qualidade da água e recursos naturais vivos dos quais dependem as comunidades locais, por exemplo, afora outros benefícios mais remotos, como os efeitos positivos para o clima.

Os dispositivos centrais são os artigos 2º a 5º, que prescrevem os principais deveres das partes da Convenção. Cada parte deve, no ato da assinatura indicar pelo menos uma zona úmida em seu território (artigo 2º, §1º e § 4º), ficando resguardada a soberania dos estados sobre tais áreas (artigo 2º, § 3º). As zonas úmidas devem servir de *habitat* para as aves aquáticas em todas as estações do ano, observada sua importância internacional em termos ecológicos, botânicos, zoológicos, limnológicos e hidrológicos (artigo 2º, § 2º). As partes podem adicionar novas zonas úmidas a qualquer tempo, mas só poderão retirá-las se provado o interesse nacional urgente (artigo 4º, § 2º), considerada a responsabilidade internacional pela conservação, manejo e "uso razoável" (*wise use*)[205], e se compensadas as perdas para a conservação das zonas úmidas por meio da criação de novas reservas (artigo 4º, § 2º).

Segundo o art. 3º da Convenção, cada parte tem a obrigação de formular e implementar um planejamento próprio para as zonas úmidas, cujo conteúdo veio a ser proposto nas COPs de 1990, 1996 e 1999, que atenda ao já mencionado critério de uso razoável.

---

204. P. SANDS, **Principles**, p. 541.

205. O termo foi definido na terceira Conferência das Partes em 1987, em termos não vinculantes, como *sustainable utilization for the benefit of mankind in a way compatible with the maintenance of the natural properties of the ecosystem*. V. Recommendation C.3.3.

O artigo 5º possui importante dever de consulta das partes acerca de questões quanto ao cumprimento de obrigações da Convenção, em especial quando as zonas úmidas se encontram sob a soberania de mais de um estado. O artigo 6º estabelece a COP como o órgão responsável para, entre outras funções, prestar assistência em questões de cumprimento e implementação de obrigações e dar recomendações. Ela se reúne a cada três anos e as decisões são tomadas por maioria simples, desde que pelo menos metade das partes votem. Relevante medida adotada pela COP foi a criação de mecanismo financeiro (*Ramsar Small Grants Fund for Wetland Conservation and Wide Use*) em 1990[206], composto de recursos voluntariamente cedidos pelas partes, para promover a implementação da Convenção, em especial pelos países em desenvolvimento e em países em transição para economias de mercado.

O Secretariado da Convenção é, de forma inovadora, conduzido pela organização não governamental *International Union for Conservation of Nature and Natural Resources* – IUCN. Esta é, entre outras tarefas, encarregada de compor e administrar a lista de zonas úmidas indicadas pelas partes. A lista conta atualmente com 1.847[207] zonas úmidas, dentre as quais oito brasileiras: O Parque Nacional do Pantanal Mato-Grossensse (MS e MT), Lagoa do Peixe (RS), área do Mamirauá (AM), Ilha do Bananal (GO), Reentrâncias Maranhenses (MA), Parque Estadual Marinho do Parcel Manoel Luís (MA), Baixada Maranhense (MA) e Reserva Particular do Patrimônio Natural SESC Pantanal (MT).

7.5.1.2. Convenção da UNESCO sobre Patrimônio Mundial

Adotada em 1972 sob a égide da UNESCO, em Paris, e em vigor desde 1975, a **Convenção sobre a Proteção do Patrimônio Mundial, Cultural e Natural**, também ratificada pelo Brasil[208], tem o escopo de preservar, para as futuras gerações, locais e objetos de valor estético, histórico e cultural para a humanidade (artigo 4º). O objeto da Convenção é, portanto, ***bem mais amplo que a biodiversidade ou paisagens naturais***. Enquanto o artigo 1º define o **patrimônio *cultural*** tutelado, o artigo 2º delimita o **patrimônio *natural*** a ser protegido, a saber: elementos da natureza consistentes em formações biológicas e físicas de notável valor científico e estético universal, formações geológicas e fisiográficas, bem como áreas precisamente delimitadas que sirvam de *habitat* a espécies

206. Res. C.4.3.

207. Informações atualizadas sobre ratificações e lista das zonas úmidas podem ser encontradas em <http://www.ramsar.org/sitelist.pdf>.

208. Aprovada pelo Decreto legislativo n. 74/74 e promulgada pelo Decreto n. 80.978/77.

ameaçadas de notável valor universal para conservação e para a ciência, e sítios naturais ou áreas naturais delimitadas de notável valor do ponto de vista da conservação, ciência ou das belezas naturais.

Cada uma das partes deve delimitar as áreas, os monumentos e formações a serem protegidos no âmbito da Convenção (artigo 3º) e, atendidos os requisitos desta (artigo 11), cada parte deve empreender esforços e adotar medidas nacionais efetivas para conservar tais bens (artigo 5º). As partes resguardam seu absoluto direito de soberania sobre as áreas conservadas, devendo, contudo, cooperar no plano internacional, e manter sistema internacional de cooperação e assistência, desenvolvido para o fim de dar suporte aos estados, na identificação e conservação sobre o patrimônio mundial (artigos 6º e 7º).

Além de Secretariado, a Convenção conta com o Comitê do Patrimônio Mundial, estabelecido no âmbito estrutural da UNESCO, com a função de administrar inventários nacionais de bens do patrimônio mundial em seu território, com especificações de suas delimitações, características e valor para a humanidade (artigo 11). Ao Comitê compete, também, avaliar os pedidos de assistência para identificação e conservação de bens do patrimônio mundial. Para viabilizar esta assistência, foi estabelecido o **Fundo para a Proteção do Patrimônio Natural e Cultural Mundial**, também conhecido como *World Heritage Fund* – WHF (artigo 16). O recebimento de assistência pelas partes é condicionado pelos termos dos artigos 19 a 26 da Convenção.

A implementação das obrigações da Convenção fica a cargo das autoridades nacionais de cada parte, de modo que, para possibilitar o acompanhamento pelo Comitê do Patrimônio Mundial e pela Conferência da UNESCO, as partes devem, assim como na grande maioria dos tratados multilaterais ambientais, elaborar relatórios periódicos de medidas implementadas.

O Brasil possui lista considerável de bens naturais e culturais protegidos pelos dispositivos da Convenção[209]. É crucial ver assegurada a efetividade da implementação.

7.5.1.3. Convenção internacional sobre o comércio internacional das espécies da flora e da fauna selvagens ameaçadas de extinção (CITES)

A exploração predatória dos recursos naturais, como exposto anteriormente, tem por vezes ligação bastante próxima com o comércio internacional. Essa

209. Dezessete ao todo. *V.* tb. G. F. S. SOARES, **Direito internacional do meio ambiente**, p. 475 e s. e <http://whc.unesco.org/en/list/>.

relação de causalidade é ainda mais evidente no que se refere à fauna e flora. Ao longo da história, a humanidade sempre se valeu de animais silvestres e espécies vegetais com características ornamentais, medicinais ou industriais, como bens de mercado, o que culminou com a extinção de diversas espécies e a ameaça premente de extinção de muitas outras para geração de riqueza. Tal prática remonta a tempos pré-históricos, mas a conscientização de que essa visão mercantil da fauna e flora poderia ameaçar a existência da própria humanidade foi encontrar guarida no direito internacional apenas no século XIX, com o aparecimento dos primeiros tratados de restrição à pesca marítima e à caça[210]. Há vários casos emblemáticos para ilustrar esse problema, como a escassez do *Pau-Brasil* na costa brasileira devido à exploração portuguesa, a drástica redução de baleias, focas e muitas outras espécies aquáticas nos mares mundo afora, em razão da pesca irrestrita, e mais recentemente a movimentação internacional em torno da caça predatória de elefantes para retirada do marfim e dos esforços para a preservação do urso panda. Na última década, essa preocupação com a preservação das espécies foi agravada por fator adicional, qual seja, a coleta e o tráfico de animais para fins de pesquisa científica, que reacendeu a discussão sobre comércio e preservação ambiental.

Para enfrentar tal problema por meio de instrumento global, foi adotada em Washington, em 1973, a **Convenção Internacional sobre o Comércio Internacional das Espécies da Flora e da Fauna Selvagens em Perigo de Extinção** (*Convention on International Trade in Endangered Species of Wild Fauna and Flora*, doravante referida por sua sigla CITES), que, emendada em 1979 e em 1983, entrou em vigor em 1975, conta com 169 partes, e foi também ratificada pelo Brasil[211].

A CITES diferencia-se de outras convenções voltadas à proteção da biodiversidade pelo seu enfoque. Enquanto a Convenção de Ramsar, a Convenção da UNESCO sobre o Patrimônio da Humanidade e a Convenção sobre Biodiversidade, entre outras, objetivam a conservação do meio ambiente mediante a criação de espaços protegidos ou instrumentos de não degradação, a CITES foca uma dentre as causas diretas da destruição da biodiversidade, que é o **comércio**[212]. Embora a ***restrição ao comércio internacional para fins de preservação ambiental*** seja al-

210. Para visão histórica do problema, *v.* G. E. do NASCIMENTO E SILVA, op. cit., p. 113 e s.

211. Aprovada pelo Decreto legislativo n. 54/75 e promulgada pelo Decreto n. 76.623/75. Além das demais normas que ratificaram e promulgaram as emendas à CITES, no ano de 2000 foi promulgado o Decreto n. 3.607 para implementação da CITES no território nacional.

212. P. W. BIRNIE e A. E. BOYLE, op. cit., p. 625.

tamente criticada por especialistas e representantes de governos[213] e ligada a controvérsias jurídicas da mais alta complexidade, a CITES é considerada exemplo de eficiência em matéria de tratados multilaterais ambientais não só pelo seu rigoroso sistema de implementação (*compliance system*), como pelo estabelecimento de sistema de controle de exportação e importação de espécies por meio de proibições, permissões e certificados, a ser implementado e executado pelas partes internamente. Restrições ao comércio irregular desestimulam o comércio de exemplares das espécies protegidas, desde que se lhes assegure a efetividade do controle[214].

Aproximadamente 5.000 espécies de animais e 28.000 espécies de plantas estão listadas atualmente para proteção no âmbito da CITES[215]. As espécies protegidas estão divididas em três Anexos à Convenção (artigo II). As espécies listadas nesses Anexos só poderão ser comercializadas em conformidade com os dispositivos da Convenção (artigos III, IV e V), da seguinte forma.

No Anexo I estão incluídas as ***espécies ameaçadas de extinção por força do ou afetadas pelo comércio***, de modo que o comércio destas espécies deve estar sujeito a regras particularmente restritivas e só deve ser autorizado em circunstâncias excepcionais. A **exportação** de exemplares (ou espécimes) das espécies listadas neste Anexo está sujeita à prévia obtenção e apresentação de permissão, que só será emitida sob as seguintes condições: a) a **Autoridade Científica Nacional** deve atestar que a exportação não prejudicará a sobrevivência da espécie; e b) a **Autoridade Administrativa**[216] deve atestar que o espécime foi obtido em conformidade com as leis nacionais de proteção à flora e à fauna, que o espécime vivo será preparado e transportado de forma a minimizar o risco de lesão à sua saúde e de tratamento cruel e que o país importador detém licença de importação.

---

213. G. KIRCHGÄSSNER; E. G. MOHR, *Trade restrictions as viable means of enforcing compliance with environmental law: an economic assessment*, in R. WOLFRUM (Coord.), **Enforcing environmental standards: economic mechanisms as viable means?** p. 197 e s. *V.* também U. BEYERLIN, **Umweltvölkerrecht**, p. 314 e s. S. CHARNOVITZ, *Achieving environmental goals under international rules*, RECIEL 1993 (2), p. 45 e s. W. LANG, *Trade restrictions as means of enforcing compliance*, in **Enforcing environmental standards**, p. 265 e s.; R. WOLFRUM, **Means of ensuring compliance with and enforcement of international environmental law**, p. 66 e s.

214. **Convenção sobre o comércio internacional das espécies da fauna e flora selvagens em perigo de extinção (CITES)** (apresentação Alm. Ibsen Gusmão CÂMARA, São Paulo: Secretaria de estado do meio ambiente, coleção "Entendendo o meio ambiente" – v. IV, 1997, p. 7-9, cit. p. 7-8): "No Brasil, embora a legislação vigente seja altamente restritiva em relação à comercialização das espécies selvagens, especialmente de animais, a carência de uma fiscalização eficaz e permanente contribui para que a flora e a fauna venham sofrendo pesados danos. Em outros países, com legislações mais complacentes, a ameaça é ainda maior".

215. <www.cites.org>.

216. No Brasil, o IBAMA concentra as atribuições das **Autoridades Científica** e **Administrativa**, de acordo com o Decreto n. 3.607/2000.

A **importação** só é permitida pela obtenção de licença, atendidos os seguintes requisitos: a) a **Autoridade Científica** nacional do estado importador atestar que a importação não prejudicará a sobrevivência da espécie envolvida e que o espécime será mantido em instalações adequadamente equipadas para abrigá-lo; e b) a **Autoridade Administrativa** do estado importador atestar que o estado exportador não utilizará do espécime para propósitos primariamente comerciais.

A obtenção de licença para **reexportação** do espécime deverá atender à condição de que a Autoridade Administrativa do país reexportador ateste que o espécime foi importado de acordo com as provisões da CITES, que o espécime vivo será preparado e transportado de forma a minimizar o risco de lesão à sua saúde e de tratamento cruel e que o país importador detém licença de importação.

A **introdução de espécime do meio marinho** fora da área de jurisdição do estado será precedida da obtenção de certificado sujeito às seguintes condições: a) a **Autoridade Científica** nacional deverá atestar que a introdução do espécime não prejudicará a sobrevivência da espécie; e b) a **Autoridade Administrativa** deverá atestar que o espécime será mantido em instalações adequadamente equipadas para abrigá-lo e que não será utilizado para propósitos primariamente comerciais.

No Anexo II estão incluídas ***todas as espécies que, ainda que não necessariamente ameaçadas de extinção, podem vir a se tornar ameaçadas de extinção, salvo se o comércio destas espécies estiver sujeito a regulamentação restritiva***, de modo a evitar uso incompatível com sua sobrevivência. Incluem-se também neste Anexo as espécies que precisam estar sujeitas a tal regulamentação, de modo que o comércio de espécimes de determinadas espécies mencionadas anteriormente possam ser controladas. A **exportação** e **reexportação** de espécies listadas neste Anexo sujeitam-se basicamente à obtenção de licença segundo os mesmos requisitos previstos para as espécies listadas no Anexo I, **exceção** feita à necessidade de se apresentar prévia licença de importação. O artigo 4º, § 3º, determina que a Autoridade Científica de cada parte controlará e, se for o caso, limitará a emissão de licenças de exportação, para o fim de ***garantir a manutenção da espécie "em nível consistente com seu papel nos ecossistemas***". A **importação** depende apenas da apresentação de licença de exportação. Para a obtenção de certificado de **introdução de espécime do meio marinho**, cuja validade a princípio não pode superar um ano, é necessário atender às seguintes condições: a) a **Autoridade Científica** nacional deverá atestar que a introdução do espécime não prejudicará a sobrevivência da espécie; e b) a **Autoridade Administrativa** deverá atestar que o espécime será mantido em instalações adequadamente equipadas para abrigá-lo.

No Anexo III estão incluídas as ***espécies, as quais qualquer parte individualmente entender por bem classificar como sujeita a regulamentação dentro de seu território, para a finalidade de impedir ou restringir sua exploração, e cujo controle do comércio requerer a cooperação de outras partes***. A exportação de espécies listadas no Anexo III depende da **obtenção de licença** sob a condição de a Autoridade Administrativa atestar que o espécime foi obtido em conformidade com as leis nacionais de proteção à flora e à fauna; que o espécime vivo será preparado e transportado de forma a minimizar o risco de lesão à sua saúde e de tratamento cruel. A **importação** requer a apresentação de certificado de origem ou, se o país de origem incluir a espécie envolvida no Anexo III, a apresentação de licença de exportação. Na hipótese de **reexportação**, a Autoridade Administrativa do estado reexportador emitirá certificado de reexportação do espécime, que deve ser aceito pelo estado importador como prova de cumprimento dos dispositivos da Convenção.

O artigo VII prevê as exceções às restrições dos artigos III, IV e V nos seguintes casos: a) no trânsito ou transporte pelo território das partes enquanto sob custódia da fiscalização; b) para as espécies comercializadas antes da vigência da CITES; c) em alguns casos, espécimes pessoais e domésticos; d) espécimes de espécies listadas no Anexo I criadas em cativeiro para fins comerciais serão tratadas como se do Anexo II fossem; e) espécimes criados em cativeiro para fins comerciais, para as quais forem emitidos certificados da Autoridade Administrativa; f) troca e empréstimos não comerciais de espécimes entre instituições de pesquisa registradas pela Autoridade Administrativa; e g) o trânsito de zoológicos, circos e exibições itinerantes, desde que atendidos os requisitos da Convenção.

Embora essa faculdade não exsurja claramente do texto da CITES, a COP tem adotado, como base nos artigos VI e VII, sistema de cotas para comercialização de determinadas espécies, assim como instituiu sistema de criação em cativeiro (*ranching*), segundo o qual é permitida a livre comercialização de espécies listadas nos Anexos I, II e III se criadas em cativeiros (*ranch*).

Dentre as obrigações de execução das partes, contidas no artigo VIII, estão enumeradas as obrigações de criar instrumentos para a implementação dos termos da Convenção que prevejam penalização pelo descumprimento de seus termos, bem como o confisco e a devolução do espécime ao país de origem. Há ainda uma série de outras obrigações assistenciais, como ajuda para desenvolvimento a implementação de leis locais, e apoio técnico e treinamento, que deram à CITES a reputação de possuir ***eficientes meios de implementação e execução de seus dispositivos***.

A comercialização com estados que não são parte da CITES só é permitida, consoante o art. X, se estes estados adotarem medidas de restrição ao comércio de espécies ameaçadas e emitirem documentação compatíveis com a CITES.

De acordo com o artigo XIV, as partes reservam-se o direito de adotar regimes nacionais mais restritivos que o estipulado na Convenção.

A COP, como órgão supremo da CITES, reúne-se, pelo menos, a cada dois anos, tem como função acompanhar e revisar a implementação da Convenção, propor recomendações, instituir órgão subsidiários e tomar resolução para melhorar a sua aplicação naquilo que for necessário (artigo XI). A CITES conta ainda com Secretariado, que corresponde ao órgão executivo, muito embora as autoridades nacionais desempenhem papel proponderante na execução da Convenção. O Secretariado pode requerer ajuda técnica às ONGs, como costuma fazer em relação à IUCN[217].

Compete à COP emendar e retirar espécies dos Anexos I e II segundo a maioria de dois terços das partes presentes e votantes e com base nas diretrizes constantes do artigo XV. Emendas à CITES devem ser aprovadas por dois terços da partes presentes e votantes em conferência convocada para esse fim (artigo XVII).

7.5.1.4. Convenção de Bonn sobre Espécies Migratórias

A **Convenção sobre Conservação de Espécies Migratórias de Animais Silvestres** foi elaborada por recomendação do Plano de Ação da Conferência de Estocolmo em 1972, adotada em Bonn em 1979 e desde 1983 está em vigor. A Convenção de Bonn conta atualmente com 99 partes, sendo que o Brasil não figura entre estas[218]. A intenção por trás desta Convenção era criar sistema que daria uniformidade e maior abrangência aos diversos tratados de proteção de espécies específicas existentes àquela época[219]. E sua estrutura corresponde de fato ao que posteriormente se denominaria Convenção-tipo (*umbrella convention*)[220].

---

217. A já referida organização não governamental *International Union for Conservation of Nature and Natural Resources.*

218. Embora não seja parte da Convenção, o Brasil assinou e ratificou o acordo ACAP sobre a conservação de albatrozes e pétreis.

219. P. SANDS, **Principles**, p. 607.

220. Convenção-tipo (*umbrella convention*) não se confunde com Convenção-quadro (*framework convention*), sendo a primeira tratado geral, que daria fundamento para outros específicos a ele vinculados, enquanto a segunda, como indica o nome, contém metas, princípios e obrigações genéricas, cuja implementação e cumprimento depende de processo de criação de normas subsequente. Pode esta ser encarada como o marco inicial de regime jurídico dinâmico, todavia por desenvolver.

O objetivo da **Convenção de Bonn** é a conservação de espécies migratórias, entendidas como aquelas espécies cuja significante proporção de integrantes de sua população inteira ou de qualquer parte geograficamente separada de qualquer espécie ou **táxon**[221] mais baixo de animais silvestres desloca-se de forma cíclica e previsível de modo a cruzar uma ou mais fronteiras nacionais (artigo I, 1.a). As espécies a serem conservadas são classificadas em espécies ameaçadas, constantes do Anexo I (artigo III), em espécies em condições desfavoráveis de conservação e em espécies que se beneficiariam significativamente da cooperação internacional voltada à sua proteção, ambas constantes do Anexo II (artigo IV).

Para inclusão de espécies no Anexo I é necessária comprovação científica de que a espécie está ameaçada de extinção. A remoção de espécies do Anexo I está igualmente sujeita à comprovação científica de que a espécie não mais se encontra ameaçada. Os países denominados hóspedes (*range states* são aqueles cujos territórios são habitados por espécie migratória, segundo o artigo I, f e h) devem empenhar esforços para conservar e restaurar os *habitats* de espécies migratórias; prevenir, remover, compensar ou minimizar os efeitos de atividades ou de obstáculos que impedem a migração de espécies; prevenir, reduzir e controlar fatores que possam contribuir para a extinção de espécies migratórias, em especial no que se referir à introdução de espécies exóticas, e autorizar somente nos casos excepcionais previstos na Convenção a retirada de exemplares de espécies migratórias de seus *habitats* (artigo III, 4 e 5). Para as espécies constantes do Anexo II, as partes, caracterizadas como estados hóspedes (*range states*), deverão firmar acordos específicos de conservação das espécies e respectivos *habitats*. O artigo V define as diretivas e os princípios a serem observados pelas partes ao firmar tais acordos. É exatamente neste dispositivo que reside a **importância** da Convenção de Bonn, que coloca a **base jurídica** para que grupos de países envolvidos na conservação de espécies migratórias ajustem aspectos mínimos e padronizados em vista das peculiaridades específicas de cada espécie.

Até o momento foram firmados os seguintes acordos[222]: AEWA – *Agreement on the Conservation of African-Eurasian Migratory Waterbirds* (1º-11-1999), ACCOBAMS – *Agreement on the Conservation of Cetaceans of the Black Sea, Mediterranean Sea and Contiguous Atlantic Area* (1º-6-2001), ASCOBANS – *Agreement on the Conservation of Small Cetaceans of the Baltic and North Seas* (29-3-1994), BAT – *Agreement on the Conservation of Populations of European*

221. **Táxon** é, neste contexto, unidade de sistema de classificação biológica. Em suma, reino, filo, espécie ou gênero, são considerados, cada um, um táxon no sistema de classificação dos seres vivos.

222. Fonte: http://www.cms.int/about/all_counries_eng.pdf.

Bats (16-1-1994), ACAP – *Agreement on the Conservation of Albatrosses and Petrels*, GBUS – *Memorandum of Understanding on the Conservation and Management of the Middle-European Population of the Great Bustard* (1º-6-2001), MT-AFR – *Memorandum of Understanding concerning Conservation Measures for Marine Turtles of the Atlantic Coast of Africa* (1º-7-1999), MT-IOSEA – *Memorandum of Understanding on the Conservation and Management of Marine Turtles and their Habitats of the Indian Ocean and South-East Asia* (1º-9-2001), CURL – *Memorandum of Understanding concerning Conservation Measures for the Slender-billed Curlew* (10-9-1994), SEAL – *Agreement on the Conservation of Seals in the Wadden Sea* (1º-10-1991), SIBE – *Memorandum of Understanding concerning Conservation Measures for the Siberian Crane* (1º-7-1993), BUKH – *Memorandum of Understanding concerning Conservation and Restoration of the Bukhara Deer* (16-5-2002), AQW – *Memorandum of Understanding concerning Conservation Measures for the Aquatic Warbler* (30-4-2003), AFR-ELE – *Memorandum of Understanding concerning Conservation Measures for the West African Populations of the African Elephant* (22-11-2005), SAIGA – *Memorandum of Understanding concerning Conservation, Restoration and Sustainable Use of the Saiga Antelope* (24-9-2006), *Memorandum of Understanding for the Conservation of Cetaceans and their Habitats in the Pacific Islands Region* (15-9-2006), *Memorandum of Understanding concerning Conservation Measures for the Ruddy-headed Goose (Chloephaga rubidiceps)* (21-11-2006), *Memorandum of Understanding concerning Conservation Measures for the Eastern Atlantic Populations of the Mediterranean Monk Seal (Monachus monachus)* (18-10-2007), *Memorandum of Understanding on the Conservation of Southern South American Migratory Grassland Bird Species and Their Habitats* (26-8-2007), *Memorandum of Understanding on the Conservation and Management of Dugongs (Dugong dugon) and their Habitats throughout their Range* (31-10-2007), *Memorandum of Understanding concerning the Conservation of the Manatee and Small Cetaceans of Western Africa and Macaronesia* (3-10-2008), *Memorandum of Understanding concerning the Conservation of Migratory Birds of Prey in Africa and Eurasia* (1º-11-2008), *Agreement on the Conservation of Gorillas and Their Habitats* (1º-6-2008), *Memorandum of Understanding on the Conservation of High Andean Flamingos and Their Habitats* (4-12-2008).

A organização institucional é composta por Secretariado, que trabalha sob os auspícios da UNEP e funciona como o órgão executivo-administrativo da Convenção (artigo VII), e a COP, órgão supremo da Convenção, responsável pelo processo decisório e acompanhamento da implementação desta (artigo IX). A

Convenção conta ainda com um Conselho Científico, composto por representantes indicados pelas Partes e pela COP, cuja função é dar apoio técnico e científico em questões de implementação (artigo VIII), e um Comitê Permanente para oferecer suporte administrativo às partes no período entre COPs.

7.5.1.5. Convenção sobre Madeiras Tropicais (ITTA) (1983, 1994, 2006)

A **Convenção Internacional sobre Madeiras Tropicais** (em inglês ***International Tropical Timber Agreement*** doravante também referida por sua sigla, **ITTA**) foi adotada, em três versões, em 1983, renovada em 1994, em vigor desde 1997[223], e mais uma vez renovada em 2006, todavia, não vigente. A **Convenção de 1994** é, no momento, o único instrumento vinculante em vigor que trata da ***conservação das florestas***, embora a conservação seja apenas aspecto dentre tantos abrangidos pela Convenção, que prevê obrigações para as partes de criar sistemas nacionais de controle de comércio de madeira tropical entre países produtores e consumidores. A base do documento de 2006 é a mesma do documento de 1994, com maior ***ênfase no desenvolvimento sustentável, cooperação internacional tecnológica e financeira***.

A ITTA reúne os maiores produtores e consumidores de madeira tropical, o que incluiu o Brasil, que costuma figurar entre os três primeiros maiores produtores e exportadores de madeira. O objetivo da ITTA, de 2006, é dar passo adiante, em termos de conservação, em relação ao alcançado pela ITTA de 1994. Com tal documento, objetivam as partes promover o comércio internacional de madeiras tropicais, o manejo sustentável das florestas e o desenvolvimento da indústria florestal mediante a cooperação internacional, desenvolvimento de políticas e projetos executados especialmente nos países produtores.

A **Organização Internacional de Madeira Tropical** (*International Tropical Timber Organization* – ITTO), constituída já sob a vigência da Convenção de 1983 pelo órgão superior da ITTA, o International Tropical Timber Council – ITTC, é organização internacional com personalidade jurídica e concentra a tarefa de realizar os objetivos da Convenção, o que incluiu a condução de projetos de troca de informações, reflorestamento, manejo de florestas e da indústria madeireira. Os requisitos para aceitação desses projetos são, entre outros, relevância para se atingir os objetivos da Convenção, efeitos sociais e ambientais, custo-benefício e os interesses e características das regiões produtoras de madeira em desenvolvimento (artigos 24 e 25)[224].

---

223. Aprovado no Brasil pelo Decreto legislativo n. 68/97 e promulgado pelo Decreto n. 2.707/98.

224. U. BEYERLIN, **Umweltvölkerrecht**, p. 208.

Sob a égide da ITTO e das ITTAs, de 1983 e de 1994, destacam-se duas iniciativas: a) a meta do ano 2000, segundo a qual as partes buscariam garantir que a totalidade da madeira tropical comercializada no âmbito internacional tivesse origem em técnicas de manejo e exploração sustentável; e b) os planos de ação para os períodos de 2002-2006 (estendido até 2007) e 2008-2011. Dentre as medidas previstas nos planos de ação, ressalta-se o estudo sobre custos e benefícios de **implantação de certificação de madeira em países selecionados, estudos sobre a imposição de medidas técnicas de qualidade e classificação e seu impacto sobre o livre comércio, o estudo sobre subsídios de produtos florestais e intensificação da ITTA com a CITES**.

Bem se vê, a ITTA possui orientação que tenta conciliar comércio internacional e uso sustentável dos recursos florestais tropicais, porém com ênfase ainda muito forte no livre comércio. Bom exemplo disso é a cláusula de não discriminação comercial do art. 36 da ITTA de 1994 e do art. 34 da ITTA de 2006, no sentido de que nenhuma disposição na Convenção autoriza o uso de medidas de restrição ou banimento do comércio internacional de madeira e produtos de madeira, particularmente quando tais medidas se referirem à importação ou à utilização de madeira e de seus produtos. Conciliar livre comércio e preservação ambiental pode exigir delicado equilíbrio entre a dimensão política e a construção de mecanismos legalmente adequados.

7.5.1.6. Declaração de Princípios sobre as Florestas (1992) e desenvolvimento subsequente

As florestas, de forma geral, têm importância ímpar não só do ponto de vista ecológico, pois servem como *habitats* que qualitativa e quantitativamente abrigam a maior parte das espécies da fauna e flora, mas também do ponto de vista econômico e político. No último século a humanidade vivenciou drástica redução das áreas de florestas por motivos ligados ao crescimento populacional e adensamento da ocupação do solo, uso econômico desregrado de recursos naturais, poluição e avanço das atividades agropecuárias sobre áreas de floresta. Nas últimas décadas, relatórios alarmantes sobre desmatamento e queimadas mobilizaram a opinião pública não apenas em razão da perda da biodiversidade, mas porque a questão das florestas está intrinsicamente ligada ao abastecimento de água potável, à poluição atmosférica, à mudança climática, com efeito direto e sensível sobre o aquecimento global.

Com efeito, após muitas críticas das organizações internacionais e não governamentais acerca da ausência de sintonia entre tratados ambientais multilaterais, teve início na década de 1990 movimento, ainda em fase inicial, de harmonização das medidas voltadas à conservação da natureza, em especial do estabelecimento de mecanismos que possibilitem atuação coerente e não conflituosa entre preservação das florestas, uso dos recursos naturais e liberação do comércio internacional e proteção do clima. O resultado tende à padronização do direito internacional ambiental, por meio do estabelecimento de princípios gerais, base jurídica para coordenação de órgãos e organizações internacionais e o desenvolvimento e adaptação de mecanismos e instrumentos para regulação dessa realidade[225]. Exemplos práticos dessas iniciativas são muitos. A Convenção-Quadro das Nações Unidas sobre Mudança do Clima prevê, dentre os instrumentos criados para se atingir a estabilização da concentração de gases de efeito estufa na atmosfera, técnicas de aforestamento, reflorestamento e uso do solo, cujos efeitos iriam além da retirada de carbono do ar e armazenamento nas florestas, e poderia[226], se tomadas as devidas cautelas, contribuir para a conservação da biodiversidade e das florestas em si. Novos meios de integração de Convenções estão atualmente em discussão no âmbito das COPs e UNEP.

Na Conferência do Rio de Janeiro de 1992, os estados não chegaram a acordo sobre Convenção, com obrigações vinculantes, a respeito da conservação das florestas. As florestas, do ponto de vista do direito internacional, são protegidas pelas demais Convenções regionais e globais em caráter pontual. Diante da resistência de alguns países em desenvolvimento, com destaque para o Brasil, não foi possível estabelecer texto que atendesse aos anseios preservacionistas dos países desenvolvidos e aos interesses econômicos dos países em desenvolvimento. A posição do Brasil foi – e ainda é – decepcionante sob a ótica da preservação das florestas[227].

Para A. MEIRA MATTOS (2006)[228], no extremo oposto, cumpre insurgir-se contra a concessão de licenças internacionais de exploração de florestas pú-

225. Merece destaque, nesse contexto, o trabalho desenvolvido pela United Nations University e UNDP, **Interlikages: Synergies and Coordination between Multilateral Environmental Agreements** (1999).

226. V. LULUCF e projetos no âmbito do mecanismo de desenvolvimento limpo, artigos 3º, parágrafo 3º, e 12 do Protocolo de Quioto.

227. Ainda em mais recentes Conferências internacionais o Brasil mantém a retórica da **Rio 92**, de que não abre mão de seus "direitos soberanos sobre os recursos naturais" para admitir controle externo mais efetivo do desmatamento, tampouco concorda com a imposição de *standards* ambientais mais rigorosos a si, a pretexto de que tais medidas poderiam dificultar o combate à pobreza e desincentivar o desenvolvimento econômico. O fato é que essa retórica de fundo nacionalista já caiu em descrédito, ainda que inicialmente houvesse razões para colocá-la em evidência, e transbordou para outros campos do direito internacional, tais como clima e biodiversidade, pois se tornou a desculpa diplomática para que o Brasil nada faça quanto à proteção de suas florestas. Não se vê na prática a adoção de medidas nacionais efetivas para essa finalidade e ao mesmo tempo o Brasil continua a erguer a bandeira retrógrada da soberania, como se questão de soberania se tratasse, negligenciando não interessar à conservação de seus próprios recursos naturais, nem assegurar à população padrão de vida minimamente digno pelo uso sustentável de seus recursos.

228. Adherbal MEIRA MATTOS, ***Soberania e gestão de florestas públicas*** (conferências feitas em diversas universidades brasileiras e no Instituto dos Advogados Brasileiros – IAB, Rio, em 2006).

blicas, por ser conceitualmente mais danosa à soberania e operacionalmente desastrosa, em razão da proverbial falta de monitoramento e de controle pelo estado brasileiro: "se a nova ordem mundial convive com a noção de soberania, repudiando pressões nacionais e internacionais, merece total repúdio o projeto de lei sobre gestão de recursos florestais públicos, em face dos riscos que traz à soberania nacional, em termos de ingerência e intervenção, o que violenta a autodeterminação do país e conflita com a Constituição"[229].

O resultado da oposição – não só brasileira – à adoção de instrumento internacionalmente vinculante e efetivo, passível de implementação, foi a elaboração de documento de caráter tão somente principiológico, a respeito do uso sustentável das florestas, a **Declaração de Princípios sobre as Florestas**, cujo conteúdo normativo, não fosse apenas pelo fato de não vincular as partes signatárias, é bastante genérico e, por conseguinte, fraco. A utilidade desses princípios na aplicação prática é igualmente questionável. A **Declaração** não internacionaliza as florestas, em respeito ao temor dos países em desenvolvimento, e se aplica a todos os tipos de florestas.

O ***combate ao desmatamento*** também foi objeto do Capítulo 11, da Agenda 21. Se por um lado não se pode dizer que esses documentos melhoraram o *status* jurídico da preservação das florestas, pode-se dizer que, ao menos, deram início à criação de fóruns e programas de monitoramento e proposição de novas medidas no âmbito das Nações Unidas[230].

O **Conselho de Desenvolvimento Sustentável das Nações Unidas - CSD**, órgão subsidiário do Conselho Econômico e Social – ECOSOC, recomendou a convocação de um grupo de trabalho intergovernamental, denominado *Intergovernmental Panel on Forests*, que, por dois anos, ocupou-se dos problemas relacionados às florestas, trabalho este que culminou em relatório de 1997[231]. Por recomendação desse relatório, foi estabelecido, sob a égide da CSD, o **Fórum Intergovernamental sobre Florestas – IFF**. Em sua quarta reunião, o IFF sugeriu e a ECOSOC instituiu[232] o **Fórum das Nações Unidas sobre Florestas –**

229. O então Projeto de Lei n. 4.776 do Executivo, tornou-se a **Lei n. 1.1284, de 2 de março de 2006**, "sobre gestão de florestas públicas, fez ***tabula rasa*** de tudo isso [princípios constitucionais e programas anteriormente adotados, como o Plano Amazônia Sustentável (PAS)], ao dispor sobre ocupação onerosa, até 60 anos, de cerca de 40% do território nacional, envolvendo áreas estratégicas de fronteira e desrespeitando direitos adquiridos a comunidades indígenas e não indígenas. Criou órgãos atípicos, como o Serviço Florestal Brasileiro (com amplos poderes fiscalizadores) e o Fundo Nacional do Desenvolvimento Florestal (a quem é vedada a prestação de garantias), num esquema de flagrante inconstitucionalidade e ilegalidade".

230. Para visão abrangente do assunto, v. B. SCHULTE ZU SODINGEN, *Sustainable forest management – progresses since Rio and challenges for the future*, ZaöRV 63 (2003), 397-414.

231. http://www.un.org/esa/forests/documents-ipf.html. Doc. E/CN.17/1997/12.

232. Resolução E/2000/35, doc. E/2000/INF/2/Add.3.

UNFF, encarregado de implementar as atividades previstas nos documentos da Conferência do Rio de Janeiro de 1992 e, na medida do possível, estudar a proposição de convenção internacional aplicável a todas as florestas. Injunções políticas e interesses de curto prazo retardaram a instituição de indispensável regulação internacional deste tema.

7.5.1.7. Convenção sobre Diversidade Biológica (CBD)

A **Convenção sobre Diversidade Biológica**, também frequentemente referida pela sigla em inglês CBD, é o único instrumento legal a conferir tratamento amplo à ***biodiversidade***, na tentativa de equilibrar conservação e uso dos recursos naturais biológicos. Enquanto as demais Convenções e documentos limitavam-se à conservação de espécies específicas e espaços ou à restrição do comércio, a **Convenção sobre Diversidade Biológica** tem como objeto a própria biodiversidade, de forma a preservar a variedade das diferentes formas de vida na terra, seja no meio terrestre ou aquático, e declara-a preocupação comum da humanidade (*common concern of mankind*[233]). Entretanto, pela redação do preâmbulo já se tem ideia de quão delicada e complexa é a tarefa[234]: "valor intrínseco da diversidade biológica e dos valores ecológico, genético, social, econômico, científico, educacional, cultural, recreativo, estético da diversidade biológica e de seus componentes (...) importância da diversidade biológica, para a evolução e para a manutenção dos sistemas necessários à vida na biosfera", ao mesmo tempo "afirmando que a conservação da diversidade biológica é uma preocupação comum da humanidade", "reafirmando que os estados têm direitos soberanos sobre os seus próprios recursos biológicos", e "reafirmando, igualmente, que os estados são responsáveis pela conservação de sua diversidade biológica e pela utilização sustentável de seus recursos biológicos" e "preocupados com a sensível redução da diversidade biológica causada por determinadas atividades humanas".

A dimensão desse conflito de interesses pode ser em pequena parte identificada pelo cuidado com que certas questões foram tratadas, em especial a soberania sobre os recursos biológicos, o conhecimento tradicional e a dependência de comunidades locais dos recursos biológicos, a necessidade de intensificação da ajuda financeira e tecnológica aos países em desenvolvimento. O preâmbulo

233. Parágrafo quarto do preâmbulo. *V.* a introdução a este tópico para significado deste princípio.

234. A amplitude e a variedade de interesses envolvidos no assunto foram mencionados no início deste tópico. Para a descrição do contexto, no qual se deu a elaboração da Convenção, *v.* P. W. BIRNIE e A. E. BOYLE, op. cit., p. 568 e s.

faz ainda referência expressa ao **princípio da precaução**, a exemplo da **Convenção-Quadro sobre Mudança Climática**.

A Convenção foi adotada em Nairobi, em 1992, entrou em vigor em 1993 e conta atualmente com 191 adesões, inclusive o Brasil[235]. A modalidade adotada foi a de **Convenção-Quadro**, contendo objetivos, obrigações e procedimentos bastante genéricos e cuja implementação depende do desenvolvimento futuro, seja por meio de novos tratados (protocolos), seja por meio da atividade dos órgãos criados pela própria Convenção.

Os objetivos da Convenção são a *conservação da diversidade biológica, a utilização sustentável de seus componentes e a repartição justa e equitativa dos benefícios derivados da utilização dos recursos genéticos*, mediante, inclusive, o acesso adequado a estes recursos (artigo 1º). O princípio basilar disposto no artigo 3º, para se atingir o objetivo da Convenção, é o princípio da soberania sobre a exploração dos recursos biológicos pelos estados segundo suas próprias políticas ambientais e sob a responsabilidade de assegurar que suas atividades não causem danos ao meio ambiente de outros estados ou a áreas além dos limites de sua jurisdição. Tal princípio é variante interessante de princípio originado no *Trail Smelter Case*, já conhecido desde as Convenções de Estocolmo e do Rio de Janeiro, de que o estado não tem o direito de causar danos a outros estados, por força de atividades desenvolvidas em seu território.

Os dispositivos seguintes preveem as obrigações gerais a todas as partes de cooperação para conservação e utilização sustentável dos recursos de diversidade biológica referente a assuntos mútuos ou fora da jurisdição nacional (artigo 5º), estabelecem planos e programas nacionais de conservação, de modo a integrar a conservação e a utilização da diversidade biológica, em planos, programas e políticas setoriais (artigo 6º), bem como identificar e monitorar componentes relevantes de conservação de biodiversidade, e atividades que tenham efeitos negativos sobre sua conservação, além de manter e organizar dados (artigo 7º). O conteúdo desses dispositivos, apesar de tudo, é muito vago e demanda, à exceção do artigo 5º, detalhamento pela COP e demais órgãos subsidiários.

Os artigos. 8º e 9º da Convenção tratam das obrigações relativas à conservação *in situ* e *ex situ*. A preferência pela conservação da biodiversidade por meio de medidas que garantam o uso sustentável e a preservação dos espaços e *habitats* naturais é clara e reforça disposição prevista no preâmbulo da Convenção, conferindo às medidas de conservação *ex situ* o caráter complementar. As medidas

235. A Convenção foi aprovada pelo Decreto legislativo n. 2/94 e promulgada pelo Decreto n. 2.519/98.

voltadas à conservação *in situ* compreendem obrigações de instituição de sistema de áreas protegidas, regulamentar e administrar áreas importantes, promover a proteção de ecossistemas e *habitats* naturais, regulamentar e controlar riscos associados à utilização e liberação de organismos vivos modificados, resultantes da biotecnologia, que causem impacto ambiental, além de considerar os riscos para a saúde humana, impedir a introdução de espécies exóticas que ameacem ecossistemas, *habitats* ou espécies, cooperar com o aporte de apoio financeiro e de outra natureza para a conservação *in situ*, particularmente nos países em desenvolvimento. No que se refere à conservação *ex situ*, as partes devem adotar medidas para a conservação, recuperação e regeneração *ex situ*, preferencialmente no país de origem do componente, estabelecer e manter instalações para a conservação e pesquisa, regulamentar e administrar a coleta de exemplares de recursos biológicos para conservação *ex situ*, mas sem ameaçar ecossistemas e populações *in situ*, e cooperar com o aporte de apoio financeiro para tal fim.

O artigos 10 e 11 complementam os artigos 5º a 7º ao disporem sobre a utilização sustentável dos componentes de diversidade biológica, observando os critérios seguintes: incorporação do exame da conservação no processo decisório nacional, proteção e encorajamento à utilização de recursos biológicos de acordo com culturas tradicionais, compatíveis com a conservação ou com a utilização sustentável, apoio à aplicação de medidas corretivas pelas comunidades locais, e estímulo à cooperação entre o poder público e o setor privado, além da criação de incentivos para tais finalidades. Trata-se de **aplicação específica à biodiversidade de norma cogente de direito internacional geral da utilização racional e sustentável dos recursos naturais**[236].

Importante passo foi dado pelo ***Instituto de direito internacional***, na sessão de Cracóvia (2005)[237], como já referido, ao integrar dentre as **obrigações *erga omnes*** enquanto "obrigações que se impõem a todos os sujeitos de direito internacional, com o fim de preservar os valores fundamentais da comunidade internacional", ter apontado: a interdição de atos de agressão, a proibição do genocídio, as obrigações relativas à proteção dos direitos fundamentais da pessoa humana, as obrigações ligadas ao direito à autodeterminação e as **obrigações rela-**

236. A respeito da gênese e conteúdo das normas cogentes de direito internacional geral, *v.*, *supra*, Parte 1. Tal norma não é, todavia, admitida, como norma consuetudinária aplicável a todo o conjunto do direito internacional ambiental. P. W. BIRNIE e A. E. BOYLE, op. cit., p. 89.

237. *Instituto de direito internacional*, **Les obligations et les droits erga omnes en droit international / *Obligations and rights* erga omnes *in international law*** ("Le texte anglais fait foi. Le texte français est une traduction". / Adotada em 27 de agosto de 2005 / 5a. Comissão / teve como Relator Giorgio GAJA).

tivas ao meio ambiente dos espaços comuns, declarando que estas **constituem exemplos de "obrigações que refletem tais valores fundamentais"**. Assim, pode-se consolidar, progressivamente, o reconhecimento do caráter cogente das normas de direito internacional geral em matéria ambiental, com relação a tópicos como a preservação da biodiversidade: desse modo, não mais poderão os estados invocar exclusões de responsabilidade, com base nas suas razões de estado e na condição de soberanos, em caso de omissão e de falha na preservação de bens e de necessidades comuns a toda a humanidade.

Os artigos 12 a 14 preveem a adoção pelas partes de medidas de pesquisa e treinamento, em especial nos países em desenvolvimento, voltadas à conservação e utilização sustentável dos recursos de biodiversidade e de acordo com as orientações do **Órgão Subsidiário de Assessoramento Científico, Técnico e Tecnológico** (*Subsidiary Body on Scientific, Tecnical and Tecnological Advice* – SBSTTA, artigo 25), bem como medidas de educação e conscientização. O artigo 14 particularmente prevê a adoção pelas partes de avaliação de impacto ambiental para as atividades com efeitos sobre a biodiversidade, assim como a criação de planos de emergência em caso de perigo à biodiversidade.

Provavelmente a questão mais delicada no âmbito das negociações e de extrema dificuldade no âmbito da implementação são as disposições da Convenção acerca do **acesso aos recursos genéticos e à (bio)tecnologia e transferência de tecnologia**[238]. Primeiramente, o acesso aos recursos genéticos foi regulamentado a fim de preservar direitos soberanos dos estados sobre seus respectivos recursos, mas a própria Convenção excepciona o caráter protetório excessivo, em relação a estes recursos, por meio da garantia de acesso das partes da Convenção aos recursos genéticos nacionais, desde que destinados à utilização "ambientalmente saudável", utilizados de forma não contrária aos objetivos da Convenção e sempre de forma a garantir a distribuição justa e equitativa dos benefícios gerados pelos recursos genéticos (artigo 15).

Para a consecução do objetivo, formulado no artigo 15, tratam os artigos 16 a 19 do tema do acesso à transferência de tecnologia, de forma bastante ampla, cuidando sempre de estimular a cooperação entre as partes, especialmente por meio de apoio e incentivos aos países em desenvolvimento, nas mais diversas formas, o que incluiu a transferência de recursos financeiros, formação de capacidade, troca de informações, cooperação técnica e científica e acesso aos benefícios resultantes do uso de recursos genéticos advindos de países em desenvol-

238. P. W. BIRNIE e A. E. BOYLE, op. cit., p. 582 e s.

vimento[239]. Acesso e transferência, nos termos do artigo 16, devem ser facilitados entre as partes da Convenção, desde que pertinentes ao uso sustentável e sempre de forma compatível com direitos de propriedade intelectual. Na prática isto significa que, nos casos em que a tecnologia, cujo acesso ou transferência se pretende permitir, estiver em poder de agentes privados e protegida por direitos de propriedade intelectual, a sua aquisição ou cessão pelos meios jurídicos adequados se faz necessária. Recursos para esse fim devem ser providos pelas próprias partes contratantes ou por organizações internacionais, como o Banco Mundial, através de seu agente financeiro GEF, ou mesmo com a ajuda de instituições privadas e ONGs.

O artigo 19, parágrafos 3º e 4º, trata ainda de relevante matéria envolvendo a segurança da biotecnologia aplicada a organismos vivos geneticamente modificados e a compatibilidade dessas tecnologias com a preservação da biodiversidade. Dada a relevância e, em especial, as questões econômicas envolvidas, o tema foi objeto de protocolo próprio, que será tratado mais adiante. De qualquer forma, a COP e a **SBSTTA** e o **Grupo de Trabalho sobre Acesso e Repartição de Benefícios** (*Working Group on Access and Benefit-sharing*) desempenham papel bastante ativo com relação à regulamentação e implementação dos dispositivos 15 a 19, uma vez que os termos da Convenção são muito vagos e abstratos a possibilitar a concretização dessas medidas sem intensivo desenvolvimento prático e técnico da matéria[240].

Segundo o regime previsto no artigo 18 sobre cooperação técnica e científica entre as partes, foi criado o mecanismo de compensação (*clearing-house mechanism*), cujo escopo é a promoção e a intensificação da cooperação internacional, para aplicação no âmbito nacional, sub-regional ou regional, baseado na troca de informações entre especialistas[241].

A Convenção dispõe ainda de mecanismo financeiro praticamente igual ao mecanismo existente para a Convenção-Quadro das Nações Unidas sobre Mudança do Clima, o qual é composto de fontes de financiamento bilateral, isto é, por meio de acordos entre as partes, regionais, por intermédio de organizações internacionais regionais, e multilaterais. O mecanismo multilateral está a cargo

239. *V.* A. VON HAHN, *Implementation and Further Development of the Biodiversity Convention*, ZaöRV 63 (2003), p. 295-312.

240. Para uma visão mais precisa e detalhada da regulamentação do tema, *v.* decisões e debates das COP, 8 ao todo, cujos documentos podem ser facilmente encontrados em <www.biodiv.org>. Para o deslinde de questões práticas de implementação e aspectos técnicos recomenda-se a leitura dos documentos da SBSTTA e do Grupo de Trabalho disponíveis no mesmo *site*.

241. Decisão I/3. *V.* demais decisões: Decisão II/3, Decisão III/4, Decisão IV/2, Decisão V/14, Decisão VI/18, Decisão VII/23, Decisão VIII/11 (o número em algarismo romano indica o número da COP).

do GEF, agente financeiro do Banco Mundial para assuntos ambientais, que segue as diretrizes emanadas da COP para viabilizar a transferência de recursos financeiros destinados ao custeio de medidas de implementação da Convenção em países em desenvolvimento.

A estrutura da Convenção é composta da COP, órgão decisório supremo com poderes para instituição de órgãos subsidiários, de Secretariado, competente para funções administrativas e executivas, e de **Órgão Subsidiário de Assessoramento Científico, Técnico e Tecnológico - SBSTTA**, colegiado multidisciplinar formado por representantes dos governos com especialização nas áreas envolvidas pela biodiversidade e com a função de prestar assessoria técnica e científica às partes, entre outras funções ligadas a aspectos práticos e técnicos de implementação.

7.5.1.7.1. o Protocolo de Cartagena sobre Biossegurança

Reconhecendo, de um lado, os potenciais problemas de segurança para a saúde humana e para a conservação da biodiversidade e, de outro lado, os possíveis benefícios para a alimentação da população mundial e, em última análise, para o bem-estar, todos ligados à introdução de organismos vivos geneticamente modificados no meio ambiente, a COP, em sessão extraordinária realizada para tal fim em Montreal, em 29 de janeiro de 2000, adotou o **Protocolo de Cartagena sobre Biossegurança**[242]. O Protocolo[243] entrou em vigor em 11 de setembro de 2003, e conta atualmente com 156 partes, incluindo o Brasil[244].

Os debates em torno do texto do Protocolo suscitaram múltiplas controvérsias, notadamente no que diz respeito com os aspectos relacionados ao objetivo de aplicação do **Protocolo**, a inclusão do ***princípio da precaução***, avaliação de riscos e procedimentos de manejo de risco, requisitos de documentação e rotulação de produtos, os efeitos do protocolo sobre as regras de comércio da Organização Mundial do Comérico (GATT) e a regra de responsabilidade e indenização[245].

O ***objetivo*** do **Protocolo** é fazer referência direta ao ***princípio da precaução*** na forma prevista no *princípio 15* da **Declaração do Rio de Janeiro**, de 1992,

242. As negociações do Protocolo foram registradas pelo Secretariado da Convenção e pela UNEP em **The Cartagena Protocol on Biosafety: a Record of the Negociations**.

243. Para uma introdução aos principais aspectos do Protocolo, *v.* obra preparada pelo Secretariado da Convenção e pela UNEP, **Biosafety and the environment: an introduction to the Cartagena Protocol on Biosafety**.

244. O Brasil aprovou o **Protocolo de Cartagena sobre biossegurança** por meio do Decreto legislativo n. 908/2003 e o promulgou por meio do Decreto n. 5.705/2006.

245. P. SANDS, **Principles**, p. 522.

no sentido de contribuir para garantir nível adequado de proteção no âmbito da transferência segura, manipulação e uso de organismos vivos modificados em decorrência da aplicação de biotecnologia, em razão do fato de seus possíveis efeitos adversos para a conservação da biodiversidade, considerando também a saúde humana, com foco específico no movimento transfronteiriço destes organismos (artigos 1º e 4º, com restrições dos artigos 5º e 6º).

Os artigos 8º a 14 preveem controvertidos requisitos e ***procedimentos para importação e exportação de organismos vivos modificados*** por meio de biodiversidade. Com efeito, o **Protocolo** institui uma série de regras de restrição ao livre comércio que não podem ser consideradas em conformidade com as exceções à imposição de barreiras comerciais previstas no artigo XX do GATT.

As introduções de organismos vivos geneticamente modificados por meio de movimentações transfronteiriças, via de regra, devem ser precedidas de avaliação de risco de efeitos adversos, preparada segundo critérios científicos, conforme previsto no artigo 15 do Protocolo. Há interessantes casos de avaliação de riscos para introdução de espécies geneticamente modificadas, em especial na Europa, onde a obrigatoriedade da avaliação de riscos já vinha disposta na diretiva da Comunidade Europeia 2001/18, como a introdução de espécie de milho resistente à ação de insetos na República Federal da Alemanha[246] e de batata com resistência melhorada à *phytopthora* infestante na Holanda[247]. Entretanto, o estado mais bem preparado para fazer avaliação de riscos desse tipo, sob o Protocolo de Cartagena, é a Nova Zelândia, que apresentou série de informações e estudos às partes no âmbito da **Câmara de Compensação em Matéria de Biosseguridade** (*Biosafety Clearing-house*), o mesmo mecanismo acima mencionado, instituído, neste caso, sob o regime estipulado pelo **Protocolo de Cartagena** (artigo 20)[248].

De modo a prevenir e lidar com os riscos ligados aos organismos geneticamente modificados, as partes têm a obrigação de criar instrumentos de monitoramento, controle dos riscos identificados na avaliação de riscos, bem como criar planos de emergência para o caso de concretização dos riscos (artigo 16). As partes assumiram ainda o dever de notificação e consulta imediata, em caso de movimento transfronteiriço não intencional de organismos modificados que possam ter efeitos adversos sobre a biodiversidade e saúde humana (artigo 17).

---

246. Íntegra do estudo está disponível em <http://gmoinfo.jrc.it/csnifs/C-DE-02-09_RiskAssessment.pdf>.

247. <http://bch.biodiv.org/database/record.shtml?id=11928>.

248. Os registros da Convenção indicam o impressionante número de 860 registros deste país. *V.* <http://bch.biodiv.org/database/results.aspx?searchid=217697&page=1&documenttype=7>.

Outro polêmico ponto abordado pelo **Protocolo** diz respeito à rotulagem e identificação dos produtos que contêm organismos geneticamente modificados. Entre os diversos aspectos a serem observados quanto ao manuseio, uso, embalagem e transporte transfronteiriço de produtos destinados à alimentação, as partes têm a obrigação de informar que estes "***podem conter***" (*may contain*) organismos geneticamente modificados. A Conferência das partes da Convenção, servindo de Reunião das Partes do Protocolo (*Conference of the Parties serving as the Meeting of the Parties to the Protocol* - COP/MOP)[249], regulamentou a implementação de tal dispositivo nas reuniões até agora realizadas em Kuala Lumpur[250], em 2004, e em Curitiba[251], em 2006.

O artigo 27 requer das partes o desenvolvimento de regras de responsabilidade e indenização por danos advindos do movimento transfronteiriço de organismos geneticamente modificados. Após a instalação de Grupo de Trabalho *ad hoc* para tal fim na COP/MOP 1, ainda não se obteve resultado final sobre estas regras, as quais, a princípio, não poderiam ser tomadas no âmbito da COP/MOP, pois o texto do Protocolo não cria obrigações e direitos suficientemente claros para essa finalidade. Essa inovação jurídica deverá mesmo ser objeto de alteração, ou de novo tratado internacional.

No que diz respeito ao ***acompanhamento, implementação e execução de obrigação*** pelas partes, o **Protocolo** complementa as previsões da **Convenção** quanto à ajuda financeira e técnica e formação de capacidade (artigos 20, 22 e 28). Há ainda a obrigação, que se tornou praxe corrente nos tratados multilaterais ambientais, de monitoramento e relatórios, destinados à COP/MOP, a respeito das medidas tomadas sob a égide do Procolo (artigo 33 – *monitoring and reporting*). Por fim, o Protocolo prevê o estabelecimento de normas e procedimentos para lidar com os casos de não cumprimento do Protocolo (artigo 34). Para tanto um Comitê de Execução (*Compliance Committee*) foi estabelecido. Os procedimentos e consequências (predominantemente cooperativas e não sancionatórias) em caso de não cumprimento vêm sendo trabalhados desde então[252].

---

249. O artigo 29 determina que a Conferência das Partes da Convenção sirva de Reunião das Partes do Protocolo, permitindo que as decisões sejam tomadas em um único plano orgânico. As Partes da Convenção que não ratificaram o Protocolo não têm direito a voto naquilo que se refere exclusivamente ao Protocolo. O sistema é idêntico ao previsto no Protocolo de Quioto da Convenção-Quadro das Nações Unidas sobre Mudança do Clima.

250. Decisão BS I/6.

251. Decisões BS III/8 a 10. (BS é a abreviatura de *Biosafety*. Os números em algarismos romanos indicam o número da COP/MOP, enquanto a numeração posterior à barra indica o número da decisão).

252. Decisões BS I/7, BS II/1 e BS III/1.

7.5.2. solo e desertificação

Para muitos países a desertificação foi a questão mais importante discutida na Conferência do Rio sobre Meio Ambiente e Desenvolvimento. E esta também diz respeito a muitas regiões do Brasil, embora, todavia, incipiente o reconhecimento de sua importância[253].

A Agenda 21 lembra que a *desertificação é a degradação do solo em áreas áridas, semiáridas e em áreas secas subúmidas resultante de diversos fatores, inclusive as mudanças de clima e de atividades humanas*. A desertificação atinge um sexto da população do mundo, 70% das terras secas e aproximadamente a quarta parte do total das áreas térreas. Além da pobreza, o impacto mais evidente da desertificação atinge enormes áreas de pastagem ou agrícolas.

A questão das regiões semiáridas e a ampliação da desertificação no Brasil figuram dentre os problemas mais sérios e não podem ser desassociados do problema da pobreza e das migrações internas. O processo de desertificação se alastra (já atinge mais de 50.000 quilômetros quadrados) no Nordeste, com gravíssimos reflexos sobre a vida de aproximadamente 400.000 pessoas que habitam as regiões atingidas, e este mesmo fenômeno se verifica também em outras áreas do País, como na região de Alegrete, no estado do Rio Grande do Sul, e no estado do Rio de Janeiro, onde os desmatamentos e as queimas de pasto começam a ameaçar as margens do rio Paraíba do Sul.

A desertificação pode resultar de fenômenos naturais, como secas prolongadas e seguidas, mas, atualmente, verifica-se que, na maioria dos casos, resulta de ações do homem, agravadas pelos desmandos da política, como as desastradas obras de "transposição" do rio São Francisco, nas quais foram criminosa e irresponsavelmente dispendidos bilhões, sem qualquer resultado prático, e essas obras foram abandonadas antes de prontas, enquanto a região viveu a pior seca em mais de 50 anos. No Brasil, as grandes responsáveis pela desertificação ou ameaça de desertificação têm sido as aberturas de clareiras, inclusive por meio de queimadas, para a criação de pastos e para a agricultura, sem as necessárias precauções de proteção do solo.

A irrigação, desviando as águas de determinada área, em proveito de outra, tem sido a causa da desertificação em diversos países, inclusive nos

253. Como ilustraria o muito provavelmente desastrado e desastroso projeto de **transposição das águas do Rio São Francisco**, que poderá constituir crime ambiental de efeitos irreversíveis, aprovado pelo IBAMA, em 2007, em decorrência da pressão política exercida pelo governo federal. Ao mesmo custo econômico deste politicamente grandiloquente projeto, quantos milhares de focos de irrigação capilar poderiam ser implantados em áreas áridas e semiáridas do Nordeste brasileiro, a custo ecologicamente inferior?

Estados Unidos, onde surgiram os *dust bowls*, cuja posterior eliminação foi sumamente difícil.

Na 21ª Sessão da *Food and Agricultural Organization* – FAO, ante a preocupação da comunidade internacional com a produção de alimentos e o abastecimento da crescente população mundial, de um lado, e a degradação do solo e consequente perda de produtividade, particularmente nos países mais pobres, de outro, foi aprovada a **Carta Mundial do Solo** (*World Soil Charter*). Trata-se de documento não vinculante de cunho político e orientador para as autoridades nacionais e internacionais.

Além de extenso rol de princípios, a **Carta do Solo** prescreve uma série de diretrizes voltadas aos governos nacionais e às organizações internacionais. A **Carta** indica, ainda, os instrumentos que possibilitariam o cumprimento dos princípios e diretrizes propostos em três planos distintos: a) estudos dos recursos do solo e planejamento de uso do solo; b) manejo do solo e aplicação de fertilizantes; c) conservação dos recursos do solo e recuperação de solo degradado.

A intenção da **Carta do Solo**, como se vê, coloca a produção de alimentos em primeiro plano e só de forma indireta apresenta-se como instrumento voltado à proteção do meio ambiente.

Uma iniciativa mais contundente para a preservação do solo – e coerente com o Capítulo 12 da Agenda 21 – veio com a **Convenção Internacional de Combate à Desertificação Naqueles Países Afetados por Seca Grave e/ou Desertificação, Particularmente na África**, adotada em Paris, na sede da UNESCO, em 1994, em vigor desde 1996, ratificada por 191 países[254]. O foco desta **Convenção** é diferente da **Carta Mundial do Solo** da FAO, mas também restrita a problema singular que afeta o solo, isto é, seca e desertificação. Já em seu preâmbulo a **Convenção** expõe a conscientização da comunidade internacional para a expansão das áreas desertificadas ou com graves problemas de seca e o agravamento da pobreza e do abastecimento de alimentos.

Com efeito, estudos preparados a pedido da UNEP em 1992 indicavam que 11% da área da Terra coberta por vegetação sofre com algum tipo de degradação de solo, causada por erosão por vento ou água, contaminação por poluentes, salinização, acidificação, afundamento, compactação, entre outros fênomenos, devidos à agricultura, ao desmatamento, à exploração excessiva, a atividades industriais e de pesquisa biólogica, mas as iniciativas para combater estes fatores têm sido limitadas[255].

---

254. Aprovada no Brasil pelo Decreto legislativo n. 28/97 e promulgada pelo Decreto n. 2.741/98.

255. P. SANDS, **Principles**, p. 555.

O objetivo da **Convenção** é combater a desertificação e mitigar os efeitos da seca em países com grave seca e/ou desertificação, particularmente na África, por meio de ações efetivas em todos os níveis, baseada na cooperação internacional e parcerias, dentro do "quadro" de uma iniciativa integrada consistente com a Agenda 21, com vistas a contribuir para o alcance do desenvolvimento sustentável em áreas afetadas (artigo 2º, § 1º). Para atingir estes objetivos, são previstas estratégias integradas de longo prazo que foquem simultaneamente, em áreas afetadas, em melhorias de produtividade da terra e reabilitação, em conservação e manejo sustentável dos recursos da terra e hídricos, de forma a melhorar as condições de vida, em particular, no âmbito da comunidade (artigo 2º, § 2º).

O texto da **Convenção** é bastante detalhado, no tocante às obrigações das partes e aos programas a serem conduzidos por força de cooperação internacional. As obrigações se dividem em obrigações para todas as partes, obrigações dos países afetados por grave seca ou desertificação, e dos países desenvolvidos (artigos 4 a 6). A fim de possibilitar o cumprimento de obrigações e viabilizar a implementação dos dipositivos da **Convenção**, prevê-se o estabelecimento de programas nacionais, sub-regionais, regionais e internacionais de ação, medidas de apoio a estes programas, cooperação técnica e científica, incluindo formação de capacidade, transferência de tecnologia e transferência de recursos financeiros (artigos 9 a 21).

Do ponto de vista orgânico, a Convenção estabeleceu uma **COP**, na condição de órgão supremo, responsável pela revisão períodica das medidas tomadas pelas partes e fórum para a tomada de decisões quanto a questões de implementação, cumprimento e execução da Convenção (artigo 22). Há ainda o **Secretariado** permanente da Convenção, que desempenha funções executivo-administrativas (artigo 23), e o **Comite de Ciência e Tecnologia**, encarregado do aconselhamento técnico e científico de questões relacionadas ao combate à seca e à desertificação (artigo 24).

Os **anexos** da Convenção, cinco ao todo, dispõem sobre **regras específicas** à implementação na África, Ásia, América Latina e Caribe, Norte do Mediterrâneo e Europa Central e Oriental, considerando a situação peculiar de cada região.

7.6. Resíduos e substâncias perigosas

À exceção de regulamentação interna da União Europeia, resíduos e substâncias perigosas não são regulamentados de forma extensiva como outros assuntos do direito internacional ambiental. Há alguns documentos não vinculantes propositivos de organizações internacionais sobre o tema, como a **Recomendação** do

Conselho da OECD de 1976 sobre a adoção de *Política de Gerenciamento de Resíduos*, as **Diretivas e Princípios do Cairo para uma Política de Gerenciamento Ambiental de Resíduos Perigosos** de 1987, o *Capítulo 20* da **Agenda 21**, o *Código Internacional de Conduta sobre Distribuição e Uso de Pesticidas*, adotado em Conferência da FAO em 1985, e as **Diretivas de Londres para a Troca de Informações sobre Substâncias Químicas no Comércio Internacional** de 1987.

Além desses tratados, merecem destaque a **Convenção de Bamako sobre o Banimento da Importação na África e o Controle do Movimento Transfronteiriço e Gerenciamento de Resíduos Perigosos dentro da África,** de 1991 e em vigor desde 1999, **Convenção sobre Segurança Nuclear**, de 1994 e em vigor desde 1996, e a **Convenção Conjunta sobre Segurança do Gerenciamento de Combustíveis Queimados e sobre a Segurança de Resíduos Radioativos**, de 1997 e em vigor desde 2001. Estes não serão aqui abordados.

São, a seguir, consideradas: a Convenção de Basileia sobre o Controle do Movimento Transfronteiriço de Resíduos Perigosos e sua Disposição (1989) (7.6.1.), a Convenção de Rotterdam sobre o Procedimento de Consentimento Prévio (1998) (7.6.2.) e a Convenção de Estocolmo sobre Poluentes Orgânicos Persistentes (2001) (7.6.3.).

7.6.1. Convenção de Basileia sobre o controle do movimento transfronteiriço de resíduos perigosos e sua disposição (1989)

A **Convenção da Basileia** foi assinada em 1989, entrou em vigor em 1992 e foi emendada em 1995, contando com aproximadamente 172 partes, inclusive o Brasil[256]. A emenda conta com 65 partes, incluindo o Brasil, e, portanto, ainda não entrou em vigor. Trata-se de misto entre os modelos de Convenção-Quadro e Convenção-tipo (*umbrella convention*), na medida em que, de um lado, os seus dispositivos são bastante genéricos e dependem de desenvolvimento normativo posterior para possibilitar a sua implementação, e, de outro lado, o artigo 11 da Convenção faculta às partes a celebração de acordos bilaterais, regionais e multilaterais sobre o trânsito de resíduos, observados os requisitos ali prescritos.

De forma a evitar que países desenvolvidos exportassem seus resíduos perigosos para países em desenvolvimento – prática corriqueira até hoje, apesar da proibição legal –, os países estipularam restrições e proibições de movimento internacional de resíduos[257]. A exportação de resíduos para países em desenvol-

256. A **Convenção da Basileia** foi aprovada no Brasil pelo Decreto legislativo n. 34 e promulgada pelo Decreto n. 875/93.
257. *V.* G. F. S. SOARES, **Direito internacional do meio ambiente**, p. 296.

vimento era muito mais barata que o tratamento e a disposição de resíduos nos países de origem, e não sem razão, afinal a grande maioria dos países em desenvolvimento não possui até hoje sistemas adequados de destinação de resíduos. No rol destes países se inclui o Brasil, cujas políticas nacionais e estaduais de resíduos não saem do papel, e aos poucos municípios, que têm normas a respeito, faltam, contudo, os indispensáveis recursos para implementá-las.

Embora a Convenção de Basileia tenha sido firmada em contexto de proteção de países em desenvolvimento prejudicados pelo comércio internacional de resíduos[258], suas normas têm aplicabilidade sobre todos os países. Portanto, a Convenção é mais ampla que a mera relação entre países em desenvolvimento e desenvolvidos.

O ***objetivo*** da **Convenção** é o controle de resíduos perigosos inseridos no Anexo I e de resíduos que as legislações nacionais considerem perigosos, excluídos os resíduos radioativos e a descarga "normal" de resíduos de navios que estejam sujeitos a outras Convenções (artigo 1º). A Convenção reconhece às partes: o direito de proibir a importação de resíduos, informando as demais partes sobre essa decisão; o dever de proibir a exportação de resíduos, quando as partes exportadoras forem informadas da proibição de importação; e o dever de proibir a exportação se o país importador não tiver autorizado por escrito a importação específica do resíduo, caso este país não haja notificado a proibição de importação às demais partes (artigos 4º, § 1º, e 13). Também estão previstas obrigações genéricas de redução e minização dos resíduos e seus efeitos, de disposição adequada e de restrições de movimentos transfronteiriços (artigo 4º, § 2º), inclusive entre estados que não sejam parte da Convenção. O ***dever de notificação e consentimento prévio para o movimento de resíduos e substâncias perigosas*** é, nesse compasso, reconhecido nos artigos 4º e 6º, a exemplo de outros poucos documentos legais internacionais que recomendam ou mesmo impõem a notificação prévia dos estados possivelmente afetados por atividades poluentes de outros estados.

Além de outras obrigações diversas relativas ao movimento permitido de resíduos, entre partes ou não, a Convenção prevê a obrigação de retorno obrigatório dos resíduos ilegalmente exportados ao estado de origem. Como aponta G. SOARES, interessante destaque é a qualificação, pela própria Convenção, de condutas "quase penais" no artigo 9º, ao qualificar os atos considerados como tráfico internacional de resíduos e substâncias perigosas.

---

258. O parágrafo 20 do Preâmbulo dá apenas pequena noção do prejuízo dos países em desenvolvimento, causado pelo movimento transfronteiriço de resíduos e substâncias perigosas.

A **estrutura** da Convenção é formada pela **COP**, por **Secretariado** e por **Comitê de Avaliação do Cumprimento das Obrigações**, este último criado pela COP[259].

Em 1999, a Convenção foi complementada por **Protocolo sobre Responsabilidade e Compensação por Danos Resultantes de Movimentos Transfronteiriços de Resíduos Perigosos e sua Disposição**. A responsabilidade se aplica a pessoas que pratiquem o movimento transfronteiriço de resíduos, sem prejuízo da responsabilidade dos estados segundo o direito internacional (artigo 16). Os estados têm, entre outras obrigações, a obrigação de internalizar e de criar normas de responsabilidade em conformidade com as normas do Protocolo. O **Protocolo** dispõe igualmente sobre os casos de aplicação de responsabilidade objetiva e subjetiva, assim como causas de exclusão de responsabilidade e aspectos procedimentais.

7.6.2. Convenção de Rotterdam sobre o Procedimento de Consentimento Prévio (1998)

A **Convenção de Rotterdam sobre o Procedimento de Consentimento Prévio para o Comércio Internacional de certas Substâncias Perigosas e Pesticidas** é claro exemplo de que a proteção do meio ambiente e troca de informações são inseparáveis. A **Convenção** estabelece ***normas procedimentais de troca de informação e cooperação entre estados,*** assim como ***restrições ao comércio de determinadas substâncias***. Apesar disso, somente em situações bastante particulares o direito internacional prevê o consentimento prévio de outros estados para a realização de atividades perigosas[260].

Ratificada atualmente por 128 partes, a Convenção entrou em vigor em 2004. Inclusive para o Brasil[261].

O ***objetivo*** da Convenção é a promoção de responsabilidade compartilhada dos estados e da cooperação, no âmbito do comércio internacional de certas substâncias perigosas, para proteger o meio ambiente e a saúde humana de potenciais danos causados por susbtâncias perigosas, bem como contribuir para o uso sustentável dessas substâncias, mediante a troca de informações e da instituição de procedimentos nacionais decisórios sobre a importação e exportação destas substâncias (artigo 1º).

---

259. Decisão VI/12 (COP 6 - 2002).

260 P. W. BIRNIE e A. E. BOYLE, op. cit., p. 431.

261. A aprovação pelo Brasil da **Convenção de Rotterdam** ocorreu por meio de Decreto legislativo n. 197/2004 e a promulgação por meio do Decreto n. 5.360/2005.

A Convenção se aplica ao ***comércio internacional de produtos químicos, incluindo pesticidas, banidos ou severamente restringidos pelas partes, por força dos riscos à saúde humana e ao meio ambiente***, excluídos drogas e substâncias psicotrópicas, materiais radioativos, resíduos, armas químicas, produtos farmacêuticos, aditivos a alimentos, alimentos, substâncias para fins de pesquisa e de uso pessoal, desde que em quantidades razoáveis para o uso sem risco (artigos 2º e 3º). Para implementar as obrigações e objetivos da Convenção, as partes devem designar autoridades nacionais com poderes e recursos suficientes para cumprir os atos e procedimentos determinados pela Convenção (artigo 4º).

A parte que decidir pelo banimento ou pela restrição severa de substâncias químicas deve notificar o Secretariado da Convenção de tal decisão. Verificado o preenchimento de certos requisitos, o Secretariado informará o Comitê de Revisão de Substâncias Químicas, o qual recomendará à COP se a substância proibida ou restringida unilateralmente pela parte deverá integrar o Anexo III e, consequentemente, submeter-se ao procedimento de consentimento prévio (artigos 5º e 7º). Aqui, nota-se mais uma vez a adoção do procedimento de alteração de anexos da Convenção por meio da **COP**, dispensando-se emendas, alterações e ratificações pelas partes (artigos 5º, 9º, 21, parágrafo 2º, e 22, parágrafo 5º). Para as substâncias banidas ou severamente restringidas por uma parte, com base no artigo 5º, mas que não tenham sido incluídas no Anexo III, o artigo 12 prevê que a parte que as baniu ou as restringiu só pode exportá-las após notificação prévia ao estado importador.

O artigo 6º discorre sobre o procedimento de inclusão de pesticidas no Anexo III por provocação dos países em desenvolvimento e em transição para economia de mercado, caso algum pesticida cause problemas devidos às condições de uso em seu território.

As disposições centrais da Convenção, acerca do ***procedimento de consentimento prévio***, estão contidas nos artigos 10 e 11. Segundo o procedimento previsto no artigo 10, as partes devem internalizar nos respectivos ordenamentos jurídicos nacionais, e devem igualmente informar ao Secretariado se, com base na decisão da autoridade nacional designada, permitem, não permitem ou permitem sob certas condições a importação de cada substância, incluída no Anexo III. Nos termos do artigo 11, cada parte deverá adotar medidas legais e administrativas para comunicar às pessoas interessadas em seu território sobre as respostas das demais partes sobre o consentimento de importação de substâncias incluídas no Anexo III, de modo que tais pessoas saibam sobre a proibição ou restrição de importação comunicada com base no artigo 10. Além disso, as partes devem adotar medidas legais e administrativas que assegurem o cumprimento, por parte de pessoas exportadoras em seu território, das decisões nacionais tomadas com base no artigo 10.

A Convenção prevê, ademais, ***obrigações para troca de informações e cooperação técnica para a implementação de suas disposições*** (artigos 14 a 16).

A **estrutura orgânica** da Convenção compõe-se da **COP**, órgão supremo e decisório, o **Secretariado**, com funções executivas e principalmente de viabilizar o procedimento de consentimento prévio (artigos 10 e 11) por meio da coordenação de informações e notificações das partes, e o **Comitê de Revisão de Substâncias Químicas**, órgão subsidiário da COP, cuja principal tarefa é a recomendação de inclusão de substâncias químicas no Anexo III.

7.6.3. Convenção de Estocolmo sobre Poluentes Orgânicos Persistentes (2001)

Poluentes Orgânicos Persistentes, mais conhecidos por sua sigla POPs, são substâncias com propriedades resistentes à degradação e decomposição natural do meio ambiente. Esses poluentes resistem a processos químicos, biológicos e fotolíticos, possuem baixa solubilidade em água, massa molecular elevada e baixa volatilidade. Outra característica desses poluentes é a sua cumulação na gordura dos seres vivos e, por serem via de regra nocivos à saúde, podem produzir efeitos danosos duradouros e cumulativos ao meio ambiente.

Devido às propriedades acima descritas, POPs podem ser transportados por longas distâncias, normalmente associados a material particulado atmosférico e pela cadeia alimentar, pela qual os próprios seres vivos se encarregam de transportá-los e transmiti-los a outros seres vivos. A exposição a POPs é particularmente perigosa nas mulheres, que podem transmiti-los a seus filhos na fase de gravidez ou pelo leite materno, causando por vezes danos irreparáveis ao sistema nervoso da criança, além de frequentemente associados a efeitos cancerígenos.

Em 1995, a UNEP deu início a pesquisas sobre POPs. À época as pesquisas se restringiram a número reduzido de 12 *organoclorados*, na maioria des vezes usados como pesticidas em lavouras. A partir de então a lista cresceu para abranger número bem maior de substâncias, as quais podem ser encontradas não só em indústrias, mas inclusive na poeira doméstica, móveis residenciais, produtos eletrônicos e até em perfumes e *shampoos*.

A fim de dar tratamento adequado a este preocupante problema ambiental e de saúde, foi firmada em Estocolmo, em 2001, a **Convenção sobre Poluentes**

Orgânicos Persistentes, em vigor desde 2004, ratificada por 164 partes, inclusive o Brasil[262].

O objetivo da Convenção é uma referência expressa ao ***princípio*** da ***precaução*** – tal como enunciado no *princípio 15* da **Declaração do Rio de Janeiro** – ligado à proteção da saúde humana e meio ambiente contra os POPs (artigo 1º). Para atingir esse objetivo, as partes devem implementar medidas de redução e eliminação da produção e do uso intencional de POPs. Para tanto, as partes devem eliminar ou proibir a produção e uso de substâncias listadas no Anexo A e restringir a produção e uso das substâncias listadas no Anexo B. As partes devem ainda permitir a importação e exportação de POPs apenas para hipótese de disposição final mais adequada no estado destinatário (artigo 6º, parágrafo 1º, *d*) ou para próposito ou uso permitido, nos termos dos Anexos A e B (*isenções* ou *exceções*) (artigo 3º). A **Convenção** prevê exceções às restrições impostas às substâncias listadas nestes anexos. As exceções são descritas na terceira coluna dos Anexos A e B e podem ser exercidas por todas as partes.

O artigo 5º contém obrigações genéricas de reduzir ou eliminar liberação não intencional de POPs listados no Anexo C. O artigo 6º também contém obrigações genéricas sobre eliminação ou redução de liberações de POPs de resíduos e material estocado. Estas obrigações não são passíveis de implementação, sem a definição de critérios, padrões e regulamentos mais concretos. Diante disso, o artigo 7º prevê a ***obrigação de elaborar planos de implementação das obrigações da Convenção***, de modo a possibilitar a concretização e acompanhamento das medidas ali previstas (artigo 15).

No mais, a Convenção contém série de normas visando à promoção e ao incentivo de troca e publicidade de informações, conscientização e educação; pesquisa e monitoramento de fontes, transporte e efeitos de POPs; assistência técnica aos países em desenvolvimento e suporte financeiro para implementação de medidas nacionais (artigos 11 a 13). Quanto ao mecanismo encarregado de gerir e conceder os recursos necessários para estes fins, o artigo 14 confere ao GEF, órgão subsidiário misto do Banco Mundial e das Nações Unidas, a viabilização da transferência de recursos financeiros.

A **estrutura** da Convenção é formada pela **COP**, órgão supremo e decisório, o **Secretariado**, com funções executivas, e o **Comitê de Revisão dos POPs**, órgão subsidiário da COP. Como se vê, não só as obrigações, mas também a parte orgânica da Convenção são bastante semelhantes às da Convenção de Rotterdam.

262. O Brasil aprovou e promulgou a **Convenção de Estocolmo sobre Poluentes Orgânicos Persistentes** por meio do Decreto legislativo n. 204/2004 e do Decreto n. 5.472/2005.

7.7. Evolução do direito internacional ambiental

A evolução do direito internacional ambiental responde à percepção de base da sua necessidade, porquanto problemas e questões intrinsecamente internacionais exigirão tratamento igualmente internacional, para a instauração institucional e regulação normativa. Consolida-se dever de proteção do meio ambiente fora das fronteiras nacionais, derivado diretamente do princípio de uso sustentável dos recursos naturais.

"Todos os seres pertencem inseparavelmente à natureza sobre a qual são erigidas a cultura e a civilização humanas. A vida sobre a terra é abundante e diversa. Ela é sustentada pelo funcionamento ininterrupto dos sistemas naturais que garantem a provisão de energia, ar, água, e nutrientes para todos os seres vivos, que dependem uns dos outros e do resto da natureza para sua existência, seu bem-estar e seu desenvolvimento. Toda manifestação de vida sobre a terra é única, razão pela qual lhe devemos respeito e proteção, independentemente de seu valor aparente para a espécie humana"[263].

A compreensão da finitude dos recursos e da irreversibilidade dos danos inflingidos, em decorrência da ação humana, ao meio ambiente exigem a mobilização das atenções e da atuação da sociedade civil internacional, ao lado dos canais nacionais internos e da cooperação interestatal, nos moldes clássicos. A conscientização começou demasiadamente tarde, e se há de fazer acompanhar dos mecanismos de implementação assecuratórios da conservação e da preservação dos recursos naturais, para o futuro da humanidade.

Desse modo, a partir dos mecanismos tradicionais do direito internacional, como um todo, consistentes nos tratados, acordos e mecanismos de entendimento os mais variados, faz-se a criação do arcabouço institucional e normativo internacional necessário para tentar responder a tais necessidades regulatórias, em matéria de proteção abrangente dos recursos naturais[264].

Os desafios colocados pela indispensável e urgente proteção do meio ambiente deixaram de ser tópico marginal das agendas internacionais, para se inscrever como um dos eixos centrais das preocupações internacionais, no contexto

263. UNESCO, *Recomendação sobre a educação para a compreensão, a cooperação e a paz internacionais e a educação relativa aos direitos do homem e às liberdades fundamentais* (1974); UNESCO, *Déclaration de Yamoussoukro* (Paris: UNESCO, 1989); G. BRUNDTLAND *et al.*, **Our common future** (Oxford: Univ. Press, 1987).

264. Carla Amado GOMES, *A proteção inernacional do ambiente na Convenção de Montego Bay* (in **Estudos em homenagem à professora doutora Isabel de MAGALHÃES COLLAÇO**, org. Rui M. de MOURA RAMOS et al., Coimbra: Almedina, 2002, v. II, p. 695-724, cit. p. 724): "Nem a inevitabilidade do efeito, nem a indeterminabilidade da causa, são bases suficientes de decisão no domínio da intervenção ambiental. A 'verdade' residirá, quanto a nós, numa atitude de ponderação preventiva alargada, algures entre a responsabilidade intrageracional e o compromisso intergeracional".

pós-moderno. A inscrição desse conjunto de temas, normalmente enfeixado sob a rubrica de direito internacional ambiental, dentre as obrigações ***erga omnes***, na formulação adotada pelo *Instituto de Direito Internacional*, na sessão de Cracóvia, em 2005, ao lado da proteção internacional dos direito humanos, mostra a dimensão deste direito internacional do meio ambiente, como ***preocupação comum da humanidade*** e obrigação igualmente incumbente a todos os estados, independentemente da assunção de obrigações convencionais específicas a respeito deste ou daquele determinado tópico.

A mesma categorização e terminologia de *common concern of humankind* é adotada em várias convenções, celebradas no âmbito da Organização das Nações Unidas, em matéria ambiental. Justamente para assinalar a dimensão de importância de seu conteúdo e do caráter imprescindível de sua implementação, para permitir a sobrevivência da humanidade, e a manutenção da vida na terra: em nome desta e como obrigação perante as próximas gerações humanas.

7.8. Questão nuclear

A questão nuclear se inscreve, literalmente, como condição de sobrevivência humana, e, nesse sentido, põe-se o direito internacional pós-moderno[265] para a construção de ordenação humana do mundo. A conscientização da necessidade será indispensável para que as limitações decorrentes da adoção e da implementação do arcabouço institucional e normativo internacional possam tornar-se aceitáveis.

Os riscos da energia nuclear sobre o homem e o meio ambiente nem sempre despertaram a atenção dos estados. A energia nuclear prometia uma nova era, seja para fins bélicos, de modo a assegurar a paz mundial, seja para fins de geração de energia e desenvolvimento econômico. As bombas lançadas em Hiroshima e Nagasaki respectivamente em 6 e 8 de agosto de 1945 para colocar fim à segunda guerra mundial mostraram ao mundo o potencial destrutivo da inventividade humana, mas o evento, em vez de levar à conscientização sobre os riscos e efeitos da energia nuclear, deu início à disseminação da tecnologia nuclear.

A criação, em 1956, da **Agência Internacional de Energia Atômica** (IAEA, em inglês)[266] reflete os esforços da comunidade internacional no sentido de encorajar e difundir[267] a energia nuclear, ainda que para fins pacíficos, e não de

265. Chr. TOMUSCHAT, **International law: ensuring the survival of mankind in the eve of a new century: general course on public international law** (RCADI, 1999, t. 281, p. 9-438).

266. Estatuto da Agência Internacional de Energia Atômica, elaborado pelos representantes do Grupo das Doze Nações, que incluía o Brasil, e aprovado em 23-10-1956 na sede das Nações Unidas em Nova Iorque.

267. **The History of the IAEA**, p. 31-32.

contê-la, ante os riscos invariavelmente associados a essa forma de energia. O resultado disso é visto nos mais de 450 reatores nucleares para produção de energia em todo o mundo. Apesar de certa moratória na construção desses reatores nos Estados Unidos e na Europa nos últimos 30 anos, o número não para de crescer nos países em desenvolvimento, em especial na China e Índia, ambas dependentes de um modelo energético incompatível com o seu atual crescimento econômico, e que veem na energia nuclear o meio mais adequado para garantir o fornecimento de energia elétrica.

1957 foi palco da criação da **Comunidade Europeia de Energia Atômica – EURATOM**, cujo tratado foi assinado pelos países-membros da Comunidade Europeia e com a finalidade de promover a energia nuclear, a integração e uniformização das normas de segurança nuclear entre os países-membros e o fomento de um mercado comunitário nuclear. Entre os países da Comunidade Europeia, o tratado de criação da EURATOM foi um importante passo de integração e aos órgãos da Comunidade Europeia foi atribuída a tarefa de dar cumprimento ao tratado, incluindo as salvaguardas.

A Organização Mundial do Trabalho também ingressou na questão nuclear, por meio da regulamentação da proteção de trabalhadores à radiação (*v.* Convenção n. 115).

Entretanto, a energia nuclear, seja para fins pacíficos, seja para fins bélicos, foi pouco a pouco responsável pelo surgimento de um extenso rol de conflitos internacionais, seguidos da criação de tratados e normas de direito consuetudinário. A questão nuclear passaria a ser pauta cotidiana e prioritária das relações internacionais. A regulação da convivência internacional se fez, por exemplo, no contexto da confrontação direta do tempo da Guerra Fria[268], em matéria de controle de testes nucleares, suscitando numerosas questões jurídicas, como considerava R. E. CHARLIER (1957)[269], e não proliferação nuclear, no auge da Guerra Fria, no que parece hoje mais remoto que a história antiga, como anali-

268. Nesse sentido, ainda em 1990: L. N. ORLOV, **Soviet joint enterprises with capitalist firms and other joint ventures between east and west** (RCADI, 1990, t. 221, p. 371-414), e Russell H. CARPENTER Jr., **Soviet joint enterprises with capitalist firms and other joint ventures between east and west: the western point of view** (RCADI, 1990, t. 222, p. 365-421, "conclusion", p. 421): "Joint ventures between capitalist firms and socialist enterprises have been designed as bridges between incompatible legal and economic systems. The Socialist shores to which these bridges are built are undergoing significant change at an uncertain pace and to an uncertain end. In the final analysis, the success of the joint venture experiments in these countries will depend much more on the progress toward fundamental change in the host country's economic system than on the specific provisions of the applicable joint venture law".

269. R. E. CHARLIER, **Questions juridiques soulevées par l'évolution de la science atomique** (RCADI, 1957, t. 91, p. 213-382); H. GROS-ESPIELL, *Una reflexión sobre el uso pacífico de la energia nuclear* (in **Dimensão internacional do direito: estudos em homenagem a G. E. do NASCIMENTO E SILVA**, coord. P. B. CASELLA, São Paulo: LTr, 2000, p. 211-228).

savam H. K. JACOBSON e E. STEIN (1966)[270]: "o registro das negociações de banimento dos testes nucleares também tem importância para as questões, há muito debatidas, entre a distribuição de poder e a realização de acordos"[271]. Visão recente do fenômeno e do estado atual da regulamentação internacional em J. GOLDBLAT (1995)[272], o progresso tecnológico e o aumento da capacidade de destruição tornaram inexorável a necessidade da regulação do uso da tecnologia e da capacidade de aplicação das armas nucleares[273].

A corrida armamentista ao longo das décadas de 40 a 80 entre os Estados Unidos e a antiga União Soviética mostraria ao mundo a insensatez da guerra fria. Os arsenais nucleares das duas maiores potências mundiais seriam suficientes para destruir o planeta algumas centenas de vezes. Décadas depois do término da guerra fria, contudo, os arsenais nucleares continuam a existir e mesmo a aumentar[274].

A década de 60 foi marcada pela crise dos mísseis em Cuba, quando as duas maiores potências bélicas estiveram na iminência de uma guerra direta. Também nessa época, França e China realizaram testes e desenvolveram suas próprias armas nucleares, passando a integrar o que se chamou de o "Clube". Alguns anos mais tarde, países como África do Sul e Israel também desenvolveram suas próprias armas nucleares, embora não tenham assumido tal fato oficialmente. Esses fatos deram início a um difícil processo de negociação entre os países para colocar limites à proliferação de armas nucleares e para impor limites aos seus testes.

Em 1963, os países que à época já possuíam arsenais nucleares firmaram o

270. M. I. SHAKER, **The evolving international regime of nuclear non-proliferation** (RCADI, 2006, t. 321, p. 9-202). *V.* tb. Harold Karan JACOBSON e Eric STEIN, **Diplomats, scientists, and politicians: The United States and the Nuclear Test Ban Negotiations** (Ann Arbor: Univ of Michigan Press, © e impr. 1966, "Preface", p. V-VI): "a limited attempt to assess the impact of science and modern technology on the negotiating process and concepts of international organization, using the test ban negotiations then in progress as a case study. When the Moscow Treaty was signed, however, it seemed wise to broaden the focus and to capture as many of the details as we could which might help to explain this first formal arms control agreement between East and West in the nuclear age".

271. H. K. JACOBSON e E. STEIN (op. cit., Cap. XIV, "The test ban negotiations and treaty in retrospect", p. 469-503, cit. p. 498 e a seguir p. 499): "In sum, with respect to military power, in 1963 there were reasons for both sides to have greater confidence in their own abilities to achieve the missions than they might assign to their military establishments than they had in 1958. This bears on the question of whether in an arms race an increase in one side's security necessarily decreases that of the other side, and also on the degree of confidence necessary to achieve arms control agreements".

272. Jozef GOLDBLAT, **The nuclear non-proliferation regime: assessment and prospects** (RCADI, 1995, t. 256, p. 9-191).

273. H. K. JACOBSON e E. STEIN (op. cit., cap. cit., p. 503): "It is obviously impossible to give a definitive answer at this stage to the crucial question of whether or not the signature of the Moscow Treaty marked a turning point in the nuclear era. What can be said, though, is that the Treaty represented an attempt to create a turning point; that the attempt has been made is important and it has had an impact on international atmosphere. Furthermore, what has been learned in the process of making the attempt may have been as important as the actual Treaty, for mankind now knows a good bit more about how to proceed in efforts to create a more peaceful world. Finally, the record of the test of the test ban negotiations also shows that the growth of technology may contain within itself important potentialities for control".

274. M. I. SHAKER, **The evolving international regime of nuclear non-proliferation** (RCADI, 2006, t. 321, p. 9-202).

Tratado Proibindo Experiências com Armas Nucleares na Atmosfera, no Espaço Cósmico e no Mar, do qual França e China, em plena fase de testes nucleares, ficaram de fora mesmo sob forte pressão da comunidade internacional.

O final da década de 60 foi palco ainda da assinatura, em 1968, do **Tratado sobre Não Proliferação de Armas Nucleares** entre os Estados Unidos e a União Soviética. Passo seguinte a esse compromisso foi o início, já na década de 70, do que se denominou SALT I e SALT II (*Strategic Arms Limitation Talks*) de 1971 e 1978, respectivamente, entre esses dois países para limitar a manutenção de estoques e produção de armas. Essas negociações culminaram com a adoção do **Tratado de Mísseis Antibalísticos** em 1971, que visa à redução de armas nucleares defensivas.

A preocupação com os efeitos dos testes e das armas nucleares sobre o meio ambiente e o homem levaram à criação, em 1967, da primeira Área Livre de Armas Nucleares, abrangendo a América Latina, por meio do **Tratado de Tlatelolco**. A iniciativa foi seguida por outros blocos regionais, como a Ásia-Central, o Pacífico Sul e a África.

Em 1973, União Soviética e Estados Unidos assinaram o **Acordo sobre Prevenção de Guerra Nuclear**, estabelecendo, entre outras medidas, o dever de "consultas urgentes" entre eles, em caso de conflito armado, de forma a evitar que uma escalada militar entre eles fosse tratada imediatamente com o uso de armas nucleares.

Após a comunidade internacional ter criticado duramente a continuidade dos testes com armas nucleares por parte da França e China na Conferência de Estocolmo e na Assembleia Geral das Nações Unidas em 1973[275], Austrália e Nova Zelândia tentaram obter a declaração de ilegalidade dos testes atmosféricos realizados pela França no Oceano Pacífico e levaram o caso para a Corte Internacional de Justiça. A questão dos testes nucleares em relação ao direito internacional, portanto, já no contexto pós-moderno, passou pela Corte Internacional de Justiça no caso dos **testes nucleares franceses** (1974)[276].

Os testes atmosféricos conduzidos pela França no Pacífico Sul acarretaram a liberação de partículas radioativas, as quais vinham depositar-se em territórios de outros Estados, como os da Austrália, Nova Zelândia e de uma série de ilhas daquela região. O aumento do nível de radiação, em que pese mensurável, ale-

275. Resolução 3078 XXVIII.

276. CIJ, **Essais nucléaires français** (France c. Australie et Nouvelle-Zélande, ordonnance en mesures conservatoires, rêquete Fidji pour intervention et fond, 22 juin 1973 et 20 décembre 1974); considerável parte do volume de E. ZOLLER, **La bonne foi en droit international public** (Paris: Pedone, 1977), é dedicado à análise do caso dos testes nucleares franceses na CIJ; a respeito *v.* tb. **Fundamentos** (2008, item IV).

gadamente não chegou a causar danos à saúde humana, segundo a França. As reclamações não chegaram a ter seu mérito julgado pela Corte, que considerou as declarações de ministros da França acerca da continuidade dos testes no subsolo marítimo como prejudiciais[277].

Se na década de 60 até meados da década 70 a prioridade da comunidade internacional era estabelecer restrições à proliferação e ao uso de armas nucleares, dois acidentes com reatores nucleares nos anos de 1979 e 1986 fizeram com que as atenções se voltassem ao uso pacífico da energia nuclear.

Além disso, países que tradicionalmente não tinham acesso à tecnologia nuclear passaram a adquiri-la para fins pacíficos, como no caso do Brasil, que, em 1975, firmou acordo com a Alemanha Ocidental para adquirir equipamentos e tecnologia nuclear. Resultado de tal acordo foi a construção das Usinas de Angra I e II[278], até hoje em funcionamento sob críticas quanto à precariedade dos sistemas de segurança. Trata-se de tecnologia já obsoleta quando adquirida da Alemanha, a qual inspira cuidados.

O primeiro acidente nuclear envolvendo geração de energia, em **Three Mile Island**, no Estado da Pensilvânia, nos Estados Unidos, em 1979, decorreu do superaquecimento seguido de derretimento de um dos reatores nucleares do complexo energético, com o consequente vazamento de gases radioativos. Esses gases ficaram, a princípio, confinados no sistema do reator, mas, após a retomada do controle deste pelos técnicos encarregados, os gases foram liberados na atmosfera.

O governo da Pensilvânia declarou à época que a liberação dos gases radioativos não teria atingido uma pessoa sequer, porém estudos realizados mais tarde concluíram que o índice de câncer nas imediações da usina era alto e que a quantidade de radiação recebida pelas pessoas afetadas equivale, ainda hoje, a um terço da radiação total gerada em território norte-americano. Apesar dessas constatações, as autoridades locais negam o estabelecimento da relação de causalidade entre os problemas de saúde da região e o acidente com o reator nuclear[279]. As investigações concluíram pela sucessão de uma série de falhas mecânicas e humanas, mas estudos sobre os efeitos do acidente sobre a saúde são escassos.

O acidente de **Three Mile Island** foi considerado a maior catástrofe

277. **Nuclear tests** (New Zealand v. France), Judgment, I.C.J. Reports 1974, p. 457.

278. **Acordo sobre Cooperação no Campo dos Usos Pacíficos da Energia Nuclear Brasil-República Federal da Alemanha** aprovado pelo Decreto Legislativo n. 85/75 e promulgado pelo Decreto n. 76.695/75.

279. *V. Fact Sheet* da *United States Nuclear Regulatory Commission* em www.nrc.gov.

nuclear até então. Apesar de não ter causado "explosão" do reator, a reação em cadeia fora de controle poderia ter gerado o derretimento dos compartimentos do reator e o contato com a água do sistema de resfriamento (processo conhecido como *meltdown*), o que foi suficiente para alertar as autoridades internacionais para os riscos a que a humanidade está exposta. O acidente poderia ter tido consequências piores, mas, mesmo assim, os danos às vidas são irreparáveis.

O maior acidente nuclear da história e com efeitos internacionais sem precedentes ocorreu em 26 de abril de 1986 na **Usina de Chernobyl**, localizada ao norte de Kiev, capital da Ucrânia. Próximo da fronteira com a Belarus, com enorme impacto sobre um quinto da população total desta[280]. Devido à falha de seus operadores, testes com a usina foram realizados em condições inapropriadas, o que gerou o superaquecimento de um dos reatores e subsequente explosão e incêndio. Mesmo que o superaquecimento não tenha levado ao *meltdown* do reator, o incêndio gerou a emissão de gases radioativos na atmosfera. Esses gases foram levados inicialmente para os países escandinavos, em que níveis muito elevados de radiação foram identificados e causaram a apreensão internacional. Nos dias que seguiram ao acidente, a nuvem e a precipitação de materiais radioativos foram constatadas na Europa, no Oriente Médio e em outros continentes, afetando imediatamente as atividades agropecuárias. Tal acidente levou à rápida movimentação da comunidade internacional a prestar assistência à URSS e a exigir a imediata notificação de acidentes nucleares, o que aconteceu com a assinatura de dois tratados em outubro de 1986. A URSS jamais revelou a quantidade de mortes atribuídas à exposição da população local à radiação.

Em meio a todos esses acontecimentos internacionais, a IAEA se torna aos poucos uma agência de controle e fiscalização no exercício de suas funções previstas no artigo III do seu Estatuto[281]. Ela tem, basicamente, a dupla tarefa de "(a) zelar pela utilização pacífica da energia nuclear (por meio de programas de pesquisa e cooperação internacional em apoio a projetos de ensino, pesquisa e exploração de atividades específicas, e, em particular, pela aplicação das salvaguardas nos acordos entre Estados); (b) estabelecer normas de segurança física em relação a materiais de instalações (contra atos criminosos) e de segurança contra as radiações ionizantes nos locais de trabalho e no meio ambiente (ou seja,

---

280 Svetlana ALEXIEVITCH, em **La supplication: Tchernobyl, chroniques du monde après l'Apocalypse** (do original **Tchernobilskaia molitva. Kronika buduchevo** © 1998, trad. du russe par Galia ACKERMAN et Pierre LORRAIN, in S. ALEXIEVITCH, **Oeuvres**, Arles: Actes Sud, 2015, p. 559-777), traz depoimentos de pessoas atingidas pela catástrofe.

281. P. W. BIRNIE e A. E. BOYLE, **international law and the environment**, p. 455.

na regulamentação em nível internacional dos aspectos de *safety* e *security* na utilização pacífica da energia nuclear)[282]. Um bom exemplo das atividades da IAEA no campo do estabelecimento de normas de controle nuclear são os *Códigos de Boas Práticas*, que, apesar de não vinculantes aos Estados[283], servem de importante orientação para o desenvolvimento de normas nacionais sobre segurança de instalações e atividades nucleares quanto à localização, construção e operação de instalações, organização governamental e controle de qualidade[284]. O *Code of Practice of the International Transboundary Movements of Radioactive Waste*, por exemplo, segue a sistemática de regime jurídico de movimento transfronteiriço da Convenção de Basileia[285].

A questão nuclear volta a ser tema premente do direito internacional no parecer da Corte Internacional de Justiça a respeito da **licitude da ameaça e do uso da força** (1996)[286]. A matéria, sobremodo controvertida, volta a ser literal-

282. G. F. S. SOARES, **Direito internacional do meio ambiente**, p. 300-301.

283. P. BIRNIE e A. BOYLE, p. 456.

284. A. KISS e D. SHELTON, **International environmental law**, p. 549.

285. G. F. S. SOARES, **Direito internacional do meio ambiente**, p. 304. *V.* item 7.6.1.

286. CIJ, parecer consultivo a respeito da licitude da ameaça ou do uso de armas nucleares (ONU e OMS), prolatado em 8 de julho de 1996, depois de enfatizar a necessidade da dissuasão nuclear, questão chave da resposta da Corte a respeito do direito que teriam ou não os estados de utilizar armas nucleares. A Corte reconhece o direito fundamental à sobrevivência de todo e qualquer estado, e, portanto, o direito deste recorrer à legítima defesa, conforme artigo 51 da Carta da ONU. Parte considerável da sociedade internacional acredita na assim chamada "política de dissuasão". No estado atual do direito internacional, considerado como conjunto, a Corte entende não poder decidir, de modo definitivo, a respeito da licitude ou ilicitude da utilização de armas nucleares por determinado estado, em circunstâncias extremas de legítima defesa, onde a sobrevivência do estado estaria arriscada (Rec. CIJ, parecer 8 de julho de 1996, par. 63). A Corte enfatiza os limites: as normas essenciais do direito internacional (os estados, detentores de tal tecnologia, que se apresentarem à Corte, reconhecem haver regras e limites para a utilização das armas nucleares), onde a liberdade de agir estava efetivamente restrita por princípios e regras de direito internacional (par. 22). Essas regras fundamentais se impõem a todos os estados, independentemente do fato de terem ou não ratificado instrumentos convencionais específicos, que os exprimam, por constituírem princípios não passíveis de derrogação, do direito internacional geral ou consuetudinário (ver voto em separado de M. BEDJAOUI a respeito de terem esses princípios conteúdo de *ius cogens*). Enfatiza, ainda, a Corte: a dimensão humanitária, na medida em que grande número de regras aplicáveis aos conflitos armados são fundamentais para o respeito da pessoa humana e por "considerações elementares de humanidade"; a dimensão ambiental, na medida em que o meio ambiente não é uma abstração, e o respeito ao meio ambiente é uma das formas de medir se determinada ação é ou não conforme aos princípios de necessidade e proporcionalidade (par. 30). Em suma, embora seja a não proliferação nuclear objetivo fundamental do direito internacional, admite a Corte, contudo, a utilização soberana da ameaça ou mesmo do uso de armas nucleares, em determinadas condições.

Cf. precedente CPJI, parecer consultivo a respeito do estatuto da Carélia oriental prolatado em 23 de julho de 1923, ao qual se remete.

A respeito observa Blaise TCHIKAYA, **Mémento de la jurisprudence du droit international public** (Paris: Hachette, 2000, p. 136-138, cit. p. 136): "À vrai dire, la question n'était pas tout à fait nouvelle. La célèbre décision SCHIMODA et consorts c. État japonais, 7 décembre 1963, avait déjà conclu que l'arme nucléaire était contraire au droit international. Le tribunal constitutionnel fédéral d'Allemagne, saisi de la même question, avait par contre décidé, le 16 décembre 1983, qui ni le déploiement ni l'utilisation de l'arme nucléaire n'étaient contraires au droit international. La Cour, sans doute consciente de ces deux précédents contradictoires, fait preuve d'une remarquable originalité dans sa réponse. Divers éclairages sont en outre apportés sur des questions connexes".

mente explosiva nas relações entre EUA e Coreia do Norte e EUA, Israel e Irã mais recentemente. A regulamentação da energia nuclear revela tensões latentes, possíveis de degenerar em conflitos.

7.8.1. notificação imediata e assistência (1986)

Ainda no calor dos acontecimentos em Chernobyl, os representantes dos países se reuniram da sede da IAEA para debater e assinar duas convenções internacionais. O interessante das convenções propostas enquanto o acidente de Chernobyl ainda não havia revelado todos os seus efeitos é que as propostas de imediata comunicação e assistência em caso de acidente nucleares não eram exatamente novas.

Após o acidente em **Three Mile Island**, os representantes do Brasil, Alemanha e Suécia haviam proposto ao então presidente da IAEA a imediata revisão das normas do programa de segurança nuclear. Após as discussões internacionais e com o apoio técnico da comunidade internacional, o presidente da IAEA propôs a adoção de convenções internacionais para pronta comunicação e assistência internacional em caso de acidente. Tais propostas foram recusadas sob o argumento de que a regulamentação sob a forma de diretrizes da IAEA seria suficiente. A postura da URSS de esconder o acidente em Chernobyl por dois dias, até que a comunidade internacional já tivesse identificado altos níveis de radiação advindos da usina na Ucrânia, mostrou a necessidade de se firmar as convenções antes recusadas[287].

As **Convenções sobre Imediata Notificação de Acidentes Nucleares** e sobre **Assistência em Caso de Acidente Nuclear e Emergência Radiológica** foram debatidas na sede da IAEA, em Viena, e assinadas em 26-9-1986 por 58 e 57 países respectivamente. Entraram em vigor em 27-10-1986 e 26-2-1987 e foram promulgadas no Brasil pelo Decreto n. 9, de 15-1-1991.

A **Convenção sobre Imediata Notificação de Acidentes Nucleares** aplica-se às instalações e atividades tais como reatores nucleares, instalações de destinação de resíduos radioativos, de enriquecimento e armazenamento de combustíveis nucleares (art. 1). Seu âmago é a obrigação de imediata notificação de acidente nuclear à IAEA e aos países que podem ser fisicamente atingidos pelos seus efeitos (art. 2). O art. 3 prevê que outros tipos de acidente

287. D. FISHER, **The history of the IAEA**: The first forty years, Viena, 1997, p. 189-190.

podem ser notificados voluntariamente, o que significa que radiação decorrente de armas nucleares não está abrangida pela Convenção. O tipo e o conteúdo das informações a serem prestadas estão listados no art. 5, sem prejuízo da obrigação de tornar disponíveis as constantes atualizações que forem obtidas e da obrigação de fornecer outras informações que vierem a ser requisitadas pelos países (consultas – art. 6). As informações transmitidas como confidenciais não podem ser liberadas pelos países, que deverão ainda notificar diretamente os demais países, ou por meio da IAEA, das suas respectivas autoridades nacionais responsáveis pelo recebimento ou fornecimento das informações reguladas pela Convenção (art. 7).

A Convenção sobre Assistência em Caso de Acidente Nuclear ou Emergência Radiológica expressa o dever de cooperação entre os Estados também no âmbito das emergências nucleares. Ainda que tal convenção tenha descido a detalhes para normatização da obrigação de cooperar entre os Estados, seus termos são muito genéricos. Trata-se de uma convenção-quadro que necessita de regulamentação específica pela IAEA e pelos países, de forma bilateral ou multilateral[288], para efetiva implementação de seus termos. Sua aplicação se estende aos casos de utilização de armas nucleares.

O país que fizer o chamado de assistência deverá indicar o tipo de assistência requerida e sua finalidade. Os países que receberem o pedido deverão imediatamente indicar se estão em condições de prestar assistência na forma requerida. As partes que receberem o chamado também têm o dever de informar a IAEA sobre recursos humanos e técnicos que, dentro de suas capacidades, podem fornecer em caso de acidente nuclear ou emergência radiológica (art. 2). A IAEA tem um papel de intermediário nessa cooperação, porém, se requerido pelo país, pode assumir a coordenação dos trabalhos de assistência a ser prestada (art. 5). A direção e o controle sobre os trabalhos de assistência permanecem com o Estado solicitante, salvo se este dispuser de outra forma, cabendo ao Estado solicitante igualmente providenciar os meios administrativos e operacionais para alocar as pessoas e recursos recebidos, além de garantir a devolução dos recursos ao Estado prestador de assistência (art. 3). A prestação de assistência pode dar-se de forma gratuita ou mediante o reembolso de custos incorridos pelo Estado que a prestar (art. 6).

Embora a comunidade internacional tenha entendido por bem assinar as convenções, as obrigações de pronta notificação de acidentes com efeitos transfrontei-

288. O exemplo de desenvolvimento adicional das normas da Convenção é o *Nordic Mutual Emergency Assistance Agreement in Connection with Radiation Accidents.*

riços e de cooperação já faziam parte do direito consuetudinário internacional. Entretanto, o direito consuetudinário não dispunha em detalhes sobre o tipo de informação a ser prestada, bem como sobre a forma de cooperação entre os Estados[289].

O Instituto de direito internacional, por sua vez, na Resolução sobre **assistência humanitária** (adotada na sessão de Bruges, em 2-9-2003)[290], foi mais adiante na questão da cooperação em caso de acidentes nucleares e incluiu, dentre as situações que podem ensejar a prestação de assistência humanitária, catástrofes naturais ou fabricadas pelo homem, dentre as quais as resultantes também de armas químicas ou de armas nucleares.

7.8.2. zonas livres de armas nucleares

Enquanto uma quantidade limitada de Estados dispunha da tecnologia para fabricação de armas nucleares, a maior parte dos Estados assistia às recorrentes tensões da Guerra Fria e às constantes ameaças de ataques nucleares, especialmente entre os EUA e URSS. Essa tensão provocou um movimento em sentido inverso de criação de zonas livres de armas nucleares.

A primeira zona livre de armas nucleares foi criada pelo **Tratado de Tlatelolco** em 14 de fevereiro de 1967, no México, em vigor desde 25 de abril de 1969. O Tratado para Proscrição de Armas Nucleares na América Latina[291] proíbe "a) o ensaio, uso, fabricação, produção ou aquisição, por qualquer meio, de toda arma nuclear, por si mesmas, direta ou indiretamente, por mandato de terceiros ou em qualquer outra forma, e b) a recepção, armamento, instalação, colocação ou qualquer forma de posse de qualquer arma nuclear, direta ou indiretamente, por si mesmas, por mandato de terceiros ou por qualquer outro modo". Somente a utilização da energia nuclear para fins pacíficos permaneceu permitida. As partes do Tratado também convencionaram negociar com a IAEA para dar aplicações às salvaguardas daquela agência.

Resultado dos diversos testes de armas nucleares realizados no Oceano Pacífico e do fracasso da Austrália e Nova Zelândia de impedir tais testes, foi criada, em 6-8-1985, a **Zona Livre de Armas Nucleares do Pacífico Sul**[292], que

---

289. A. KISS e D. SHELTON, **International environmental law**, p. 553-554.

290. Instituto de direito internacional, Resolução sobre L'assistance humanitaire, adotada na sessão de Bruges, em 2 de setembro de 2003, 16a. Comissão/Relator: Budislav VUKAS.

291. Aprovado pelo Decreto Legislativo n. 50/67 e promulgado pelo Decreto n. 1.246/94.

292. O Tratado do Pacífico Sul compreende os Estados da Austrália, Papua Nova Guiné, Nova Zelândia e outros dez Estados insulares da região.

prevê basicamente a renúncia a armas nucleares, a proibição de testes nucleares, de lançamento de material radioativo na natureza e da admissão do incurso militar de armas nucleares nos territórios das partes, ressalvado o direito soberano de admitir a visita de embarcações e aeronaves estrangeiras.

A pretensão de criar uma Zona Livre de Armas Nucleares, por meio do **Tratado de Pelindaba**, compreendendo todo o território do continente africano, ocorreu no Cairo, em 11 de abril de 1996 e entrou em vigor em 15 de julho de 2009. A criação da Zona Livre de Armas Nucleares na África importa basicamente nas mesmas obrigações dos Estados africanos que aquelas previstas para o Tratado de: (a) renúncia à posse, desenvolvimento, uso, pesquisa, fabricação, aquisição e manutenção de armas nucleares; (b) proibição de admitir o incurso militar de armas nucleares nos territórios das partes, ressalvado o direito soberano de admitir a visita de embarcações e aeronaves estrangeiras; (c) proibição de testes nucleares; (d) declaração de existência e posse de armas nucleares pelos Estados e a sua desativação; (e) proibição de lançamento de material radioativo e aplicação dos termos da Convenção de Bamako sobre o Banimento da Importação de Resíduos Perigosos para a África quanto a resíduos radioativos; (f) uso exclusivamente pacífico da energia nuclear; e (g) proibição de ataques militares a instalações nucleares.

Igualmente em 1995 foi assinado em Bangkok o **Tratado sobre a Zona Livre de Armas Nucleares do Sudeste Asiático**, o qual entrou vigor em 27-3-1997. As obrigações são bastante semelhantes às do Tratado da Zona Livre de Armas Nucleares do Pacífico Sul a respeito do banimento de atividades com armas nucleares e do uso exclusivamente pacífico, bem como dispõe sobre a aplicação de salvaguardas da IAEA.

7.8.3. Convenção sobre a Proteção Física de Material Nuclear (1979)

Este é o único instrumento internacional vinculante que trata da proteção do material nuclear para uso pacífico em instalações nucleares, armazenamento e transporte. Preparada sob os auspícios da IAEA em Viena, a Convenção foi adotada em 26-10-1979 e entrou em vigor em 8-2-1987. No Brasil, passou a vigorar na mesma data[293]. A emenda de 2005 ainda não foi ratificada pelo número mínimo de Estados. A Convenção busca impor *standards* mínimos aos Estados para que adotem medidas de controle e impeçam desvios, roubos, contrabando,

293. Aprovada pelo Decreto Legislativo n. 50/84 e promulgada pelo Decreto n. 95/91.

sabotagem, entre outras atividades, de material nuclear. A preocupação natural é de que o material nuclear não venha a ser obtido por organizações criminosas, paramilitares ou terroristas. A Convenção exige dos Estados que criminalizem diversas condutas ligadas à proteção de material nuclear. No Brasil, a tipificação de condutas lesivas à proteção do material nuclear foi estabelecida nas Leis n. 6.453/77 e 9.605/98.

7.8.4. Convenção sobre Segurança Nuclear (1994)

A Convenção sobre Segurança Nuclear também foi desenvolvida sob a égide da IAEA e visa à promoção de padrões mais altos de proteção radiológica de instalações nucleares pelos países-partes. A Convenção foi assinada em 20-9-1994 e obteve o número mínimo de ratificações – 22 – em 24-8-1996. Entrou em vigor no Brasil em 2.6.1997[294]. Seu objetivo (art. 1) é (a) alcançar e manter um alto nível de segurança das instalações nucleares em todo o mundo, o que deve ser atingido através de esforços individuais e por meio de cooperação internacional, (b) o estabelecimento de sistema de segurança para proteger indivíduos (trabalhadores), sociedade e meio ambiente e (c) prevenir acidentes radiológicos e mitigar seus efeitos, caso ocorram.

Para os fins da Convenção, consideram-se instalações nucleares as usinas nucleares "civis" e terrestres para geração de energia, incluindo as instalações direta ou indiretamente relacionadas às usinas nucleares e dedicadas a atividades como o armazenamento, tratamento e beneficiamento de material radioativo (art. 2).

Pela época de sua adoção, a Convenção adotou uma estrutura mais moderna e compatível com outros tratados multilaterais sobre meio ambiente. A característica de uma Convenção-quadro pode-se dizer presente, porquanto as principais obrigações dos Estados, relativas ao estabelecimento de *standards* de segurança sobre concepção, construção, proteção radiológica e operações de instalações nucleares (arts. 10 a 19), não abordam aspectos técnicos e detalhados, mas obrigações das partes de adotar uma estrutura legal e regulatória nacional e determinados procedimentos (arts. 7 a 9) que garantam o estabelecimento de uma legislação nacional e um órgão regulatório próprio para tratar da segurança de instalações nucleares para trabalhadores, sociedade e meio ambiente como prioridade.

294. Aprovada pelo Decreto Legislativo n. 4/97 e promulgada pelo Decreto n. 2.648/98.

Trata-se, portanto, de uma Convenção principiológica, mais do que uma regulamentação específica sobre aspectos técnicos a serem implementados pelas partes[295]. Não se trata de uma Convenção baseada no regime de *command and control*. As obrigações não têm um conteúdo normativo que permita a aplicação de sanções pelo eventual descumprimento de seus termos. Pelo contrário, a Convenção adotou um sistema dinâmico de periódicas Reuniões das Partes (*meetings of the contracting parties*, art. 20), cuja principal função é discutir os relatórios previamente encaminhados pelas partes (art. 5), as medidas adotadas pelas partes para dar cumprimento à Convenção e sua efetividade, bem como eventuais aspectos que devem ser revistos. Além da obrigação de reportar periodicamente o cumprimento da Convenção e das Reuniões das Partes, outra característica dos tratados mais modernos de proteção do meio ambiente pode ser identificada pelo estabelecimento de um Secretariado, que recaiu, como seria natural, sobre a IAEA.

Tal Convenção foi adotada em meio à crescente preocupação internacional sobre o sucateamento e condições de operação de reatores nucleares dos países da ex-URSS, o que pode explicar sua rápida adoção e entrada em vigor[296].

7.8.5. Convenção Conjunta para o Gerenciamento Seguro de Combustível Nuclear Usado e dos Rejeitos Radioativos (1997)

A Convenção foi aberta para assinatura na sede da IAEA a partir de 29-9-1997 e entrou em vigor em 18-6-2001. No Brasil, entrou em vigor em 18-5-2006[297]. Essa Convenção segue a mesma linha da Convenção sobre Segurança Nuclear ao estabelecer obrigações gerais para assegurar altos níveis de segurança e prevenção de acidentes nucleares. Seus objetivos são praticamente os mesmos da Convenção precedente, porém adaptados à gestão de resíduos radioativos (art. 1).

A aplicação da Convenção é restrita aos rejeitos nucleares de reatores civis. A Convenção não se aplica a atividades de reprocessamento de rejeitos radioativos, salvo se a parte declarar sua aplicação também a tais atividades (art. 3, 1). A aplicação da Convenção a rejeitos decorrentes de atividades militares ocorre-

295. P. W. BIRNIE e A. E. BOYLE, **International law and the environment** p. 461.

296. A. KISS e D. SHELTON, **International environmental law**, p. 550.

297. Aprovada pelo Decreto Legislativo n. 1.019/2005 e promulgada pelo Decreto n. 5.935/2006.

rá quando uma parte declarar que o material radioativo militar se trata de combustível ou rejeito para os efeitos da Convenção ou se os rejeitos militares forem destinados a instalações civis e por estas gerenciados (art. 3, 3).

No que diz respeito às obrigações de estabelecimento de um marco regulatório nacional compatível com as obrigações da Convenção (legislação nacional e órgão regulatório) e normas de cooperação, a Convenção mantém provisões semelhantes às da Convenção sobre Segurança Nuclear (arts. 18 a 24). A Convenção, entretanto, possui obrigações mais específicas e detalhadas sobre procedimentos de gerenciamento, projeto, construção e localização de instalações, operações, requisitos de segurança e fechamento das instalações (arts. 4 a 17). Dispõe igualmente sobre reuniões periódicas das partes para revisão das obrigações da Convenção e de sua implementação, bem como sobre deveres de reportar as medidas implementadas para dar cumprimento às suas obrigações (arts. 29 a 34).

O art. 27 da Convenção trata das normas sobre o movimento transfronteiriço de rejeitos radioativos. Além da prévia notificação e anuência do Estado de destino, a Convenção requer a anuência do Estado de origem, após a avaliação deste sobre a capacitação técnica e administrativa daquele para gerenciar o combustível nuclear e os rejeitos ao Estado de destino transferidos[298].

---

298. As provisões do art. 27 trazem normas bastante interessantes sobre o movimento transfronteiriço de rejeitos nucleares:
"ARTIGO 27. MOVIMENTO TRANSFRONTEIRIÇO

1. Cada Parte Contratante envolvida em movimento transfronteiriço tomará as medidas apropriadas para assegurar que tal movimento seja praticado de maneira consistente com as disposições desta Convenção e instrumentos jurídicos internacionais pertinentes.

Assim sendo:

i) uma Parte Contratante que seja um Estado de origem tomará as medidas apropriadas para assegurar que o movimento transfronteiriço esteja autorizado e ocorra somente com a notificação e anuência prévia do Estado de destino;

ii) movimentos transfronteiriços através de Estados de trânsito estarão sujeitos às obrigações internacionais pertinentes à modalidade de transporte utilizada;

iii) uma Parte Contratante que seja Estado de destino dará anuência ao movimento transfronteiriço somente se tiver capacidade técnica e administrativa, bem como estrutura regulatória, necessárias para gerenciar o combustível nuclear usado ou os rejeitos radioativos de maneira consistente com esta Convenção;

iv) uma Parte Contratante que seja Estado de origem autorizará um movimento transfronteiriço somente se considerar satisfatório, de acordo com o consentimento do estado de destino, que os requisitos do subparágrafo (iii) sejam atendidos previamente ao movimento transfronteiriço;

v) uma Parte Contratante que seja um Estado de origem tomará as medidas apropriadas para permitir o reingresso em seu território, caso um movimento transfronteiriço não for ou não puder ser completado, em conformidade com este Artigo, exceto se um arranjo alternativo seguro possa ser feito.

2. Uma Parte Contratante não licenciará o transporte de seu combustível nuclear usado ou rejeitos radioativos para um destino localizado ao sul da latitude de 60 graus Sul para armazenamento ou deposição.

3. Nada nesta Convenção prejudicará ou afetará:

i) o exercício, por embarcações e aeronaves de todos os Estados, dos direitos e liberdades de navegação marítima, fluvial e aérea, de acordo com o direito internacional;

ii) os direitos de uma Parte Contratante para a qual rejeitos radioativos sejam exportados para fins de processamento para

7.8.6. responsabilidade

As peculiaridades relativas aos danos ambientais ligados à exposição a altos níveis de radioatividade fizeram com que se desenvolvesse um regime específico de responsabilidade internacional. Entretanto, apesar de prevista e detalhada em diversos tratados, a responsabilidade por danos nucleares transfronteiriços possui aspectos bastante controversos e não se pode identificar uma prática internacional consistente e indicativa de um "padrão" de atuação.

Aliás, no que diz respeito aos danos nucleares, pode-se dizer que não há uma prática internacional de responsabilização de estados e atores privados por danos nucleares transfronteiriços. No caso do acidente de Chernobyl, por exemplo, nenhum estado fez um pedido oficial de indenização à URSS. Mesmo no caso dos testes feitos por França e EUA no Oceano Pacífico, apesar dos protestos dos países potencial e efetivamente atingidos, tais como Austrália, Nova Zelândia, Japão, entre outros, nenhum pedido formal de reparação em nome desses estados foi feito[299].

Outro exemplo da falta de prática que permita uma clara definição dos contornos da responsabilidade dos estados por danos nucleares é a relativa baixa adesão aos tratados internacionais sobre o tema, exceto à Convenção de Paris.

Os regimes de responsabilidade dos estados e civil são complementares. Entretanto, somente a responsabilidade civil teve desenvolvimento por meio de tratados, como a Convenção de Viena e a Convenção de Paris. A responsabilidade do estado em matéria nuclear é ainda baseada nas normas gerais de direito internacional, bem como nas normas do direito consuetudinário.

Apesar de não ter havido significativo avanço no campo do direito posto, vale ressaltar o interessante trabalho da Comissão de Direito Internacional (*International Law Commission* – ILC) das Nações Unidas no campo da responsabilidade dos estados por danos transfronteiriços (o que incluiria, a princípio, a questão nuclear). Nesses documentos, a ILC detalhou os regimes de responsabilidade aplicáveis para atos ilícitos e atividades lícitas dos estados, bem como

---

retorno ou previsão de retorno para o Estado de origem, de rejeitos radioativos e outros produtos após beneficiamento;

iii) o direito de uma Parte Contratante de exportar seu combustível nuclear usado para fins de reprocessamento;

iv) os direitos de uma Parte Contratante, para a qual combustível nuclear usado seja exportado para fins de reprocessamento e retorno ou previsão de retorno para o Estado de origem, de rejeitos radioativos e outros produtos resultantes das operações de reprocessamento".

299. Para uma exposição mais detalhada sobre a prática dos Estados, *v.* BIRNIE e BOYLE, **International law and the environment**, p. 473 e s.

desenvolveu normas de prevenção de danos, valendo-se de conceitos bem mais modernos de direito e mais adequados à proteção de pessoas e meio ambiente que aqueles do direito internacional tradicional[300].

7.8.6.1. responsabilidade dos estados

A responsabilidade dos estados por danos advindos de atividades nucleares é um tema que já gerou bastante controvérsia no meio acadêmico. Não é difícil encontrar na doutrina aqueles que defendem a aplicação de um regime de responsabilidade absoluta ou objetiva, isto é, independentemente de culpa do causador do dano para as atividades nucleares.

Entretanto, pelos motivos sucintamente mencionados anteriormente (falta de prática consistente dos estados no sentido do estabelecimento de um regime específico e inexistência de pedidos formais de indenização entre estados e cortes, órgãos de arbitragens etc.), e considerando-se a redação dos dispositivos dos tratados, pode-se dizer que a responsabilidade objetiva não pode ser tão facilmente aplicada entre Estados.

A própria existência dos *Draft Articles* da ILC[301], no sentido de delimitar quais os casos, em matéria de direito ambiental, estão sujeitos à responsabilidade subjetiva e quais estão sujeitos à responsabilidade objetiva, é outro indicativo de que, mesmo em se tratando de atividades com altíssimo potencial para causar danos, como as atividades envolvendo radioatividade, a tendência é de aplicação do regime comum de responsabilidade vigente no direito internacional.

Segundo P. W. Birnie e A. E. Boyle, a interpretação mais convincente é a de que a responsabilidade por danos nucleares depende da ocorrência de falha ou negligência, de modo que o evento danoso poderia ter sido evitado[302]. Salvo nos casos em que há descumprimento de uma proibição objetiva (exs.: alijamento de material radioativo no mar ou testes nucleares na atmosfera), há lugar para a aplicação da responsabilidade objetiva. Já nos casos de acidentes nucleares, a comprovação de um ato ilícito, através da caracterização de falha de operação ou negligência, parece ser a única forma de responsabilidade aceita.

---

300. *V.*: ILC Draft Articles on Responsibility of States for Internationally Wrongful Acts, with commentaries. Yearbook of the International Law Commission, 2001, vol. II, Part Two.
ILC Draft Articles on Responsibility of States for Internationally Wrongful Acts, Yearbook of the International Law Commission, 2001, vol. II (Part Two).
ILC Prevention of Transboundary Harm from Hazardous Activities, Official Records of the General Assembly, Fifty-sixth Session, Supplement n. 10 (A/56/10).

301. *V.* nota precedente.

302. **International law and the environment**, p. 474.

Mesmo as versões mais recentes das Convenções de Viena e Paris (*v.* a seguir) não alteraram o regime de responsabilidade entre estados, por exigência das potências nucleares. Nesses casos, a opção da comunidade internacional foi de estabelecer formas de o estado exigir dos operadores de instalações nucleares que sejam objetivamente responsáveis pelos danos causados. A responsabilidade dos estados entre si aparece apenas de forma subsidiária e com possibilidade de limitações no tempo (prescrição) e de valor.

7.8.6.2. responsabilidade das pessoas de direito privado

Há duas Convenções paralelas que tratam da responsabilidade civil (leia-se responsabilidade do "operador" de instalações nucleares estabelecidas em terra[303] para fins não militares) por danos causados por acidentes nucleares. A **Convenção de Viena sobre Responsabilidade Civil por Danos Nucleares**, concluída e aberta para assinatura em 21 de maio de 1963[304], em vigor desde 12 de novembro de 1977, e a **Convenção de Paris sobre a Responsabilidade de Terceiros no Campo da Energia Nuclear**, adotada no âmbito da OECD e da Agência Europeia de Energia Nuclear em 29 de julho de 1960, emendada em 28 de janeiro de 1964, 16 de novembro de 1982 e 12 de fevereiro de 2004. Na mesma data da adoção da Convenção de Viena foi adotado o Protocolo Opcional sobre o mecanismo compulsório de solução de conflitos da Convenção de Viena. Tal Protocolo, contudo, teve baixíssima adesão e encontra-se em vigor apenas para Filipinas e Uruguai, as únicas partes do Protocolo.

As Convenções tratam da responsabilidade das pessoas jurídicas de direito privado, de modo que não alteram o regime de responsabilidade entre os Estados. Isso significa também que elas dependem ainda de internalização por legislação nacional[305] para terem efetividade, de forma a adequar o regime de responsabilidade civil nacional àquele determinado pelas Convenções. As Convenções tiveram como contexto o reconhecimento internacional de que o regime vigente de responsabilidade não dava às vítimas de acidentes nucleares garantias mínimas para obtenção de indenização dos agentes privados que lidavam com energia nuclear[306].

---

303. A Convenção de Bruxelas sobre a Responsabiliade dos Operadores de Navios Nucleares, assinada em 25 de maio de 1962 não foi ratificada pelo número mínimo de Estados para entrar em vigor.

304. Aprovada pelo Decreto Legislativo n. 93/92 e promulgada pelo Decreto n. 911/93.

305 No Brasil o tema é regulamentado pela Lei n. 6.453/77, que foi promulgada antes da aprovação da Convenção de Viena. Uma comparação entre os textos de ambos os documentos permite verificar que eles não são totalmente compatíveis. Um exemplo disso é a limitação dos valores de responsabilidade do operador.

306. IAEA, Bulletin 54, Civil Liability for Nuclear Damage, 1964: "The Convention does not purport to create a uniform civil law in this field, but it contains the minima essential for protection of the public and forms the legal basis for uniform world-wide liability rules".

A Convenção de Viena estabelece aos estados a obrigação de adotar a responsabilidade objetiva do operador por danos nucleares (art. IV). Ela permite a limitação da responsabilidade por instalação nuclear ao equivalente a US$ 5 milhões na data da assinatura da Convenção (art. V). Possui ainda normas sobre concorrência da vítima para o dano, seguro, direito de regresso, prescrição e até disposições processuais.

Devido à dualidade do regime internacional de responsabilidade civil, regido pela Convenção de Paris para alguns países e pela Convenção de Viena para outros, apesar da semelhança entre ambas, o que poderia trazer conflitos entre normas na sua aplicação, foi firmado o **Protocolo Conjunto relacionado à Aplicação da Convenção de Viena e da Convenção de Paris**[307]. As normas do Protocolo são de coordenação entre os dois tratados e aplicação excludente de uma ou outra Convenção quando um acidente nuclear envolver dois ou mais estados sujeitos a Convenções diferentes. A regra básica, a partir da qual foram definidos os critérios de aplicação coordenada das Convenções, está descrita no art. I:

"a. O operador de uma instalação nuclear situada no território de uma Parte da Convenção de Viena será responsável nos termos desta Convenção pelo dano nuclear sofrido no território de uma Parte ao mesmo tempo da Convenção de Paris e deste Protocolo".

"b. O operador de uma instalação nuclear situada no território de uma Parte da Convenção de Paris será responsável nos termos desta Convenção pelo dano nuclear sofrido no território de uma Parte ao mesmo tempo da Convenção de Viena e deste Protocolo"[308].

Entre 8 e 12 de setembro de 1997, em Viena, representantes dos estados concluíram o **Protocolo de Emenda à Convenção de Viena sobre Responsabilidade Civil por Danos Nucleares** e a **Convenção sobre Compensação Suplementar para Danos Nucleares**. Apenas cinco Estados ratificaram o Protocolo à Convenção de Viena até hoje. Ele entrou em vigor para essas partes em 4 de outubro de 2003, enquanto a Convenção sobre Compensação Suplementar foi ratificada por quatro partes e não está em vigor.

O Protocolo procurou fazer as mesmas alterações à Convenção de Viena feitas pelas emendas à Convenção de Paris, de forma a tornar ambas novamente

307. O Protocolo foi aberto para assinatura em 21 de setembro de 1988, entrou em vigor em 27 de abril de 1992 e teve adesão de vinte e duas partes.

308. Tradução livre dos autores.

similares e compatíveis. Além de readequar e estender o conceito de danos nucleares para incluir danos ambientais, econômicos e que se estendem sobre o mar, entre outros, o Protocolo determina que o limite mínimo de indenização, na hipótese de ser restringida por lei nacional, passa de US$ 5 milhões para 300 milhões de SDRs (*Special Drawing Rights* – Unidade Monetária do Fundo Monetário Internacional), o que equivale atualmente a US$ 400 milhões (art. 7), por instalação nuclear.

Por fim, a Convenção sobre Compensação Suplementar para Danos Nucleares estabelece normas adicionais sobre indenização. Dentre as principais normas, vale citar (a) a obrigação de os estados garantirem que o valor da indenização mínima de 300 milhões de SDRs, a ser paga pelo operador da instalação nuclear, esteja disponível antes de qualquer acidente e que seja paga de forma equitativa entre as vítimas (art. III); (b) a criação de fundos públicos pelos estados para garantir indenização às vítimas dentro e fora dos territórios dos estados-partes (arts. III, *b*, e IV); (c) a obrigação de pronta notificação de danos nucleares aos demais estados (art. VI); (d) o direito de pedir ajuda financeira dos fundos mantidos pelos estados-parte (art. VII); (e) a apresentação de lista de instalações nucleares pelos estados; (f) as disposições sobre direito de regresso por gastos decorrentes da remediação de danos nucleares (art. IX); e (g) o mecanismo próprio de solução de controvérsias (art. XVI).

8 SOLUÇÃO DE CONTROVÉRSIAS E GUERRA NO DIREITO INTERNACIONAL

Os estados, da mesma forma que o homem, estão sujeitos a paixões, a choques de interesses, a divergências mais ou menos sérias. Entre uns, como entre os outros, os conflitos são inevitáveis. Diferentemente, porém, do que sucede na sociedade civil, onde acima dos particulares a existência de autoridade superior deveria servir para manter a ordem pública, onde se exerce a jurisdição de tribunais para garantir direitos, aplicar sanções, ou reparar ofensas, a sociedade internacional todavia se acha institucional e juridicamente organizada de maneira incipiente. Acima dos estados pode ser contestada a existência e a autoridade de órgão superior ao qual devam observância, no sentido de assegurar a implementação de direitos e de obrigações entre sujeitos de direito internacional.

Para dirimir controvérsias entre estados e fazer respeitar os direitos de cada um, não existe organização judiciária com jurisdição obrigatória. Forçoso é reconhecer que grande passo se procurou dar nesse sentido, desde a criação da Sociedade das Nações, e posteriormente pela substituição desta pelas Nações Unidas. Os esforços, porém, desta organização não têm encontrado a devida correspondência da parte de alguns de seus membros, e, por isso, se têm mostrado cruamente os limites entre a força e o direito no âmbito internacional.

Diversamente do que ocorre em relação aos estados de direito contemporâneo, e no âmbito interno de considerável parte destes – nos quais se respeitam os assim chamados direitos fundamentais, garantias individuais, direitos políticos e direitos sociais – nas relações entre os estados, no âmbito internacional, pode-se dizer, comparativamente falando, estarmos em época em torno do ano 500 a.D., na altura e contexto em que o então *homo liber* começará o percurso de cerca de mil anos, até atingir a condição do cidadão nos estados de bem-estar social.

O contexto histórico do estado no mundo atual pode ser equiparado como cópia surpreendentemente fiel da condição do *homo liber* há mais de mil e quinhentos anos. Essa constatação se impõe, no sentido de termos clareza quanto a ser a sociedade internacional consideravelmente mais "primitiva", no sentido de politicamente menos estruturada e organizada, que a maioria dos estados atualmente existentes, conforme explanava Maarten BOS na sua instigante análise da **Metodologia do direito internacional** (1984)[1].

A determinação da posição histórica do estado permite reconhecer o fenômeno de poder. O estado, enquanto regulador, manifesta-se, pode-se dizer, antes, e, sobretudo, na ordem interna ou nacional – que, em considerável medida, escapa às considerações do direito internacional –, mas também se projeta na ordem externa ou internacional.

Essa estrutura institucional e normativa incipiente, no plano internacional, e especificamente no contexto da ONU, tem falhado lamentavelmente em seus propósitos fundamentais de "preservar as gerações vindouras do flagelo da guerra", "estabelecer condições sob as quais a justiça e o respeito às obrigações decorrentes de tratados e de outras fontes do direito internacional possam ser mantidos" e "evitar ameaças à paz e reprimir atos de agressão".

Ora, se entre indivíduos, na sociedade civil, que deveria ser mais bem organizada, não é possível impedir crimes, nem conflitos, mais difícil ainda será impedir que os estados se agridam mutuamente. Cada um destes, na falta de recurso externo, procura, por si próprio, nos meios ao seu alcance, remédio para evitar ou reparar as injustiças, os prejuízos, os ataques que sofra.

Nesse sentido se contrapõem concepções *solidaristas* e *voluntaristas* do direito e das relações internacionais, conforme apontam V.-D. DEGAN (1999)[2] e V. MAROTTA RANGEL (2005)[3]. Resta esperar se ponha espaço decrescente

---

1. Maarten BOS, **A methodology of international law** (Amsterdam – New York – Oxford: North Holland, 1984, cit. p. 19): "The historical background of the State in international relations is one totally different from the historical background of the citizen in, say, the modern welfare state". *V.*, tb., do mesmo Maarten BOS, a respeito: *Old Germanic Law analogies in International Law, or the state as "homo liber"* (**Netherlands International Law Review**, 1978, p. 51-62).
2. V.-D. DEGAN, **Création et disparition de l'état (à la lumière du démembrement de trois fédérations multiethniques en Europe)** (RCADI, 1999, t. 279, p. 195-375, cit. p. 205): "Dans la doctrine du droit international s'opposent depuis sa naissance deux conceptions fondamentales. L'une solidariste, dont le point de départ est l'existence d'une communauté internationale conçue en tant qu'axiome, mais qui plus ou moins néglige l'existence même de ses parties composantes, la seconde volontariste, qui prétend que tout droit est le produit d'une volonté étatique. Le droit interne est création d'un seul état, et le droit international celle du pouvoir souverain de deux, de plusieurs, ou de tous les états".
3. V. MAROTTA RANGEL, *L'avis consultatif du 9 juillet 2004 et l'antinomie entre volontarisme et solidarisme* (in **International law and the use of force at the turn of centuries: essays in honour of Vladimir Djuro DEGAN**, Rijeka: Faculty of Law, Univ of Rijeka, 2005, Cap. 10, p. 199-205, cit. p. 200): "À la fin de l'étude sur la Révolution française et en particulier sur le *Projet de la déclaration de droit des gens* de l'abbé GRÉGOIRE, le professeur DEGAN établit un parallélis-

para a atuação baseada na força bruta e no interesse unilateralmente determinado dos estados, basilares à concepção voluntarista.

A consolidação de normas de direito internacional para a solução pacífica de controvérsias tem papel crucial a desempenhar. Nesse sentido, teve e tem a Corte Internacional de Justiça papel primordial, como ilustra o julgamento no caso do **Estreito de Corfu** (1949)[4]: "Cumpre lembrar que dentre as obrigações incumbentes às autoridades albanesas, existiam aquelas consistentes 'em fazer conhecer, no interesse da navegação em geral, a existência de campo minado, nas águas territoriais albanesas, bem como advertir os navios de guerra britânicos, no momento em que estes se aproximavam do perigo iminente ao qual os expunha esse campo de minas'. Tais obrigações foram fundadas, esclareceu então a Corte, não sobre a Convenção VIII da Haia, de 1907, que é aplicável em tempo de guerra, mas sobre certos princípios gerais, bem reconhecidos, tais como considerações elementares de humanidade, mais absolutas ainda em tempo de paz que de guerra, o princípio da liberdade das comunicações marítimas e a obrigação, para todos os estados, de não utilizar seu território para fins de atos contrários aos direitos de outros estados"[5]. A tais princípios gerais reportou-se novamente a Corte Internacional de Justiça em pelo menos duas outras ocasiões, também referidas: a propósito das **atividades militares e paramilitares na Nicarágua e contra esta** (1986), bem como no Parecer consultivo de 8 de julho de 1996, sobre a **licitude da ameaça ou do uso de armas nucleares** (1996).

Insere-se o caso na antinomia entre duas concepções do direito internacional: uma concepção obsoleta, *voluntarista* – segundo a qual cada estado faz valer as suas prioridades –, em relação a outra concepção, *solidarista*, na linha de reconhecimento da crescente interdependência e necessidade de ação conjunta dos estados, no contexto internacional[6].

---

me entre le droit naturel et le droit positif, pour en dégager la supériorité du premier à l'égard du deuxième. En nous prévenant du danger du rationalisme, il nous signale ensuite: 'en ce qui concerne les principes du droit naturel pur, bien qu'ils ne soient protégés comme tels par une sanction, les conséquences néfastes de leur infraction sont inévitables dans quelques conditions qu'elles sont atteintes ou voulues'".

4. CIJ, **Estreito de Corfu**, Reino Unido c. Albânia (exceções preliminares, 25 de março de 1948; julgamento do mérito, 9 de abril de 1949; fixação do montante das reparações, 15 de dezembro de 1949).

5. V. MAROTTA RANGEL (cap. cit., 2005, p. 205).

6. Vladimir-Djuro DEGAN, *Some objective features in international law* (in **Essays in honour of Krystof SKUBISZEWSKI**, edited by Gerzy MAKARCZYK, Haia: Kluwer Law International, 1996, p. 123-146); *v.* tb. V.-D. DEGAN, *On state succession* (in **Dimensão internacional do direito: estudos em homenagem a G. E. do Nascimento e Silva**, org. P. B. CASELLA, São Paulo: LTr, 2000, p. 118-140); *Traité et coutume dans le droit de la mer* (in **O direito internacional no terceiro milênio: estudos em homenagem ao prof. V. Marotta Rangel**, org. L. O. Baptista e J. R. Franco da Fonseca, São Paulo: LTr, 1998, p. 407-434); *La succession d'états en matière de traités et les états nouveaux* (AFDI, 1996); *L'affirmation des principes du droit naturel par la Révolution Française* (AFDI, 1989, v. XXV, p. 99-116).

Para a concepção *voluntarista*, as normas de direito internacional somente podem ser decorrência da vontade dos estados[7]. Para a concepção *solidarista*, a existência da comunidade internacional é um fato: as normas de direito internacional são decorrência das exigências dessa comunidade e visam alcançar objetivos reconhecidos pela humanidade. Enfatiza DEGAN a existência e o conteúdo de "princípios relacionados à responsabilidade dos estados que limitam a liberdade dos estados soberanos. Estes proscrevem a conduta irresponsável dos governos, nas suas relações recíprocas"[8]. E aduz MAROTTA RANGEL (2005): "o mesmo efeito resulta dos artigos 53 e 64 da Convenção de Viena sobre direito dos tratados, artigos que decorrem da aceitação das normas sobre o *jus cogens*".

Sem contestar o papel da vontade soberana dos estados, como o principal fator da criação ou do término das normas de direito positivo, ocorre que essa vontade seja as vezes dependente de determinadas normas de caráter objetivo (*dependent on some objective norms*), enquanto normas de direito internacional cogente: "as normas objetivas de direito internacional determinam ou ao menos restringem a capacidade de criação de normas pelos estados" e a tendência seria no sentido de que estas se expandam no século XXI, em função da consecução dos objetivos comuns da humanidade[9].

Na contraposição entre as teses *voluntarista* e *solidarista*[10], saber-se quão claramente foi a primeira majoritária, na origem da Corte Permanente de Justiça Internacional, como paradigmaticamente ilustra o julgamento do caso do **navio Lótus** (1927)[11]: "as normas de direito internacional, vinculando as relações entre estados independentes, procedem da vontade destes", e tal vontade "se manifesta nas convenções ou nos usos geralmente aceitos como consagrando princípios de direito", onde "referido posicionamento em sentido claramente voluntarista não representava surpresa, porquanto fora este precedido por decisões arbitrais, não obstante oposições doutrinais"[12]. Contudo, o positivismo, ao qual se filiava

7. V.-D. DEGAN (cap. cit., 1996, p. 123): "The voluntarist concept strictly takes all legal rules as a product of the will of sovereign states".

8. V.-D. DEGAN (cap. cit., p. 129): "Some legal principles relating to state responsibility which really affect the freedom of sovereign states. They in fact out-law irresponsible conduct of governments in their mutual relations".

9. V.-D. DEGAN (cap. cit., 1996, p. 145-146): "In some situations of the operations of *jus cogens*, these objective norms even determine or at least restrain the law-creating power of sovereign states. (...) What can be expected in the 21st century is a continued expansion of rules of this kind, deduced from the goals of mankind".

10. V. MAROTTA RANGEL (cap. cit., 2005, parágrafo 8, p. 205, b/c notas 10 e 11).

11. CPJI, caso do **navio Lótus**, França c. Turquia, julgamento de 7 de setembro de 1927: "Les règles de droit international liant les rapports entre états indépendants procèdent de la volonté de ceux-ci" (...) e tal vontade "se manifeste dans les conventions ou dans les usages acceptés généralement comme consacrant des principes de droit".

12. Marcel SIBERT, **Traité de droit international public** (Paris: Dalloz, 1951, t. I, p. 15): "Comment pourrait-on nier, devant ces citations, que le point de vue positiviste l'emporte, dans la jurisprudence, sur celui du droit naturel? Doit-on s'en féliciter, sans réserves? On en peut douter".

também a então existente doutrina soviética, ainda hoje "merece o apoio de parcela altamente representativa da doutrina, mas enfrenta a firme oposição de corrente composta por juristas igualmente ilustres", como Christian TOMUSCHAT (1993, 1999)[13], e "também, cumpre assinalar, pela jurisprudência contemporânea da Corte Internacional de Justiça, tal como no Parecer de 9 de julho de 2004".

Nesse sentido, frisa V. MAROTTA RANGEL, dada a importância dos direitos em questão e as diferentes fontes em jogo, de modo a ultrapassar quadro de dimensão simplesmente consuetudinária ou regional, poderia ser compreendida a qualificação *erga omnes*, conferida a tais obrigações[14]: "Dado o grande alcance dessa qualificação, seríamos tentados a estabelecer assimilação entre a noção de *erga omnes*, à outra, mais conhecida, de *jus cogens*, tal como a menciona o art. 53 da Convenção de Viena sobre direito dos tratados. Tal assimilação poderia, eventualmente, se destinar a suplementar as obscuridades que, todavia, circundam a primeira dessas noções, e que encontraria, apesar de tudo, a sua razão de ser no fato de, dentre outros motivos, que ambos os conceitos destinam-se a proteger interesses comuns dos estados e valores morais fundamentais"[15].

O direito internacional pós-moderno reflete a complexidade e a diversidade do mundo sobre o qual tem de validamente atuar e assegurar a ordenação teleologicamente humana do mundo. Isso se manifesta de um lado com a afirmação das obrigações *erga omnes*, tal como exposto, em relação à Corte Internacional de Justiça, no referido Parecer (2004), ou como deliberou o *Instituto de Direito Internacional*, em Resolução adotada (Sessão de Cracóvia, 2005)[16]. No extremo oposto a estas, encontram-se as normas da assim chamada "*soft law*".

---

13. Christian TOMUSCHAT, **Obligations arising for states without or against their will** (RCADI, 1993-IV, t. 241, p. 195-374), e consideravelmente mais enfático em seu posterior curso geral, **International law: ensuring the survival of mankind in the eve of a new century: general course on public international law** (RCADI, 1999, t. 281, p. 9-438).

14. CIJ, **Consequências jurídicas da construção do muro nos territórios palestinos ocupados** (parecer consultivo de 9 de julho de 2004, em sentido contrário, o voto da Juíza R. HIGGINS, parágrafos 37-39).

15. *V.* MAROTTA RANGEL (cap. cit., 2005, p. 204); A. CASSESE, **Le droit international dans un monde divisé** (Paris: Berger-Levrault, 1986, p. 176); A. ORAKHELASHVILI, **Peremptory norms in international law** (Oxford: Univ. Press – Oxford Monographs in International Law, 1st. publ. 2006, reprinted 2008); M. RAGAZZI, **The concept of international obligations *erga omnes*** (Oxford: Clarendon Press, 1997, p. 72); Lisa YARWOOD, **State accountability under international law** – Holding states accountable for a breach of *jus cogens* rules (London: Routledge, 2011).

16. *Instituto de Direito Internacional*, **Les obligations et les droits erga omnes en droit international / *Obligations and rights* erga omnes *in international law*** ("Le texte anglais fait foi. Le texte français est une traduction." Adotada em 27 de agosto de 2005, 5ª Comissão, teve como Relator Giorgio GAJA), segundo o qual a "obrigação *erga omnes* é: (a) obrigação decorrente do direito internacional geral, em relação à qual o estado, em qualquer circunstância, tem a obrigação de observar, em relação à comunidade internacional, com base em valores comuns e no próprio interesse do estado, que tal obrigação seja respeitada, de tal modo que a sua violação autoriza todos os estados a reagir contra tal violação; ou (b) obrigação decorrente de tratado multilateral, em relação à qual estado-parte nesse tratado tem a obrigação de observar, em qualquer circunstância, em relação a todos os estados-partes no tratado, em razão de valores comuns, e do interesse de todos que tal obrigação seja respeitada, de tal modo que a sua violação autoriza todos os estados a reagir".

Não obstante as justificadas resistências que o uso de modismos como "*soft law*" possa suscitar, é importante compreender o fenômeno de aplicação do direito internacional, no contexto pós-moderno, mediante mecanismos não vinculantes, como analisa Lori DAMROSCH (1997)[17]. A diversidade e flexibilidade dos mecanismos de implementação do direito podem ir além dos moldes clássicos de operação do sistema, tanto quanto este se concebia somente em termos estritamente interestatais.

Está, porém, no interesse bem compreendido dos estados tentar impedir que surjam conflitos entre eles e, quando isto não seja possível, procurar resolver tais conflitos por meios amistosos. É dever de todo estado não recorrer à luta armada, antes de tentar meios pacíficos para a solução das controvérsias que surjam entre este e qualquer outro, não somente em relação a ambos, como aos demais integrantes da sociedade internacional.

As controvérsias internacionais podem ter as mais variadas causas. Entretanto, estas são, geralmente, classificadas em *políticas* e *jurídicas,* muito embora, na prática, seja, às vezes, difícil distinguir as controvérsias de natureza política das de natureza jurídica. A exceção quanto ao suposto caráter *político*, de determinada controvérsia, o que teria o condão de excluir a solução *jurídica* desta, é desculpa tradicionalmente invocada pelo estado que deseja subtrair do exame de jurisdição internacional determinada controvérsia ou questão de relevante interesse nacional.

Em suma, mesmo a controvérsia de natureza *política* pode ser solucionada mediante a aplicação de mecanismo *jurídico*.

As de caráter jurídico podem resultar: *a*) da violação de tratados ou convenções; *b*) do desconhecimento, por um estado, dos direitos de outro; *c*) da ofensa a princípios correntes de direito internacional, na pessoa de um cidadão estrangeiro. As de caráter político envolvem apenas choques de interesses, políticos ou econômicos; ou resultam de ofensas à honra ou à dignidade de um estado.

8.1. Solução pacífica de controvérsias

Antes de especificar as modalidades, convém situar a natureza e os limites da solução pacífica de controvérsias entre estados. E o estado atual do desenvolvimento conceitual e dos mecanismos de implementação destas.

A institucionalização dos mecanismos de solução de controvérsias entre estados é canal e caminho para a redução dos efeitos disruptores sobre o sistema,

---

17. Lori Fisler DAMROSCH, **Enforcing international law through non-forcible measures** (RCADI, 1997-IV, t. 269, p. 9-250).

decorrentes das tensões e da permanência de controvérsias não ou mal resolvidas, entre sujeitos de direito internacional (esperando que o contexto pós-moderno abra caminho para o exercício do direito de ação pelo ser humano e outros agentes, enquanto expressões da sociedade civil internacional, ao lado dos estados e das organizações internacionais). A existência do mecanismo institucionalmente estipulado é canal e caminho para que as controvérsias entre estados possam ser resolvidas de modo pacífico, mediante mecanismos judiciais e arbitrais.

Nesse sentido, o artigo 36 do **Estatuto** da Corte Internacional de Justiça: "A competência da Corte abrange todas as questões que as partes lhe submetam, bem como todos os assuntos especialmente previstos na Carta das Nações Unidas ou em tratados e convenções em vigor". E sobretudo os parágrafos 2º a 5º deste mesmo artigo, contendo a *cláusula facultativa de jurisdição obrigatória*[18]: "Os estados-partes do presente **Estatuto** poderão, em qualquer momento, declarar que reconhecem como obrigatória, *ipso facto* e sem acordo especial, em relação a qualquer outro estado que aceite a mesma obrigação, a jurisdição da Corte em todas as controvérsias de ordem jurídica que tenham por objeto: (a) a interpretação de um tratado; (b) qualquer ponto de direito internacional; (c) a existência de qualquer fato que, se verificado, constituiria violação de um compromisso internacional; (d) a natureza ou extensão da reparação devida pela ruptura de um compromisso internacional"[19].

Cabe enfatizar a regulação clássica a respeito da especificidade do caráter *jurídico* da controvérsia entre estados, como exemplificava a Resolução do Ins-

18. V. MAROTTA RANGEL, **Direito e relações internacionais** (9. ed., São Paulo: RT, 2010, notas 5 e 6, p. 54 e 55): "Os parágrafos 2º a 5º do art. 36 consistem na chamada 'cláusula facultativa de jurisdição obrigatória', a qual se deve à iniciativa do jurista e diplomata brasileiro Raul FERNANDES, fórmula essa inserida inicialmente no Estatuto da antiga Corte permanente de justiça internacional" e a seguinte, a respeito das declarações mencionadas no Estatuto da CIJ, artigo 36, parágrafo 4º: "Cerca de sessenta declarações estão em vigor, entre as quais não se inclui a de nosso país". Termos contidos e polidos, para assinalar a duvidosa e não justificada ausência do Brasil, na aceitação **(facultativa) da jurisdição obrigatória** do direito internacional como arcabouço normativo, e da Corte Internacional de Justiça como mecanismo institucional, **automaticamente** aplicáveis, para a solução de controvérsias, envolvendo interesses do Brasil. A falta de aceitação da jurisdição da CIJ pelo Brasil nos priva de legitimidade para argumentar em favor da aceitação da jurisdição **obrigatória, *ipso facto* e sem acordo especial**, em relação a qualquer outro estado, que aceite a mesma obrigação, **a jurisdição da Corte em todas as controvérsias de ordem jurídica**. Foi esta aceitação retirada pelo então governo republicano dos Estados Unidos da América em março de 2005.

19. CIJ, **Estatuto**, art. 36, parágrafos 3º a 6º: "3. As declarações acima mencionadas poderão ser feitas pura e simplesmente ou sob condição de reciprocidade da parte de vários ou de certos estados, ou por prazo determinado. 4. Tais declarações serão depositadas junto ao Secretário-geral das Nações Unidas que as transmitirá, por cópia, às partes contratantes do presente Estatuto e ao escrivão da Corte. 5. Nas relações entre as partes contratantes do presente Estatuto, as declarações feitas de acordo com o art. 36 do Estatuto da Corte Permanente de Justiça Internacional e que ainda estejam em vigor serão consideradas como importando na aceitação da jurisdição obrigatória da Corte Internacional de Justiça, pelo período em que ainda devem vigorar e de conformidade com os seus termos. 6. Qualquer controvérsia sobre a jurisdição da Corte será resolvida por decisão da própria Corte".

tituto de Direito Internacional, adotada a respeito, em Grenoble (1922)[20] e a Resolução sobre o **não comparecimento** ou revelia, adotada em Basileia (1991)[21]. Ambas se conectam ao contexto pós-moderno, de crescente funcionamento multilateral das relações internacionais, como reflete a Resolução de Berlim (1999).

A determinação do caráter *jurídico* ou não de qualquer controvérsia, e a recusa em submeter-se o estado à jurisdição da Corte, alegando ser a controvérsia política e não jurídica, como referido, pode ser escusa corrente, invocada pelo estado que quer se subtrair da apreciação pela Corte Internacional de Justiça do caso a esta apresentado, por outro estado, por razões que a razão desconheça[22]. Mas esta natureza, quer *política* ou *jurídica*, haverá de ser apreciada e determinada pela Corte, e não pelo estado que invoca tal circunstância!

O *voto* em favor da adesão à **cláusula facultativa de jurisdição obrigatória** se formulava na Resolução de Grenoble (1922). Nesta, igualmente, se enfatizava: "***Todos os conflitos, quaisquer que sejam a origem e o caráter destes, são,*** em regra geral, e sob as reservas a seguir indicadas, ***suscetíveis de solução judicial ou de solução arbitral***"[23].

Quando, segundo declare assim entender o estado citado em justiça, o conflito não ser suscetível de ser solucionado por via judiciária, a **questão prévia**, quanto a saber se este é passível ou não de solução de tal natureza, será submetida à Corte Internacional de Justiça[24], que decidirá, seguindo seu procedimento

---

20. O *Instituto de Direito Internacional* adota, na sessão de Grenoble, em 2 de setembro de 1922, a **Classification des conflits justiciables**, da qual foram Relatores Philip Marshall BROWN e Nicolas POLITIS, na qual emite o voto de adesão à *claúsula facultativa de jurisdição obrigatória*: "Tout en émettant le vœu que les Puissances qui, jusqu'à présent, n'ont pas encore adhéré à la disposition spéciale prévue à l'article 36 du Statut de la Cour permanente de Justice internationale, y adhèrent".

21. *Instituto de Direito Internacional*, Resolução sobre **La non-comparution devant la Cour Internationale de Justice**, adotada na sessão de Basileia, em 31 de agosto de 1991, Relator Gaetano ARANGIO-RUIZ.

22. Exemplo recente de recusa em aceitar a jurisdição e de participar de modo construtivo do procedimento de instrução fática, perante a Corte Internacional de Justiça, sob a alegação de tratar-se de problema político e não jurídico, embora sequer se tratasse de *jurisdição contenciosa*, mas tão somente de *parecer consultivo*, foi o ocorrido em relação ao Parecer prolatado pela Corte Internacional de Justiça, em 9 de julho de 2004, sobre as **consequências jurídicas da construção de muro nos territórios palestinos ocupados**; *v.* tb. MAROTTA RANGEL, *L'avis consultatif du 9 juillet 2004 et l'antinomie entre volontarisme et solidarisme* (in **International law and the use of force at the turn of centuries: Essays in honour of V.-D. DEGAN**, Rijeka: Fac. of Law, Univ. of Rijeka, 2005, p. 199-205).

23. Resolução IDI Grenoble (1922), artigo primeiro: "Tous les conflits, quels qu'en soient l'origine et le caractère, sont en règle générale, et sous les réserves indiquées ci-après, susceptibles d'un règlement judiciaire ou d'une solution arbitrale".

24. A Resolução IDI Grenoble (1922) ainda se referia à Corte Permanente de Justiça Internacional e assim estava redigido o dispositivo: "*Article 2* Toutefois, lorsque, de l'avis de l'État cité en justice, le conflit n'est pas susceptible d'être réglé par la voie judiciaire, la question préalable de savoir s'il est justiciable est soumise à l'examen de la Cour permanente de Justice internationale, qui en décide suivant sa procédure ordinaire. Si à la majorité des trois quarts, la Cour déclare cette demande mal fondée, elle retient l'affaire pour statuer au fond. Dans le cas contraire, l'affaire est renvoyée aux parties qui demeurent libres, à défaut d'arrangements amiables par la voie diplomatique, de la porter ultérieurement devant la Cour, après s'être entendues sur les pouvoirs à lui donner pour lui permettre de statuer utilement".

ordinário. Se, por voto majoritário de três quartos, a Corte declara a questão mal fundamentada, esta conservará o caso, para julgamento do mérito. Caso contrário, o caso será devolvido às partes, que permanecem livres, na falta de composição amigável, por via diplomática, de o submeter, posteriormente, ao julgamento da Corte, depois de terem acordado a extensão dos poderes a conferir a esta, para lhe permitir de julgar utilmente.

A Resolução da Basileia (1991)[25] trata do **não comparecimento** (*non--comparution*) perante a Corte Internacional de Justiça, ou *revelia*, como se denominaria no direito interno brasileiro. Considerando a frequência de casos de nãocomparecimento, que se produziram diante da Corte Internacional de Justiça, e considerando ser a Corte Internacional de Justiça o órgão judiciário principal das Nações Unidas, todos os membros das Nações Unidas *ipso facto* são partes contratantes, e integram o **Estatuto** da Corte.

A revelia, ou o **não comparecimento**, perante a Corte Internacional de Justiça, enfraquece o funcionamento do sistema institucional internacional e solapa as bases deste, além de comprometer a efetividade do direito internacional. Devem tais casos de omissão ser restringidos: a questão, em se tratando de estados, sujeitos *par excellence* de direito internacional, será como assegurar esse bom propósito de limitar as hipóteses de não aceitação da jurisdição internacional e de não comparecimento perante a CIJ.

O artigo 53 do **Estatuto** da Corte estipula: "se uma das partes deixar de comparecer perante a Corte ou de apresentar a sua defesa, a outra parte poderá pedir à Corte que decida a favor de sua pretensão", e a "Corte, antes de decidir nesse sentido, deve certificar-se não só de que o assunto é de sua competência, de conformidade com os artigos 36 e 37, mas também de que a pretensão é bem fundada, de fato e de direito".

Claramente contempla esse dispositivo a possibilidade que um estado não compareça perante a Corte. A ausência de uma das partes põe entraves ao desenrolar natural do procedimento e pode ser prejudicial à boa administração da justiça. Mas não deve nem pode acarretar a obstrução total da operação da Corte, sob pena de torná-la "*refém*" de manobra política de qualquer estado que, tendo violado direitos de outro, ou deixado de observar o conteúdo de norma cogente de direito internacional geral, pretendesse se valer da ausência, perante a Corte Internacional de Justiça, para impedir o julgamento desta, e a sua condenação.

25. IDI, Resolução sobre **não comparecimento perante a Corte Internacional de Justiça** (adotada em Basileia, 31 de agosto de 1991, Relator Gaetano ARANGIO-RUIZ).

Considerando, principalmente, as dificuldades que a revelia de uma parte pode acarretar, em determinadas circunstâncias, para a outra parte, ou as outras partes, e para a própria Corte, especialmente no que diz respeito à plena aplicação do princípio da igualdade das partes, e à aquisição, pela Corte, do conhecimento dos fatos que podem ser pertinentes para que esta decida a respeito de medidas cautelares, de exceções preliminares, ou quanto ao mérito, bem como considerando as posições adotadas pelos estados em revelia, em certo número de casos, paralelamente ao seu não comparecimento, ou logo depois deste, lembra o *Instituto*, ainda, a atitude adotada por estados revéis, em certos casos, com relação aos pronunciamentos da Corte, relativos às medidas cautelares, às exceções preliminares, bem como quanto ao mérito, sendo, assim, relevante e oportuna a necessidade, apontada pelo *Instituto*, tornando automática a integração do estado à lide, perante a Corte Internacional de Justiça, independentemente da ocorrência ou não de revelia.

Qualquer estado-parte que, em razão do **Estatuto**, tenha o direito de demandar perante a Corte, e em relação ao qual nesta se instaura procedimento, é, *ipso facto*, em razão do **Estatuto**, parte no processo, independentemente de seu comparecimento ou não comparecimento[26]. Ao considerar se vai comparecer, ou continuar a comparecer, durante todas as fases do processo, perante a Corte, o estado deve considerar a sua obrigação de cooperar com o pleno exercício das funções jurisdicionais da Corte.

Quando determinado estado não comparece em procedimento contra este instaurado, a Corte deverá, se as circunstâncias do caso assim justificarem: a) convidar o estado que comparece, para se exprimir sobre questões específicas, que a Corte estime não terem sido examinadas, ou terem sido insuficientemente aprofundadas, no curso da fase escrita ou da fase oral do procedimento; e b) tomar todas as demais medidas que estime necessárias, nos limites dos poderes que lhe conferem seu **Estatuto** e o seu **Regulamento**, visando preservar a igualdade das partes.

Não obstante o não comparecimento de estado, perante a Corte Internacional de Justiça, em processo do qual este seja parte, tal estado está obrigado, em razão do **Estatuto**, por toda e qualquer decisão, tomada pela Corte, em relação ao caso, quer se trate de matéria de jurisdição, quanto à aceitação ou não do caso (*recevabilité*), quer no tocante ao mérito. Tampouco, o não comparecimento de

---

26. IDI, Resolução da Basileia (1991), artigo 1º: "Tout État partie qui, en vertu du Statut, a le droit d'ester devant la Cour et à l'égard duquel cette dernière est saisie d'une affaire est, *ipso facto*, en vertu du Statut, partie au procès, indépendamment de sa comparution ou de sa non-comparution".

um estado, perante a Corte, constitui, em si, obstáculo ao exercício das funções jurisdicionais desta, para proferir *decisão*[27], segundo os termos do artigo 41 do **Estatuto**[28].

A solução de controvérsias passa de mecanismo essencialmente bilateral para contexto mais e mais frequentemente multilateral: isso se reflete em recente Resolução do Instituto de Direito Internacional, a respeito da **solução judiciária e arbitral de controvérsias internacionais com mais de dois estados** (Berlim, 1999)[29].

A Resolução de Berlim (1999) estipula conjunto de princípios[30]:

- dentre estes, o primeiro, necessariamente, no sentido de ser o consentimento dos estados o fundamento da competência das cortes e tribunais internacionais; daí resulta a impossibilidade de se pronunciar, qualquer corte ou tribunal internacional, sobre controvérsia entre mais de dois estados, sem o consentimento de todos os demais. A ausência de tal consentimento impede de chegar a solução deste, ou permitirá somente sua composição parcial;
- os dispositivos, que regulam a competência e o procedimento, figurando nos estatutos e nos regulamentos das cortes e tribunais internacionais, apresentam, frequentemente, características específicas e únicas. Por esse motivo, a interpretação dos textos pertinentes constitui o ponto de partida do exame de qualquer caso, inclusive daqueles contando mais de dois estados. Contudo, é possível deduzir alguns princípios gerais e alinhar dispositivos similares, a respeito da intervenção e outros modos de participação de terceiros;
- os princípios gerais e as normas relativas à participação de terceiros estados, válidas perante a Corte Internacional de Justiça, podem também ser aplicados, na medida em que sejam apropriados às circunstâncias do caso, perante outras cortes ou tribunais internacionais.

---

27. V. MAROTTA RANGEL (op. cit., 2005, nota 8, p. 58): "Medidas provisórias" (*'mesures conservatoires'* e *'provisional measures'*, no texto francês e inglês, respectivamente) correspondem, em parte, às "medidas cautelares" do Código de Processo Civil brasileiro. No caso de medidas provisórias, a Corte não profere sentença, mas decisão, nos termos do art. 76 do **Regulamento** do tribunal".

28. CIJ, **Estatuto**, art. 41: A Corte terá a faculdade de indicar, se julgar que as circunstâncias o exigem, quaisquer medidas provisórias que devam ser tomadas para preservar os direitos de cada parte. / 2. Antes que a sentença seja proferida, as partes e o Conselho de Segurança deverão ser informados imediatamente das medidas sugeridas".

29. Como ilustra a Resolução do *Instituto de Direito Internacional*, adotada na Sessão de Berlim, em 24 de agosto de 1999, a respeito da **solução judiciária e arbitral das controvérsias internacionais com mais de dois estados**, 11ª Comissão, tendo como Relator Rudolf BERNHARDT *(o texto original faz fé em inglês, sendo o francês tradução)*.

30. Resolução IDI Berlim (1999), Parte I.

Quando dois ou mais estados tiverem interesses jurídicos idênticos ou similares, em determinada controvérsia, tais estados devem examinar a possibilidade de agir conjuntamente, perante a corte ou o tribunal internacional competente. Qualquer pedido unilateral, perante corte ou tribunal, emanado de um ou mais estados, e dirigido contra mais de um estado reclamado, exige, em princípio, a introdução de instâncias paralelas e distintas, exceto quando um acordo prévio, em sentido contrário, ocorra entre os estados implicados no caso. Sob reserva dos instrumentos jurídicos pertinentes, a corte ou o tribunal pode, à luz de todas as circunstâncias, determinar a junção de casos ou a organização de procedimentos comuns. A corte ou o tribunal deverá, para assegurar o respeito das exigências de caráter equitativo do procedimento, determinar quais efeitos produzirá a junção dos casos, ou, mesmo sem a ocorrência de junção formal, a organização de procedimentos comuns.

O **Estatuto** da Corte Internacional de Justiça estipula, em seu artigo 62: "Quando um estado entender que a decisão de uma causa é suscetível de comprometer um interesse seu, de ordem jurídica, esse estado poderá solicitar à Corte permissão para intervir em tal causa" e "a Corte decidirá sobre esse pedido".

A intervenção, em virtude do artigo 62 do **Estatuto** da Corte Internacional de Justiça, ou de textos similares de outros estatutos, exige que o estado interveniente tenha interesse jurídico em fazê-lo. Isso significa que os direitos ou obrigações do referido estado, decorrentes do direito internacional público, são suscetíveis de serem afetados pela decisão. A corte ou o tribunal deverá decidir segundo as circunstâncias do caso, se referido estado pode se prevalecer de tal interesse e se a decisão a ser proferida afetará ou não esse interesse: se a corte ou tribunal constata a existência do interesse jurídico, o estado, solicitando a intervenção, deverá ser admitido no procedimento, a título de interveniente.

Em matéria de intervenção de terceiros, sob reserva dos dispositivos específicos, dos instrumentos regulando o funcionamento da corte ou do tribunal, as duas principais formas de intervenção de terceiros são: a) intervenção por terceiro estado, que estime, em relação a determinada controvérsia, que interesse jurídico seu poderá ser afetado; ou b) intervenção de terceiros estados, em controvérsia que diga respeito à interpretação de tratado multilateral do qual estes também são partes. A intervenção de terceiro estado não o torna, somente por esse motivo, parte do caso. As partes e os terceiros intervenientes têm posições e papéis distintos, que não podem ser juntos, sem que ocorra acordo a respeito.

A segunda modalidade de intervenção de terceiros estados é regulada pelo artigo 63 do **Estatuto** da Corte Internacional de Justiça: "Quando se tratar de interpretação de uma Convenção, da qual forem partes outros estados, além dos litigantes, o escrivão notificará imediatamente todos os estados interessados" e "cada estado assim notificado terá o direito de intervir no processo, mas, se usar deste direito, a interpretação dada pela sentença será igualmente obrigatória para ele".

Consequências da intervenção nos casos em que se trate de questão de interpretação de tratado multilateral[31] são expressamente enunciadas, pelos textos pertinentes: se o terceiro interveniente for estado que tenha ratificado o tratado, assegura-se-lhe o direito de intervir e de participar do procedimento, mas tanto as partes principais na controvérsia como os terceiros intervenientes ficarão vinculados, pela interpretação que for dada pela corte ou pelo tribunal, àqueles dispositivos do tratado multilateral, objeto da questão. A intervenção não exige a existência de vínculo jurisdicional entre as partes na controvérsia e o terceiro estado interveniente, em conformidade com os dispositivos do **Estatuto** da Corte Internacional de Justiça, dos dispositivos similares, figurando em outros textos pertinentes permitindo a intervenção.

Cabe, a seguir, considerar, brevemente, cada uma das modalidades dos meios de solução de controvérsias, em progressão tanto em relação ao conteúdo como em relação aos meios formais empregados. Dos meios diplomáticos (8.1.1) aos jurídicos (8.1.2). Da solução pacífica (8.1) aos meios coercitivos (8.2). Da paz à guerra e ao uso da força no direito internacional (8.3) – e nesta, não obstante os progressos alcançados nos últimos cem anos, mostrar-se-ão de modo patente os limites da capacidade de regulação do uso da força pelo direito internacional, ainda remanescentes no contexto presente.

8.1.1. meios diplomáticos

Vários são os *métodos de solução pacífica de controvérsias internacionais, e estes são classificados em três categorias*: duas de caráter **amistoso** (meios **diplomáticos** e meios **jurídicos**) e a última de caráter **não amistoso** (meios **coercitivos**)[32].

---

31. Artigo 63 do **Estatuto** da Corte Internacional de Justiça, reproduzido no texto, bem como textos similares, de outros estatutos, com consequências equivalentes.

32. ACCIOLY, **Tratado** (2009, esp. terceira parte, "litígios internacionais", todo o v. III); **Fundamentos** (2008, esp. itens XIV "Bom e justo no contexto econômico e no direito internacional" e XV "Contingência e uso da força no direito internacional", p. 1113-1236); L. CAFLISCH, **Cent ans de règlement pacifique des différends interétatiques** (RCADI, 2001, t. 288, p. 245-467); A. A. CANÇADO TRINDADE, *Os métodos de solução pacífica de conflitos internacionais*, **Revista da Universidade do Vale dos Sinos**, n. 39, p. 89, 1984; e *Mécanismes de règlement pacifique des differends en Amérique Central*, AFDI, 1987, p. 789; BROWNLIE, p. 683; De WAART, **Elements of negotiation in the pacific settlement of disputes**, Haia, 1977; DÍEZ - 1, p. 651; Humphrey WALDOCK (Ed.), **International disputes: the legal aspects**, Europe

A rigor, os *métodos coercitivos são sobretudo sanções, e não meios pacíficos de solução pacífica de controvérsias.* A sua utilização por organização internacional, como é o caso das decisões do Conselho de Segurança das Nações Unidas, representa meio aceitável de implementação do direito internacional; mas, quando se trata de sanção aplicada unilateralmente por estado mais poderoso em relação a outro, os meios coercitivos não se justificam.

Os **meios diplomáticos** são: as negociações diretas (8.1.1.1); os congressos e conferências (8.1.1.2); os bons ofícios (8.1.1.3); a mediação (8.1.1.4); e o sistema consultivo (8.1.1.5).

8.1.1.1. negociações diretas

O meio usual, geralmente o de melhores resultados para a solução de divergências entre estados, é o da **negociação direta** entre as partes.

Essas negociações variam segundo a gravidade do problema, e nos de somenos importância basta na maioria dos casos um entendimento verbal entre a missão diplomática e o ministério das relações exteriores local. Nos casos mais graves, a solução poderá ser alcançada mediante entendimentos entre altos funcionários dos dois governos, os quais podem ser os próprios ministros das relações exteriores. Na maioria dos casos, a solução da controvérsia constará de uma troca de notas.

8.1.1.1.1. desistência

Como resultado das negociações, poderá ocorrer a renúncia de um dos governos ao direito que pretendia: neste caso, temos a **desistência**.

8.1.1.1.2. aquiescência

Como resultado das negociações, poderá ocorrer o reconhecimento por um dos estados das pretensões do outro: neste caso, temos a **aquiescência**.

8.1.1.1.3. transação

Pode ocorrer a **transação,** como resultado das negociações, quando ocorrem concessões recíprocas.

Publications, 1972; Louis SOHN, *Peaceful settlement of disputes*, in **Encyclopedia**, v. 1, p. 154; C. D. A. MELLO, **Curso** (15. ed., 2004, v. II, Livro VIII, "Modos de solução dos litígios internacionais", p. 1423-1471); J. A. PASTOR RIDRUEJO, p. 601; REZEK, **Curso elementar** (10. ed., 2005, p. 333-367); Vicente MAROTTA RANGEL, *Solução pacífica de controvérsias* (in **Curso de direito internacional**, organizado pela Comissão Jurídica Internamericana, Rio de Janeiro, 1985, p. 29); Lal Chand VOHRAH, Fausto POCAR e outros (ed.), **Man's Inhumanity to Man** – Essays on international law in honour of Antonio CASSESE (Haia: Kluwer Law International, 2003).

8.1.1.2. congressos e conferências

Quando a matéria ou o assunto em litígio interessa a diversos estados, ou quando se tem em vista a solução de um conjunto de questões sobre as quais existem divergências, recorre-se a um congresso ou a uma conferência internacional. Atualmente, esses tipos de problemas, litigiosos ou não, tendem a ser solucionados na Assembleia Geral das Nações Unidas e, no caso de uma questão de âmbito latino-americano, na Organização dos Estados Americanos (OEA).

Em princípio, não existe diferença alguma entre **congressos** e **conferências** diplomáticas internacionais. Estas e aqueles são reuniões de representantes de estados, devidamente autorizados, para a discussão de questões internacionais.

8.1.1.2.1. congressos

Houve um tempo em que a denominação de **congresso** foi reservada às reuniões de soberanos ou chefes de estados, ou, pelo menos, às de maior importância.

8.1.1.2.2. conferências

As demais, não enquadradas na categoria anterior, teriam o nome de **conferência**. Essa distinção, desde muito, já não é feita.

8.1.1.3. bons ofícios

Os *bons ofícios*, como meio de solução de controvérsia, são a tentativa amistosa de terceira potência, ou de várias potências, no sentido de levar estados litigantes a se porem de acordo. Podem ser oferecidos, pelo estado ou estados que procuram harmonizar os litigantes, ou podem ser solicitados por qualquer destes ou por ambos.

O estado ou estados que os oferecem ou que aceitam a solicitação de exercê-los não tomam parte direta nas negociações, nem no acordo a que os litigantes possam chegar: sua intervenção visa apenas pôr em contato os litigantes ou colocá-los num terreno neutro, onde possam discutir livremente.

O oferecimento de *bons ofícios* não constitui ato inamistoso, tampouco a sua recusa.

Entre os casos mais conhecidos de *bons ofícios*, podemos mencionar os seguintes: os do governo português, em 1864, para o restabelecimento das relações diplomáticas entre o Brasil e a Grã-Bretanha, rotas em consequência da **questão CHRISTIE**; os do mesmo governo, em 1895, para a solução da **questão da Ilha da Trindade**, entre o Brasil e a Grã-Bretanha; os do Presidente Theodore ROOSEVELT, dos Estados Unidos da América, em **1905**, para a conclusão da **guerra** entre o Japão e a Rússia; os do Brasil, em 1909, para a reconciliação do Chile com os Estados Unidos, a propósito da reclamação da firma Alsop & Cia., e em 1934, entre o Peru e a Colômbia, no caso de **Letícia**.

O sistema interamericano possui um organismo, criado pela 2ª Reunião de Consulta, realizada em Havana em 1940, o qual exerce funções que se podem equiparar às de *bons ofícios*. É a Comissão Interamericana da Paz. Segundo a resolução que a criou, tal Comissão está incumbida de "velar permanentemente para que os estados entre os quais existe ou surja algum conflito, de qualquer natureza que seja, o resolvam com a maior brevidade possível" e de "sugerir para este fim, sem prejuízo das fórmulas que as partes escolham ou dos processos em que as mesmas acordem, métodos e iniciativas que conduzam à aludida resolução".

A Comissão Interamericana da Paz já funcionou, com perfeito êxito, nalguns casos de controvérsias entre estados americanos.

8.1.1.4. mediação

A *mediação* é modalidade de solução pacífica de controvérsias que ocorre em várias culturas e distintas tradições jurídicas[33], e também no direito internacional. Consiste na interposição amistosa de um ou mais estados entre outros estados para a solução pacífica de um litígio.

Na prática, nem sempre é possível distingui-la claramente dos *bons ofícios*. Pode dizer-se, contudo, em princípio, que a ***mediação*** se distingue dos *bons ofícios* quando, ao contrário do que sucede com estes, constitui uma espécie de participação direta nas negociações entre os litigantes. Distinguem-se também da intervenção, propriamente dita, quando o estado mediador, ao contrário do que intervém, não procura impor sua vontade e procede com intuitos desinteressados: a mediação é ato essencialmente amistoso, ao passo que a intervenção se caracteriza pela coação.

Da mesma forma que os *bons ofícios*, a *mediação* pode ser oferecida ou ser solicitada; e o seu oferecimento ou a sua recusa não deve ser considerado ato inamistoso.

Entre os vários casos de *mediação* registrados pela história diplomática, podemos citar os seguintes: o da Inglaterra, entre o Brasil e Portugal, para o reconhecimento da independência política brasileira, consagrado no Tratado de Paz e Amizade celebrado no Rio de Janeiro a 29 de agosto de 1825; o da Ingla-

---

33. P. B. CASELLA e L. M. de SOUZA (coords.), **Mediação de conflitos** – novo paradigma de acesso à justiça (Belo Horizonte: Fórum 2009); WEI Dan, *Mediação na China: passado, presente e futuro* (in CASELLA e SOUZA, op. cit., 2009, p. 341-358).

terra, entre o Brasil e a Argentina, durante a guerra da Cisplatina, e cujo resultado foi a Convenção Preliminar de Paz, pela qual se reconheceu a independência do Uruguai; o do *Papa Leão XIII*, em 1885, no conflito entre a Alemanha e a Espanha, sobre as ilhas Carolinas; o de seis países americanos (Brasil, Argentina, Chile, Estados Unidos da América, Peru e Uruguai), entre a Bolívia e o Paraguai, de 1935 a 1938, para o término da guerra do Chaco e consequente celebração da paz.

A respeito de *bons ofícios* e *mediação*, merece menção especial o tratado interamericano sobre esses dois métodos de solução pacífica de conflitos, assinado em Buenos Aires a 23 de dezembro de 1936, por iniciativa da delegação brasileira à Conferência Interamericana de Consolidação da Paz. Esse tratado trouxe uma inovação à matéria, determinando a organização prévia de uma lista de cidadãos a cujos bons ofícios ou mediação poderão recorrer as partes contratantes, quando entre estas surgir uma controvérsia que não possa ser resolvida pelos meios diplomáticos usuais. Para a constituição dessa lista, que ficou a cargo da União Pan-Americana, cada governo contratante se obrigou a designar dois de seus concidadãos, escolhidos dentre os mais eminentes por suas virtudes e seu saber jurídico.

Em matéria de ***mediação***, deve ainda ser lembrado que a **Carta** das Nações Unidas, conforme vimos no respectivo capítulo, pode exercer funções mediadoras. Assim, o Conselho de Segurança não só poderá, a pedido das partes litigantes, recomendar-lhes os métodos ou condições que lhe parecem apropriados para a solução do litígio (art. 38), mas também poderá agir nesse sentido por iniciativa própria (art. 36).

8.1.1.5. sistema consultivo

A ***consulta***, como método de solução pacífica de controvérsias, pode ser definida como troca de opiniões, entre dois ou mais governos interessados direta ou indiretamente num litígio internacional, no intuito de alcançarem solução conciliatória.

Nessa acepção, o sistema de consultas vem figurando em acordos internacionais, pelo menos desde o tratado firmado em Washington a 13 de dezembro de 1921, entre os Estados Unidos da América, o Império Britânico, a França e o Japão, sobre as respectivas possessões ou domínios insulares no Oceano Pacífico.

Foi só, porém, no continente americano que esse sistema se desenvolveu e adquiriu o *caráter preciso de meio de solução pacífica de controvérsias e também o de meio de cooperação pacifista internacional*. Com o primeiro sentido surgiu, a princípio, na Conferência Interamericana de Consolidação da Paz (Buenos Aires,

1936), em duas convenções (convenção sobre manutenção, garantia e restabelecimento da paz e convenção para coordenar, ampliar e assegurar o cumprimento dos tratados existentes entre os estados americanos), sendo, depois, ampliado e aperfeiçoado na 8ª Conferência Internacional Americana (Lima, 1938), na Conferência Interamericana de Petrópolis (1947), sobre a manutenção da paz e da segurança do continente, e, finalmente, na Carta da Organização dos Estados Americanos.

Assim, o ***método de consulta*** entre os países americanos teve em vista, inicialmente, apenas a manutenção da paz no continente. Com as ampliações adotadas na Conferência de Lima, tal método tornou-se aplicável a qualquer questão econômica, cultural ou de outra ordem, que, por sua importância, justifique esse processo e em cujo exame ou solução os estados americanos tenham um interesse comum. Ali também foi a consulta proclamada como processo de coordenação das vontades soberanas das repúblicas americanas, para o fim especial de tornar efetiva sua solidariedade. Estabeleceu-se, ao mesmo tempo, o princípio de que a consulta, quando exija contatos pessoais, será realizada com a assistência dos Ministros das Relações Exteriores (das repúblicas americanas) ou de representantes seus especialmente autorizados. Daí as chamadas *reuniões de consulta,* das quais se realizaram três durante o período da segunda guerra mundial: a primeira, na cidade do Panamá, de 23 de setembro a 3 de outubro de 1939; a segunda, em Havana, de 21 a 30 de junho de 1940; e a terceira, no Rio de Janeiro, de 15 a 28 de janeiro de 1942.

Na Conferência Interamericana do México, em 1945, foi adotada uma resolução na qual se declarava que as reuniões ordinárias de consulta se efetuariam anualmente, mediante convocação do Conselho Diretor da União Pan-Americana, salvo o caso em que no mesmo ano se devesse celebrar alguma das conferências internacionais americanas. Declarava-se, também, que nas reuniões de consulta seriam tomadas decisões concernentes aos problemas de maior urgência e importância dentro do sistema interamericano e às situações e disputas de todo gênero que pudessem perturbar a paz das repúblicas americanas. Os efeitos, porém, dessa resolução desapareceram em face da regulamentação definitiva dada ao sistema consultivo interamericano, pelo trabalho interamericano de assistência recíproca e pela Carta da OEA.

Na Conferência Interamericana de Petrópolis, foi redigido o tratado referido, no qual o método de consulta assumiu papel relevante, relativamente à coordenação de medidas de proteção e solidariedade das repúblicas americanas e à manutenção da paz no continente.

Finalmente, a Carta de Bogotá não só reconheceu a Reunião de Consulta dos Ministérios das Relações Exteriores, como um dos órgãos da OEA, mas ainda definiu o caráter do novo órgão e o mecanismo de suas reuniões.

Tal como se acha estabelecido, o sistema consultivo interamericano tem, assim, dois aspectos: o de método para solução pacífica de controvérsias e o do processo para o estudo rápido, em conjunto, de problemas de natureza urgente e de interesse comum para os estados-membros da OEA.

8.1.2. meios jurídicos

A doutrina menciona distintas formas de soluções pacíficas de litígios internacionais: as diplomáticas e as jurídicas ou judiciárias, dentre estas a arbitragem.

8.1.2.1. tribunais internacionais permanentes

Os tribunais e as cortes internacionais são entidades judiciárias permanentes, compostas de juízes independentes, cuja função é o julgamento de conflitos internacionais tendo como base o direito internacional, de conformidade com um processo preestabelecido e cujas sentenças são obrigatórias para as partes.

Em princípio, as questões são submetidas aos tribunais internacionais permanentes por estados, mas nada impede que uma ou ambas as partes sejam organizações internacionais.

A possibilidade de ser criado um tribunal de caráter permanente foi suscitada por ocasião da Segunda Conferência da Paz de Haia; mas somente viria a ocorrer mais tarde.

Na prática dos estados, na atuação das organizações internacionais, nas decisões e pareceres, emanados dos tribunais internacionais, com destaque inevitável para a Corte Internacional de Justiça, sua predecessora, a Corte Permanente de Justiça Internacional, ao lado destas, permanece a mais que centenária Corte Permanente de Arbitragem, somando-se-lhes outros tribunais internacionais, como o Tribunal internacional do direito do mar, o Tribunal Penal Internacional, bem como os Tribunais penais internacionais *ad hoc* (desde Nuremberg e Tóquio, até Ruanda e ex-Iugoslávia), e os tribunais regionais, tais como as Cortes Europeia e Interamericana de direitos humanos (e equivalentes de outras regiões).

A construção do direito internacional, no contexto pós-moderno, tem marcos intrinsecamente internacionais específicos, e estes constituem as ferramentas básicas de trabalho para os profissionais da área: ninguém pode estudar e pretender conhecer direito internacional sem manejar as bases da jurisprudência internacional (especialmente da Corte Internacional de Justiça, sua predecessora, a Corte Permanente de Justiça Internacional, e da Corte Permanente de Arbitragem).

Nos novos tribunais internacionais permanentes foram instalados com o objetivo de adjudicar ampla gama de problemas, podendo-se mencionar os tribunais de caráter universal e os de natureza regional. Podem ter funções amplas, conforme ocorre com a Corte Internacional de Justiça (8.1.2.1.3), ou então ter um objetivo restrito, como ocorre com o Tribunal Internacional do Direito do Mar, criado pela Convenção sobre o Direito do Mar, com sede em Hamburgo (8.1.2.1.4). Sem esquecer o papel relevante dos tribunais administrativos internacionais (8.1.2.1.6).

8.1.2.1.1. Corte Centro-Americana de Justiça (1907-1918)

Embora a CPJI seja mencionada como o primeiro tribunal permanente, esta honra cabe a rigor à **Corte Centro-Americana de Justiça**, criada em 1907. A Corte era constituída por cinco juízes, ou seja, um de cada país centro-americano. Inicialmente teve Cartagena como sede, mas posteriormente se transladou para San José da Costa Rica. A Corte tinha a peculiaridade do exercício da jurisdição, na mais ampla acepção do termo, tanto assim que os indivíduos e pessoas jurídicas podiam apelar para ela. Funcionou de 1908 a 1918, período durante o qual teve ensejo de julgar dez casos, cinco deles referentes a **indivíduos**.

8.1.2.1.2. Corte Permanente de Justiça Internacional e a Corte Permanente de Arbitragem

Com a criação da Sociedade das Nações, depois da primeira guerra mundial, a ideia de criação de tribunal internacional se tornou realidade, surgindo a Corte Permanente de Justiça Internacional (CPJI) em 1921. A CPJI funcionou normalmente até 1940, mas só foi extinta em abril de 1946, isto é, depois da criação da CIJ.

Consideráveis tempo e volume de trabalho teve a Corte Permanente de Justiça Internacional, nas décadas de 1920-1930, para passar a limpo o mapa da Europa[34], na tentativa de transição dos **impérios multinacionais**, para a **Europa das nacionalidades**[35]. Cria-se jurisprudência relevante a respeito

34. Jean-François GUILHAUDIS, **L'Europe en transition** (Paris: Montchrestien, 1993, "vue d'ensemble: l'Europe 1945-1993', p. 15-21, cit. p. 15): " Du point de vue de l'histoire il existe certainement un héritage commun européen composé des apports successifs de la Grèce et de Rome, de la chrétienté au Moyen-age, de la Renaissance et du siècle des lumières, mais cet héritage n'est pas limité aux peuples européens et il est couramment débattu du point de savoir si la Russie peut être considérée comme faisant partie de cette communauté. En bref, l'Europe n'existe pas; elle est, selon la formule de Régis DEBRAY, "d'abord et toujours une idée', une virtualité politique. "; cita Régis DEBRAY, **Tous azimuts** (Paris: Ed. O. Jacob, 1989, p. 31).

35. Dentre os casos levados e pareceres solicitados à CPJI em razão desse refazimento do mapa e da reordenação da convivência entre as nacionalidades na Europa, podemos citar: I – com relação aos **interesses alemães na Alta Silé-**

dessas questões, que seriam objeto de controvérsia e discussão ainda hoje.

Ressaltava Epitácio PESSOA, em 1923, ao ser eleito juiz da Corte Permanente de Justiça Internacional, sucedendo a Ruy BARBOSA, que, eleito, não chegara a tomar posse[36]: "A Corte Permanente de Justiça corresponde a anseio universal. Todos os povos sentem a necessidade de autoridade imparcial que lhes resolva os conflitos e os poupe a cataclismos como o da grande guerra, em que não se sabe quais foram os países mais feridos, se os vencidos ou os vencedores. O Tribunal passará a ser elemento imprescindível na vida internacional. Todas as decisões e pareceres proferidos até hoje pela Corte têm sido rigorosamente acatados. É a tradição que se forma, é o alicerce que se funda, de autoridade inconstrastável, contra a qual, dentro em pouco, ninguém se abalançará a insurgir-se"[37].

Em matéria de responsabilidade internacional do estado, a clássica decisão

---

sia polonesa: A 06 (question of jurisdiction), A 07 (the merits), A 15 (Rights of the minorities in the Upper Silesia: minority schools), A/B 40 (access to German minority schools in Upper Silesia), C 09/1 (certain German interests in Polish Upper Silesia: question of jurisdiction), C 11 (certain German interests in Polish Upper Silesia), C 52 (access to German minority schools in Upper Silesia), C 14/2 (Rights of the minorities in Upper Silesia: minority schools); II – com relação às **questões relativas à nacionalidade polonesa**: B 06 e B 07 (questions relating to settlers of German origin in Poland), C 03/1 (question concerning the acquisition of Polish nationality), C 03/2 (question relating to settlers of German origin in Poland), também A/B 58, A/B 60 e C 71 (case concerning the Polish agrarian reform and the German minority); III – a respeito e em torno da então chamada **cidade-livre de Dantzig**: B 11 (Polish postal service in Dantzig), B 15 e C 14/1 (jurisdiction of the Courts of Dantzig), B 18 e C 18/2 (Free city of Dantzig and the International Labour Organzation), A/B 65 e C 77 (consistency of certain Dantzig legislative decrees with the constitution of the free city), A/B 43 e C 55 (access to and anchorage in the port of Dantzig, of Polish war vessels), A/B 44 e C 56 (treatment of Polish nationals and other persons of Polish origin or speech in the Dantzig territory), C 08 (Advisory opinion 11 and Polish postal service in Dantzig); IV – **administração do príncipe Von PLESS**: A/B 52, A/B 54, A/B 57, A/B 59, C 70 (Prince Von PLESS Administration); V – **troca de populações greco-turcas e interpretação do acordo greco-turco de 1º de dezembro de 1926**: B 10 e C 07/1 (exchange of Greek and Turkish populations), B 16 e C 15/1 (interpretation of the Greco-turkish agreement of 1 December 1926); VI – **comunidades greco-búlgaras e interpretação do acordo greco-búlgaro de 9 de dezembro de 1927**: B 17 e C 18/1 (the Greco-Bulgarian communities), A/B 45 e C 57 (interpretation of the Greco--Bulgarian agreement of 9 December 1927, the "CAPHANDARIS-MOLLOFF agreement"); VII – **interpretação do tratado de Neuilly** A 03 e A 04 (Treaty of Neuilly, article 179, Annex, par. 4 (interpretation)), C 06/1 e C 06/2; VIII – **interpretação do tratado de Lausanne** B 12 e C 10 (interpretation of article 3, par. 2 of the Treaty of Lausanne), para mencionar somente alguns.

36. Haroldo VALLADÃO, *Epitácio PESSOA, o jurista* ("conferência no Instituto Histórico e Geográfico Brasileiro, em 26 de maio de 1965", in **Novas dimensões do direito: justiça social, desenvolvimento, integração**, São Paulo: Revista dos Tribunais, 1970, p. 141-149, cit. p. 148-149): "E chega, finalmente, ao cargo judicial supremo no mundo, ao de juiz da Corte Permanente de Justiça Internacional, da Haia, para o qual é eleito em 10 de setembro de 1929 (*sic*, 1923), pela 4ª Assembleia da Sociedade das Nações, em substituição a Ruy BARBOSA que não chegou a tomar posse". (...) "Dos votos que proferiu na Corte sobressaem e têm merecido referência de internacionalistas aqueles em que versou a competência quando um dos litigantes não é diretamente um estado, mas algum de seus súditos, ou quando as próprias partes querem um aviso consultivo, a possibilidade de rever uma decisão da conferência de embaixadores, a delicadíssima questão do direito penal internacional do célebre caso do vapor 'Lotus' entre a França e a Turquia, os complexos problemas de direito internacional privado, da autonomia da vontade, do lugar do pagamento, e da ordem pública, em matéria de cláusula-ouro, nos empréstimos sérvios e brasileiros"; *v.* tb. A. NUSSBAUM, **La clause or dans les contrats internationaux** (RCADI, 1933, t. 43, p. 555-658).

37. A exortação permanece atual e relevante, sobretudo para os responsáveis pelos atuais governos, que deveriam meditar a respeito do papel do direito e das instituições internacionais, para todo o mundo!

do caso da **fábrica de Chorzow** (1928) enseja a formulação da doutrina fundamental em matéria de reparação de danos, como assinala D. ANZILOTTI (1929)[38]. E também ocasião para a Corte afirmar a primazia do direito internacional sobre os atos judiciários internos, como já fizera a Corte Permanente de Justiça Internacional, anteriormente, no julgamento do caso do **navio Wimbledon** (1923)[39].

A primazia do direito internacional se põe como construção jurisprudencial, em 1928, mas passa a ser estipulada como direito internacional positivo na **Convenção de Viena sobre Direito dos Tratados** (1969). Nesta se exclui qualquer estado que se exima de cumprir obrigação internacional, alegando disposições de seu direito interno[40].

A jurisprudência internacional constitui a tradução dos princípios e conceitos na prática: são elementos da construção do direito internacional[41], especialmente nas atuações pioneiras da Corte Permanente de Justiça Internacional (CPJI)[42], e da Corte Permanente de Arbitragem (CPA)[43], não somente fontes de

38. Dionisio ANZILOTTI, **Cours de droit international** (trad. para o francês de Gilbert GIDEL, orig. publ. 1929, avant propos de Pierre-Marie DUPUY e Charles LEBEN, Paris: LGDJ diffuseur / éd. Panthéon-Assas, 1999, p. 531): "C'est ainsi que la Cour permanente de justice internationale a tout récemment statué dans son arrêt n. 13 que la réparation devant, autant que possible, effacer toutes les conséquences de l'acte illicite et rétablir l'état qui aurait vraissemblablement existé si ledit acte n'avait pas été commis, doit également couvrir les pertes subies et qui ne seraient pas couvertes par la restitution en nature ou le paiement qui en prend la place: cela semble viser en première ligne le manque à gagner (**Publications CPJI**, série A, n. 17, p. 47 et comp. p. 53 s.). Suivant un autre critère la distinction est cherchée dans les rapports de causalité qui relient l'événement dommageable au fait illicite. Il est évident que ce rapport peut être assez différent et on comprend comment il peut raisonnablement influer, soit sur l'admissibilité des dommages-intérêts, soit sur le quantum de ces dommages-intérêts. Mais ce qui semble, au contraire, impossible, c'est de fixer, dans une formule unique les diverses manières d'être du rapport de causalité et de tracer ainsi une lgine délimitant une fois pour toutes les dommages suscpetibles de faire l'objet d'indemnités d'avec les dommages ne donnant pas lieu à indemnités".

39. A questão da primazia do direito internacional sobre atos internos já fora afirmada pela Corte Permanente de Justiça Internacional no julgamento do caso do **navio Wimbledon** (em 17 de agosto de 1923), envolvendo participação da Alemanha, França, Reino Unido, Polônia, Itália e Japão.

40. Convenção de Viena sobre direito dos tratados (1969, em vigor internacionalmente desde 1980), arts. 27 e 46: "Uma parte não pode invocar as disposições de seu direito interno para justificar o inadimplemento de um tratado. Esta regra não prejudica o artigo 46". Este, por sua vez: "1. Um estado não pode invocar o fato de que seu consentimento em obrigar-se por um tratado foi expresso em violação de uma disposição do seu direito interno sobre competência para concluir tratados, a não ser que essa violação fosse manifesta e dissesse respeito a uma norma de seu direito interno de importância fundamental. 2. Uma violação é manifesta se for objetivamente evidente para qualquer Estado que proceda, na matéria, de conformidade com a prática normal e de boa-fé."

41. Pareceres e decisões da Corte Permanente de Justiça Internacional e de sua sucessora, a Corte Internacional de Justiça são citados e examinados em diversos itens, ao longo de todo o texto, e são objeto de remissão específica. São fontes primárias de direito internacional.

42. W. E. BECKETT, **Les questions d'intérêt général au point de vue juridique dans la jurisprudence de la Cour permanente de justice internationale (juillet 1932-juillet 1934)** (RCADI, 1934, t. 50, p. 189-310); W. E. BECKETT, **Les questions d'intérêt général au point de vue juridique dans la jurisprudence de la Cour Permanente de Justice Internationale** (RCADI, 1932, t. 39, p. 131-272); C. BEVILÁQUA, **Projet d'organisation d'une Cour Permanente de Justice Internationale** (Rio de Janeiro: Bernard Frères, 1921); V. BRUNS, **La Cour Permanente de Justice Internationale, son organisation et sa compétence** (RCADI, 1937, t. 62, p. 547-672); M. A. CALOYANNI, **L'organisation de la Cour Permanente de Justice et son avenir** (RCADI, 1931, t. 38, p. 651-786); F. CASTBERG, **L'excès de pouvoir dans la justice internationale** (RCADI,

caráter *"acessório"*, como poderiam ser denominadas ou como tal ser consideradas, em se tratando dos direitos internos, mas representam conjunto de construções empíricas que vai, progressivamente, conferindo corpo ao direito internacional[44]. Considerável o legado da CPJI na atuação sucessiva da CIJ.

A veneranda Corte Permanente de Arbitragem, mais que centenária, passou a ter novo papel nas duas últimas décadas do século XX, como aponta H. JONKMAN (1999)[45], na medida em que a Comissão das Nações Unidas para o direito do comércio internacional (CNUDCI ou UNCITRAL), em seu regulamento de arbitragem, 1976, passou a atribuir à CPA papel decisivo no processo de nome-

---

1931, t. 35, p. 353-472); N. FEINBERG, **La juridiction et la jurisprudence de la Cour Permanente de Justice Internationale en matière de mandats et de minorités** (RCADI, 1937, t. 59, p. 587-708); P. GUGGENHEIM, **Les mesures conservatoires dans la procédure arbitrale et judiciaire** (RCADI, 1932, t. 40, p. 645-764); M. HABICHT, **Le pouvoir du juge international de statuer *ex aequo et bono*** (RCADI, 1934, t. 49, p. 277-372); M. O. HUDSON, **Les avis consultatifs de la Cour Permanente de Justice Internationale** (RCADI, 1925, t. 8, p. 341-412); J. LIMBURG, **L'autorité de la chose jugée des décisions des juridictions internationales** (RCADI, 1929, t. 30, p. 519-618); G. MORELLI, **La théorie générale du procès international** (RCADI, 1937, t. 61, p. 253-374); D. NÉGULESCO, **L'évolution de la procédure des avis consultatifs de la Cour Permanente de Justice Internationale** (RCADI, 1936, t. 57, p. 1-96); J. P. NIBOYET, **Le rôle de la justice internationale en droit international privé: conflits des lois** (RCADI, 1932, t. 40, p. 153-236); G. RIPERT, **Les règles du droit civil applicables aux rapports internationaux (contribution à l'étude des principes généraux du droit visés au Statut de la Cour Permanente de Justice Internationale)** (RCADI, 1933, t. 44, p. 565-664); S. RUNDSTEIN, **La Cour Permanente de Justice Internationale comme instance de recours** (RCADI, 1933, t. 43, p. 1-114); G. SALVIOLI, **La responsabilité internationale des États et la fixation des dommages et intérêts par les tribunaux internationaux** (RCADI, 1929, t. 28, p. 231-290); G. SALVIOLI, **La jurisprudence de la Cour Permanente de Justice Internationale** (RCADI, 1926, t. 12, p. 1-114); M. SCERNI, **La procédure de la Cour Permanente de Justice Internationale** (RCADI, 1938, t. 65, p. 561-682); S. SÉFÉRIADÈS, **Le problème de l'accès des particuliers à des juridictions internationales** (RCADI, 1935, t. 51, p. 1-120); K. STRUPP, **Le droit du juge international de statuer selon l'équité** (RCADI, 1930, t. 33, p. 351-482); A. von VERDROSS, **Les principes généraux du droit dans la jurisprudence internationale** (RCADI, 1935, t. 52, p. 191-252); Charles De VISSCHER, **Le déni de justice en droit international** (RCADI 1935, t. 52, p. 365-442); Charles De VISSCHER, **Les avis consultatifs de la Cour Permanente de Justice Internationale** (RCADI, 1929, t. 26, p. 1-76); J.-C. WITTENBERG, **La recevabilité des réclamations devant les juridictions internationales** (RCADI, 1932, t. 41, p. 1-136).

43. Ruy BARBOSA, *La nouvelle Cour permanente d'arbitrage* (discurso proferido na segunda conferência de paz, na Haia, em 9 de outubro de 1907, originalmente publicado in Mário de Lima BARBOSA, **Ruy Barbosa na política e na história**, Rio de Janeiro: Briguiet, 1916, tb. publ. Ruy BARBOSA, **Escritos e discursos seletos**, seleção, organização e notas de Virgínia C. de LACERDA, intr. geral Américo J. LACOMBE, João MANGABEIRA, Oswald de ANDRADE e Carlos CHIACCHIO, Rio de Janeiro: Aguilar, 1966, p. 71-81); P. GUGGENHEIM, **Les mesures conservatoires dans la procédure arbitrale et judiciaire** (RCADI, 1932, t. 40, p. 645-764); J. P. A. FRANÇOIS, **La Cour permanente d'arbitrage, son origine, sa jurisprudence, son avenir** (RCADI, 1955, t. 87, p. 457-554); Hans JONKMAN, **The role of the Permanent Court of Arbitration in international dispute resolution: addresses on 6 and 27 July 1999, at the Hague Academy of International Law, Peace Palace, the Hague, on the occasion of the centennial celebration of the Permanent Court of Arbitration** (RCADI, 1999, t. 279, p. 9-49); L. B. SOHN, **The function of international arbitration today** (RCADI, 1963, t. 108, p. 1-114); tb. o já referido W. Michael REISMAN, **The supervisory jurisdiction of the International court of justice: international arbitration and international adjudication** (RCADI, 1996, t. 258, p. 9-394).

44. Paul GUGGENHEIM, **Contribution à l'histoire des sources du droit des gens** (RCADI, 1958, t. 94, p. 1-84); Paul GUGGENHEIM, **Les principes de droit international public** (RCADI, 1952, t. 80, p. 1-190); Paul GUGGENHEIM, **La validité et la nullité des actes juridiques internationaux** (RCADI, 1949-I, t. 74, p. 191-268); bem como seu já referido **Les mesures conservatoires dans la procédure arbitrale et judiciaire** (RCADI, 1932-II, t. 40, p. 645-764).

45. Hans JONKMAN, em suas duas conferências já referidas: **The role of the Permanent Court of Arbitration in international dispute resolution: addresses on 6 and 27 July 1999, at the Hague Academy of International Law, Peace Palace,The Hague, on the occasion of the centennial celebration of the Permanent Court of Arbitration** (RCADI, 1999, t. 279, p. 9-49).

ação de árbitros – o que vem representando volume regular e considerável de trabalho atribuído à CPA. Ao lado desta atribuição, a CPA teve papel instrumental relevante na implantação do Tribunal da Haia para as reclamações Iraniano-Americanas (*The Hague Iran-United States claims tribunal*) – "talvez o mais importante tribunal arbitral, até hoje, na história do direito internacional"[46].

Apesar do seu começo, como modesta instituição para a solução de controvérsias, foi considerado que a Corte Permanente de Arbitragem representava grande marco na evolução do direito internacional: "em 1899, arbitragem tal como se estipulou, era o objetivo mais alto que se poderia alcançar, naquele tempo"[47]. A Segunda Conferência de Paz, da qual participaram 44 estados, reuniu-se em 1907. A Convenção de 1899 foi revisada, mas a nova Convenção, celebrada em 1907, não diferia essencialmente da anterior.

W. M. REISMAN (1996) enfatiza a atuação da Corte Permanente de Justiça Internacional e da Corte Internacional de Justiça como "jurisdição de supervisão"[48]: casos por estas decididos em tal condição não seriam somente

---

46. H. JONKMAN (confs. 1999, cit. p. 17 e a seguir, p. 22): "The PCA was born a century ago. In 1899 twenty-six countries participated in what later became known as the the First Hague Peace Conference. Most of them were European states. From outside Europe, China, Japan, Thailand (Siam), Mexico, Iran (Persia), and the United States of America were represented. The initiative to hold the Conference was taken by the Russian Czar NICHOLAS II. (...) It is clear from the above that in 1899 the PCA was constructed as a compromise between two schools of thought. On the one hand, the majority view was to establish a prestigious institution managed by a Bureau authorized to represent the collective will of the participating countries in encouraging them to settle their disputes peacefully. The majority probably also had in mind a Council that could take decisions binding the Governments represented. Most delegates were in favour of a relatively short list of the most prominent potential arbitrators, and were, in principle, in favour of a system of compulsory arbitration in some categories of disputes not involving vital interests. On the other hand, a minority of the countries attending the First Peace Conference was opposed to the creation of a permanent dispute settlement institution, but reluctantly agreed to this institution, provided it would be passive and weak. The Bureau, it was thought, could only be a modest secretariat, the Council a purely administrative body and the panel of members a mixture of lawyers and technical experts. The minority objected categorically to any form of compulsory arbitration. Thus, the PCA was the result of a compromise".

47. H. JONKMAN (confs. 1999, p. 23, e a seguir, p. 27-28): "Following its controversial birth, the PCA enjoyed much attention from the international legal community. The Peace Palace was built to provide it with an appropriate seat. The Second Peace Conference improved the Convention on which the PCA was based. A great number of arbitration treaties were concluded and for approximately two decades the PCA was responsible for most of the inter-state arbitrations taking place in the international arena. Later, as a consequence of a certain competition from the Permanent Court of International Justice and from some institutions for the settlement of commercial disputes, recourse to the PCA became less frequent. The authorization of the International Bureau to use its facilities for the resolution of disputes between states and private parties increased the number of cases broughr before the PCA only to a limited extent. Particularly after the Second world war, the PCA passed into a period of modest activity".

48. W. Michael REISMAN, **The supervisory jurisdiction of the International court of justice: international arbitration and international adjudication** (RCADI, 1996, t. 258, p. 9-394, Cap. IV, "The future of supervisory jurisdiction", p. 375-394, cit. p. 375): "We have now reviewed the exercise of the supervisory jurisdiction of the Permanent Court and the International Court over international arbitration. The cases we have studied in these lectures are all significant, but perhaps underappreciated constitutional decisions, for each has not simply disposed of a particular case, but has shaped the supervisory jurisdiction of the Court. The *1989 Award* case, which was handed down during 1991, is, in particular, a major contribution by the International Court to the international constitutional relationship between adjudication and arbitration. It remains, now, to review briefly our findings and the prognoses and recommendations that they support".

soluções para casos concretos, mas teriam caráter constitucionalmente formador da jurisdição internacional[49].

8.1.2.1.3. Corte Internacional de Justiça

Já tivemos ensejo de nos referir à Corte Internacional de Justiça (CIJ) quando estudamos as Nações Unidas, mas na presente parte o enfoque será no aspecto judiciário da CIJ, na sua dupla atuação (consultiva e contenciosa), com ênfase na seleção dos juízes e no processo por eles seguido na solução de casos em que a Corte é chamada a decidir[50].

---

49. W. M. REISMAN (op. cit., 1996, p. 376): "Unlike the consideration of the jurisprudence in other areas of the Court's work, research in this phase also requires a methodological adjustment. Supervisory jurisdiction is, by its essential nature, an examination of the specific performance of one institutionalized system by another in terms of fairness of procedure, compliance with expectations, and systematic implications. But to assess fairness in the complex procedures of international arbitration, the scholar must develop an additional and very detailed focus on the public international arbitration process and on the issues, litigant tactics, and cameral tribunal dynamics of the particular cases. Without this, it is virtually impossible to appreciate the options actually available to the parties at critical junctures and the analysis developed by the International Court, including its assessments of the possible impacts of the various options it had to weigh before crafting for itself a form of supervisory intervention".

50. G. ABI-SAAB, *Du règlement pacifique des différends internationaux* (in **O direito internacional no terceiro milênio: estudos em homenagem ao professor Vicente Marotta Rangel**, coord. L. O. BAPTISTA e J. R. FRANCO DA FONSECA, São Paulo: LTr, 1998, p. 737-749); G. ABI-SAAB, **Les exceptions préliminaires dans la procédure de la Cour internationale: étude des notions fondamentales de procédure et des moyens de leur mise en oeuvre** (Paris: Pedone, 1967); H. ACCIOLY, **Principes généraux de la responsabilité internationale d'après la doctrine et la jurisprudence** (RCADI, 1959, t. 96, p. 349-442); Suzanne BASTID, **Les problèmes territoriaux dans la jurisprudence de la CIJ** (RCADI, 1962, t. 107, p. 361-495); Suzanne BASTID, **Les tribunaux administratifs internationaux et leur jurisprudence** (RCADI, 1957, t. 92, p. 343-518); Suzanne BASTID, **La jurisprudence de la Cour Internationale de Justice** (RCADI, 1951, t. 78, p. 575-686); M. BEDJAOUI, *Les organisations internationales devant la Cour Internationale de Justice: bilan et perspectives* (in **O direito internacional no terceiro milênio: estudos em homenagem ao professor Vicente Marotta Rangel**, coord. L. O. BAPTISTA e J. R. FRANCO DA FONSECA, São Paulo: LTr, 1998, p. 721-736); M. BEDJAOUI, **Le cinquantième anniversaire de la Cour Internationale de Justice: communication du Président de la Cour Internationale de Justice à la soixante-sixième session de droit international public de l'Académie de droit international de La Haye, le mardi 23 juillet 1996** (RCADI, 1996, t. 257, p. 9-34); G. BERLIA, **Jurisprudence des tribunaux internationaux en ce qui concerne leur compétence** (RCADI, 1955, t. 88, p. 105-158); L. N . C. BRANT et al., **A Corte Internacional de Justiça e a construção do direito internacional** (Belo Horizonte: O Lutador, 2005); H. W. BRIGGS, **Reservations to the acceptance of compulsory jurisdiction of the International Court of Justice** (RCADI, 1958, t. 93, p. 223-368); L. COLLINS, **Provisional and protective measures in international litigation** (RCADI, 1992, t. 234, p. 9-238); G. DISTEFANO, **L'ordre international entre légalité et effectivité: le titre juridique dans le contentieux international** (Paris: Pedone – publ. IUHEI, 2002); G. DISTEFANO e G. P. BUZZINI, **Bréviaire de jurisprudence internationale** (Bruxelles: Bruylant, 2005); Pierre-Marie DUPUY, **Le juge et la règle générale** (RGDIP, 1989, pp 569-598); J. R. FRANCO DA FONSECA, *Estrutura e funções da Corte Internacional de Justiça* (in **O direito internacional no terceiro milênio: estudos em homenagem ao professor Vicente Marotta Rangel**, coord. L. O. BAPTISTA e J. R. FRANCO DA FONSECA, São Paulo: LTr, 1998, p. 750-762); L. GROSS, **The International Court of Justice and the United Nations** (RCADI, 1967, t. 120, p. 313-440); E. HAMBRO, **The jurisdiction of the International Court of Justice** (RCADI, 1950, t. 76, p. 121-216); R. HIGGINS, **International law and the avoidance, containment and resolution of disputes: general course on public international law** (RCADI, 1991, t. 230, p. 9-342); R. JENNINGS, **Judicial reasoning at an international court** (VRBEI, 1991, n. 236); I. S. KERNO, **L'Organisation des Nations Unies et la Cour Internationale de Justice** (RCADI, 1951, t. 78, p. 575-686); E. LAUTERPACHT, The development of the law of international organization by the decisions of international tribunals (RCADI, 1976, t. 152, p. 377-478); Ch. LEBEN, **La juridiction internationale** (Paris: Droits, n. 9, "La fonction de juger", 1989); E. McWHINNEY, Judicial settlement of disputes,

O Estatuto da CIJ consta de 70 artigos, quase todos baseados *ipsis verbis* no Estatuto da antiga Corte. Houve ainda a preocupação de ser mantida a numeração dos artigos, o que permite a solução de continuidade na jurisprudência da Corte.

Os juízes são eleitos por nove anos e podem ser reeleitos. O Estatuto esclarece que serão eleitos "sem atenção à sua nacionalidade"; mas na prática a Assembleia Geral e o Conselho, ao efetuarem a eleição, buscam ater-se às indicações dos cinco grandes grupos da Organização, que, por sua vez, levam em consideração a nacionalidade dos candidatos.

Os juízes devem possuir as condições exigidas nos respectivos países para neles desempenhar as mais altas funções judiciárias ou devem ser internacionalistas de reconhecida competência em matéria de direito internacional.

Ratione personae, o Estatuto dispõe que só os estados, sejam eles membros ou não das Nações Unidas, poderão ser partes em processos perante a CIJ. Embora não esteja previsto pelo Estatuto, uma associação de estados (como a União Europeia) ou uma organização intergovernamental poderá recorrer à Corte, isso ocorreu em 1949 com a própria Organização das Nações Unidas. Os simples particulares, contudo, não podem fazer valer os seus direitos perante a Corte; deverão fazê-lo por intermédio do respectivo estado.

A competência da Corte *ratione materiae* se estende a todas as questões de ordem jurídica que possam ser submetidas por um estado, e o referido Estatuto cita especificamente no artigo 36 as seguintes controvérsias: a interpretação de um tratado, qualquer ponto de direito internacional, a existência de qualquer fato

---

jurisdiction and justiciability (RCADI, 1990, t. 221, p. 9-194); A. MIAJA DE LA MUELA, **Aportación de la sentencia del Tribunal de La Haya en el caso Barcelona Traction (5 de febrero de 1970) a la jurisprudencia internacional** (Valladolid: Cuadernos de la cátedra J. B. Scott, Univ. de Valladolid, 1970); S. ODA, **The International Court of Justice viewed from the bench (1976-1993)** (RCADI, 1993, t. 244, p. 9-90); V. M. RANGEL, **Solução pacífica de controvérsias** (XI Curso de derecho internacional, Rio de Janeiro, "organizado por el Comité jurídico interamericano, con la cooperación de la Secretaría general de la OEA, en agosto de 1984", Washington: OEA – secretaría general, 1985, p. 29-48); W. Michael REISMAN, **The supervisory jurisdiction of the International Court of Justice: international arbitration and international adjudication** (RCADI, 1996, t. 258, p. 9-394); S. ROSENNE, *The framework agreement as the basis for the jurisdiction of the International Court of Justice and some problems of language* (in **O direito internacional no terceiro milênio: estudos em homenagem ao professor Vicente Marotta RANGEL**, coord. L. O. BAPTISTA e J. R. FRANCO DA FONSECA, São Paulo: LTr, 1998, p. 709-720); G. SALVIOLI, **Problèmes de procédure dans la jurisprudence internationale** (RCADI, 1957, t. 91, p. 553-618); L. I. SÁNCHEZ RODRÍGUEZ, ***L'uti possidetis* et les effectivités dans les contentieux territoriaux et frontaliers** (RCADI, 1997, t. 263, p. 149-381); A. P. SERENI, **La jurisdicción internacional** (trad. do original italiano por Alberto HERRERO de la Fuente, Valladolid: Cuadernos de la Cátedra J. B. Scott, Univ. de Valladolid, 1969); L. B. SOHN, **Settlement of disputes relating to the interpretation and application of treaties** (RCADI, 1976, t. 150, p. 195-294); H. THIERRY, **Les résolutions des organes internationaux dans la jurisprudence de la Cour Internationale de Justice** (RCADI, 1980, t. 167, p. 385-450); Santiago TORRES BERNÁRDEZ, **L'intervention dans la procédure de la Cour Internationale de Justice** (RCADI, 1995, t. 256, p. 193-457); A. A. C. TRINDADE, **Direito das organizações internacionais** (3. ed., Belo Horizonte: Del Rey, 2003, esp. Item III, "O domínio reservado na prática das Nações Unidas e organizações regionais", p. 121-195, com destaque para item IV, "O argumento do domínio reservado perante órgãos judiciais das organizações internacionais", p. 164-175); E. ZOLLER, **La bonne foi en droit international public** (Paris: Pedone, 1977).

que, se verificado, constituiria a violação de um compromisso internacional e a natureza ou a extensão da reparação devida pela ruptura de um compromisso internacional. Na sua decisão, a Corte aplicará qualquer das fontes do direito internacional: as Convenções internacionais, o costume internacional, os princípios gerais do direito e a doutrina dos juristas mais qualificados.

Em abril de 1978, a Corte adotou as suas novas regras processuais, fruto de uma revisão das regras anteriores, com o objetivo de simplificar o processo, facilitar o recurso às câmaras de três ou mais juízes e tornar o recurso à Corte menos dispendioso. A importância desta inovação não deve ser ignorada, visto que as despesas com advogados e peritos têm assumido proporções tais que os países menores dificilmente poderão arcar com elas.

O processo consta de duas fases: a escrita e a oral. A sentença final da Corte "é definitiva e inapelável" (artigo 60). Revisão só poderá ser feita em razão de algum fato novo, suscetível de exercer influência decisiva.

Em tese, a solução de litígio por intermédio da CIJ tem a vantagem sobre a simples arbitragem de envolver o Conselho de Segurança na implementação da sentença. Mas só em tese, pois, no caso entre a Nicarágua e os Estados Unidos, solucionado a favor da Nicarágua por 14 votos contra apenas o voto do juiz norte-americano, não se cogitou em utilizar tal recurso por vários motivos, dentre os quais o direito de veto dos Estados Unidos.

No caso da submissão de questões à CIJ, está-se verificando uma curiosa mudança no enfoque dos países quanto à sua imparcialidade. Até recentemente os países em desenvolvimento encaravam com desconfiança a Corte, onde a influência de juristas do Primeiro Mundo predominava. Além do mais, algumas decisões haviam provocado uma reação negativa, como no primeiro julgamento em relação à Namíbia e na questão do asilo diplomático dado a Haia de la Torre. Com o aumento no número de países em desenvolvimento nas Nações Unidas, a composição da Corte modificou-se. A sua decisão na questão entre os Estados Unidos e a Nicarágua provocou uma mudança radical de atitude, principalmente da parte dos Estados Unidos, que passaram a não reconhecer a jurisdição da mais alta Corte de justiça do mundo.

No direito internacional a jurisdição tem de ser construída e a extensão da jurisdição de tribunal internacional, como da Corte Internacional de Justiça, dependerá da aceitação desta pelos estados. Como analisa S. ROSENNE (1998)[51],

51. Shabtai ROSENNE, *The framework agreement as the basis for the jurisdiction of the International Court of Justice and some problems of language* (in **O direito internacional no terceiro milênio: estudos em homenagem ao professor Vicente Marotta RANGEL**, coord. L. O. BAPTISTA e J. R. FRANCO DA FONSECA, São Paulo: LTr, 1998, p. 709-720).

reportando-se a "alguns problemas terminológicos", o que é normalmente referido como acordo-quadro (*framework agreement, accord cadre*) como base para a jurisdição e instauração de procedimento (*seisin, saisie*), perante a Corte Internacional de Justiça, em caso contencioso, representa inovação, derivada de acordo especial (*special agreement, compromis*), como a base tradicional para o exercício da jurisdição por tribunais arbitrais, e o fundamento típico para a jurisdição da Corte Internacional, nos termos do artigo 36, parágrafo 1º, do **Estatuto**: "o elemento característico do acordo especial está em que este simultaneamente define a questão a ser decidida pela Corte, ao mesmo tempo que define a jurisdição da Corte", conforme artigo 40 do **Estatuto** e **Rules of the Court** (1978), enquanto, por sua vez, prevê o artigo 39: "a criação dessa modalidade de acordo, e a sua comprovada adaptabilidade a diferentes exigências diplomáticas e políticas é adição bem-vinda aos mecanismos de adjudicação internacional, como um dos meios para a solução pacífica de controvérsias"[52].

8.1.2.1.4. Tribunal Internacional do Direito do Mar

A construção de todo o direito do mar foi uma das mais espetaculares obras de codificação do direito internacional. Sem remontar muito longe no tempo, basta comparar as conclusões da Corte Internacional de Justiça, ao julgar os casos das **Pescarias norueguesas** (1951) e, ainda, por ocasião do julgamento do caso da **Plataforma Continental do Mar do Norte** (1969), em relação ao conteúdo e ao alcance das normas do então existente direito do mar. Reportava-se a Corte Internacional de Justiça aos princípios gerais, ante a inocorrência de normas de direito internacional positivo. Algumas décadas mais tarde, não somente a **Convenção das Nações Unidas sobre o Direito do Mar** (1982) ensejaria abrangente e relevante codificação das normas internacionais nessa matéria, como este campo se veria aparelhado com mecanismos insitucionais específicos, visando a preparação de pareceres consultivos. Ao ponto de P.-M. DUPUY (2002)[53] questionar o possível impacto da multiplicação dos tribunais internacionais, sobre a unidade da ordem jurídica internacional.

---

52. S. ROSENNE (art. cit., 1998, p. 709 e 720); *v.* tb. V. M. RANGEL, Solução pacífica de controvérsias (XI Curso de derecho internacional, Rio de Janeiro, "organizado por el Comité jurídico interamericano, con la cooperación de la Secretaría general de la OEA, en agosto de 1984", Washington: OEA – secretaría general, 1985, p. 29-48).

53. Pierre-Marie DUPUY, **L'unité de l'ordre juridique international: cours général de droit international public (2000)** (RCADI, 2002, t. 297, p. 9-490, "Multiplication des juridictions internationales", p. 460-478, cit. p. 466): "Le Tribunal du droit de la mer, enfin devenu effectif en 1996, sur la base de la Convention de 1982 sur le nouveau droit de la mer, concerne au contraire l'un des domaines les plus anciens du droit international public. Le Tribunal constitue potentiellement un organe concurrent de la Cour Internationale de Justice, jusqu'ici seule saisie du contentieux relatif au droit de la mer. Comment, dès lors, confrontés à des créations aussi variées dans leur objet, leurs enjeux et leur inspiration, apprécier leur incidence effective ou virtuelle sur le maintien de l'unité de l'ordre juridique international!".

O **Tribunal Internacional do Direito do Mar**, sediado em Hamburgo, inscreve-se como avanço substancialmente relevante, não somente pelo número de estados participantes do sistema[54], pela abrangência da regulação de direito material, como ainda pela institucionalização de vários mecanismos de:

- solução de controvérsias[55];
- Câmara de controvérsias dos fundos marinhos[56], também pode emitir pareceres consultivos, nos termos do art. 191;
- regulação específica de mecanismos de conciliação[57];
- Tribunal Internacional do Mar[58], regido pelos termos do seu **Estatuto**[59];
- procedimento de arbitragem[60];
- procedimento de arbitragem especial[61].

8.1.2.1.5. Tribunal Penal Internacional

A construção do direito internacional penal representa grande avanço tanto do direito material, como dos mecanismos institucionais do direito internacional, no contexto pós-moderno. Este conjunto normativo e institucional é também relevante por consolidar a condição do ser humano, como sujeito de direito internacional[62].

O direito internacional penal parte do julgamento de criminosos de guerra (8.1.2.1.5.1), em Nuremberg (1945) e Tóquio (1946), passa pelos tribunais internacionais *ad hoc*, criados pelo Conselho de Segurança das Nações Unidas (8.1.2.1.5.2), até chegar ao Tribunal Penal Internacional, estipulado pelo **Estatuto de Roma** (1998), efetivamente instalado no início deste século (8.1.2.1.5.3).

---

54. Basta atentar para o número de estados participantes das **Convenções de Genebra** (1958), pois já representavam progresso na sistematização da matéria, à época em que foram alcançadas estas Convenções, mas o fenômeno teve aumento exponencial, em relação à abrangência de conteúdo, número de estados e alcance da regulação internacional vigente sobre direito do mar, tal como se alcançou, na forma como se encontra estipulado na **Convenção das Nações Unidas sobre o Direito do Mar** (Montego Bay, 1982).
55. **Convenção das Nações Unidas sobre o Direito do Mar** (1982), com destaque para a Parte XV, "solução de controvérsias", artigos 279 a 299, c/c outras seções.
56. **Convenção** (1982), artigos 186 a 191 e Anexo VI, artigos 35 a 41.
57. **Convenção** (1982), Seção 1 da Parte XV e Anexo V, "Conciliação", artigos 1º a 14.
58. Para a solução de controvérsias, conforme Partes XI e XV da **Convenção** (1982).
59. **Convenção** (1982), Anexo VI, **Estatuto** do Tribunal Internacional do Direito do Mar, artigos 1º a 34.
60. **Convenção** (1982), Anexo VII, artigos 1º a 13.
61. **Convenção** (1982), Anexo VIII, artigos 1º a 5º.
62. Toda uma linha de autores faz nuances entre a condição do ser humano no plano internacional, sob as distinções as mais variadas. *V.* fundamentação apresentada por José Antonio PASTOR RIDRUEJO, **Le droit international à la veille du XXIe siècle: normes, faits et valeurs: cours général de droit international public** (RCADI, 1998, t. 274, p. 9-308).

O estado atual da matéria permite situar a responsabilidade criminal no plano internacional[63], e distingue a responsabilidade do indivíduo[64] e a responsabilidade do estado em matéria de crimes internacionais[65].

A responsabilidade criminal do indivíduo, por crimes tipificados segundo o direito internacional, desde o julgamento dos criminosos de guerra em Nuremberg (1945), não mais pode ser contestada, na medida em que se tornou realidade, no direito internacional moderno: essa responsabilidade foi abundantemente ratificada pela comunidade internacional, tanto por numerosos julgamentos em tribunais nacionais como nos Tribunais internacionais *ad hoc*, criados pelo Conselho de Segurança das Nações Unidas, para a ex-Iugoslávia e para Ruanda, além do Estatuto de Roma, de 1998.

Quando o indivíduo, que comete crime internacional, é agente do estado, não haverá penalização do estado, pelo direito internacional, mas as consequências penais, decorrentes da conduta criminosa, serão imputáveis ao seu autor. Mas na reparação de danos, a situação se inverte, ficando esta a cargo do estado: essas formas de responsabilidade civil indireta não precisam de prévia imputação da conduta ilícita, em relação ao estado; serão consequência, imposta pelo direito internacional, aos estados, em decorrência de atos de seus agentes.

A questão da *responsabilidade internacional do indivíduo*, especificamente como responsabilidade individual perante o direito internacional público, permite esclarecer[66] em que medida as normas estipulando a responsabilidade internacional do indivíduo podem-se integrar de modo coerente, no sistema

63. Julio BARBOZA, **International criminal law** (RCADI, 1999, t. 278, p. 9-200).

64. Michael C. PRYLES, **Tort and related obligations in private international law** (RCADI, 1991-II, t. 227, p. 9-206, "conclusions", p. 197-202, cit. p. 198, n. 4): "Leaving aside the case of the British Commonwealth, most countries quickly moved to adopt a choice of law rule predicated on the *locus delicti*. This is hardly surprising. A *lex loci delicti* rule is perhaps the most obvious one for torts. The place of commission of a tort is the most apparent connecting factor and, in many cases, is an appropriate one. Hence, the *lex loci delicti* rule has persisted in many countries despite the rejection of the vested rights or *obligatio* theories, upon which it was originally predicated. Another advantage of the *lex loci delicti* rule is that of uniformity. Unlike the *lex fori* rule, where choice of forum is determinative of choice of law, the *lex loci delicti* rule results in the application of the same law irrespective of the forum of the action. The opposite result attained under the *lex fori* rule is its great disadvantage. (...) Like the *lex fori* rule, the *lex loci delicti* rule is reasonably certain and easy to apply. So much is the case at least where a tort is committed in only one jurisdiction. However, sometimes, the elements of a tort are spread amongst two or more jurisdictions. In such cases a decision must be made as to where the tort is regarded as having being committed. The two main approaches focus on the place of the defendant's act and the last event (or place of injury). No international consensus has emerged".

65. J. BARBOZA (op. cit., 1999, Part II, "criminal responsibility", Chapter III, "individual and state responsibility in international crimes", p. 69-83, cit. p. 83) apontando "some conclusions".

66. Victoria ABELLÁN HONRUBIA, **La responsabilité internationale de l'individu** (RCADI, 1999, t. 280, p. 135-428).

jurídico internacional, e qual contribuição estas podem trazer para o desenvolvimento do direito internacional como um todo[67].

O *Instituto de Direito Internacional* menciona, ainda que transversalmente, a questão da atuação, da proteção[68] e da dimensão do indivíduo no direito internacional[69]. Dentre diversas **resoluções** do *Instituto*, que mencionam o tema, a resolução adotada na sessão de Atenas (1979)[70].

O julgamento de criminosos de guerra, embora encetado, historicamente, por tribunais integrados por juízes nomeados pelas potências vencedoras, representou passo concreto na evolução do direito internacional, no contexto pós-moderno. Daí por diante, todo militar sabe que, na hipótese de seu país ser derrotado[71], este poderá responder por qualquer ato praticado em violação das normas humanitárias fixadas pelo direito internacional. E o mesmo se aplica aos governantes.

A construção do direito internacional penal passa do estágio do julgamento de criminosos de guerra (8.1.2.1.5.1), pelos Tribunais internacionais penais *ad*

---

67. V. ABELLÁN HONRUBIA (op. cit., 1999, cit. p. 147): "A cette fin, force est d'identifier, tout d'abord, les domaines du droit international public les plus directement concernés par l'attribution de la responsabilité internationale de l'individu: c'est-à-dire dans quels noyaux normatifs du droit international public faut-il intégrer systématiquement l'ensemble des normes internationales en vertu desquelles la responsabilité internationale de l'individu pour violation du droit international est établie".

68. Clive PARRY, **Some considerations on the protection of individuals in international law** (RCADI, 1956-II, t. 90, p. 653-726).

69. Do *Instituto de direito internacional* citem-se, a respeito da condição do indivíduo, as resoluções seguintes: Haia (1875/3), Zurique (1877/2) e Zurique (1877/5), Munique (1883/1), Genebra (1892/1), Copenhaguem (1897/1), Copenhaguem (1897/2), Neuchâtel (1900/1), Lausanne (1927/5), New York (1929/5), Granada (1956/1), Varsóvia (1965/1), Oslo (1977/3), Atenas (1979/1).

70. Abordando a questão da lei do contrato entre estado e particular estrangeiro na Resolução adotada em 11 de setembro de 1979, sobre **La loi du contrat dans les accords entre un État et une personne privée étrangère**, o *Institut de Droit Internacional* (21ª Comissão, Relator Georges Van HECKE) ressalta a necessidade de conscientização da importância de que se revestem, nas atuais relações econômicas internacionais, os acordos entre estado e particular estrangeiro, onde, desejando contribuir para esclarecer as normas de direito internacional privado, concernentes aos acordos, considera, no caso de contratos entre estado e particular estrangeiro, que os princípios gerais do direito internacional privado permitem às partes designar a lei aplicável ao contrato, e, se assim desejarem, poder excluir, em relação a tal contrato, a aplicação exclusiva de determinado direito interno, sob reserva da questão de intervenção, nesse domínio, da ordem pública e das leis imperativas, e sob reserva, igualmente, da questão dos contratos celebrados entre empresa pública ou entidade de direito público, dotada de personalidade jurídica própria, com particular estrangeiro. Os contratos entre estado e particular estrangeiro ficam submetidos às normas jurídicas escolhidas pelas partes ou, na falta de tal escolha, às normas jurídicas com as quais o contrato tenha os vínculos mais estreitos, de modo a permitir a escolha da lei do contrato, dentre um ou vários direitos internos, ou dos princípios comuns a estes, sejam os princípios gerais do direito, sejam os princípios aplicáveis nas relações econômicas internacionais, seja o direito internacional, seja combinação de tais fontes de direito.

71. Bibliografia sobre terminação da guerra: A. KLAFKOWSKI, **Les formes de cessation de l'état de guerre en droit international**, RCADI, 1976, v. 149, p. 217; ACCIOLY - 3, p. 437; BEVILÁQUA - 2, p. 389; Epitácio PESSOA, art. 705; G. BALLADORE PALLIERI, **Diritto bellico**, Padova, 1954, p. 293; Louis DELBEZ, *Le nouveau statut de l'Allemange occupée*, RGDIP, *54*:19, 1950; MELLO - 2, p. 1289; I. RUIZ MORENO, **Guerra terrestre y aérea**, p. 215; SCHWARZENBERGER - 1, p. 208; Tan VAN MINH, *Les réparations de guerre au Vietnam et le droit international*, RGDIP, t. 81, p. 1047, 1977; WHITEMAN, v. 11, p. 86; Wilheim G. GREWE, *Peace treaties*, in **Encyclopedia**, v. 4, p. 103.

hoc para Ruanda e para a ex-Iugoslávia (8.1.2.1.5.2), até chegar ao Estatuto de Roma (1998), por meio do qual se criou o Tribunal Internacional Penal (8.1.2.1.5.3).

8.1.2.1.5.1. julgamento de criminosos de guerra

Os **Tribunais de Nuremberg e de Tóquio** constituíram passos importantes na evolução do direito internacional. Não isentos de controvérsias, refletidas também na doutrina[72].

A União Soviética instou os Governos norte-americano e britânico para que os responsáveis pelas atrocidades e massacres da segunda guerra mundial fossem julgados e punidos uma vez terminadas as hostilidades. *A Declaração sobre atrocidades alemãs*, firmada em 1º de novembro de 1943, por ocasião da Conferência de Moscou, declara expressamente: "Assim os alemães que participaram no 'massacre' em massa de oficiais poloneses[73], ou na execução de reféns franceses, holandeses, belgas ou noruegueses, ou de camponeses cretenses; ou que tenham tomado parte na mortandade infligida aos habitantes da Polônia ou dos territórios da União Soviética que ora se libertam do jugo inimigo, saberão que serão devolvidos à cena do seu crime e ali mesmo julgados pelos povos que ultrajaram. Que se precavenham, pois, aqueles cujas mãos ainda não estão tintas de sangue inocente, para que não entrem para o rol dos culpados, porque as três Potências Aliadas se comprometem a persegui-los inexoravelmente até os mais remotos confins da terra, entregando-os aos seus acusadores para que se faça justiça".

Ao findar a guerra, o Presidente Harry TRUMAN encarregou Robert JACKSON, da Corte Suprema dos Estados Unidos, de estudar minuciosamente

72. **Sobre crimes e criminosos de guerra**: ACCIOLY - 3, p. 446; Arthur KUHN, *The Yamashita Case*, AJIL, 1950, v. 44, p. 559; B. V. A. ROLING, **The law of war and the national jurisdiction since 1945**, RCADI, 1960-II, v. 100, p. 323; Díez - 1, p. 626; E. DAVIDSON, **The Nuremberg fallacy, wars and war crimes since World War II**, 1973; Egon Schwelb, *The War Crimes Commission*, BYB, 1946, p. 363; Hans-Heinrich JESCHEK, *War crimes*, in **Encyclopedia**, v. 4, p. 294; e *Nuremberg Trials*, in **Encyclopedia**, v. 4, p. 50; Ilmar Penna MARINHO, *A Conferência de Paris e o critério observado na elaboração dos tratados de Paz*, BSBDI, n. 5, 1947, p. 52; J. A. APPLEMAN, *Military tribunals and international crimes*, AJIL, 1955, v. 49, p. 114; **Nuremberg German views of the War Trial**, Dallas, 1955; John LEKSCHAS, *A time limit for the punishment of war crimes*, ICLJ, abr. 1965, p. 627; M. J. GRAVEN, **Les crimes contre l'humanité**, RCADI, 1950, v. 76, p. 427; Manuel A. VIEIRA, **Derecho penal internacional y derecho internacional penal**, Montevideo, 1969; MELLO - 1, p. 656; Rubens Ferreira de MELLO, **Textos de direito internacional e de história diplomática de 1815 a 1949**, Rio de Janeiro, 1950, p. 740; CDI, *Principles of international law recognized in the Charter of the Nuremberg Tribunal and in the judgement of the Tribunal*, YILC, 1950, v. 2; WHITEMAN, v. 11, p. 874.

73. É sintomático que a primeira referência da Declaração seja ao massacre de oficiais poloneses. Quando os primeiros corpos foram encontrados, o Governo soviético responsabilizou o Governo alemão, que conseguiu fossem realizadas por uma comissão mista de inquérito, sob os auspícios da Cruz Vermelha Internacional, investigações a fim de apurar as responsabilidades. Ficou comprovado que o **massacre de Katyn**, verificado em 1940, havia sido perpetrado pelo exército soviético.

a matéria e negociar com os aliados a assinatura dos atos internacionais relativos ao julgamento e à punição dos criminosos de guerra. O encargo não era fácil, pois o juiz deveria estudar os aspectos jurídicos da matéria, evitando propor medidas que pudessem mais tarde colocar no rol dos réus governantes ou comandantes militares aliados. Apenas os derrotados, em suas pessoas físicas e jurídicas, deveriam ser julgados, nunca os vencedores. Assim, nunca se cogitou em submeter a julgamento comandantes, militares e policiais soviéticos culpados de violências sistemáticas contra os prisioneiros e as populações civis das potências derrotadas, tampouco os responsáveis pela retenção por longos anos de milhares de prisioneiros de guerra utilizados em trabalhos forçados.

Em 8 de agosto de 1945, foi assinado em Londres o Ato Constitutivo do Tribunal Militar Internacional concernente ao processo e punição dos grandes criminosos de guerra das Potências Europeias do Eixo e o Estatuto do Tribunal Militar Internacional. O artigo 6º do Estatuto distingue três tipos distintos de crime, ou seja, os crimes contra a paz, os crimes de guerra e os crimes contra a humanidade. Nos termos do Estatuto, os crimes acarretam a responsabilidade individual e são definidos da seguinte maneira:

a) *Crimes contra a paz*, isto é, a direção, a preparação e o desencadeamento ou o prosseguimento de uma guerra de agressão ou de uma guerra de violação dos tratados, concertado ou num conluio para a execução de qualquer um dos atos precedentes.

b) *Crimes de guerra*, isto é, violação de leis e costumes da guerra. Essas violações compreendem, sem serem limitadas nas leis e costumes, o assassinato, maus-tratos ou deportação para trabalhos forçados ou para qualquer outro fim das populações civis nos territórios ocupados, assassinato ou maus-tratos de prisioneiros de guerra ou de pessoas no mar, execução de reféns, pilhagem de bens públicos ou privados, destruição sem motivo de cidades e aldeias, ou devastações que as exigências militares não justifiquem.

c) *Crimes contra a humanidade*, isto é, assassinato, exterminação, redução à escravidão, deportação e qualquer outro ato desumano cometido contra populações civis, antes e durante a guerra; ou então perseguições por motivos políticos, raciais ou religiosos, quando esses atos ou perseguições tenham ou não constituído uma violação do direito interno dos países onde foram perpetrados, hajam sido cometidos em consequência de qualquer crime que entre na competência do Tribunal ou em ligação com esse crime.

Embora os julgamentos de Nuremberg tenham sido condenados pela doutrina, dada a sua natureza contrária a princípios basilares do direito penal, como a tipificação dos delitos depois de terem estes sido cometidos (*post factum*), é possível mencionar alguns antecedentes, como o desterro de Napoleão para a ilha de Santa Helena, e o Tratado de Versalhes (1919), que previa a punição do Kaiser GUILHERME II, responsabilizado pela primeira guerra mundial[74]. É bem verdade que a punição do Kaiser não chegou a se concretizar, visto que este se refugiou na Holanda, que se recusou a extraditá-lo, alegando o caráter político do crime perpetrado.

Quanto à competência do tribunal para tomar conhecimento dos crimes de violação das leis e usos de guerra, as Convenções existentes previam e condenavam os maus-tratos dados a prisioneiros, o assassinato de feridos, a destruição indiscriminada de centros urbanos, o fuzilamento de reféns e a deportação das populações civis para fins de trabalho escravo. A legislação internacional era contudo imperfeita: previa o crime, mas não a sua punição adequada.

A fim de que a história não pudesse criticar o julgamento, as potências vencedoras esmeraram-se em levar a cabo um processo no qual a culpabilidade dos incriminados ficasse cabalmente provada. O julgamento durou de 20 de novembro de 1945 a 1º de outubro de 1946, findo o qual onze dos acusados foram condenados à morte, quatro à prisão perpétua e três foram absolvidos. Em 16 de outubro as sentenças foram levadas a cabo, sendo que a pena de morte só foi aplicada àqueles que haviam agido com requintes de crueldade.

Nuremberg foi escolhida por insistência dos aliados. A Rússia queria que o julgamento fosse em Berlim, então sob ocupação soviética, mas a circunstância de a maioria dos indiciados se encontrarem prisioneiros dos aliados fez com que o julgamento fosse em Nuremberg.

Posteriormente, princípios análogos aos de Nuremberg foram adotados pelo Estatuto da Corte Militar Internacional encarregada de julgar os grandes criminosos de guerra no Extremo Oriente (promulgado em **Tóquio**, em 19 de janeiro de 1946). Mas, ao contrário do Tribunal de Nuremberg, o Tribunal para o Extremo Oriente era composto de onze juízes. Cogitou-se em incluir na relação dos indiciados o próprio Imperador do Japão, que corajosamente assumira a responsabilidade pela guerra, mas felizmente o bom-senso prevaleceu. Dos vinte e oito

74. Tratado de Versalhes, parte VII, arts. 227 a 230, *v.* texto e comentário em P. B. CASELLA, **Tratado de Versalhes na história do direito internacional** (São Paulo: Quartier Latin, 2007, p. 159-160); *v.* tb. Harold NICOLSON, **Peacemaking 1919** – being reminiscences of the Paris Peace Conference (London: Houghton Mifflin Co., 1933; reprinted Safety Harbor, Fl.: Simon Publications, 2001).

acusados, sete foram condenados à morte, dezesseis à prisão perpétua e os outros a penas menores.

O julgamento dos criminosos de guerra prosseguiu em vários países, e os acusados ainda estão sujeitos a julgamento e punição, visto que as Nações Unidas decidiram que a responsabilidade não prescreve, mesmo se a lei interna fixar um limite. A segunda série de julgamentos de Nuremberg versou sobre mais de duzentos dirigentes nazistas. Dentre os casos mais notórios de julgamento cita-se o de EICHMANN, cuja punição se impunha, mas esse julgamento levantou uma série de críticas de eminentes juristas, além da queixa da Argentina perante as Nações Unidas, em razão da subtração ilegalmente praticada, em violação da jurisdição de estado soberano.

8.1.2.1.5.2. tribunais internacionais *ad hoc*, criados pelo Conselho de Segurança das Nações Unidas, para a ex-Iugoslávia e para Ruanda

A ação do Conselho de Segurança, em matéria humanitária, determinando a criação de dois tribunais penais internacionais, constitui evolução das mais relevantes, na atuação deste, no curso dos anos 1990. Juridicamente tornou-se esta possível mediante a ampliação da noção de ameaça contra a paz e de interpretação flexível[75], dos termos da Carta.

Com "referências ao Capítulo VII da Carta das Nações Unidas nas resoluções de caráter humanitário do Conselho de Segurança"[76], não mais tratou-se de considerar a legalidade da prática. Estas são consideradas legais e seus desenvolvimentos passam a integrar o direito internacional pós-moderno, mas cuida-se, sobretudo, de examinar a eficácia e o funcionamento de tais operações, que se veem ameaçadas sobretudo por três ordens de riscos:

I – a ação do CSNU se vê, sobretudo, inquietada por sua relativa ineficácia, e desamparada, diante de crises de grande complexidade, onde este busca

75. Serge SUR, **L'interprétation en droit international public** (Paris: LGDJ, 1974); **La coutume internationale** (Paris: Litec, 1990); **Vérification en matière de désarmement** (RCADI, 1998, t. 273, p. 9-102); **Relations internationales** (1. ed., Paris: Montchrestien, 1995; 3. ed., 2004).

76. Yann KERBRAT, **La référence au chapitre VII de la Charte des Nations Unies dans les résolutions à caractère humanitaire du Conseil de sécurité** (préface de Mario Bettati, Paris: LGDJ, 1995, "conclusion', p. 101-103): "Devant l'incapacité des organisations humanitaires à faire face à des tragédies humaines d'une telle ampleur, l'intervention du Conseil de sécurité en Somalie, en ex-Yougoslavie, au Rwanda et dans d'autres situations similaires a été un réconfort pour tous. Elle n'a pas mis fin aux combats ni à la violence, mais a évité bien des morts et apaisé bien de souffrances. Elle a empêché que le désastre ne tourne au cauchemar".

influir no comportamento das partes por meio de medidas de efeito limitado (zonas de segurança, tribunal internacional etc.), e tais medidas, mais e mais vistas antes como advertências do que como verdadeiras ações coercitivas, correm o risco de comprometer a credibilidade do Conselho e o efeito persuasório de sua ação. Se a chave do sucesso de operação adotada pelo CSNU reside essencialmente na boa vontade dos destinatários de tais medidas, este poderia utilmente melhorar os resultados de suas ações, por meio de maior coesão e vontade unânime, afirmada e mantida por seus membros, bem como por melhor coordenação da atuação dos diversos intervenientes, no campo de operações, não somente entre os órgãos e as organizações dos sistemas das Nações Unidas, mas igualmente entre estes e as organizações não governamentais;

II – a ação humanitária é vítima de certo grau de incompreensão, por parcela da opinião pública, sensível pela crítica violenta das organizações humanitárias a respeito destas ações, por exemplo, denunciando a parcialidade do CSNU na escolha dos destinatários de tais ações, e, sobretudo, a "politização" da ação humanitária[77].

III – finalmente o CSNU se vê ameaçado de marginalização: diante do aumento considerável de seu campo de ação, deve este se empenhar em garantir base de amplo consenso[78], para a ampliação de sua atuação; na falta desta, corre o risco de ver suas intervenções continuamente questionadas. Para que a sua atuação não seja percebida como fruto de sua exclusiva vontade, mas como a ação de todos, refletindo a opinião do conjunto da comunidade internacional, seria desejável que o CSNU buscasse, tanto quanto possível, à AGNU na tomada de decisões, bem como assegurar mais transparência em suas atividades.

Conclui-se[79] que o campo de ação da segurança coletiva não teve somente desenvolvimentos "horizontais", passando a incluir domínios antes excluídos, mas conheceu, igualmente, progressão "vertical", autorizando sanções, não mais somente com relação aos estados, mas igualmente em relação a particulares que não respeitem a legalidade definida pelo Conselho de Segurança. Essa tendência

77. Yann KERBRAT (op. cit., loc. cit.): "La politisation de l'humanitaire constitue un fléau pour les organisations humanitaires. Toute atteinte à la neutralité et au principe de non-discrimination ne peut être qu'une entrave à leur action. Pour palier à ces critiques, le Conseil devrait s'orienter dans deux directions: chercher, d'une part, les moyens d'assurer l'impartialité et la neutralité de son action et s'efforcer, d'autre part, d'asseoir la popularité de son oeuvre".

78. Nelson F. de CARVALHO, *Arqueologia do consenso* (in **Direito e comércio internacional: tendências e perspectivas: estudos em homenagem ao prof. Irineu Strenger**, org. L. O. Baptista, H. M Huck e P. B. Casella, São Paulo: LTr, 1994, p. 353-406).

79. Yann KERBRAT (op. cit., loc. cit.).

se manifestou na criação de tribunais, encarregados de julgar as pessoas presumidas responsáveis, por violações graves do direito humanitário[80], cometidas em Ruanda e na ex-Iugoslávia.

Aspecto dos mais relevantes e mais positivos da primeira sentença[81], do TPI para a antiga Iugoslávia, no julgamento do caso TADIC, *foi o reconhecimento de que violações graves do direito internacional pós-moderno, mesmo se cometidas durante conflito armado interno, constituem crimes internacionais*[82].

É indispensável assegurar base legal adequada para a construção desses desenvolvimentos relevantes do direito internacional pós-moderno. Algumas vezes bastante específicos terão de ser tais desenvolvimentos, como considerar o direito humanitário aplicável aos conflitos armados no mar[83].

A inovação da atuação do Conselho de Segurança das Nações Unidas, em matéria de proteção do direito internacional humanitário, muito embora não contasse com clara base jurídica, constitui desenvolvimento relevante do direito internacional pós-moderno. Desse modo, o Conselho de Segurança das Nações Unidas se comporta como legislador de "direito comum"[84] que, por preocupação de justiça, não se pode satisfazer com a obscuridade de sua formulação.

A coletivização das sanções, por meio da atuação do CSNU, poderia eliminar parte da subjetividade na interpretação e na aplicação das sanções[85], por parte dos estados, separadamente considerados. Contudo[86] a subjetividade pode, igualmente, ocorrer no contexto do CSNU, no sentido de serem tratadas de modo desigual situações equivalentes.

Decorrência lógica e necessária de toda essa concepção, põe-se a *proteção do pessoal e das instalações engajadas na ação de assistência humanitária*, onde

80. Djamchid MOMTAZ dedica inteiro curso na Haia ao direito internacional humanitário aplicável aos conflitos armados não internacionais, **Le droit international humanitaire applicable aux conflits armés non internationaux** (RCADI, 2001, t. 292, p. 9-145).

81. Raúl Emilio VINUESA, *La jurisdicción del Tribunal Penal Internacional para la ex-Yugoslavia según la decisión de la camara de apelaciones en el caso TADIC (sobre competencia)* (in **Persona humana y derecho internacional / personne humaine et droit international / human person and international law: Héctor Gros Espiell amicorum liber**, Bruxelas: Bruylant, 1997, v. II, p. 1801-1848; *v.* esp. item V, "Jurisdicción del tribunal internacional en razón de la materia", p. 1824-1846, subitem 6, "La responsabilidad criminal individual en los conflictos armados internos", p. 1841-1844).

82. R. E. VINUESA (art. cit., 1997, "conclusiones", p. 1846-1848).

83. N. RONZITTI, **Le droit humanitaire applicable aux conflits armés en mer** (RCADI, 1993, t. 242, p. 9-196).

84. Mireille DELMAS-MARTY, **Pour un droit commun** (Paris: Seuil, 1994, p. 204): "un 'droit commun' est, d'abord un droit accessible, et, autant que possible, accessible à tous".

85. *V.* tb. item XV, "Contingência e uso da força no direito internacional"; Djacoba Liva TEHINDRAZANARIVELO, **Les sanctions des Nations-Unies et leurs effets secondaires: assistance aux victimes et voies juridiques de prévention** (avant-propos de Raymond RANJEVA, préface de Georges ABI-SAAB, Paris: PUF / publications de l'IUHEI, de Genebra, 2005).

86. Mohammed BENNOUNA, **Les sanctions économiques de l'ONU** (RCADI, 2002, t. 300, p. 9-78).

o fato de fazer, intencionalmente, ataques contra o pessoal, as instalações, os bens ou os veículos implicados em ação de assistência humanitária constitui violação grave dos princípios fundamentais do direito internacional. Caso ocorram tais violações graves, as pessoas acusadas devem ser processadas, e responder perante jurisdição interna ou internacional competente, em conformidade com o reconhecimento crescente da responsabilidade penal internacional ou indivíduo[87].

Aqui se vê configuração que modifica, ao menos em matéria de assistência humanitária, a antiga relação de *coexistência*, que passa ao patamar da *cooperação* entre estados. O que encontra, todavia, considerável resistência dos estados.

A construção de conjunto de direitos e obrigações do estado – e, às vezes sem que tenha ocorrido manifestação do estado, ou mesmo contra a vontade deste[88], tal como regulado pelo direito internacional[89], será acrescentada a essa dimensão primária, de fenômeno de poder, que se irradia em determinada extensão geográfica[90]. Pode variar tal extensão. Pode ser bilateral ou multilateralmente instaurada, pode ter os conteúdos os mais variados, pode ter as fortunas as mais variadas, quanto à sua efetiva aplicação e duração, mas, enquanto fenômeno de poder, estará determinada a extensão da vinculação pela expressão da vontade do estado.

Para desenvolvimentos específicos e recentes, *v.* andamento dos trabalhos de cada um dos dois TPI *ad hoc*[91].

8.1.2.1.5.3. Estatuto de Roma

Em 17 de julho de 1998 foi adotado o **Estatuto** do **Tribunal Penal Internacional** (TPI), seus Anexos e a Ata Final da Conferência de Roma sobre o es-

---

87. Michael C. PRYLES, **Tort and related obligations in private international law** (RCADI, 1991, t. 227, p. 9-206, Cap. I, "Introduction", p. 21-31, cit. p. 21): "Tort is one of the most fascinating areas of private international law. It brings into focus the very basis of private international law including the reasons for displacing the law of the forum and the method of selecting the governing law. Not surprisingly this area of the law is the subject of many theories and approaches".

88. Christian TOMUSCHAT, **Obligations arising for states without or against their will** (RCADI, 1993, t. 241, p. 195-374); Christian TOMUSCHAT, **International law: ensuring the survival of mankind in the eve of a new century: general course on public international law** (RCADI, 1999, t. 281, p. 9-438).

89. Com todos os corolários da configuração do estado como sujeito de direito internacional, desde a configuração de seu território, nos âmbitos terrestre, marítimo e aéreo, as relações do estado com os indivíduos que denomine seus nacionais e os estrangeiros residentes ou passageiramente vinculados a este estado, e todo o conjunto de competências e atribuições enfeixadas sob a rubrica da soberania do estado.

90. A extensão extraterritorial das leis e da atuação do estado segue a mesma lógica do fenômeno de poder: a aplicação extraterritorial da lei estatal ou adoção de medidas (legais ou ilegais), determinadas pelo estado, estarão em relação direta e necessária com o estado como fenômeno de poder: a aplicação da lei e das medidas irão até onde o estado se considerar dotado ou revestido de poderes para assegurar tal exercício. Ressalvadas as normas de direito internacional e os limites práticos, a partir dos quais qualquer outro estado poderá responder a atuação que considere abusiva.

91. TPI PARA A EX-IUGOSLÁVIA – <www.un.org/icty> TPI PARA RUANDA – <www.ictr.org>.

tabelecimento de um Tribunal Penal Internacional. Este normalmente é referido como o **Estatuto de Roma** (1998).

A ideia da criação de tribunal criminal internacional permanente já havia sido cogitada em 1948, quando a Assembleia Geral das Nações Unidas pediu à CDI que examinasse a possibilidade de ser criado tribunal para julgar os casos semelhantes aos que haviam sido submetidos aos **Tribunais** de **Nuremberg** e de **Tóquio**, mas o agravamento da guerra fria impediu que a iniciativa tivesse prosseguimento.

No início da década de 1990, a questão voltou a ser suscitada, e as Nações Unidas novamente solicitaram a colaboração da CDI. O anteprojeto elaborado foi, contudo, considerado excessivamente conservador. O projeto finalmente submetido à Conferência de Roma continha inúmeras modificações de natureza político-jurídica.

Mais ou menos na mesma época foram criados pelo Conselho de Segurança o tribunal para julgar os crimes de genocídio e os crimes contra a humanidade, tendo em vista as atrocidades verificadas na Iugoslávia a partir de 1993, e outro para apreciar crimes análogos verificados em Ruanda em 1994.

O principal dispositivo do **Estatuto**, que figura no artigo 1º, é o princípio da *complementaridade*, nos termos do qual a jurisdição do TPI terá caráter excepcional e complementar, isto é, somente será exercida em caso de manifesta incapacidade ou falta de disposição de um sistema judiciário nacional para exercer sua jurisdição primária. Ou seja, os estados terão primazia para investigar e julgar os crimes previstos no Estatuto do Tribunal.

O **Estatuto** enumera e define nos artigos 5º e 6º os crimes sobre os quais o TPI tem competência, ou seja, o crime de genocídio, os crimes contra a humanidade, os crimes de guerra e o crime de agressão.

No tocante ao crime de agressão convém lembrar que, previsto na Carta das Nações Unidas, foi objeto de inúmeras interpretações, que ainda não contam com a aceitação da comunidade de direito internacional.

A acusação por crime, dentre os enumerados no artigo 5º, pode ser formulada quer por estado com jurisdição na matéria, quer pelo procurador-geral do TPI. O pedido, devidamente documentado, será examinado inicialmente pela Câmara Preliminar (*Pretrial Chamber*), que decidirá sobre a legalidade, conveniência e pela admissibilidade do pedido; nesse sentido, optará pela inadmissibilidade no caso de estado que tenha jurisdição pela matéria haver iniciado o processo a respeito; se o caso já tiver sido investigado por estado com jurisdição, o qual decidiu não processar a pessoa em questão; se essa pessoa já tiver sido julgada; se o caso não é suficientemente grave para justificar a ação pelo tribunal.

No caso das duas primeiras hipóteses acima mencionadas, a Câmara preliminar terá a faculdade de verificar se um estado com jurisdição agiu corretamente ou não.

Verificado que a acusação tem cabimento, o caso será encaminhado a *julgamento* pelo tribunal. O processo é minuciosamente regulado pelo **Estatuto**, cujo Capítulo 3 enumera os princípios gerais de direito penal a serem aplicados, dentre eles as regras *nullum crimen, nulla poena sine lege* e o da não retroatividade *ratione personae*.

Na hipótese de o tribunal julgar o indiciado culpado, poderá aplicar pena de prisão de até trinta anos. Excepcionalmente, em caso de extrema gravidade, a pena poderá ser de prisão perpétua. Além da prisão, o culpado poderá estar sujeito ao pagamento de uma multa e ter os bens confiscados, caso seja provado que foram adquiridos ilicitamente.

Uma das questões mais controvertidas durante a Conferência de Roma foi a da não extradição de nacionais, princípio este que consta da Constituição brasileira. A fim de contornar a dificuldade, a Conferência criou a distinção entre a extradição propriamente dita e aquilo que se denominou *surrender*, ou seja, a entrega. O Estatuto estipula que não podem ser formuladas reservas.

A criação do TPI representa importante avanço no campo do direito internacional, pois, ao contrário dos tribunais criados anteriormente, depois da segunda guerra mundial e como consequência do esfacelamento da Iugoslávia, trata-se de um tribunal permanente e não de um tribunal criado *a posteriori* pelas nações vencedoras ou por nações mais poderosas mediante a imposição de suas vontades.

O texto aprovado em Roma só o foi graças ao apoio das delegações latino-americanas, das delegações africanas, bem como das delegações europeias. Apesar do amplo apoio recebido verificou-se muita relutância de algumas potências, havendo a delegação dos Estados Unidos declarado que não poderia aceitar que, eventualmente, seus militares ou dirigentes viessem a ser julgados pelo tribunal, declarações estas que provocaram fortes críticas da parte de alguns dos mais conceituados juristas daquele país.

Em 2012, foi proferida, no Tribunal penal internacional, a condenação no caso Thomas Lubanga DYILO. Este ex-líder rebelde congolês foi considerado culpado e condenado a 14 anos de prisão pela prática de crime de guerra, consistente no recrutamento de crianças para a participação ativa em conflitos armados, as chamadas "crianças-soldado".

8.1.2.1.6. tribunais administrativos internacionais

Na relação dos tribunais permanentes internacionais, uma referência especial deve ser feita aos tribunais administrativos internacionais que aplicam o direito internacional dos funcionários internacionais. A criação destes tribunais está vinculada à circunstância de os acordos de sede entre as principais organizações das Nações Unidas e os países onde se acham localizados reconhecerem a imunidade jurisdicional das referidas organizações, donde a necessidade de serem criados tribunais aptos a julgar os casos supervenientes. Dentre os tribunais administrativos, cumpre mencionar em primeiro lugar o Tribunal Administrativo das Nações Unidas (UNAT), bem como os do Banco Mundial, da Organização Internacional do Trabalho e o Tribunal Administrativo da Organização dos Estados Americanos (OASAT).

8.1.2.2. comissões internacionais de inquérito e conciliação

As comissões internacionais de inquérito, também chamadas de investigação e ainda de conciliação, são ***comissões*** criadas para facilitar soluções de litígios internacionais ou para elucidar fatos controvertidos, por meio de uma investigação imparcial e criteriosa.

A criação de tais comissões foi promovida na Primeira Conferência da Paz, na Haia, pela delegação russa e por iniciativa do internacionalista F. F. DE MARTENS. Aceita ali a ideia[92], figurou a mesma na Convenção para a Solução Pacífica dos Conflitos Internacionais, concluída a 29 de julho de 1899 (artigos 9º a 14).

Na seguinte Conferência da Haia (1907), ao se rever a dita convenção, foram reforçados um pouco os preceitos relativos às referidas comissões e se estabeleceu um regulamento de processo para elas.

A instituição das comissões de inquérito teve sua primeira aplicação durante a guerra russo-japonesa, em 1904, no conflito surgido entre a Inglaterra e a Rússia, por causa de um incidente ocorrido no Mar do Norte, na altura de Dogger Bank, quando por ali passava a esquadra russa do Almirante RODJESTWENSKY.

Outro caso internacional que deu lugar ao recurso a uma comissão dessa natureza foi o do afundamento do paquete holandês *Tubantia*, em 1916. A Holanda atribuiu o fato a um torpedo alemão, o que foi negado pela Alemanha. Só em 1921 os dois governos interessados chegaram a acordo para submeter o caso a uma comissão de inquérito, que concluiu por reconhecer a culpabilidade alemã.

---

92. *V.* Christoph SWINARSKI, *Acerca de la contribución del jurista al orden internacional – Apuntes sobre F. F. DE MARTENS* (in **Novas perspectivas do direito internacional contemporâneo** – estudos em homenagem ao prof. Celso D. de Albuquerque MELLO, org. C. A. M. DIREITO, A. A. C. TRINDADE e A. C. A. PEREIRA, Rio de Janeiro: Renovar, 2008, p. 859-866).

Em 1952, outra controvérsia internacional suscitou a reunião de uma comissão de inquérito. Tratava-se de um litígio entre a Bélgica e a Dinamarca, a propósito de dois navios dinamarqueses que, durante a segunda guerra mundial, tinham partido de Antuérpia, por ordem das autoridades belgas, sendo um deles destruído, em caminho de Ostende, e outro apreendido em Londres, pelas autoridades britânicas.

No domínio convencional, a instituição das comissões de inquérito começou a ter grande desenvolvimento e adquiriu larga extensão, com os tratados bilaterais de iniciativa de William BRYAN, secretário de estado norte-americano ao tempo do Presidente WILSON. Os Tratados Bryan, concluídos em 1913 e 1914, foram celebrados com cerca de trinta países, entre os quais o Brasil.

Atos coletivos do mesmo gênero ou em que se acha previsto o mesmo processo de solução de litígios foram celebrados no continente americano, e a eles se acha ligado o Brasil. São eles os seguintes: 1º) a "Convenção Gondra" ou "Tratado para Evitar ou Prevenir Conflitos entre os Estados Americanos", concluídos na 5ª Conferência Internacional Americana (Santiago do Chile), a 3 de maio de 1923; 2º) a Convenção Geral Interamericana de Conciliação, concluída em Washington a 5 de janeiro de 1929; 3º) o Pacto Antibélico de Não agressão e de Conciliação, concluído no Rio de Janeiro a 10 de outubro de 1933. Além disso, na 7ª Conferência Internacional Americana, reunida em Montevidéu em 1933, foi aprovado protocolo adicional à Convenção Geral Interamericana de Conciliação, o qual recebeu mui poucas adesões e cuja substituição foi depois aconselhada, na Conferência Interamericana de Consolidação da Paz (Buenos Aires, 1936).

As regras de composição das comissões de inquérito e conciliação e relativas ao respectivo processo são mais ou menos uniformes, nas diferentes convenções que as estipulam. Em geral, estas preveem a instituição de *comissão permanente*, de maneira que, quando surja a oportunidade, já esteja formado o organismo ao qual deva a controvérsia ser submetida. Quase sempre, as comissões são compostas de cinco membros, dos quais cada parte designa dois, sendo o quinto escolhido de comum acordo pelas partes. Às vezes, o estabelecimento das regras de processo é deixado à própria comissão. Outras vezes, são adotadas as constantes do título III da Convenção da Haia, de 1907. Admite-se, ordinariamente, que o processo seja contraditório, devendo as partes ser representadas por agentes, que servem de intermediários entre elas e a comissão. Estas têm por missão conciliar as partes e, para isso, depois de exame circunstanciado do litígio, deve apresentar um relatório, no qual proporá um acordo entre os litigantes e prazo para que estes se pronunciem sobre os termos de tal acordo.

Em suma, a função específica das comissões de conciliação é, apenas, investigar os fatos sobre os quais versa o litígio e apresentar conselhos ou sugestões que permitam a conciliação dos pontos de vista divergentes. Seu papel é puramente consultivo, seu método é simplesmente o da persuasão.

8.1.2.3. comissões mistas

Para a solução de controvérsias internacionais, esteve muito em voga, durante o século XIX, a constituição de comissões mistas, compostas exclusivamente de representantes das partes litigantes, e que, na verdade, não eram senão forma primitiva da arbitragem. Sua esfera de ação abrangia certas questões de fronteiras e, principalmente, reclamações de particulares, por danos sofridos em suas pessoas ou bens[93].

A história diplomática do Brasil registra casos de comissões dessa natureza.

No século XX, tornaram-se raras as ditas *comissões mistas*, que se foram transformando em comissões ou tribunais arbitrais, nos quais existe, pelo menos, um membro estranho às partes litigantes.

Convém não confundir as comissões mistas destinadas a resolver controvérsias internacionais com as comissões mistas incumbidas da execução de serviços de interesse mútuo, geralmente de natureza técnica, entre dois ou mais estados. Exemplos destas últimas são as comissões demarcadoras de fronteiras.

8.1.2.4. arbitragem

A arbitragem pode ser definida como o meio de solução pacífica de controvérsias entre estados por uma ou mais pessoas livremente escolhidas pelas partes, geralmente por meio de um compromisso arbitral que estabelece as normas a serem seguidas e onde as partes contratantes aceitam, de antemão, a decisão a ser adotada.

Em geral, os autores, da mesma forma que numerosos governos, sustentam que só podem ser objeto de arbitragem os conflitos de ordem jurídica ou susce-

93. *Bibliografia*: **Tratado** (2008, v. 3); C. F. AMERASINGHE, **The law of the International Civil Service**, Oxford, 1988, v. 1, p. 3; Charles C. Hyde, *Commissions of inquiry*, BYB, 1929, p. 96; DÍEZ – 1, p. 668; DUPUY, p. 403; H. LAUTERPACHT, **The function of law in the international community**, Oxford, 1933; Hermann MOSLER, *The "ad hoc" chambers of the International Court of Justice*, in **International law at a time of perplexity**, Dordrecht, 1988, p. 449 (coletânea); Jiménez de ARÉCHAGA, p. 172; L. CAVARÉ, *La notion de jurisdiction internationale*, AFDI, 1956, p. 496; Laurent JULLY, *Arbitration and judicial settlement*, AJIL, 1954, v. 48, p. 380; Norbert WUHLER, *Mixed arbitral tribunals*, in **Encyclopedia**, v. 1, p. 142; PODESTÀ COSTA – 2, p. 388; ROUSSEAU – 5, p. 394; Rudolf BINDSCHEDLER, *Conciliation and mediation*, in **Encyclopedia**, v. 1, p. 47; Shabtai ROSENNE, **Procedure in the International Court**, Leiden, 1983.

tíveis de ser formulados juridicamente. As Convenções da Haia, de 1899 e 1907, relativas à solução pacífica dos conflitos, adotaram esse mesmo ponto de vista, estabelecendo como condição, para a arbitragem, a existência de uma questão jurídica ou de uma questão cuja solução possa ser baseada no direito. Na verdade, porém, pode-se dizer que a arbitragem é aplicável a todas as controvérsias internacionais, de qualquer natureza ou causa; e neste sentido poderíamos citar vários tratados internacionais dos últimos trinta anos. Razão teve, portanto, FENWICK, ao declarar que na arbitragem se inclui qualquer forma de solução pacífica em que existam elementos de decisão judicial suscetíveis de reconciliar os pontos de vista divergentes, das partes em litígio, sem necessidade de apelo à autoridade do direito.

Em conclusão, já que o campo abrangido pela arbitragem vai, às vezes, muito além das questões puramente jurídicas, nem sempre é possível distinguir precisamente as controvérsias de ordem jurídica das de natureza política.

As principais características da arbitragem são: a) o acordo de vontades das partes para a fixação do objeto do litígio e o pedido de sua solução a um ou mais árbitros; b) a livre escolha destes; c) a obrigatoriedade da decisão.

Distingue-se da mediação em que esta última oferece o caráter de simples conselho, enquanto a primeira se apresenta, em seu resultado, como sentença definitiva, que deve ser obedecida: o mediador é, por conseguinte, um conselheiro, ao passo que o árbitro é um juiz.

O acordo de vontades para a entrega de um litígio à decisão arbitral traduz-se num *compromisso*, que é o documento por meio do qual se submete uma questão à arbitragem.

O compromisso define a matéria da controvérsia, designa os árbitros, indicando-lhes os poderes, e contém a promessa formal de aceitação, respeito e execução da futura sentença arbitral. Em geral, estabelece igualmente o processo a ser seguido.

8.1.2.4.1. formas de arbitragem

A arbitragem pode ser *voluntária* (também chamada *facultativa*) ou *obrigatória* (também chamada *permanente*). O primeiro caso é o da livre instituição de um juízo arbitral, por acordo ocasional das partes litigantes, para a solução da divergência surgida entre elas. O segundo caso ocorre em consequência de ajuste prévio, entre os litigantes, para a entrega do litígio a uma solução arbitral. Em qualquer dos casos a arbitragem resulta sempre de algum acordo, que a tenha estipulado.

A arbitragem pode ser prevista em tratados de duas naturezas: a) tratados de arbitragem propriamente dita; b) tratados com cláusula compromissória.

Os tratados de arbitragem propriamente dita são os que só contêm disposições referentes a esse método de solução pacífica de controvérsias. Dividem-se em: *tratados de arbitragem voluntária,* que são feitos isoladamente para cada caso que surja; e *tratados de arbitragem permanente ou obrigatória,* concluídos para as controvérsias que possam surgir no futuro. Estes últimos exigem, para cada caso, o complemento de um *compromisso arbitral.* Cada um dos primeiros constitui, por si só, um *compromisso arbitral.*

Os tratados de arbitragem permanente que não contêm restrições, isto é, os que determinam seja a arbitragem aplicada a quaisquer controvérsias entre as partes, não resolvidas pelos meios diplomáticos ordinários, são chamados de *arbitragem geral obrigatória.*

Há tratados nos quais as partes contratantes se comprometem, por meio de uma cláusula especial, denominada *cláusula compromissória*, a submeter à arbitragem as divergências ou dificuldades que possam surgir sobre a interpretação do mesmo tratado, ou qualquer outro dissídio que venha a surgir entre as partes.

O instituto da arbitragem, conhecido desde remota antiguidade[94], desenvolveu-se bastante no hemisfério americano, na época contemporânea. O Brasil está entre os países que por ele mais se interessaram[95].

Várias vezes, figurou o Brasil como árbitro entre outros países. Isto se deu nos seguintes casos: 1º) questão do Alabama, entre os Estados Unidos da América e a Grã-Bretanha, resultante de fatos ocorridos durante a Guerra de Secessão americana; 2º) reclamações mútuas franco-americanas, por danos causados pelas autoridades civis ou militares dos Estados Unidos da América e da França, quer durante a Guerra de Secessão, quer durante a expedição do México, a Guerra Franco-prussiana, de 1870, e a Comuna; 3º) reclamações da França, Itália, Grã-Bretanha, Alemanha etc. contra o Chile, por danos sofridos por nacionais dos países reclamantes, como consequência de operações de guerra na Bolívia e no Peru.

O Brasil também já recorreu à arbitragem diversas vezes[96]. Os casos que a

94. Sobre a arbitragem entre as cidades-estado da Grécia antiga, *v.* P. B. CASELLA, **Direito internacional no tempo antigo** (São Paulo: Atlas, 2012, cap. V, p. 233-258).

95. Sobre a utilização da arbitragem para a solução de controvérsias territoriais pelo Brasil, *v.* P. B. CASELLA, **Direito internacional dos espaços** (São Paulo: Atlas, 2009, cap. XXVII, "*território brasileiro e direito internacional*", p. 699-755 e cap. XXVIII, "*fases da formação do território brasileiro: algumas lições de direito internacional*", p. 756-776).

96. A respeito de cada um dos casos de utilização da arbitragem para a solução de controvérsias territoriais pelo Brasil, como ref., P. B. CASELLA, **Direito internacional dos espaços** (São Paulo: Atlas, 2009, cap. XXVII, "*território brasileiro*

isto o determinaram foram os seguintes: 1) controvérsias entre o Brasil e a Grã-Bretanha, a propósito da prisão, no Rio de Janeiro, de oficiais da fragata inglesa *Forte*; 2) questão entre o Brasil e os Estados Unidos da América, relativa ao naufrágio da galera americana *Canadá,* nos recifes das Garças, nas costas do Rio Grande do Norte; 3) reclamação da Suécia e da Noruega, por motivo do abalroamento da barca norueguesa *Queen,* pelo monitor brasileiro Pará, no porto de Assunção; 4) reclamação apresentada pela Grã-Bretanha, em nome de Lord COCHRANE, Conde de Dundonald, para o pagamento de serviços prestados pelo pai do referido Lord (Almirante COCHRANE) à causa da independência do Brasil; 5) questão de limites entre o Brasil e a Argentina, referente ao território de Palmas; 6) questão de limites, entre o Brasil e a França, referente ao território do Amapá (na fronteira do Brasil com a Guiana Francesa); 7) questão de limites, entre o Brasil e a Grã-Bretanha, referente à fronteira do Brasil com a Guiana Britânica; 8) reclamações brasileiro-bolivianas, oriundas da questão do Acre; 9) reclamações brasileiro-peruanas, resultantes de fatos ocorridos no Alto Juruá e no Alto Purus.

8.1.2.4.2. escolha e poderes dos árbitros

É princípio fundamental da arbitragem a livre escolha dos árbitros. Em geral, a sua designação é feita no compromisso. Mas nada impede que as partes prefiram confiar a designação individual dos árbitros a uma ou mais pessoas por elas próprias escolhidas para esse fim (um ou mais chefes de estado, o presidente de um tribunal, uma associação científica etc.).

O juízo arbitral pode ser constituído por um só árbitro, ou por diversos. No primeiro caso, muito empregado nos processos arbitrais até o começo do século XX, a escolha recaía comumente num soberano ou chefe de estado.

O modo de arbitragem por soberano ou chefe de estado apresenta vários inconvenientes. Primeiro que tudo, será muito difícil a tal árbitro fazer completa abstração de suas preferências políticas ou pessoais. Depois, a alta qualidade do árbitro impede, geralmente, que se lhe marquem regras processuais muito precisas ou se lhe fixe prazo para dar a sentença. Por outro lado, o soberano ou chefe de estado escolhido para árbitro confia quase sempre a incumbência de estudar a questão e elaborar a sentença a pessoas que ficam anônimas e, por isso, não oferecem suficientes garantias de imparcialidade.

---

e direito internacional", p. 699-755 e cap. XXVIII, "*fases da formação do território brasileiro: algumas lições de direito internacional*", p. 756-776).

Em contraposição à arbitragem por juiz único – que tanto pode ser um soberano ou chefe de estado quanto um jurisconsulto, ou um diplomata, ou um técnico na matéria em causa, ou, enfim, qualquer pessoa que mereça a plena confiança das partes –, cada vez mais se adota o sistema de confiar a arbitragem a um tribunal *ad hoc*.

Para a constituição desse tribunal, as partes litigantes podem escolher diretamente, por acordo mútuo, todos os seus membros – ou, na ausência de tal acordo, cada uma delas designa um número igual de árbitros e, para prevenir as dificuldades que se poderão suscitar em caso de partilha igual de votos, os árbitros nomeados escolhem, por sua vez, um superárbitro. Se os árbitros de uma e outra parte não conseguem pôr-se de acordo para a escolha do superárbitro, a designação deste é, geralmente, confiada a uma terceira potência, ou a um tribunal, ou, antes, ao presidente de um tribunal.

A Convenção da Haia de 1899, sobre a solução pacífica de controvérsias, determinou a criação, naquela cidade, de uma instituição particular, à qual podem recorrer os estados litigantes, em caso de arbitragem. Organizou-se, assim, a chamada *Corte Permanente de Arbitragem*, acessível em qualquer tempo pelas partes litigantes e destinada a funcionar, salvo estipulação contrária das próprias partes, de conformidade com as regras de processo inseridas na dita Convenção e repetidas na de 1907, sobre o mesmo assunto.

Essa jurisdição não é, contudo, obrigatória: as próprias partes contratantes conservam a liberdade de recorrer a outros juízes. Além disso, a mencionada Corte de Arbitragem não é propriamente um tribunal, que se ache constituído e funcione permanentemente, ao qual as partes possam recorrer a qualquer instante. É, antes, uma lista de nomes, entre os quais as partes escolherão os que lhes convenham para árbitros. Esta lista, mantida em dia pela Secretaria da Corte, deve ser composta de nomes de pessoas de competência reconhecida em matéria de direito internacional, dispostas a aceitar as funções de árbitro e que gozem da mais alta consideração moral – designadas pelos estados contratantes, à razão de quatro, no máximo, por estado. Essas pessoas têm o título de *membros* ou *juízes* da Corte Permanente de Arbitragem.

O que, de fato, é permanente é a Secretaria (*Bureau*) da Corte, a qual constitui o órgão intermediário de todas as comunicações relativas à Corte e à qual incumbe a direção dos serviços administrativos desta, bem como a guarda dos respectivos arquivos.

As mencionadas Convenções da Haia de 1899 e 1907 indicam a maneira de recorrer à Corte Permanente de Arbitragem e de se constituir o tribunal arbitral formado por membros de tal Corte.

O compromisso determina, ordinariamente, os poderes dos árbitros, o caráter e os limites da competência a estes conferida.

Se, entretanto, ou por falta de clareza dos termos expressos do compromisso, ou pela superveniência de questões neste não previstas, as partes divergem relativamente a tal competência, é de perguntar se aos árbitros cabe interpretar o compromisso, ou melhor, se possuem eles qualidades para estatuir sobre a própria competência.

A questão tem sido muito discutida, divergindo as opiniões. Pensamos, como HOIJER, que os árbitros podem ser assimilados a mandatários, "porque seus poderes derivam da comum vontade das partes"; mas, pela natureza de sua missão, têm o papel de juízes e, de acordo com o princípio segundo o qual o juiz da ação é também o da exceção, deve ser-lhes reconhecida a autoridade para examinar e julgar a exceção de incompetência. Assim, parece-nos que – conforme, aliás, afirmou A. de LA PRADELLE – o juiz arbitral tem a competência da própria competência. É aconselhável, porém, que, na apreciação do compromisso, o juiz ou o tribunal arbitral se mostre reservado, de modo que, em face de divergência fundamental entre as partes, no tocante à competência, e quando a decisão sobre esta se não imponha pela evidência, se limite a pronunciar um simples *non liquet*[97], salvo se isto não lhe for permitido, em consequência de estipulação convencional expressa.

As citadas Convenções da Haia de 1899 e 1907 decidem a questão da competência em sentido favorável à interpretação do compromisso pelos próprios árbitros.

8.1.2.4.3. procedimento arbitral

Quando o processo arbitral não se acha regulado no compromisso, os próprios árbitros poderão formulá-lo. A título subsidiário, podem invocar as disposições estipuladas a esse respeito pelas duas mencionadas Convenções da Haia.

De acordo com estas, o processo compreende, em geral, uma parte escrita e outra oral. Os debates orais só serão públicos se as partes, por comum acordo, assim o decidirem. As deliberações do tribunal serão tomadas a portas fechadas e por maioria de votos dos seus membros.

Para os conflitos menos graves ou de caráter puramente técnico, a Convenção de 1907 institui um processo de natureza sumária, mais simples, mais rápido e menos dispendioso do que o processo ordinário. No processo sumário, cada parte nomeia um árbitro, e os dois, assim escolhidos, designam um terceiro, que

97. A respeito *v.* o já referido estudo de Gerald FITZMAURICE, *The problem of "non-liquet": prolegomena to a restatement* (in **La communauté internationale: mélanges offerts à Charles ROUSSEAU**, Paris: Pedone, 1974, p. 89-112).

será o superárbitro. Se não há acordo para este fim, cada um dos primeiros indica um nome, tirado da lista dos membros da Corte de Arbitragem, excluídos os já designados pelas partes e os nacionais destas. A sorte indicará a quem caberão as funções de superárbitro ou presidente do tribunal.

No processo sumário, não há debates orais: tudo é feito por escrito.

8.1.2.4.4. sentença arbitral

A obrigatoriedade da decisão constitui um dos elementos característicos da arbitragem. Em todo caso, a aceitação prévia de tal decisão é, em geral, expressamente estipulada no compromisso.

Independentemente, porém, de estipulação expressa nesse sentido, é princípio corrente que a sentença arbitral obriga juridicamente os estados que recorrem à arbitragem.

Essa *força obrigatória* não deve ser confundida com a *força executória*, que, na verdade, não existe, devido à ausência de uma autoridade internacional à qual incumba assegurar a execução das decisões arbitrais.

Na prática, tais sentenças têm sido, geralmente, acatadas pelas partes. Citam-se, porém, alguns raros casos em contrário.

Em casos muito especiais, a sentença arbitral pode ser considerada sem eficácia e não obrigatória. Em geral, admite-se que isso suceda: 1º) quando o árbitro ou o tribunal arbitral exceder, evidentemente, os seus poderes; 2º) quando a sentença for o resultado da fraude ou da deslealdade do árbitro ou árbitros; 3º) quando a sentença tiver sido pronunciada por árbitro ou árbitros em situação de incapacidade, de fato ou de direito; 4º) quando uma das partes não tiver sido ouvida, ou tiver sido violado algum outro princípio fundamental do processo. A estes quatro casos poderá talvez ser acrescentado o da ausência de motivação da sentença.

A decisão arbitral não poderá ser impugnada, entretanto, sob a alegação de que é errônea, ou contrária à equidade, ou lesiva aos interesses de uma das partes.

De todas essas causas de nulidade, a mais alegada é, sem dúvida, a do excesso de poder.

O excesso de poder deve ser tal que se mostre indiscutível. O mesmo ocorre, segundo ensinou Nicolas POLITIS: 1º) em caso de interpretação abusiva do compromisso; 2º) se o árbitro examinou pontos não compreendidos no compromisso ou já regulados e dos quais só se trata de fixar a aplicação ou tirar consequências; 3º) em caso de desrespeito às disposições imperativas do compromisso, quanto às regras que deviam ser aplicadas; 4º) quando o árbitro, em vez de proferir um julgamento, realiza uma transação.

Admite-se, em geral, que a sentença arbitral é definitiva, salvo se o contrário foi previsto no respectivo compromisso, ou se se descobre algum fato novo que teria podido determinar a modificação da sentença.

As Convenções da Haia de 1899 e 1907 pronunciaram-se mais ou menos nesse sentido, isto é, reunindo essas duas condições e dispondo que a revisão será admitida quando tiver sido prevista no compromisso e for motivada pelo descobrimento de um fato novo, que teria podido exercer influência decisiva sobre a sentença e que, por ocasião do encerramento dos debates, era desconhecido do próprio tribunal e da parte que pede a revisão. Acrescentarão que, salvo estipulação contrária do compromisso, a revisão deverá ser pedida ao tribunal que proferiu a sentença.

A *relatividade* da coisa julgada é princípio aceito não só em direito interno, mas também em direito internacional público. A autoridade da coisa julgada repousa sobre motivos tanto de ordem prática como de ordem conceitual. Segundo G. RIPERT (1933)[98]: "*Para que se possa aplicar no direito das gentes o princípio da autoridade da coisa julgada, é preciso supor que uma coisa tenha sido julgada por jurisdição internacional, árbitro ou Corte internacional de arbitragem ou de justiça. A decisão prolatada tem, então, necessariamente, entre os estados que foram partes na causa, a autoridade da coisa julgada, sem o que a jurisdição acionada não pronunciaria verdadeira decisão. Pode-se mesmo dizer que essa autoridade é ainda mais importante que em direito interno, porquanto não há autoridade superior que possa fazer respeitar a paz e a ordem na sociedade dos estados, se os próprios estados não se inclirarem diante da autoridade das decisões internacionais*"[99].

Assim, a sentença arbitral só possui efeito relativo, isto é, só obriga às partes litigantes. É o que dispõem, aliás, as Convenções da Haia de 1899 e 1907.

No mesmo sentido, o artigo 59 do **Estatuto** da Corte Internacional de Justiça: "A decisão da Corte só será obrigatória para as partes litigantes e a respeito do caso em questão".

Extensas considerações de caráter doutrinário podem ser lembradas a respeito[100].

---

98. Georges RIPERT, já citado, **Les principes de droit civil applicables aux rapports internationaux** (RCADI, 1933, t. 44, p. 565-664).

99. G. RIPERT (op. cit., 1933, Cap. V, "Preuve et interprétation", item III, "L'autorité de la chose jugée", p. 656-658, cit. p. 657).

100. ACCIOLY, **Tratado** (2009, v. 3, livro primeiro); BROWNLIE, **International law and the use of force by States**, Oxford, 1963; DÍEZ DE VELASCO, **Instituciones de derecho internacional (2007)**; DUPUY, p. 398; Hans Jurgén SCHLOCHAU-

8.2. Soluções coercitivas de controvérsias

Esgotados os meios de solução pacífica numa determinada controvérsia, os estados podem recorrer, às vezes, ao emprego de meios coercitivos, sem irem ao extremo do ataque armado. Esses meios coercitivos eram tolerados pelo direito internacional, embora o seu caráter abusivo fosse reconhecido, visto que, nos exemplos do passado, a utilização de tais meios era sempre praticada por estados mais poderosos contra outros estados, que em muitos casos tinham a razão a seu lado.

Tais métodos são de fato verdadeiras sanções e, como tais, a sua utilização só se justifica quando determinada por organização internacional. O Conselho de Segurança das Nações Unidas pode, nos termos do artigo 41 da Carta, aplicar medidas que não impliquem o emprego de forças armadas, tais como a interrupção completa ou parcial das relações econômicas, dos meios de comunicação ferroviários, marítimos, aéreos, postais, telegráficos ou de outra qualquer espécie e o rompimento das relações diplomáticas.

Os meios coercitivos mais empregados[101] são: (8.2.1) retorsão; (8.2.2) represálias; (8.2.3) embargo; (8.2.4) bloqueio pacífico; (8.2.5) boicotagem e (8.2.6) ruptura de relações diplomáticas.

8.2.1. retorsão

A retorsão é um ato por meio do qual um estado ofendido aplica ao estado que tenha sido o seu agressor as mesmas medidas ou os mesmos processos que este empregou ou emprega contra ele. É, pois, uma espécie de aplicação da pena de talião.

SER, *Arbitration*, in **Encyclopedia**, v. 1, p. 13; Hans Kelsen, *Compulsory adjudication of international disputes*, AJIL, 1943, v. 37, p. 400; J. SETTE-CAMARA, *Methods of obligatory settlement of disputes*, in **Droit international**, Paris: UNESCO/Pedone, 1991, p. 526; J. P. A. FRANÇOIS, **La Cour Permanente d'Arbitrage, son origine, sa jurisprudence, son avenir**, RCADI, 1955, v. 87-I, p. 460; José Carlos de MAGALHÃES e Luiz Otavio Baptista, **Arbitragem comercial**, São Paulo, 1986; Julien MAKOWSKI, **Organisation Actuelle de l'Arbitrage Internationale**, RCADI, 1931, v. 36, p. 267; Louis B. SOHN, **The function of international arbitration today**, RCADI, 1963, v. 108-I, p. 9; MELLO – 2, p. 1084, Oscar SCHACHTER, *Enforcement of international judicial disputes and arbitral decisions*, AJIL, 1960, v. 54, p. 1; PODESTÀ COSTA – 2, p. 397; REZEK – 2, p. 352; ROUSSEAU – 5, p. 304; WHITEMAN, v. 12, p. 1020.

101. ACCIOLY, **Tratado** (2009, v. 3); BROWNLIE, **International law and the use of force by States**, Oxford, 1963; DÍEZ – 1, p. 644; FOCSANEANU, *Les pratiques commerciales restrictives et le droit international*, AFDI, 1964, p. 267; H. WALDOCK, **The regulation of the use of force by individual States in international law**, RCADI, 1982, v. 81-II, p. 455; J. PICTET, **Development and principles of international humanitarian law**, Geneva, 1985; J. SETTE-CAMARA, Methods of obligatory settlement of disputes, in **Droit international**, Paris: UNESCO/Pedone, 1991, p. 519; KALSHOVEN, **Belligerent reprisals**, Leiden, 1971; Mario PESSOA, **O problema das sanções no direito internacional público**, Rio de Janeiro, 1939; MELLO – 2, p. 1102; Quincy WRIGHT, *The Cuban quarantine*, **AJIL**, 1963, v. 53, p. 546; Roberto Herrera CÁCERES, The use of force by international organizations, in **Droit international**, Paris: UNESCO/Pedone, 1991, p. 743.

Atos praticados por um estado, no exercício perfeito de sua soberania, podem colocar outro estado em situação desvantajosa ou prejudicar, de certo modo, os interesses dos nacionais desse outro estado sem que isso importe em violação manifesta do direito internacional. O estado lesado pode recorrer, então, à retorsão, aplicando, ao primeiro, tratamento análogo, ou idêntico.

Assim a retorsão constitui um meio de se opor a que um estado exerça seus direitos em prejuízo de outro estado. Inspira-se no princípio da reciprocidade e no respeito mútuo, que toda nação deve ter para com as demais. Não é ato de injustiça, nem violação de direito; mas, também, não pretende ser punição.

Como causas legítimas de retorsão, indicam-se as seguintes: o aumento exagerado, por um estado, dos direitos de importação ou trânsito estabelecido sobre os produtos de outro estado; a interdição do acesso de portos de um estado aos navios de outro estado; a concessão de certos privilégios ou vantagens aos nacionais de um estado, simultaneamente com a recusa dos mesmos favores aos nacionais de outro estado etc.

A retorsão é medida, certamente, legítima; mas a doutrina e a prática internacional contemporânea lhe são pouco favoráveis.

8.2.2. represálias

Em sua sessão de Paris, em 1934, o IDI assim definiu esse meio coercitivo: "As represálias são medidas coercitivas, derrogatórias das regras ordinárias do direito das gentes, tomadas por um estado em consequência de atos ilícitos praticados, em seu prejuízo, por outro estado e destinadas a impor a este, por meio de um dano, o respeito ao direito".

São medidas mais ou menos violentas e, em geral, contrárias a certas regras ordinárias do direito das gentes, empregadas por um estado contra outro, que viola ou violou o seu direito ou o dos seus nacionais. E "não são" – conforme disse Kelsen – "um delito, na medida em que se realizam como uma reação contra um delito".

Distinguem-se da retorsão, por se basearem na existência de uma injustiça ou da violação de um direito; ao passo que a retorsão é motivada por um ato que o direito não proíbe ao estado estrangeiro, mas que causa prejuízo ao estado que dela lança mão. A retorsão implica a aplicação, a um estado, de meios ou processos idênticos aos que ele empregou ou está empregando. As represálias não exigem, necessariamente, essa identidade: podem ser usadas com meios e processos diferentes. Finalmente, a retorsão consiste, em geral, em simples medidas legislativas ou administrativas, ao passo que as represálias se produzem sob a forma de vias de fato, atos violentos, recursos à força.

Alguns autores dividem as represálias em *positivas* e *negativas*, consistindo as primeiras na prática de atos de violência, por parte de um estado que se julga ofendido, contra as pessoas ou bens do estado ofensor; e consistindo as segundas na recusa de cumprimento de uma obrigação (*obligatio stricti juris*) contraída para com o estado que dá motivo às represálias, ou na interdição, a esse outro estado, de gozar de um direito que lhe pertence.

Outros classificam as represálias em *armadas* e *não armadas*, sendo aquelas as que importam no recurso à força armada, sob qualquer modalidade. As primeiras são, geralmente, condenadas pelos publicistas contemporâneos.

As represálias apresentam, quase sempre, caráter antipático, por isso que, em geral, constituem processo de que se valem estados fortes para obrigar os fracos a submeterem-se à sua vontade.

Em todo caso, a prática internacional ainda as admite, se bem que subordinadas a certos princípios.

Na verdade, não existem regras precisas de direito internacional que regulem o recurso a esse processo coercitivo. Em geral, porém, considera-se que ele deve ater-se aos referidos princípios, entre os quais se salientam os seguintes: *a*) as represálias só devem ser permitidas em caso de violação flagrante do direito internacional, por parte do estado contra o qual são exercidas; *b*) devem constituir, apenas, atos de legítima defesa, proporcionais ao dano sofrido ou à gravidade da injustiça cometida pelo dito estado; *c*) só se justificam como medida de necessidade e depois de esgotados outros meios de restabelecimento da ordem jurídica violada; *d*) devem cessar quando seja concedida a reparação que se teve em vista obter; *e*) seus efeitos devem limitar-se ao estado contra o qual são dirigidas e não atingir os direitos de particulares, nem os de terceiros estados.

As represálias em tempo de guerra têm mais importância do que as mesmas em tempo de paz, e são mais usadas. Contudo, só devem ser utilizadas em último caso, como meio de evitar que um adversário sem escrúpulos multiplique atos contrários ao direito das gentes.

O *embargo* e o *bloqueio pacífico* podem ser incluídos entre as formas de represália (em tempo de paz), mas preferimos tratá-los separadamente, como categorias especiais de meios coercitivos.

8.2.3. embargo

O embargo é uma forma especial de represália que consiste, em geral, no sequestro, em plena paz, de navios e cargas de nacionais de um estado estrangeiro, ancorados nos portos ou em águas territoriais do estado que lança mão desse meio coercitivo.

Empregado com alguma frequência no passado, o embargo vai sendo, cada vez mais, abandonado pela prática internacional e condenado pela doutrina. Dele resultava, às vezes, a guerra; e os navios, apreendidos como simples penhor, eram então confiscados como presa bélica.

Não se deve confundir o embargo propriamente dito, usado como meio coercitivo para a solução de controvérsias, com o embargo civil, também chamado *embargo de príncipe* (em francês: *arrêt de prince*) – proibição da saída de navios de um porto ou ancoradouro, em águas do estado que o emprega. Esse gênero de embargo é motivado por questões sanitárias, ou judiciais, ou policiais.

8.2.4. bloqueio pacífico

O bloqueio pacífico ou bloqueio comercial constitui outra forma de represália. Consiste em impedir, por meio de força armada, as comunicações com os portos ou as costas de um país ao qual se pretende obrigar a proceder de determinado modo. Conforme foi visto, trata-se de um dos meios de que o Conselho de Segurança das Nações Unidas pode recorrer para obrigar determinado estado a proceder de acordo com a Carta.

Pode ter em vista, apenas, impedir a entrada e saída dos navios pertencentes a nacionais do estado bloqueado, com a permissão de livre entrada ou saída para as embarcações de nacionais dos outros estados; ou impedir a entrada e saída de quaisquer navios, seja qual for a sua nacionalidade.

Nem todos os países admitem a força obrigatória de tal medida. Os Estados Unidos da América, pelo menos, sempre se mostraram desfavoráveis ao seu emprego e várias vezes afirmaram, categoricamente, que só reconheciam o bloqueio em caso de guerra.

Por outro lado, muitos autores, talvez a maioria, negam ao estado que estabeleça o bloqueio pacífico o direito de deter os navios de outros estados, além dos navios do estado que bloqueia e dos navios do estado bloqueado. Essa opinião se justifica com o argumento de que o referido bloqueio, sendo uma modalidade das represálias, não deve atingir terceiros, pois as represálias não podem ter semelhante efeito.

O IDI, em sua sessão de Heidelberg, em 1887, manifestou-se de acordo com esse ponto de vista, ao indicar como primeira condição para que o bloqueio possa ser considerado legítimo, fora do estado de guerra, a de que os navios de pavilhão estrangeiro possam entrar livremente. O mesmo Instituto indicou mais estas duas condições para admissão da legitimidade do bloqueio pacífico: *a*) que este seja declarado e notificado oficialmente e mantido por força suficiente;

b) que os navios violadores de tal bloqueio sejam suscetíveis apenas de sequestro, devendo, após a cessação do bloqueio, ser restituídos, com suas cargas, a seus proprietários, mas sem direito a indenização alguma.

8.2.5. boicotagem

A boicotagem (da palavra inglesa *boycott*) é a interrupção de relações comerciais com um estado considerado ofensor dos nacionais ou dos interesses de outro estado. É recurso de que, em geral, este último ou seus nacionais lançam mão para obrigar o primeiro a modificar uma atitude considerada agressiva ou injusta. Essa medida pode ser adotada por ato oficial de um governo ou pode ser obra de meros particulares.

No segundo caso, considera-se, geralmente, que a boicotagem não acarreta a responsabilidade internacional do estado de onde parte. Alguns autores, entretanto, julgam que tal responsabilidade é comprometida se da boicotagem participam, direta ou indiretamente, funcionários ou agentes de tal estado. Outros entendem que se deve distinguir, no caso de boicotagem por particulares, entre a voluntária e a compulsória: a primeira é ato legítimo e, portanto, não acarreta responsabilidade alguma do estado, ao passo que a segunda é ato ilegítimo, pelo qual o estado deve responder.

Parece-nos, porém – de acordo, aliás, com alguns internacionalistas e até com o relatório da comissão internacional de inquérito sobre os acontecimentos da Manchúria (Comissão Lytton) –, que a boicotagem, quando praticada como arma de legítima defesa, contra atos de injustiça ou de agressão, é recurso legítimo e não compromete a responsabilidade internacional do estado, ainda na hipótese de ser apoiada ou ordenada pelo próprio governo desse estado.

O Pacto da Sociedade das Nações, em seu artigo 16, consagrou a boicotagem como medida coercitiva legítima contra o estado que, sem atenção aos preceitos dos artigos 12, 13 e 15 do mesmo Pacto, recorresse à guerra. A Carta das Nações Unidas, em seu artigo 41, prevê, igualmente, a aplicação da boicotagem como medida destinada a tornar efetivas suas decisões em casos de ameaça contra a paz internacional.

8.2.6. ruptura de relações diplomáticas

A ruptura de relações diplomáticas ou cessação temporária das relações oficiais entre dois estados pode resultar da violação, por um deles, dos direitos do outro. Mas pode, também, ser empregada como meio de pressão de um estado sobre outro estado, a fim de o forçar a modificar a sua atitude ou chegar a acordo sobre algum dissídio que os separe. Assim, ou é usada como sinal de protesto contra uma ofensa recebida, ou como maneira de decidir, o estado contra o qual se aplica, a adotar procedimento razoável e mais conforme aos intuitos que se têm em vista.

Neste segundo sentido, está prevista no citado artigo 41 da Carta das Nações Unidas como uma das medidas que podem ser recomendadas pelo Conselho de Segurança para a aceitação de suas decisões, em caso de ameaça contra a paz internacional

A ruptura de relações diplomáticas manifesta-se ou pela entrega de passaportes ao agente diplomático do estado a que se aplica, ou pela retirada, da capital de tal estado, do agente diplomático do estado que lança mão desse recurso, ou, concomitantemente, pelas duas medidas.

Tal ruptura não acarreta necessariamente a guerra; mas muitas vezes a ela conduz. A sua significação pode ser ou simplesmente a de um protesto, ou a de que a parte ofendida já não espera nada das negociações diplomáticas, ou a de que, se o estado contra a qual se exerce não se decide a modificar sua atitude, outras medidas mais fortes poderão ser contra ele empregadas.

8.3. Uso da força e guerra no direito internacional

A construção da paz, pela humanidade, não pode ser somente a suspensão das hostilidades, mas exprime o dever maior de buscar a própria sobrevivência da comunidade internacional e a manutenção das condições de vida civilizada no planeta, de modo a colocar limites ao uso da força e ao problema da violência, visando a construção do ideal cosmopolita de comunidade de todos os povos. É necessário e difícil fazer face a esta questão central do direito internacional, como mostra o fato de praticamente todos os autores da área, como de política e de relações internacionais abordarem o tema com enfoques os mais variados[102]. Cumpre apontar vertente para a construção da fundamentação do tema[103]. Existe

102. Observa Joe VERHOEVEN, **Considérations sur ce qui est commun** – cours général de droit international public (RCADI, 2008, t. 334, p. 9-434) ter sido mantida durante décadas nos cursos da Academia de direito internacional a denominação "normas gerais do direito da paz", sobretudo nas décadas entre as duas guerras mundiais e imediatamente após a segunda guerra mundial. O desaparecimento desse modelo, indaga VERHOEVEN, seria fruto de desencanto com a possibilidade de o direito internacional conseguir controlar o fenômeno da guerra?

103. *V.* P. B. CASELLA, **Direito internacional no tempo medieval e moderno até VITORIA** (São Paulo: Atlas, 2012, esp. cap. XI, "*tratadistas da guerra: Balthazar AYALA e Pierino BELLI*", p. 245-379); Boutros BOUTROS-GHALI, **Le droit international à la recherche de ses valeurs**: paix, développement, démocratisation (RCADI, 2000, t. 286, p. 9-38); Lucius

toda uma linha de reflexão internacionalista, que sintomaticamente se manifesta sobretudo no período entre as duas guerras mundiais, na esteira do Pacto de Paris, de 1928, que proscreveu a guerra do direito internacional positivo, como meio válido de solução de controvérsias entre estados, e que merecem ser considerados[104].

CAFLISCH, **Cent ans de règlement pacifique des différends interétatiques** (RCADI, 2001, t. 288, p. 245-467); Olivier CORTEN, **Le droit contre la guerre**: L'interdiction du recours à la force en droit international contemporain (Paris: Pedone, 2008); Patrick DAILLIER, **Les opérations multinationales consécutives à des conflits armés en vue du rétablissement de la paix** (RCADI, 2005, t. 314, p. 233-431); Christine GRAY, **International law and the use of force** (Oxford: Univ. Press, 1st publ., 2000, 3rd ed., 2008); Leslie C. GREEN, **The contemporary law of armed conflict** (Manchester: Univ. Press, 1st publ. 1993, 3rd ed. 2008); Frits KALSHOVEN, **Reflections on the laws of war**: collected essays (Leiden: M. Nijhoff, 2007); Marcelo G. KOHEN (edited by), **Promoting Justice, Human Rights and Conflict Resolution through International Law/La promotion de la justice, des droits de l'homme et du règlement des conflits par le droit international**: Liber amicorum Lucius CAFLISCH (Leiden: M. Nijhoff, 2007); Anne-Marie LE GLOANNEC e Aleksander SMOLAR (sous la dir. de), **Entre Kant et Kosovo**: études offertes à Pierre HASSNER (Paris: Presses de Sciences Po, 2003); Mai LEQUAN, **La paix** («introduction, choix de textes, commentaires, vade-mecum et bibliographie» par M. L., Paris: Flammarion, 1998); Keiichiro OKIMOTO, **The distinction and relationship between *Jus ad Bellum* and *Jus in Bello*** (Oxford & Portland, Oregon: Hart Publ., 2011, v. 33 in the series Studies in International Law); Adam ROBERTS and Richard GUELFF (edited by), **Documents on the laws of war** (© 1982, Oxford: Univ. Press, 3rd ed., 2000, reprinted 2010); Natalino RONZITTI e Gabriella VENTURINI (ed.). **The law of air warfare: contemporary issues** (Utrecht: Eleven, 2006); Christian SAINT-ETIENNE, **Guerre et paix au XXIe siècle** – Comprendre le monde de demain (Paris: François Bourin, 2010); Linos Alexandre SICILIANOS, **Entre multilatéralisme et unilatéralisme: l'autorisation par le Conseil de Sécurité de recourir à la force** (RCADI, 2008, t. 339, p. 9-436); Gary D. SOLIS, **The law of armed conflict** – International Humanitarian Law in War (Cambridge: Univ. Press, 1st publ., 2010, reprinted, 2010); Hew STRACHAN and Sybille SCHEIPERS (edited by), **The changing character of war** (Oxford: Univ. Press, 2011); Ugo VILLANI, **Les rapports entre l'ONU et les organisations régionales dans le domaine du maintien de la paix** (RCADI, 2001, t. 290, p. 225-436); **Le droit international au service de la paix, de la justice et du développement**: Mélanges Michel VIRALLY (Paris: Pedone, 1991).

104. Tais como: Jules BASDEVANT, **Règles générales du droit de la paix** (RCADI, 1936, t. 58, p. 471-692); Maurice BOURQUIN, **Règles générales du droit de la paix** (RCADI, 1931, t. 35, p. 1-232); James-Leslie BRIERLY, **Règles générales du droit de la paix** (RCADI, 1936, t. 58, p. 1-242); Arrigo CAVAGLIERI, **Règles générales du droit de la paix** (RCADI, 1929, t. 26, p. 311-585); Edouard-Eugène-François DESCAMPS, **Le droit international nouveau**: l'influence de la condamnation de la guerre sur l'évolution juridique internationale (RCADI, 1930, t. 31, p. 393-559); Charles DUPUIS, **Règles générales du droit de la paix** (RCADI, 1930, t. 32, p. 1-290); J.-P.-A. FRANÇOIS, **Règles générales du droit de la paix** (RCADI, 1938, t. 66, p. 1-294); Albert E. HINDMARSH, **Le Japon et la paix en Asie** (RCADI, 1936, t. 57, p. 97-199); J. van KAN, **Règles générales du droit de la paix**: l'idée de l'organisation internationale dans ses grandes phases, RCADI, 1938, t. 66, p. 295-601); Erich KAUFMANN, **Règles générales du droit de la paix** (RCADI, 1935, t. 54, p. 309-620); H. LAUTERPACHT, **Règles générales du droit de la paix** (RCADI, 1937, t. 62, p. 95-422); Louis Le FUR, **Règles générales du droit de la paix** (RCADI, 1935, t. 54, p. 1-307); Edgar MILHAUD, **L'organisation économique de la paix** (RCADI, 1926, t. 15, p. 277-431); Boris MIRKINE-GUETZÉVITCH, **Le droit constitutionnel et l'organisation de la paix** (droit constitutionnel de la paix) (RCADI, 1933, t. 45, p. 667-773); Joseph MULLER, **L'oeuvre de toutes les confessions chrétiennes (églises) pour la paix internationale** (RCADI, 1930, t. 31, p. 293-392); Ernest Minor PATTERSON, **Les bases économiques de la paix** (RCADI, 1931, t. 37, p. 413-525); H. RAUCHBERG, **Les obligations juridiques des membres de la Société des Nations pour le maintien de la paix** (RCADI, 1931, t. 37, p. 83-204); V. H. RUTGERS, **La mise en harmonie du pacte de la Société des Nations avec le pacte de Paris** (RCADI, 1931, t. 38, p. 1-123); Gabriele SALVIOLI, **Les règles générales de la paix** (RCADI, 1933, t. 46, p. 1-164); Georges SCELLE, **Règles générales du droit de la paix** (RCADI, 1933, t. 46, p. 327-703); Stélio SÉFÉRIADES, **Principes généraux du droit international de la paix** (RCADI, 1930, t. 34, p. 177-492); Karl STRUPP, **Les règles générales du droit de la paix** (RCADI, 1934, t. 47, p. 259-595); A. VERDROSS, **Règles générales du droit international de la paix** (RCADI, 1929, t. 30, p. 271-517); Hans WEHBERG, **La contribution des conférences de la paix de La Haye au progrès du droit international** (RCADI, 1931, t. 37, p. 527-669).

Emanuel KANT retoma pensadores anteriores, quando publica, em 1795, o ensaio **Em busca da paz perpétua: ensaio filosófico**. Este leva o tema praticamente à sua formulação definitiva[105]; teve considerável repercussão, já na época, esgota-se em poucos dias a primeira edição, e foi o primeiro escrito de KANT traduzido para o francês, a ser publicado em França[106].

Ante a impossibilidade, ao menos até aqui experimentada, de aceitar e pôr em prática esse ideal, de construção da paz, como valor positivo, resta tentar esperar que o ser humano possa ser governado pela razão e que o direito possa regular a guerra. O mesmo I. KANT, em 1784, publicara seu ensaio sobre a **Ideia de uma história universal de ponto de vista cosmopolita**[107].

O estudo do direito internacional há de orientar-se para a paz e não para a guerra, pois esta, em boa medida, será a negação do sentido deste, como da própria vida e da possibilidade de sobrevivência do planeta. A visão restrita da paz nos põe em contato com teses limitadas, expressão de especializações e fragmentações do conhecimento.

"***As guerras nascem no espírito dos homens, e é nele, primeiramente, que devem ser erguidas as defesas da paz***", como exorta o Ato constitutivo da UNESCO. Frequentemente citado, esse preâmbulo tem sido pouco aplicado[108]. A paz precisa ser construída, primeiro no espírito dos homens, em seguida em sociedade e, finalmente, na relação com a natureza, como já advertia CONFÚCIO, no século V a.C., e prossegue seu discípulo MENCIUS, no século IV a. C.[109].

Ao direito internacional cabe examinar o tema da paz. Como também a possível regulação da guerra. E como ser esta controlada por sistema institucio-

105. Jurgen HABERMAS, **La paix perpétuelle: le bicentenaire d'une idée kantienne** (do original **Kants Idee des Ewigen Friedens aus dem historischen Abstand von 200 Jahren** © 1996, trad. Rainer ROCHLITZ, Paris: Cerf, 1996); *v.* tb., J. HABERMAS, **Après l'état-nation: une nouvelle constellation politique** (© 1998 e 1999, trad. Rainer ROCHLITZ, Paris: Fayard, 2000) e J. HABERMAS, **Direito e democracia: entre faticidade e validade** (do original **Faktizität und Geltung: Beiträge zur Diskurstheorie des Rechts und des demokratischen Rechtsstaat** © 1992, trad. Flávio B. Siebeneichler, Rio de Janeiro: Tempo Brasileiro, 1997).

106. P. B. CASELLA, *Pax perpetua: a review of the concept from the perspective of economic integration* (in **Dimensão internacional do direito: estudos em homenagem a G. E. do NASCIMENTO E SILVA**, São Paulo: LTr, 2000, p. 69/88).

107. Immanuel KANT, **Ideia de uma história universal de um ponto de vista cosmopolita** (do original **Idee zu einer allgemeiner Geschichte in weltburgerlichen Absicht**, trad. Rodrigo NAVES e Ricardo R. TERRA, 2. ed., São Paulo: Martins Fontes, 2004).

108. A pesquisa feita pela UNESCO revela, nas 310 instituições consagradas ao ensino e à pesquisa sobre a paz, somente um quarto das disciplinas estudadas tem eventualmente relação com a paz interior. Apenas 14% dos trabalhos de pesquisa realizados se concentram nesse assunto. Pierre WEIL, **A paz no espírito dos homens** (São Paulo, Thot, n. 53, 1990); Pierre WEIL, **A arte de viver em paz: por uma nova consciência e educação** (© 1990, UNESCO, trad. Helena R. TAVEIRA e Hélio M. da SILVA, 5. ed., São Paulo: Ed. Gente, 1993, p. 29-30): "não pode haver verdadeira paz no plano pessoal, quando se sabe que reinam a miséria e a violência no plano social ou que a natureza nos ameaça com a destruição, porque nós a devastamos".

109. MENCIUS (translated with an introduction by D. C. LAU, Londres: Penguin, translation first publ., 1970).

nal e normativo internacional, isso representa a mesma grande questão, que é suscitada há séculos.

A guerra em direito internacional tem sido descuidada, e o silêncio ou pouca importância dada às normas jurídicas que devem nortear as relações entre beligerantes e neutros entre si é tão mais lamentável tendo em vista as violações que vêm ocorrendo desde as duas últimas guerras mundiais. Esta atitude da doutrina e da própria prática dos estados pode ser explicada, mas não justificada. Além do mais, as regras que podem ser invocadas, principalmente as codificadas em 1907, são na sua maioria anacrônicas.

A **Carta** das Nações Unidas, depois de declarar logo na primeira linha do Preâmbulo a decisão dos povos de "preservar as gerações futuras do flagelo da guerra, que, por duas vezes, no espaço de nossas vidas, trouxe sofrimentos indizíveis à humanidade", já não utiliza a palavra, recorrendo a uma série de sinônimos. A Comissão de Direito Internacional, por sua vez, foi contra a codificação das regras existentes a respeito sob o fundamento de que uma codificação poderia ser interpretada como desprestigiadora da própria Carta.

A guerra pode ser definida como sendo a luta durante certo lapso de tempo entre forças armadas de dois ou mais estados, sob a direção dos respectivos governos. Para CLAUSEWITZ, a guerra é a continuação da diplomacia por outros meios, é "um ato de violência cujo fim é forçar o adversário a executar a nossa vontade". Teoricamente, a definição de guerra não apresenta maiores dificuldades, mas na determinação de alguns casos concretos a questão pode tornar-se complexa. Antes dos aspectos "técnicos" da guerra, há questão conceitual mais abrangente e mais relevante, a ser ao menos brevemente aflorada, no tocante à possível legitimidade desta.

8.3.1. pode haver legitimidade da guerra no direito internacional pós-moderno?

O direito internacional foi nos seus primórdios o direito da guerra, e só depois de GRÓCIO é que as relações entre os estados em tempo de paz passaram a ser preocupação dos juristas. O título da grande obra de GRÓCIO é sintomático, **De jure belli ac pacis**. Escrita sob o impacto da guerra dos Trinta Anos, teve profunda influência na elaboração do Tratado de Westfália de 1648.

Não obstante a preocupação da doutrina e dos teólogos, a sorte dos prisioneiros de guerra e dos feridos era lastimável, e só depois da Guerra da Crimeia é que a humanidade se compenetrou da necessidade de ser feito algo de concreto. O resultado foi a Convenção da Cruz Vermelha de Genebra de 1864, que está em permanente estado de atualização.

A Segunda Conferência da Paz da Haia de 1907 marca o ponto mais alto na história do direito de guerra, quando foram assinadas diversas convenções tendentes a regulamentar as relações entre os estados em tempo de guerra.

A primeira guerra mundial infelizmente marcou lamentável retrocesso, principalmente em face da indiferença dos beligerantes às regras tão penosamente elaboradas.

Embora a Sociedade das Nações tenha dado ao direito internacional importância que nunca tivera, o progresso no tocante às leis de guerra foi pequeno. No âmbito interamericano, cita-se a Convenção de 1928 sobre neutralidade marítima, que não chegou a entrar em vigor por falta de ratificações. Do ponto de vista positivo, o ponto mais alto foi alcançado no mesmo ano, com a assinatura do tratado que passou a ser denominado Pacto KELLOGG-BRIAND, pelo qual a guerra foi colocada fora da lei. Valeria este, ao menos, como registro de boa intenção.

O Pacto KELLOGG-BRIAND mereceu algumas críticas por não haver coberto algumas das lacunas do Pacto da Sociedade das Nações, que permitiam o recurso à guerra, mas foi recebido com entusiasmo pela opinião pública mundial, para a qual a guerra havia sido colocada fora da lei (*outlawry of war*, ou *la mise de la guerre hors la loi)*, como se uma decisão semelhante pudesse efetivamente acabar com esta. Na verdade, o que se condenava era a guerra de agressão, permanecendo válida a guerra defensiva. Os acontecimentos de 1939 vieram demonstrar que a simples declaração, por solene que fosse, não seria de molde a evitar nova e cruenta guerra.

Não obstante os limites na prática, o princípio foi definido; e permanece necessário criar na consciência da humanidade a ideia de que a guerra foi condenada e é condenável.

A Carta das Nações Unidas espelha perfeitamente essa filosofia, tanto assim que a palavra *guerra* só aparece uma única vez, no Preâmbulo, conforme foi visto.

A partir daí, a Carta evita o emprego da palavra, utilizando expressões mais condizentes com a nova filosofia, como *ameaças à paz, atos de agressão, ruptura da paz, perturbação da paz, a ameaça ou o uso da força, ameaça à segurança internacional, ação relativa a ameaça à paz, ruptura da paz e atos de agressão, ataque armado, política agressiva* e *agressão*. Tendo em vista a técnica legislativa rigorosamente seguida pelos vários órgãos das Nações Unidas, causa espécie essa versatilidade, que corresponde à preocupação encontrada nos legisladores e juristas latino-americanos, avessos a utilizar a mesma palavra ou expressão, preferindo um sinônimo, mesmo que tal prática venha resultar em incorreção terminológica.

Grosso modo, a Carta das Nações Unidas prevê duas situações: a *agressão*, isto é, a guerra de agressão; e as medidas defensivas, que são de duas espécies: a *legítima defesa individual ou coletiva* e as medidas tomadas por iniciativa do Conselho de Segurança que envolvem "o emprego da força armada" (art. 41). A agressão é ilegal; as medidas defensivas são legais.

As diversas referências à "agressão" e aos "atos de agressão" na Carta das Nações Unidas fizeram com que a questão fosse suscitada em São Francisco, como o fora com anterioridade no âmbito da Sociedade das Nações. A questão foi submetida à Comissão de Direito Internacional, que, em 1951, discutiu sobre qual o critério mais aconselhável a ser seguido: a enumeração dos atos tidos como de agressão, ou tentar apresentar uma definição de agressão em termos gerais. A Comissão, acertadamente, evitou tomar uma decisão: poderia haver formulado uma definição aceitável do ponto de vista jurídico, mas a questão continha implicações políticas que escapavam à sua competência.

Seja como for, diante da insistência de alguns membros das Nações Unidas, foi criado um Comitê Especial acolhendo definição, e esta foi aprovada pela Assembleia Geral em 1974. O primeiro dos oito artigos da **Resolução n. 3.314 (XXIX)** tem a seguinte redação: **"Agressão é o uso da força armada por um Estado contra a soberania, integridade territorial ou independência política de outro Estado ou de maneira contrária à Carta das Nações Unidas,** conforme se estabelece nesta definição".

O reconhecimento do direito inerente de *legítima defesa individual ou coletiva* ingressou na Carta das Nações Unidas por iniciativa do bloco latino-americano. A legítima defesa representa o emprego da força por uma pessoa ilegalmente atacada por outra. Nos termos da Carta, o emprego da legítima defesa só é cabível no caso de ataque armado, ou de tentativa de ataque, e a título transitório, isto é, até que o Conselho de Segurança tenha tomado as medidas cabíveis. Talvez outra condição possa ser mencionada: que o emprego da violência seja o único recurso plausível. A limitação da competência do estado no uso da legítima defesa se justifica, dada a possibilidade de servir de pretexto a operações que conduzirão à guerra.

8.3.1.1. fontes das leis de guerra

De um modo geral, as fontes das leis de guerra correspondem às do direito internacional geral. Mas ao passo que as convenções firmadas no âmbito das Nações Unidas desde 1956 apresentam uma série de normas altamente satisfatórias, as regras escritas sobre o direito de guerra deixam a desejar e estão em muitos casos ultrapassadas. Assim sendo, o direito de guerra passou a ser direito sobretudo consuetudinário, muitas vezes baseado em interpretações judiciosas das convenções da Haia de 1907, e do *Manual das leis de guerra terrestre*, elaborado pelo *Institut de Droit International* em Oxford em 1880, ou nos manuais elaborados pelos Estados Maiores dos diversos países.

Embora antigas e frequentemente anacrônicas, as Convenções firmadas em 1907 por ocasião da Segunda Conferência de Paz da Haia representam os principais documentos sobre a guerra terrestre e a marítima. Com anterioridade, excluindo-se as convenções assinadas na Primeira Conferência de Paz de 1899, citam-se a Declaração de Paris sobre os princípios de direito marítimo em tempo de guerra (1856); a Convenção relativa aos militares feridos nos campos de batalha – a Convenção da Cruz Vermelha de 1864; a Declaração de São Petersburgo para prescrever o emprego de projéteis explosivos ou inflamáveis (1868).

Dentre os tratados firmados depois da primeira e da segunda guerra mundial, cumpre destacar as quatro Convenções firmadas sob os auspícios da Cruz Vermelha Internacional em Genebra, em 1949, e que vieram não só atualizar os tratados mais antigos, mas também criar regras visando à proteção dos civis em tempo de guerra. Ao passo que a Convenção de 1864 contava com 10 artigos, as quatro Convenções de 1949 somam 429 artigos.

As quatro **Convenções firmadas em Genebra em 12 de agosto de 1949** foram ratificadas pelo Brasil, e promulgadas pelo **Decreto n. 42.121, de 21 de agosto de 1957**. São elas as seguintes:

Convenção para a Melhoria da Sorte dos Feridos e Enfermos dos Exércitos em Campanha, Convenção para a Melhoria da Sorte dos Feridos, Enfermos e Náufragos das Forças Armadas no Mar, Convenção Relativa ao Tratamento dos Prisioneiros de Guerra; e Convenção Relativa à Proteção dos Civis em Tempo de Guerra.

Posteriormente, em junho de **1977, as quatro Convenções foram completadas por dois Protocolos, o primeiro relativo à proteção das vítimas dos conflitos armados internacionais e o segundo relativo à proteção das vítimas dos conflitos armados** *sem caráter internacional.*

8.3.1.2. princípios da necessidade e da humanidade

Dois princípios regem o direito de guerra: o da necessidade e o da humanidade. Ambos se completam e a sua observância torna possível a daquele direito.

O desconhecimento dos princípios humanitários, que deram origem à matéria, representaria uma volta a barbárie em matéria de guerra; seria a negação do direito de guerra. A necessidade é igualmente *conditio sine qua non*: um estado só ataca outro como *ultima ratio*, só depois de ter esgotado todos os recursos para alcançar, pacificamente, ou até por meios coercitivos, determinado objetivo nacional. O agredido, é óbvio, se vê na necessidade de se defender. Sem a necessidade, não haveria guerra.

Novamente, nesse particular, verifica-se a existência de matizes sutis, e, sempre que os governantes de um estado utilizam recursos suscetíveis de ser criticados pela comunhão internacional, o aspecto necessidade é invocado. O uso da força se faz acompanhar de tentativas de fundamentação para a prática de atos condenáveis[110].

No tocante aos dois princípios citados, verifica-se que o enfoque dado em política internacional é distinto daquele que se nos depara em direito internacional, pois se neste tem ênfase o aspecto humanitário, naquele domina o pragmatismo, o realismo (*Realpolitik*). Devemos lembrar não estar em jogo somente princípio jurídico, mas a própria sobrevivência da humanidade. E, se em política internacional o realismo deve ser moderado pelo idealismo, no tocante à guerra tal princípio cede ao princípio geral *salus populi suprema lex est*.

Outra limitação, fora a da humanidade, se inspira precisamente no critério *utilidade*, combinado com o critério da *necessidade*: é o critério da lealdade e honra na guerra. Segundo esta limitação, é inútil usar uma arma mortífera quando se sabe que o inimigo poderá fazer o mesmo. Foi este o "equilíbrio do terror" no período da Guerra Fria (1949-1989), motivo pelo qual hesitavam os blocos leste-oeste em recorrer às suas armas mais mortíferas, mesmo em guerras indiretas. Mas, a rigor, tratava-se de uma faceta negativa do princípio da necessidade[111].

---

110. Dois exemplos no contexto da segunda guerra mundial:

- autores alemães tentaram demonstrar quais os limites da necessidade, distinguindo o direito de guerra da necessidade ou razão de ser da guerra;
- a decisão do Presidente H. TRUMAN, dos Estados Unidos, de lançar a bomba sobre Hiroshima foi apresentada como necessária à defesa de vidas humanas, evitando-se a invasão do Japão, que resultaria na perda de meio milhão de homens. Observa Mario PESSOA: "houve o sacrifício de vidas civis para poupar vidas militares, o que é incongênere com a natureza da guerra".

111. Julio BARBOZA, *Necessity (revisited) in international law* (in **Essays in international law in honour of judge Manfred LACHS/Études de droit international en l'honneur du juge Manfred LACHS** ed. by J. MAKARCZYK, The Hague: Martinus Nijhoff/Institute of State and Law of the Polish Academy of Sciences-Institut de l'état et de droit de l'Académie polonaise des sciences, 1984, p. 27-43); SFDI, **La nécessité en droit international** ("Actes du 40e. Colloque de la Société française pour le droit international, qui s'est tenu à l'Univ. de Grenoble du 8 au 10 juin 2006", Paris: Pedone, 2007); Maria de Assunção do Vale PEREIRA, **A intervenção humanitária no direito internacional contemporâneo** (Coimbra: Coimbra Ed., 2009); ACCIOLY, **Tratado** (2009, v. 3, livro segundo, "*a guerra*", p. 111-533); DÍEZ DE VELASCO, **Instituciones** (16. ed., 2007, parte VII, "*derecho de los conflictos armados*", p. 1031-1109), p. 748; Celso MELLO, **Curso** (15. ed., 2004, v. 2, livro X, "*direito de guerra e neutralidade*", p. 1497-1680); Tarciso dal Maso JARDIM, **O Brasil e o direito internacional dos**

8.3.2. início da guerra

Guerra tem início *de facto* no momento em que as forças armadas de um estado, agindo de conformidade com o respectivo governo, atacam o território ou as forças armadas de outro estado, com o intuito de conquistá-lo ou de obrigá-lo a proceder de acordo com a sua vontade.

O que se discute é se alguma formalidade deve ser praticada antes do recurso à força. A questão foi debatida na Segunda Conferência da Paz da Haia, quando foi assinada, em 18 de outubro de 1907, a "Convenção relativa ao rompimento das hostilidades", na qual as partes contratantes reconheceram que "as hostilidades entre si próprias não devem começar sem um aviso-prévio e inequívoco, que terá, seja a forma de uma declaração de guerra motivada, seja a de um *ultimatum* com declaração de guerra condicional".

A obrigatoriedade da declaração de guerra era defendida pela quase totalidade dos juristas, dentre os quais os membros do *Institut de Droit International*, que, em resolução de 1906, considerou a declaração de guerra "conforme com as exigências do direito internacional, a lealdade a que as nações se devem nas suas relações mútuas, bem como ao interesse comum de todos os Estados".

A obrigatoriedade da declaração de guerra tornou-se um problema discutido principalmente depois do ataque da esquadra japonesa à esquadra russa em Port Arthur, em 8 de fevereiro de 1906. Muitos autores não hesitaram em condenar o Japão pelo "ataque traiçoeiro", mas os antecedentes mostram o exagero de tais acusações, visto que o Governo japonês, em 6 de fevereiro, suspendeu as negociações diplomáticas e declarou que "se reservava o direito de tomar as atitudes independentes que julgasse melhor para consolidar e defender a sua posição ameaçada".

---

conflitos armados (Porto Alegre: S. A. Fabris, 2006, 2 tomos); Frits KALSHOVEN, **Reflections on the law of war – Collected essays** (Leiden: M. Nijhoff, 2007); Yves SANDOZ et al., **Comentario del protocolo del 8 junio 1977 adicional a los convenios de Ginebra del 12 de agosto de 1949 relativo a la protección de las victimas de los conflictos armados internacionales (Protocolo I)** (trad. Maurício DUQUE Ortiz, dir. gen. de la trad. José CHOCOMELI Lera, Bogotá: CICR, 2000, reimpr., 2008, 2 tomos) e S.-S. JUNOD et al., **Comentario del protocolo del 8 junio 1977 adicional a los convenios de Ginebra del 12 de agosto de 1949 relativo a la protección de las victimas de los conflictos armados internacionales (Protocolo II y del art. 3 de estos Convenios)** (trad. J. CHOCOMELI Lera, con la colab. de M. DUQUE Ortiz, Bogotá: CICR, 1998, reimpr. 2008); A. A. CANÇADO TRINDADE et al., **Direito internacional humanitário** (Brasília, 1989); Jean-Marie HENCKAERTS e Louise DOSWALD-BECK, **Customary International Humanitarian Law** (v. I: Rules, Cambridge: Cambridge Univ. Press, 2005; v. II: Practice, 2 tomos, Cambridge: Cambridge Univ. Press, 2005); G. E. do NASCIMENTO E SILVA, *A declaração de guerra e seus efeitos* (Boletim SBDI, 1952, p. 42); Georgio CANSACCHI, **Nozioni di diritto internazionale bellico**; José Dalmo Fairbanks BELFORT DE MATOS, *O direito internacional na última conflagração* (Boletim SBDI, 1947, v. 5, p. 68); R. H. F. AUSTIN, *The law of international armed conflicts* (in **Droit international**, Paris: UNESCO/Pedone, 1991, p. 765); R. C. HINGORANI, **Humanitarian law** (Bombay, 1987); Richard FALK (Ed.), **The Vietnam War and international law**; Werner MENG, *War* (in **Encyclopedia**, v. 4, p. 282).

O movimento favorável à declaração de guerra se fez sentir durante a primeira guerra mundial, quando houve cinquenta e seis declarações de guerra; na segunda guerra mundial, houve recrudescimento da prática, principalmente da parte da Alemanha, Rússia, Itália e Japão.

A desnecessidade da declaração de guerra é defendida sob dois argumentos: ser supérflua e de pouca importância e poder ser nociva. Os defensores dessa tese invocam os exemplos históricos e lembram que a guerra tem início depois de esgotadas as negociações diplomáticas e que as partes estarão de sobreaviso. Mas o principal argumento é que o estado com o direito e a razão de seu lado pode ser prejudicado ao declarar a guerra, ato este que pode ser interpretado como sendo de agressão. Por esse motivo, durante a segunda guerra mundial, a praxe seguida não foi a de declarar a guerra, mas a de reconhecer a existência de um estado de beligerância[112].

Dentre os argumentos apresentados pelos defensores da obrigatoriedade da declaração de guerra sobressai o da: é importância de saber, do ponto de vista interno e internacional, o momento preciso em que se iniciaram as hostilidades, o momento em que as regras de direito internacional aplicáveis à guerra passam a vigorar. Além do mais, a guerra atinge igualmente os neutros, que precisam saber o momento em que começam os seus direitos e deveres como tais. Acresce que, do ponto de vista interno, as consequências atingem não só a administração pública, mas também o judiciário e o legislativo, que precisam conhecer o momento preciso da transição.

A Carta das Nações Unidas, ao condenar em diversos de seus dispositivos a agressão, como que tornou a declaração de guerra desaconselhável, dado o perigo de ser interpretada como o próprio ato de agressão, conforme se insinuou no caso das declarações de guerra à Alemanha por parte da Grã-Bretanha e França em 1939.

Com o início dos atos de beligerância, surge o *estado de guerra* com os consequentes efeitos jurídicos no tocante: *a*) às relações diplomáticas e consulares; *b*) aos tratados; *c*) às pessoas de nacionais do país inimigo e dos países neutros; *d*) à propriedade pública e privada inimiga.

8.3.2.1. efeitos no tocante às relações diplomáticas e consulares

As relações diplomáticas são baseadas nos vínculos de convivência organizada, que se deseja civilizada, dos estados; e, consequentemente, são incompatíveis com o estado de guerra.

112. Conforme fez o Brasil em agosto de 1942, ao reconhecer o estado de beligerância com a Alemanha e a Itália.

Geralmente, a ruptura de relações diplomáticas antecede o estado de guerra; mas, se assim não ocorreu, as relações cessarão *ipso facto*, independentemente de uma notificação formal.

A Convenção de Viena sobre Relações Diplomáticas de 1961 se ocupa das consequências do estado de guerra no tocante à pessoa dos diplomatas bem como aos locais, bens e arquivos da missão diplomática.

O artigo 44 da Convenção estipula a obrigação do estado de residência de conceder facilidades para que as pessoas que gozem de privilégios e imunidades diplomáticas possam deixar o seu território o mais rápido possível. Este privilégio se estende à família dos beneficiários, seja qual for a sua nacionalidade. O privilégio, contudo, não se aplica aos nacionais do país de residência, a não ser que se trate de membro da família do funcionário diplomático. O artigo ainda salienta que o estado tem obrigação de colocar à disposição dos diplomatas os meios necessários para deixar o país.

O artigo 45, por sua vez, cria para o estado a obrigação de "respeitar e proteger, mesmo em caso de conflito armado, os locais da Missão, bem como seus bens e arquivos". Na prática internacional, confirmada pela Convenção de Viena, com o rompimento de relações diplomáticas, os nacionais e os locais e arquivos da missão serão entregues à proteção dos representantes diplomáticos de um terceiro estado, aceitável pelo outro beligerante.

A exemplo do que ocorre em matéria diplomática, as relações consulares também cessam com o estado de guerra. No passado, alguns autores opinaram que as relações consulares não eram atingidas pela guerra, por dizer respeito antes aos indivíduos que aos estados, mas essa tese não tem hoje em dia a menor aceitação. É bem verdade que, com o reconhecimento do estado de beligerância, os estados costumam cassar o *exequatur* dos cônsules do país inimigo.

As regras relativas à proteção dos funcionários consulares e das repartições consulares em caso de guerra são análogas às aceitas em matéria diplomática, tanto assim que a Convenção de Viena sobre Relações Consulares de 1963 contém nos artigos 26 e 27 dispositivos calcados na Convenção sobre Relações Diplomáticas.

8.3.2.2. efeitos sobre os tratados

Tanto a doutrina como a prática orientavam-se no sentido de que a guerra anulava, de pleno direito, os tratados entre as partes. A prática veio demonstrar que, ao lado dos tratados que se extinguem automaticamente, existem aqueles que, ao contrário, dependem do estado de guerra para sua efetiva implementação.

Há ainda uma terceira categoria de tratados, que cessam de vigorar entre as partes, mas que, terminadas as hostilidades, voltam a existir.

É possível que o próprio tratado estipule que vigorará em tempo de guerra.

O fato é que não existem regras precisas cobrindo todas as hipóteses, mas, tendo em vista a doutrina e a prática contemporâneas, podem-se adotar as seguintes conclusões: 1ª) entram, evidentemente, em vigor os tratados relativos ao estado de guerra, ou melhor, celebrados precisamente para ter aplicação durante as hostilidades; 2ª) subsistem os tratados que, estabelecendo situações definitivas, receberam execução integral; 3ª) subsistem, igualmente, os que estipulam expressamente a sua vigência em tempo de guerra; 4ª) são anulados: os tratados de aliança e, em geral, os de natureza política, bem como os de comércio, navegação e outros, que tenham por objeto a consolidação ou a manutenção das relações pacíficas entre as partes contratantes.

8.3.2.3. efeitos em relação às pessoas e liberdade de comércio

No tocante aos nacionais, a matéria é de alçada do direito público interno de cada estado, e, com relação aos nacionais de estados neutros, o estado beligerante em cujo território se achem deve submetê-los apenas a certas obrigações que o estado de guerra impõe aos neutros, enquanto relativamente aos nacionais de um dos estados beligerantes, que se encontrem em território inimigo, até segundo parece, o começo do século XIX, era corrente que fossem considerados como prisioneiros de guerra. Depois, o desenvolvimento de ideias liberais levou à admissão da liberdade completa para os nacionais inimigos. Mais tarde, porém, julgou-se conveniente a adoção de medidas de precaução; e, assim, a prática que se tornou corrente permite que os nacionais do estado inimigo permaneçam no território do outro estado, mas sob estrita subordinação às leis de polícia e de segurança pública.

Se se trata de indivíduos já pertencentes ao exército inimigo ou que, em virtude do serviço militar obrigatório, se destinam a ir servir em tal exército, as medidas de precaução serão mais rigorosas. É natural que um estado, beligerante se oponha à sua retirada e os mantenha sob vigilância estreita, para evitar que esses elementos venham a acrescer as forças inimigas. Por isso, durante as duas guerras mundiais, foi corrente, em vários países beligerantes, o sistema da internação dos cidadãos inimigos capazes de pegar em armas.

Entretanto, a Convenção assinada em Genebra em 1949, sobre a proteção das pessoas civis, conseguiu estabelecer algumas regras precisas a esse respeito, adotando várias medidas destinadas a assegurar o respeito à dignidade da pessoa humana e resguardar a vida e a integridade das pessoas civis, nos países beligerantes.

A dita Convenção proíbe, por exemplo, a tomada de reféns, as penas coletivas, as deportações. E oferece outras garantias à população civil, inclusive de ordem judiciária.

Liberdade de comércio – O estado de guerra acarreta a proibição de relações comerciais entre os estados inimigos. Assim, em geral, não somente se proíbem novos contratos mercantis entre os nacionais de um e os de outro, mas ainda se declaram suspensos ou anulados os anteriormente concluídos.

8.3.2.4. efeitos em relação aos bens

Considerar os efeitos da guerra em relação aos bens impõe fazer a distinção entre propriedade privada, e propriedade pública neste tópico, como, ainda, mencionar os embargos sobre navios inimigos.

8.3.2.4.1. efeitos em relação à propriedade privada

Até, pelo menos, os fins do século XVIII, perdurou a ideia de que os beligerantes tinham plena liberdade de se apropriar dos bens públicos ou privados do inimigo, onde quer que os encontrassem. O roubo, a pilhagem e a destruição eram de uso corrente.

A propriedade privada não era respeitada, porque se considerava como englobada nos bens da nação contra a qual se fazia a guerra. Foi com a moderna concepção de que a guerra era feita de estado a estado, e não contra particulares, que essa situação se modificou. O roubo e a pilhagem passaram a ser severamente condenados; e o confisco dos bens dos súditos inimigos deixou de merecer aprovação, na segunda metade do século XIX e em começos do século XX, quando a doutrina internacional e o direito positivo expressaram as novas ideias a tal respeito.

O projeto da Declaração de Bruxelas, de 1874, sobre as Leis e Costumes da Guerra, formulou o princípio de que "a propriedade privada não pode ser confiscada". O IDI, reunido em Oxford em 1880, adotou o **Manual das Leis e Costumes da Guerra**, cujo artigo 54 declara: "A propriedade privada, individual ou coletiva, deve ser respeitada e não pode ser confiscada". As Convenções da Haia de 1899 e 1907, sobre as Leis e Costumes da Guerra Terrestre, determinaram, no artigo 46 dos respectivos regulamentos, o respeito à propriedade privada, e declararam que esta não pode ser confiscada.

Como quer que seja, até a primeira guerra mundial, a propriedade de cidadãos inimigos residentes em território de um estado beligerante, ao se iniciarem as hostilidades, não era considerada sujeita a confisco. Não havia, contudo, a mesma segurança no tocante à propriedade de cidadãos inimigos residentes fora do território do estado beligerante ou encontrada em país invadido.

A primeira e a segunda guerras mundiais marcaram um recuo nessa matéria, como em tantas outras. Já na primeira, o sequestro da propriedade privada inimiga foi amplamente aplicado.

Sempre, ou quase sempre, porém, procurou justificar-se tal medida com a ideia de represálias.

Pelo **Tratado de Versalhes**, de (1919)[113], as potências aliadas e associadas reservaram-se o direito de reter e liquidar os bens, direitos e interesses pertencentes a cidadãos alemães ou a sociedades dependentes deles, nos respectivos territórios ou nos de suas colônias, possessões e países protegidos. O sequestro transformou-se, por assim dizer, em verdadeiro confisco; mas a Alemanha foi obrigada a indenizar seus nacionais, em razão da liquidação ou da retenção de seus bens, direitos ou interesses, nos países aliados ou associados.

Durante a segunda guerra mundial, o tratamento da propriedade privada inimiga não foi mais benigno do que na primeira, e parece sequer ter havido a preocupação de se invocar, como justificação, a ideia de represálias. O que se teve em vista, principalmente, foi evitar que a propriedade particular do inimigo pudesse ser empregada de maneira prejudicial ao estado em cujo território se encontrava, durante e em razão do "esforço de guerra".

Relativamente aos bens incorpóreos dos cidadãos inimigos, são princípios geralmente admitidos, ou o foram, pelo menos, até a primeira guerra mundial, os seguintes: *a*) as dívidas dos nacionais de um dos beligerantes a nacionais do outro não são confiscáveis; *b*) tampouco os créditos de cidadãos inimigos, oriundos, por exemplo, de um empréstimo são confiscáveis.

8.3.2.4.2. efeitos em relação à propriedade pública

Quanto aos bens do estado inimigo, considera-se, em geral, que são confiscáveis, se o seu destino se relaciona diretamente com a guerra. A razão disto é que o estado beligerante tem, naturalmente, necessidade de diminuir os meios de resistência ou de agressão do estado inimigo.

O artigo 53 dos regulamentos anexos às Convenções da Haia sobre as Leis e Costumes da Guerra Terrestre contém disposição referente a território inimigo ocupado por tropas de estado beligerante, a qual parece aplicável ao território

113. *V.* P. B. CASELLA, **Tratado de Versalhes na história do direito internacional** (São Paulo: Quartier Latin, 2007).

próprio. É a de que, entre os bens pertencentes ao estado inimigo, que se encontrem no território ocupado, só poderão ser apreendidos: o numerário, os fundos e valores exigíveis pertencentes ao estado, os depósitos de armas, meios de transportes, armazéns e provisões e, em geral, toda propriedade móvel que possa servir às operações de guerra.

8.3.2.4.3. embargos sobre navios inimigos

Outrora, quando se declarava a guerra, os navios dos beligerantes, encontrados nos portos do inimigo, eram por este detidos e confiscados. A partir, entretanto, dos meados do século XIX, tal medida começou a ser abandonada. O IDI, na sessão da Haia, em 1898, condenou-a de modo absoluto.

Desde a guerra da Crimeia (1854), estabeleceu-se o uso de se conceder aos navios mercantes inimigos ceurto prazo para a partida do porto beligerante em que se achem, ao romper a guerra. Essa nova prática, que se tornou conhecida pela denominação de *indulto* ou *prazo de favor*, tornou-se, depois, muito empregada.

A Convenção de Haia de 1907, relativa ao regime dos navios mercantes inimigos no começo das hostilidades, procurou regular o caso, mas não estabeleceu regra taxativa a seu respeito. De fato, o artigo 1º da Convenção estipula que "quando um navio mercante de uma das potências beligerantes se achar, no começo das hostilidades, num porto inimigo, é para desejar que lhe seja permitido sair livremente, imediatamente ou após um prazo de favor suficiente, e alcançar diretamente, depois de ter sido munido de um salvo-conduto, seu porto de destino ou qualquer porto que lhe for designado. Deve proceder-se da mesma forma para com o navio que tenha deixado seu último porto de partida antes do começo da guerra e entre num porto inimigo sem conhecer as hostilidades". Essa estipulação, contudo, segundo declara a mesma Convenção, não se aplica a navios mercantes cuja construção indique que se destinam a ser transformados em navios de guerra.

Nas duas guerras mundiais, os preceitos dessa Convenção, que, aliás, não estava em vigor para todos os beligerantes, não foram rigorosamente cumpridos. Os estados beligerantes, de modo geral, não confiscaram nem deixaram partir os navios mercantes inimigos que encontraram em seus portos, pois preferiram requisitá-los, invocando o chamado *direito de angária*[114].

---

114. O direito de angária é abordado em tópico específico (8.4.2.1), no capítulo referente à neutralidade.

8.3.3. guerra terrestre

A doutrina[115], ao estudar as regras de direito internacional aplicáveis à guerra, costuma separar as regras relativas à guerra terrestre das alusivas à guerra marítima e à guerra aérea. Mas nas últimas conflagrações ficou demonstrado que, nos dias que correm, numa operação bélica, dificilmente ela será levada a efeito sem a colaboração de duas ou mais armas[116].

8.3.3.1. forças armadas dos beligerantes

Dentro de cada estado em guerra, há indivíduos que combatem e indivíduos que não combatem; ou melhor, há indivíduos alistados nas forças militares e indivíduos que não participam das operações de guerra. Os primeiros são chamados combatentes ou beligerantes; os outros são os cidadãos civis e têm também a denominação de não combatentes ou não beligerantes. Estes últimos, enquanto se mantenham alheios a atos de hostilidades, devem ser respeitados pelo inimigo; mas, se são capturados com armas na mão, podem ser tratados com severidade, proporcionada às necessidades da defesa do exército que efetua a captura.

---

115. ACCIOLY, **Tratado** (2009, v. 3, livro segundo, "*a guerra*", p. 111-533); DÍEZ DE VELASCO, **Instituciones** (16. ed., 2007, parte VII, "*derecho de los conflictos armados*", p. 1031-1109), p. 748; Celso MELLO, **Curso** (15. ed., 2004, v. 2, livro X, "*direito de guerra e neutralidade*", p. 1497-1680); Tarciso dal Maso JARDIM, **O Brasil e o direito internacional dos conflitos armados** (Porto Alegre: S. A. Fabris, 2006, 2 tomos); Frits KALSHOVEN, **Reflections on the law of war – Collected essays** (Leiden: M. Nijhoff, 2007); Stanislaw E. NAHLIK, **La protection internationale des biens culturels en cas de conflit armé** (RCADI, 1967, t. 120, p. 61-164); S. NAHLIK, **L'extension du statut de combatant à la lumière du Protocole 1 de Genève de 1977** (RCADI, 1979, t. 164, p. 171-249); Yves SANDOZ et al., **Comentario del protocolo del 8 junio 1977 adicional a los convenios de Ginebra del 12 de agosto de 1949 relativo a la protección de las victimas de los conflictos armados internacionales (Protocolo I)** (trad. Maurício DUQUE Ortiz, dir. gen. de la trad. José CHOCOMELI Lera, Bogotá: CICR, 2000, reimpr., 2008, 2 tomos) e S.-S. JUNOD et al., **Comentario del protocolo del 8 junio 1977 adicional a los convenios de Ginebra del 12 de agosto de 1949 relativo a la protección de las victimas de los conflictos armados internacionales (Protocolo II y del art. 3 de estos Convenios)** (trad. J. CHOCOMELI Lera, con la colab. de M. DUQUE Ortiz, Bogotá: CICR, 1998, reimpr. 2008); A. CAVAGLIERI, **Règles générales du droit de la paix** (RCADI, 1929, t. 26, p. 311-586); Arnold D. McNAIR, **Les effets de la guerre sur les traités** (RCADI, 1937, t. 59, p. 523-586); Cecil HURST, *Effect of war on treaties* (BYB, 1921-1922, p. 40); Charles ROUSSEAU, *Les consuls en temps de guerre* (RGDIP, 1933, v. 40, p. 517); Edwin BORCHARD, *When did the war begin?* (AJIL, 1947, v. 41, p. 622); G. E. do NASCIMENTO E SILVA, *A declaração de guerra e seus efeitos* (Boletim SBDI, 1952, p. 48), G. E. do NASCIMENTO E SILVA – P. B. CASELLA – O. de O. BITTENCOURT Neto, **Direito internacional diplomático: a Convenção de Viena sobre relações diplomáticas na teoria e na prática** (4. ed., São Paulo: Saraiva, 2012); Ruíz MORENO, **Guerra terrestre y aérea** (Buenos Aires, 1926, p. 73); Mario PESSOA, **O direito internacional contemporâneo** (Rio de Janeiro, 1947, p. 160).

116. A invasão da Normandia na segunda guerra mundial pode ser apontada como perfeito exemplo da ação combinada das forças terrestres, marítimas e aéreas, e na estrutura administrativa da quase totalidade dos países existe apenas um Ministério – geralmente da defesa nacional – que engloba todas as forças armadas.

As próprias forças armadas dos beligerantes são, ordinariamente, constituídas de indivíduos combatentes e indivíduos não combatentes. Os primeiros são os que tomam parte ativa e direta nas operações de guerra; os não combatentes são os que, embora pertencentes à organização militar, não têm participação ativa na luta e, por isso mesmo, não devem ser atacados.

Ainda no tocante às forças armadas, os combatentes ou são membros dos exércitos regulares, ou são de corpos auxiliares, tais como as milícias, os batalhões de voluntários, os franco-atiradores etc., contanto que preencham certas condições que os distingam de simples bandos armados. Essas condições se acham indicadas no artigo 1º dos regulamentos anexos às Convenções da Haia de 1899 e de 1907, sobre Leis e Costumes da Guerra Terrestre, e compreendem: 1º) ter à sua frente uma pessoa responsável por seus subordinados; 2º) ter um sinal distintivo fixo e reconhecível à distância; 3º) usar armas abertamente; 4º) obedecer, em suas operações, às leis e costumes da guerra.

Os regulamentos anexos às Convenções de 1899 e de 1907, sobre as Leis e Costumes da Guerra Terrestre, reconhecem, além disso, como beligerante a população de um território não ocupado que, à aproximação do inimigo e sem ter tido tempo para se organizar, pega espontaneamente em armas contra as tropas invasoras, contanto que respeite as leis e costumes da guerra.

Entretanto, o artigo 4º, alínea 2, da Convenção de Genebra de 1949, relativa ao tratamento dos prisioneiros de guerra, já não distingue entre *território não ocupado* e *território ocupado*, ao dispor que os membros dos corpos voluntários, inclusive os de movimentos de resistência organizada, de um dos beligerantes e que ajam dentro ou fora do próprio território, ainda que este se ache ocupado, são equiparados, para efeitos de tratamento como prisioneiros de guerra, às forças armadas de estado beligerante.

Os não combatentes, pertencentes ou ligados às forças armadas, ou fazem parte, diretamente, de um exército beligerante (membros do serviço de intendência, oficiais de administração, intérpretes, médicos, farmacêuticos, capelães etc.), ou apenas o acompanham, sem nele se integrarem (correspondentes de jornais, fornecedores, vivandeiros). Estes e aqueles têm direito ao tratamento dado aos prisioneiros de guerra[117].

---

117. Não tem fundamento e caracteriza violação do direito internacional a retenção, na base militar de Guantánamo, em Cuba, pelo governo dos Estados Unidos da América, de pessoas detidas, durante a invasão do Afeganistão, às quais se vem negando seja o reconhecimento do estatuto de prisioneiros de guerra, e correspondente tratamento, seja a condição de presos comuns, aos quais se tem de permitir o acesso de advogados e formação de culpa, para julgamento perante tribunal regular, com devido processo legal e direito de defesa, como se verá a seguir.

Segundo alguns autores, podem ser capturadas e tratadas como prisioneiros de guerra certas pessoas que, embora não participem de modo algum das hostilidades, representam papel tão importante na marcha das operações de guerra ou na vida administrativa do estado que é de interesse do adversário prendê-las e guardá-las em seu poder. Tais são: os chefes de estado, ainda que não revestidos de posto militar; as principais autoridades civis; os mensageiros ou correios não militarizados.

8.3.3.2. meios de ataque e de defesa

Como a finalidade da guerra é vencer a resistência do adversário, os beligerantes empregam os métodos e instrumentos de ação que mais diretamente lhes permitam alcançar este objetivo, com o dever de evitar a crueldade desnecessária.

Já na Declaração de S. Petersburgo, de 1868, foi afirmado que se deviam atenuar tanto quanto possível as calamidades da guerra, e que o único fim legítimo dos estados seria o enfraquecimento do poder militar inimigo. Mais de uma vez, ulteriormente, princípios análogos foram proclamados, tendentes a evitar, na guerra, rigores inúteis.

O direito convencional contemporâneo confirmou, afinal, esses princípios humanitários, nos mencionados regulamentos anexos às Convenções da Haia de 1899 e de 1907, os quais, em seu artigo 22, declaram: "Os beligerantes não têm direito ilimitado quanto à escolha dos meios de prejudicar o inimigo".

Daí a distinção estabelecida entre os meios de que lançam mão os beligerantes: uns são *lícitos,* os outros são *ilícitos.*

As armas, matérias e instrumentos proibidos pelas leis e costumes da guerra são todos os que causam sofrimentos inúteis ou agravam feridas, cruelmente. Entre eles, podem ser citados os seguintes: a) os projéteis de peso inferior a 400 gramas, explosivos ou carregados de matérias fulminantes ou inflamáveis; b) as balas que se dilatam ou se achatam facilmente no corpo humano (*balas dum-dum*); c) os gases asfixiantes, tóxicos ou deletérios, bem como todos os líquidos, matérias ou processos análogos, e os projéteis que tenham por fim único espalhar tais gases; d) o veneno ou as armas envenenadas; e) as culturas bacteriológicas.

As leis e costumes da guerra proíbem também: os atos que causam danos ou injúrias cruéis e desproporcionadas às necessidades militares, bem como os métodos que envolvem perfídia ou deslealdade.

Entre os primeiros podemos mencionar (de acordo com os regulamentos da Haia) os seguintes: *a*) matar ou ferir o inimigo que se renda à discrição ou que se não possa mais defender; *b*) não conceder quartel ao inimigo; *c*) destruir propriedades inimigas ou delas se apoderar, salvo quando isso for imperiosamente exigido pelas necessidades da guerra; *d*) forçar os nacionais do estado inimigo a tomar parte nas operações de guerra contra o próprio país; *e*) entregar ao saque uma cidade ou qualquer localidade, ainda que tomada de assalto; *f*) atacar ou bombardear cidades, povoações, habitações ou construções não defendidas.

Esta última proibição foi consignada no art. 25 dos dois citados regulamentos da Haia. Na verdade, porém, muito embora tais princípios nem sempre sejam observados na prática, sua afirmação e reconhecimento contribuem para o esforço de "juridicização" da barbárie, limitando agressões perpetradas durante conflito armado, ou permitindo o enquadramento legal e processo contra os responsáveis por tais atos, após o fim das hostilidades, como mostraria a atuação do Tribunal Penal para crimes cometidos na antiga Iugoslávia[118].

Entre os processos pérfidos, condenados pelas leis e costumes da guerra, figuram os seguintes: *a*) matar ou ferir à traição indivíduos pertencentes à nação ou ao exército inimigo; *b*) servir indevidamente da bandeira parlamentar ou dos sinais distintivos da Cruz Vermelha; *c*) usar o pavilhão nacional, as insígnias militares ou o uniforme do inimigo; *d*) fingir rendição, para deixar que os combatentes inimigos se aproximem e, assim, poder atingi-los mais facilmente.

Poderia dizer-se, em princípio, que, na guerra, é lícito tudo quanto se não acha proibido por suas leis ou costumes. Surgem, porém, a cada dia, novos métodos de combate, novos instrumentos de destruição, que não foram previstos nas leis ou costumes da guerra. Devem, só por isso, ser admitidos? Parece claro que não. Realmente, só devem ser considerados como lícitos aqueles que os princípios gerais do direito internacional não condenam como bárbaros ou pérfidos, ou, antes, os que não forem repudiados pela consciência universal.

Dentre os meios ou métodos sobre os quais poderiam talvez surgir dúvidas, mas que devem ser considerados como lícitos, citam-se os seguintes:

Um deles é a *espionagem*. Em tempo de paz, constitui crime, da alçada dos tribunais ordinários do país contra o qual se exerce. Em tempo de guerra, é ato que pode ter graves consequências, mas reconhecidamente lícito. Isto não significa que o espião, quando capturado pelo inimigo, não se arrisque a sofrer o mais rigoroso tratamento, a execução sumária.

Os regulamentos da Haia, no artigo 29, definem o espião como sendo "o indivíduo que, clandestinamente ou sob falsos pretextos, colhe ou procura colher informações, na zona de operações de um beligerante, com a intenção de as comunicar à parte adversa".

---

118. Não só na primeira guerra mundial, mas ainda, e principalmente, na segunda, ela não foi respeitada. Voltaremos ao assunto, quando nos ocuparmos da guerra aérea (n. 8.3.5).

O espião só é punível se preso em flagrante. Além disso, não poderá ser punido sem julgamento prévio. Não se lhe concede o tratamento de prisioneiro de guerra, e a pena que lhe reservam as leis do exército que o captura é, geralmente, a de morte.

A espionagem contra o próprio país é crime de traição, ao qual se não aplicam as disposições das leis e costumes da guerra, relativas à espionagem propriamente dita. A punição da traição dos próprios nacionais é regulada exclusivamente pela legislação penal interna.

Outros meios lícitos, embora, muita vez, cruéis, aos quais frequentemente recorrem os beligerantes, são os *sítios* e os *bombardeios*.

O *sítio* é o cerco posto a uma cidade ou a uma praça fortificada, para impedir suas comunicações com o exterior e, por este meio, levá-la a render-se. O *bombardeio*, na guerra terrestre, é operação acessória ao sítio, com vistas a apressar a rendição do inimigo. Mas pode ser empregado independentemente do sítio. Consiste no lançamento de projéteis incendiários ou explosivos, bombas, obuses etc.

O sítio e o bombardeio são admitidos pelo direito da guerra. Em princípio, os dois devem ser poupados às cidades que se não defendem ou abrem suas portas ao inimigo.

O artigo 26 dos regulamentos da Haia dispõe que, antes de iniciar um bombardeio, e salvo o caso de circunstâncias excepcionais que exijam ação imediata, o comandante das tropas assaltantes deve fazer tudo o que estiver ao seu alcance para prevenir as autoridades da praça a ser bombardeada. E o artigo 27 manda sejam tomadas as necessárias medidas "para se pouparem, tanto quanto possível, os edifícios consagrados aos cultos, às artes, às ciências e à beneficência, os monumentos históricos, os hospitais e os lugares ocupados por enfermos e feridos, contanto que não sejam utilizados, ao mesmo tempo, para fins militares". Logicamente a doutrina não se esquece de quantas vezes tais normas sofrerão violação na prática, mas a importância da afirmação e reconhecimento dos princípios tem papel a cumprir, como apontado, seja limitando os atos ilegais, durante o conflito, seja punindo os responsáveis, após o término do conflito armado[119].

8.3.3.3. direitos e deveres dos beligerantes em relação aos militares inimigos

A guerra visa, evidentemente, a destruir as forças armadas do inimigo. Por

119. Nesse sentido, somente se pode lamentar o esforço em curso, pelo governo dos Estados Unidos da América, no sentido de celebrar convenções bilaterais, excluindo a jurisdição do Tribunal Penal Internacional, em relação aos seus nacionais, visando eximir de tal responsabilidade por crimes de guerra os seus militares e dirigentes.

isso, durante a luta, é lícito matar ou ferir soldados inimigos. Cessado, porém, o combate, ou desde que tais soldados se rendam, seria um crime maltratá-los.

8.3.3.3.1. prisioneiro de guerra

Se o indivíduo, combatente ou não combatente, que faça parte das forças inimigas, entregar-se ou for capturado, a sua situação passará a ser a de *prisioneiro de guerra*[120].

Eram cruéis e até desumanas as práticas antigas, no tocante aos prisioneiros de guerra. Mas, a partir, pelo menos, do século XIX, esses costumes foram, geralmente, abolidos.

Entre os princípios que hoje constituem a base da doutrina internacional a tal respeito, figuram os de que os prisioneiros devem ser tratados com humanidade e que não é lícito matá-los. O primeiro destes dois princípios foi consagrado pelos regulamentos da Haia de 1899 e 1907 (artigo 4º de ambos os regulamentos).

Os mesmos regulamentos estabelecem vários outros preceitos, nessa matéria. Podemos aqui indicar os principais: a) os prisioneiros de guerra são colocados em poder do governo inimigo, e não no do indivíduo ou das forças que o capturaram; b) conservam a propriedade de seus bens pessoais, exceto armas, cavalos e papéis militares; c) podem ser internados numa praça ou em qualquer localidade, com a obrigação de se conservarem dentro de certos limites; mas **não podem ser encarcerados senão excepcional e temporariamente**, como medida de segurança indispensável[121]; d) podem ser empregados como trabalhadores, segundo suas categorias e aptidões, salvo se forem oficiais; e) seu sustento incumbe ao governo em cujo poder se encontram; f) no que concerne à disciplina, estarão sujeitos às leis e regulamentos em vigor no exército em poder do qual se achem; g) se tentam fugir, mas não o conseguem, podem sofrer penas disciplinares; mas se, depois de evadidos, forem novamente capturados, não serão passíveis de pena pela fuga anterior; h) poderão ser postos em liberdade sob palavra, se isto lhes for permitido pelas leis do seu país; i) os oficiais prisioneiros receberão o soldo a que têm direito os oficiais do mesmo posto no país onde estão retidos, devendo essa despesa ser, depois, satisfeita pelo seu governo; j) concluída a paz, os prisioneiros deverão ser repatriados no mais breve prazo possível.

---

120. Não obstante o que digam o direito interno ou as autoridades militares de qualquer país, não tem fundamento e caracteriza violação do direito internacional a detenção de combatentes capturados em meio a operações de guerra, aos quais se negue seja o reconhecimento do estatuto de prisioneiros de guerra, e correspondente tratamento, seja a condição de presos comuns, aos quais se tem de permitir o acesso de advogados e formação de culpa, para julgamento perante tribunal regular, com devido processo legal e direito de defesa.

121. Cfr. nota anterior.

A Convenção de Genebra sobre prisioneiros de guerra, assinada a 27 de julho de 1929, repetiu e ampliou as disposições dos regulamentos da Haia, nessa matéria. Assim, por exemplo, depois de proclamar, mais uma vez, o princípio de que os prisioneiros devem ser tratados com humanidade, acrescentou que eles devem ser "protegidos, especialmente, contra os atos de violência, os insultos e a curiosidade pública". Além disso, declarou que as medidas de represálias contra os prisioneiros são proibidas.

Várias outras cláusulas da Convenção de 1929 reproduzem ou completam disposições dos mencionados regulamentos e estabelecem novos preceitos. Entre estes, vale a pena mencionar, no capítulo referente às sanções penais contra prisioneiros: a proibição de toda pena corporal, de toda encarceração em locais não clareados pela luz do dia e, de modo geral, toda forma de crueldade, bem como a proibição de penas coletivas por atos individuais.

Relativamente à repatriação dos prisioneiros de guerra a referida Convenção de Genebra, em seu artigo 75, recomenda aos beligerantes que, para levar a efeito tal medida, não esperem a conclusão de paz.

A Convenção que, sobre o mesmo assunto, se concluiu em Genebra a 12 de agosto de 1949 não somente reviu a anterior, mas ainda a ampliou consideravelmente. Basta dizer que a de 1929 tinha 97 artigos e a de 1949 conta 143. Muitas de suas normas já estariam, por assim dizer, implícitas nas disposições da Convenção de 1929, mas a experiência mostrou a conveniência de as tornar explícitas e perfeitamente claras. Na parte referente à execução da Convenção, o novo instrumento contém disposições de real importância, tal como, por exemplo, a que obriga os beligerantes a abrirem seus campos de prisioneiros à fiscalização de organismos neutros.

8.3.3.3.2. feridos e enfermos

O interesse pela sorte dos militares postos fora de combate, por enfermidades contraídas em campanha ou por ferimentos recebidos na luta, é antigo entre os povos ocidentais. Mas só se adotaram regras internacionais precisas, a esse respeito, a partir da Conferência de Genebra de agosto de 1864, decorrente da iniciativa dos dois filantropos genebreses Jean-Henri e Gustave MOYNIER.

Naquela conferência, foi concluída uma Convenção, chamada da Cruz Vermelha, para a melhoria da sorte dos feridos e enfermos nos exércitos em campanha[122], substituída por instrumentos posteriores; merece ser lembrada como marco na evolução do tratamento internacional da matéria.

122. A Convenção da Cruz Vermelha para a melhoria da sorte dos feridos e enfermos nos exércitos em campanha, celebrada em 22 de agosto de 1864, foi revista em 1906 e 1929, sendo substituída, sucessivamente, pela Convenção de 6 de julho de 1906, pela de 27 de julho de 1929 e pela de 12 de agosto de 1949.

Essas Convenções estabeleceram certos princípios que se podem considerar universalmente aceitos. Entre suas regras ou preceitos, salientam-se os seguintes: *a*) os soldados enfermos ou feridos, sem distinção de nacionalidades, devem ser tratados pelo beligerante em cujo poder se encontrem; *b*) depois de cada combate, o ocupante do campo de batalha deve procurar e recolher os feridos e opor-se a qualquer ato que lhes possa ser nocivo; *c*) os hospitais, as ambulâncias e as formações sanitárias, com o sinal distintivo da Cruz Vermelha, devem ser respeitados e protegidos pelos beligerantes; *d*) a proteção concedida às organizações móveis e estabelecimentos fixos dos serviços de saúde dos exércitos beligerantes cessa, se tais organizações ou estabelecimentos são utilizados para a prática de atos hostis; *e*) a guarda e a defesa desses estabelecimentos ou organizações não os privam da referida proteção; *f*) o pessoal exclusivamente empregado no serviço sanitário, os guardas das organizações e estabelecimentos sanitários, os religiosos adidos aos exércitos beligerantes serão respeitados e protegidos em todas as circunstâncias, e, se caírem em poder do inimigo, não serão considerados como prisioneiros de guerra. A Convenção de 1949 estipulou importante possibilidade da criação de zonas e localidades sanitárias destinadas a pôr ao abrigo dos efeitos da guerra os feridos e enfermos, bem como o pessoal incumbido da organização e da administração de tais zonas ou localidades.

8.3.3.3.3. mortos

A Convenção de Genebra de 1864 nada dispôs quanto aos indivíduos mortos em combate, se bem que, na prática, já fossem admitidos alguns princípios a tal respeito. As outras três procederam diferentemente[123].

8.3.3.4. direitos e deveres em relação aos habitantes pacíficos

A existência e a liberdade dos habitantes pacíficos do território inimigo devem ser respeitadas. Assim, os habitantes que não tomam parte na luta e se mostram inofensivos não devem sofrer qualquer arbitrariedade. O artigo 46 dos regulamentos da Haia de 1899 e 1907, reproduzindo disposição idêntica da Declaração de Bruxelas de 1874, vai além, ao declarar que: "A honra e os direitos da família, a vida dos

---

123. A Convenção de 1906 manda que o ocupante de campo de batalha deve tomar medidas que protejam os mortos contra a pilhagem, determina o exame cuidadoso dos cadáveres, antes de sua inumação ou incineração, e dispõe sobre a remessa, ao exército a que pertenciam os soldados mortos, dos distintivos ou papéis de identidade neles encontrados; a de 1929 repete essas disposições, acrescentando outras, entre as quais a de que os mortos sejam enterrados honrosamente e seus túmulos sejam respeitados e possam sempre ser encontrados; a de 1949 amplia algumas das antigas disposições e modifica a relativa à incineração, medida que só permite "por imperiosas razões de higiene ou motivos decorrentes da religião dos mortos".

indivíduos e a propriedade privada, bem como as convenções religiosas e o exercício dos cultos, devem ser respeitados. A propriedade privada não pode ser confiscada".

Os habitantes do território invadido ou ocupado não podem ser obrigados a tomar parte nas operações militares, de forma alguma. Não podem, tampouco, ser constrangidos a prestar juramento de fidelidade ao estado inimigo, nem a dar informações sobre o exército ou os meios de defesa do seu próprio estado.

Ainda que não expressamente previsto nos regulamentos da Haia, deve profligar-se severamente o sistema das *deportações em massa*, de habitantes pacíficos[124].

A ILA, em 1928, declarou proibidas tais deportações, a menos que exigidas pelo cuidado da própria segurança dos habitantes do território ocupado. A Convenção de Genebra, de 12 de agosto de 1949, relativa à proteção das pessoas civis em tempo de guerra, também condena tais deportações.

A *instituição de reféns*, como meio de assegurar a proteção das forças militares, ou para obter a satisfação de certos fins militares, ou ainda como garantia da execução de um acordo, muito empregada outrora, todavia permanece[125]. É, porém, incontestavelmente odiosa e tem sido condenada por numerosos autores. Merece, aliás, ser repudiada pela consciência universal, pois não é justo que pessoas pacatas e inocentes sejam expostas à morte para a defesa de inimigos de sua pátria, ou sofram por atos alheios, a que são absolutamente estranhas.

Os regulamentos da Haia não eram suficientemente claros a tal respeito. Os artigos 46 e 50 como que condenavam semelhante instituição. O primeiro, como vimos, mandava respeitar a honra e a vida dos indivíduos. O último declarava expressamente: "Nenhuma pena coletiva, pecuniária ou de outra natureza, poderá ser aplicada contra as populações, por fatos individuais de que não poderiam ser consideradas como solidariamente responsáveis".

Existem, porém, agora, disposições convencionais precisas, a esse respeito, na Convenção de Genebra relativa à proteção das pessoas civis em tempo de guerra, assinada a 12 de agosto de 1949. A Convenção, no artigo 34, declara proibida a tomada de reféns, e, no artigo 33, dispõe claramente o seguinte: "Nenhuma pessoa protegida pode ser punida por infração que ela não cometeu pes-

124. A deportação maciça de habitantes pacíficos foi adotada pela Alemanha durante a primeira guerra mundial e tão largamente empregada por esta e pela União Soviética durante a segunda guerra mundial.

125. Ainda desta vez, os alemães utilizaram-na com frequência, não só na guerra de 1914-1918, mas também na segunda guerra mundial, tanto para a proteção de suas forças armadas quanto, principalmente, como meio de punição coletiva.

soalmente. As penas coletivas, da mesma forma que toda medida de intimação ou de terrorismo, são proibidas".

O princípio do respeito à pessoa dos habitantes pacíficos sofre, contudo, algumas restrições impostas pelas exigências da guerra e autorizadas pelas leis da guerra. Assim, além de sujeitos a contribuições em dinheiro, eles podem ser obrigados a atender à requisição de objetos ou de serviços pessoais.

Esses serviços, no entanto, só podem ser reclamados para as necessidades do exército e não devem importar em obrigação de tomar parte nas operações de guerra contra a pátria. Além disso, as requisições de serviços só podem ser feitas mediante autorização do comandante das tropas de ocupação, na localidade ocupada.

8.3.3.5. *direitos e deveres em relação ao território inimigo*

Os direitos e os deveres do beligerante em relação ao território do estado inimigo decorrem da *invasão* e da *ocupação* do citado território.

Deles se ocupam, de maneira não muito precisa, os artigos 42 a 57 dos regulamentos da Haia, os quais, embora somente se refiram expressamente à *ocupação*, também se aplicam, em muitas de suas estipulações, ao caso de simples *invasão*.

Antes do mais, convém não confundir esta com aquela. A **invasão** é a simples penetração de um beligerante em território inimigo: determina a dominação de uma parte desse território, mas sem o exercício regular de poderes administrativos. Ela precede a **ocupação**. Esta é, pois, uma fase ulterior, que consiste no estabelecimento de um poder de fato sobre parte ou a totalidade do território inimigo, isto é, na colocação deste sob a autoridade do exército adverso.

A ocupação, puro estado de fato, não faz desaparecer a soberania do estado invadido sobre o território ocupado pelo exército inimigo. Acarreta apenas a impossibilidade temporária do exercício daquela soberania. Assim, o ocupante tem somente o gozo desta, ou, antes, se lhe reconhecem certos direitos exigidos pelas necessidades da guerra e decorrentes do fato de que o governo legal, em tal território, acha-se momentaneamente na impossibilidade material de aí exercer efetivamente a sua autoridade.

Não se deve confundir a ocupação com a conquista. Antigamente, nenhuma distinção era feita entre uma (*occupatio bellica*) e a outra (*debellatio*). A doutrina moderna, porém, não mais admite semelhante confusão.

Na verdade, a ocupação bélica, ainda que de todo o território inimigo, não outorga título suficiente para a aquisição do domínio da área ocupada. Só a cessação prolongada das hostilidades e a não resistência ao invasor poderão determinar a transformação da *occupatio bellica* em *occupatio imperii*.

Além de direitos, a ocupação traz também deveres para o ocupante. Estes derivam da própria situação de fato, em virtude da qual ele se substitui provisoriamente ao poder soberano, no exercício da autoridade, para a prática, no território ocupado, de atos úteis aos fins da guerra. Entre tais deveres, figura em primeiro plano a obrigação natural de defender e proteger a população civil do território ocupado. Por isso mesmo, o artigo 43 dos regulamentos da Haia determina que o ocupante deve adotar as medidas a seu alcance para restabelecer, tanto quanto possível, a ordem e a vida pública no dito território.

Por outro lado, pode dizer-se que **ao ocupante correspondem, nas áreas ocupadas, as mesmas obrigações, de ordem social e humanitária, que competem ao poder soberano, no seu próprio território**[126].

Os *efeitos jurídicos da ocupação* são de diversas naturezas. Dizem respeito: à legislação do país ocupado, à sua organização administrativa e judiciária, aos bens do estado e dos particulares, à liberdade de ação dos habitantes.

No tocante à legislação, é de regra que a mesma seja mantida, salvo certas exceções, justificadas pelas necessidades da guerra e relativas, principalmente, a disposições de ordem administrativa, ou a princípios de direito político ou à aplicação da lei marcial.

A organização administrativa e judiciária é também, em princípio, conservada; mas os agentes ou funcionários políticos, em geral, cessam o exercício de suas funções e são substituídos por autoridades militares do ocupante. Por outro lado, os crimes contra a segurança das tropas ocupantes, ainda que cometidos por civis, são submetidos a tribunais militares do ocupante.

Quanto aos bens do estado, há que distinguir entre bens móveis e imóveis. No que toca aos primeiros, segundo o artigo 53 dos regulamentos da Haia, o exército ocupante poderá apropriar-se: 1º) do numerário, dos fundos e dos valores exigíveis, pertencentes ao estado inimigo; 2º) dos depósitos de armas, meios de transporte, depósitos de provisões e, em geral, de toda propriedade móvel do estado inimigo útil para as operações de guerra. No que toca aos bens imóveis, devem distinguir-se os de domínio público e os de domínio privado: destes, o

126. Infelizmente não se pode apontar evolução em prática mais recente, como exatamente se tem observado nos dois países ocupados pelos Estados Unidos neste século, com algum progresso já registrado no Afeganistão, mas precária a situação legal no Iraque, qualificadas as condições de ocupação como "humilhantes para o povo iraquiano", pelo representante da ONU naquele país, cf. já advertia Sérgio VIEIRA DE MELLO (em entrevista publicada, OESP, 18 agosto 2003), ao destacar somente dois casos tristemente atuais, do segundo dos quais viria S. VIEIRA DE MELLO a ser vítima, a serviço das Nações Unidas, no Iraque ocupado.

ocupante não se poderá apropriar, mas apenas tornar-se administrador e usufrutuário, durante o período das hostilidades; daqueles, o ocupante tem o direito de se utilizar livremente, se se destinam diretamente a fins militares (tais como: fortalezas ou obras fortificadas, arsenais, quartéis, fábricas de armas e munições etc.) ou se são suscetíveis de facilitar as operações de guerra (pontes, viadutos etc.), e poderão ser destruídos se as necessidades da guerra assim o aconselham.

O ocupante poderá também utilizar-se dos edifícios públicos em geral, mas deve respeitar, tanto quanto possível, os imóveis que têm destino puramente pacífico (museus, bibliotecas, monumentos, estabelecimentos de educação, hospitais), podendo ocupá-los somente se as necessidades militares o exigirem e contanto que não os destrua, nem intencionalmente os deteriore.

Relativamente à propriedade privada, os regulamentos da Haia consignam o grande princípio de que não pode ela ser confiscada. Além disso, proscrevem formalmente a pilhagem, proscrição que, aliás, aplica-se também à propriedade pública.

Quanto à destruição da propriedade privada, só é admitida no decurso de operações de guerra (quando, por exemplo, casas particulares se acham ocupadas por tropas inimigas ou ao lado de fortificações inimigas, e, por efeito de bombardeio das tropas ou fortificações, as casas são atingidas e destruídas) ou, quando muito, se tais operações o exigirem imperiosamente. Os regulamentos da Haia (no seu artigo 23, letra *g*) manifestaram-se favoráveis a esta segunda parte da alternativa, ao declararem proibido "destruir propriedades inimigas ou delas se apoderar", salvo quando isto for "imperiosamente exigido pelas necessidades da guerra". Sem dúvida, esta última expressão é um tanto vaga e, por isso mesmo, presta-se a abusos. Mas está claro que todo excesso, a este respeito, é condenável. Assim, por exemplo, poderá talvez admitir-se, acompanhando conhecido internacionalista inglês[127], que um beligerante, por interesse de guerra imediato, chegue a destruir colheitas ainda de pé, com o fim de privar o inimigo de meios imediatos de subsistência. "Mas um beligerante não teria justificativa para cortar oliveiras e arrancar vinhas, porque isto significa devastar país por grande número de anos, sem que o beligerante possa daí retirar qualquer vantagem correspondente".

Há, porém, duas outras categorias de **exceções ao princípio do respeito da propriedade privada**: são as *requisições* e as *contribuições*.

As **requisições** de coisas justificam-se em face das necessidades militares. Mas devem ser efetuadas com moderação e obedecer aos seguintes preceitos: 1º)

---

127. Como o fazia há muitos anos TRAVERS-TWISS, internacionalista inglês bem conhecido.

só podem ser exigidas para as necessidades do exército de ocupação e, portanto, só podem consistir em coisas verdadeiramente úteis a tal exército; 2º) devem ser proporcionais aos recursos da região ou da localidade ocupada; 3º) não devem tirar à população local o que lhe é necessário para viver. Além disso, deverão ser pagas à vista, sempre que possível, ou, pelo menos, consignadas em recibos. Neste caso, cumpre que o pagamento da quantia devida seja realizado o mais depressa possível.

As **contribuições** são prestações pecuniárias que o exército ocupante exige dos habitantes do território ocupado. Se impostas como multa coletiva, por atos de hostilidade puramente individuais, pelos quais a população não possa, a justo título, ser tida como solidariamente responsável, são absolutamente injustas, e condenadas pelo artigo 50 dos regulamentos da Haia.

Os regulamentos da Haia admitem-nas apenas dentro em certos limites, estipulados nos seus artigos 49 e 51, os quais dispõem que, além dos impostos normais, o ocupante poderá determinar contribuições pecuniárias, sob as seguintes condições: 1ª) somente para as necessidades do exército ou da administração do território; 2ª) mediante ordem escrita e sob a responsabilidade de um general em chefe; 3ª) contra entrega de recibo a cada contribuinte.

Se, apesar de tudo, são impostas como multa, elas deveriam ao menos não ultrapassar a importância da infração e atingir apenas o culpado e seus cúmplices.

Em relação aos habitantes do país ocupado, já vimos que o ocupante não tem poderes ilimitados sobre eles e que, a contrário, tem o dever de protegê-los, na sua vida, na sua honra, nos seus bens etc. Sem dúvida, a população deve obediência, até certo ponto, às autoridades do ocupante, podendo assim ser obrigada à prestação de determinados serviços; mas tal prestação, conforme dissemos, está subordinada a certas condições[128].

---

128. ACCIOLY, **Tratado** (2009, v. 3, livro segundo, "*a guerra*", p. 111-533); DÍEZ DE VELASCO, **Instituciones** (16. ed., 2007, parte VII, "*derecho de los conflictos armados*", p. 1031-1109), p. 748; Celso MELLO, **Curso** (15. ed., 2004, v. 2, livro X, "*direito de guerra e neutralidade*", p. 1497-1680); Alfred de ZAYAS, *Combatants* (in **Encyclopedia**, v. 3, p. 117); Christophe SWINARSKI, **Introdução ao direito internacional humanitário** (Brasília, 1988); Eric DAVID, **Principes de droit dans les conflits armés** (Bruxelles, 1993); Frits KALSHOVEN, **Reflections on the law of war – Collected essays** (Leiden: M. Nijhoff, 2007); George H. ALDRICH, *New life for the laws of war* (AJIL, 1981, v. 75, p. 764); Michael BOTHE, *Land warfare* (in **Encyclopedia**, v. 3, p. 239); Philippe BRETON, *Le problème des méthodes et moyens de guerre ou combat dans les Protocols additionnels aux Conventions de Genève du 12 Août de 1949* (RGDIP, t. 82, p. 32, 1970); Stanislaw E. NAHLIK, **La protection internationale des biens culturels en cas de conflit armé** (RCADI, 1967, t. 120, p. 61-164); S. NAHLIK, **L'extension du statut de combatant à la lumière du Protocole 1 de Genève de 1977** (RCADI, 1979, t. 164, p. 171-249); Yves SANDOZ et al., **Comentario del protocolo del 8 junio 1977 adicional a los convenios de Ginebra del 12 de agosto de 1949 relativo a la protección de las victimas de los conflictos armados internacionales (Protocolo I)** (trad. Maurício DUQUE Ortiz, dir. gen. de la trad. José CHOCOMELI Lera, Bogotá: CICR, 2000, reimpr., 2008, 2 tomos) e S.-S. JUNOD et al., **Protocolo II y del art. 3 de estos Convenios** (trad. J. CHOCOMELI Lera, con la colab. de M. DUQUE Ortiz, Bogotá: CICR, 1998, reimpr. 2008).

8.3.4. guerra marítima

O direito que rege a guerra marítima é, na sua quase totalidade, de natureza costumeira, pois as Conferências de Paz da Haia não conseguiram elaborar uma série de regras, a exemplo do que fizeram em relação à guerra terrestre. Citam-se alguns documentos, como a Declaração de Paris de 16 de abril de 1856. Na Haia, em 1907, foram adotadas Convenções sobre a transformação de navios mercantes em navios de guerra, colocação de minas submarinas automáticas, bombardeamento por forças navais, exercício do direito de captura e adaptação da Convenção da Cruz Vermelha de 1906. Além do mais, as regras sobre a guerra terrestre têm sido aplicadas quando cabíveis à guerra no mar.

Depois da Conferência de 1907, realizou-se em Londres em 1909 reunião, no decorrer da qual foi aprovada pelos dez países presentes a Declaração de Londres, que estabeleceu uma série de regras que não chegaram a ser ratificadas, mas que são consideradas como parte integrante das leis de guerra marítima.

Merecem ser ainda citadas as Convenções específicas de Genebra em 1949 em matéria de guerra marítima e os dois Protocolos de 1977.

Na aplicação das regras aceitas – escritas e consuetudinárias – sobre a guerra marítima, será, igualmente, necessário agora levar em linha de conta a Convenção sobre o Direito do Mar de 1982, muito embora o seu artigo 301 estipule que "no exercício dos seus direitos e no cumprimento de suas obrigações nos termos da presente Convenção, os Estados-Partes devem abster-se de qualquer ameaça ou uso da força contra a integridade territorial ou a independência política de qualquer Estado, ou de qualquer outra forma incompatível com os princípios de direito internacional incorporados na Carta das Nações Unidas".

Os dispositivos da Convenção de 1982 suscetíveis de influenciar as leis da guerra marítima dizem respeito às novas e aumentadas zonas de jurisdição, como a adoção do mar territorial de 12 milhas, a zona contígua de 24 milhas e as 200 milhas da zona econômica exclusiva, bem como o reconhecimento das chamadas águas arquipelágicas e o novo regime em relação aos estreitos internacionais. Não cabe aqui analisar todas as consequências de tais modificações; mas, na interpretação das regras existentes, a influência das novas regras poderá em alguns casos provocar mudanças importantes.

8.3.4.1. forças armadas dos beligerantes

Analogamente ao que ocorre na guerra terrestre, a força armada dos beligerantes na guerra marítima é composta de **forças navais regulares** e navios auxiliares.

Aquelas são compostas de navios propriamente destinados à guerra. O seu conjunto, em cada país, é o que se denomina a marinha de guerra do país. Todos esses navios se destinam ao mesmo fim, que é a guerra, e, portanto, acham-se sujeitos ao mesmo tratamento. O que os distingue é que pertencem ao estado, estão sob o comando de um oficial de marinha, arvoram o pavilhão e a flâmula militares, têm tripulação militar. Não se exige, contudo, que cada um desses navios seja necessariamente destinado a entrar em combate. Assim, os simples transportes de guerra, se apresentam as aludidas características, são incluídos entre as forças regulares do estado.

Além das forças navais regulares, podem os beligerantes servir-se, para a guerra, do que se denomina a **marinha auxiliar**, isto é, de navios mercantes, requisitados, fretados ou comprados para serem utilizados durante a luta.

Muitas vezes esses navios já são construídos de modo que permitam a sua rápida transformação em navios próprios para a guerra.

A questão da **transformação de navios mercantes em navios de guerra** constitui objeto de uma das convenções da 2ª Conferência da Paz, da Haia, a qual estabeleceu as seguintes regras: 1ª) o navio deve ser colocado sob a autoridade direta e a responsabilidade da potência a que pertence; 2ª) deve usar os sinais externos distintivos dos vasos de guerra de sua nacionalidade; 3ª) seu comandante deve estar a serviço do estado e ser comissionado pela autoridade competente; 4ª) a tripulação deve sujeitar-se à disciplina militar; 5ª) o navio deve observar, em suas operações, as leis e costumes da guerra; 6ª) a transformação deve ser mencionada, pelo beligerante que a realiza, na lista dos navios de sua marinha de guerra.

É princípio geralmente aceito que a dita transformação se não admite em águas neutras. Quanto ao direito de transformação no alto-mar, é questão que tem sido muito discutida, sem resultado definitivo.

8.3.4.1.1. navios mercantes armados

A grande maioria dos autores admite que os navios mercantes têm o direito de se defender contra uma agressão dos inimigos. Se assim é, deve ser-lhes reconhecido, necessariamente, o direito de possuir os meios materiais para a defesa, isto é, o direito de se armarem.

De fato, o direito de os navios mercantes se defenderem e andarem armados tem sido reconhecido, não só pela doutrina de numerosos internacionalistas, mas também pela prática das nações, desde alguns séculos.

A circunstância de se armar para sua defesa não transforma o navio mercante em navio de guerra. O interesse prático da distinção entre este e aquele reside no seguinte: 1º) os navios mercantes armados devem ser admitidos nos portos neutros como quaisquer outros navios mercantes; 2º) os primeiros não podem ser destruídos, nem atacados, sem aviso-prévio ou sem que ofereçam resistência, e, em caso de destruição, os respectivos passageiros e tripulações deverão ser postos em segurança. Em suma, o tratamento aplicável a tais navios deve ser o mesmo que se aplica a navios puramente mercantes.

Em suas regras de neutralidade, de 2 de setembro de 1939, o Brasil adotou, nessa matéria, atitude semelhante à dos Estados Unidos da América durante a Primeira Guerra Mundial, declarando que os navios mercantes armados só seriam equiparados a navios de guerra se seu armamento não fosse puramente defensivo e acrescentando que, entre as provas de que o armamento não seria ofensivo, deviam figurar as seguintes: *a*) ausência de tubos lança-torpedos; *b*) calibre nos canhões não superior a seis polegadas; *c*) armas e munições de guerra em pequena quantidade; *d*) tripulação normal; *e*) carga consistente em artigos impróprios para a guerra. A primeira Reunião de Consulta dos Ministros das Relações Exteriores das Repúblicas Americanas, realizada no Panamá em 1939, seguiu a mesma orientação.

8.3.4.1.2. o corso e sua abolição

Antigamente, era frequente que os estados em guerra dessem autorização a simples particulares para armar navios, destinados a ser empregados contra os bens e embarcações do inimigo. Esses particulares eram chamados *corsários*; as suas embarcações, *navios corsários*. E se dava o nome de *corso* aos atos de hostilidade por eles praticados.

Não se devem confundir os *corsários* com os *piratas*. Os **corsários** dispunham de autorização de um poder soberano e eram subordinados a umas tantas regras, determinadas pela legislação interna de cada país. Os **piratas**, ao contrário, não recebiam delegação de nenhum poder, nem observavam regra alguma; e eram considerados como verdadeiros criminosos.

Os corsários, embora dependessem de uma autorização do poder soberano, não eram propriamente agentes deste, que nada lhes pagava, nem lhes vigiava diretamente os atos. Sua remuneração consistia nos despojos do inimigo, nas presas que faziam.

Muito empregado nos séculos XVI, XVII e XVIII, o corso deu lugar a tais abusos que as nações começaram a pensar na necessidade de sua abolição. Esta só se produziu definitivamente no Congresso de Paris, que pôs termo à Guerra da Crimeia. Com efeito, o primeiro dos princípios adotados na chamada *Declaração de Paris*, de 16 abril de 1856, assim dispõe: "O corso é e fica abolido".

8.3.4.2. meios de ataque e de defesa

Não existe nenhum regulamento internacional sobre as leis e costumes da guerra marítima. A prática internacional tem estabelecido certos preceitos, geralmente observados pelos beligerantes, enumerados a seguir.

O princípio de ordem geral, do regulamento da Haia sobre a guerra terrestre, de que os beligerantes não têm direito ilimitado quanto à escolha dos meios de prejudicar o inimigo, também se aplica, evidentemente, à guerra marítima.

Baseado no direito convencional e no costume internacional, podemos dizer que, na guerra marítima, figuram entre os *meios ilícitos* os seguintes:

a) afundar, antes de haver recolhido a tripulação, navio que se tenha rendido;

b) destruir navio mercante inimigo, nos casos excepcionais em que isso é permitido, sem previamente pôr em segurança, não só as pessoas que se achem a bordo, mas ainda os papéis de bordo;

c) fazer uso de torpedos que se não tornem inofensivos quando erram o alvo;

d) colocar, ainda que nas próprias águas territoriais, minas automáticas de contato, não amarradas, salvo se construídas de maneira que se tornem inofensivas uma hora, no máximo, depois que o beligerante que as colocou tiver perdido o controle sobre elas;

e) colocar minas automáticas de contato amarradas, que se não tornem inofensivas desde que se rompam as respectivas amarras;

f) bombardear, por meio de força naval, porto, cidade, povoação, habitação ou edifício não defendido, salvo se, após intimação formal, as autoridades locais recusarem atender a requisições de víveres ou provisões necessárias, no momento, à força naval que se ache defronte da localidade;

g) bombardear, por meio de força naval, porto, cidade, povoação, habitação ou edifício não defendido, por motivo do não pagamento de contribuições em dinheiro;

h) saquear ou pilhar uma cidade ou localidade, ainda que tomada de assalto;

i) não tomar, o comandante da força naval em causa, as necessárias providências para que, tanto quanto possível, os edifícios consagrados aos cultos, às artes, às ciências e à beneficência, os monumentos históricos, os hospitais e lugares de reunião de enfermos ou feridos sejam poupados, contanto que não estejam servindo, ao mesmo tempo, a algum fim militar.

Embora não previsto ainda em nenhum ato internacional, deve ser considerado como ilícito, por desumano, o lançamento indiscriminado das chamadas *minas magnéticas*[129]. Entre os meios geralmente considerados *lícitos*, na guerra marítima, devemos assinalar os seguintes:

a) a *astúcia,* contanto que não importe em perfídia;

b) *o bombardeio* de portos militares, arsenais marítimos, fortalezas, baterias costeiras, aquartelamentos ou estabelecimentos militares ou navios, centros ferroviários, depósitos de armas, munições e materiais de guerra;

c) *o bloqueio dos portos e costas do inimigo.*

8.3.4.3. direitos e deveres dos beligerantes em relação ao inimigo

Ao considerar os direitos e deveres dos beligerantes em relação ao inimigo é preciso distinguir, e aqui assim se faz, sucessivamente: entre os relativos às pessoas (8.3.4.3.1), os prisioneiros de guerra (8.3.4.3.2), os feridos, enfermos, náufragos e mortos (8.3.4.3.3), o pessoal religioso e sanitário (8.3.4.3.4), os parlamentários (8.3.4.3.5), os espiões (8.3.4.3.6), o pessoal de navios que não sejam de guerra (8.3.4.3.7) e requisição de serviços, guias, pilotos e reféns (8.3.4.3.8).

8.3.4.3.1. em relação às pessoas

Na guerra marítima é lícito, para as forças armadas de cada beligerante, matar, ferir ou prender os indivíduos que constituem o pessoal combatente dos navios de guerra ou auxiliares, do inimigo. Quanto ao pessoal não combatente (foguistas, membros de serviços administrativos ou sanitários etc.), não pode ser diretamente atacado; mas é evidente que fica exposto às consequências da luta, e, quando capturados, serão feitos prisioneiros de guerra, salvo os médicos, farmacêuticos, enfermeiros e capelães, que gozam de certos privilégios.

8.3.4.3.2. prisioneiros de guerra

Em princípio, não só os combatentes, mas também os não combatentes, que fazem parte da força armada de cada um dos beligerantes, têm direito ao tratamento de prisioneiros de guerra.

---

129. Minas magnéticas foram muito usadas pelos alemães durante certa época da segunda guerra mundial.

8.3.4.3.3. feridos, enfermos, náufragos e mortos

As duas Conferências de Paz, da Haia, adaptaram à guerra marítima, respectivamente, a Convenção da Cruz Vermelha de 1864 e a de 1906.

As duas Convenções, assinadas respectivamente a 29 de julho de 1899 e 18 de outubro de 1907, adotaram certas regras, retomadas e ampliadas na Convenção de Genebra de 1949, dentre as quais se assinalam as seguintes:

a) os navios-hospitais ou hospitalares devem prestar socorro e assistência aos feridos, enfermos e náufragos dos beligerantes, sem distinção de nacionalidade (artigo 4º de ambas as Convenções);

b) os náufragos, feridos ou enfermos de um beligerante que caírem em poder do outro serão prisioneiros de guerra, mas cabe ao beligerante que os aprisionar a decisão sobre se os deve guardar a bordo, ou enviar a um dos seus portos, ou a porto neutro, ou a porto do adversário; nesta última hipótese, os prisioneiros assim restituídos a seu país não poderão mais prestar serviços militares durante a guerra (artigo 9º da Convenção de 1899 e artigo 14 da de 1907);

c) qualquer vaso de guerra de um beligerante poderá reclamar a entrega dos feridos, enfermos ou náufragos que estiverem a bordo de navios-hospitais militares, navios hospitalares de sociedade de socorros ou particulares, navios mercantes, iates ou outras embarcações, qualquer que seja a nacionalidade desses navios (artigo 12 da Convenção de 1907);

d) os náufragos, feridos ou enfermos desembarcados num porto neutro, com o consentimento das autoridades locais, deverão, salvo acordo em contrário do estado neutro com os estados beligerantes, ser guardados pelo estado neutro, de modo que não possam de novo tomar parte nas operações de guerra. As despesas de hospitalização e internamento correrão por conta do estado a que pertençam os náufragos, feridos ou enfermos (artigo 15 da Convenção de 1907);

e) depois de cada combate, os beligerantes deverão, tanto quanto lhes permitam os interesses militares, procurar os náufragos, feridos e enfermos, e protegê-los contra a pilhagem e os maus-tratos (artigo 16 da Convenção de 1907).

A Convenção de 1907 foi revista na Conferência Diplomática de Genebra, de 1949, constando a revisão de nova Convenção, que teve a data de 12 de agosto de 1949. O novo ato ampliou bastante as normas dos dois anteriores.

As três Convenções não previram o caso de serem os náufragos, feridos ou enfermos desembarcados num porto neutro por algum navio mercante neutro, que os tenha recolhido ocasionalmente, sem haver encontrado vaso de guerra da parte adversa. Entretanto, considera-se, em geral, que, em tal hipótese, os desembarcados devem ser deixados em plena liberdade.

A Convenção de 1949 contém várias disposições relativas a aeronaves militares e a aeronaves sanitárias. As aeronaves sanitárias pertencentes às partes em conflito poderão sobrevoar o território das potências neutras e aí pousar, em caso de necessidade ou para fazerem escala. Mas as potências neutras poderão fixar condições ou restrições quanto ao sobrevoo ou à aterragem de tais aeronaves.

8.3.4.3.4. pessoal religioso e sanitário

De acordo com o artigo 37 da Convenção de 1949, o pessoal religioso e sanitário encontrado em qualquer navio capturado é inviolável e não pode ser feito prisioneiro de guerra. Deixando o navio, esse pessoal poderá levar os objetos e instrumentos de cirurgia que forem de sua propriedade particular. O mesmo pessoal continuará a preencher suas funções enquanto for necessário, e poderá em seguida retirar-se, quando o comandante-em-chefe julgar possível.

8.3.4.3.5. parlamentários

O pessoal dos chamados *navios de cartel,* isto é, dos que trazem pavilhão parlamentário, empregados na troca de prisioneiros ou no transporte de propostas de armistício, é inviolável.

8.3.4.3.6. espiões

As regras aplicáveis aos espiões, na guerra terrestre, são as que se lhes devem aplicar, na guerra marítima.

8.3.4.3.7. pessoal de navios que não sejam de guerra

Segundo o artigo 5º da 11ª Convenção da Haia, de 1907, os meros tripulantes, de nacionalidade neutra, de um navio mercante inimigo capturado, não serão feitos prisioneiros de guerra. Tampouco o capitão e outros oficiais, de nacionalidade neutra, contanto que se comprometam formalmente, por escrito, a não mais servir em navio inimigo durante a guerra.

O artigo 6º da mesma Convenção estipula que, se o capitão, oficiais e membros da tripulação forem nacionais do estado inimigo, eles não serão feitos prisioneiros de guerra, caso se comprometam formalmente, por escrito, a não prestar, durante as hostilidades, nenhum serviço que se relacione com as operações de guerra.

8.3.4.3.8. requisição de serviços; guias, pilotos e reféns

Os beligerantes não têm o direito de forçar os indivíduos que caem em seu poder e, em geral, qualquer nacional da parte adversa a tomar parte nas operações de guerra contra o próprio país a que pertencem; tampouco o de obrigá-los a dar informações sobre as forças, a posição militar ou os meios de defesa do próprio estado. Não poderão também obrigá-los a servir de guias ou pilotos, nem forçá-los a prestar juramento de obediência ao país inimigo. Além disso, não lhes é lícito tomar reféns.

8.3.4.4. direitos e deveres em território ocupado

A ocupação de um território marítimo, isto é, de golfos, baías, portos e estuários ou águas interiores, só existirá nos termos do *Manual* de 1913 do IDI quando ocorrer, ao mesmo tempo, ocupação territorial continental, quer por forças navais, quer terrestres, devendo, neste caso, ser aplicadas as regras relativas à guerra terrestre.

8.3.4.5. direitos e deveres em relação aos bens dos inimigos

Como regra geral, reconhece-se aos beligerantes o direito de capturar e destruir os navios de guerra do inimigo. Essa regra, contudo, não se aplica aos navios de guerra empregados como navio de cartel, com pavilhão parlamentar, durante a sua missão.

Quanto aos navios públicos inimigos, não de guerra, utilizados exclusivamente em fins pacíficos, tais como os navios empregados em serviços de alfândega, transporte de pessoas inofensivas, serviços de balizagem, de pilotagem ou de faróis, parece não haver razão para se lhes aplicar o mesmo tratamento que se dá aos navios de guerra. Em todo caso, não existe nenhuma regra a esse respeito.

A 11ª Convenção da Haia (relativa a certas restrições ao direito de captura na guerra marítima) isentou, entretanto, de captura, sem distinguir entre navios públicos e navios privados: *a*) os navios exclusivamente destinados à pesca costeira ou a serviços de pequena navegação local; *b*) os navios incumbidos de missões religiosas, científicas ou filantrópicas. Igual imunidade é reconhecida aos navios-hospitais, pelas Convenções da Haia que adaptaram à guerra marítima os princípios das Convenções da Cruz Vermelha.

No tocante à *propriedade privada inimiga* no mar, o princípio corrente é ainda o de que está sujeita à captura e confisco. Muita discussão tem havido a respeito de tal princípio, defendido por uns e combatido por outros. Mas a prática internacional cada vez mais o tem confirmado.

O país que mais o condenou foram os Estados Unidos da América; o que mais se opôs à sua abolição foi a Grã-Bretanha. Ainda nas Conferências da

Haia de 1899 e 1907, os delegados norte-americanos propuseram, sem êxito, fosse isenta de captura toda propriedade privada, salvo se se tratasse de contrabando de guerra ou de navios que tentassem entrar em porto bloqueado. O Brasil não esteve presente à primeira das duas citadas conferências, mas na segunda deu o seu apoio à proposta americana, que obteve 21 votos a favor, contra 11, havendo uma abstenção e tendo deixado de votar, por ausentes, os representantes de 11 países.

A Declaração de Paris, de 1856, tinha representado certo progresso na matéria, com a supressão do corso e os demais princípios nela contidos. Entretanto, os Estados Unidos não quiseram aderir a tal declaração, precisamente por esta não abolir o direito de captura da propriedade inimiga.

No estado atual de regulação da matéria, pode-se admitir ser permitido, a qualquer beligerante, o apresamento ou captura, e o confisco, sob certas formalidades, dos navios privados inimigos (navios mercantes, iates de passeio etc.) e das mercadorias inimigas que neles se encontrem.

Mas, para que um beligerante se possa certificar de que o navio por ele encontrado é inimigo, e, ainda na hipótese afirmativa, se pertence ou não à categoria dos privilegiados, não sujeitos à captura, há necessidade de fazer deter-se e de o visitar. A detenção e a visita são direitos, pois, reconhecidos aos beligerantes e repousam em prática muito antiga.

Considera-se, em geral, que a detenção e a visita constituem preliminares indispensáveis do direito de apresamento ou captura e que, por isso, não são apenas direitos, mas também obrigações do beligerante, se este pretende capturar o navio.

O direito de detenção e visitas só pode ser exercido por navios de guerra e em águas dos beligerantes ou no alto-mar.

Admite-se, em geral, que, se o navio, regularmente intimado a parar, tenta fugir à visita ou oferece resistência, o vaso de guerra beligerante poderá empregar a força para obrigá-lo a obedecer. Isto não quer dizer que a resistência seja ilegítima. Expressa ou implicitamente o direito de resistência é geralmente reconhecido, não só pelos internacionalistas, mas também pelas normas internas de vários estados.

A questão da legitimidade da destruição de navios mercantes inimigos e, em geral, da propriedade privada inimiga tem sido muito discutida. Mas não existem regras de direito escrito, a tal respeito. Apenas num caso, uma das Convenções da Haia, de 1907 (a relativa ao regime dos navios mercantes inimigos no começo das hostilidades), prevê a hipótese, admitindo a destruição de tais navios quando hajam deixado o último porto de escala antes do início das hostilidades e sejam encontrados no mar, sem terem tomado conhecimento da existência da guerra. Esses navios, segundo dispõe o artigo 3º da referida Convenção, poderão ser destruídos, ficando para os que os destruírem a obrigação de indenizar os prejuízos causados e de prover à segurança das pessoas, bem como à conservação dos papéis de bordo.

Na hipótese de resistência à visita, o emprego da força, para vencer tal resistência, poderá também, acidentalmente, conduzir ao afundamento do navio mercante inimigo. A prática internacional tem igualmente admitido a destruição, nos casos de violação de bloqueio e de grave assistência hostil.

O IDI, em seu *Manual* de Oxford, de 1913, admitiu a destruição, mas somente nestas condições: 1ª) depois do navio ter sido capturado; 2ª) se o navio está sujeito a confisco; 3ª) em caso de necessidade absoluta; 4ª) depois de haverem sido postas em segurança as pessoas que se achem a bordo, e de haverem sido transbordados para o navio captor os papéis de bordo e outros documentos úteis para o julgamento da captura. O captor tem a faculdade de exigir a entrega ou proceder à destruição das mercadorias confiscáveis encontradas a bordo de um navio não sujeito a confisco, quando as circunstâncias são tais que justificariam a destruição de um navio passível de confisco.

O corolário lógico dos princípios acima indicados, geralmente respeitados nos regulamentos nacionais de presas, é não poderem ser navios privados inimigos atacados e afundados ou destruídos sem aviso prévio. Da obediência a esta regra não devem ser dispensados os submarinos[130].

Contra semelhante prática existe um texto que se tornou lei entre numerosos países. É o artigo 22 do Tratado Naval de Londres, de 22 de abril de 1930, o qual assim reza: "As seguintes disposições são aceitas como regras estabelecidas do direito internacional: – 1. Em sua ação, relativamente aos navios mercantes, os submarinos deverão conformar-se às regras do direito internacional a que estão sujeitos os navios de guerra, de superfície. – 2. Em particular, exceto no caso de recusa persistente de parar, após intimação regular, ou de resistência ativa à visita, um vaso de guerra, quer seja navio de superfície ou submarino, não poderá pôr a pique ou tornar incapaz de navegar um navio mercante sem previamente ter posto os passageiros, a tripulação e os papéis de bordo, em lugar seguro. Para este efeito, as embarcações de bordo não são consideradas como lugar seguro, a menos que a segurança dos passageiros e da tripulação, levados em conta o estado do mar e as condições atmosféricas, seja garantida

130. Vale o princípio apesar da prática contrária, especialmente por parte dos alemães, nas duas guerras mundiais.

pela proximidade da terra ou a presença de outro navio que se ache em condições de os tomar a bordo".

Esse artigo foi, depois, confirmado num Protocolo, assinado em Londres a 6 de novembro de 1936, por plenipotenciários de diversos governos, e mais tarde recebeu a adesão de muitos outros, dentre eles o brasileiro.

8.3.4.6. determinação do caráter inimigo da propriedade privada

Dada a diferença no tratamento entre a propriedade inimiga e a propriedade neutra, muito importa o estabelecimento de regras pelas quais se possa com relativa facilidade distinguir uma da outra. Dois sistemas existem no concernente à determinação da nacionalidade dos navios e, portanto, de seu caráter de inimigo ou neutro.

Segundo o sistema francês, adotado pelo Brasil e pela maioria dos países europeus, a nacionalidade está ligada ao pavilhão, pois só aos nacionais se concede o direito de hastear o pavilhão do país. Para o outro sistema, o inglês ou anglo-saxão, o navio que arvora pavilhão do inimigo é inimigo; mas, se o seu pavilhão for neutro, isto não o deve isentar da captura, se ele faz o comércio do inimigo ou se o seu proprietário é inimigo. Ainda de acordo com a doutrina inglesa, esse proprietário será considerado inimigo, se for domiciliado em país inimigo.

A Conferência Naval de Londres de 1908-1909 procurou conciliar as divergências existentes a tal respeito, adotando, sobre a matéria, regras bastante aproximadas da doutrina francesa. De fato, o artigo 57 da declaração ali formulada estipulou o seguinte: "Sob reserva das disposições relativas à transferência de pavilhão o caráter neutro ou inimigo do navio é determinado pelo pavilhão que ele tem o direito de arvorar".

No tocante às cargas, algumas legislações fazem depender o respectivo caráter, inimigo ou neutro, da nacionalidade do proprietário; outras, do domicílio.

Além disso, discute-se muitas vezes a questão de saber se o proprietário da carga é o expedidor ou o destinatário. Em geral, no entanto, considera-se que a mercadoria pertence ao último, por conta e risco de quem foi embarcada, salvo talvez convenção das partes, em contrato.

Segundo o artigo 60 da Declaração de Londres, o caráter inimigo da mercadoria subsiste até a chegada do navio ao seu destino, embora haja transferência de propriedade durante a viagem, após o início das hostilidades. Se, todavia, anteriormente à captura, na hipótese de transferência da mercadoria de um proprietário neutro a um proprietário inimigo, o primeiro exerce contra este, em caso de falência legal, um direito de reivindicação da mesma mercadoria, esta retoma o caráter neutro.

Em matéria de *transferência de pavilhão*, é grande a diversidade das regras adotadas. Em geral, porém, notam-se duas tendências: a do sistema francês e a do sistema anglo-americano – o primeiro mais simples, embora talvez mais rigoroso.

A Declaração de Londres procurou, neste assunto, como em tantos outros, uma solução transacional, que, no entanto, só levou em conta as regras bastante severas, já seguidas pelas grandes potências marítimas.

Os princípios consignados naquela declaração distinguem a transferência de pavilhão inimigo para pavilhão neutro efetuada antes do início das hostilidades da que se efetua depois. No primeiro caso, a transferência é válida, a menos que se prove ter sido feita com o fim de evitar as consequências decorrentes do caráter inimigo. Existe a presunção desse intuito fraudulento, se a transferência foi levada a efeito menos de sessenta dias antes do rompimento das hostilidades e o respectivo título não se encontra a bordo; mas essa presunção cederá ante prova em contrário.

Se a transferência se efetuou mais de trinta dias antes do início das hostilidades, haverá presunção absoluta de que é válida, se tiver sido feita sem condições, completa e conforme a legislação dos países interessados, e, também, se a direção do navio, bem como os lucros provenientes do seu emprego tiverem passado a outras mãos.

Relativamente à transferência efetuada após o rompimento das hostilidades, a Declaração de Londres diz que é nula, salvo se provar que não foi feita com o intuito de evitar as consequências a que um navio inimigo está exposto, como por exemplo, se a transferência se deu por efeito de herança ou de expropriação forçada[131].

A referida declaração acrescenta que haverá presunção absoluta de nulidade: 1º) se a transferência se realizou em viagem ou num porto bloqueado; 2º) se o vendedor se reservou o direito de resgatar o navio; 3º) se não foram observadas as condições que regulam o direito de pavilhão, de acordo com a legislação do país cujo pavilhão o navio arvora.

8.3.4.7. princípio da captura e da destruição

O princípio da captura surge com a guerra e com ela se extingue. A captura não pode ser exercida em águas neutras ou neutralizadas, e ela só pode ser exercida pelas forças públicas ou pelas autoridades de um dos beligerantes.

131. A respeito de expropriação, *v.*, *supra*, item 3.9. "Responsabilidade internacional do estado".

O captor, depois de efetuar a visita do navio e verificar que este é suscetível de captura, deve assim proceder: 1º) apoderar-se dos papéis de bordo, inventariá-los e pô-los em invólucro selado; 2º) lavrar uma ata da captura, bem como um inventário sumário do navio; 3º) mandar fechar e selar as escotilhas, os cofres e os paióis de mercadorias; 4º) fazer inventário especial dos objetos pertencentes às pessoas de bordo; 5º) colocar guarnição a bordo do navio apresado, a fim de conduzi-lo ao porto do captor mais próximo.

Se necessidades imperiosas o exigem, o captor poderá empregar imediatamente o navio apresado, em qualquer uso público, depois de avaliada a presa. Poderá também prover-se, a bordo do navio apresado, daquilo de que tenha necessidade inadiável, mas deverá igualmente fazer uma estimativa dos artigos de que se apropriar.

Sobre o momento em que a propriedade do navio apresado e da respectiva carga passa ao captor, não há regras precisas. Segundo a doutrina inglesa, a transmissão opera-se com a própria captura. Segundo a doutrina do *Consulado do Mar*, seguida geralmente pelos estados da Europa continental, dá-se a transmissão com a chegada da presa a lugar seguro, *intra praesidia*. Nalguns países, aplica-se a chamada *regra das vinte e quatro horas*, de acordo com a qual a propriedade da presa considera-se transmitida ao captor desde que este a conserve em seu poder durante mais de vinte e quatro horas. O IDI, em seu *Manual* de Oxford, julgou mais razoável a adoção da regra de que a propriedade da presa só é definitivamente transferida por efeito de julgamento.

O princípio de que toda presa deve ser julgada tem sido aceito universalmente.

A jurisdição das presas é constituída por um tribunal de caráter especial, organizado em cada estado beligerante para julgar da legitimidade das presas que seus próprios navios de guerra efetuaram. É, pois, uma instituição de ordem interna, com efeitos jurídicos internacionais, embora em contradição com o princípio de que ninguém é juiz em causa própria.

Os princípios da captura e da destruição da propriedade privada inimiga no mar sofrem exceções, em certos casos, e estão sujeitos a algumas atenuações. Justificam-se umas e outras por interesses de ordem superior ou por seus sentimentos de humanidade.

As *atenuações* serão as do *prazo de favor,* relativamente ao regime dos navios mercantes inimigos no começo das hostilidades.

As *exceções* são bem conhecidas e, em geral, têm sido consagradas não só pelos usos e costumes internacionais, mas também pelo direito convencional. Elas visam: a) os *barcos de pesca*; b) os *navios-hospital ou hospitalares*; c) os *navios incumbidos de missões religiosas, filantrópicas* ou *científicas*; d) os *navios de cartel* e os *navios munidos de salvo-conduto.* Todas essas embarcações estão isentas de captura. A isenção cessa, porém, se o navio a que se refere participa, de qualquer forma, das hostilidades, ou pratica atos de assistência hostil, ou tenta subtrair-se ao direito de visita.

Com relação aos paquetes ou navios-correio inimigo, o caso ainda é discutível. A doutrina mais corrente, que encontra apoio implícito na 11ª Convenção de Haia de 1907, é não estarem isentos de captura.

Em matéria de requisições de navios, as únicas regras positivas existentes, nas leis da guerra marítima, são os artigos 2º e 3º da 6ª Convenção de Haia de 1907, segundo os quais os navios mercantes de um beligerante achados num porto inimigo no começo das hostilidades, ou encontrados no mar, na ignorância da guerra, poderão, em certas circunstâncias, ser requisitados, mediante indenização.

8.3.4.8. cabos submarinos

O regulamento da Haia sobre leis e costumes da guerra terrestre contém apenas uma disposição sobre cabos submarinos: é a do artigo 54, segundo o qual aqueles que liguem um território ocupado a um território neutro poderão ser apreendidos ou destruídos, mas somente no caso de necessidade absoluta.

Entretanto, tem-se como corrente o princípio de que os cabos submarinos que ligam o território de beligerante ao de outro, ou dois pontos do território do mesmo beligerante, ou o território de beligerante ao de país neutro, poderão ser tomados ou destruídos, em qualquer lugar, exceto em águas de estado neutro. Se se trata de cabo entre território beligerante e território neutro, que tenha sido apreendido ou destruído, deverá este ser restituído e indenizado, quando se concluir a paz[132].

---

132. H. ACCIOLY, **Tratado** (2009, v. 3, livro segundo, "*a guerra*", p. 111-533); DÍEZ DE VELASCO, **Instituciones** (16. ed., 2007, parte VII, "*derecho de los conflictos armados*", p. 1031-1109), p. 748; Celso MELLO, **Curso** (15. ed., 2004, v. 2, livro X, "*direito de guerra e neutralidade*", p. 1497-1680); A. C. RAJA GABAGLIA, **A guerra em direito internacional**, São Paulo, 1949; COLOMBOS, **International law of the sea**, p. 477; Edward KWAKWA, **The international law of armed conflict: personal and material field of application** (Dordrecht, 1992); E. RAUCH, *Le droit contemporain de la guerre maritime* (RGDIP, 89/958, 1985); Horace B. ROBERTSON JR., **The new law of the sea and the law of armed conflict at sea** (Newport, 1991); Howard S. LEVIE, **Mine warfare at sea** (Dordrecht, 1992); José Luis Rodrigues VILLASANTE Y PRIETO, **Medios y procedimientos de combate** (Buenos Aires, 1993); XXVI CONFERÊNCIA INTERNACIONAL DA CRUZ VERMELHA, **Información sobre los trabajos relativos al derecho internacional humanitario aplicable en la guerra marítima** (Budapest, 1991); Karl ZEMANEK, *Submarine warfare* (in **Encyclopedia**, v. 4, p. 233); R. H. F. AUSTIN, *The law of international armed conflict* (in **Droit international**, Paris: UNESCO/Pedone, 1991, p. 781); Y. DINSTEIN, *Sea warfare* (in **Encyclopedia**, v. 4, p. 201).

8.3.5. guerra aérea

Apesar do enorme desenvolvimento que tomou nas duas conflagrações mundiais, especialmente na segunda, a guerra aérea ainda tem incipiente regulação por normas de direito escrito próprio, embora algumas disposições resultantes da 2ª Conferência da Haia, especialmente certos artigos da Convenção referente às leis e costumes da guerra terrestre sejam-lhe aplicáveis. Tais disposições, contudo, além de insuficientes, não são bastante precisas e estão longe de poder constituir uma regulamentação segura da guerra aérea.

A legitimidade da guerra aérea, infelizmente, passa a ser admitida pela doutrina e pela prática internacionais. Já em 1911, o IDI a declarava permitida, "sob a condição de não apresentar, para as pessoas ou a propriedade da população pacífica, maiores perigos do que a guerra terrestre ou marítima".

Na ausência de regras especiais referentes à guerra aérea[133], podem ser-lhe aplicadas algumas disposições das leis e costumes da guerra terrestre e da guerra marítima.

8.3.5.1. força armada dos beligerantes

Na guerra aérea, assim como na guerra marítima, a força armada dos estados beligerantes compõe-se, essencialmente, de um elemento material de que se serve o respectivo pessoal. Esse elemento é constituído por aparelhos, mais leves ou mais pesados do que o ar, todos de caráter militar, pois os aparelhos de aviação civil não podem, normalmente, participar das hostilidades.

O corso aéreo, da mesma forma que o corso marítimo, não deve ser admitido. Mas não há motivo para se considerar ilegítima a transformação de aeronaves civis em aeronaves militares feita por um estado beligerante, para incorporá-las à sua força aérea.

Entende a doutrina[134] que uma aeronave civil de qualquer dos beligerantes, seja pública ou particular, pode ser convertida em aeronave militar, uma vez que a transformação se efetue dentro da jurisdição do país a que ela pertencer, e nunca em alto-mar.

---

133. Comissão de juristas dos Estados Unidos da América, França, Grã-Bretanha, Holanda, Itália e Japão, sob a presidência do norte-americano John Basset Moore, elaborou **Código para a Guerra Aérea**, concluído na Haia, a 19 de fevereiro de 1923, e este código, mesmo sem ter força de Convenção, tem o valor de fonte acessória, que pode auxiliar a formação de regras do direito relativo à guerra aérea.

134. Cf., na nota anterior, o mencionado **Código para a Guerra Aérea**, da Haia, de 1923.

8.3.5.2. meios de ataque e de defesa

As operações de guerra em que se empregam aeronaves compreendem, geralmente: a) reconhecimento e observações; b) transmissão de notícias; c) combates; d) bombardeios.

Essas operações, no entanto, devem ser subordinadas a certos preceitos, derivados das leis e costumes das guerras marítimas e terrestres, ou do incipiente costume internacional nessa matéria, e devem obedecer aos princípios elementares de humanidade.

Como processos ilícitos de combate, na guerra aérea, consideram-se, antes de tudo: a) perfídia; b) os atos desumanos e as crueldades inúteis.

Como meios proibidos, podem ser considerados, essencialmente, os seguintes: a) o emprego de projéteis que tenham por único fim espalhar gases asfixiantes ou deletérios; b) o combate com bandeiras ou insígnias falsas; c) o bombardeamento sem objetivo militar, isto é, o que não for dirigido contra objeto cuja destruição ou dano possa constituir vantagem militar para o beligerante; d) o combate sobre território neutro.

Em matéria de bombardeios aéreos, muito se tem discutido sobre a sua legitimidade e a crueldade que, quase sempre, apresentam. A tendência doutrinária e até governamental, desde antes da primeira guerra mundial e, especialmente, no período entre as duas guerras mundiais, foi no sentido de sua interdição.

A 1ª Conferência da Haia adotou uma declaração, que proibiu, por cinco anos, o lançamento de projéteis ou explosivos dos balões. A 2ª Conferência renovou essa proibição, em declaração idêntica, que, no entanto, não recebeu ratificações numerosas e, só podendo ser invocada em guerra na qual todos os beligerantes fossem partes contratantes, caiu em desuso.

Imaginou-se, contudo, que se deveriam aplicar à guerra aérea o preceito do artigo 25 dos regulamentos da Haia de 1899 e 1907, sobre leis e costumes da guerra terrestre, o qual proíbe o ataque ou bombardeio, por *qualquer meio que seja*, das cidades, aldeias, habitações ou edifícios não defendidos, e o do artigo 1º da 9ª Convenção da Haia, que estabelece igual proibição, no tocante a bombardeamentos por forças navais.

Não houve, porém, definição oficial do que seria uma localidade *não defendida.* Alguns autores, entretanto, dos mais acatados, deram àqueles textos convencionais a interpretação de que deve ser entendida como localidade *não defendida* a que, efetivamente, *não se defende*, seja ou não fortificada, acrescentando que uma localidade é defendida quando o inimigo não pode nela penetrar sem séria resistência.

Tratando-se, todavia, de bombardeio aéreo, tal definição era evidentemente insuficiente, pois este em geral não visa a penetração numa localidade, mas a sua destruição ou a destruição de alguma coisa dentro da localidade. Daí a distinção, que se procurou estabelecer[135], nas condições da técnica militar moderna, entre *bombardeio de ocupação e bombardeio de destruição*, sendo o objetivo deste último destruir coisas do inimigo que apresentem algum interesse militar. Por via de extensão, chegou-se, em seguida, à conclusão, geralmente aceita e confirmada pela prática internacional, de que o *bombardeio aéreo é perfeitamente admissível, se dirigido contra qualquer objetivo militar.* Nessa categoria tem sido, em geral, incluído o seguinte: a) forças militares; b) estabelecimentos e depósitos militares; c) fortificações ou quaisquer outras obras de caráter militar; d) fábricas e centros de manufatura de armas, munições e material de guerra; e) portos utilizados como bases militares; f) navios de guerra ou utilizados para fins de guerra; g) linhas de transportes ou comunicações, utilizadas militarmente; h) centros ou nós ferroviários e rodoviários[136].

A Assembleia da Sociedade das Nações, em resolução adotada em setembro de 1938, recomendou princípios nesse mesmo sentido, assim formulados: 1) o bombardeio internacional de populações civis é ilegal; 2) os objetivos visados do ar devem ser legítimos objetivos militares e suscetíveis de ser identificados; 3) qualquer ataque sobre legítimos objetivos militares deve ser levado a efeito de tal maneira que as populações civis das vizinhanças não sejam bombardeadas por negligência.

Esse terceiro princípio não tinha em vista impedir que objetivos militares pudessem ser bombardeados, ainda que, pela presença de não combatentes nas circunvizinhanças, estes se achassem expostos, casualmente, a sofrer danos. Além disso, não se consideravam incluídas entre os não combatentes certas categorias de indivíduos que, sem pegar propriamente em armas, tinham certa participação na luta armada, como, por exemplo, os operários de fábrica de armas e munições, os trabalhadores empregados em obras de fortificações etc.

Na ausência de regras de direito escrito, ou de um costume geralmente estabelecido, em tal matéria, essas manifestações de caráter doutrinário, e até no caso da Sociedade das Nações de natureza por assim dizer oficial, poderiam servir de base à prática internacional.

Ao se iniciar a segunda guerra mundial, constituíam princípios geralmente admitidos pela melhor doutrina internacional os seguintes: a) os bombardeios

---

135. Segundo FAUCHILLE.

136. Tal conclusão foi consagrada no artigo 5º de resolução adotada pela ILA, reunida em Estocolmo em 1924, e já fora aceita no artigo 24 do chamado **Código para a Guerra Aérea**, da Haia, de 1923.

aéreos deveriam visar exclusivamente objetivos militares; b) eram ilegítimos os bombardeios aéreos destinados a aterrorizar a população civil.

Durante a segunda guerra mundial, esses princípios foram frequentemente desrespeitados. A chamada "guerra total", com os seus métodos brutais, inventada e iniciada pela Alemanha, determinou, desde o primeiro dia, bombardeios aéreos cruéis, alguns sem objetivo militar, outros destinados apenas a aterrorizar as populações civis dos inimigos. Varsóvia e outras cidades polonesas, Londres e outras cidades inglesas, Roterdam etc. figuram entre as primeiras vítimas. Sabe-se que as represálias dos Aliados foram tremendas, aniquilando cidades de pouco ou nenhum interesse militar como Dresden, em fevereiro de 1945, quando já estava tecnicamente derrotada a Alemanha, ou varrendo do mapa com bombas atômicas despejadas por aviões, as cidades de Hiroshima e Nagasaki, na fase final da guerra contra o Japão. E os bombardeios aéreos deixaram, por assim dizer, de obedecer a quaisquer regras que não fossem o interesse legítimo ou ilegítimo do beligerante que os praticava.

Desde o término da segunda guerra mundial[137] se tem procurado proibir o uso da bomba atômica, mas todos os esforços nesse sentido têm esbarrado na falta de vontade política de assegurar o cumprimento de tratados[138] ou na recusa de permitir inspeção internacional eficaz[139].

8.3.5.3. direitos e deveres dos beligerantes em relação ao inimigo

As regras referentes aos direitos e deveres dos beligerantes no tocante aos militares na guerra aérea devem ser as mesmas que regem a guerra terrestre e a guerra marítima.

Relativamente aos feridos, enfermos e náufragos, o tratamento das vítimas da guerra aérea não deve diferir do que se aplica às da guerra terrestre ou da guerra marítima. A própria Convenção da Cruz Vermelha, de 1929, já continha algumas disposições especialmente aplicáveis à guerra aérea.

---

137. Declaração firmada em Washington a 15 de novembro de 1945, pelo Presidente dos Estados Unidos (TRUMAN), o Primeiro-Ministro da Grã-Bretanha (Clement ATTLEE) e o Primeiro-Ministro do Canadá (W. L. MACKENZIE KING), em que manifestaram o desejo de ação coletiva, internacional, no sentido de: *a*) evitar o uso da energia atômica para fins de destruição; *b*) promover a utilização do progresso científico, especialmente no tocante à energia atômica, para fins pacíficos e humanitários; *c*) eliminar do material de guerra de cada nação as armas atômicas adaptáveis à destruição em massa; *d*) estabelecer garantia efetiva nesse sentido, mediante inspeções e outros métodos adequados, para proteção dos estados contra possíveis violações de compromissos a tal respeito.

138. Como exemplificam os Tratados de não proliferação de armas nucleares, que merecem estudo específico.

139. A crise envolvendo o arsenal nuclear da Coreia do Norte, e a tentativa de solução mediante reunião multilateral, sediada pela República Popular da China, em agosto de 2003, seria exemplo mais recente.

Quanto aos prisioneiros de guerra, tem inteira aplicação à guerra aérea a Convenção de Genebra, de 1929, relativa a prisioneiros, revista em 1949.

Quanto ao pessoal das aeronaves não militares, as regras da 11ª Convenção da Haia de 1907, relativa à guerra marítima, são aplicáveis[140].

Divergem os autores quanto à propriedade privada inimiga na guerra aérea: alguns pretendem aplicar-lhe os princípios vigentes no tocante à guerra terrestre; outros são favoráveis à assimilação entre a propriedade aérea e a propriedade marítima[141].

8.3.5.3.1. bloqueio

Dentre as derrogações ao princípio da liberdade de comércio marítimo dos neutros figura o bloqueio, isto é, o bloqueio de guerra, que consiste na interrupção por meio da força armada de um dos beligerantes das comunicações entre um porto ou portos, ou determinada parte da costa do país inimigo.

Muitas teorias existem sobre o seu fundamento. A nosso ver, esta questão é de escassa importância: o que vale é que o bloqueio é praticado e universalmente reconhecido como medida legítima, baseado[142] na própria existência do estado de neutralidade, ou, antes, na obrigação que incumbe aos neutros de se absterem de qualquer ingerência nas operações de guerra.

As condições que deve preencher o bloqueio, para ser considerado válido, são as seguintes: 1ª) a existência de estado de guerra; 2ª) a aplicação a lugares suscetíveis de ser bloqueados; 3ª) uma declaração de autoridade competente e a respectiva notificação aos neutros; 4ª) a efetividade.

O bloqueio pressupõe necessariamente a *existência do estado de guerra,* pois que sem guerra não há beligerantes, nem neutros.

Pode existir bloqueio também em caso de guerra civil. Mas, quando declarado por insurretos, só é admitido se estes se acham reconhecidos como beligerantes. E, se declarado pelo governo legal, deve preencher as condições ordinárias

---

140. Embora o **Código para a Guerra Aérea**, da Haia, de 1923, em seu artigo 36, houvesse sugerido algumas regras distintas e mais complexas.

141. ACCIOLY, **Tratado** (2009, v. 3, livro segundo, "*a guerra*", p. 111-533); A. C. RAJA GABAGLIA, **Guerra e direito internacional** (São Paulo, 1949, p. 18); DÍEZ DE VELASCO, **Instituciones** (16. ed., 2007, parte VII, "*derecho de los conflictos armados*", p. 1031-1109), p. 748; *Hans BLIX, Aerial bombardment: rules and reasons* (BYB, 1979, p. 31); Celso MELLO, **Curso** (15. ed., 2004, v. 2, livro X, "*direito de guerra e neutralidade*", p. 1497-1680); O. LISSITZYN, *Treatment of aerial intruders in recent practice and international law* (AJIL, 1953, v. 47, p. 559); VAN DER HEYDTE, *Air warfare* (in **Encyclopedia**, v. 3, p. 6); Yoram DINSTEIN, *Armistice* (in **Encyclopedia**, v. 3, p. 256).

142. Em todo caso, assim pensamos, de acordo com FAUCHILLE.

do bloqueio. Isto é, não se deve confundir com o mero fechamento de portos, porque, se os portos a que se aplica a medida estão em poder de rebeldes, o governo não exerce, de fato, a jurisdição sobre tais portos e, portanto, não pode ordenar o seu fechamento e sim bloqueá-los.

Os *lugares suscetíveis de serem bloqueados* são todos os portos ou costas do inimigo ou por este ocupados. Assim sendo, pode o bloqueio aplicar-se a portos do próprio país bloqueante e a portos neutros, quando ocupados pelo inimigo. No tocante a portos neutros, entretanto, a questão tem sido objeto de controvérsia, mas, a nosso ver, sem razão, porque, enquanto dure a ocupação, a potência neutra perde o direito de ação sobre tais portos e o inimigo exerce sobre eles a mesma autoridade que sobre os próprios portos.

Não existe dúvida acerca do direito de um beligerante bloquear a foz de rio que corra inteiramente em território inimigo. Se o rio é comum ao país inimigo e a um ou mais países neutros e sua foz está em território neutro, considera-se, em geral, que a dita foz não pode ser bloqueada. Esta opinião encontra apoio, aliás, no artigo 18 da Declaração de Londres. Se, contudo, a foz se acha inteiramente em território inimigo, as opiniões variam e a prática não tem sido uniforme.

A *declaração e a notificação do bloqueio* constituem condições para a validade deste, geralmente reconhecidas. O artigo 8º da Declaração de Londres consagrou-as.

A diferença entre a declaração e a notificação consiste em que a primeira é um ato, de ordem interna, pelo qual a autoridade competente anuncia que o bloqueio está ou vai ser estabelecido, em certas condições; ao passo que a notificação é o fato de levar essa declaração ao conhecimento das potências neutras. A Declaração de Londres (artigo 11) dispõe que tal notificação seja feita: 1º) pela potência bloqueante, aos governos neutros ou a seus representantes acreditados junto à primeira; 2º) pelo comandante da força bloqueante, às autoridades locais. E acrescenta (artigo 16) que, se um navio se aproxima do porto bloqueado, na ignorância do bloqueio, um oficial da força bloqueante deverá fazer-lhe a competente notificação.

A *efetividade* é, finalmente, a última e, quiçá, a mais importante das condições de validade do bloqueio.

Embora, até o século XIX, quase todos os bloqueios tenham sido *fictícios,* a doutrina contemporânea sustenta que o bloqueio deve ser efetivo. E, já em 1856, a Declaração de Paris havia consagrado claramente o princípio de que "os bloqueios, para serem obrigatórios, devem ser efetivos, isto é, mantidos por força suficiente para proibir realmente o acesso ao litoral inimigo".

Entretanto, as condições da guerra moderna modificaram, de algum modo, o caráter da efetividade do bloqueio. Assim, por exemplo, nas duas guerras mundiais, especialmente na segunda, como que se generalizou o *bloqueio por cruzeiro*, que evita o *estacionamento* dos navios ou aeronaves bloqueantes e consiste em fazer vigiar as costas bloqueadas por navios ou aeronaves que se revezam ou ficam a cruzar em frente de tais costas. Além disso, entre as forças destinadas a impedir o acesso ao litoral inimigo podem figurar não somente navios de superfície, mas também submarinos e aeronaves; e, por outro lado, já se admite que o bloqueio seja auxiliado por minas e outros obstáculos fixos. Com relação às minas, convém salientar que, para o bloqueio, só devem ser permitidas as automáticas, de contato, que se tornem inofensivas quando se rompam as respectivas amarras.

A consequência imediata do bloqueio é a interrupção de comunicações entre o porto ou costa a que se aplica e o alto-mar.

Para realizar os fins que tem em vista, deve o bloqueio impedir a entrada ao porto bloqueado ou a saída deste de todo navio mercante, qualquer que seja a sua nacionalidade. Com relação a navios de guerra, pertencentes a neutros, admite-se que a força bloqueante autorize a sua entrada ou saída.

A sanção do bloqueio é o confisco do navio que o viola e, muitas vezes, o da própria carga. É o que resulta da prática internacional e foi confirmado pelo artigo 12 da Declaração de Londres.

Tal violação, porém, só pode existir quando o bloqueio é regular.

A doutrina anglo-americana sempre admitiu bastar a intenção de forçar a linha de bloqueio para que exista o delito. Essa doutrina, conhecida sob a denominação de doutrina do *direito de prevenção,* conduz facilmente à aceitação da *teoria da viagem contínua,* a que atrás nos referimos.

A doutrina admitida pela França, Itália e outros países do continente europeu era mais rigorosa, sob certo ponto de vista e, sem dúvida, mais razoável nas condições então existentes: para a existência da violação do bloqueio exigia o fato consumado, da entrada ou saída do porto, ou o ato de transpor a linha de bloqueio ou, pelo menos, a tentativa real de travessia, denunciada por ato claro e inequívoco.

Segundo a doutrina continental europeia, um navio só podia ser capturado, como violador do bloqueio, no momento de atravessar ou tentar atravessar a linha do bloqueio ou durante a perseguição por um cruzador beligerante que lhe tivesse dado caça naquela ocasião, e contanto que não fosse em águas territoriais neutras.

A doutrina anglo-americana, aplicando a teoria da continuidade da viagem, admite, geralmente, que o navio infrator do bloqueio pode ser capturado enquanto não chegar ao seu porto de destino final, tenha sido, ou não, perseguido.

A teoria da viagem contínua reviveu durante a guerra de 1914-1918 e foi aplicada, com aceitação geral, durante a segunda guerra mundial.

O bloqueio termina nos seguintes casos: a) quando se restabelece a paz; b) quando as forças bloqueadas desistem voluntariamente de prosseguir na operação; c) quando tais forças são dispersas pelo inimigo e obrigadas a retirar; d) quando o porto bloqueado cai em poder das forças bloqueantes.

8.3.5.3.2. contrabando de guerra

Contrabando de guerra é o comércio, considerado ilícito, pelo qual os neutros fornecem a beligerantes objetos ou mercadorias destinados a fins bélicos. Sua proibição é mais uma das restrições a que, como vimos, está sujeito o princípio da liberdade de comércio e navegação dos neutros.

Desde a Antiguidade, era tido como crime o fornecimento, ao inimigo, de armas ou material de guerra. Foi só, no entanto, a partir do século XVII que a noção de contrabando de guerra começou a ter a sua significação moderna.

Os fundadores do direito das gentes reconheciam aos beligerantes o direito de proibir a concessão, ao inimigo, de certos artigos que o pudessem auxiliar na guerra. A indeterminação de tais artigos provocava, porém, protestos dos neutros.

GRÓCIO dividiu em três classes os objetos de comércio dos neutros: 1) os que só podem servir para a guerra, ou seja, as armas e munições; 2) os que não têm nenhuma utilidade para a guerra, isto é, os objetos de arte, livros antigos etc.; 3) os que tanto podem servir para a guerra quanto para a paz, ou seja, coisas de duplo uso (*ancipitis usus*), como o dinheiro, o carvão, os víveres etc.

Essa classificação se tornou a base da doutrina inglesa relativa ao contrabando, em virtude da qual certos artigos eram considerados como de *contrabando absoluto* e outros figuravam como de *contrabando condicional,* variando esta segunda categoria conforme as circunstâncias.

O sistema era impreciso e despertava reações nos países do continente europeu, que pretendiam fazer desaparecer o contrabando condicional ou acidental. O fato, contudo, é que sempre reinou a incerteza em matéria de contrabando de guerra.

A Declaração de Paris, de 1856, estabeleceu o reconhecimento internacional da exceção do contrabando de guerra ao princípio da liberdade de comércio dos neutros, mas não definiu o que fosse tal contrabando.

Existia, entretanto, uma regra geralmente aceita a tal respeito. Podemos assim enunciá-la: um artigo só pode ser capturado como contrabando de guerra se reúne as duas seguintes condições: 1ª) é suscetível de uso na guerra; 2ª) destina-se ao inimigo. Restavam, porém, duas dificuldades: a diferença de critérios, entre os estados, no tocante à determinação dos artigos de uso na guerra e a incerteza quanto à determinação do verdadeiro destino de certos artigos ou quanto ao que se deve considerar como destino hostil.

Por ocasião da 2ª Conferência da Paz, na Haia, procurou-se pôr termo ao arbítrio reinante, nessa matéria, mas não se chegou a um acordo. Pouco mais tarde, tentou-se, novamente, resolver a questão, em conferência mais restrita, da qual resultou a Declaração de Londres, de 1909.

A Declaração de Londres ocupou-se do contrabando de guerra em seus artigos 22 a 44. Manteve a regra clássica, acima referida, segundo a qual a noção do contrabando é limitada pela natureza do objeto e pelo seu destino, e conservou a antiga distinção entre o contrabando absoluto e o relativo ou condicional. Forneceu lista dos objetos considerados de *pleno direito* como contrabando condicional, isto é, como suscetíveis de servir aos usos da guerra e aos usos pacíficos. Qualquer das duas, aliás, segundo a declaração, poderia ser acrescida ou restringida, mediante prévia notificação.

Sabemos, porém, que a Declaração de Londres não pôde vigorar, por falta de ratificações. E, assim, durante as duas guerras mundiais, prevaleceu o arbítrio, nesse assunto.

Nas duas grandes guerras, as listas de objetos considerados como de contrabando foram ampliadas enormemente pelos beligerantes. Por outro lado, a doutrina da viagem contínua teve extensa aplicação. Para evitar maiores dificuldades, aos próprios neutros, chegou-se, afinal, principalmente na guerra de 1939-1945, à adoção generalizada do sistema de certificados conhecidos sob o nome de *navicert,* documento a que já nos referimos.

8.3.5.3.3. assistência hostil

O fato de um navio neutro transportar contrabando de guerra para beligerante constitui, de certo, auxílio a este, mas não uma assistência direta. A verdade é que o transporte de contrabando representa uma operação comercial, na qual só existe, geralmente, o intuito de lucro.

Às vezes, porém, navio neutro pratica atos que importam em serviços prestados a um dos beligerantes e, portanto, em verdadeira assistência direta. Tais atos recebem, em geral, a denominação de *assistência hostil* e, algumas vezes, a de *contrabando por analogia.*

É evidente que a tal assistência não se devem aplicar as mesmas regras aplicáveis ao contrabando, porque os dois conceitos se não confundem. Assim, por exemplo, no tocante às sanções em que incorre cada uma das duas operações, a aplicada contra o contrabando consiste no confisco da carga e, em certas circunstâncias, mais graves, no do próprio navio; a aplicada contra a assistência hostil consiste no confisco do navio e dos objetos ilícitos por ele transportados, só se confiscando a carga nos casos mais graves.

A Declaração de Londres, em seus artigos 45 a 47, tratou da assistência hostil, reconhecendo a existência de duas categorias de atos dessa natureza; uns que, não sendo, propriamente, de contrabando, deste se aproximam bastante; outros, muito mais graves, sem a menor analogia com o comércio de contrabando. Na primeira categoria, figuram: a) o transporte de passageiros individuais, incorporados à força armada do inimigo; b) a transmissão de notícias no interesse do inimigo; c) o transporte, com o conhecimento do proprietário, do capitão, ou de quem fretou o navio, de um destacamento militar do inimigo, ou de pessoas que, durante a viagem, prestem assistência direta às operações do inimigo. Da segunda categoria, constam: a) a participação direta, do navio, nas hostilidades; b) a subordinação do navio a algum agente colocado a bordo pelo governo inimigo; c) o emprego atual e exclusivo do navio no transporte de tropas inimigas ou na transmissão de notícias que interessem ao inimigo; d) o fato de se achar fretado o navio, em sua totalidade, pelo governo inimigo.

O simples fato de transportar indivíduos incorporados à força armada do inimigo não acarreta o confisco do navio. Em tal hipótese, é necessário para isso que o navio viaje especialmente para esse fim. Como quer que seja, todo indivíduo naquelas condições, encontrado a bordo de navio mercante neutro, poderá ser feito prisioneiro de guerra. É o que estipulou a Declaração de Londres e o que resulta de várias legislações internas e da prática internacional.

Por *indivíduos incorporados à força armada do inimigo*, a Conferência de Londres foi unânime em não querer incluir os simples reservistas e, ainda menos, aqueles que são chamados ao serviço militar pela primeira vez, embora, pelas leis dos respectivos países de origem, estejam sujeitos a obrigações militares. A expressão, segundo o texto ali adotado, aplica-se apenas aos indivíduos que, *efetivamente,* já se reuniram aos respectivos corpos ou já fazem parte das forças armadas inimigas.

No entanto, os princípios até então dominantes a tal respeito e a prática internacional, anterior e ulterior, foram em sentido diferente. As próprias exigências da guerra moderna parece que se não compadecem com aquele preceito restrito, da Declaração de Londres.

Com efeito, citam-se casos numerosos – durante várias guerras –, nos quais os beligerantes se arrogaram o direito de retirar de bordo, e fazer prisioneiros de guerra, indivíduos embarcados em navios neutros e pertencentes às forças armadas do inimigo ou destinados, eventualmente, a fazer parte delas. Por outro lado, as legislações de guerra de muitos países contêm disposições justificativas de tal procedimento, que se tornou usual, na guerra marítima.

8.3.5.3.4. direito de visita

Todo navio de guerra beligerante tem, em princípio, o direito de deter no alto-mar, ou nas águas territoriais dos estados em guerra, qualquer navio mercante neutro, bem como o de o visitar para verificar se ele observa as regras da neutralidade.

A antiga prática internacional era, geralmente, no sentido de que a visita devia ser operada no lugar onde, regularmente, se fizesse parar o navio neutro. Alguns autores consideravam inadmissível que se desviasse este de seu caminho, para levá-lo a porto nacional do beligerante captor ou a porto inimigo ocupado por esse beligerante. As modernas condições de navegação, porém, fizeram com que se tornasse costumeiro, nas duas guerras mundiais, o sistema do desvio de rota dos navios mercantes, para as operações de visita e busca ou investigação.

Consideram-se, em geral, isentos de visitas: *a*) os navios de guerra neutros; *b*) os navios públicos neutros, empregados nalgum serviço militar; *c*) os navios mercantes neutros que viajam em forma de comboio, sob a guarda e proteção de um ou mais navios de guerra de sua nacionalidade.

8.3.5.3.5. captura e destruição de navios e aeronaves

A captura – Da prática internacional e das regras admitidas em matéria de bloqueio, contrabando, assistência hostil e visita, resulta que o apresamento de navios mercantes neutros pode ocorrer, se a carga ou o navio ou ambos são, evidentemente, passíveis de confisco, ou se há graves suspeitas sobre a condição do navio, isto é, se se pode razoavelmente suspeitar de que este é suscetível de confisco.

Entre os casos que justificam a captura, podem ser indicados os seguintes: 1) o comandante do navio não pode provar sua qualidade de neutro; 2) o navio desviou-se de sua rota, sem que o comandante possa apresentar razões plausíveis para o desvio, e a carga compreende artigos de contrabando de guerra; 3) o navio tenta romper um bloqueio regularmente notificado; 4) o navio destina-se a porto inimigo, ainda que não bloqueado, e conduz contrabando de guerra, ou tropas ou comunicações oficiais do inimigo; 5) o navio resiste à visita ou faz oposição à busca.

No que se refere às aeronaves neutras, os princípios adotados para sua captura são, mais ou menos, idênticos aos que se aplicam aos navios.

A destruição – A faculdade de destruição de navios neutros, pelos beligerantes, tem sido matéria de muita controvérsia.

Até o começo do século XX, parece indubitável que o costume internacional reconheceu como regra ser proibida tal destruição, antes que o navio neutro fosse capturado e julgado por um tribunal de presas.

A Declaração de Londres, de 1909, admitia, em seu artigo 49, a destruição de presas neutras, excepcionalmente, quando o navio apresado e sujeito a confisco não pudesse ser conduzido a porto adequado sem que se comprometesse a segurança do navio de guerra captor ou o êxito das operações nas quais se achasse, no momento, empenhado.

Durante a primeira e a segunda guerra mundiais, centenas de navios mercantes neutros foram destruídos, a maior parte dos quais sem justo motivo[143].

Há um caso em que os autores admitem, francamente, a destruição de navio mercante neutro, antes da captura: é o de resistência à visita legítima. O navio de guerra beligerante, entretanto, antes de chegar ao meio extremo, deve fazer advertências claras ao navio mercante neutro.

Muitos autores sustentam que a mera tentativa de fuga de navio neutro não equivale à resistência.

No tocante às aeronaves, os internacionalistas contemporâneos admitem[144] que só excepcionalmente, quando capturadas por beligerante, possam ser destruídas.

8.3.6. término da guerra

A guerra termina de fato pela vitória de um dos beligerantes; mas, do ponto de vista jurídico, o modo normal entre estados civilizados é mediante a assinatura de um tratado de paz. A guerra pode ainda terminar pela simples cessação de hostilidades, com o restabelecimento das relações pacíficas entre

143. Foi especialmente grave, nessas destruições, os submarinos alemães, que quase sempre as levaram a efeito *antes da captura* e, frequentemente, *sem aviso prévio*. Mais ainda: nem sempre ou quase nunca houve a devida preocupação pela sorte dos tripulantes e passageiros dos navios destruídos.

144. ACCIOLY, **Tratado** (2009, v. 3, cap. IX, "*a neutralidade*", p. 307-498); C. BEVILÁQUA, **Direito público internacional** (1911, v. 2, cap. X, "*Posição jurídica dos neutros*", p. 405-431); C. John COLOMBOS, **The international law of the sea** (London, 1954, p. 627); DÍEZ DE VELASCO, **Instituciones** (16. ed., 2007, cap. XLIII, p. 1063-1088, cap. XLIV, p. 1089-1109); Helio LOBO, **O Brasil e seus princípios de neutralidade** (Rio de Janeiro, 1914); Karl ZEMANEK, *Neutrality in land warfare* (in **Encyclopedia**, v. 4, p. 16); Linneu de ALBUQUERQUE MELLO, **Gênese e evolução da neutralidade** (Rio de Janeiro, 1943); Celso MELLO, **Curso** (15. ed., 2004, v. 2, livro X, "*direito de guerra e neutralidade*", p. 1497-1680); Rudolph BINDSCHEIDLER, *Neutrality, concept and general rules* (in **Encyclopedia**, v. 4, p. 9); Titus KOMARNICKI, **The place of neutrality in the modern system of international law** (RCADI, 1952, t. 80, p. 395-510); A. von VERDROSS, **Règles générales du droit international de la paix** (RCADI, 1929, t. 30, p. 271-518); H. WEHBERG, **La guerre civile et le droit international** (RCADI, 1938, t. 63, p. 1-128).

os dois beligerantes. Pode ocorrer ainda pela submissão total de um dos beligerantes ao outro.

A terminação da guerra pela simples cessação das hostilidades, bastante frequente até o século XIX, oferece sérios inconvenientes, entre os quais o de não se determinar a situação das pessoas e coisas em território ocupado pelo inimigo. A maioria dos autores sustenta que deve prevalecer a esse respeito o *statu quo post bellum* ou *uti possidetis*, isto é, o estado de coisas existentes no momento da cessação das hostilidades.

A completa submissão ou sujeição de um beligerante (*debellatio*) pressupõe a conquista do território, mas conforme acentua OPPENHEIM, não deve ser com esta confundida. Não basta, realmente, a ocupação ou conquista de uma parte do território, ou até de todo o território, de um estado beligerante, para que se dê a guerra por finda. O que é indispensável, para que se verifique a submissão, é o aniquilamento de toda resistência do beligerante em causa, ou o extermínio das suas forças armadas ou o desaparecimento da sua existência política.

Mas, como dissemos, o processo normal para se pôr fim a uma guerra é, na época contemporânea, a celebração de um tratado de paz. Neste, é fixada a situação dos estados ex-litigantes, um em face do outro, e se estabelecem as condições em que os mesmos restabelecem as suas relações de amizade.

Ordinariamente, o tratado de paz é precedido de um armistício, em virtude do qual se determina a suspensão das hostilidades. Às vezes, o armistício é seguido de um ajuste de *preliminares de paz,* ou é firmado ao mesmo tempo que ele. Tal ajuste contém, em geral, bases para a negociação do tratado definitivo e regula, provisoriamente, as relações entre os beligerantes.

Os efeitos gerais da terminação da guerra ou de um tratado de paz são os seguintes: a) a cessação absoluta das hostilidades e, por conseguinte, dos direitos e deveres dos beligerantes e dos neutros; b) o reatamento das relações de amizade entre os ex-beligerantes; c) a solução do *casus belli,* ou pelo abandono, por um dos beligerantes, das pretensões que motivaram a guerra, ou pelo ajuste, por concessões mútuas, das pretensões discordantes dos beligerantes; d) a manutenção, salvo estipulação em contrário, do estado de coisas em que se celebra a paz ou termina a guerra; e) a desistência de ação penal com relação aos atos de pilhagem ou excessos cometidos pelas tropas invasoras contra a população pacífica do país ocupado ou com relação a certos atos, de caráter político ou militar, praticados contra o invasor, pelos habitantes pacíficos do país ocupado.

Entre as cláusulas especiais que o tratado de paz pode conter, figuram, com frequência: a) a referente a uma cessão territorial; b) a relativa à fixação de uma indenização de guerra ou de reparações pelos danos que o estado vencido tenha causado.

Muitas vezes, o estado invadido recupera, de pleno direito, o exercício de sua soberania sobre província ou territórios que tinham sido ocupados pelas forças armadas do inimigo. Para explicar a situação da propriedade pública ou privada em tais territórios, que, por motivo da paz, volvem ao poder da nação a que pertenciam, alguns autores têm recorrido à noção do *jus postliminii,* do direito romano, em virtude do qual o cidadão romano que houvesse perdido a cidadania e a liberdade, por ter sido feito prisioneiro de guerra, readquiria *ipso facto* os direitos de cidadão, ao voltar à pátria. Assim, por analogia, tais autores aplicam a referida noção ao território, indivíduos e propriedades que, depois de haverem estado, em tempo de guerra, sob a dominação do inimigo, recuperam sua primitiva situação, ao voltar à antiga jurisdição.

Outros autores, porém, julgam inútil e infeliz a invocação desse direito de poslimínio, porque ele não pode ser aplicado aos direitos particulares, que em princípio não são, propriamente, atingidos pela guerra, e não pode tampouco ser aplicado às relações entre os estados beligerantes, pois não pode por ter efeito o restabelecimento de direitos de soberania que não foram anulados. A verdade é que a ocupação, conforme vimos, apenas suspende o exercício da soberania do estado sobre o território ocupado, sem ali criar outra soberania.

8.4. Neutralidade

Em princípio, são chamados *neutros* os estados que não participam de uma guerra entre outros estados, sendo *neutralidade* a situação jurídica dos primeiros.

Poder-se-ia deduzir de tais definições que a neutralidade, constituindo atitude de omissão, caracterizada pela não participação em luta armada entre outros estados, é atitude puramente passiva, de absoluta abstenção, quando na realidade é antes atitude ativa, exigida pelo próprio dever de imparcialidade, que é de sua essência.

A noção jurídica da neutralidade, de época relativamente recente, somente nos meados do século XV começa a aparecer em tratados e noutros atos oficiais, e tem, durante a guerra dita dos Trinta Anos (1618-1648), marco no tratamento de referida noção[145], e esta muito evoluiu, desde então.

145. Johann Wilhelm NEWMAYR VON RAMSLA publica em 1620 seu tratado sobre a neutralidade, em plena ocorrência do conflito, na cidade de Erfurt, com o título **Von der Neutralitet und Assistentz oder Unpartheilygkeit vnd Partheilygkeit in KriegsZeiten sonderbarer Tractat oder Handlung** (Erfurt, J. Birckner, 1620). *V.* tb. P. CASELLA, **Direito internacio-**

Houve sempre duas tendências, nessa matéria: a dos beligerantes, que procuram alargar os seus direitos em detrimento dos neutros, e a destes últimos, cujos interesses, ao contrário, levam-nos a querer que os seus direitos preponderem sobre os dos beligerantes.

A criação da Sociedade das Nações – embora esta não tenha chegado a universalizar-se, isto é, a englobar no seu grêmio todos os estados independentes – veio modificar bastante a noção de neutralidade, porque aquele organismo, em virtude de seu estatuto fundamental, podia decidir que determinada guerra não era assunto estranho a nenhum de seus membros. Por outro lado, se um destes recorria à guerra contrariamente aos compromissos assumidos em certos artigos do Pacto, o mesmo era considerado, *ipso facto*, como tendo praticado ato de guerra contra todos os demais membros da Liga. Dessarte, a neutralidade, no sistema da Liga, já não era, por assim dizer, atitude que qualquer dos seus membros pudesse adotar independentemente dos demais. Isto é, a noção de neutralidade dos membros da Liga não era compatível com o princípio de que todos eles deveriam agir em comum para fazer respeitar seus compromissos[146].

Seja como for, o certo é que, se, na velha concepção[147], absoluta imparcialidade de tratamento entre os beligerantes constituía a essência da neutralidade[148], esta ideia vai ser posta de lado, para dar lugar ao conceito[149], segundo o qual o Pacto da Sociedade das Nações, o Pacto de Paris e até o Pacto Antibélico do Rio de Janeiro não aboliram a neutralidade, mas introduziram novo princípio, chamado de *neutralidade qualificada*. Esta não exige do neutro que se encontre ligado a qualquer dessas Convenções a absoluta imparcialidade de tratamento entre dois beligerantes contrários, que também se encontrem ligados à mesma Convenção, um dos quais, em violação dos compromissos assumidos, se empenhou em guerra contra o outro, que, por sua vez, tenha observado escrupulosamente seus próprios compromissos.

A Carta das Nações Unidas tomou, nessa matéria, como em tantas outras, o papel que exercia o Pacto da Sociedade das Nações. O conceito da neutralidade deve ser hoje, mais ou menos, o mesmo que existia no tempo da Liga. Mas,

---

nal no tempo moderno de SUAREZ a GRÓCIO (2013, esp. item "*construção da neutralidade no direito internacional moderno e o tratado de NEWMAYR VON RAMSLA (1620)*").

146. Por esse motivo a Suíça, ao ingressar na Liga, celebra acordo especial para poder manter a sua neutralidade permanente.

147. A tendência para a abolição da neutralidade daria lugar, conforme pretendia John B. WHITTON, à "responsabilidade individual e coletiva de todos os estados, no sentido de fazer triunfar o direito internacional".

148. O Pacto de Paris, de 1928, também conhecido como Pacto Briand-Kellogg, veio acentuar aquela evolução, a tal ponto que Nicolas POLITIS chegou então a proclamar que a neutralidade já aparecia "como verdadeiro anacronismo", acreditando talvez que o flagelo da guerra pudesse ser afastado com declaração de boas intenções.

149. Sustentado por James GARNER.

em face do artigo 43 de tal Carta, os estados-membros das Nações Unidas não podem ser neutros[150] num caso de ação coletiva armada decidida pelo Conselho de Segurança[151].

Diferentes espécies de neutralidade – Em princípio a neutralidade não pode ou não deve apresentar modalidades; isto é, o direito internacional impõe, indistintamente, a todos os neutros, em face dos beligerantes, a mesma situação. Na prática, porém, a neutralidade é suscetível de se apresentar sob formas distintas.

Há duas espécies principais de neutralidade: a *simples* ou *voluntária* e a *perpétua* ou *permanente*. A primeira é a que se impõe naturalmente a todo estado que, ao romper uma guerra, quer manter-se fora das hostilidades. A segunda é a de estado que, em geral contra garantias de inviolabilidade, compromete-se a ficar perpetuamente neutro ou, antes, a não declarar guerra a nenhum outro estado.

É também muito conhecida a classificação da neutralidade em *perfeita* e *imperfeita*. A primeira é a em que o neutro se mantém em situação de perfeita imparcialidade, sem auxiliar de maneira alguma qualquer dos beligerantes. A segunda constitui uma espécie de meia-neutralidade, chamada *não beligerância*, na qual o pseudoneutro, direta ou indiretamente, concede certa assistência a um dos beligerantes[152].

Regras internacionais sobre a neutralidade – A regulamentação internacional da neutralidade é, todavia, incipiente. Na 1ª Conferência da Haia não se votou Convenção alguma dedicada especialmente à neutralidade. Consignou-se apenas, num dos artigos do regulamento sobre as leis e costumes da guerra terrestre, disposição relativa ao assunto: a respeito da situação dos indivíduos internados em país neutro (artigo 57).

A 2ª Conferência da Haia consagrou à neutralidade apenas duas de suas convenções: a 5ª, sobre os direitos e deveres das potências e das pessoas neutras, na guerra terrestre, e a 13ª, concernente aos direitos e deveres das potências neutras, na guerra marítima, ambas ratificadas por vários países, entre os quais o Brasil.

---

150. Como o número de Estados fora da Organização das Nações Unidas já se tornou bem diminuto, a neutralidade tenderia a desaparecer, se bem que, em virtude do poder de *veto* das cinco grandes potências com assento permanente no Conselho da Organização, seja sempre possível a existência de luta armada entre nações sem que o Conselho de Segurança possa tomar qualquer decisão no sentido indicado.

151. Nesse sentido constituiria violação da Carta das Nações Unidas a omissão do estado-membro em custear a sua quota-parte do orçamento, por não estar de acordo com determinada operação de envio de forças de paz da ONU, os "capacetes azuis". A respeito *v.* P. B. CASELLA, **Crise financeira das Nações Unidas**, Rev. FDUSP, v. LXXVIII, p. 209/216, 1983.

152. Com essa falsa neutralidade, a que se dava o qualificativo de imperfeita, confunde se, por assim dizer, a chamada *não beligerância*, inventada pela Itália fascista em setembro de 1939, quando, apesar de estar ligada à Alemanha por pacto de aliança defensiva e ofensiva, não quis desde logo entrar na segunda guerra mundial, e passou a conceder à Alemanha tratamento abertamente preferencial.

A Declaração de Londres, de 26 de fevereiro de 1909, contém diversas cláusulas relativas à neutralidade na guerra marítima, mas nunca chegou a vigorar.

8.4.1. deveres dos neutros

Da neutralidade derivam direitos e deveres. Conforme as épocas houve preponderância destes ou daqueles, segundo predominavam os interesses dos neutros ou dos beligerantes. A luta entre tais interesses é, aliás, bem compreensível: os neutros, naturalmente, pretendem sempre que o seu comércio sofra o mínimo de perturbações em consequência da guerra, enquanto os beligerantes querem sempre aumentar, tanto quanto possível, os respectivos direitos em relação ao comércio neutro.

Até a primeira guerra mundial, em virtude do desenvolvimento extraordinário das relações comerciais, cresceu a tendência em favor da ampliação dos direitos dos neutros. Já naquela guerra, o grande número de beligerantes pareceu abafar as reclamações dos neutros contra as exigências dos países em luta. Julgou-se ser aquele caso excepcional. Veio, porém, a segunda guerra mundial, e o caso se repetiu em escala ainda maior, devido às maiores proporções do conflito. Por outro lado, as tentativas de organização jurídica do mundo procuram colocar a guerra ou, pelo menos, a guerra de agressão fora da lei, e, assim, ainda que se não chegue a suprimir, juridicamente, a noção da neutralidade, a tendência é para se exigir dos neutros que não forneçam qualquer auxílio aos agressores, sob pena de se tornarem seus cúmplices e passarem a ser tratados como beligerantes. Daí a conclusão de que, daqui por diante, dever-se-á insistir menos nos direitos dos neutros do que nos seus deveres.

Julgamos que se podem classificar os deveres dos neutros em deveres de ação, ou *deveres ativos,* e deveres de abstenção, ou *deveres passivos.* Estes últimos podem ser absolutos ou não, isto é, a abstenção pode ser um dever estrito, ao qual o neutro se não possa esquivar sem faltar ao princípio da neutralidade, ou pode ser apenas o uso de uma faculdade, reconhecida pelo direito internacional.

Deveres passivos são os que determinam a abstenção de qualquer espécie de participação, direta ou indireta, nas operações de guerra.

O estado neutro deve abster-se não somente de todo ato hostil contra qualquer dos beligerantes, mas também de prestar auxílio ou assistência a qualquer deles.

Os auxílios proibidos são todos os que, direta ou indiretamente, proporcionam elementos para a guerra[153]. Tais são, por exemplo: fornecer tropas, armas,

153. Deve, porém, o estado neutro abster-se de qualquer manifestação de simpatia em favor de algum beligerante? Acredi-

munições, subsídios. Nessa proibição não se acha incluída a assistência sanitária, consistente no concurso efetivo de pessoal ou material de formações sanitárias.

Em oposição aos deveres passivos, que proíbem ao estado neutro a prática de certos atos, os *deveres ativos* obrigam-no a outros atos, que são a consequência natural do dever de imparcialidade[154].

Ao passo que os deveres de abstenção incumbem não só aos estados, mas também, em certos casos, aos simples particulares, os deveres ativos só são exigidos dos estados.

O primeiro dos deveres ativos é o de se opor, ainda que pela força, a todo atentado, de qualquer dos beligerantes, contra a inviolabilidade do território próprio. Por isso mesmo, o artigo 1º da 5ª Convenção da Haia declara que "o território das potências neutras é inviolável".

Entre os outros deveres ativos do estado neutro figuram os seguintes: a) proibir a instalação, dentro de seu território, de alguma estação radiotelegráfica beligerante ou de qualquer aparelho destinado a servir como meio de comunicação com forças beligerantes; b) proibir a utilização, por qualquer beligerante, de alguma instalação desse gênero, já existente desde antes da guerra; c) proibir que qualquer beligerante faça do território neutro, inclusive de portos e águas do país, a base de operações de guerra; d) proibir em seu território o alistamento de tropas, por parte dos beligerantes; e) internar, tão longe quão possível do teatro da guerra, as tropas que receber em seu território pertencentes aos exércitos beligerantes; f) deixar em liberdade os prisioneiros de guerra, evadidos, que tenha recebido em território; g) proibir os navios de guerra beligerantes que demorem em seus portos ou águas territoriais além de certo prazo, fixado previamente e igual para todos; h) determinar que, quando navios de guerra das duas partes beligerantes se achem, simultaneamente, nalgum porto ou ancoradouro seu, haja um intervalo de, pelo menos, vinte e quatro horas entre a partida do navio de um beligerante e a partida do navio do outro; i) determinar que um navio de guerra

tamos poder, sem hesitação, responder negativamente. Os mais modernos internacionalistas, inclusive os mais apegados ao velho conceito da neutralidade rigorosa, concordam em que o dever de imparcialidade não é incompatível com o apoio puramente moral, os testemunhos de simpatia, dados a um beligerante. Deve, entretanto, o estado neutro desinteressar-se da violação dos princípios do direito internacional, ainda quando tal violação atinge Convenções escritas a que o estado neutro se ache ligado? Devemos responder também pela negativa.

154. Rui BARBOSA, em conferência, em Buenos Aires, a 14 de julho de 1916 sobre "o dever dos neutros", mostrou que a indiferença dos neutros, se não se comovesse ante a violação de muitas Convenções da Haia, deveria cessar, ao menos quando se tratasse de violações referentes ao direito dos neutros, porque os atos dessa natureza importariam na negação geral da própria neutralidade, e sustentou que urgia formular com segurança o novo conceito da neutralidade, baseado na justiça internacional, e sintetizou sua tese nestas palavras: "Entre os que destroem a lei e os que a observam, não há neutralidade admissível. Neutralidade não quer dizer impassibilidade, quer dizer imparcialidade, e não há imparcialidade entre os direitos e a injustiça".

beligerante não deixe o porto ou ancoradouro seu menos de vinte e quatro horas depois da partida de navio mercante que hasteie pavilhão do outro beligerante; j) impedir que qualquer navio beligerante pratique atos de hostilidade em suas águas, ainda que seja o simples exercício do direito de visita; k) exercer a necessária vigilância para evitar que algum navio beligerante, admitido em qualquer dos seus portos ou ancoradouros, ali receba armas ou munições; l) exercer a devida vigilância para evitar que os navios mercantes de qualquer dos beligerantes, estacionados em águas suas, pratiquem qualquer ato que comprometa a sua neutralidade; m) libertar os prisioneiros de guerra que qualquer navio de algum dos beligerantes, admitido nalgum de seus portos, traga a seu bordo; n) adotar as medidas necessárias para impedir que algum navio mercante de qualquer dos beligerantes, estacionado em águas suas, utilize-se de aparelhos de telegrafia sem fios para se comunicar com unidades de guerra do respectivo país; o) impedir o sobrevoo de território nacional por aeronaves militares beligerantes; p) empregar a devida diligência para impedir que, sob sua jurisdição, armem-se ou equipem-se navios que se tenha razão para supor destinados a tomar parte nas hostilidades, bem como para impedir que partam de suas águas, a fim de participar das hostilidades, quaisquer navios que, em tal jurisdição, hajam sido adaptados, total ou parcialmente, aos usos da guerra; q) usar da máxima vigilância para que sua neutralização não seja violada.

8.4.2. direitos dos neutros

O direito internacional reconhece, em princípio, aos estados neutros os direitos de que gozavam em tempo de paz, mas admite restrições ao livre exercício de tais direitos, não as que possam derivar da vontade arbitrária dos beligerantes, e sim as que resultam do dever de imparcialidade, que lhes é imposto pelo direito internacional, ou, antes, as que decorrem das próprias modificações que a guerra traz ao estado normal da paz.

O exercício pelo estado neutro dos direitos de jurisdição e soberania em seu território mantém-se pleno e integral.

A primeira consequência dessa soberania é o direito à integridade e à inviolabilidade do território. Reciprocamente, o primeiro dever dos beligerantes é o respeito a essa integridade e inviolabilidade.

O estado neutro tem também o direito de fazer respeitar sua neutralidade, e esse direito decorre do dever, que lhe é imposto, de se opor a certos atos dos beligerantes. Tal direito, segundo consta do artigo 10 da 5ª Convenção, pode ser exercido até com o emprego da força.

Para defesa de sua neutralidade, o direito convencional reconhece-lhe a faculdade de colocar minas em suas águas territoriais, nas condições e com as precauções impostas aos beligerantes (artigo 4º da 8ª Convenção da Haia).

É corrente que o estado neutro tem o direito – e, segundo vários autores, o dever – de impedir que as aeronaves militares dos beligerantes circulem no seu espaço aéreo[155]. Se se trata de aeronaves não militares, admite-se, geralmente, que só possam sobrevoar território neutro mediante prévia licença do estado neutro respectivo e segundo as condições que este lhe impuser.

8.4.2.1. direito de angária

Direito de angária é uma forma de requisição aplicável a bens móveis, de beligerantes ou de neutros, que se encontrem em território sob a jurisdição do estado que a exerce. Só se pratica em momentos de urgente necessidade pública e mediante compensação ou indenização ao proprietário. Por outro lado, não se estende a serviços pessoais.

Não se deve confundir com o *embargo*, porque não se limita a uma simples apreensão, arresto ou sequestro, pois implica a utilização ou emprego do objeto apreendido e não se aplica apenas a navios.

Seu fundamento está na soberania territorial ou no direito de domínio eminente do estado.

Em geral, a angária tem sido entendida apenas como direito dos beligerantes, em relação a coisas do inimigo ou dos neutros. Mas a prática contemporânea e o próprio direito convencional têm-na reconhecido também como direito dos neutros, em relação a coisas dos beligerantes[156].

O direito de angária, tal como resulta da prática internacional nas duas guerras mundiais, obedece aos seguintes preceitos: 1º) a requisição pode recair sobre navios e outros meios de transporte, de neutros ou de beligerantes (quando exercida por beligerantes) ou só de beligerantes (quando exercida por neutros), mas não sobre pessoas; 2º) a coisa requisitada deve estar em território sob a jurisdição do estado que exerce a angária; 3º) a angária só se justifica em caso de necessidade, determinada pela guerra; 4º) os proprietários das coisas requisitadas devem ser compensados ou indenizados.

---

155. O artigo 40 do **Código para a Guerra Aérea** (Haia, 1923) proibia expressamente que qualquer aeronave militar beligerante penetrasse na jurisdição de estado neutro.

156. Deixou de ser, pois, conforme escreveu Jules BASDEVANT, "prerrogativa fundada sobre a força", ou "prerrogativa da beligerância", para se tornar "prerrogativa comum ao estado neutro e ao estado beligerante", fundada na competência territorial do estado.

8.4.2.2. direitos dos neutros no território dos beligerantes

O estado neutro tem o direito de conservar relações pacíficas com os beligerantes e, portanto, o de continuar mantendo agentes diplomáticos nesses estados. Se, entretanto, o país está ocupado pelo inimigo, surgem, inevitavelmente, certas dificuldades para o exercício das funções desses agentes.

O estado neutro tem, também, o direito de proteger seus cidadãos em qualquer dos estados beligerantes; mas, na prática, esse direito sofre certas restrições.

Quanto aos bens dos estados ou dos cidadãos neutros, em território ocupado por um dos beligerantes, eles têm direito ao respeito de tal beligerante, mas se admite que possam ser requisitados, mediante indenização.

8.4.2.3. direitos dos neutros ao comércio e à navegação

Em princípio, a liberdade de comércio e de navegação dos neutros deve ser reconhecida; mas, na realidade, ela costuma sofrer numerosas restrições, que, muitas vezes, vão além das impostas pelas necessidades da guerra.

Quanto ao comércio terrestre, a prática internacional tem sido favorável à sua inteira liberdade, contanto que o território de beligerante não seja utilizado para dele se expedirem ou por ele se fazerem passar, contra expressa proibição do respectivo governo, mercadorias destinadas ao outro beligerante.

A liberdade do comércio marítimo sofre, no entanto, várias limitações, que nem sempre se justificam.

A bem dizer, as únicas derrogações ao princípio da liberdade de comércio e navegação, em tempo de guerra, admitidas pelo direito internacional, são as que resultam do bloqueio, do contrabando e da assistência hostil.

Não foi sem dificuldades e sem uma evolução de costumes bastante lenta que as ideias de liberdade comercial dos neutros chegaram a ser aceitas.

A evolução, nesse sentido, é assimilada por quatro períodos, correspondentes a quatro sistemas diferentes.

No primeiro desses sistemas, chamado de *Consulado do Mar* e que vigorou do século XIII ou XIV ao século XV, cada coisa é tratada segundo sua própria qualidade. Assim, o caráter neutro do navio não torna a carga livre, nem o caráter inimigo torna a carga confiscável. O sistema resume-se nesta fórmula dupla: *navio inimigo, mercadorias livres ou confiscáveis* (conforme sejam neutras ou inimigas); *navio neutro, mercadorias livres ou confiscáveis* (conforme, igualmente, sejam neutras ou inimigas).

O segundo sistema é o da chamada *infecção hostil,* dominante nos séculos XVI e XVII. O caráter inimigo do navio ou da carga transfere-se por contágio à mercadoria neutra transportada ou ao navio que a transporte. Pode o sistema ser representado por esta fórmula: *navio confiscável, carga confiscável*; *carga confiscável, navio confiscável.*

O terceiro sistema, chamado de *regra de Utrecht*, por ter sido vulgarizado pelo Tratado de Utrecht, de 1713, predominou entre o século XVIII e a primeira metade do século XIX. Nele, o que importa é o caráter do navio. Pode ser assim enunciado: *navio livre, mercadorias livres*; *navio confiscável, mercadorias confiscáveis.*

Finalmente, o quarto sistema, consubstanciado na Declaração de Paris, de 1856, em vigor até os nossos dias, representa sensível progresso sobre os anteriores. Baseia-se em que o *pavilhão cobre a mercadoria, mas não* a *infecciona*, e é, mais precisamente, expresso nesta fórmula: *navio neutro, mercadorias livres*; *navio inimigo, mercadorias neutras livres.* Da imunidade que essa regra concede é excetuado o *contrabando de guerra.* Ou, conforme consta da própria declaração: *o pavilhão neutro cobre a mercadoria inimiga, salvo o contrabando*; *a mercadoria neutra, salvo o contrabando, não é confiscável sob pavilhão inimigo.*

Ainda a propósito da liberdade de comércio e navegação dos neutros, cumpre referir as restrições constantes da *regra de 1756*[157], *da teoria da viagem contínua* e das *listas negras.*

A teoria da viagem contínua consiste em considerar a viagem efetuada por um navio, de porto neutro a outro porto neutro e deste último a porto inimigo, como um só todo, encarando-se apenas o destino definitivo do navio ou, antes, da carga.

Essa teoria foi muito aplicada durante as duas guerras mundiais. Para evitar os inconvenientes de sua aplicação arbitrária e também que certos neutros importassem mercadorias acima das suas necessidades próprias e cujo destino ulterior seria algum país inimigo, vários beligerantes, durante a guerra de 1914-1918, impuseram a esses países neutros o sistema de quotas de importação.

Idêntico sistema foi seguido na guerra de 1939-1945. Nesta última, porém, predominou o sistema dos certificados de neutralidade (conhecidos sob a deno-

---

157. Os estados, em geral, reservam a navegação de cabotagem, entre os seus diversos portos, a navios de sua própria marinha mercante. Em tempo de guerra, porém, podem estes querer autorizar neutros a fazer essa navegação. Foi o que sucedeu, por exemplo, durante a Guerra dos Sete Anos, quando a França resolveu permitir aos Países Baixos os transportes para as colônias francesas. A Grã-Bretanha, porém, não quis respeitar o pavilhão holandês, assim empregado, e inventou a chamada *regra de 1756* ou da *Guerra dos Sete Anos*, em consequência da qual os neutros não poderiam exercer *comércios novos*, em tempo de guerra. Essa regra arbitrária, hoje sem aplicação, deu origem à teoria da *viagem contínua* ou da *continuidade da viagem*.

minação de *navicert*), destinado a garantir o beligerante contra a possibilidade de que o contrabando de guerra passe ao inimigo e também a evitar desvios de rota ao navio neutro portador de tal documento.

As *listas negras* resultam da extensão do direito, reconhecido a todo estado beligerante, de impedir, em tempo de guerra, que cidadãos neutros, residentes em seu território, comerciem com os nacionais do estado ou estados inimigos; e consiste na proibição de comércio, não só com os cidadãos inimigos, residentes em qualquer país, ou com qualquer habitante do país inimigo, mas também com muitos cidadãos neutros, residentes em países neutros ou aliados e que sejam considerados como associados a cidadãos inimigos ou submetidos à influência do inimigo. As pessoas, firmas comerciais e sociedades assim consideradas são inscritas numa lista especial, a que os ingleses deram a denominação de *Statutory List* e que se tornou conhecida como *Lista Negra.*

O sistema das *Listas Negras*, iniciado em 1916, durante a primeira guerra mundial, foi largamente aplicado durante a segunda guerra.

O sistema pode justificar-se, em princípio, porque todo governo beligerante tem o direito de proibir a seus nacionais ou às pessoas sob sua jurisdição o comércio com quaisquer firmas ou empresas. Por outro lado, a medida não atinge diretamente os direitos dos neutros. Não há dúvida, porém, de que sua aplicação, especialmente com a extensão que, insensível e quase inevitavelmente, lhe é dada, perturba enormemente o comércio neutro. Mas, como vimos, a tendência atual é mais favorável aos direitos dos beligerantes do que aos dos neutros.

8.4.3. relações entre os beligerantes

Durante a guerra, as relações diplomáticas e comerciais entre os beligerantes ficam interrompidas. Em todo caso, as necessidades dos beligerantes e certas considerações de humanidade determinam, excepcionalmente, o estabelecimento de comunicações diretas ou indiretas entre as partes em luta.

Essas relações não hostis se estabelecem ou por intermédio de representações diplomáticas de países neutros, ou por intermédio da Cruz Vermelha Internacional, ou graças a contatos diretos entre os comandantes de exército, da marinha ou da aeronáutica.

Parlamentários – são as pessoas que um chefe militar envia a um comandante inimigo para lhe apresentar propostas ou comunicações, relativas às hostilidades. Ele e as pessoas que o acompanham são invioláveis, segundo dispõe o artigo 32 dos regulamentos anexos às Convenções da Haia sobre a guerra terrestre.

8.4.3.1. salvo-condutos e licenças

São documentos escritos que os beligerantes se concedem, reciprocamente. O salvo-conduto é uma permissão especial para que um nacional inimigo possa atravessar, sob determinadas condições, certas regiões. A licença é a permissão concedida para o transporte de mercadorias.

8.4.3.2. salvaguarda

Dá-se este nome à proteção que um chefe militar concede a certos edifícios ou estabelecimentos, para que fiquem ao abrigo de acidentes de guerra. Pode consistir apenas na entrega de um documento escrito ou assumir a forma de um destacamento militar.

8.4.3.3. cartéis

São ajustes feitos entre beligerantes, para certos fins, especialmente para a troca de prisioneiros de guerra. Na guerra naval, a mesma denominação é dada aos navios utilizados na troca de prisioneiros e, também, aos que conduzem parlamentários.

8.4.3.4. suspensões de armas e armistícios

Em sentido amplo, o armistício compreende todo ajuste entre beligerantes para a cessação temporária das hostilidades. Em sentido restrito, a *suspensão de armas* designa a cessação de hostilidades acordada entre chefes militares dos beligerantes, por curto prazo e fins limitados, aplicável apenas a determinados pontos do teatro da guerra; ao passo que o *armistício,* propriamente dito, é um acordo de efeitos mais amplos e de caráter não só militar, mas também, às vezes, político e econômico. Além disso, enquanto a suspensão de armas é concluída, em geral, verbalmente e, às vezes, tacitamente, o armistício é, geralmente, formulado em documento escrito, firmado por chefes de exército e até por agentes diplomáticos, munidos de plenos poderes.

O armistício não equivale, por si só, ao termo da guerra e, por conseguinte, não altera a situação jurídica dos neutros. Entretanto, constitui, quase sempre, ato preliminar da paz.

Os princípios que regem o armistício, nas guerras marítima e aérea, não diferem dos que o regem na guerra terrestre. Em todo caso, em razão da natureza das duas primeiras, o armistício produz, relativamente às mesmas, alguns efeitos especiais. Assim, por exemplo, os bloqueios existentes no momento de se firmar um armistício não são levantados, a menos que isto seja estipulado. O direito de visita pode continuar a ser exercido.

8.4.3.5. capitulações

As capitulações, entre beligerantes, são convenções militares para a rendição, com ou sem condições, de uma cidade, uma fortaleza, um corpo de tropas ou forças navais ou aéreas.

Sendo ajustes de caráter puramente militar não devem conter matéria de outra natureza. Em geral, por elas se regulam: a) a sorte dos oficiais e soldados ou marinheiros; b) o modo de entrega da praça, fortaleza ou navio; c) o destino do material bélico; d) o tratamento da propriedade privada dos prisioneiros; e) a situação dos feridos e enfermos etc.[158].

8.5. Sanções das leis da guerra no direito internacional

As violações das leis de guerra por parte de um combatente implica sua punição. Nesse sentido, as sanções em tempo de guerra teriam muita analogia com as sanções aplicáveis às regras substantivas do direito internacional público. Assim sendo, as dúvidas quanto à existência de sanções em direito internacional se refletem no direito de guerra.

Dentre as sanções menciona-se a opinião pública mundial, que pouco pesa. A rigor, não se pode considerar a condenação pelo consenso internacional como sendo uma sanção legal, isto é, de direito internacional. Novamente, aqui, ingressamos na seara da política internacional.

A opinião pública é uma corrente de opiniões privadas com tal volume, intensidade e continuidade que se torna juízo coletivo adotado e exteriorizado pelo grupo em que elas se integram. A influência da opinião pública externa é relativa. Além do mais, a pressão externa tende a provocar uma reação interna favorável aos governantes.

---

158. ACCIOLY, **Tratado** (2009, v. 3, cap. X, "*as relações entre os beligerantes*", p. 499-509, cap. XI, "*a cessação da guerra*", p. 510-519); Sydney D. BAILEY, *Cease-fires, truces and armistices in the practice of the Security Council* (AJIL, jul. 1977, v. 71, p. 461); Yoram DINSTEIN, *Armistice* (in **Encyclopedia**, v. 3, p. 31); R. R. BAXTER, **Armistices and other forms of suspension of hostilities** (RCADI, 1976, t. 149, p. 353-399); Olivier CORTEN, **Le droit contre la guerre** – L'interdiction du recours à la force en droit international contemporain (Paris: Pedone, 2008); A. KLAFKOWSKI, **Les formes de cessation de l'état de guerre en droit international** (RCADI, 1976, t. 149, p. 217-286); Riccardo MONACO, **Les conventions entre belligérants** (RCADI, 1949, t. 75, p. 273-362); Rolf STÓDTER, *Safe conduct and safe passage* (in **Encyclopedia**, v. 4, p. 193).

Quanto às sanções aplicadas no decorrer das hostilidades, assumem geralmente a figura de represálias, que não passam de uma relação arbitrária e primitiva. As represálias são medidas mais ou menos violentas contrárias ao direito internacional usual, empregadas por um estado contra outro (ou outros) que violou seus direitos ou os de seus nacionais. Elas só se justificam quando o estado alvo da violência é responsável por ato praticado com anterioridade contra o estado que exerce as represálias; quando todas as tentativas de obter satisfações ou reparações adequadas foram inúteis. As represálias hão de ser, ainda, proporcionais ao dano causado e só devem ser exercidas se puderem ser eficazes.

Mas a verdadeira sanção deve ser de preferência *post bellum* e ditada por tribunal neutro. Tal estágio foi alcançado com a criação do Tribunal Penal Internacional.

8.6. Guerra interna

Na definição de "guerra interna" ou "guerra civil" constatamos, novamente, um divórcio entre a definição e a realidade entre direito internacional e política internacional. Teoricamente, a guerra interna não suscita maiores problemas para o Governo agredido, que recorre ao seu direito penal, aplicável a todos aqueles envolvidos no movimento revolucionário. O direito internacional, de acordo com os ensinamentos tradicionais, só passaria a ser invocado a partir do momento em que os revolucionários fossem reconhecidos como beligerantes, sendo, em consequência, equiparados aos combatentes numa guerra internacional.

A diferenciação entre a guerra *interna* e a guerra *internacional* é, hoje em dia, cada vez mais difícil, em virtude da quase inevitável interferência ou intervenção direta ou indireta de uma das superpotências. Em última análise, é a política internacional, os interesses das grandes potências, que dirá se os atos de hostilidade devem ou não continuar a ser tidos como de caráter interno ou não. Exemplo típico deste enfoque, e que colide com a realidade dos fatos, foi a guerra do Vietnã, onde durante grande parte do conflito o papel dos Estados Unidos foi maior do que o da República do Vietnã do Sul. Mas considerar a guerra do Vietnã como uma guerra interna trazia indiscutíveis vantagens para a comunidade internacional: *a*) juridicamente não ocorria a violação da Carta das Nações Unidas, que proíbe as guerras; *b*) o problema de neutralidade de terceiros estados não foi suscitado; *c*) evitou-se a extensão de seus efeitos, com o perigo de uma guerra mundial. A revolução espanhola, igualmente, sempre foi considerada uma guerra civil, não obstante o apoio maciço recebido de fora por ambas as partes.

As *guerras de independência*, outrora tidas como de cunho interno, são hoje em dia rebatizadas de *guerras de libertação nacional* e consideradas do âmbito do direito internacional[159]. As tentativas das antigas potências colonizadoras de enquadrar o problema no parágrafo 7º do artigo 2º da Carta das Nações Unidas, o que impediria a organização mundial de intervir na questão, por se tratar de assunto que depende essencialmente de sua jurisdição interna, não tiveram acolhida, e a Assembleia Geral repetidamente declarou legítima a luta contra o colonialismo e ilegítima qualquer medida capaz de obstruir os movimentos de libertação nacional. É bem verdade que o movimento separatista de Biafra foi tido como de caráter interno nigeriano, não obstante reunir todas as características de uma guerra de independência baseada no princípio de autodeterminação.

Seja como for, a guerra civil sai da alçada exclusiva do direito interno, ingressando na do direito internacional em decorrência do reconhecimento expresso ou tácito de beligerância e que pode resultar de uma manifestação do próprio estado onde a revolta se verifica ou de pronunciamento de terceiro ou terceiros estados desejosos de assumir uma atitude de neutralidade em face das duas partes em luta.

O *Institut de Droit International* adotou, por ocasião da sessão de Neuchâtel (1900), regulamento sobre os direitos e os deveres das potências neutras em caso de movimento insurrecional e cujo artigo 8º estipula que: "As terceiras potências não podem reconhecer ao partido revoltado a qualidade de beligerante: 1º) se ele não conquistou existência territorial distinta, pela posse de uma parte determinada do território nacional; 2º) se ele não reuniu os elementos de um governo regular, que exerça de fato sobre essa parte do território os direitos aparentes da soberania; 3º) se a luta não é conduzida, em seu nome, por tropas organizadas, submetidas à disciplina militar e que se conformem às leis e costumes da guerra".

Problema da maior atualidade é o da determinação dos princípios que devem reger a aplicação do ordenamento humanitário internacional às guerras civis e que vem sendo discutido em nível internacional em Genebra.

As Convenções de Genebra anteriores às de 1949 visavam exclusivamente aos conflitos internacionais. Nos trabalhos que antecederam à assinatura das Convenções de 1949, alguns juristas tentaram introduzir princípios que deveriam reger o ordenamento humanitário nas guerras civis. Cristalizaram-se duas tendências, denominadas *tradicional* e *progressista*. Para a primeira, as Convenções

159. V. tb. item 3.5, *"secessão no direito internacional – o Parecer da Corte Internacional de Justiça sobre o Kosovo, de 22 de julho de 2010"*, a respeito da relevância dos princípios da autodeterminação dos povos e do respeito à integridade territorial dos estados.

a serem firmadas se aplicariam apenas aos conflitos entre estados, que poderiam, se assim desejassem, permitir a extensão de suas regras a outras situações. A corrente progressista, que contou com o valioso apoio dos peritos do Comitê Internacional da Cruz Vermelha, advogou a aplicação integral das regras a serem adotadas aos conflitos puramente domésticos.

Semelhante tese, acolhida numa primeira fase, era inaceitável do ponto de vista prático: era contrária aos direitos fundamentais dos estados; colocava em pé de igualdade o governo legalmente constituído e reconhecido pelos demais estados e seus opositores, fossem eles revolucionários, anarquistas ou meros delinquentes comuns. Em outras palavras, dar-se-ia respeitabilidade a entidades que em muitos casos não a mereciam.

Seja como for, em 1949 foi possível adotar uma solução de compromisso e votou-se um artigo comum às quatro Convenções – o artigo 3º –, em que se reconhece um mínimo de princípios humanitários aplicáveis aos conflitos internos.

Dada a técnica adotada, o artigo 3º tem sido considerado uma Convenção à parte – uma miniconvenção – aplicável às situações reguladas pelas quatro Convenções. O artigo 3º cria obrigações no tratamento de não combatentes ou de pessoas colocadas fora de combate em virtude de ferimento, enfermidade ou captura, as quais não podem sofrer nenhuma discriminação por motivos políticos, religiosos, raciais ou sociais. O artigo ainda proíbe os atentados à vida e à integridade corporal, bem como a tortura, os suplícios ou outras práticas degradantes; veda as condenações ou execuções sumárias, isto é, sem julgamento prévio, que cabe aos tribunais regulares; e cria a obrigação de ser dada assistência médica para os feridos e os enfermos. As quatro Convenções ainda esclarecem que o oferecimento de ajuda pela Cruz Vermelha ou outro organismo humanitário não pode ser interpretado como uma ingerência nos negócios internos do estado.

Diante da dificuldade de conciliar posições extremadas, o artigo, mesmo acolhendo a tese conservadora, adotou uma terminologia propositadamente vaga em diversos pontos, em especial na definição de guerra civil. Assim sendo, o papel da doutrina na interpretação do texto continua a ser de grande importância, mas também cumpre recorrer aos *travaux préparatoires*, às emendas e às atas para compreender o seu verdadeiro sentido. A circunstância de a chamada teoria progressista haver sido rejeitada deve pesar em qualquer interpretação, isto é, deve-se partir da ideia de que se buscou uma solução pautada no direito existente.

Assim, situações provocadas por tensões políticas, sociais, religiosas ou raciais, levantes de grupos minoritários ou atos de terrorismo isolado, não justificam a aplicação de nenhuma das quatro Convenções. Em outras palavras, subsistem as regras enumeradas pelo *Institut de Droit International* em 1900, ou seja, de que é necessário que os rebeldes tenham ocupado uma porção definida do território, que sejam dirigidos por chefes responsáveis, que sejam organizados militarmente e estejam dispostos a implementar as regras de direito internacional relativas ao comportamento de beligerantes em guerras internacionais e internas, mas também que os dirigentes responsáveis sejam capazes de fazer com que as suas forças as respeitem. Se o próprio governo reconhece o estado de beligerância ou de insurgência, terá a obrigação de aplicar as regras que se nos deparam no artigo 3º.

Em Genebra, nova hipótese foi admitida, ou seja, de que a revolta seja de molde a justificar o seu estudo pela Assembleia Geral ou pelo Conselho de Segurança, como capaz de constituir uma ameaça à paz ou segurança internacionais. Semelhante hipótese visa, sobretudo, às guerras de libertação nacional.

Os acontecimentos posteriores a 1949 vieram exigir o reexame da matéria, e constatou-se que os conceitos de luta armada haviam sofrido forte evolução. Em mais de uma oportunidade foi sublinhada a dificuldade de determinar hoje em dia se uma guerra é interna ou internacional; e, mesmo quando a guerra é interna, mas com conotações internacionais, tem sucedido que aos estados convém ignorar tal situação, isto é, concordar com a sua não apreciação no âmbito das Nações Unidas, conforme sucedeu com as lutas em Biafra, Bangladesh e até no Vietnã.

Além do mais, com as guerras não clássicas, em que não ocorre uma declaração de guerra ou simples reconhecimento da existência de um estado de guerra, a aplicação das Convenções de 1949, que visam primordialmente às guerras clássicas, torna-se discutível.

Outro fator que veio exigir novo exame do problema é o recurso cada vez mais acentuado à violência e à brutalidade. Nas guerras de libertação nacional e nas revolucionárias, certas normas outrora aceitas sem discussão têm sido relegadas a segundo plano. Os exemplos abundam, e, se a iniciativa cabe geralmente aos revoltosos, a reação brutal por parte do governo legal não costuma demorar, conforme ficou demonstrado na Argélia, no Quênia, no Congo e em Biafra, nos choques entre árabes e judeus, no massacre dos comunistas na Indonésia, em Bangladesh e no Vietnã.

Verifica-se que para esta nova geração de revolucionários não existem princípios jurídicos ou morais, mas apenas um objetivo político, a ser alcançado independentemente de quaisquer considerações. Dentro de tal filosofia, todos os recursos são válidos, como o assassinato ou o sequestro de diplomatas ou de funcionários graduados, os assaltos a bancos, hospitais ou empresas privadas sob o pretexto de obter fundos destinados a financiar as atividades subversivas, o sequestro de aeronaves e o pedido de resgate, a sabotagem seletiva visando à implantação do terror e da insegurança, ataques a quartéis para a obtenção de armas, uso de uniformes das forças armadas regulares e as tentativas de envolver por todos os meios universitários e até membros do clero, muitos deles iludidos na sua boa-fé. E esta violência gera a violência por parte dos órgãos governamentais, geralmente os primeiros a serem atingidos e, portanto, sujeitos permanentemente a uma ameaça contra a sua própria vida. Nesta segunda hipótese, verifica-se de imediato uma reação internacional contra a violação dos direitos humanos e as acusações de prisões arbitrárias e torturas.

Estes movimentos de protesto, muitas vezes dirigidos também por indivíduos e até por juristas de boa vontade, frequentemente fazem parte de um esquema cuidadosamente organizado. Na Europa, onde os atos de violência e terrorismo eram desconhecidos, ou haviam sido esquecidos, constatou-se em inúmeras oportunidades o endosso dos governos a semelhantes posições. Enquanto tais atos de violência eram praticados em outros continentes, havia certa simpatia pelos *freedom fighters*, mas esta situação vem-se modificando ultimamente com a prática cada vez maior da violência em tais países, e os ensinamentos de Che Guevara, antes livremente publicados, já não se encontram nas livrarias, não obstante as afirmativas favoráveis à liberdade de opinião. E constata-se igualmente que os terroristas eventualmente capturados e detidos para investigação acabam por confessar os seus crimes e denunciar os seus parceiros.

Nas conferências de Genebra, sob os auspícios da Cruz Vermelha Internacional, houve de início forte corrente *progressista*, mas os atentados a embaixadas, mortes de personalidades e desportistas e o sequestro e a destruição de aeronaves acabaram por criar uma reação na opinião pública e a necessidade de serem adotadas regras mais severas no tocante à captura e punição de crimes em que o fator político não justifica os meios empregados.

Com o aumento no número de estados-membros das Nações Unidas, muitos dos quais haviam adquirido a sua independência por meio de lutas contra as potências coloniais, a necessidade de ser dado um tratamento especial às *lutas de libertação nacional* passou a ser tratada prioritariamente. Sob os auspícios do Governo suíço, a Cruz Vermelha Internacional iniciou movimento no sentido de ser regulamentado o artigo 3º das quatro Convenções de 1949. De 1974 a 1977 a Conferência Diplomática de Genebra reuniu-se anualmente, e em 1977 foram firmados dois Protocolos adicionais às Convenções de 1949, o primeiro destinado à proteção das vítimas de conflitos armados internacionais e o segundo relativo aos conflitos *sem caráter internacional.*

O Protocolo II trata de conflitos no território de um estado entre as suas forças armadas e forças armadas dissidentes ou grupos armados organizados que, debaixo de um comando responsável, exerçam sobre parte do referido território um controle que lhes permita realizar operações militares e aplicar o Protocolo em questão[160].

8.7. Conflitos armados não internacionais

A linha divisória entre o conflito armado interno e o internacional não constitui somente detalhe técnico, mas terá consequências em relação ao enquadramento e à incidência das normas internacionais e da possibilidade de gestão do conflito por mecanismos instucionais internacionais, ou exclusão destes, em razão de suposto ***domínio reservado***, ou ***não ingerência nos assuntos internos dos estados***. Não obstante as tergiversações e a relativa inconsistência da prática, a possibilidade de tal exclusão se faz, progressivamente, mais restrita. Nesse sentido, na falta de manifestações concludentes das principais fontes do direito internacional, podem contribuir para o perfazimento das normas as fontes acessórias, especificamente a jurisprudência e a doutrina.

Evoluções recentes apontam no sentido da tipificação da internacionalidade do conflito segundo a norma e os parâmetros operacionais do direito internacional: caberá a este dizer quando se trata de conflito passível de ser tutelado pelo direito internacional e não ao estado ou aos estados diretamente envolvidos e interessados[161]. Nesse sentido, cumpre frisar dentre os aspectos já mencionados:

- no início dos anos 1990, a instauração dos Tribunais Penais Internacionais, para Ruanda e para a ex-Iugoslávia (a dimensão interna ou internacional do conflito não exclui a caracterização deste como "ameaça à paz, ruptura da paz e ato de agressão" – cf. art. 39 da **Carta** da ONU);
- o Estatuto de Roma (1998), cria o Tribunal Penal Internacional e determina a extensão da jurisdição e da possível atuação deste;
- o parecer consultivo, prolatado pela Corte Internacional de Justiça, sobre as **consequências jurídicas da construção do muro nos territórios**

160. ACCIOLY, **Tratado** (2009, v. 1, "*danos resultantes de motins ou guerras civis*", p. 400-412); B. AKEHURST, *Civil war*, in **Encyclopedia**, v. 4, p. 88; A. A. CANÇADO TRINDADE, *A evolução do direito internacional humanitário e as posições do Brasil*, in **Direito internacional humanitário** (Brasília, 1989, p. 13, coletânea); Gérard CHALIAND, **Les guerres irrégulières** – XX-XXIe siècle – Guérrilas et terrorismes (Paris: Gallimard-Folio actuel, 2008); E. LUARD, **The international regulation of civil wars** (London, 1972); Eibe REIDEL, *Recognition of belligerancy* (in **Encyclopedia**, v. 3, p. 167); Erik CASTRÉN (**Civil war**, Helsinki, 1966); G. E. do NASCIMENTO E SILVA, *A Revolução Dominicana: um enfoque jurídico e histórico* (**Revista do Exército Brasileiro**, p. 22, jul./dez. 1986).

161. Nesse sentido, *v.*, *supra*, 3.6.7, "Princípio de não intervenção – entre *jus cogens* e *soft law*", onde se considera, respectivamente: "Intervenção em nome do direito de defesa e de conservação" (3.6.7.1), "Intervenção para a proteção dos direitos humanos" (3.6.7.2), "Intervenção para a proteção de interesses de nacionais" (3.6.7.3), bem como 3.7, "doutrinas".

palestinos ocupados (2004)[162], com menção ao precedente da Corte Permanente de Justiça Internacional a respeito da **Carélia oriental**[163].

A determinação ou a exclusão da internacionalidade do conflito serão o critério para ter ou não a regência do caso pelo sistema institucional e normativo internacional[164]. Foi acima apontado[165] e também considera Ian BROWNLIE (1995)[166], muitas vezes, serem suscitadas objeções de natureza "política", para tentar refrear o exercício da jurisdição internacional.

---

162. CIJ, **Legal consequences of the construction of a wall in the occupied Palestinian territory** (advisory opinion 9 July 2004).

163. CIJ, **Legal consequences of the construction of a wall in the occupied Palestinian territory** (advisory opinion 9 July 2004), especificamente parágrafos. 44, 46 e 56; parágrafo 44: "Only on one occasion did the Court's predecessor, the Permanent Court of International Justice, take the view that it should not reply to a question put to it (**Statute of Eastern Carelia**, Advisory Opinion, 1923, PCIJ, séries B, n. 5), but this was due to the very particular circumstance of the case, among which were that the question directly concerned an already existing dispute, one of the State parties to which was neither a party to the Statute of the Permanent Court nor a member of the League of Nations, objected to the proceedings, and refused to take part in any way" (**Legality of the threat or use of nuclear weapons**, ICJ Reports 1996 (I), p. 235-236, parágrafo 14)"; e a seguir, no parágrafo 46: (...) "Israel has emphasized that it has never consented to the settlement of this wider dispute by the Court or by any other means of compulsory adjudication; on the contrary, it contends that the parties repeatedly agreed that these issues are to be settled by negotiation, with the possibility of an agreement that recourse could be had to arbitration. It is accordingly contended that the Court should decline to give the present Opinion, on the basis *inter alia* of the precedent of the decision of the Permanent Court of International Jurisdiction on the **Status of Eastern Carelia**"; parágrafo 56: (...) "Thus, for instance, in the proceedings concerning the **Status of Eastern Carelia**, the Permanent Court of International Justice decided to decline to give an opinion inter alia because the question put 'raised a question of fact which could not be elucidated without hearing both parties' (**Interpretation of peace treaties with Bulgaria, Hungary and Romania**, ICJ, Reports 1950, p. 72; see **Status of Eastern Carelia**, PCIJ, séries B, n. 5, p. 28). On the other hand, in the **Western Sahara opinion**, the Court observed that it had been provided with very extensive documentary evidence of the relevant facts (ICJ Reports 1975, p. 29, parágrafo 47)".

164. C. D. A. MELLO, **Curso** (15. ed., 2004, livro X, direito da guerra e neutralidade, esp. Cap. LXVII, "guerra interna", p. 1603-1635); R. MESA GARRIDO, *Guerra civil y guerra internacional* (Madrid, 1968); R. PINTO, **Les règles du droit international concernant la guerre civile** (RCADI, 1965, t. 114, p. 451-554); René-Jean WILHELM, **Problèmes relatifs à la protection de la personne humaine par le droit international dans les conflits ne présentant pas un caractère international** (RCADI, 1972, t. 137, p. 311-417).

165. *V.* 3.6.3., "Direito ao respeito mútuo". Evidência de que a questão do consentimento do estado, como também se põe em relação às organizações internacionais, há de ser diversamente interpretada e aplicada quando se tratar de outros sujeitos e agentes de direito internacional, no contexto pós-moderno, entidades que não sejam de direito público, tais como indivíduos e organizações não governamentais, que, mais e mais, passam a ter reconhecido o direito de ação perante numerosas instâncias jurisdicionais internacionais, tais como os tribunais internacionais penais, em certa medida, as cortes internacionais de direitos humanos e o Tribunal da União Europeia.

166. Ian BROWNLIE, **Principles of public international law** (4. ed., Oxford: Clarendon Press, 1990, paperback reprinted with corrections, 1995, p. 731-732): "In the *Eastern Carelia* case, the Council of the League of Nations asked for an opinion on a dispute between Finland and the Soviet Union, the latter objecting to the exercise of jurisdiction, and the Court refused jurisdiction on the ground that the requesting organ was not competent to request an opinion in the circumstances: no state can be compelled to submit disputes to a tribunal without its consent, and the Soviet Union was not bound by the League Covenant. (...) In practice objections have often challenged the power of the Court to deal with political questions. Article 65 of the Statute refers to 'any legal question' and the Court has taken the view that however controversial and far-reaching in their implications, issues of treaty interpretation, arising in the context of the United Nations Charter, are legal questions".

Na medida em que o artigo 65 do **Estatuto** da Corte[167] confere a esta o poder para examinar e dar parecer consultivo "sobre qualquer questão jurídica", tem esta interpretado a sua competência de modo mais abrangente.

8.8. Terror e direito internacional

Os atentados terroristas de 11 de setembro de 2001, em Nova York e Washington, nos Estados Unidos, deram lugar a sem-número de debates e textos, com as opiniões as mais desencontradas sendo manifestadas. Contudo, não percamos de vista dado fundamental: a repressão ao terrorismo é interesse internacional e tem de ser feita usando ferramentas de direito internacional[168].

Se, em lugar de resposta internacional, for implícita ou explicitamente reconhecido a um estado, qualquer que seja, o direito de ser polícia do mundo, logo esse policial vai adentrar sua casa para averiguar se tudo está em ordem por lá, e isso se fará segundo a opinião do policial, é claro. Não podemos aceitar essa distorção de todas as regras da convivência entre estados, baseada historicamente na combinação entre o reconhecimento da igualdade de uns e outros e de outro lado a coordenação da convivência mediante regras comuns, aceitas como expressão da necessidade e da consciência jurídica internacional.

A propósito de reprimir o terrorismo, mal funesto que assola nosso tempo e do qual temos de nos defender, todos, indistintamente, não se pode entrar em clima de histeria coletiva antimuçulmana, ou contra este ou aquele país. Nem tampouco se pode admitir que qualquer dirigente, como ora parece entender a presidência dos Estados Unidos da América, cujo preparo para enfrentar grandes questões internacionais ninguém duvidaria tão cedo teríamos de ver testado, venha arrogar-se o direito de dizer que os países que não estiverem conosco estão com os terroristas e como inimigos serão tratados. Ou que nos espionem e depois acrescentem ser isso útil para a "proteção" de todos os países!

A próxima invasão armada pode ser no quintal de nossa casa, se acharem em Washington que não estamos nos comportando direito. A "operação Colômbia" já

---

167. V. MAROTTA RANGEL, **Direito e relações internacionais** (9. ed., São Paulo: RT, 2010, nota 8 à página 58) a respeito do artigo 65 do **Estatuto** da Corte Internacional de Justiça: "precedente deste artigo está em quatro artigos do Estatuto da antiga Corte Permanente de Justiça Internacional (71 a 74, inclusive)".

168. P. B. CASELLA, **Direito internacional, terrorismo e aviação civil** (São Paulo: Quartier Latin, 2006); Antonio CASSESE, **Il caso Achille Lauro** (Roma: Riuniti, 1987); Gérard CHALIAND, **Les guerres irrégulières** – XX-XXIe siècle – Guérrilas et terrorismes (Paris: Gallimard-Folio actuel, 2008); G. CHALIAND, **Le nouvel art de la guerre** (Paris: Archipel, 2008); Olivier CORTEN, **Le droit contre la guerre** – L'interdiction du recours à la force en droit international contemporain (Paris: Pedone, 2008).

ocorre ao lado da nossa porta dos fundos da Amazônia, sem que se lhe tenha prestado muita atenção, até aqui, com relação ao nível de interferência no país vizinho, sob a égide de ajuda financeira e logística para repressão ao tráfico de drogas.

O regime do Taleban, no Afeganistão, regime fundamentalista e xenófobo, que se pautara por medidas de macabro e arcaico primitivismo, certamente teria sido muito difícil querer defender – foram literalmente para o espaço os "Budas de Bamyan", por estarem no meio do caminho para a erradicação de todos os sinais de presença de fé não muçulmana no Afeganistão, como outros milhares de peças destruídas do Museu de Cabul, depois sendo exibidos nichos vazios onde estas peças históricas destruídas antes se encontravam, e mais recentemente estavam para ser julgados (estando de antemão condenados) por tribunal religioso, missionários que tinham feito trabalho catequético e distribuído Bíblias naquele país.

Na sequência dos desdobramentos dos últimos anos, temos de ter consciência da necessidade premente de regulação internacional do fenômeno, e do uso de medidas decididas e votadas na Organização das Nações Unidas para coibir esse mal comum. Somente mediante resolução da ONU para permitir uso de força armada em território estrangeiro podem ser adotadas todas as medidas que se entenderem cabíveis, na ordem interna, e com relação à admissão e permanência de estrangeiros em território norte-americano.

Não se pode aceitar venha qualquer país pretender ditar regras para todos os outros, ameaçando quem não se alinhar, automatica e inquestionavelmente, de estar com o inimigo. É igualmente eivado do mesmo fundamentalismo que se critica nos outros querer implantar na ordem internacional o discurso do "quem não está conosco, está contra nós". Seria lamentável e penoso retrocesso, em relação a séculos de evolução, para a construção progressiva de conjunto de regras de direito internacional, vinculando e devendo ser aplicadas por todos os países, indistintamente.

Quando foi regulamentado, nas Convenções internacionais de Tóquio, de Haia e de Montreal, o apoderamento de aeronaves[169], não se conhecia a modalidade de desviar aeronave comercial para ser utilizada como bomba suicida contra edifícios – este seria capítulo a acrescentar e, ademais, lamentável capítulo, pela destruição direta e desdobramentos múltiplos que acarretou –, mas já se sabia e se apontava que o problema maior em relação ao terrorismo não é a ausência de normas, mas a falta de vontade política para aplicá-las. A mesma foi a conclusão de grupo de trabalho, sobre "Aspectos jurídicos do terrorismo internacional", reu-

169. P. B. CASELLA, **Direito internacional, terrorismo e aviação civil** (São Paulo: Quartier Latin, 2006).

nindo 24 especialistas de vários países do mundo, na Haia, em 1988, no qual se enfatizou a necessidade de regras claras e sem exceções em relação ao mal do terror.

A repressão ao terrorismo internacional, por ser questão intrinsecamente internacional, que, por definição, não respeita fronteiras de estados, não pode ser tratada como questão interna, exigindo tratamento internacional. Nesse sentido, é relevante se faça regulação internacional, para permitir adequada tipificação do delito. Pode ser canal e caminho para tanto, o **Comitê de Combate ao Terrorismo (CCT)**, criado pela **Resolução n. 1.373**, de 28 de setembro de 2001, e a seguir, nos termos da **Resolução n. 1.535**, de 26 de março de 2004, conferiu-se-lhe direção executiva, para atuar na luta contra o terrorismo. Sejamos maduros e firmes para insistir na necessidade de resposta internacionalmente coordenada, sob pena de ensejar guarida aos mais duvidosos oportunismos neste atual contexto.

9

DIREITO INTERNACIONAL ENTRE UNIVERSALISMO E REGIONALISMO

Durante séculos, até começar a reestruturar-se por meio do processo histórico que redundaria na extensão de suas normas a outros continentes, o direito internacional permaneceu, desde sua fundação, estrutural e funcionalmente, como *jus europaeum*, criado pelas nações cristãs e mercantilistas da Europa, para regular seus interesses e prerrogativas. Esse conjunto de normas, voltado para as que se arrogavam a condição de "nações civilizadas", continha a aceitação do direito de conquista e da ocupação "colonial" de territórios ultramarinos, da desigualdade entre estados europeus e não europeus[1]. Mas sobre esse legado se construiu e se constrói o direito internacional.

A natureza desse conjunto normativo começaria a, paulatinamente, modificar-se em decorrência de eventos que acarretaram a descentralização do sistema e a consequente expansão a espaços situados fora da Europa. Inicialmente, às nações do continente americano, à medida que estas acediam à independência das antigas metrópoles. Em seguida, a admissão do Império otomano, no Concerto europeu, nos termos do artigo 7º do **Tratado de Paris**, de 30 de março de 1856. A seguir, China, Pérsia (hoje, Irã), Sião (hoje, Tailândia), Afeganistão e Japão passaram a ser considerados, ainda que parcialmente, membros da sociedade internacional da época.

---

1. P. B. CASELLA, **Fundamentos do direito internacional pós-moderno** (prefácio de Hugo CAMINOS, São Paulo: Quartier Latin, 2008); **Direito internacional dos espaços** (São Paulo: Atlas, 2009); **Direito internacional no tempo antigo** (São Paulo: Atlas, 2012); **Direito internacional no tempo medieval e moderno até VITORIA** (São Paulo: Atlas, 2012) e **Direito internacional no tempo moderno de SUAREZ a GRÓCIO** (São Paulo: Atlas, 2013).

Outro dado importante para a universalização do direito internacional foi a multiplicação dos tratados de caráter global, regulando matérias como comércio, jurisdição e imunidades diplomáticas e consulares, bem como questões de extradição, pesca etc., a partir das primeiras décadas do século XIX até a primeira guerra mundial. Antes da multilateralização institucional do século XX, no anterior foi dado passo decisivo, na medida em que as conferências multilaterais passam a ser organizações internacionais e estabelecer normas gerais de conduta para os estados. Vários tratados multilaterais passam a permitir a posterior adesão de outros estados, como o fizeram as uniões de Paris e de Berna, das quais resultou a já referida **Organização mundial da propriedade intelectual**, ou o conjunto da União internacional de telecomunicações, da Organização mundial do comércio, ou das mais de três dezenas de organizações internacionais junto às quais está representado o Brasil, por meio da sua missão em Genebra, no exercício da "diplomacia parlamentar".

Na dinâmica de universalização do direito internacional, as conferências da Haia de 1899 e de 1907, a instituição da Liga das Nações e da Corte Permanente de Justiça Internacional, como da Organização Internacional do Trabalho (OIT), e após a segunda guerra mundial a Organização das Nações Unidas, a Corte Internacional de Justiça, ao lado da criação de mais de uma centena de novos estados, em decorrência do processo de descolonização, mudaram, irreversivelmente, o contexto de criação e de atuação das normas do direito internacional, no que se vem a chamar a "crise da pós-modernidade": a percepção da obsolescência do modelo "clássico" de direito internacional, interestatal, sem que novo modelo estivesse conceitual e operacionalmente pronto e em atuação. Apesar dos enormes e significativos avanços registrados, a universalização do direito internacional é, todavia, ideal a ser concretizado.

O direito internacional, considerando o âmbito de aplicação de suas normas, pode ser dividido em direito internacional comum ou geral, ao lado de mais de um direito internacional regional ou continental, como se reconhece, historicamente, nos subsistemas europeu ou interamericano, e não menos no contexto africano ou asiático. O direito internacional geral seria o conjunto de princípios, derivados do costume internacional, e vincula todos os estados, independentemente da expressão de consentimento destes, como normas cogentes de direito internacional geral (*jus cogens*), estipulando obrigações que podem ser contrapostas a todos os estados (*erga omnes*). O direito internacional regional seria a expressão de conjuntos de normas, tanto convencionais como também consuetudinárias, que vinculam somente certo número de estados[2]. O direito internacional

2. P. B. CASELLA, **Direito internacional no tempo antigo** (São Paulo: Atlas, 2012, ISBN 9788522462957); **Direito inter-**

convencional, por sua vez, também pode comportat ulterior subdivisão entre o direito geral ou regional[3]. Do primeiro fazem parte os tratados que vinculam a quase totalidade dos estados, tal como a **Carta** das Nações Unidas[4]. Por sua vez, o direito internacional convencional regional seria composto pelas normas oriundas de tratados com obrigações para número reduzido de estados. De tal modo se vê que a validade espacial do direito internacional se concretiza em diversos planos: ao lado das normas de validade geral e de alcance universal, figuram outras vinculantes para estados que compartilham valores culturais comuns, normas que somente se aplicam a determinada região ou continente. Ao lado destas, ainda, os conjuntos de normas de incidência estritamente regional[5], como modos de expressão do fenômeno institucional e normativo internacional.

A descentralização do poder é característica da sociedade internacional. Não há centro mundial político-jurídico, com poderes para agir, quer como legislativo, quer como executivo, quer como judiciário, acima dos entes estatais que compõem o sistema internacional[6]. Isso leva à **questão da obrigatoriedade da norma internacional**. Trata-se de matéria polêmica, com opiniões doutrinárias confrontantes em relação à natureza e ao conteúdo, e a própria existência e extensão das normas imperativas de direito internacional geral. Ponderava A. VERDROSS (1963)[7] serem, em princípio, dispositivas todas as normas de direito internacional. Contudo, existem normas de direito internacional geral, em relação às quais os estados não podem pactuar em sentido diverso. Assim, dois estados-membros da ONU não podem deixar de observar, mediante pacto próprio, os princípios esti-

---

nacional no tempo medieval e moderno até VITORIA (São Paulo: Atlas, 2012); **Direito internacional no tempo moderno de SUAREZ a GRÓCIO** (São Paulo: Atlas, 2013).

3. Nestes casos, nota-se tendência para o universalismo, isto é, o direito internacional convencional tende a transformar-se em direito internacional geral. É o que se dá quando a Carta da ONU estabelece certas obrigações para estados não membros, como ocorre no caso do artigo 2º, inciso 6º. Essas obrigações seriam inexplicáveis em face das normas que regem o direito dos tratados, mas devem ser situadas e se explicam como tendência que deve ser registrada no sentido da evolução institucional do direito internacional. *V.* André GONÇALVES PEREIRA e Fausto de QUADROS, **Manual de direito internacional público** (3. ed., Coimbra: Almedina, 1995) e tb. André GONÇALVES PEREIRA, **Curso de direito internacional público** (Lisboa: Ática, 1970, p. 115).

4. A. GONÇALVES PEREIRA e F. de QUADROS (op. cit., 1995, *v.* Parte V, "A evolução actual do direito internacional. O futuro do direito internacional", p. 657-671).

5. Gerson de Britto MELLO BOSON, **Direito internacional público: o estado em direito das gentes** (Belo Horizonte: Del Rey, 1994, Tít. III, "Validade do direito internacional", Cap. I, "Validade espacial do direito internacional", p. 112-124).

6. Considerando ser o direito internacional o conjunto normativo originário da sociedade internacional, nos termos em que se dá a extensão geográfica da sua aplicação, essa ordem tem características próprias, tais como a lentidão na formação das normas gerais, por essa razão pouco numerosas, e, em geral, abstratas, condição que lhes enseja adaptar-se a situações que venham a produzir-se no futuro.

7. Alfred VERDROSS, **Derecho internacional público** (trad. espanhola, Madri: Aguilar, 1963, p. 81). Daí se poderia deduzir que dois estados podem acordar, entre si, determinada matéria, de interesse de ambos, de maneira contrária ao direito internacional geral, na medida em que não afete os interesses de terceiros estados.

pulados no artigo 2º da **Carta** da ONU, porque as obrigações ali estipuladas são de caráter absoluto. O mesmo se pode dizer de tratado que tivesse objeto ilícito, como o genocídio ou o tráfico de escravos. Portanto, diante de cada norma, cabe averiguar a sua natureza, quanto a ter **caráter dispositivo** ou cogente (***jus cogens***)[8].

Na **Convenção de Viena sobre Direito dos Tratados**, de 1969, em vigor internacionalmente desde 1980, e também no Brasil, desde 2009, por meio de seus artigos 53, 64 e 71, o direito internacional cogente foi expressamente acolhido e passou a integrar o direito internacional positivo[9]. A identificação das normas cogentes de direito internacional geral (***jus cogens***) é questão complexa, porém central do direito internacional[10]. Como mencionavam Celso D. de A. MELLO (1995 e 2004)[11] e I. BROWNLIE (1997)[12]. Todo o desenvolvimento do direito internacional dos direitos humanos estaria inscrito nessa categoria de normas não suscetíveis de derrogação[13]. O que por si não tem o condão de assegurar a efetividade da sua implementação.

---

8. Por fundamentar o direito internacional na vontade dos estados, a doutrina voluntarista nega a existência de normas imperativas de direito internacional, afirmando ser todas as suas normas dispositivas.

9. A. GONÇALVES PEREIRA, **Curso** (1970, p. 218): "Negando a possibilidade de derrogação *inter pares*, de tais normas, a Conferência de Viena veio a decidir-se por posição nitidamente antivoluntarista, consagrando a existência de normas internacionais que *privatorum pactis mutari non potest.* Cabe, aliás, salientar que foi o ponto mais controvertido na Conferência". Assim, normas convencionais contrárias ao *jus cogens* são nulas, *ab initio*.

10. A Comissão de Direito Internacional da ONU aponta como exemplos de normas imperativas as que proíbem a escravidão, a pirataria, o genocídio e as que tipificam crimes internacionais. Como os princípios da **Carta** da ONU.

11. Celso D. de A. MELLO, **Direito internacional americano** (Rio de Janeiro: Renovar, 1995, p. 9) indicava: "A única norma em relação à qual há uma concordância dos autores, no sentido de considerá-la como *jus cogens*, é a da interdição do uso da força, nas relações internacionais e, em consequência, a solução pacífica dos litígios", nos termos do artigo 2º da **Carta** da ONU. *V.* tb. Celso D. de A. MELLO, **Responsabilidade internacional do estado** (Rio de Janeiro: Renovar, 1995); e, ainda, C. D. de A. MELLO, **Curso** (15. ed., Rio de Janeiro: Renovar, 2004, v. I, Cap. II, "Noções preliminares", p. 77-113). Outras normas apontadas como integrantes do *jus cogens*: o princípio de autodeterminação dos povos, a igualdade jurídica dos estados, o princípio da não intervenção, os princípios que regulam a liberdade dos mares e os direitos fundamentais do homem.

12. Ian BROWNLIE, **Princípios de direito internacional público** (trad. port., Lisboa: Fundação Calouste Gulbenkian, 1997, p. 536-537): "Autores eminentes defenderam a opinião de que existem certos princípios fundamentais de direito internacional que formam um corpo de *jus cogens*. A principal característica distintiva de tais regras é a sua não derrogabilidade. São regras de direito consuetudinário que não podem ser afastadas, por tratados ou aquiescência, mas somente pela formação de uma regra consuetudinária subsequente, de efeito contrário. Os exemplos menos controversos desse tipo de regras são a proibição do uso da força, as regras sobre o genocídio, o princípio da não discriminação racial, os crimes contra a humanidade, e as regras que proíbem o comércio de escravos e pirataria".

13. Os direitos humanos fundamentais, como o direito à vida, o direito ao reconhecimento da personalidade jurídica, as normas contra a tortura, a escravidão e a servidão, o direito à integridade pessoal, física e psíquica, o princípio da legalidade e da irretroatividade, a liberdade de consciência e de religião, como a escolha por não professar culto organizado, a proteção da família, o direito ao nome, os direitos da criança, o direito à nacionalidade, os direitos políticos, bem como as garantias indispensáveis à proteção de tais direitos, estão, conforme artigo 27 (2) da **Convenção Americana sobre Direitos Humanos**, incluídos no rol das normas imperativas de direito internacional, que obrigam todos os estados, possuem eficácia normativa *erga omnes*, e não são, portanto, passíveis de derrogação, mesmo em situações excepcionais vividas pelo estado. Na mesma linha, a **Convenção europeia** destaca direitos inderrogáveis. A estes dois pactos regionais devem, ainda, ser aduzidos o disposto em outros textos fundamentais, dentre os quais os dois Pactos (1966) da ONU.

O descumprimento de normas ***jus cogens*** acarreta crime internacional e a responsabilidade internacional do estado que as violou[14]. Como adverte A. A. CANÇADO TRINDADE (1999)[15], consagrada a função do ***jus cogens*** no direito internacional em matéria de tratados, parece "consequência inelutável da própria existência de normas imperativas de direito internacional geral não se limitarem estas às violações resultantes de tratados, e se estenderem a toda e qualquer violação, inclusive as resultantes de toda e qualquer ação e quaisquer atos unilaterais do estado"[16].

O regionalismo passa à esfera do direito internacional a partir do momento em que se institucionaliza, por meio de tratados, celebrados entre sujeitos de direito internacional, estabelecendo direitos e obrigações regidos pelo direito internacional. A compreensão da base, a partir da qual se formam os espaços regionais economicamente integrados, é vital para o entendimento da inserção de todos esses processos regionais, no âmbito do direito internacional geral. Seguem lógica jurídica e dinâmica econômica convergentes, no sentido de progressiva aproximação, no que se passa de direito internacional clássico, de mútua abstenção ou mera coexistência, para setores nos quais se enceta a instauração de modelo internacional de cooperação. Este pode passar a patamares de implementação da integração, em alguns contextos regionais específicos, como se considerou, esquematicamente, em relação, por exemplo, à União europeia[17].

O **Pacto dos direitos civis e políticos** proíbe a suspensão do direito de a pessoa não ser presa por não cumprir obrigação contratual e, da mesma forma, reafirma o princípio de que ninguém poderá ser privado de sua liberdade, "salvo pelos motivos previstos em lei, e em conformidade com os procedimentos nela contidos". O artigo 28 do **Pacto internacional de direitos econômicos, sociais e culturais** estabelece que suas disposições serão aplicadas sem qualquer limitação ou exceção.

Da mesma forma, não se encontram cláusulas de suspensão de direitos na **Convenção das Nações Unidas contra a tortura e outras penas ou tratamentos ou penas cruéis, desumanos ou degradantes** (Nova York, 1984, com seu **Protocolo adicional**, Nova York, 2002), na **Convenção interamericana para prevenir e punir a tortura** (Cartagena das Índias, 1985) ou na **Convenção europeia para a prevenção da tortura e das penas ou tratamentos desumanos ou degradantes** (Estrasburgo, 1987).

A **Convenção interamericana sobre desaparecimento forçado de pessoas** (Belém do Pará, 1994), em seu artigo X, é bastante clara, quando determina: "Em nenhum caso poderão ser invocadas circunstâncias excepcionais, tais como estado de guerra ou ameaça de guerra, instabilidade política interna ou qualquer emergência pública, para justificar o desaparecimento forçado de pessoas". De modo semelhante se fizera, no âmbito da ONU, por meio da **Declaração sobre a proteção de todas as pessoas contra os desaparecimentos forçados** (1992).

14. Em situações extremas, quando esteja em perigo a própria existência do estado, suspendem-se certos direitos, cf. art. 27 (1) da **Convenção americana**. *V.* CIDH, *Opinión consultiva OC-8/87 del 30 de enero de 1987* (el hábeas-corpus bajo suspensión de garantías, arts. 27 (2), 25 (1) y 7 (6) de la Convención Americana).

15. Antonio Augusto CANÇADO TRINDADE, **Tratado de direito internacional dos direitos humanos** (Porto Alegre: Sérgio A. Fabris, 1999, 2 v.).

16. A. A. CANÇADO TRINDADE, **Tratado** (1999, v. 2, p. 406).

17. V., *supra*, item 4.2.1. O fato de Grécia, Espanha e Portugal somente terem sido admitidos na Comunidade europeia quando deixaram de ser ditaduras apontaria no sentido de que a ***legitimidade democrática dos estados*** seria princípio de ***jus cogens*** europeu, mesmo sem que este se encontre expressamente formulado como tal. Da mesma forma,

O **regionalismo, enquanto expressão jurídica, é fato central no movimento de evolução do direito internacional**, em contexto pós-moderno. Razões de ordem geográfica, condições históricas e culturais particulares, enfim, interesses comuns, conjugados com os acontecimentos das últimas décadas[18], levaram à formação, em todos os continentes, de alianças e de acordos regionais, instituidores de dezenas de organizações internacionais regionais ou sub-regionais, entidades embora restritas a regiões geograficamente determinadas, que têm concepção e aplicam conceitos do direito internacional geral.

O processo histórico de formação dos princípios e normas que conformariam o direito internacional, no contexto americano, remontaria aos conflitos[19] como aos tratados celebrados entre as duas antigas metrópoles, dentre os quais o **Tratado de Madri**, de 13 de janeiro de 1750, com a finalidade de delimitar as respectivas colônias nos domínios sul-americanos, mediante a introdução do princípio do ***uti possidetis***, marco inicial da construção de direito internacional interamericano. Como viria a ser afirmado, em relação à existência e ao conteúdo de direito de asilo, conforme expressou a Corte Internacional de Justiça, no julgamento do **caso HAYA DE LA TORRE** (1950 e 1951)[20].

Na abordagem de manifestações jurídicas peculiares a determinado grupo de estados, unidos tanto pela geografia como pela história, e conscientes da ocorrência de interesses regionais compartilhados, destaca-se, progressivamente, a percepção de direito internacional africano, em evolução a partir do processo de ***descolonização***, da luta pela ***autodeterminação dos povos*** ao mesmo tempo que também se coloca a necessidade de preservar a ***integridade territorial dos estados***, criados, muitas vezes de modo arbitrário, pelos antigos colonizadores, ao estabelecerem as respectivas zonas de influência e de gestão de interesses

---

as tentativas de reforma constitucional na Hungria, em 2012, de nítido viés autoritário, encontraram firme oposição das autoridades centrais europeias. Assim, também, se exprime a existência de normas consagradas pela **Convenção Europeia para a Proteção dos Direitos Humanos**, no sentido de que "o estado não pode suspender mesmo em caso de ameaça à sua segurança". Cfr. C. D. de A. MELLO, **Direito internacional americano** (op. cit., 1995, p. 9); *v.* tb. G. TÉNÉKIDÈS, **L'action des Nations Unies contre la discrimination raciale** (RCADI, 1980, t. 168, p. 269-487); e tb. G. TÉNÉKIDÈS, **Regimes internes et organisation internationale** (RCADI, 1963, t. 110, p. 271-418).

18. Dentre os quais, apontem-se os acontecimentos posteriores à segunda guerra mundial: conflito ideológico, necessidade de reconstrução, racionalização e integração das economias nacionais, buscando eficiência na alocação de recursos e otimização dos resultados, decorrentes da produção e da circulação dos agentes e fatores de produção econômica sem entraves, decorrentes de barreiras tarifárias ou não tarifárias, as assim chamadas "medidas de efeito equivalente", na jurisprudência do TJCE.

19. Rafael VALLADARES, **A independência de Portugal: guerra e restauração 1640-1680** (do orig. **La rebelión de Portugal**, © 1998, pref. Joaquim Romero MAGALHÃES, trad. Pedro CARDIM, 1. ed., port., Lisboa: A Esfera dos Livros, 2006).

20. CIJ, **HAYA DE LA TORRE** (Colômbia c. Peru, decisões de 20 e 27 de novembro de 1950 e de 13 de maio de 1951); *v.* tb., a respeito, P.-F. GONIDEC (**RGDIP**, 1951, p. 547).

"coloniais", em detrimento dos laços históricos, étnicos, linguísticos e culturais dos povos do continente[21]. De modo equivalente, a aplicação do princípio do ***uti possidetis*** foi igualmente acolhida no contexto africano, posterior à independência dos estados do continente[22].

No contexto asiático, circunstâncias históricas, derivadas da enorme diversidade cultural e religiosa, agravada por questões políticas e ideológicas, que repercutiram nesse vasto continente, bem como a grande instabilidade política, presente em numerosos estados da região, não ensejaram, todavia, manifestações de movimentos pan-asiáticos, ou a emergência de conjunto de normas internacionais, aptas a alicerçar direito internacional asiático, sem prejuízo de rede de organizações internacionais regionais, de matizes variados, já presentes em vários cortes geográficos e temáticos sub-regionais[23].

O direito internacional no contexto pós-moderno se mostra em processo de constante mutação e evolução. Mas a ampliação quer do número de agentes, quer das matérias por este abrangidas, quer ainda da complexidade de seus mecanismos operacionais, não resolve as questões conceituais com as quais teve e tem de se confrontar este ramo do direito. Dentre as questões cruciais para o direito internacional se encontram os seus mecanismos de implementação.

9.1. Papel do direito internacional e seus mecanismos de implementação

Depois do enfrentamento entre as ditaduras fascistas e as comunistas, no qual, espremidas entre estas, quase pereceram as democracias, tivemos quatro décadas de guerra latente, dita a "Guerra Fria" entre leste-oeste, no qual modelos econômico-ideológicos parecem ter-se aferrado, com ferocidade, a concepções quase teológicas da natureza humana. Ao final da Guerra Fria, depois de década (1990-2000) única no sentido de progressões de implementação do direito internacional e de operação da Organização das Nações Unidas, superado o que então se chamava "equilíbrio do terror", vimo-nos diante de um mundo ainda menos claro e seguro, em que oponentes se arrogaram o direito de falar em forças "do bem" e "do mal", mundo claudicante pela falta de diálogo e de visão.

---

21. *V.*, *supra*, 4.2.3., a respeito da "Unidade africana". A Conferência pan-africana de Londres (1900) teria sido a primeira manifestação de consciência e de movimento pan-africano. *V.* B. BOUTROS-GHALI, *L'OUA durant un quart de siècle* (in **Humanité et droit international** – Mélanges R.-J. DUPUY, Paris: Pedone, 1991, p. 53-63).

22. Dentre alguns casos referidos, a Corte Internacional de Justiça, no julgamento do caso das **fronteiras entre Burkina Faso e Mali** em 22 de dezembro de 1986, comportando aplicação do ***uti possidetis juris***, cf. explicitou a Corte o seu entendimento.

23. *V.*, *supra*, 4.2.5., "Organização de Cooperação Econômica Ásia-Pacífico (APEC)".

O conflito ideológico leste-oeste pareceu ver-se substituído pelo assim chamado "conflito de civilizações"[24] – que pouco esclarece e distorce a percepção da complexidade e da diversidade do mundo, depois do fim da confrontação leste-oeste, e que somente serve para mostrar quanto permanecem presentes e atuantes as forças disruptoras do sistema internacional[25], conforme interesse suscitá-las, em razão de manobras diversionistas. Com a agravante de que este não tenderá a passar tão facilmente como se deu, no enfrentamento desses modelos artificialmente construídos e artificiosamente contrapostos. As bases das respectivas civilizações do planeta serão menos facilmente manejáveis. Mas sobre essas bases civilizacionais tem de ser construído sistema institucional e normativo que possa ser efetivamente universal. Passam os clamores dos arautos do fim da história[26], e a história prossegue. Paradoxalmente, mais próxima da realidade permaneceu a linha de I. KANT: é preciso buscar conteúdo positivo e efetivo para que a paz se torne duradoura, é preciso desvincular-se de concepções restritas, para buscar ponto de vista cosmopolita, para compreender a história e a civilização[27].

A composição de elementos compartilhados parece tão indispensável quanto pouco promissora, na medida em que se restrinjam os valores comuns, sobre os quais possam ser colocados os fundamentos do sistema institucional e jurídico internacional[28]. Bases culturais comuns podem conferir estabilidade ao conjunto do sistema institucional e normativo internacional.

---

24. Samuel HUNTINGTON, **The clash of civilizations and the remaking of world order** (Londres: Simon & Schuster, 1996), ou na tradução brasileira, **O choque de civilizações e a recomposição da ordem mundial** (trad. M. H. C. CORTES, Rio de Janeiro: Objetiva, 1997); *The clash of civilizations* (Foreign Affairs, 1993, 72, n. 3, p. 22 e s.); e *The West unique, not universal* (Foreign Affairs, 1996, 75, n. 6, p. 28 e s.).

25. Sugere HUNTINGTON (op. cit., ed. bras., 1997, p. 405 e a seguir, p. 410): "A segurança do mundo requer a aceitação da multiculturalidade global" (...) "os choques de civilizações são a maior ameaça à paz mundial, e uma ordem internacional baseada nas civilizações é a melhor salvaguarda contra a 'guerra mundial'".

26. G. W. F. HEGEL, **Grundlinien der Philosophie des Rechts oder Naturrecht und Staatswissenschaft im Grundrisse** (mit H. eigenhändigen Notizen in seinem Handexemplar und den mundlichen Zusätsen, hrsg. und eingeleitet von Helmut REICHELT, Frankfurt: Ullstein, 1972 / em francês, **Principes de la philosophie du droit**, trad. A. KAAN, Paris: Gallimard, 1989), b/c seu **Einleitung in der Geschichte der Philosophie** (hrsg. von Johann HOFFMEISTER, 3. Aufl., Hamburg: F. Meiner, 1940).

27. P. B. CASELLA, *Pax perpetua – a review of the concept from the perspective of economic integration* (in **Dimensão internacional do direito – estudos em homenagem a G. E. do NASCIMENTO E SILVA**, coord. P. B. CASELLA, São Paulo: LTr, 2000, p. 69-88); Marcel MERLE, **Pacifisme et internationalisme** – XVIIe-XXe siècles (Paris: A. Colin, 1966); A. DELORENZO NETO, *Duas concepções do pacifismo: os projetos de KANT e Max SCHELER* (in **Estudos jurídicos em homenagem ao professor Haroldo Valladão: estudos, homenagens, manifestações de solidariedade, currículo**, Rio de Janeiro: Freitas Bastos, 1983, p. 24-33, cit. p. 25): "KANT reconhece a insuficiência das nações individualmente consideradas, em preservar a liberdade dos cidadãos, mesmo quando subordinadas às normas jurídicas. (...) O pensamento de KANT é realmente austero sem ser pessimista, levando-nos mesmo à confiança e à esperança".

28. Conforme enfatiza K. ZEMANEK, **The legal foundations of the international system: general course on public international law** (RCADI, 1997, t. 266, p. 9-336); v. tb. **Fundamentos** (2007, esp. item VI, "direito, história e cultura", p. 489-615).

Thomas FRANCK (1993)[29] propõe a justiça (*fairness*) como a linha condutora do exame do conjunto do direito internacional[30]. Ao lado desta também a legitimação do sistema internacional[31]. Mas este ideal, que também é princípio jurídico, precisa ser adequadamente definido, compreendido e concretamente aplicado.

Pode o direito internacional pós-moderno durar na medida em que se faça no tempo e no contexto nos quais se inscreve sem ser totalmente do tempo e do contexto no qual surja e se faça[32]. Como toda obra humana, aliás, dentro de condições humanamente possíveis, não basta ter princípios, é também preciso aplicá-los.

A construção de formas de vida se faz à escala humana. As mutações, inclusive da ordem internacional, por meio das sociedades como conjuntos dinâmicos[33], não se farão pela ação dos aparatos estatais tradicionais, nem tampouco pela obra e ação de indivíduos, mas as forças da história nem sempre estão claramente apontadas, nem terão as suas ações determinadas por rumos transcendentes[34]. Mutações do contexto internacional podem parecer igualmente surpreendentes, não somente para estados[35], mas igualmente para os indivíduos.

---

29. Thomas M. FRANCK, **Fairness in the international legal and institutional system: general course on public international law** (RCADI, 1993, t. 240, p. 9-498).

30. Th. FRANCK (op. cit., 1993, cap. I, "A critical analytical framework for the study of international law", p. 23-40, "fairness", p. 31 e s., cit. p. 40): "Fairness is only one standard by which to assess the role and impact of international law".

31. Thomas FRANCK (op. cit., 1993, cap. II, "the legitimacy of law and institutions", p. 41-61, e antes cit. p. 26): "Legitimacy, and justice as morality, are two aspects of the concept of fairness. While one has a utilitarian, and the other a moral perspective, they combine to answer the law-maker's version of both SOCRATES and Jeremy BENTHAM's question: 'what shall we do about sharing and conserving in order to maximize human well-being?' That question, fortunately, has replaced 'is international law, law?' as the one most actively engaging the international lawyer. The answer to that question – or, rather, the starting point in the search for an answer – is misleadingly simple: 'we must do that which is fair'".

32. Pierre-Marie DUPUY, **L'unité de l'ordre juridique international: cours général de droit international public** (RCADI, 2002, t. 297, p. 9-490, cit. p. 301): "Dans l'ordre juridique international, la différence avec le rythme et, peut-être, l'ampleur des changements juridiques opérés dans les ordres internes vient du fait que les états, tout en ayant eux-mêmes introduit l'impératif à la fin des années soixante du XXe siècle, opposeront sans doute encore longtemps de puissantes résistances à l'affermissment d'une hiérarchie normative substantielle; selon la conjoncture et l'analyse que leurs gouvernements se font de l'intérêt national, ils en proclament solenellement la prééminence ou en refusent au contraire les conséquences sinon la réalité ou cherchent à en déplacer le centre de gravité".

33. Karl ZEMANEK, **The legal foundations of the international system: general course on public international law** (RCADI, 1997, t. 266, p. 9-336, "valediction", p. 335) exclama: "The peculiar organization of the international system exposes it to a higher degree of politicization than the existing in a modern state under the rule of law".

34. Como mostra o mesmo Karl ZEMANEK, a respeito da adoção do estatuto de neutralidade pela Áustria, na conferência *Österreichs Neutralität und die GASP* ("Vortrag vor dem Europa-Institut der Universität des Saarlandes, Saarbrucken, den 17. Januar 1995", Vorträge, Reden u. Berichte aus dem Europa-Institut – Sektion Rechtswissenschaft, v. 315, p. 1-20).

35. P. B. CASELLA, **Direito internacional no tempo medieval e moderno até VITORIA** (São Paulo: Atlas, 2012, cap. XIII, "*estado como sujeito de direito internacional – a contribuição de MAQUIAVEL e BODIN*", p. 525-602); Pierre VILLARD, *État, nation, région: observations sur l'unité des états européens depuis deux siècles* ("Vortrag vor dem Europa-Institut

A conclusão se põe no sentido de insistir que a disjunção entre ordem e poder no sistema internacional abre, talvez, como oportunidade histórica única, brecha para a criação de nova ordem internacional, baseada na cooperação e no consenso, e onde se colocam como pressupostos: (I) modos para encorajar ganhos e vantagens conjuntas; (II) meios para tornar a interdependência melhor e mais aceitável, em vez de procurar simplesmente aprofundá-la; e (III) caminhos que possibilitem a combinação de mecanismos de mercado com esquemas de organização, que administrem adequadamente as desvantagens atuais daqueles países cujo *locus standi* no plano econômico é insatisfatório. Cumpre observar que, esse novo pacto "não é nem necessário nem provável, ele é apenas possível e conveniente, e requer, para a sua concretização, aquele mínimo de utopia na sua formulação, sem o qual o peso dos fatos e dos condicionamentos não será superado".

A justiça, como anseio ideal e como princípio legal, existe, tanto na alma do indivíduo como no conjunto do estado. Neste quadro muito maior, ainda que mais distante, poder-se-á ler a essência da justiça em sinais muito mais vultosos e mais claros que na alma do homem[36]. A justiça tem de conter-se, necessariamente, de um modo ou de outro, na regulamentação das relações mútuas entre os indivíduos[37], que interagem de diferentes modos, dentro do estado[38]. Da mesma forma, como se há de fazer ver, nas relações entre os estados. E na construção de sistema institucional e normativo internacional.

Ao direito internacional, no contexto pós-moderno, caberá resgatar a dupla dimensão do alcance teórico-conceitual e da efetividade da implementação. Essa tarefa é enorme e se põe como exigência para a sobrevivência da humanidade, aponta Christian TOMUSCHAT (1999)[39], ao enfatizar o papel do direito, para

---

der Universität des Saarlandes, Saarbrucken, den 14. Dezember 1993", Vorträge, Reden u. Berichte aus dem Europa--Institut – Sektion Rechtswissenschaft, v. 305, p. 1-12).

36. PLATÃO, **República** 368 E. Conforme observa W. JAEGER (op. cit., loc. cit., p. 711-712): "A imagem por ele traçada da justiça e da sua função no estado perfeito não corresponde à experiência real da vida do estado, mas é a imagem reflexa da teoria de PLATÃO sobre a alma e as suas partes, a qual se projeta, ampliada, na concepção que ele tem do estado e das suas classes. PLATÃO faz o estado surgir diante de nossos olhos a partir dos elementos mais simples que o integram, para averiguar em que ponto a justiça se impõe como necessidade".

37. PLATÃO, **República** 369 A até 371 E.

38. PLATÃO, **Carmides** tem como linha mestra deste diálogo o sentido do princípio segundo o qual cada um tem de executar a sua própria tarefa (*tá eauton prattein*). Para PLATÃO, o sentido desse princípio está relacionado com a própria essência da virtude, que consiste na perfeição do conjunto e de cada uma das partes da obra, realizada pelo indivíduo. Compare-se PLATÃO, **República** 370 A e s.

39. Christian TOMUSCHAT, **International law: ensuring the survival of mankind in the eve of a new century: general course on public international law** (RCADI, 1999, t. 281, p. 9-438); deste, *v.* tb.: *Gegenwartsprobleme der Staatenverantwortlichkeit in der Arbeit der Völkerrechtskommission der Vereinten Nationen* ("Vortrag vor dem Europa-Institut der Universität des Saarlandes, Saarbrucken, den 26. April 1994", Vorträge, Reden u. Berichte aus dem Europa-Institut –

evitar que a humanidade soçobre no caos e na anarquia: "pode ser não tenha sido dada resposta definitiva a tal indagação", porquanto, "a humanidade desenvolveu considerável aparato jurídico, para exprimir a conscientização de que estreita cooperação internacional é necessária para desempenhar extenso número de tarefas de dimensões mundiais. Garantir a paz e a segurança internacionais, defender os direitos humanos, bem como a proteção do meio ambiente, estão na linha de frente desses reclamos. Mas também vimos que os mecanismos institucionais estabelecidos para tais fins deixam muito espaço para aperfeiçoamentos. Será o desafio das próximas décadas fortalecer os sistemas existentes de cooperação"[40].

Hubert THIERRY apresenta como linha condutora do exame da matéria, em seu curso geral (1990)[41], a ***evolução do direito internacional***, onde se pode deduzir do século XX seja o legado sombrio, das duas guerras mundiais, da violação dos direitos fundamentais e dos crimes contra a humanidade, da degradação do meio ambiente em decorrência da ação humana, como também se pode enxergar deste os consideráveis progressos alcançados: "*o direito não é somente conjunto de técnicas, mas também e sobretudo, conjunto de princípios e de normas. Sob esse aspecto o direito internacional também consideravelmente progrediu no curso de nosso século*"[42], e isso se exprime na medida em que "*antes da primeira guerra mundial o direito internacional era sobretudo o direito das relações entre as potências europeias, que levavam em seu rastro, para o melhor e para o pior, o resto do mundo. Mas esse direito que chamam de 'clássico', era muito rudimentar. O recurso à guerra não era proibido, e constituía, antes, o exercício do 'jus ad bellum', concebido como atributo da soberania. O direito internacional regulamentava, bem ou mal, a divisão colonial e regia as formas e as modalidades da colonização. As obras publicadas após a segunda guerra mundial refletem as normas a esse respeito, que permaneciam em vigor, nessa época anterior à formação do direito da descolonização. As relações entre os estados e os seus próprios nacionais fundamentavam-se essencialmente na competência nacional, o que excluía a proteção internacional dos direitos do homem*".

Sektion Rechtswissenschaft, v. 311, p. 1-20); **Obligations arising for states without or against their will** (RCADI, 1993, t. 241, p. 195-374).

40. Christian TOMUSCHAT (op. cit., 1999, "concluding observations", p. 435-436) enfatiza a necessidade de cooperação entre sistema internacional e os sistemas nacionais: "International supervision and monitoring play an essential role (...). But there can be no genuinely sustainable international legal order if national systems of governance disintegrate. Most of the tasks essential for the survival of humankind have to be performed within domestic contexts. It is therefore necessary to enable all the nations of the world to take care in a responsible manner not only of their own matters proper, but also of those matters which affect the interests of the entire international community".

41. Hubert THIERRY, **L'évolution du droit international: cours général de droit international public** (RCADI, 1990, t. 222, p. 9-186).

42. H. THIERRY (op. cit., 1990, p. 24-25).

No curso do século passado, "princípios fundamentais do direito internacional foram formados e estabelecidos, a partir do momento em que se atente aos que, mesmo tendo alcance moral ou político, são limitadores da soberania"[43], pois, embora seja a soberania também um princípio do direito internacional, embora seja também dado que o precede, reveste-se de caráter essencialmente negativo, porquanto implica, em favor dos estados, poder discricionário de agir, destinado a ser limitado por normas. Para H. THIERRY, ***é assim, em função das limitações que se impõem à soberania dos estados, que se constrói o direito internacional***.

O primeiro dos princípios limitadores da soberania, enquanto norma de direito internacional geral, a **proibição da agressão e do uso unilateral da força armada** nas relações internacionais[44], como norma de *jus cogens*, já estava estipulado no art. 11 do Pacto da Sociedade das Nações: "*fica expressamente declarado que toda guerra ou ameaça de guerra, atinja diretamente ou não algum dos membros da Sociedade, interessa a toda a Sociedade e esta deve adotar as medidas apropriadas, para salvaguardar, eficazmente, a paz das nações*", como virá a ser expresso pelo artigo 2º, parágrafo 4º, da Carta da ONU, sendo esse dispositivo o elemento central do direito relativo ao uso da força armada nas relações internacionais, mas que, desde antes da segunda guerra mundial, comportava a proibição da guerra de agressão. Afirmado o princípio, cabe assegurar seja este adequada e efetivamente implementado.

O segundo princípio limitador é o **direito de autodeterminação dos povos**[45], que, todavia, não se contemplava, na época da SdN, somente se menciona na Carta da ONU, e veio a ser plenamente aceito posteriormente a esta, em relação ao vasto movimento da descolonização[46]. Se o direito de autodeterminação dos povos permanece atual, sob o ângulo de direito à independência ou à autonomia dos povos que os reclamam, este o é, sobretudo, por sua evolução no sentido democrático[47], onde se esboça princípio democrático, que vem substituir a tradicional indiferença do direito internacional em relação aos regimes políticos, sejam estes quais forem[48].

---

43. H. THIERRY (op. cit., 1990, p. 24-25).
44. H. THIERRY (op. cit., 1990, Parte II, Cap. I, p. 130-158).
45. H. THIERRY (op. cit., 1990, Parte II, Cap. II, p. 159-171).
46. H. THIERRY (op. cit., 1990, p. 69) indaga: "Le droit des peuples à disposer d'eux-mêmes relève-t-il du *jus cogens?*" onde, de um lado, "a descolonização pertence ao passado", como examina (Parte II, Cap. II), mas "o direito dos povos, por sua vez, enquanto direito de todos os povos, reveste-se de grande atualidade".
47. H. THIERRY (op. cit., 1990, p. 169-171).
48. A respeito do estado, como sujeito de direito internacional, *v.*: P. CASELLA, **Direito internacional no tempo medieval e moderno até VITORIA** (2012, esp. cap. XIII, "*estado como sujeito de direito internacional – a contribuição de MAQUIA-*

O terceiro princípio, do **respeito aos direitos humanos**[49], que se esboçava à época da SdN, sob a forma do sistema de proteção internacional das minorias, formou-se igualmente a partir de dispositivos da Carta da ONU, mas com base em elementos anteriores a esta, e em razão dos desenvolvimentos ulteriores a esta, como obrigação para os estados, de respeitarem os direitos humanos e as liberdades fundamentais. Não somente o direito internacional positivo, mas até mesmo a doutrina colocavam-se de modo extremamente restritivo em relação à condição do ser humano, como sujeito de direito internacional[50]. Grande avanço, tanto conceitual quanto operacionalmente, mas igualmente tem de ser efetiva e adequadamente implementado.

O lugar de cada um desses princípios no conjunto do direito internacional evoluiu consideravelmente nos últimos anos. Para H. THIERRY, "o progresso do direito internacional deve ser levado em consideração, sem que por isso se escondam os seus limites, suas ambiguidades, sua fragilidade"[51]. Justamente tudo isso permite ter clareza, ao encerrar seu curso[52], quanto à escolha a ser feita, na medida em que a evolução do direito internacional, no curso do século passado, levou a lugar crescente para os valores, e é essencialmente por essa razão que se pode dizer que esse direito progrediu. Entre as duas concepções do direito internacional cabe a cada um fazer a sua escolha.

O direito internacional, no contexto pós-moderno, tem de ser, simultaneamente, conjunto de princípios como de procedimentos: um não pode existir sem o outro, mas o todo não se pode resumir nem somente a um, nem somente ao outro. O equilíbrio tem de ser construído. Como se procurou, até aqui, explicitar.

VEL e BODIN", p. 525-602); H. KRABBE, **L'idée moderne de l'état** (RCADI, 1926, t. 13, p. 509-584); Jacques-Yvan MORIN, **L'état de droit: émergence d'un principe du droit international** (RCADI, 1995, t. 254, p. 9-462). *V.* tb.: Monique CHEMILLIER-GENDREAU, **Humanité et souverainetés: essai sur la fonction du droit international** (Paris: La découverte, 1995) e Mireille DELMAS-MARTY, **Vers un droit commun de l'humanité** (Paris: Ed. Textuel, 1996, 2. ed., 2005).

49. H. THIERRY (op. cit., 1990, Parte II, Cap. III, p. 172-183).

50. H. THIERRY (op. cit., 1990, p. 172-173): "Les auteurs de tendance volontariste considéraient que seuls les états avaient cette aptitude [à être considéré comme un sujet de droit international], tandis que la conception 'dualiste' de la relation entre le droit international et le droit interne (c'est-à-dire national) établissait une séparation entre ces deux ensembles de normes, de telle façon que les 'individus' ne pouvaient pas, selon cette conception, se réclamer du droit international mais seulement de la loi [interne]. Ainsi, la résistance de la souveraineté demeurait-elle très forte dans ce domaine".

51. H. THIERRY (op. cit., 1990, p. 26).

52. H. THIERRY (op. cit., 1990, "conclusion", p. 184-185): "Ce cours a comporté deux parties. La première a été consacrée aux techniques juridiques internationales, la seconde aux principes du droit international. Cette division a mis en valeur deux catégories de normes envisagées non pas sur l'angle de leurs effets mais de leur objet. Les premières (...) étaient pour l'essentiel des normes procédurales, neutres, dépourvues de portée morale; les secondes étaient, au contraire, substantielles, ordonées à des finalités et par là même à des valeurs. Les unes et les autres sont importantes pour le juriste, mais selon que l'on met l'accent sur les premières ou sur les secondes, c'est entre deux conceptions du droit international et de sa place dans l'histoire que l'on choisit".

ABREVIATURAS

AFDI — *Annuaire Français de Droit International.*

AIEA — Agência Internacional de Energia Atômica (IAEA).

AJIL — *American Journal of International Law.*

Boletim — *Boletim da Sociedade Brasileira de Direito Internacional.*

BYB — *British Yearbook of International Law.*

CBN — Comunidade Britânica de Nações (*British Commonwealth of Nations*).

CDI — Comissão de Direito Internacional da Nações Unidas (ILC).

CIJ — Corte Internacional de Justiça.

CPJI — Corte Permanente de Justiça Internacional.

DI — Direito internacional público.

DIP — Direito internacional privado.

Encyclopedia — **The Max Planck Encyclopedia of Public International Law**, ed. R. WOLFRUM, Oxford University Press, 2012, 11 v.

FAO — *Food and Agriculture Organization* (Organização para a Agricultura e Alimentação das Nações Unidas).

FUNAG — Fundação Alexandre de Gusmão, Brasília.

GYIL — *German Yearbook of International Law.*

i.a. — *inter alia*

ICLQ — *International and Comparative Law Quarterly.*

IDI — Instituto de Direito Internacional — *Institut de Droit International.*

IHLADI — Instituto Hispano-Luso-Americano de Direito Internacional.

ONU — Organização das Nações Unidas.

RCADI — Recueil des Cours de l'Académie de Droit International (Haia).

Restatement — American Law Institute, *Restatement of the law — The foreign relations law of the United States*, St. Paul, Minn., 1987, 2 v.

RGDIP — Révue Générale de Droit International Public (Paris).

SdN — Sociedade das Nações.

SFDI — Société française pour le droit international.

UNYB — United Nations Yearbook.

YILC — Yearbook of the International Law Commission.

ZEE — Zona Econômica Exclusiva.

BIBLIOGRAFIA BÁSICA

BRIERLY, James L. **The law of nations** (7th ed., rev. e atualizada por Andrew CLAPHAM, Oxford: Univ. Press, 2012).

BROWNLIE, Ian. **Principles of public international law** (7. ed., Oxford: University Press, 2008).

CARREAU, Dominique e Fabrizio MARRELLA. **Droit international** (11. ed., Paris: Pedone, 2012).

CARVALHO RAMOS, André de. **Teoria geral dos direitos humanos** (6. ed., São Paulo: Saraiva, 2016).

CASELLA, Paulo Borba. **Fundamentos do direito internacional pós-moderno** (prólogo de Hugo Caminos, São Paulo: Quartier Latin, 2008).

EVANS, Malcolm D. (ed.). **International law** (1st publ., 2003, Oxford: Univ. Press, 3rd ed., 2010).

FASSBENDER, Bardo e Anne PETERS (edited by, with Simone PETER and Daniel HÖGGER, assistant editors). **The Oxford Handbook of the History of International Law** (Oxford: Univ. Press, 2012).

FRANCK, Thomas M. **Fairness in the international legal and institutional system: general course on public international law** (RCADI, 1993, t. 240, p. 9-498).

JIMÉNEZ DE ARÉCHAGA, E.; H. ARBUET-VIGNALI e R. PUCEIRO RIPOLL, **Derecho internacional público** – princípios, normas, estructuras (Montevideo: Fundación de cultura universitaria, t. I: 2005; t. II: 2008; t. III: 2012).

KENNEDY, David. **Les clichés revisités, le droit international et la politique** (Paris: Pedone, 2000, "cours et travaux" de l'Univ. Panthéon-Assas – Institut des Hautes Études Internationales de Paris – Droit international, v. 4, p. 7-178).

NASCIMENTO E SILVA, Geraldo Eulálio do; CASELLA, Paulo Borba; BITTENCOURT Neto, Olavo de Oliveira. **Direito internacional diplomático** – a Convenção de Viena sobre relações diplomáticas na teoria e na prática (4. ed., São Paulo: Saraiva, 2012).

ONUMA, Yasuaki. **A Transcivilizational perspective on International Law** – Questioning prevalent cognitive frameworks in the emerging multi-polar and multi-civilizational world of the twenty-first century (RCADI, 2009, t. 342, p. 77-418; tb. publicado Haia: Pocketbooks of the Hague Academy of International Law, 2010).

RANGEL, Vicente Marotta. **Direito e relações internacionais** (9. ed., São Paulo: RT, 2010).

SARAIVA, Coleção de legislação. **Legislação de direito internacional** (São Paulo: Saraiva, 5. ed., 2012).

SORENSEN, Max (ed.). **Manual de derecho internacional público** (rev. y adiciones de Bernardo SEPÚLVEDA, México: FCE, 1973, 11. reimpr., 2010).

STEIN, Torsten und Christian von BUTTLAR. **Völkerrecht** (12. ed., Colonia e Munique: Carl Heymann, 2009).

VERDROSS, Alfred e Bruno SIMMA. **Universelles Völkerrecht** – Theorie und Praxis (Berlin: Duncker & Humblot, 1976, 2. ed., 1981).

VERHOEVEN, Joe. **Considérations sur ce qui est commun** – cours général de droit international public (RCADI, 2008, t. 334, p. 9-434).

VISSCHER, Charles de. **Cours général de principes de droit international public** (RCADI, 1954, t. 86, p. 445-556).

WENGLER, Wilhelm. **Public international law: paradoxes of a legal order** (RCADI, 1977, t. 158, p. 9-86).

BIBLIOGRAFIA RECOMENDADA

ABOU EL WAFA, Ahmed. **Les différends internationaux concernant les frontières terrestres dans la jurisprudence de la Cour internationale de Justice** (RCADI, 2009, t. 343, p. 10-570).

ACCIOLY, Hildebrando. **Tratado de direito internacional público** (3. ed. histórica, com prefácio P. B. CASELLA, São Paulo: Quartier Latin/Brasília: FUNAG, 2009, 3 v.).

______. **Principes généraux de la responsabilité internationale d'après la doctrine et la jurisprudence** (RCADI, 1959, t. 96, p. 349-442).

ACHOUR, Rafaa Ben e Slim LAGHMANI (dir.). **Acteurs non-étatiques et droit international** ("VIIe Rencontre internationale de la Fac. de Sciences Juridiques politiques et sociales de Tunis, 6-8 avril 2006", Paris: Pedone, 2007).

AGA KHAN, S. **Les bases éthiques pour le droit et la société: perspectives de la Commission indépendante sur les questions humanitaires internationales** (RCADI, 1985, t. 193, p. 389-403).

AGO, Roberto. **Droit des traités à la lumière de la Convention de Vienne: introduction** (RCADI, 1971, t. 134, p. 297-332).

AKEHURST, Michael. **A modern introduction to international law** (Londres: George Allen & Unwin, 1970).

ALEDO, Louis-Antoine. **Le droit international public** (Paris: Dalloz, 2009).

ALEXANDROWICZ, C. H. **The Afro-Asian world and the law of nations: historical aspects** (RCADI, 1968-I, t. 123, p. 117-214).

______. **Treaty and diplomatic relations between European and South Asian powers in the seventeenth and eighteenth centuries** (RCADI, 1960, t. 100, p. 203-322).

ALEXIDZE, Levan. **Legal nature of *jus cogens* in contemporary international law** (RCADI, 1981, t. 172, p. 219-270).

ALLAND, Denis (direction de). **Droit international public** (Paris: PUF, 2000).

ALLOTT, Philip. **The Health of Nations – Society and Law beyond the state** (Cambridge: Univ. Press, 2002).

ALMEIDA-DINIZ, Arthur J. **Novos paradigmas em direito internacional público** (Porto Alegre: Sérgio Antonio Fabris, 1995).

ALVAREZ, José E. **International Organizations as Law Makers** (Oxford: Univ. Press, 2005).

AMORIM, Celso. **Breves narrativas diplomáticas** (São Paulo: Benvirá, 2013).

_____. **Conversas com jovens diplomatas** (São Paulo: Benvirá, 2011).

ANAND, R. P. **Sovereign equality of states in international law** (RCADI, 1986, t. 197, p. 9-228).

ANDO, Nisuke (ed.). **Japan and international law: past, present and future** – "International Symposium to mark the Centennial of the Japanese Association of International Law", realizado em 1997, The Hague: Kluwer Law International, 1999.

ANZILOTTI, Dionisio. **Cours de droit international** (trad. fr. Gilbert GIDEL, 1929, avant propos P.-M. DUPUY e Ch. LEBEN, Paris: LGDJ Diffuseur – Ed. Panthéon-Assas, 1999).

ARANA, Josycler e Rozane da Rosa CACHAPUZ (coords.). **Direito internacional: seus tribunais e meios de solução de conflitos** (Curitiba: Juruá, 2007).

ARAUJO, Heloísa Vilhena de (org.). **Diálogo América do Sul – Países árabes** (prefácio Celso AMORIM, Brasília: Fundação Alexandre de Gusmão / IPRI, 2005).

ARAUJO, Nadia de. **Contratos internacionais** (Rio de Janeiro: Renovar, 4. ed., 2009).

____. **Direito internacional privado: teoria e prática brasileira** (Rio de Janeiro: Renovar, 2003).

ARAUJO, Nadia de e Carlos E. de A. BOUCAULT (orgs.). **Os direitos humanos e o direito internacional** (Rio de Janeiro: Renovar, 1999).

ARAUJO, Nadia de e Guilherme A. de ALMEIDA (coords.). **O direito internacional dos refugiados: uma perspectiva brasileira** (Rio de Janeiro: Renovar, 2001).

ARNAUD, André-Jean. **O direito entre modernidade e globalização: lições de filosofia do direito e do estado** (trad. Patrice Charles WUILLAUME, Rio de Janeiro: Renovar, 1999).

ARON, Raymond. **Paz e guerra entre as nações** (trad. Sérgio BATH, Brasília: Ed. UnB, Col. Pensamento Político, 1979, do original **Paix et guerre entre les nations** © 1962, Ed. Calmann-Levy).

ATTAR, Frank. **Droit internacional: entre ordre et chaos** (Paris: Hachette, 1994).

BAPTISTA, Eduardo Correia. ***Ius cogens* em direito internacional** (Lisboa: Lex Ed., 1997).

BAPTISTA, Luiz Olavo e José Roberto FRANCO DA FONSECA (orgs.). **O direito internacional no terceiro milênio** – estudos em homenagem ao professor Vicente MAROTTA RANGEL (São Paulo: LTr, 1998).

______. Hermes Marcelo HUCK e P. B. CASELLA (orgs.). **Direito e comércio internacional** – tendências e perspectivas: estudos em homenagem ao prof. Irineu STRENGER, São Paulo: LTr, 1994).

BARBERIS, Julio A. **Los recursos compartidos entre estados y el derecho internacional** (Madri: Tecnos,1979).

BARBOZA, Julio. **International criminal law** (RCADI, 1999, t. 278, p. 9-200).

BARDONNET, Daniel (dir./ed.). **Le règlement pacifique des différends internationaux en Europe: perspectives d'avenir/The peaceful settlement of international disputes in Europe: future prospects** (Haia: The Lawbooks of the Academy, 1992).

BARSTON, R. P. **Modern Diplomacy** (3rd ed., Harlow: Pearson-Longman, 2006).

BASDEVANT, Jules. **Règles générales du droit de la paix** (RCADI, 1936, t. 58, p. 471-692).

BAXTER, R. R. **Treaties and custom** (RCADI, 1970, t. 129, p. 25-106).

BEAUMONT, P. R. **Reflections on the relevance of public international law to private international law treaty making** ("opening lecture", RCADI, 2009, t. 340, p. 9-62).

BEDJAOUI, Mohammed. **L'humanité en quête de paix et de développement** (RCADI, 2006, t. 324, p. 9-530; RCADI, 2006, t. 325, p. 9-542).

_____. (redator geral). **Droit international: bilan et perspectives** (Paris: UNESCO / Pédone, 1991, 2 v.; também publicado em inglês).

BELIARD, Géraldine, Eric RIQUIER et WANG Xiao-Yan. **Glossaire de droit international privé** (Bruxelles: Bruylant, 1992).

BENCHIKH, Madjid. **Droit, liberté, paix et développement** – Mélanges M. B. (Études réunies par Stéphane DOUMBE-BILLE, Habib GHERARI et Rahim KHERAD, Paris: Pedone, 2011).

BENKÖ, Marietta e Kai-Uwe SCHROGL (eds.). **Space Law – Current problems and perspectives for future regulation** (Utrecht: Eleven, 2005).

BENNOUNA, Mohammed. **Les sanctions économiques de l'ONU** (RCADI, 2002, t. 300, p. 9-78).

BERTRAND, Maurice. **L'ONU** (Paris: La découverte, nouvelle éd., 1995).

BEVILÁQUA, Clóvis. **Direito público internacional** – a synthese dos princípios e a contribuição do Brasil (Rio de Janeiro: Francisco Alves, 1910, 2 v.).

BICUDO, Hélio. **Direitos humanos e sua proteção** (São Paulo: FTD, 1997).

BITTENCOURT Neto, Olavo de Oliveira. **Direito espacial contemporâneo** – responsabilidade internacional (prefácio P. B. CASELLA, Curitiba: Juruá, 2011).

BLANES SALA, José. La globalización y las regiones: experiencia europea y referencias para el MERCOSUR (in **MERCOSUL: integração regional e globalização**, coord. P. B. CASELLA et al., Rio de Janeiro: Renovar, 2000, p. 143-174).

BLIX, H. M. **Contemporary aspects of recognition** (RCADI, 1970, v. 130, p. 587-704).

BLUNTSCHLI, Jean-Gaspard. **Le droit international codifié** (5e éd., revue et augmentée, trad. de l'allemand par C. LARDY, précédé d'une biographie de l'auteur par A. RIVIER, Paris: Guillaumin, 1895).

BOBBIO, Norberto. **Teoria do ordenamento jurídico** (do original **Teoria dell'ordinamento giuridico** © 1982, apres. Tercio Sampaio Ferraz Jr., trad. Maria Celeste Cordeiro Leite dos SANTOS, rev. Cláudio de Cicco, 5. ed., Brasília: Ed. UnB, 1994).

BOGGIANO, Antonio. **Teoría del derecho internacional** – Las relaciones entre los ordenamientos jurídicos: *Jus Inter Jura* ("Apéndice: Jurisprudencia de la Corte Suprema", Buenos Aires: La Ley, 1996).

_____. **Introducción al derecho internacional** – Relaciones entre los ordenamientos jurídicos (Buenos Aires: La Ley, 1995).

BOISSON DE CHAZOURNES, Laurence e Rostane MEHDI (coords.). **Une société internationale en mutation: quels acteurs pour une nouvelle gouvernance?** (Bruxelles: Bruylant, 2005).

BOTHE, M. **Environment, development, resources** (RCADI, 2005, t. 318, p. 333-516).

BOTHE, M. e P. H. SANDS (dir./ed.). **La politique de l'environnement – de la réglementation aux instruments économiques/Environmental policy – from regulation to economic instruments** (Haia: The Lawbooks of the Academy, 2002).

BOUCHARD, Carl. **Le citoyen et l'ordre mondial** (1914-1919) – Le rêve d'une paix durable au lendemain de la Grande Guerre (Paris: Pedone, 2008).

BOURQUIN, Maurice. **Règles générales du droit de la paix** (RCADI, 1931, t. 35, p. 1-232).

BOUTROS-GHALI, Boutros. **Le droit international à la recherche de ses valeurs: paix, développement, démocratisation** (RCADI, 2000, t. 286, p. 9-38).

_____. **Contribution à une théorie générale des alliances** (pref. C. ROUSSEAU, Paris: Pedone, 1991).

_____. Le principe d'égalité des états et les organisations internationales (RCADI, 1960, t. 100, p. 1-74).

_____. **The Arab League 1945-1955** – ten years of struggle (New York: Carnegie Endowment for International Peace – International Conciliation, 1954).

_____. **Contribution à l'étude des ententes régionales** (Paris: Pedone, 1949).

_____. en collab. avec Youssef CHLALA. **Le problème du canal de Suez** (Alexandrie, 1957).

BRANDÃO, Adelino (org.). **Os direitos humanos: antologia de textos históricos** (São Paulo: Landy, 2001).

BRANT, Leonardo Nemer Caldeira. (coord.). **Comentário à Carta das Nações Unidas** (coord. executiva Pedro Ivo Ribeiro DINIZ, Belo Horizonte: CEDIN, 2008).

_____. **A Corte Internacional de Justiça e a construção do direito internacional** (e colaboradores, prefácio de Francisco Rezek, Belo Horizonte: O Lutador, 2005).

_____. **O Brasil e os novos desafios do direito internacional** (Rio de Janeiro: Forense, 2004).

BRETONE, Mario. **Diritto e tempo nella tradizione europea** (Roma-Bari: Laterza, 1994; ou na trad. de Isidro ROSAS Alvarado, **Derecho y tiempo en la tradición europea**, México: Fondo de cultura económica, 2000).

BRIERLY, James L. **Règles générales du droit de la paix** (RCADI, 1936, t. 58, p. 1-242).

_____. **Le fondement du caractère obligatoire du droit international** (RCADI, 1928, t. 23, p. 463-552).

BROWNLIE, Ian. **International law at the fiftieth anniversary of the United Nations: general course on public international law** (RCADI, 1995, t. 255, p. 9-228).

BROWN-WEISS, E. **The evolution of international water law** (RCADI, 2007, t. 331, p. 161-404).

BUARQUE DE HOLANDA, Sérgio. **Visão do paraíso: os motivos edênicos no descobrimento e colonização do Brasil** (3. ed., São Paulo: Nacional / Secretaria da Cultura, Ciência e Tecnologia, 1977).

BUERGENTHAL, Thomas. **Self-executing and non self-executing treaties in national and international law** (RCADI, 1992, t. 235, p. 303-400).

BUERGENTHAL, Thomas e Harold G. MAIER. **Public international law in a nutshell** (St. Paul, Minn.: West Publ. Co., 1985).

BUTLER, W. E. **Comparative approaches to international law** (RCADI, 1985, t. 190, p. 9-89).

CAFLISCH, Lucius. **Cent ans de règlement pacifique des différends interétatiques** (RCADI, 2001, t. 288, p. 245-467).

CAMDESSUS, Michel. **Organisations internationales et mondialisation** ("conférence prononcée à l'Académie de droit international de La Haye le 2 juillet 2002", RCADI, 2002, t. 294, p. 9-38).

CANAL-FORGUES, Éric e Patrick RAMBAUD. **Droit international public** (Paris: Flammarion-Champs, 2007).

CANSACCHI, Giorgio. **Identité et continuité des sujets internationaux** (RCADI, 1970, t. 130, p. 1-94).

CAPOTORTI, F. **Cours général de droit international public** (RCADI, 1994, t. 248, p. 9-344).

CARDIM, Carlos Henrique e João Batista CRUZ (orgs.). **CPLP: oportunidades e perspectivas** (Brasília: IPRI / FUNAG, 2002).

CARLIER, J.-Y. **Droit d'asile et des réfugiés** – de la protection aux droits (RCADI, 2007, t. 332, p. 9-354).

CARON, D. D. e Charles LEBEN (dir./ed.). **Les aspects internationaux des catastrophes naturelles et industrielles/The international aspects of natural and industrial catastrophes** (Haia: The Lawbooks of the Academy, 2001).

CARREAU, Dominique. **Le système monétaire international privé (UEM et euromarchés)** (RCADI, 1998, t. 274, p. 309-392).

CARREAU, Dominique e Patrick JUILLARD. **Droit international économique** (4e éd., Paris: LGDJ, 1998).

CARRILLO SALCEDO, Ivan Antonio. Le concept de patrimoine commun de l'humanité (in **Ouvertures en droit international**: **hommage à René-Jean DUPUY**, Paris: Pedone, 1998, p. 55-66).

______. **Droit international et souveraineté des états: cours général de droit international public** (RCADI, 1996, t. 257, p. 35-221).

______. **Curso de derecho internacional público** (Madrid: Tecnos, 1992).

______. *Las Naciones Unidas entre 1945 y 1986* (publicado en la Revista de la Facultad de Derecho de la Universidad Complutense de Madrid, Monográfico 13, 1988, p. 11-32).

CARVALHO RAMOS, André de. **Processo internacional de direitos humanos** (4. ed., São Paulo: Saraiva, 2015).

______. **Direitos humanos na integração econômica** (Rio de Janeiro: Renovar, 2008).

______. **Responsabilidade internacional por violação de direitos humanos** (Rio de Janeiro: Renovar, 2004).

CASELLA, P. B. **Direito internacional no tempo clássico** (São Paulo: Atlas, 2015).

______. **Direito internacional no tempo moderno de SUAREZ a GRÓCIO** (São Paulo: Atlas, 2013).

______. **Direito internacional no tempo medieval e moderno até VITORIA** (São Paulo: Atlas, 2012).

______. **Direito internacional no tempo antigo** (São Paulo: Atlas, 2012).

______. **BRIC – à l'heure d'un nouvel ordre juridique international** (Paris: Pedone, 2011).

______. **Bric: Brasil, Rússia, Índia, China e África do Sul – Uma perspectiva de cooperação internacional** (São Paulo: Atlas, 2011).

______. *Empires, hegemony and cooperation* (in **Pravovie Aspektii BRICS – Aspetti giuridici del BRICS – Legal aspects of BRICS**, ed. by T. A. ALEXEEVA & P. CATALANO, São Petersburgo: Univ. Nacional de Pesquisa, 2011, p. 27-48).

______. **Reforma da ONU pós-Kelsen** (in IV Conferência Nacional de Política Externa e Política Internacional, **Reforma da ONU** (Rio de Janeiro, Palácio Itamaraty, 21 de agosto de 2009, "O Brasil e o mundo que vem aí", Brasília: FUNAG, 2010, p. 143-210).

______. **Direito internacional dos espaços** (São Paulo: Atlas, 2009).

______. *Artigo 13* (in **Comentário à Carta das Nações Unidas**, org. Leonardo N. C. BRANT, Belo Horizonte: CEDIN, 2008, p. 273-304).

______. **Tratado de Versalhes na história do direito internacional** (São Paulo: Quartier Latin, 2007).

______. **Direito internacional, terrorismo e aviação civil** (São Paulo: Quartier Latin, 2006).

______ (coord.). **Dimensão internacional do direito**: estudos em homenagem a Geraldo Eulálio do NASCIMENTO E SILVA (São Paulo: LTr, 2000).

CASELLA, P. B. e André de CARVALHO RAMOS (orgs.). **Direito internacional** – Homenagem a Adherbal MEIRA MATTOS (São Paulo: Quartier Latin/Brasília: FUNAG, 2009).

CASELLA, P. B. e Luciane Moessa de SOUZA (coords.). **Mediação de conflitos** – novo paradigma de acesso à justiça (Belo Horizonte: Fórum 2009).

CASELLA, P. B. e Rodrigo E. SANCHEZ (orgs.). **Quem tem medo da ALCA? Desafios e perspectivas para o Brasil** (prefácio João Grandino RODAS, Belo Horizonte: Del Rey, 2005).

CASELLA, P. B. e Vera Lúcia Viegas LIQUIDATO (orgs). **Direito da integração** (pref. Adherbal MEIRA MATTOS, São Paulo: Quartier Latin, 2006).

CASSESE, Antonio. **Five Masters of International Law** – Conversations with R.-J. DUPUY, E. JIMÉNEZ DE ARÉCHAGA, R. JENNINGS, L. HENKIN and O. SCHACHTER (Oxford and Portland, Oregon: Hart, 2011).

_____. **International Law** (2nd ed., Oxford: Univ. Press, 2005).

_____. **Modern constitutions and international law** (RCADI, 1985, t. 192, p. 331-475).

_____. **Il caso Achille Lauro** (Roma: Riuniti, 1987).

_____. **Il diritto internazionale nel mondo contemporaneo** (Bolonha: Il Mulino, 1984).

CAVAGLIERI, Arrigo. **Règles générales du droit de la paix** (RCADI, 1929, t. 26, p. 311-586).

CAVARÉ, Louis, **Le droit international public positif** (3e éd., mise à jour par J.-P. QUENEUDEC, Paris: Pedone, 1969, 2 tomos).

CHALIAND, Gérard. **Les guerres irrégulières** – XX-XXIe siècles – Guérrilas et terrorismes (Paris: Gallimard-Folio actuel, 2008).

_____. **Le nouvel art de la guerre** (Paris: Archipel, 2008).

CHAUMONT, Charles. **Cours général de droit international public** (RCADI, 1970, t. 129, p. 333-528).

_____. **Le droit des peuples à disposer d'eux-mêmes** – Méthodes d'analyse du droit international – Mélanges offerts à Charles CHAUMONT (Paris: Pedone, 1984).

CHEMILLIER-GENDREAU, Monique. **Humanité et souverainetés: essai sur la fonction du droit international** (Paris: La Découverte, 1995).

CHOMSKY, Noam. **Rumo a uma nova guerra fria** (do original **Towards a new cold war**, © 1982 e 2003, trad. Clóvis MARQUES, Rio de Janeiro: Record, 2007).

CHOUKR, Fauzi Hassan e Kai AMBOS (orgs.). **Tribunal penal internacional** (São Paulo: RT, 2000).

COELHO, Fábio Ulhoa. **Para entender KELSEN** (prefácio Tercio Sampaio FERRAZ Jr., 2. ed., 2. tir. São Paulo: Max Limonad, 1997).

COLLINS, Lawrence. **Revolution and restitution: foreign states in national courts** (RCADI, 2007, t. 326, p. 9-72).

COMPARATO, Fábio Konder. **A afirmação histórica dos direitos humanos** (2. ed., São Paulo: Saraiva, 2001).

CONSTANTINESCO, Leontin-Jean. **Tratado de direito comparado – introdução ao direito comparado** (ed. bras. org. por Maria Cristina de CICCO, Rio de Janeiro: Renovar, 1998).

CORTE INTERNACIONAL DE JUSTIÇA. **Anuários impressos e site da organização** (icj-cij.org, para toda a jurisprudência da CORTE PERMANENTE DE JUSTIÇA INTERNACIONAL e da CIJ).

CORTEN, Olivier. **Méthodologie du droit international public** (Bruxelles: Ed. de l'Univ. de Bruxelles, 2009).

_____. **Le droit contre la guerre** – L'interdiction du recours à la force en droit international contemporain (Paris: Pedone, 2008).

COSTA, José Augusto Fontoura. **Direito internacional do investimento estrangeiro** (Curitiba: Juruá, 2010).

_____. **Normas de direito internacional: aplicação uniforme do direito uniforme** (São Paulo: Atlas, 2000).

CRAVEN, Matthew; Malgosia FITZMAURICE e Maria VOGIATZI (eds.). **Time, History and International Law** (Leiden: Nijhoff, 2007, reprint 2011).

CRAWFORD, James. **The creation of States in international law** (Oxford: Clarendon Press, 2nd ed., 2006, reprinted 2011).

_____. **Multilateral rights and obligations in international law** (RCADI, 2006, t. 319, p. 325-482).

DAHRENDORF, Ralf. **Após 1989: moral, revolução e sociedade civil** (do original **After 1989: morals, revolution and civil society,** © 1997, trad. Patrícia ZIMBRE, *apresentação à guisa de prefácio* de Fernando Henrique CARDOSO, Rio de Janeiro: Paz e Terra, 1997).

DAILLIER, Patrick. **Les opérations multinationales consécutives à des conflits armés en vue du rétablissement de la paix** (RCADI, 2005, t. 314, p. 233-431).

DALLARI, Dalmo de Abreu. **A Constituição na vida dos países** – da Idade Média ao século XXI (São Paulo: Saraiva, 2010).

DALLARI, Pedro B. de Abreu. **Temas contemporâneos de relações internacionais** (São Paulo: Aduaneiras/Lex Ed., 2006).

_____. **Constituição e tratados internacionais** (São Paulo: Saraiva, 2003).

DALLARI, Pedro B. de Abreu (coord.). **Relações internacionais: múltiplas dimensões** (São Paulo: Aduaneiras, 2004).

DAMROSCH, Lori Fisler. **Enforcing international law through non-forcible measures** (RCADI, 1997, t. 269, p. 9-250).

DAUCHY, Serge e Milos VEC (orgs.). **Les conflits entre peuples** – de la résolution libre à la résolution imposée (Baden-Baden: Nomos, 2011).

DECAUX, Emmanuel. **Les formes contemporaines de l'esclavage** (RCADI, 2008, t. 336, p. 9-198).

DEGAN, Vladimir-Djuro. *On state succession* (in **Dimensão internacional do direito: estudos em homenagem a G. E. do NASCIMENTO E SILVA**, org. P. B. CASELLA, São Paulo: LTr, 2000, p. 118-140).

_____. **Création et disparition de l'état (à la lumière du démembrement de trois fédérations multiethniques en Europe)** (RCADI, 1999, t. 279, p. 195-375).

DELABIE, Lucie. **Approches américaines du droit international – entre unité et diversité** (Paris: Pedone, 2011).

DELMAS-MARTY, Mireille. **Vers un droit commun de l'humanité** (Paris: Ed. Textuel, 1996, 2. ed., 2005).

DELMAS-MARTY, Mireille et Étienne WILL (sous la direction de). **La Chine et la démocratie** (Paris: Fayard, 2007).

DESCAMPS, Edouard-Eugène-François. **Le droit international nouveau**: l'influence de la condamnation de la guerre sur l'évolution juridique internationale (RCADI, 1930, t. 31, p. 393-559).

DEUTSCH, Karl Wolfgang. **Análise das relações internacionais** (do original **The analysis of international relations**, © 1958, trad. Alcides Gastão Rostand PRATES, Brasília: Ed. UnB, 1978, Col. Pensamento Político, v. 1).

DIEZ DE VELASCO VALLEJO, Manuel. **Instituciones de derecho internacional público** (16. ed., Madrid: Tecnos, 2007).

______. **Las organizaciones internacionales** (14. ed., Madrid: Tecnos, 2006, reimpr. 2007).

DINSTEIN, Yoran. **The interaction between customary international law and treaties** (RCADI, 2006, t. 322, p. 243-428).

______. **Guerra, agressão e legítima defesa** (do original **War, aggression and self-defence** © 1988, 3. ed. inglesa 2001, trad. M. R. MELLO, rev. G. A. ALMEIDA, 3. ed., Barueri: Manole, 2004).

DIREITO, C. A. Menezes, A. A. Cançado TRINDADE e A. C. Alves PEREIRA (orgs.). **Novas perspectivas do direito internacional contemporâneo** – estudos em homenagem ao prof. Celso D. de Albuquerque MELLO (Rio de Janeiro: Renovar, 2008).

DOLINGER, Jacob e Denise de Souza SOARES. **Direito internacional penal: tratados e convenções** (Rio de Janeiro: Renovar, 2006).

______. **Direito internacional privado: parte geral** (6. ed., Rio de Janeiro: Renovar, 2001).

DUPUIS, Charles. **Règles générales du droit de la paix** (RCADI, 1930, t. 32, p. 1-290).

DUPUY, Pierre-Marie. **Droit international public** (7. ed., Paris: Dalloz, 2004).

______. **L'unité de l'ordre juridique international: cours général de droit international public** (2000) (RCADI, 2002, t. 297, p. 9-490).

DUPUY, René-Jean. **Dialectiques du droit international** – Souveraineté des états, communauté internationale et droits de l'humanité (Paris: Pedone/Univ. de Nice-Sophia-Antipolis: Institut du droit de la paix et du développement, 1999).

______. **Droit international public** (Paris: PUF / "Que sais-je?", 2000; ed. port., **Direito internacional**, trad. Clotilde CRUZ, Coimbra: Almedina, 1993).

______ (dir./ed.). **Manuel sur les organisations internationales/A Handbook on International Organizations** (Haia: The Lawbooks of the Academy, 1988; 2nd ed., 1998).

______. **Ouvertures en droit international** – Hommage à R.-J. D. ("Journée d'étude de la SFDI du lundi 23 mars 1998", Paris: Pedone/SFDI, 2000).

______. **Humanité et droit international** – Mélanges R.-J. D. (Paris: Pedone, 1991).

DUPUY, R.-J. e Daniel VIGNES (dir./ed.). **A Handbook on the new law of the sea** (Haia: The Lawbooks of the Academy, 1991, 2 v.).

EISENMANN, P.-M. e M. KOSKENNIEMI (dir./eds.). **La succession d'états: la codification à l'épreuve des faits/State succession: codification tested against the facts** (Haia: The Lawbooks of the Academy, 2000).

EL KOSHERI, Ahmed (dir.). **L'éthique dans les relations internationales** – en hommage à Philippe FOUCHARD – *Alexandrie 28 avril 2005* (Paris: Pedone – Centre René-Jean DUPUY pour le droit et le développement – Centre de recherche sur le droit des marchés et des investissements Internationaux – Biblioteca Alexandrina, 2006).

FALK, R.; L. E. J. RUIZ e R. B. J. WALKER (ed. by). **Reframing the international**: law, culture, politics (New York: Routledge, 2002).

FATOUROS, A. A. **An international legal framework for energy** (RCADI, 2007, t. 332, p. 355-446).

FAVOREU, Louis. *La justice constitutionnelle comme élément de construction de l'ordre juridique européen* ("Vortrag vor dem Europa-Institut der Universität des Saarlandes, Saarbrucken, den 28 Juni 1991", Vorträge, Reden u. Berichte aus dem Europa-Institut – Sektion Rechtswissenschaft, v. 250, p. 29-39).

FAVRE, Antoine. **Principes du droit des gens** (Paris/Friburgo: Librairie de Droit et de Jurisprudence/Presses Universitaires de Fribourg, Suisse, (c) 1974).

FEINBERG, N. **L'admission de nouveaux membres à la Société des Nations et à l'Organisation des Nations Unies** (RCADI, 1952, t. 80, p. 293-394).

FITZMAURICE, Gerald. **The general principles of international law considered from the standpoint of the rule of law** (RCADI, 1957, t. 92, p. 1-228).

FITZMAURICE, Malgosia A. **International protection of the environment** (RCADI, 2001, t. 293, p. 9-488).

FLORES, Renato. *A grande ALCA, a pequena ALCA e a que desejamos* (in **Quem tem medo da ALCA?**, org. P. B. CASELLA e R. E. SANCHEZ, Belo Horizonte: Del Rey, 2005).

FLORES, Renato e Marco MARCONINI (orgs.). **Acordo MERCOSUL-União Europeia: além da agricultura** (Rio de Janeiro: CEBRI/Fundação ADENAUER, 2003).

FLORY, Michel. **Souveraineté des états et coopération pour le développement** (RCADI, 1974, t. 141, p. 255-330).

FORTEAU, Mathias. **Droit de la sécurité collective et droit de la responsabilité internationale de l'état** (Paris: Pedone, 2006).

FOUCHARD, Philippe. *Droit et moral dans les relations économiques internationales* (1997, in Ph. FOUCHARD, **Écrits**, Paris: Centre Français de l'Arbitrage, 2007).

FRANCK, Thomas, **The power of legitimacy among nations** (Oxford: University Press, 1990).

FRANÇOIS, J.-P.-A. **Règles générales du droit de la paix** (RCADI, 1938, t. 66, p. 1-294).

FRIEDMANN, W. **General course in public international law** (RCADI, 1969, t. 127, p. 39-246).

_____. **The changing structure of international law** (London: Stevens & Sons, 1964).

FROWEIN, Jochen Abr. **Reactions by not directly affected states to breaches of public international law** (RCADI, 1994, t. 248, p. 345-438).

GAJA, Giorgio. ***Jus cogens* beyond the Vienna Convention** (RCADI, 1981, t. 172, p. 271-316).

GARCIA, Eugênio Vargas. **Cronologia das relações internacionais do Brasil** (São Paulo: Alfa-Omega/Brasília: Fundação Alexandre de Gusmão, 2000).

GARCIA, Márcio e Antenor Pereira MADRUGA Filho (coords.). **A imunidade de jurisdição e o estado brasileiro** (Brasília: CEDI, 2002).

GAURIER, Dominique. **Histoire du droit international** (Rennes: Presses Universitaires de Rennes, 2005).

GAVIRIA LIÉVANO, Enrique. **Derecho internacional público** (5. ed., Santa Fé de Bogotá: Temis, 1998).

GENTILI, Alberico. **Direito de guerra** (do original **De jure belli libri tres**, trad. Ciro Mioranza, intr. Diego PANIZZA, Ijuí: Ed. Unijuí, 2004).

GHERARI Habib e Sandra SZUREK (coords.). **L'émergence de la société civile internationale: vers la privatisation du droit international?** ("Actes du colloque des 2-3 mars 2001, org. sous les auspices de M. Hubert VEDRINE, Ministre des Affaires Étrangères", Paris X: Pedone/CEDIN Paris X, Cahiers Internationaux, n. 18, 2003).

GIBBON, Edward. **Declínio e queda do Império Romano** (do orig. **Decline and fall of the Roman Empire,** ed. abreviada, org. e intr. Dero A. SAUNDERS, pref. Charles A. ROBINSON Jr., trad. e notas suplementares José Paulo PAES, São Paulo: Cia. das Letras, 2005).

GOMEZ ROBLEDO, Antonio, **Le *jus cogens* international: sa génèse, sa nature, ses fonctions** (RCADI, 1981, t. 172, p. 9-217).

GOODMAN, Brynna e David S. GOODMAN (eds.). **Twentieth century colonialism and China** (London: Routledge, 2012).

GOZZI, Gustavo. **Popoli e civiltà – Storia e filosofia del diritto internazionale** (Bologna: Il Mulino, 2010).

GRAVESON, R. H. **Comparative aspects of the general principles of private international law** (RCADI, 1963, t. 109, p. 1-164).

GRAY, Christine. **International law and the use of force** (Oxford: Univ. Press, 1st publ., 2000, 3rd ed., 2008).

GREEN, Leslie C. **The contemporary law of armed conflict** (Manchester: Univ. Press, 1st publ. 1993, 3rd ed. 2008).

GREWE, Wilhelm. **Epochen der Völkerrechtsgeschichte** (Baden-Baden: Nomos, 1984; ou em inglês, **The Epochs of international law**, trad. M. BYERS, Berlin: De Gruyter, 2000).

GRÓCIO, Hugo. **O direito da guerra e da paz** (intr. Antonio Manuel HESPANHA, trad. de Ciro MIORANZA, do original **De jure belli ac pacis**, col. Clássicos do direito internacional, Ijuí: Ed. Unijuí, 2004, 2 v.).

GROS ESPIELL, Héctor. ***Amicorum Liber*: Persona humana y derecho internacional** (Bruxelles: Bruylant, 1997, 2 v.).

GUERRA, Sidney, **Direito internacional dos direitos humanos** (pref. P. B. CASELLA, São Paulo: Saraiva, 2011).

______. **Curso de direito internacional público** (4. ed., Rio de Janeiro: Lumen Juris, 2009).

GUGGENHEIM, Paul. **Contribution à l'histoire des sources du droit des gens** (RCADI, 1958, t. 94, p. 1-84).

______. **Les principes de droit international public** (RCADI, 1952, t. 80, p. 1-190).

HABERMAS, Jurgen. **Faktizität und Geltung: Beiträge zur Diskurstheorie des Rechts und des demokratischen Rechtsstaat** (© 1992, Frankfurt: Suhrkamp – Tascenbuch Wissenschaft v. 1361, 1998; ed. bras., **Direito e democracia: entre faticidade e validade**, trad. Flávio B. SIEBENEICHLER, Rio de Janeiro: Tempo Brasileiro, 1997).

______. **Après l'état-nation: une nouvelle constellation politique** (© 1998 e 1999, trad. Rainer ROCHLITZ, Paris: Fayard, 2000).

______. **La paix perpétuelle: le bicentenaire d'une idée kantienne** (do original **Kants Idee des Ewigen Friedens aus dem historischen Abstand von 200 Jahren,** © 1996, trad. Rainer ROCHLITZ, Paris: Cerf, 1996).

HABICHT, M. **Le pouvoir du juge international de statuer *ex aequo et bono*** (RCADI, 1934, t. 49, p. 277-372).

HAMBRO, E. **The relations between international law and conflict law** (RCADI, 1962, t. 105, p. 1-68).

______. **The jurisdiction of the International Court of Justice** (RCADI, 1950, t. 76, p. 121-216).

HANHIMÄKI, Jussi M. **The United Nations** – a very short introduction (Oxford: Univ. Press, 2008).

HARASZTI, G. **Treaties and the fundamental change of circumstances** (RCADI, 1975, t. 146, p. 1-93).

HASBI, Aziz. **ONU et ordre mondial** – réformer pour ne rien changer (Paris: Harmattan, 2005).

HÉLIE, Jérôme. **Les relations internationales dans l'Europe moderne 1453-1789** (Paris: Armand Colin, 2008).

HERDEGEN, Matthias. **Völkerrecht** (11. ed., Beck: Munique, 2012).

HINDMARSH, Albert E. **Le Japon et la paix en Asie** (RCADI, 1936, t. 57, p. 97-199).

HOSTIE, J. F. **Examen de quelques règles du droit international dans le domaine des communications et du transit** (RCADI, 1932, t. 40, p. 397-524).

HUCK, Hermes Marcelo. **Da guerra justa à guerra econômica** (São Paulo: Saraiva, 1996).

HUESA Vinaixa, Rosario. **El nuevo alcance de la "opinio juris" en el derecho internacional contemporáneo** (Valencia: Tirant lo Blanch, 1991).

IANNI, Octávio. **A sociedade global** (5. ed., Rio de Janeiro: Civilização Brasileira, 1997).

JACQUÉ, Jean-Paul. **Acte et norme en droit international public** (RCADI, 1991, t. 227, p. 357-417).

JAEGER Jr., Augusto. **Europeização do direito internacional privado** – Caráter universal da lei aplicável e outros contrastes com o ordenamento jurídico brasileiro (Curitiba: Juruá, 2012).

JAGUARIBE, Hélio (e colaboradores). **Um estudo crítico da história** (trad. Sérgio BATH, São Paulo: Paz e Terra, 2 v., 1. ed., 2001; 2. ed., 2002).

JENNINGS, Robert Y. **General course on principles of international law** (RCADI, 1967, t. 121, p. 323-606).

JIMENEZ DE ARECHAGA, Eduardo. **International law in the past third of a century** (RCADI, 1978, t. 159, p. 1-343).

JOUANNET, Emmanuelle. **Le droit international libéral-providence: Une histoire du droit international** (Bruxelles: Bruylant/Ed. de l'Université de Bruxelles, 2011).

______. *À quoi sert le droit international? Le droit international providence du XXIe siècle* (Revue belge de droit international, 2007/1, Bruxelles: Bruylant, p. 5-51).

______. **Emer de Vattel et l'émergence doctrinale du droit international classique** (Paris: Pedone, 1998).

JUBILUT, Liliana Lyra. **O direito internacional dos refugiados e a sua aplicação no ordenamento jurídico brasileiro** (São Paulo: Método, 2007).

JUBILUT, L. L.; A. G. M. F. BAHIA e J. L. Q. de MAGALHÃES (coords.). **Direito à diferença** – v. 1 – Aspectos teóricos e conceituais da proteção às minorias e aos grupos vulneráveis; v. 2 – Aspectos de proteção específica às minorias e aos grupos vulneráveis; v. 3 – Aspectos institucionais e instrumentais de proteção às minorias e aos grupos vulneráveis (São Paulo: Saraiva, 2013).

KALSHOVEN, Frits. **Reflections on the laws of war**: collected essays (Leiden: M. Nijhoff, 2007).

KAM, Sié Mathias. **Tradition africaine de l'hospitalité et dialogue interreligieux** (Paris: Karthala, 2011).

KAMTO, Maurice. **La volonté de l'état en droit international** (RCADI, 2004, t. 310, p. 9-428).

KAN, J. van. **Règles générales du droit de la paix**: l'idée de l'organisation internationale dans ses grandes phases (RCADI, 1938, t. 66, p. 295-601).

KAPLAN, Abraham e Harold LASSWELL. **Poder e sociedade** (do original **Power and society: a framework for political enquiry**, © 1950, trad. Maria Lucy Gurgel Valente de SEIXAS CORREA, Brasília: Ed. UnB, 1979, Col. Pensamento político, v. 6).

KAPLAN, Morton A. e Nicholas B. KATZENBACH. **Fundamentos políticos do direito internacional** (do original **The political foundations of international law**, trad. Sigrid Faulhaber GODOLPHIM e Waldir da Costa GODOLPHIM, Rio de Janeiro: Zahar, 1964).

KAUFMANN, Erich. **Règles générales du droit de la paix** (RCADI, 1935, t. 54, p. 309-620).

KDHIR, Moncef. **Dictionnaire juridique de la Cour internationale de justice** (2. ed., Bruxelles: Bruylant, 2000).

KEEGAN, John. **Uma história da guerra** (do original **A history of warfare**, © 1993, trad. Pedro Maia Soares, São Paulo: Cia. das Letras, 2006).

KELSEN, Hans. **Autobiografia** (do original **H. K. im Selbstzeugniss**, trad. Gabriel Nogueira DIAS e José Ignacio Coelho MENDES Neto, 2. ed., Rio de Janeiro: Forense Univ., 2011).

______. **Princípios do direito internacional** (intr. Fr. RIGAUX, trad. G. A. BEDIN e U. TRESSEL, rev. Arno DAL RI Jr., Ijuí: Ed. Unijuí, 2010).

_____. **O problema da justiça** (do original **Das Problem der Gerechtigkeit**, © 1960, trad. João Baptista MACHADO, 2. ed., São Paulo: Martins Fontes, 1996).

_____. **Théorie générale du droit international public: problèmes choisis** (RCADI, 1932, t. 42, p. 117-352).

KEPEL, Gilles. **Jihad: expansão e declínio do islamismo** (trad. Lais ANDRADE, Rio de Janeiro: Biblioteca do Exército Ed., 2003).

KOHEN, Marcelo G. (ed.). **Promoting Justice, Human Rights and Conflict Resolution through International Law/La promotion de la justice, des droits de l'homme et du règlement des conflits par le droit international** – *Liber amicorum* Lucius CAFLISCH (Leiden: M. Nijhoff, 2007).

KOSKENNIEMI, Martti. **The Politics of International Law** (Oxford: Hart Publ., 2011).

_____. **The gentle civilizer of nations**: the rise and fall of international law (1870-1960) ("Hersch Lauterpacht Memorial Lectures", Cambridge: University Press, © 2001, reprinted 2005).

KRAMNICK, Isaac e WATKINS, Frederick M. **A idade da ideologia** (do original **The age of ideology: political through 1750 to the present**, © 1979, trad. Rosa Maria e José VIEGAS, Brasília: Ed. UnB, 1981, Col. Pensamento político, v. 32).

KUNZ, J. L. **L'article XI du Pacte de la Société des Nations** (RCADI, 1932, t. 39, p. 679-790).

KURZ, Robert. **O colapso da modernização** (do original **Der Kollaps der Modernisierung**, © 1991, Frankfurt: Vito von Eichborn Verlag, trad. Karen Elsabe BARBOSA, Rio de Janeiro: Paz e Terra, 1992).

LACHS, Manfred. **The development and general trends of international law in our time: general course in public international law** (RCADI, 1980, t. 169, p. 9-377).

_____. **Teachings and teaching of international law** (RCADI, 1976, t. 151, p. 161-252).

LAFER, Celso. **A internacionalização dos direitos humanos: constituição, racismo e relações internacionais** (Barueri: Manole, 2005).

_____. **A identidade internacional do Brasil e a política externa brasileira: passado, presente e futuro** (São Paulo: Perspectiva, 2001).

_____. **A reconstrução dos direitos humanos: um diálogo com o pensamento de Hannah Arendt** (São Paulo: Cia. das Letras, 1988).

LAMBERT, Jacques. **América Latina: estruturas sociais e instituições políticas** (trad. Lólio L. de OLIVEIRA e Almir de Oliveira AGUIAR, 2. ed., São Paulo: Nacional/EDUSP, 1979).

LAPIDOTH Eschelbacher, Ruth. **Les détroits en droit international** (préf. C. ROUSSEAU, Paris: Pedone, 1972).

LA PRADELLE, Paul de. **Notions de territoire et d'espace dans l'aménagement des rapports internationaux contemporains** (RCADI, 1977, t. 157, p. 415-484).

LAUTERPACHT, Elihu. **The development of the law of international organization by the decisions of international tribunals** (RCADI, 1976, t. 152, p. 377-478).

LAUTERPACHT, Hersch. **The function of law in the international community** (1st publ., 1933, Oxford: Univ. Press, 2011).

______. **Règles générales du droit de la paix** (RCADI, 1937, t. 62, p. 95-422).

______. **Recognition in international law** (Cambridge: Univ. Press, 1947).

LE FUR, Louis. **Droit international public** (3e éd., Paris: Dalloz, 1937).

______. **Règles générales du droit de la paix** (RCADI, 1935, t. 54, p. 1-307).

LE GLOANNEC, Anne-Marie e Aleksander SMOLAR (dir.). **Entre Kant et Kosovo**: études offertes à Pierre HASSNER (Paris: Presses de Sciences Po, 2003).

LE PORS, Anicet. **Le droit d'asile** (orig. publ., 2005, Paris: PUF, 2011).

LEQUAN, Mai. **La paix** ("introduction, choix de textes, commentaires, vade-mecum et bibliographie" par M. L., Paris: Flammarion, 1998).

LEWANDOWSKI, Enrique Ricardo. **Globalização, regionalização e soberania** (São Paulo: Juarez de Oliveira, 2004).

______. **Proteção dos direitos humanos na ordem interna e internacional** (Rio de Janeiro: Forense, 1984).

LISZT, Franz von. **Le droit international** – exposé systématique ("traduction française d'après la 9e édition allemande, 1913" par Gilbert GIDEL avec Léon ALCINDOR, avant propos J. B. SCOTT, Paris: Pedone, 1928).

LITRENTO, Oliveiros L. **A ordem internacional contemporânea**: um estudo da soberania em mudança (Porto Alegre: Sérgio Antonio Fabris Ed., 1991).

LOQUIN, Eric e Catherine KESSEDJIAN (dir.). **La mondialisation du droit** (Paris: Litec – Travaux du Centre de recherche sur le droit des marchés et des investissements internationaux, v. 19, 2000).

MACEDO, Paulo Emílio Borges de. **O nascimento do direito internacional** (São Leopoldo: Ed. Unisinos, 2009).

MAGALHÃES, José Carlos de e Araminta MERCADANTE (orgs.). **Reflexões sobre os 60 anos da ONU** (Ijuí: Ed. Unijuí, 2005).

MAHIOU, A. **Le droit international ou la dialectique de la rigueur** – cours général de droit international public (RCADI, 2008, t. 337, p. 9-516).

MAKARCZYK, Jerzy (ed. by/dir.). **Essays in international law in honour of judge Manfred LACHS/Études de droit international en l'honneur du juge Manfred LACHS** (The Hague: Martinus Nijhoff/Institute of State and Law of the Polish Academy of Sciences-Institut de l'état et de droit de l'Académie polonaise des sciences, 1984).

MANI, V. S. **"Humanitarian" intervention today** (RCADI, 2005, t. 313, p. 9-324).

MAQUIAVEL, Nicolau. **Comentários sobre a primeira década de Tito Lívio** (trad. Sérgio BATH, Brasília: Ed. UnB, 1979).

MARBEAU, Michel. **La Société des Nations** (Paris: PUF, 2001).

MARCOVITCH, Jacques (org.). **Sérgio Vieira de MELLO: pensamento e memória** ("textos escolhidos" de S. Vieira de MELLO, ensaios de C. LAFER; C. E. Lins da SILVA; L. F. de Seixas CORREA e L. MANCINI; G. FONSECA Jr.; P. S. PINHEIRO, R. M. SARDENBERG, São Paulo: Edusp/Saraiva/Fund. BUNGE, 2004).

______. **Cooperação internacional: estratégia e gestão** (São Paulo: Edusp/PNUD, 1994).

MARQUES, Claudia Lima e Nadia de ARAUJO (orgs.). **O novo direito internacional: estudos em homenagem a Erik JAYME**, Rio de Janeiro: Renovar, 2005).

McWHINNEY, Edward. **Self-determination of peoples and plural-ethnic states (secession and state succession and the alternative federal option)** (RCADI, 2002, t. 294, p. 167-264).

______. **Judicial settlement of disputes, jurisdiction and justiciability** (RCADI, 1990, t. 221, p. 9-194).

______. *The time dimension in international law, historical relativism and intertemporal law* (in **Essays in international law in honour of judge Manfred LACHS/Études de droit international en l'honneur du juge Manfred LACHS**, ed. by Jerzy MAKARCZYK, The Hague: Martinus Nijhoff/Institute of State and Law of the Polish Academy of Sciences-Institut de l'état et de droit de l'Académie polonaise des sciences, 1984, p. 179-199).

MEDEIROS, A. P. Cachapuz de. **O poder de celebrar tratados** (Porto Alegre: Sérgio A. Fabris Ed., 1995).

MEERTS, Paul (ed.). **Culture and International Law** (Haia: Hague Academic Press – T. M. C. Asser Press, 2008).

MEIRA MATTOS, Adherbal. **Amazônia e o direito internacional** (São Paulo: Quartier Latin, 2012).

______. **Reflexões sobre direito internacional e relações internacionais** (São Paulo: Quartier Latin, 2007).

______. **Direito internacional público** (4. ed., "revista e atualizada", São Paulo: Quartier Latin, 2010).

MELLO, Celso D. de Albuquerque. **Curso de direito internacional público** (15. ed., Rio de Janeiro: Renovar, 2004, 2 v.).

______. **Direito internacional da integração** (Rio de Janeiro: Renovar, 1996).

______. **Responsabilidade internacional do estado** (Rio de Janeiro: Renovar, 1995).

______. **Direito constitucional internacional** – uma introdução (Constituição de 1988, revista em 1994) (Rio de Janeiro: Renovar, 1994).

______. **Direito internacional econômico** (Rio de Janeiro: Renovar, 1993).

MENDELSON, Maurice H. **The formation of customary international law** (RCADI, 1998, t. 272, p. 155-410).

MENEZES, Wagner. **Tribunais internacionais** – jurisdição e competência (pref. P. B. CASELLA, São Paulo: Saraiva, 2013).

MERCADANTE, Araminta de Azevedo. *A processualística dos atos internacionais: Constituição de 1988 e o MERCOSUL* (in **Contratos internacionais e direito econômico no MERCOSUL: após o término do período de transição**, coord. P. B. Casella et al., São Paulo: LTr, 1996, p. 458-505).

MERLE, Marcel. **Pacifisme et internationalisme** – XVIIe-XXe siècles (textes choisis et présentés par M. M., Paris: A. Colin, 1966).

MERON, Theodor. **International law in the age of human rights: general course on public international law** (RCADI, 2003, t. 301, p. 9-490).

MILDE, Michael. **International Air Law and ICAO** (The Hague: Eleven, 2012).

MILHAUD, Edgar. **L'organisation économique de la paix** (RCADI, 1926, t. 15, p. 277-431).

MIRKINE-GUETZÉVITCH, Boris. **Le droit constitutionnel et l'organisation de la paix** (droit constitutionnel de la paix) (RCADI, 1933, t. 45, p. 667-773).

MOMTAZ, Djamchid. **Le droit international humanitaire applicable aux conflits armés non internationaux** (RCADI, 2001, t. 292, p. 9-145).

MONACO, Gustavo Ferraz de Campos. **A Declaração Universal dos Direitos da Criança e seus sucedâneos internacionais (tentativa de sistematização)** (Coimbra: Coimbra Ed., Boletim da Fac. de Direito, Univ. de Coimbra, studia juridica, v. 80, 2004).

MONACO, Riccardo. **Cours général de droit international public** (RCADI, 1968, t. 125, p. 93-336).

______. **Les principes régissant la structure et le fonctionnement des organisations internationales** (RCADI, 1977, t. 156, p. 79-225).

MORIN, Jacques-Yvan. **L'état de droit: émergence d'un principe du droit international** (RCADI, 1995, t. 254, p. 9-462).

MOSLER, H. **The international society as a legal community** (RCADI, 1974, t. 140, p. 1-320).

MOTTA FILHO, Cândido. *Política e direito* (in **Estudos jurídicos em homenagem ao professor Oscar Tenório**, Rio de Janeiro: UERJ, 1977, p. 165-174).

MOURA RAMOS, Rui M. Gens de. *Nacionalidade, plurinacionalidade e supranacionalidade na União Europeia e na Comunidade dos países de língua portuguesa* (in **Cidadania e nacionalidade: efeitos e perspectivas nacionais – regionais – globais**, org. Arno Dal Ri Jr. e Odete Maria de Oliveira, Ijuí: Ed. Unijuí, 2002, p. 279-298).

______. **Direito internacional privado e constituição: introdução a uma análise das suas relações** (Coimbra: Coimbra Ed., 1980).

MOURA RAMOS, Rui Manuel G. de (e outros). **Estudos em homenagem a Isabel de MAGALHÃES-COLLAÇO** (coord. Rui Manuel G. de et al., Coimbra: Almedina, 2002, 2 v.).

MULLER, Joseph. **L'oeuvre de toutes les confessions chrétiennes (églises) pour la paix internationale** (RCADI, 1930, t. 31, p. 293-392).

MURASE, Shinya. **Perspectives from international economic law on transnational environmental issues** (RCADI, 1995, t. 253, p. 283-432).

NAHLIK, Stanislaw E. **Development of dipplomatic law: selected problems** (RCADI, 1990, t. 222, p. 187-363).

NASCIMENTO E SILVA, Geraldo Eulálio do. **Direito ambiental internacional** (Rio de Janeiro, 1995).

______. **Le facteur temps et les traités** (RCADI, 1977, t. 154, p. 215-297).

NASSER, Salem H. **Fontes e normas do direito internacional**: um estudo sobre a "soft law" (São Paulo: Atlas, 2005).

NAZO, Georgette Nacarato (coord.). **Questões importantes referentes ao mar** (São Paulo: Soamar – Sociedade dos Amigos da Marinha, 1996).

NGUYEN Quoc Dinh. **Droit international public** (atual. Patrick DAILLIER e Alain PELLET, 5. ed., Paris: LGDJ, 1994; trad. portuguesa, **Direito internacional público**, Lisboa: Fundação C. Gulbenkian).

NICOLSON, Harold. **Peacemaking 1919** – being reminiscences of the Paris Peace Conference (London: Houghton Mifflin Co., 1933; reprinted Safety Harbor, Fl.: Simon Publications, 2001).

NOUR, Soraya. **À paz perpétua de KANT: filosofia do direito internacional e das relações internacionais** (São Paulo: Martins Fontes, 2004).

NOVAES, Adauto (org.). **A outra margem do ocidente** (São Paulo: Cia. das Letras, 1999).

NUSSBAUM, Arthur. **A concise history of the law of nations** (2. ed., New York: Macmillan, 1954; trad. espanhola, **Historia del derecho internacional**, adiciones sobre "Historia de la doctrina hispanica de derecho internacional" por Luís GARCIA ARIAS, Madrid: Edtrl. Revista de derecho privado, 1957).

_____. **La clause or dans les contrats internationaux** (RCADI, 1933, t. 43, p. 555-658).

NYS, Ernest. **Les origines du droit international** (Bruxelles: Alfred Chastaigne/ Paris: Thorin & Fils, 1894).

O'CONNELL, D. P. **Recent problems of state succession in relation to new states** (RCADI, 1970, t. 130, p. 95-206).

OKIMOTO, Keiichiro. **The distinction and relationship between *Jus ad Bellum* and *Jus in Bello*** (Oxford & Portland, Oregon: Hart Publ., 2011, Studies in International Law, v. 33).

ONUMA, Yasuaki (edited by). **A normative approach to war**: peace, war and justice in Hugo Grotius (Oxford: Clarendon Press, 1993).

ORAKHELASHVILI, Alexander. **Peremptory norms in international law** (Oxford: Univ. Press – Oxford Monographs in International Law, 1st. publ. 2006, reprinted 2008).

OUCHAKOV, Nikolai A. **La compétence interne des états et la non-intervention dans le droit international contemporain** (RCADI, 1974, t. 141, p. 1-86).

OUGUERGOUZ, F. **La Charte africaine des droits des hommes et des peuples** (Paris: PUF, 1993).

PANCRACIO, Jean-Paul. **Droit international des espaces**: air, mer, fleuves, terre, cosmos (Paris: Armand Colin/Masson, 1997).

PAOLILLO, F. H. **The institutional arrangements for the international sea--bed and their impact on the evolution of international organizations** (RCADI, 1984, t. 188, p. 135-337).

PARDO, Arvid. **The common heritage: selected papers on oceans and world order 1967-1974** (Malta: Malta Univ. Press, 1975).

PARLETT, Kate. **The individual in the international legal system** – Continuity and change in international law (Cambridge: Cambridge Univ. Press, 2011).

PARRY, Clive. **Some considerations on the protection of individuals in international law** (RCADI, 1956, t. 90, p. 653-726).

PASTOR RIDRUEJO, José Antonio. **Le droit international à la veille du vingt et unième siècle: normes, faits et valeurs: cours général de droit international public** (RCADI, 1998, t. 274, p. 9-308).

PATTERSON, Ernest Minor. **Les bases économiques de la paix** (RCADI, 1931, t. 37, p. 413-525).

PAZARTZIS, Photini. **La succession d'états aux traités multilatéraux – à la lumière des mutations territoriales récentes** (Paris: Pedone, 2002).

PEREIRA, André Gonçalves e Fausto de QUADROS. **Manual de direito internacional público** (3. ed., Coimbra: Almedina, 1995).

PERRONE-MOISÉS, Claudia. **Direitos ao desenvolvimento e investimentos estrangeiros** (São Paulo: Oliveira Mendes, 1998).

PILLET, Antoine. **Les fondateurs du droit international**: leurs oeuvres, leurs doctrines ("avec une introduction de" A. PILLET, Paris: V. Giard & E. Brière, 1904).

PINGEL, Isabelle. **Les immunités des états en droit international** (Bruxelles: Bruylant/Ed. de l'Univ., 1998).

PINTO, Monica. **L'emploi de la force dans la jurisprudence des tribunaux internationaux** (RCADI, 2007, t. 331, p. 9-161).

PINTO, Roger. **Au service du droit** – Réflexions et positions 1936-1982 (textes rassemblés par P. AVRIL, P. JUILLARD et J.-C. MASCLET, Paris: Publications de la Sorbonne, 1984).

PIOVESAN, Flávia. **Direitos humanos e direito constitucional internacional** (3. ed., São Paulo: Max Limonad, 1997).

PISILLO-MAZZESCHI, R. **Résponsabilité de l'état pour violation des obligations positives relatives aux droits de l'homme** (RCADI, 2008, t. 333, p. 174-506).

PLANTEY, Alain. **L'internationalité dans les institutions et le droit** – Études offertes à Alain PLANTEY (Paris: Pedone, 1995).

POLITIS, Nicolas. **Les nouvelles tendances du droit international** (Paris: Pedone, 1927).

POP, Iftene. **Voisinage et bon voisinage en droit international** (pref. M. VIRALLY, Paris: Pedone, 1980).

PORTMANN, Roland. **Legal personality in international law** (Cambridge: Cambridge Univ. Press, 2010).

PUISSOCHET, J.-P. **L'état souverain dans le monde d'aujourd'hui** – Mélanges en l'honneur de J.-P. P. (Paris: Pedone, 2008).

QUADRI, Rolando. **Cours général de droit international public** (RCADI, 1964, t. 113, p. 237-483).

_____. **Le fondement du caractère obligatoire du droit international public** (RCADI, 1952, t. 80, p. 579-633).

RAGAZZI, Maurizio. **The concept of international obligations *erga omnes*** (Oxford: Clarendon Press, 1997).

RANGEL, Vicente Marotta. **Le plateau continental dans la Convention de 1982 sur le droit de la mer** (RCADI, 1985, t. 194, p. 269-428).

______. *Introdução* (1980, in A. A. CANÇADO TRINDADE, **Princípios do direito internacional contemporâneo**, Brasília: UnB, 1981, p. V-XIV).

RANJEVA, Raymond. **Les organisations non-gouvernementales et la mise en oeuvre du droit international** (RCADI, 1997, t. 270, p. 9-105).

RAPPARD, William E. **Vues rétrospectives sur la Société des Nations** (RCADI, 1947, t. 71, p. 111-226).

RAUCHBERG, H. **Les obligations juridiques des membres de la Société des Nations pour le maintien de la paix** (RCADI, 1931, t. 37, p. 83-204).

REDSLOB, Robert. **Histoire des grands principes du droit des gens depuis l'Antiquité jusqu'à la veille de la grande guerre** (Paris: Rousseau, 1923).

REIS, Márcio Monteiro. *Moral e direito: a fundamentação dos direitos humanos nas visões de HART, PECES-BARBA e DWORKIN* (in **Teoria dos direitos fundamentais**, org. R. L. TORRES, Rio de Janeiro: Renovar, 1999, p. 117-152).

REISMAN, W. Michael. **The supervisory jurisdiction of the International court of justice: international arbitration and international adjudication** (RCADI, 1996, t. 258, p. 9-394).

REUTER, Paul. **Introduction au droit des traités** (3. ed. revue et augmentée par Philippe CAHIER, Paris: PUF/publications de l'IUHEI, 1995).

______. **Le développement de l'ordre juridique international: écrits de droit international** (Paris: Economica, 1995).

______. **Principes de droit international public** (RCADI, 1961, t. 103, p. 425-656).

REZEK, J. Francisco. **Direito internacional público: curso elementar** (10. ed., revista e atualizada, São Paulo: Saraiva, 2005).

______. **Le droit international de la nationalité** (RCADI, 1986, t. 198, p. 333-400).

______. **Direito dos tratados** (prefácio BILAC PINTO, Rio de Janeiro: Forense, 1984).

RI JR., Arno dal e Odete Maria de OLIVEIRA (orgs.). **Cidadania e nacionalidade: efeitos e perspectivas nacionais – regionais – globais** (Ijuí: Ed. Unijuí, 2002).

RIPHAGEN, W. **Techniques of international law** (RCADI, 1994, t. 246, p. 235-386).

ROBERTS, Adam e Richard GUELFF (eds.). **Documents on the laws of war** (© 1982, Oxford: Univ. Press, third ed., 2000, reprinted 2010).

ROCHE, Jean-Jacques. **Le système international contemporain** (3. ed., Paris: Montchrestien, 1998).

RODAS, João G. **A publicidade dos tratados internacionais** (pref. V. Marotta RANGEL, São Paulo: RT, 1980).

______. *O Brasil adere ao Tratado da Antártida* (Rev. FDUSP, 71.1976, p. 151/161).

______. *Depositário dos tratados internacionais* (Coimbra: Sep. do v. LI do Bol. da Fac. de Direito da Univ. de Coimbra, 1976).

______. Jus cogens *em direito internacional* (Rev. FDUSP, 69.1974, p. 125/136).

______. *The doctrine of non-retroactivity of international treaties* (Rev. FDUSP, 68.1973, p. 341/360).

______. *Os acordos em forma simplificada* (Rev. FDUSP, 68.1973, p. 319/340).

______. *A Constituição e os tratados internacionais* (RT, 624/43).

______. *Alguns problemas de direito dos tratados, relacionados com o direito constitucional, à luz da Convenção de Viena* (Coimbra, sep. v. XIX do Bol. da Fac. Direito, 1972).

ROLIN, Henri. **Les principes de droit international public** (RCADI, 1950, t. 77, p. 305-480).

RÖLING, Bert V. A. **The law of war and the national jurisdiction since 1945** (RCADI, 1960, t. 100, p. 323-456).

RONZITTI, Natalino e Gabriella VENTURINI (eds.). **The law of air warfare: contemporary issues** (Utrecht: Eleven, 2006).

ROSENNE, Shabtai. **The perplexities of modern international law: general course on public international law** (RCADI, 2001, t. 291, p. 9-471).

ROUCOUNAS, Emmanuel. **Facteurs privés et droit international public** (RCADI, 2002, t. 299, p. 9-420).

ROUSSEAU, Charles. **La communauté internationale: mélanges offerts à Ch. R.** (Paris: Pedone, 1974).

______. **Droit international public** (10. ed., Paris: Dalloz, 1984, "avec un chapitre supplémentaire sur la protection internationale des droits de l'homme, par Pierre-Marie DUPUY").

______. **Principes de droit international public** (RCADI, 1958, t. 93, p. 369-550).

______. **L'indépendance de l'état dans l'ordre international** (RCADI, 1948, t. 73, p. 167-254).

RUIZ-FABRI, Hélène e Jean-Marc SOREL (dir.). **La motivation des décisions des juridictions internationales** (Paris: Pedone, 2008).

______. **La preuve devant les juridictions internationales** (Paris: Pedone, 2007).

RUSSOMANO, Gilda Maciel Corrêa Meyer. **Direito internacional público**: primeiro volume (Rio de Janeiro: Forense – co-ed. U. F. Pelotas, 1989).

RUTGERS, V. H. **La mise en harmonie du pacte de la Société des Nations avec le pacte de Paris** (RCADI, 1931, t. 38, p. 1-123).

SAINT-ETIENNE, Christian. **Guerre et paix au XXIe siècle** – Comprendre le monde de demain (Paris: François Bourin, 2010).

SAINT-PIERRE, Abbé de (Charles-Irénée CASTEL). **Projeto para tornar perpétua a paz na Europa** (trad. Sérgio DUARTE, pref. R. SEITENFUS, 1. ed., bras., Brasília: Ed. UnB/IPRI, São Paulo: IOE, 2003).

SALVIOLI, Gabriele. **Les règles générales de la paix** (RCADI, 1933, t. 46, p. 1-164).

SÁNCHEZ RODRÍGUEZ, Luis Ignacio. ***L'uti possidetis* et les effectivités dans les contentieux territoriaux et frontaliers** (RCADI, 1997, t. 263, p. 149-381).

SANDS, Philippe. **Vers une transformation du droit international? Institutionnaliser le doute** (Paris: Pedone, 2000, "cours et travaux" de l'Univ. Panthéon-Assas – Institut des Hautes Études Internationales de Paris – Droit international, v. 4, p. 179-268).

SARLO, Beatriz. **Tempo presente: notas sobre a mudança de uma cultura** (do original **Tiempo presente: notas sobre el cambio de una cultura,** © 2004, trad. Luís Carlos CABRAL, Rio de Janeiro: José Olympio, 2005).

SATOW, Ernest. **Diplomatic practice** (ed. by Sir Ivor ROBERTS, 6th. ed., Oxford: Univ. Press, 2011).

SAVIGNY, Friedrich Carl von. **Sistema do direito romano atual** (do original **System des heutigen römischen Rechts**, trad. Ciro MIORANZA, apres. Arno DAL RI Jr., introdução de Erik JAYME, Ijuí: Ed. Unijuí, 2004, v. VIII).

SCELLE, Georges. **Manuel de droit international public** (Paris: Sirey, 1948).

______. **Théorie et pratique de la fonction executive en droit international** (RCADI, 1936, t. 55, p. 87-202).

______. **Règles générales du droit de la paix** (RCADI, 1933, t. 46, p. 327-703).

SCHABAS, William A. **Genocide in international law** – the crime of crimes (2nd. ed., Cambridge: Cambridge Univ. Press, 2009).

SCHACHTER, Oscar. **International law in theory and practice: general course in public international law** (RCADI, 1982, t. 178, p. 9-395).

SCHEUNER, U. **L'influence du droit interne sur la formation du droit international** (RCADI, 1939, t. 68, p. 95-206).

SCHINDLER, D. **Aspects contemporains de la neutralité** (RCADI, 1967, t. 121, p. 221-322).

SCHLOSSER, Peter. **Jurisdiction and international judicial and administrative co-operation** (RCADI, 2000, t. 284, p. 9-430).

SCHWARZENBERGER, G. **The principles and standards of international economic law** (RCADI, 1966, t. 117, p. 1-98).

______. **The fundamental principles of international law** (RCADI, 1955, t. 87, p. 191-386).

SÉFÉRIADES, Stélio. **Principes généraux du droit international de la paix** (RCADI, 1930, t. 34, p. 177-492).

SEIDL-HOHENVELDERN, Ignaz. *La grève dans le droit des organisations internationales, notamment dans celui d'EUROCONTROL* (in **Dimensão internacional do direito: estudos em homenagem a G. E. do NASCIMENTO E SILVA**, coord. P. B. CASELLA, São Paulo: LTr, 2000, p. 435-452).

______. **International economic law: general course on public international law** (RCADI, 1986, t. 198, p. 9-264).

______. **International economic "soft-law"** (RCADI, 1979, t. 163, p. 165-246).

SEIXAS CORREA, Luís Felipe de. **O Brasil nas Nações Unidas 1946-2011** (Brasília: Funag, 3. ed. revista, 2012).

SETTE-CÂMARA, José. **Poluição de rios internacionais** (do original **Pollution of international rivers**, RCADI, 1984, t. 186, p. 117-217, trad. de Arthur R. CAPELLA GIANNATASIO, pref. de P. B. CASELLA, São Paulo: Quartier Latin, 2011).

SEYERSTED, F. **Applicable law in relations between intergovernmental organizations and private parties** (RCADI, 1967, t. 122, p. 427-616).

SFDI – Société Française pour le Droit International e Deutsche Gesellschaft für Völkerrecht. **Droit international et diversité des cultures juridiques/ International law and diversity of legal cultures** ("*Journée franco-allemande*" à l'Univ. de Nice Sofia-Antipolis, les 3-4 nov. 2006, Paris: Pedone, 2008).

SFDI. **Droit d'asile et des réfugiés** ("cet ouvrage contient les Actes du XXXe Colloque de la SFDI qui s'est tenu à l'Univ. de Caen les 30, 31 mars et 1er juin 1996", Paris: Pedone, 1997).

SFDI. **La juridictionnalisation du droit international** ("cet ouvrage contient les Actes du XXXVIe Colloque de la SFDI org. par l'Univ. de Lille les 12, 13 et 14 septembre 2002", Paris: Pedone, 2003).

SFDI. **La nécessité en droit international** ("cet ouvrage constitue les actes du 40e colloque de la SFDI, qui s'est tenu à l'Univ. de Grenoble du 8 au 10 juin 2006", Paris: Pedone, 2007).

SFDI. **La protection consulaire** ("cet ouvrage contient les Actes de la journée d'études de la SFDI org. par l'Univ. Jean Moulin Lyon 3, tenue le 2 décembre 2005", Paris: Pedone, 2006).

SFDI. **Le sujet en droit international** ("cet ouvrage constitue les actes du 38e Colloque de la SFDI, qui s'est tenu aux Mans les 4 et 5 juin 2004, org. par l'Univ. du Maine", Paris: Pedone, 2005).

SFDI. **Les compétences de l'état en droit international** ("actes du 39e Colloque de la SFDI, qui s'est tenu à la Fac. de droit et de science politique de l'Univ. Rennes du 2 au 4 juin 2004", Paris: Pedone, 2006).

SHAKER, M. I. **The evolving international regime of nuclear non-proliferation** (RCADI, 2006, t. 321, p. 9-202).

SHAW, Malcolm N. **International law** (5th ed., Cambridge: U. P., 2003).

SICILIANOS, Linos Alexandre. **Entre multilatéralisme et unilatéralisme: l'autorisation par le Conseil de Sécurité de recourir à la force** (RCADI, 2008, t. 339, p. 9-436).

SILVA, Roberto Luiz. **Direito internacional público** (pref. P. B. CASELLA, 4. ed., Belo Horizonte: Del Rey, 2010).

SIRACUSA, Joseph M. **Diplomacy** – a very short introduction (Oxford: Univ. Press, 2010).

SLAUGHTER, Anne-Marie. **International law and international relations** (RCADI, 2000, t. 285, p. 9-250).

SMITS, René. **Law of the economic and monetary union** (RCADI, 2002, t. 300, p. 309-422).

SOARES, Albino de Azevedo. **Lições de direito internacional público** (4. ed., Coimbra: Coimbra Ed., 1988).

SOARES, Guido Fernando Silva. **Curso de direito internacional público** (São Paulo: Atlas, 2002).

_____. **Direito internacional do meio ambiente** (São Paulo: Atlas, 2001).

SOLIS, Gary D. **The law of armed conflict** – International Humanitarian Law in War (Cambridge: Univ. Press, 1st publ., 2010, reprinted, 2010).

SOLON, Ari Marcelo. **Teoria da soberania como problema da norma jurídica e da decisão** (Porto Alegre: Sérgio Antonio Fabris, 1997).

SORENSEN, Max. **Principes de droit international public** (RCADI, 1960, t. 101, p. 1-254).

SPENGLER, Oswald. **Der Untergang des Abendlandes**: Umrisse eine Morphologie der Weltgeschichte (edição original definitiva 1923, nova impressão Düsseldorf: Albatroz, 2007).

SPERDUTI, Giuseppe. **Le principe de souveraineté et le problème des rapports entre le droit international et le droit interne** (RCADI, 1976, t. 153, p. 319-410).

STARACE, Vincenzo, **La responsabilité résultant de la violation des obligations à l'égard de la communauté internationale** (RCADI, 1976, t. 153, p. 263-317).

STEIGER, H., *Was heisst und zu welchem Ende studiert man Völkerrechtsgeschichte?* (in I. APPEL, G. HERMES e C. SCHÖNBERGER (hrsg.). **Öffentliches Recht in offenem Staaten** – Festschrift für Rainer WAHL zum 70. Geburtstag, Berlin: Dunclker & Humblot, 2011, p. 211-223).

STIGLITZ, Joseph E. **Making globalization work** (New York: Norton, 2006).

STRACHAN, Hew e Sybille SCHEIPERS (eds.). **The changing character of war** (Oxford: Univ. Press, 2011).

STRUPP, Karl. **Les règles générales du droit de la paix** (RCADI, 1934, t. 47, p. 259-595).

SWINARSKI, Christophe. **Direito internacional humanitário: como sistema de proteção internacional da pessoa humana (principais noções e institutos)** (São Paulo: RT/USP – núcleo de estudos sobre a violência, 1990).

TÉNÉKIDÈS, G. **L'action des Nations Unies contre la discrimination raciale** (RCADI, 1980, t. 169, p. 269-487).

______. Régimes internes et organisation internationale (RCADI, 1963, t. 110, p. 271-418).

______. **Droit international et communautés fédérales dans la Grèce des cités** (RCADI, 1956, t. 90, p. 469-652).

THIERRY, H. **L'évolution du droit international** – Mélanges offerts à H. T. (Paris: Pedone, 1998).

_____. **L'évolution du droit international** – Cours général de droit international public (RCADI, 1990, t. 222, p. 9-186).

_____. **Les résolutions des organes internationaux dans la jurisprudence de la Cour internationale de justice** (RCADI, 1980, t. 167, p. 385-450).

THIRLWAY, Hugh. **Concepts, principles, rules and analogies: international and municipal legal reasoning** (RCADI, 2002, t. 294, p. 265-406).

TIBÚRCIO, Carmen. **Temas de direito internacional** (Rio de Janeiro: Renovar, 2006).

TIBÚRCIO, Carmen e Luís Roberto BARROSO (orgs.). **O direito internacional contemporâneo**: estudos em homenagem ao prof. Jacob DOLINGER (Rio de Janeiro: Renovar, 2006).

TOMUSCHAT, Christian. **International law: ensuring the survival of mankind in the eve of a new century: general course on public international law** (RCADI, 1999, t. 281, p. 9-438).

______. **Obligations arising for states without or against their will** (RCADI, 1993, t. 241, p. 195-374).

TORROJA Mateu, Helena. **El derecho del estado a ejercer la protección diplomática** (apres. V. ABELLAN-HONRUBÍA, Barcelona: Bosch, 2000).

TRINDADE, Antonio Augusto Cançado. **Évolution du droit international au droit des gens** – l'accès des individus à la justice internationale – le regard d'un juge (Paris: Pedone, 2008).

_____. **A humanização do direito internacional** (Belo Horizonte: Del Rey, 2006).

_____. **International Law for Humankind** – towards a new *jus gentium* – general course on public international law (RCADI, 2005, t. 316, p. 9-440; RCADI, 2005, t. 317, p. 9-312).

______. **Direito das organizações internacionais** (5. ed., rev. e atualizada, Belo Horizonte: Del Rey, 2012).

______. **O direito internacional em um mundo em transformação: ensaios 1976-2001** (prefácio Celso D. de Albuquerque Mello, Rio de Janeiro: Renovar, 2002).

______. **O esgotamento de recursos internos no direito internacional** (Brasília: Ed. UnB, 1984).

TRUYOL y Serra, Antonio. **Histoire du droit international public** (Paris: Economica, 1995).

______. **La conception de la paix chez Vitoria et les classiques espagnols du droit des gens suivi de Paul FORIERS, L'organisation de la paix chez GROTIUS** (Paris: Vrin, 1987/la présente édition est la reprise de deux articles parus dans les "Recueils de la société Jean BODIN pour l'histoire comparative des institutions", tome XV "La paix", deuxième partie, Bruxelles: Éditions de la Librairie Encyclopédique, 1961).

______. **Génèse et structure de la société internationale** (RCADI, 1959, t. 96, p. 553-642).

TRUYOL y Serra, Antonio; AGO, SCHIEDERMAIR, RIPHAGEN, FEENSTRA. **Commémoration du quatrième centenaire de la naissance de Hugo Grotius/Commemoration of the fourth centenary of the birth of Grotius** (RCADI, 1983-IV, t. 182, p. 371-469).

TRUYOL y Serra, Antonio e Robert KOLB. **Doctrines sur le fondement du droit des gens** (éd. revue, aug. et mise à jour par R. KOLB, Paris: Pedone, 2007).

TUNKIN, G. **Politics, law and force in the interstate system** (RCADI, 1989, t. 219, p. 227-396).

TUNKIN, G. et al. **Curso de derecho internacional** (trad. do russo por Federico PITA, presentación de V. JARLÁMOV, Moscou: Editorial Progreso, 1979, 2 v.).

VALLADÃO, Haroldo. **Novas dimensões do direito: justiça social, desenvolvimento, integração** (São Paulo: RT, 1970).

VATTEL, Emer de. **O direito das gentes** (prefácio e tradução de Vicente Marotta RANGEL, Brasília: Ed. UnB/IPRI, 2004).

VERDROSS, Alfred. **Idées directrices de l'Organisation des Nations Unies** (RCADI, 1953, t. 83, p. 1-78).

______. **Les principes généraux du droit dans la jurisprudence internationale** (RCADI, 1935, t. 52, p. 191-252).

______. **Règles générales du droit international de la paix** (RCADI, 1929, t. 30, p. 271-517).

______. **Le fondement du droit international** (RCADI, 1927, t. 16, p. 247-324).

VERZIJL, J. H. W. **International law in historical perspective** (Leiden: A. W. Sijthoff, 1968).

VIANNA, Hélio. **História diplomática do Brasil** (São Paulo: Melhoramentos, 1958).

VIEIRA DE MELLO, Sérgio. **Pensamento e memória: textos escolhidos** (org. Jacques Marcovitch, São Paulo: EDUSP/Saraiva/Fundação BUNGE, 2004).

VILLANI, Ugo. **Les rapports entre l'ONU et les organisations régionales dans le domaine du maintien de la paix** (RCADI, 2001, t. 290, p. 225-436).

VILLEY, Michel. **La formation de la pensée juridique moderne** ("texte établi, révisé et présenté par" S. RIALS, notes par E. DESMONS, Paris: P.U.F. – Leviathan, 2003; ou na trad. de C. BERLINER, rev. G. S. L. RIOS, **A formação do pensamento jurídico moderno**, São Paulo: Martins Fontes, 2009).

______. **Réflexions sur la philosophie et le droit** – les Carnets ("textes préparés et indexés par" M.-A. FRISON-ROCHE et C. JAMIN, préf. de B. KRIEGEL et F. TERRÉ, Paris: P.U.F., 1995).

______. **Le droit et les droits de l'homme** (Paris: P.U.F., 1983).

VINOGRADOFF, Paul. **Principes historiques du droit** – introduction – le droit de la tribu (trad. de l'anglais par P. DUEZ et F. JOÜON DES LONGRAIS, Paris: Payot, 1924).

VIRALLY, Michel. **Le droit international au service de la paix, de la justice et du développement** – Mélanges M. V. (Paris: Pedone, 1991).

______. **Panorama du droit international contemporain – cours général de droit international public** (RCADI, 1983, t. 183, p. 9-382).

______. **Le principe de reciprocité dans le droit international contemporain** (RCADI, 1967, t. 122, p. 1-105).

VISSCHER, Charles de. **Théories et réalités en droit international public** (Paris: Pedone, 1953).

______. **Aspects récents du droit procédural de la Cour internationale de justice** (Paris: Pedone, 1966).

______. **De l'équité dans le règlement arbitral ou judiciaire des litiges de droit international public** (Paris: Pedone, 1972).

______. *Positivisme et jus cogens* (RGDIP, 1971, t. 75, n. 1, jan.-mar., p. 5-11).

VISSCHER, P. de. **Cours général de droit international public** (RCADI, 1972, t. 136, p. 1-202).

______. **Évolution constitutionnelle en Belgique et relations internationales** – Hommage à P. de V. (Paris: Pedone, 1984).

VIZENTINI, Paulo Fagundes. **O descompasso entre as nações** (Rio de Janeiro: Record, 2004).

VOHRAH, Lal Chand, Fausto POCAR, et al. (ed. by). **Man's Inhumanity to Man** – Essays on International Law in honour of Antonio CASSESE (Haia: Kluwer Law International, 2003).

VOOS, Sandra. **Die Schule von New Haven** – Darstellung und Kritik einer amerikanischen Völkerrechtslehre (Berlin: Duncker & Humblot, 2000).

VRELLIS, Spyridon. **Conflit ou coordination de valeurs en droit international privé** – À la recherche de la justice (RCADI, 2007, p. 175-485).

VUKAS, Budislav. **States, peoples and minorities** (RCADI, 1991, t. 231, p. 263-524).

WALD, Arnold; José Augusto Fontoura COSTA e M. de Melo VIEIRA (orgs.). **Caderno especial sobre a Convenção de Viena de 1980 sobre a compra e venda internacional de mercadorias** (São Paulo: *Revista de Arbitragem e Mediação*, ano 10, n. 37, abr.-jun. 2013).

WALLACE, Rebecca M. M. e Olga MARTIN-ORTEGA. **International law** (1st. ed. 1986, London: Sweet & Maxwell – Thomson Reuters, 6th. ed., 2009).

WALLENSTEEN, Peter. **Dag HAMMARSKJÖLD** (trad. Felipe MENA González, Estocolmo: Instituto Sueco, 1995).

WALTZ, Kenneth N. **O homem, o estado e a guerra: uma análise teórica** (do original **Man, the state and war: a theoretical analysis**, © 1954, 1959, 2001, trad. Adail U. SOBRAL, rev. da trad. Marina APPENZELLER, São Paulo: Martins Fontes, 2004).

WALZ, G. A. **Les rapports du droit international et du droit interne** (RCADI, 1937, t. 61, p. 375-456).

WATTS, Arthur. **The legal position in international law of heads of states, heads of governments and foreign ministers** (RCADI, 1994, t. 247, p. 9-130).

WECKEL, Philippe (dir.). **Le juge international et l'aménagement de l'espace: la specificité du contentieux territorial** (Paris: Pedone, 1998).

WEHBERG, Hans. **La contribution des conférences de la paix de La Haye au progrès du droit international** (RCADI, 1931, t. 37, p. 527-669).

WEIL, Prosper. **Le droit international en quête de son identité: cours général de droit international public** (RCADI, 1992, t. 237, p. 9-370).

WENDZEL, Robert L. **Relações internacionais: o enfoque do formulador** (trad. de J. O. DANTAS, J. GALVEZ e P. S. de BARROS, do original **International relations: a policymaker focus**, 2. ed., 1980, © 1977, Brasília: Ed. UnB, Col. Pensamento Político, v. 68, 1980).

WHITTON, J. B. **La règle *pacta sunt servanda*** (RCADI, 1934, t. 49, p. 147-276).

WILLIAMS, J. F. **La doctrine de la reconnaissance en droit international** (RCADI, 1933, v. 44, p. 199-314).

WOLFF, K. **Les principes généraux du droit applicables dans les rapports internationaux** (RCADI, 1931, t. 36, p. 479-554).

WOLFRUM, Rudiger. **Means of ensuring compliance with and enforcement of international environmental law** (RCADI, 1998, t. 272, p. 9-154).

WYLER, Eric e Alain PAPAUX (eds.). **L'extranéité ou le dépassement de l'ordre juridique étatique** ("Actes du colloque des 27 et 28 novembre 1997 org. par l'Institut d'études en droit international de la Fac. de droit de l'Univ. de Lausanne", Paris: Pedone, 1999).

YARWOOD, Lisa. **State accountability under international law** – Holding states accountable for a breach of *jus cogens* rules (London: Routledge, 2011).

YOUNG, Robert J. C. **Postcolonialism** – a very short introduction (Oxford: Univ. Press, 2003).

ZEMANEK, Karl. **The legal foundations of the international system: general course on public international law** (RCADI, 1997, t. 266, p. 9-335).

______. **State succession after decolonization** (RCADI, 1965, t. 116, p. 181-300).

ZICCARDI, Piero. **Règles d'organisation et règles de conduite en droit international** (RCADI, 1976, t. 152, p. 119-375).

______. **Le caractere de l'ordre juridique international** (RCADI, 1958, t. 95, p. 263-408).

ZOLLER, Elizabeth. **Aspects internationaux du droit constitutionnel: contribution à la théorie de la fédération d'états** (RCADI, 2002, t. 294, p. 39-166).

______. **La bonne foi en droit international public** (préface de Suzanne BASTID, Paris: Pedone, 1977).